LES PEINTRES
DE LA MONTÉE SAINT-MICHEL

La réalisation de cet ouvrage a été rendue possible grâce au soutien financier et enthousiaste des personnes et organismes suivants : Jean-Claude Barret ; Lise Bissonnette et Godefroy-M. Cardinal ; Yves Blondin ; Jean-Claude Brochu ; Marguerite Chagnon ; Sébastien Chanoz ; Richard Contant ; Jacques Des Rochers ; Hélène Désy-Lajeunesse ; Gaëtan Dorion ; Jocelyne Dorion ; Gilles Dubé ; Johanne Dubois ; Jean-Claude Fillion ; Yvon Gauthier ; Suzie Goyer ; François Grondin ; Odette Hamel ; Alexandra Hobden ; Roger Hobden ; Iegor (Hôtel des encans) ; Philippe Julien ; Jean Laberge ; Jacques Lacaille ; Laurier Lacroix ; Rachel Lacroix ; Jean Ladouceur ; La Fondation Berriman-Bailey (Toronto) ; Pierre L'Allier ; Claude Lalonde ; André Laperrière ; Robert Lavigne ; Nicole Lizotte ; Sarah Mainguy ; Maison des ventes aux enchères Heffel ltée ; Pierre-Daniel Ménard ; Musée régional de Vaudreuil-Soulanges ; Suzanne Paul ; Power Corporation du Canada ; Normand Proulx ; Suzanne Robitaille ; Denyse Roy ; Denise Royal ; Éric Sigouin ; Lucie Tétreault ; Gleason Théberge ; Pierre Trudel ; Univers culturel de Saint-Sulpice ; Julien Vallières ; Hubert Van Gijseghem ; ainsi que les personnes et les organismes qui ont préféré garder l'anonymat.

Je ne saurais trop remercier les membres du conseil d'administration du Centre de recherche sur l'atelier de L'Arche et son époque, 1900-1925 (CRALA), pour leur rôle dans la collecte de fonds qui a permis à ce livre d'exister : Laurier Lacroix (président), Guy De Grosbois (vice-président), Denyse Roy (secrétaire), Marguerite Chagnon (autrefois secrétaire), Gilles Dubé (trésorier), Yvon Gauthier (autrefois trésorier), Jean Daoust (conseiller), Anne-Élisabeth Vallée (conseillère), Julien Vallières (conseiller).

Catalogage avant publication de Bibliothèque et Archives nationales du Québec et Bibliothèque et Archives Canada

Titre : Les peintres de la Montée Saint-Michel (1911-1946) : un groupe montréalais / Richard Foisy.
Noms : Foisy, Richard, auteur.
Description : Comprend des références bibliographiques.
Identifiants : Canadiana (livre imprimé) 2023012917X | Canadiana (livre numérique) 2023012920X | ISBN 9782760649255 | ISBN 9782760649262 (PDF) |
Vedettes-matière : RVM : Peintres de la Montée Saint-Michel (Groupe d'artistes)—Histoire. | RVM : Peintres de la Montée Saint-Michel (Groupe d'artistes)—Biographies. | RVM : Peinture québécoise—Québec (Province)—Montréal—Histoire—20e siècle.
Classification : LCC ND247.M65 F65 2023 | CDD 759.11/42809041—dc23

Mise en page : Chantal Poisson
Révision du manuscrit originel : Jocelyne Dorion

Dépôt légal : 2e trimestre 2024
Bibliothèque et Archives nationales du Québec
© Les Presses de l'Université de Montréal, 2024

Les Presses de l'Université de Montréal remercient de leur soutien financier le Conseil des arts du Canada, le Fonds du livre du Canada et la Société de développement des entreprises culturelles du Québec (SODEC).

IMPRIMÉ AU CANADA

Richard Foisy

Les peintres de la Montée Saint-Michel

Un groupe montréalais (1911-1946)

Les Presses de l'Université de Montréal

À la mémoire d'Estelle Piquette-Gareau (1926-2016)
qui a redécouvert les peintres de la Montée Saint-Michel.

Remerciements

Au fil des années où s'est élaboré cet ouvrage, nombreuses ont été les personnes qui m'ont prêté leur généreux concours, qui m'ont appuyé de leurs encouragements et de leur soutien.

En premier lieu, je veux nommer Estelle Piquette-Gareau †, qui m'a initié – et avec quelle générosité – à « ses » peintres en m'ouvrant ses archives et en me mettant en contact avec les familles des peintres Ernest Aubin, Joseph Jutras, Jean-Onésime Legault, Jean-Paul Pépin, et avec les collectionneurs principaux d'Élisée Martel, Suzanne et Hubert Van Gijseghem. De son côté, Jocelyne Dorion a retrouvé la famille de Joseph-Octave Proulx. Enfants, parents proches ou éloignés, m'ont accueilli à maintes reprises, m'ont ouvert leurs collections et ont suivi avec intérêt l'évolution de mon projet. Je remercie donc ces personnes qui se sont montrées généreuses de leur temps et de leurs informations et qui m'ont mis en relation avec d'autres membres de la famille.

Les membres des familles des peintres m'ont dirigé vers plusieurs autres collectionneurs, m'ouvrant ainsi de nouvelles perspectives sur la production de ces artistes, dont la mise en lumière n'en était qu'à ses débuts. Sans qu'il soit nécessaire de tous les nommer, ils se reconnaîtront. J'ai été touché par la confiance que ces personnes m'ont témoignée en me confiant des œuvres à des fins de photographie et de numérisation, ainsi que certaines archives, que j'ai pu explorer à fond.

Mes remerciements s'adressent aussi aux enfants d'Estelle Piquette-Gareau, Sylvie et Jean-François, qui m'ont confié les archives de leur mère, et à l'historien de l'art Laurier Lacroix, qui m'a donné accès à la documentation ayant servi d'assise à l'exposition itinérante *Peindre à Montréal, 1915-1930 : les peintres de la Montée Saint-Michel et leurs contemporains* (1996-1997). Sarah Mainguy et Julien Vallières y sont allés de leurs contributions en me transmettant des informations qui leur passaient sous les yeux et qu'ils savaient être pertinentes pour mon projet.

Plusieurs institutions ont joué un rôle dans mon projet. Je tiens à mentionner l'Univers culturel de Saint-Sulpice (UCSS), département des Prêtres de Saint-Sulpice de Montréal. Ma reconnaissance va à Rolland Litalien †, p.s.s., autrefois archiviste à l'UCSS, qui m'a donné accès aux archives d'Olivier Maurault, alors en cours de classement, et à l'actuel personnel, soit Madeleine LeBlanc, technicienne archiviste, et Anne-Élisabeth Vallée, historienne de l'art et chef d'équipe, que j'ai consultées avec le plus grand profit.

Sébastien Daviau, conservateur aux collections et à la recherche au Musée régional de Vaudreuil-Soulanges, s'est monté un collaborateur enthousiaste, tout comme Nathalie Galego, conservatrice adjointe des collections au Musée d'art de Joliette. Je veux souligner également la collaboration de Cathleen Vickers, directrice des collections et de la recherche à La Pulperie de Chicoutimi / Musée régional, de Frédérique Renaud, conservatrice, et de Gabrielle Desgagné, coordonnatrice de la collection au Musée des beaux-arts de Sherbrooke, de Geneviève Goyer-Ouimette, de la division Art et Culture de la Ville de Laval, de Roosa Rönkä, responsable des collections et des expositions à la Maison Saint-Gabriel (site historique Marguerite-Bourgeoys), ainsi que de l'équipe Achats Images du Musée de la civilisation. À ces personnes s'ajoutent Julie Bouffard, agente à la gestion des documents photographiques au Musée national des beaux-arts du Québec, Michèle Grandbois, autrefois conservatrice de l'art moderne (1900-1950) à la même institution, Raven Amiro, agente pour les droits d'auteur au Musée des beaux-arts du Canada, et Jacques Des Rochers, conservateur principal de l'art québécois et canadien (avant 1945) au Musée des beaux-arts de Montréal.

Martin Couture et Suzanne Grégoire, techniciens en documentation à Bibliothèque et Archives nationales du Québec, ainsi que Hyacinthe Munger, archiviste, ont été d'efficaces collaborateurs, de même que Mélanie Girard, bibliotechnicienne à la bibliothèque de l'Assemblée nationale du Québec, sans oublier Frédérique, du service des communications de *La Presse*.

Les galeries Symbole Art, à Montréal, Claude Belley et Molinas, à Québec, et le magasin d'antiquités Le Rendez-vous du collectionneur, également à Québec, se sont montrés attentifs aux transactions d'œuvres des peintres de la Montée et m'en ont aimablement tenu informé.

Les maisons de vente ont aussi collaboré avec empressement en me fournissant les images de certaines œuvres qui étaient passées entre leurs mains : Iegor, Gélineau et Champagne.

Plusieurs personnes, collectionneuses elles-mêmes, ont donné de leur temps avec zèle pour me conduire – parfois assez loin – chez les collectionneurs que je devais rencontrer, et c'est avec reconnaissance que je nomme Marguerite Chagnon, Hugo Beaulieu, Jocelyne Dorion, Éric Sigouin et Jacques Lacaille. Sans leur franche disponibilité pour ces nombreux déplacements, je ne serais jamais parvenu à constituer le corpus des peintres de la Montée Saint-Michel tel qu'il existe aujourd'hui.

J'exprime aussi ma gratitude aux personnes qui ont fait restaurer les œuvres de leur collection qui figurent dans cet ouvrage, qui se sont elles-mêmes déplacées pour me faire voir ces œuvres et ont fait les démarches pour faire photographier ces mêmes œuvres. Du même souffle, je remercie également la restauratrice Esther Cyr, qui a su faire diligence dans plusieurs cas, et je rends un hommage ému au photographe Michel Dubreuil avec qui j'ai travaillé pendant de longues années, et qui nous a quittés trop tôt.

D'autres personnes m'ont prêté leur généreux concours : Diane Archambault-Malouin, présidente de la Société d'histoire du Domaine-de-Saint-Sulpice ; Catherine Beaudet-Lefebvre, coordonnatrice administrative de la Maison et atelier Rodolphe-Duguay ; Wilfrid Bernier, archiviste des Clercs de Saint-Viateur ; Nadine Bonneau, trésorière de la Ville d'Estérel ; France Langlais †, secrétaire générale à la Société Saint-Jean-Baptiste de Montréal ; Éric Paquette, archiviste des Frères maristes ; Marie Pelletier, des Archives du séminaire de Nicolet ; Roger Latour, botaniste ; Daniel Pépin et Chantal Pépin, petits-enfants de Jean-Paul Pépin.

Ma pensée se tourne également vers quelques disparus qui ont apporté leur contribution à la recherche sur les peintres de la Montée Saint-Michel et m'ont été d'un grand soutien : Jean-Guy Dagenais, Odette Legendre et Gérald Olivier.

Je suis redevable à mes relecteurs et relectrices, qui m'ont fait bénéficier de leurs remarques et de leurs conseils.

Enfin, je tiens à exprimer un merci tout spécial à Claude Lalonde, ami des arts, qui m'a permis de travailler en paix.

Pour terminer, je me dois de souligner le travail des Presses de l'Université de Montréal (PUM), dirigées par Patrick Poirier, qui ont accueilli mon manuscrit et l'ont piloté avec art jusqu'à sa forme finale en un livre qui se rapprochait le plus de mes attentes. Je n'oublie pas Christine Bernier, directrice de la collection Art+ aux PUM, de qui j'ai reçu de si chaleureux encouragements. J'ajoute un merci particulier à Chantal Poisson, graphiste, qui a fait un travail remarquable de mise en page ainsi qu'à Sylvie Brousseau, coordinatrice générale à l'édition, dont le doigté a été apprécié tout au long de notre collaboration.

RICHARD FOISY

Liste des sigles et des abréviations

AAM : Art Association of Montreal (auj. Musée des beaux-arts de Montréal)

AEPG : archives Estelle Piquette-Gareau

ARAC : Académie royale des arts du Canada

auj. : aujourd'hui

C : Conclusion

Ca : *Le Canada*

CAM : Conseil des arts et manufactures

Chr. : Chronologie

coll. : collection

coll. part. : collection particulière

CRALA : Centre de recherche sur l'atelier de L'Arche et son époque, 1900-1925

D : *Le Devoir*

JPP-AEPG : fonds Jean-Paul Pépin, archives Estelle Piquette-Gareau

n.s. : non signé

Pa : *La Patrie*

Pe : *Le Petit Journal*

Ph : *Photo-Journal*

Pr : *La Presse*

pseud. : pseudonyme

s .d. : sans date

Tayot, Photographie des sept membres encore vivants sur les huit de la Montée Saint-Michel : Jean-Paul Pépin, Élisée Martel, Joseph-Octave Proulx, Ernest Aubin, Jean-Onésime Legault, Narcisse Poirier, Joseph Jutras. Manque Onésime-Aimé Léger, mort en 1924. Cette image a été prise à l'issue de la conférence d'Olivier Maurault sur le groupe, le 26 mars 1941, à la bibliothèque municipale de Montréal.

Introduction

« Aucun n'abandonna son art »

Un jour, une dame visitant le musée de la Maison Saint-Gabriel, à Montréal, aperçut au mur un petit tableau qui la charma. Elle s'enquit auprès de la guide de qui était ce tableau. « De Joseph Jutras. » Mais la guide ne put ajouter aucun renseignement sur cet artiste dont elle ignorait tout. Peu après, cette même dame parla à un de ses amis de la visite qu'elle venait de faire en compagnie de son mari et de ce petit tableau, et elle lui nomma l'artiste. Or cet ami possédait non seulement un tableau dudit peintre, mais aussi une collection du groupe auquel celui-ci avait appartenu : les peintres de la Montée Saint-Michel. Il lui fit voir cette collection. L'ami lui raconta que c'était Jean-Paul Pépin, un des derniers survivants de ce groupe, qui lui avait vendu cette série. Curieuse d'en savoir davantage sur ce groupe d'artistes qu'elle ne connaissait pas, la dame prit rendez-vous avec Jean-Paul Pépin. C'était le 13 janvier 1978. Le peintre habitait alors à Sainte-Dorothée, sur l'île Jésus. Il raconta à cette femme, qui se montrait si intéressée, l'histoire de ce groupe dont il avait fait partie et, voyant que sa visiteuse manifestait de plus en plus d'intérêt, il lui donna les noms, adresses et numéros de téléphone des parents, descendants et amis encore vivants des membres du groupe de la Montée Saint-Michel.

Cette dame s'appelait Estelle Piquette-Gareau, comédienne, pédagogue et collectionneuse avec son mari, Jean Gareau.

Si sa curiosité s'était satisfaite de l'ignorance – bien compréhensible – de la guide de la Maison Saint-Gabriel au sujet du petit tableau de Joseph Jutras[1], les peintres de la Montée Saint-Michel seraient restés là où ils étaient depuis longtemps : dans l'oubli. Alors, n'écoutant que son désir d'aller plus loin dans la connaissance de ces peintres, Estelle Piquette-Gareau, qui deviendrait bientôt étudiante en histoire de l'art à l'Université du Québec à Montréal (UQAM), entreprit une recherche qui dura vingt ans, remontant les filières de chacun des huit peintres du groupe, accumulant témoignages, œuvres et archives. En 1996, l'historien de l'art Laurier Lacroix, devant les résultats de tant de recherches et convaincu de l'importance de la découverte ou plutôt de la redécouverte de ce groupe, organisa, en collaboration avec cette chercheuse émérite, l'exposition *Peindre à Montréal 1915-1930 : les peintres de la Montée Saint-Michel et leurs contemporains*.

Dans l'intervalle avait été mise sur pied, en 1993, la Société d'histoire du Domaine-de-Saint-Sulpice, avec mission d'étudier tous les aspects du domaine depuis sa création, au XVIIIe siècle, jusqu'aujourd'hui, ce qui englobe la période d'activités des peintres de la Montée Saint-Michel, puisque le vaste domaine, avec ses fermes et son boisé, constitua leur principal lieu de rendez-vous durant des décennies.

Pour ma part, je suis arrivé aux peintres de la Montée Saint-Michel par mes recherches portant sur L'Arche, cet atelier d'artistes de la rue Notre-Dame dans le Vieux-Montréal, actif dans le premier tiers du xxe siècle. Je connaissais déjà, vaguement, l'existence du groupe de la Montée par les œuvres de Jean-Paul Pépin que nous avions à la galerie Morency – où j'ai travaillé de 1972 à 1984 – et au dos desquelles étaient inscrites, de la main de l'artiste, de multiples mentions de ce groupe auquel il appartenait. Des autres membres du groupe, nous n'avions chez Morency, outre celles de Jean-Paul Pépin, que des œuvres d'Onésime-Aimé Léger et de Narcisse Poirier. Mes recherches sur L'Arche m'avaient surtout conduit aux littéraires qui, autour de 1915, occupaient cet atelier sous le nom de Tribu des Casoars[2]. Cependant, l'ouvrage de René Buisson, *Marc-Aurèle Fortin : un maître inconnu* (1995), me révéla la présence de ce peintre dans ce même atelier, avec une photographie où on voyait l'artiste assis devant son chevalet, mais en retrait d'un groupe de joyeux lurons qui semblaient beaucoup s'amuser à l'audition d'une lecture que faisait l'un d'eux, bouquin à la main.

Mais le catalogue *Peindre à Montréal 1915-1930 : les peintres de la Montée Saint-Michel et leurs contemporains,* me fit définitivement prendre conscience de l'ampleur des fréquentations de cet atelier lorsque je découvris que les peintres de la Montée Saint-Michel en avaient été les derniers occupants.

Le 20 octobre 1997, je rendis une première visite à Estelle Piquette-Gareau. Elle m'informa sur le peintre et poète Émile Vézina qui, au début du siècle, convertit le grenier du 22, rue Notre-Dame Est (auj. 26-28) en atelier, et je l'informai de la présence dans ce même atelier, de la Tribu des Casoars qui le baptisa L'Arche. Estelle Piquette-Gareau et moi eûmes alors notre première séance de travail dans ses archives – et bien d'autres séances s'ensuivirent. Huit mois plus tard, le 25 juin 1998, sous l'impulsion d'Estelle Piquette-Gareau et de son amie Odette Legendre (1932-2013) naissait le Centre de recherche sur l'atelier de L'Arche et son époque, 1900-1925[3]. D'autres chercheurs indépendants et amateurs d'art de notre proche entourage se joignirent à nous[4].

Ainsi, la connaissance du groupe de la Montée Saint-Michel a continué de croître avec ce Centre de recherche qui allait en explorer les tenants et aboutissants, les tours et entours dans le contexte de L'Arche et sous l'impulsion d'une recherche plus vaste et plus exhaustive touchant chacun des peintres du groupe dans le but projeté d'une lointaine monographie. Encouragé par Estelle Piquette-Gareau, je mis sur pied une première exposition pour souligner le centième anniversaire de la fondation du groupe, en octobre 2011, dans le hall d'honneur de l'hôtel de ville de Montréal, rue Notre-Dame, à proximité de L'Arche[5]. Six ans plus tard, je présentai une autre exposition à la Maison de la culture Ahuntsic-Cartierville, qui marquait un retour des peintres de la Montée sur leur territoire d'origine, puisque le parc du Boisé-de-Saint-Sulpice – ce qui reste de l'ancien domaine – se trouve dans cet arrondissement.

Le nom du groupe vient de cette voie initiatique, la montée Saint-Michel (avec un petit *m*, auj. boulevard), qui les a conduits à leur jardin des délices : le domaine Saint-Sulpice. Ce lieu même établit un lien direct avec Olivier Maurault et Émile Filion, tous deux sulpiciens et à l'origine de la mise en lumière du groupe qui a œuvré pendant si longtemps sur ce territoire appartenant à leur communauté.

La conférence qu'Olivier Maurault donna sur les peintres de la Montée Saint-Michel, le 26 mars 1941, sous les auspices de la Société historique de Montréal, et l'exposition qui allait suivre à la galerie Morency, à partir du 15 avril, organisée par Émile Filion qui prit à sa charge les frais de l'événement, constituèrent les deux actes fondateurs qui ont fixé l'existence du groupe dans le temps. Émile Filion fit imprimer le catalogue de l'exposition et Olivier Maurault publia le texte de sa conférence dans *Les Cahiers des Dix*. Il en fit faire aussi un tiré à part sous forme de plaquette, ce qui en facilitait la circulation et permettait aux peintres de la Montée Saint-Michel d'avoir en main les pièces justificatives de leur existence.

Jusqu'à la mort du dernier d'entre eux, Narcisse Poirier, en 1984, le nom du groupe a continué d'apparaître au gré des activités de certains membres. Joseph Jutras travaillait à maintenir vivante la mémoire du groupe, non seulement en couchant par écrit ses nombreux souvenirs, mais par les lettres ouvertes qu'il publiait régulièrement dans les journaux, en général sur des questions d'art, et qu'il signait en faisant suivre son nom de l'appellation désormais consacrée « peintre de la Montée Saint-Michel ». Par de courts articles ou comptes rendus d'expositions, il rappelait aussi l'appartenance de ses amis Ernest Aubin et Narcisse Poirier à ce groupe. Le zélé Jean-Paul Pépin, qui avait lui-même révélé à Olivier Maurault l'existence du groupe, prit l'habitude d'inscrire, sur ses cartons d'invitation, dans ses catalogues d'exposition et sur les plaques apposées sur les cadres des tableaux de ses confrères, l'intrigant sigle P.D.M.S.M, sur lequel on le questionnait immanquablement, ce qui l'amenait à parler des « peintres de la Montée Saint-Michel », et c'est de ce sigle qu'il accompagnait sa signature. Élisée Martel, lui, se réclama, pour son exposition personnelle de 1949, du titre de « doyen des peintres de la Montée Saint-Michel », qu'il inscrivit sur ses cartes de visite et dans son catalogue et que reprirent les quelques articles qui lui furent consacrés.

Puis, le silence se fit sur eux.

Au milieu des années 1960, le groupe avait failli faire reparler de lui lorsqu'un amateur d'art, Laurent Hardy, allié par sa femme à Narcisse Poirier, entreprit sur celui-ci une recherche qui le mena jusqu'à l'homme lui-même, toujours vivant et toujours productif. Du même élan, Hardy mena une recherche sur les membres du groupe qui vivaient encore et auprès desquels il recueillit plusieurs renseignements. Son travail aboutit, en 1982, à un ouvrage sur Narcisse Poirier, que l'on désignait alors comme le « survivant du *Groupe des Huit* de la Montée Saint-Michel[6] ». Mais les notes de Laurent Hardy sur les autres peintres de la Montée restèrent inédites.

Onésime-Aimé Léger, après Narcisse Poirier et après *Peindre à Montréal*, bénéficia d'un ouvrage né d'une exposition qui lui fut consacrée au Musée régional de Vaudreuil-Soulanges, en 2007[7]. Un album iconographique sur L'Arche, paru en 2009[8], contribua à maintenir à vivante la mémoire des peintres de la Montée Saint-Michel avec un chapitre qui leur était consacré, ainsi que le catalogue de l'exposition du centenaire de la fondation du groupe, à l'hôtel de ville de Montréal en 2011[9].

Premier groupe de peintres à avoir vu le jour à Montréal au début du xxᵉ siècle, soit le 25 octobre 1911, les peintres de la Montée Saint-Michel sont des artistes de formation académique et en phase avec l'enseignement qu'ils ont reçu de leurs maîtres, principalement Edmond Dyonnet, Joseph Saint-Charles et William Brymner, tous formés en Europe à la fin du XIXᵉ siècle. La ligne directrice des peintres de la Montée était d'appliquer ces principes traditionnels, de s'en assurer la maîtrise, soit pour mieux les dépasser, soit pour les pousser dans les derniers retranchements de leur perfection. Ces « traditionalistes dans leur inspiration et leur métier[10] » sont moins étrangers qu'on ne le croirait à certains courants de recherche qui, à leur époque, ont marqué les débuts de la modernité au Québec. Ils ont su innover à l'intérieur même de leur formation, introduisant dans la production artistique québécoise quelque chose de neuf qui n'appartenait qu'à eux.

Ernest Aubin a tenu sa partie dans ce concert qui a fait éclater le registre des couleurs au début des années 1920, tout en se démarquant par ses mystérieuses scènes de nuit. Joseph Jutras, avec ses pochades et ses pastels, a frôlé la dissolution du sujet et s'est partagé entre sa passion de la peinture et l'art délicat de la parfumerie dont il est l'un des pionniers au Québec. Jean-Onésime Legault et Onésime-Aimé Léger ont animé leur œuvre de l'esprit symboliste, le premier y ajoutant la pratique de la photographie pictorialiste, ce mouvement international encore vivace au début du siècle. Élisée Martel, doué d'une vision colorée audacieuse, a renouvelé la grisaille des dégels printaniers et, comme animalier, a cultivé cette touche de tendre naïveté qui fait affleurer l'humour. Jean-Paul Pépin a incrusté des zébrures dans la pâte encore fraîche de ses tableaux, leur infligeant la balafre qui annule ce que ses sujets peuvent avoir de trop bien campé, à l'opposé de quoi il dote ses lavis couleur de transparences diaprées. Narcisse Poirier est peut-être resté le plus sage d'entre eux avec ses natures mortes bien ordonnées, mais qui, vers la fin de sa vie, sous l'effet d'une vitalité inattendue, se sont mises à rutiler comme des coffres au trésor. Joseph-Octave Proulx, quant à lui, a osé l'exubérance pointilliste.

Si ces peintres ont pris un nom collectif, s'ils en ont senti la nécessité, si l'évidence s'en est imposée à eux, c'est qu'ils sont un groupe, peu importe leur mode de fonctionnement, et plus encore peut-être qu'un groupe : une amicale. « Depuis notre première réunion, nous nous sommes tenus amis inséparables[11] », affirmera l'un d'eux. Loin d'être une fiction, ce nom collectif, ces peintres amis se le sont relayé comme un mot de passe assurant la pérennité de leur confrérie privée, jusqu'à ce qu'il se retrouve à découvert en 1941, au moment où il commençait à s'estomper dans le recul des ans, pour une seconde vie, publique celle-là. À la différence des plus célèbres, comme le Groupe des Sept et le Groupe de Beaver Hall, les peintres de la Montée Saint-Michel ne s'identifient ni par leur nombre ni par l'artère où ils ont leur atelier, mais par le lieu naturel où ils se retrouvent pour peindre à ciel ouvert.

Se rassemblant, se croisant, se distanciant, se retrouvant au fil des années, certains d'entre eux ont œuvré dans un contexte de discrétion (Legault, Martel, Proulx), ou de visibilité (Léger, Pépin, Poirier), ou dans une demi-pénombre qui leur seyait (Aubin), exposant pour la plupart au Salon du printemps et au Salon d'automne, dans des galeries, des lieux publics ou à leur domicile. Quelques-uns ont vécu exclusivement de ce que leur crayon et leur pinceau leur rapportaient, tels Ernest Aubin, Jean-Onésime Legault, Onésime-Aimé Léger, Narcisse Poirier, mais d'autres ont dû exercer divers métiers, comme voyageur de commerce pour Jutras, ou voyageur à son propre compte comme Proulx, tandis que Pépin, après avoir été libraire, est devenu agent au Bureau de renseignements touristiques et que Martel a été longtemps commis quincaillier tout en s'adonnant à l'ébénisterie.

Mais, surtout, les peintres de la Montée Saint-Michel présentent cette particularité qu'après avoir frayé, pendant un temps plus ou moins long, avec les milieux officiels et officieux de l'art ils s'en sont retirés non pour abandonner la partie, mais pour poursuivre leur chemin, c'est-à-dire continuer à peindre, sculpter, dessiner, et ce, jusqu'à la fin. Là réside le secret de ce groupe marginal dont on ne connaît, dans la persévérance et la nécessité de créer, pas d'autre exemple dans la première moitié du xxᵉ siècle au Québec. «De notre groupe, aucun n'abandonna son art malgré toutes les vicissitudes de la vie[12]», disait Joseph Jutras. S'il y a une justice que les peintres de la Montée Saint-Michel peuvent se rendre, c'est bien celle-là.

Cette fidélité, cette vénération même qu'ils ont eue pour un lieu donné, ces liens qu'ils ont maintenus entre eux tout au long de leur vie, cette persistance à rappeler l'existence de leur groupe[13], cette capacité à se maintenir comme artistes non seulement en donnant le meilleur d'eux-mêmes, mais aussi en se renouvelant, Jutras, encore une fois, résume tout cela en quelques mots: «Je ne suis pas maître de moi, et plus je veux m'éloigner de mon art, plus je sens qu'il me tend les bras[14].»

Cette parole, chacun des membres du groupe de la Montée Saint-Michel aurait pu la reprendre à son compte. Leur art était plus fort que les aléas de la vie. Était-il plus fort que la certitude de la mort? Il a fallu attendre jusqu'aujourd'hui pour le savoir.

Connaître un artiste prend du temps. En connaître huit prend huit fois plus de temps. C'est pourquoi cet ouvrage arrive plus de deux décennies après l'exposition *Peindre à Montréal, 1915-1930...,* qui a posé le premier jalon de la redécouverte de ce groupe. Il convient maintenant non seulement de faire connaissance plus en profondeur avec le groupe, mais aussi avec chacun des membres qui le composent. Il faut prendre les peintres de la Montée Saint-Michel non pour ce que l'on voudrait qu'ils soient en fonction des mouvements avant-gardistes ou modernistes qui ont traversé leur époque, mais pour ce qu'ils sont: de vrais artistes, d'authentiques créateurs, auteurs de leurs propres dépassements, et qui ont mesuré la tradition à l'aune de la modernité.

Et alors vos yeux s'ouvriront.

* L'auteur a attribué des titres à des œuvres qui n'en avaient pas. Pour l'indiquer, le titre est suivi d'un astérisque.

Joseph Jutras, *Résidence de la ferme Saint-Gabriel*, 1923, huile sur toile de jute. Le tableau par lequel tout a commencé...

CHAPITRE 1

LA MONTÉE SAINT-MICHEL EN IMAGES

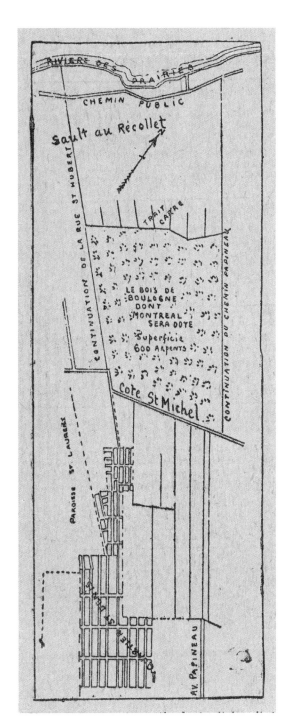

1.1 Plan des lieux

Au moment d'entrer dans cet ouvrage, le lecteur se demande à quoi pouvait bien ressembler cette « Montée Saint-Michel » et quels étaient ses attraits pour avoir séduit un groupe de peintres pendant plus de trois décennies, et où est-ce qu'elle se situait dans l'espace montréalais ? C'est à cette interrogation que cet album d'images veut répondre. Il constitue une sorte de visite guidée dans le temps, avec des documents d'époque, sur les lieux de cet atelier en plein air qu'a élu ce groupe, dont le cœur était le domaine Saint-Sulpice et dont les diverses voies de circulation menaient soit au Sault-au-Récollet plus au nord, soit au boisé Saint-Laurent plus à l'ouest, soit à Saint-Léonard-de-Port-Maurice plus à l'est, soit au sud vers ce qui est aujourd'hui le boulevard Rosemont.

Tout d'abord, il faut distinguer la montée Saint-Michel avec un petit *m* (auj. un boulevard) et la Montée Saint-Michel, avec un grand *M*. La montée Saint-Michel, en tant que voie de circulation dans l'axe nord-sud, est visible sur le plan suivant (**1.2**). Le plan à droite (**1.1**) montre, au nord de la Côte-Saint-Michel (auj. le boulevard Crémazie et la rue Jarry), le domaine Saint-Sulpice avec sa « forêt séculaire[1] ». Le groupe de peintres qui fréquentèrent ce lieu et tous ses alentours lui donnèrent le nom général de « Montée Saint-Michel », qu'ils écrivaient toujours avec un grand M et qu'ils adoptèrent pour baptiser leur association. Sur la droite du plan, l'indication « Continuation du chemin Papineau » montre le prolongement de l'avenue du même nom et la limite est du domaine, ce qui a amené Olivier Maurault à dire, dans sa conférence de 1941, que la Montée Saint-Michel était « tout simplement le chemin qui est devenu la rue Papineau[2] ».

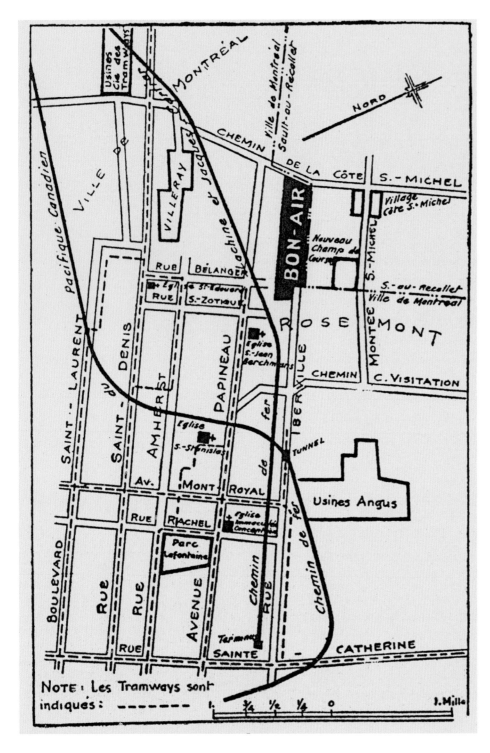

Ce deuxième plan montre sur la droite la montée Saint-Michel traversée au nord par le chemin de la Côte-Saint-Michel et bornée au sud par le chemin de la Côte-de-la-Visitation (auj. boulevard Rosemont). La montée Saint-Michel conduit à la paroisse du Sault-au-Récollet, plus au nord, où se trouvait la ferme des Sulpiciens, dite aussi domaine Saint-Sulpice. La rue des Carrières, visible sur ce plan mais non désignée, était un des principaux lieux de rendez-vous de ces peintres : ici, elle fait un coude entre l'avenue Papineau et la rue D'Iberville et correspond aujourd'hui en partie au tracé de la rue Gilford[3].

1.2 Plan des lieux

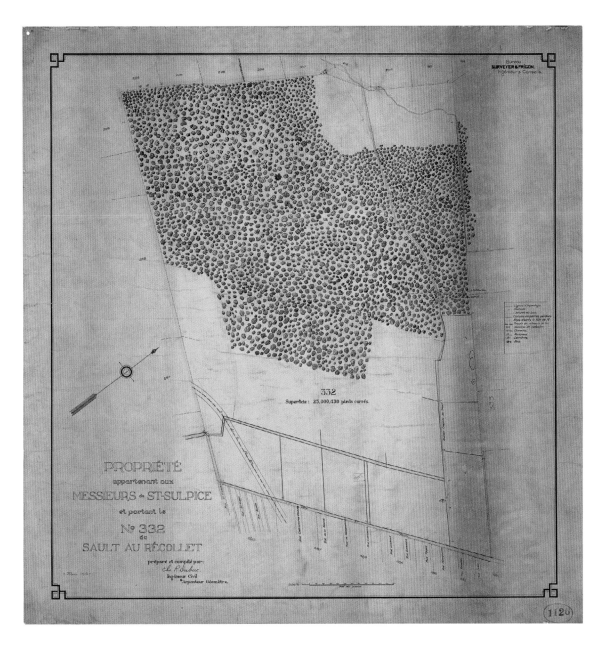

On peut voir, dans la partie du bas du plan (**1.3**), la section du domaine réservée aux pâturages et à l'agriculture. On constate que la grande ferme, appelée ici « Manoir », se situait dans le prolongement de la rue Chambord. L'entrée du domaine est marquée, sur la gauche, par un X rouge apposé là où se trouvait la petite ferme. On remarque la présence d'un chemin de fer, indiqué L[achine-]J[acques-]C[artier], dont le tracé apparaît sur le plan de 1911 (**1.2**) et qui aurait traversé le domaine. Plusieurs petites carrières de pierre sont indiquées sur le domaine lui-même. La superficie de 25 909 430 pieds carrés équivaut à 2,4 kilomètres carrés, ou 240,7 hectares. L'« ancien chemin du Sault », sur la droite, était peut-être l'actuelle avenue Papineau. La grande majorité du domaine est occupée par la forêt traversé par un chemin, ici tracé en rouge. Les ruisseaux sont indiqués en bleu[4].

Cette photographie (1.4) montre un chemin, ouvert en 1707, peut-être un 29 septembre, le jour de la fête de saint Michel archange. Le chemin de la montée, qui a pris le nom de Saint-Michel, servait de voie de circulation pour les terres concédées de part et d'autre par les Sulpiciens, seigneurs de l'île de Montréal. On l'empruntait pour se rendre soit à la ville, soit au Sault-au-Récollet « [c]ar c'était presque un carrefour, par ses routes qui aboutissaient toutes vers la montée Saint-Michel, chemin conduisant vers nos marchés locaux, tels que "le marché à foin", angle Papineau et Craig, faisant face à la brasserie Molson – et de là par la "Dame" [abréviation de "rue Notre-Dame"], vers le Marché Bonsecours, ainsi que la place Jacques-Cartier. Tous les cultivateurs du Sault-au-Récollet, de la "rivière des Prairies", ainsi que ceux de Bordeaux[5] ».

1.4 Ancienne montée
Saint-Michel vers 1925.

1.5 Montée Saint-Michel, 1947

Sur ce chemin (1.5), on passe par « [l]e domaine des Messieurs de Saint-Sulpice [un des points principaux] de nos rendez-vous, pour peindre. On y trouvait de quoi nous satisfaire : "Vieilles fermes", "Clairières", "Bosquets", etc. ! etc. !, et tout le long du chemin de la Montée Saint-Michel foisonnaient des sujets très agréables, comblants[6] ». Dans le groupe de la Montée, Jutras et Pépin sont les peintres des maisons canadiennes. « Vous avez remarqué que j'ai un culte plus particulier pour les vieilles maisons, c'est qu'elles semblent me parler lorsque je les peints et qu'elles imposent le respect[7] », disait Jutras. Pour Pépin, la maison était porteuse d'une forte connotation nationaliste : « Ils construisaient leurs maisons avec bonheur, avec amour, c'était à qui aurait la plus belle[8] », déclarait-il en parlant des cultivateurs. Dans son Journal du 3 janvier 1961, il transcrit un sonnet d'Albert Lozeau (1878-1924), intitulé « La maison du passé », extrait du recueil *Les Images du pays,* paru 1926 et qui commence ainsi :

Bienheureux qui possède encor l'humble maison
Construite par l'aïeul, en bonne pierre grise,
Dans les arbres, au bord de l'eau, près de l'église,
Qui contente à la fois son cœur et sa raison !

Heureux qui de son seuil voit passer la saison,
Qui s'assied où sa mère autrefois s'est assise,
Qui dort dans le vieux lit de son père, à sa guise,
Qui garde la coutume et l'ancienne façon !

1.6 La petite ferme Laurin

La petite ferme Laurin (**1.6**), « sous la croix », comme la décrivent certains documents d'époque, est « la plus vieille maison en bois d'Youville, sur la ferme des Sulpiciens, angle du boulevard Crémazie et de la rue Saint-Hubert. À gauche, la croix du chemin. M. Joseph Laurin, que l'on voit ici, est fermier de cette partie du vaste domaine des Sulpiciens qui s'étend jusqu'au Sault-au-Récollet et Ahuntsic[9]. » Le nom de Youville s'explique par l'appartenance de ce secteur à la paroisse Saint-Alphonse-d'Youville, dont une première église en brique est construite en 1921, et qui sera suivie en 1929 par la monumentale église actuelle. D'après le premier bail de la petite ferme rédigé par les Sulpiciens en 1886, une croix de chemin existait déjà à cet emplacement. Le cliché ci-dessus témoigne du mauvais état de la clôture entourant la croix et que Joseph Laurin, qui se fait photographier tout près, s'apprête sans doute à remettre en état. On distingue assez bien, sur la croix, les détails du cœur entouré de la couronne d'épines, qui ont aujourd'hui disparus. Sur le poteau électrique, au centre, un écriteau indique « Chemin Crémazie » ou « Boul. Crémazie ». « [...] la petite ferme, habitée dès lors par la famille Laurin, occupait avec ses trois bâtiments, l'angle actuel des rues Saint-Hubert et Crémazie[10] ». On aperçoit, à droite, un deuxième bâtiment de la petite ferme, mais les trois bâtiments apparaissent en clair sur une photographie prise par Jean-Onésime Legault (**1.8**). La famille Laurin s'installera en 1929 dans la grande ferme (**1.7**), en prévision de la démolition de leur petite ferme au moment de l'achèvement de l'externat classique de Saint-Sulpice (collège André-Grasset), tout à proximité, en juin 1930, et qui doit ouvrir ses portes à l'automne. Seule la croix a subsisté. « La croix du coin reste belle à ma vue, mais un sentiment de tristesse semble l'accompagner. Sa vieille maison et les ormes qui l'ombraient n'y sont plus. Je l'ai regardée l'autre soir et que de souvenirs me sont revenus ! Elle fut l'objet de mon attention à mes débuts dans la vie artistique et compte parmi mes premiers croquis[11] », racontait Joseph Jutras. De son côté, Jean-Paul Pépin déclarait : « L'orme était le plus beau de Montréal : il avait 200 ans[12]. »

La grande ferme Lafond comptait 15 pièces (**1.7**). Elle était entourée de grands ormes, dont plusieurs branches ici sont tombées au sol. « La ferme des Sulpiciens, vue du Chemin de la Côte-Saint-Michel, à l'est de la rue Saint-Hubert. M. Joseph Lafond, fermier, habite cet immeuble depuis treize ans ; sur le tombereau chargé de choux, son fils. À droite, Maurice et Paul-Émile, deux de ses petits-fils[13]. » Pour s'y rendre, il fallait passer devant la petite ferme et poursuivre son chemin tout droit : « La grande ferme, encore debout, était ombragée d'arbres magnifiques [...]. Du chemin de Liesse, dont c'était la fin, une belle rangée d'ormes conduisait en droite ligne vers la maison de la grande ferme, qu'avaient

habitée Mgr Emmanuel Deschamps et les siens. À gauche s'étendaient les marais et les bois de chênes, à droite, les terres cultivées[14]. » L'abbé Emmanuel Deschamps (1874-1940) reçut le titre honorifique de monseigneur en 1923. Il était le fils de Paul Deschamps, qui loua la grande ferme des Sulpiciens de 1886 à 1891. « Les Messieurs de Saint-Sulpice, maîtres des lieux, se réservent l'usage du vaste salon de la Grande Ferme. Ils viennent s'y reposer lors de leurs déplacements entre leur séminaire au sud de l'île et leur visite au fort Lorette[15]. » La grande ferme a moins retenu l'attention des peintres de la Montée Saint-Michel que la petite ferme, qui formait une sorte de microcosme avec sa croix de chemin et son orme géant, étant donné qu'elle constituait la porte d'entrée des peintres sur le domaine Saint-Sulpice. Elle a été peinte néanmoins par Umberto Bruni (2.42) en 1934 et vers 1940 par J.-O. Legault (coll. part.).

Vue de côté, en hiver, la petite ferme Laurin est entourée d'un orme projetant son ombre, de la croix de chemin et de deux bâtiments à l'arrière (1.8). Ce cliché a été pris vers 1912, année de production photographique intense de Legault. On ne voit aucun poteau électrique ici, contrairement à l'image précédente de 1923. La Montée Saint-Michel était fréquentée en toute saison par les peintres du groupe, et notamment par J.-O. Legault qui l'a photographiée, certes, durant l'été (1.9-11) mais aussi en hiver (1.16 ; 5.17), à cause sans doute du contraste du noir et blanc qui se rencontrait dans le paysage hivernal et dans le tirage du négatif. Legault s'est inspiré de cette photographie pour réaliser l'affiche (C.1) de

la première exposition des peintres de la Montée Saint-Michel à la galerie Morency en 1941. Il a aussi produit un autre cliché de cette même vue (**5.64**), le même jour, alors qu'une bourrasque a surpris le photographe, et ce, au moment où passait, dans une sorte de tremblement de terre et au grand trot, un cheval tirant une charrette.

On passe par l'étang, avec ses arbres et ses rochers (**1.9**). Cette vue de la Montée Saint-Michel recoupe un des tableaux d'Élisée Martel (**7.12**) qui semble avoir été réalisé au même endroit. D'autres photographies de Legault (**1.16**; **5.17**) concordent avec certains tableaux de Joseph-Octave Proulx (**10.27**) et d'Ernest Aubin (**5.18**). « Aux environs de 1900, ce domaine était couvert d'un très beau bois dont il reste quelques témoins; et sa partie marécageuse, mieux protégée que maintenant contre le vent et le soleil, se transformait en lacs pendant un assez long temps[16]. »

Les prés, avec leurs clôtures de perches, en ont inspiré plusieurs. L'ouverture vers les lointains, peints et dessinés par Ernest Aubin (8.10) et Jean-Paul Pépin (8.11), les alignements d'ormes, chers à Joseph Jutras (4.17), voilà quelques-uns des aspects du domaine Saint-Sulpice, au cœur de la Montée Saint-Michel. « C'est le plus beau lopin de terre que je connaisse à Montréal », déclarait un conseiller municipal qui convoitait le domaine pour en faire « un parc qui rivaliserait avec le Mont-Royal[17]. » Jean-Paul Pépin se souvient : « C'était merveilleux ! On retrouvait là tous les plus beaux bois du Québec, des petits lacs, des ruisseaux… On pouvait commencer à peindre à l'aube et n'arrêter que le lendemain tellement c'était beau […]. Il aurait fallu cinq vies pour tout peindre ce qu'il y avait là[18] ! »

Cette composition photographique recoupe la composition d'Adrien Hébert dans son tableau *Grand orme* (**2.41**) – mais inversée –, à croire que le peintre s'est inspiré du photographe, ou que le photographe s'est inspiré du tableau – à moins que tous les deux n'aient visité le même site de la Montée à un intervalle plus ou moins rapproché... Legault semble s'être presque couché à plat ventre dans l'herbe pour faire cette prise de vue en contre-plongée. On retrouve ce cadrage, tel quel ou inversé, dans quelques-uns de ses propres tableaux comme *La Croix du chemin* (**5.2**), *L'Orme* (**5.40**), *Printemps* (**5.41**). Ernest Aubin a fait toute une série de tableaux nocturnes qui représentent un grand orme près d'un étang, entre les branches duquel brille la lune (**2.34 ; 3.44**).

1.12 Ernest Aubin peignant à l'ombre de son parasol

Aubin a fabriqué lui-même son parasol (**3.46**; **7.20**), muni d'un manche qu'il pouvait ficher en terre, et ce en se servant d'« un grand parapluie de cocher, qu'il avait refait en doublant la longueur des baleines et en le recouvrant de gros coutil[19] ». Avec ce gros objet et tout son équipement de peinture, Aubin ne passait pas inaperçu et il racontera à sa sœur Maria avoir « fait sensation[20] », un jour, à Sainte-Adèle, alors que les gens s'attroupaient autour de lui, ce qui lui fit de la publicité et lui valut plusieurs contrats. Quand il invitait Joseph Jutras à venir peindre avec lui, où que ce soit, cet instrument s'avérait essentiel : « [...] j'ai mon parapluie et il est assez grand pour nous deux[21] ».

Sur une photographie de groupe au cours d'une séance de peinture en plein air à la Montée Saint-Michel, vers 1915 (**1.13**), on peut identifier Narcisse Poirier à gauche, Joseph Jutras à l'avant et Ernest Aubin à droite. « Unité d'aspirations entre nos artistes, unité de travail et de difficultés, de "misère" dans le travail, unité de rêves, unité géographique, qu'on pardonne cette expression, voilà ce que signifie le nom qu'ils ont voulu se donner : les Peintres de la Montée Saint-Michel[22]. » Ces messieurs portent canotier, chapeau melon et casquette, ainsi que le complet-veston. La bohème d'artiste n'était pas de mise pour cette séance de pose destinée peut-être à quelque publicité pour le groupe... Narcisse Poirier et Rodolphe Duguay (**9.15**) adoptaient eux aussi une tenue irréprochable, peut-être pour ne pas donner prise aux préjugés que certaines personnes entretenaient vis-à-vis des artistes.

Sur une autre photographie (**1.14**), on voit Ernest Aubin peindre au milieu des champs de la petite ferme Laurin, au domaine Saint-Sulpice (autrement dit à la Montée Saint-Michel), vers 1925. Contrairement à la photographie précédente, Aubin, sans doute à cause de la chaleur estivale, adopte une tenue beaucoup plus décontractée. Le peintre a représenté dans une pochade les gens de la petite ferme s'adonnant aux travaux des champs, le soir (**3.34**), et J.-O. Legault les a photographiés en train de faucher les foins (**3.33**). Aubin a peint plusieurs tableaux représentant les lointains de la Montée Saint-Michel (**2.30**; **3.43**).

1.13 Séance en plein air

1.14 Au milieu des champs

1.15 Ernest Aubin et Jean-Paul Pépin

Comme en témoigne cette photographie, les deux artistes étaient à la Montée Saint-Michel le 10 juillet 1927. Derrière eux, la ferme de Napoléon Robin (informations de la main de J.-P. Pépin au dos des quatre photographies prises ce jour-là (**2.33** ; **3.10**). D'après Pépin, cette ferme était située à l'angle du boulevard Crémazie et de la rue D'Iberville. « Quand il [Ernest Aubin] allait faire du paysage, il partait avec sa boîte de peinture, son petit banc avec coussin et son grand parapluie. Il ne se servait plus de chevalet depuis longtemps. Sa boîte qu'il avait fabriquée lui-même, lui servait de chevalet, la courroie qui servait à la porter sur son épaule servait aussi à la fixer autour de ses reins, et ainsi assis sur son pliant il était parfaitement à l'aise pour travailler[23]. »

Le ruisseau ici représenté a été le sujet de la première pochade de Legault à la Montée Saint-Michel en 1907 (**5.15, 16**). Il s'est servi d'un autre cliché de ce même ruisseau pour créer un montage à connotation symboliste (**5.53**), avec une nonne qui – avatar de Narcisse – s'y penche et semble y chercher quelque réponse.

1.16 Jean-Onésime Legault, *Un ruisseau en hiver*, photographie, vers 1915

1.17 Vue aérienne du domaine Saint-Sulpice, 10 mai 1962.

Dix ans après la vente du domaine Saint-Sulpice à la Ville de Montréal, en 1952, on peut voir l'avancement des travaux. Au centre, du sud au nord, le prolongement de l'avenue Christophe-Colomb. En haut, de l'ouest vers l'est, le prolongement de la rue de Louvain. Un peu plus bas, sur la gauche, le tracé de l'avenue Émile-Journault. En bas à gauche, le collège André-Grasset. L'ensemble est encadré, au sud, par le boulevard Crémazie et l'autoroute métropolitaine, à l'ouest par la rue Saint-Hubert, à l'est par l'avenue Papineau qui longe les carrières Miron, et au nord par la voie du chemin de fer.

CHAPITRE 2

UN GROUPE DANS LE SIÈCLE

Tout commence à l'automne 1907, lorsqu'un adolescent de quinze ans du nom d'Ernest Aubin s'inscrit au cours de dessin du Conseil des arts et manufactures (CAM[1]), à Montréal (2.1, 2). À ses camarades de classe, il vante les beautés d'un lieu enchanteur qu'il vient de découvrir. Enfourchant sa bicyclette, il était parti tôt, un matin, de chez lui, rue Saint-Hubert, près de la rue Sainte-Catherine, avec l'idée de peindre une vache[2]. Parvenu à la limite nord du parc La Fontaine, il s'informa auprès d'un passant, qui lui indiqua qu'en remontant tout droit par l'avenue Papineau il trouvera ce qu'il cherche. Après avoir bifurqué de l'avenue Papineau par la rue des Carrières (1.2), il parvint au large chemin appelé montée Saint-Michel[3] (1.2, 4), voie de circulation dans l'axe nord-sud. Celle-ci le mena à la Côte-Saint-Michel (auj. boulevard Crémazie), qu'il emprunta sur la gauche et qui le conduisit à ce qui allait être la découverte de sa vie : le domaine Saint-Sulpice (1.3). C'était un vaste boisé, occupé par deux fermes avec leurs pâturages et leurs potagers, semé de clairières et de ruisseaux, où les points de vue à peindre semblaient se multiplier à l'infini. Comme son nom l'indique, ce domaine est la propriété des prêtres de Saint-Sulpice, qui n'y logent pas, mais louent les fermes en métairies[4]. Là, le jeune Ernest Aubin put peindre sa vache.

Des étudiants en art

Dans la classe de dessin où il vient de faire son entrée en 1907, le jeune Aubin n'a de cesse qu'il n'entraîne ses camarades dans ce lieu idyllique qu'il veut leur faire découvrir : le domaine Saint-Sulpice. Peu à peu, des liens s'établissent entre ces étudiants, des sympathies se font jour, des affinités se découvrent qui mèneront, quelques années plus tard, à la formation d'un groupe qui prendra le nom de « peintres de la Montée Saint-Michel » (et la majuscule, du coup, s'impose à « Montée »), en l'honneur de la voie royale qui l'a mené à « ce coin de paradis à la porte de la grande ville[5] ». Le groupe comptera huit membres : Ernest Aubin (1892-1963) (2.3), Joseph Jutras (1894-1972) (2.4), Jean-Onésime Legault (1882-1944) (2.5), Onésime-Aimé Léger (1881-1924) (2.6), Élisée Martel (1881-1963) (2.7), Jean-Paul Pépin (1897-1983) (2.8), Narcisse Poirier (1883-1984) (2.9) et Joseph-Octave Proulx (1888-1970) (2.10).

2.1 L'édifice du Monument-National, au 1182, boulevard Saint-Laurent, où logeaient les salles de classe du Conseil des arts et manufactures, au dernier étage.

2.2 Prospectus contenant les règlements et la description des cours pour l'année 1911-1912. La couverture, qui illustre les arts et l'industrie, a été conçue par Émile Dufault, élève de la classe de lithographie, qui s'était vu décerner une mention honorable en 1911.

Jean-Onésime Legault, qui étudie au CAM depuis 1901, semble être le premier à avoir suivi Ernest Aubin dans ces « parages privilégiés[6] », dès 1907 (**5.15, 16**). Il y entraîne son condisciple et indéfectible ami Onésime-Aimé Léger, étudiant comme lui aux Arts et Manufactures, qui n'est pas précisément un peintre de plein air (**2.35**), préférant son chevalet et sa table à dessin, mais qui se laisse convaincre par Legault.

À l'automne 1908, lorsque Joseph-Octave Proulx entre à l'école des Arts et Manufactures en classe de dessin, il y a des chances pour qu'Ernest Aubin le réquisitionne aussitôt pour exercer son crayon à la Montée Saint-Michel, car il admire le dessinateur qu'il est[7].

Élisée Martel est déjà élève au CAM alors qu'Ernest Aubin s'y inscrit. Avec ce dernier et avec Joseph-Octave Proulx, il va former « le noyau primitif du groupe[8] », c'est-à-dire la première formation à se retrouver et à s'exercer sur le territoire de la Montée Saint-Michel.

2.3 Ernest Aubin, photographie, 1917.

2.4 Joseph Jutras, photographie, 1921.

2.5 Jean-Onésime Legault, autoportrait photographique, s.d

2.6 Lactance Giroux, Onésime-Aimé Léger, photographie, 1904.

2.7 Élisée Martel, imprimé, 1941.

2.8 Jean-Paul Pépin, photographie, 1942.

2.9 Narcisse Poirier, imprimé, 1908.

2.10 Joseph-Octave Proulx, photographie, vers 1910.

2.11 Onésime-Aimé Léger, portrait-charge d'Edmond Dyonnet, s.d.

Joseph Jutras entre au CAM à l'automne 1911. Il va se lier d'une amitié durable avec Ernest Aubin, ainsi qu'avec Martel et Proulx et les accompagner dans les sentiers du domaine Saint-Sulpice et de ses alentours.

Enfin, le cadet du futur groupe, Jean-Paul Pépin, en sera aussi le petit retardataire, puisqu'il entre aux Arts et Manufactures en 1912, en classe de lithographie, où Ernest Aubin étudie lui-même. Si Aubin l'invite à venir peindre avec lui en plein air avec ses autres condisciples, le jeune Pépin, qui rencontre une opposition farouche de son père à sa vocation artistique, n'intégrera le groupe de la Montée qu'au milieu des années 1920 – ce qui ne l'empêchera pas d'en être un des plus ardents promoteurs.

Un personnel et son programme

La formation des peintres de la Montée Saint-Michel tourne autour de deux établissements : l'école du Conseil des arts et manufactures, l'école de l'Art Association of Montreal (AAM, auj. Musée des beaux-arts de Montréal).

Sous l'impulsion du peintre Edmond Dyonnet (1859-1954) (**2.11**), la qualité de l'enseignement au CAM connaît un essor décisif. Français d'origine, fort de ses neuf années d'études en Europe et de la culture qu'il a acquise grâce à la fréquentation des musées, Dyonnet, quand il devient professeur de dessin aux Arts et Manufactures, en 1892[9], constate que la formation qu'on y dispense est loin d'équivaloir à celle qu'il a reçue sur le Vieux Continent. Considérant que le cours élémentaire est le plus important puisqu'il détermine si l'élève a du talent et si, conséquemment, il peut passer au cours supérieur, il demande à être titulaire des deux classes, désireux d'unifier sous une même férule un enseignement du dessin (**2.12**) qu'il vise à réformer, autant par la théorie[10] que par la pratique.

2.12 Edmond Dyonnet, *Chemin rustique*, s.d., fusain et craie sur papier.

2.13 Joseph Saint-Charles, *Modèle féminin aux bras croisés**, s.d., huile sur toile.

2.14 Joseph Saint-Charles, photographie, s.d.

Principalement italienne, la formation de Dyonnet recoupe largement la française qu'il connaît bien par ses séjours à Paris où il s'est rendu en 1895, spécialement pour étudier les méthodes d'enseignement de l'École des beaux-arts. De plus, son ami William Brymner (1855-1925) (**2.28**), directeur de l'école de l'AAM et auprès de qui il enseigne parfois[11], a fait ses études dans la Ville Lumière et applique la méthode française dans ses cours.

Le nombre d'élèves augmentant année après année prouve à la direction du CAM – et à Dyonnet – que sa méthode est la bonne[12]. En 1894, le CAM quitte l'espace exigu de l'ancienne église Saint-Gabriel et emménage au quatrième et dernier étage de l'édifice du Monument-National, propriété de la Société Saint-Jean-Baptiste. Dès l'année suivante, débordé par sa tâche, Dyonnet s'adjoint deux assistants pour le cours de dessin élémentaire, se réservant pour lui-même le cours avancé.

Bientôt, il entreprend de rajeunir le personnel de son département. En 1898, quand il apprend le retour de Paris de Joseph Saint-Charles (1868-1956), qui a remporté là-bas plusieurs honneurs non seulement comme peintre, mais aussi comme dessinateur, Dyonnet

2.15 Joseph-Charles Franchère, imprimé, s.d.

2.16 Joseph-Charles Franchère, *Port de Montréal, l'hiver*, vers 1900, huile sur papier marouflé sur carton.

2.17 « Jobson Paradis au paysage », imprimé, s.d.

le sollicite comme de professeur dans la classe élémentaire. En 1899, c'est au tour de Joseph-Charles Franchère (1866-1921), compagnon d'études de Saint-Charles[13], d'entrer au CAM en qualité de professeur de dessin en classe élémentaire et de professeur de peinture décorative[14]. En cette même année, Alexandre Carli (1861-1937), fils de Thomas Carli, propriétaire d'une importante fabrique de sculptures religieuses, prend la direction de la classe de modelage[15] qu'abandonne alors Louis-Philippe Hébert (1850-1917), accaparé par de nombreuses commandes. En 1902, Jobson Paradis (1871-1926), qui revient des États-Unis où il a enseigné, est engagé comme professeur de dessin en classe élémentaire. Ce sont alors des retrouvailles, car, entré à l'École des beaux-arts de Paris en 1892, il y a connu Saint-Charles et Franchère[16].

En 1907, le cours de modelage bénéficie du retour d'Europe d'Alfred Laliberté (1878-1953), élève à l'École des beaux-arts de Paris. Engagé comme second professeur de modelage auprès d'Alexandre Carli, Laliberté prendra bientôt la direction de cette classe[17].

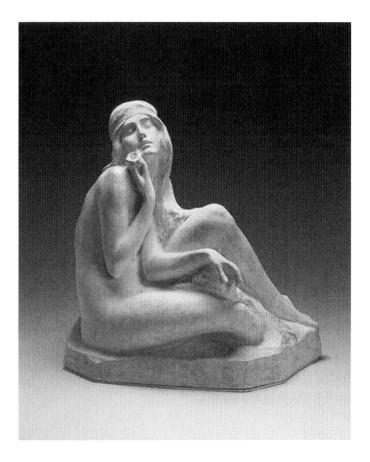

2.19 Alfred Laliberté, *L'Emprise de la pensée*, vers 1924, plâtre.

2.20 Joseph-Charles Franchère, *Portrait du sculpteur Alfred Laliberté*, 1919, huile sur toile marouflée sur carton.

Aux Arts et Manufactures, les cours – qui sont gratuits – débutent le deuxième lundi d'octobre, s'interrompent une quinzaine de jours durant le temps de Noël, reprennent le lundi qui suit la fête des Rois, le 6 janvier, et se terminent d'une manière variable entre la mi-mars et la mi-avril. L'enseignement se donne en français et en anglais et les classes ont lieu de 19 h 30 à 21 h 30, du lundi au vendredi, sauf le jeudi. De plus, « les jeunes filles et les dames sont admises à suivre les cours de dessin, de même que ceux de lithographie, de modelage et de peinture[18] ». Le cours de dessin élémentaire et de modelage se donne le lundi et le mercredi, le cours de dessin supérieur le mardi et le vendredi. « Les salles de ces ateliers sont vastes, mais le nombre des élèves qui y étudient et la profusion de statues qui les ornent les font paraître petites. Les salles de dessin et de modelage présentent un magnifique coup d'œil, et on a vraiment l'impression d'être dans un temple de l'art lorsqu'on y pénètre[19]. » Le cycle d'études est de quatre ans, mais l'élève peut poursuivre sa formation au-delà et presque aussi longtemps qu'il le veut ; il figure alors « hors concours » dans les expositions et le palmarès de fin d'année.

2.21 Salle des cours de modelage et de dessin à main levée du Conseil des arts et manufactures, 1898, imprimé.

Côté discipline, Dyonnet veille sur ses classes, car il se souvient trop bien des blagues cruelles que se faisaient entre eux les élèves des ateliers où il étudiait[20], ce qui démentait la légende des joyeux ateliers de rapins. Aucun débordement de ce genre ne se produit dans les classes dont il a la direction, tous les professeurs étant tenus d'inculquer aux élèves « des notions d'étiquette, de bonne conduite et de dignité[21] ». Cette discipline n'entrave en rien le plaisir de l'étude, se rappelle Joseph Jutras : « Il fallait voir l'enthousiasme qui régnait à ces cours. De tous les âges, on se sentait tous égaux aux cours du soir. Et nos professeurs, devant l'intérêt porté par les élèves, les rendaient heureux en donnant le meilleur d'eux-mêmes dans l'enseignement[22]. »

À la rentrée de 1901, le Conseil fait face à la requête des élèves du cours de dessin avancé qui demandent une classe avec modèle vivant « drapé » – c'est-à-dire vêtu[23]. Les statues en plâtre ne suffisent plus (**3.2 ; 4.6**). Réclamer le modèle vivant, c'est réclamer une forme de parité avec l'école de l'AAM qui, sous la direction de Brymner, offre le modèle vivant depuis longtemps, comme les autres écoles d'art dans le monde, avec, comme celles-ci, en plus, le modèle nu, tant masculin que féminin[24].

2.22 Jean-Onésime Legault, *Soldat**, mars 1904, fusain sur papier.

2.23 Jean-Onésime Legault, *Nature morte aux pinceaux**, s.d., huile sur carton. Épris de symbolisme, Legault construit son tableau dans le but d'illustrer la nourriture de l'esprit par le livre, la nourriture du corps par les fruits, les lumières de l'intelligence par la chandelle et la pratique de l'art par les pinceaux placés dans un vase qui domine les autres éléments.

La direction du CAM répondra à la demande des élèves[25] et le directeur des classes de dessin est probablement chargé de recruter les modèles. Parmi ceux-ci, on trouve beaucoup d'Italiens (2.26, 27) et d'Italiennes (5.5 ; 9.3) – communauté que connaît bien Dyonnet, qui parle l'italien et sait que c'est une longue tradition, pour ces gens, que de poser dans les ateliers d'artistes et les écoles d'art avec leurs costumes régionaux. Se présentent aussi des dames bien mises (10.9), quelques ouvriers ou des commis de bureau ayant belle apparence (3.3 ; 7.2), des modèles costumés en soldat (2.22) ou bien des garçons (5.4) et des messieurs d'un certain âge (5.6).

L'affluence sans cesse grandissante des élèves dans les classes du soir en dessin et en peinture finit par poser problème. À la rentrée de janvier 1905, le CAM annonce « qu'après entente avec la Société des Arts, c'est l'intention d'ajouter un cours de dessin à main levée, qui serait donné le jour, dans une des salles du Monument-National[26] ». L'entente repose sur l'engagement de cette société à prendre en charge le salaire du professeur – en l'occurrence Jobson Paradis – et les prix de fin d'année remis aux lauréats. De plus, à l'automne 1906, on annonce qu'au cours de dessin de jour s'ajoutera un cours de peinture, avec le même professeur, cours qui, comme celui de dessin, sera donné deux après-midi par semaine. En effet, le cours de peinture décorative donné par Franchère depuis 1898 avait cessé en 1903[27]. Comme les séances de peinture en plein air ne sont pas encore établies au CAM, Paradis enseignera surtout la nature morte (2.23 ; 3.6).

Au moment où il devint professeur au CAM, Dyonnet affirma que « [cette] école [...] doit laisser à d'autres institutions le soin de faire de l'art pur[28] ». Se souvenant de la discipline à laquelle il avait été soumis en Italie, où ses maîtres « [le] firent dessiner pendant plus de deux ans, de huit heures du matin jusqu'à dix heures du soir, avant de [lui] permettre de tenir une palette[29] », il se demandait, songeant aux Arts et Manufactures, ce « que peuvent apprendre, dans cinq mois, les élèves qui viennent là, deux heures, deux fois par semaine[30] ». À quelles autres institutions songeait-il ? En 1905, plusieurs artistes – dont Dyonnet – avaient été appelés à s'exprimer publiquement sur l'état de l'enseignement des beaux-arts à Montréal. Joseph Saint-Charles en appelait à un engagement toujours plus grand du gouvernement : « Il faut que ceux qui se sont aventurés dans la carrière se sentent soutenus par les pouvoirs publics et par les classes les plus éclairées de la population[31]. » Il ajoutait que l'artiste « n'apportera qu'un enthousiasme médiocre au travail, et son exemple ne sera guère fructueux, si l'indifférence de ceux mêmes qui lui doivent le plus d'encouragement, le condamne parfois à la misère ». Jobson Paradis ne se fait guère plus d'illusions sur la condition des artistes : « Ce sont des êtres isolés, qui ne peuvent être utiles qu'à eux-mêmes en se rendant la vie intéressante, ou dans des maisons d'éducation en propageant le goût des arts[32]. » La même année, Charles Gill, futur confrère de Dyonnet, de Saint-Charles et de Franchère au CAM, écrivait : « En notre jeune pays le sort des peintres n'est pas rose. S'il me fallait le caractériser par une autre couleur, je ne sais trop à quelle sombre nuance je devrais recourir. Les peintres [...] sont enveloppés d'une nuit désespérante. À peine sait-on leurs noms. Quant à leurs tableaux, on n'en soupçonne pas l'existence[33]. »

Il reste que, dans la couverture de presse dont bénéficie le CAM, ce sont les classes de dessin, de peinture et de modelage qui retiennent le plus l'attention, celles qui sont le mieux mises en valeur au moment de la rentrée, à l'automne, et au moment de l'exposition des

2.24 Charles Gill, *Nénuphar*, 1900, huile sur toile. Un des trois tableaux portant le même titre, exposés au Salon de l'Académie royale des arts du Canada en 1902.

À DROITE
2.25 Charles Gill, photographie, s.d.

travaux d'élèves, au printemps suivant, et cela tant par le texte que par l'image. Certes, les comptes rendus portent sur l'ensemble des travaux exposés, mais on s'attarde davantage à la section des «arts» qu'à la section des «manufactures». Parfois, l'encouragement s'adresse à tous les élèves en art pour lesquels on nourrit les meilleures espérances, envisagées sur des bases concrètes: «Nous avons remarqué des dessins à main levée d'après nature qui révèlent chez leurs auteurs des talents qui permettent d'augurer pour eux un avenir aussi brillant que ceux qui les ont précédés. Tels les Hébert, les Saint-Charles, les Franchère, les Julien, les Brodeur, les Labelle, les Fabien, les Massicotte et la plupart de nos artistes canadiens[34].»

Prononcés le soir de la distribution des prix dans la grande salle de spectacle du Monument-National, les discours des membres de la direction du CAM et de leurs invités ont leur importance dans la formation intellectuelle des élèves. Outre qu'on y fait le point sur les réalisations et les progrès de l'établissement, on insiste aussi, et de manière récurrente, sur la formation artistique offerte et sur des questions de culture générale – avec un fort cachet nationaliste. Le ministre de la Colonisation et des Travaux publics, Lomer Gouin, demande: «Où trouvera-t-on un meilleur éducateur que l'Art, qui raffine les hommes et les ennoblit[35]?» Le secrétaire provincial lui-même, Jérémie Décarie, déclare que «nous avons besoin d'art et d'artistes [et qu']il faut donner à l'art sa place dans l'enseignement et dans la vie[36]». Lieux communs? Peut-être, mais il est toujours utile de répéter devant de jeunes gens en formation.

Dès le tournant du siècle, le CAM est en mesure d'affirmer que «les cours donnés jusqu'ici ont […] formé de véritables artistes dans leurs professions respectives[37]». Les actuels professeurs de dessin, de peinture et de sculpture du CAM ne sont-ils pas eux-mêmes d'anciens élèves de cet établissement? Peu à peu, au fil du temps, le discours officiel du CAM, axé sur l'enseignement pratique, à but industriel, se nuance et on annonce que les classes de dessin, de peinture et de modelage s'adressent à «ceux qui ont des aptitudes pour les beaux-arts[38]», à ceux qui sont «des artistes en herbe[39]». Au-delà des réserves prudentes de Dyonnet, l'école du Conseil des arts et manufactures est appelée à produire «des élèves qui deviendront des artistes[40]».

Le peloton de tête

Ernest Aubin a étudié au CAM de 1907 à 1923, soit durant seize ans, fracassant tous les records; Narcisse Poirier, quinze ans, avec diverses interruptions, de 1899 à 1920; Joseph-Octave Proulx, neuf ans, de 1909 à 1918; Jean-Onésime Legault, huit ans, de 1901 à 1909; Onésime-Aimé Léger, huit ans, de 1899 à 1904, puis de 1905 à 1908; Joseph Jutras, environ quatre ans, entre 1911 et 1916. Jean-Paul Pépin n'y a fait que deux ans, en lithographie. Pour Élisée Martel, c'est plus flou: il aurait étudié une dizaine d'années, avec des interruptions.

Il est significatif, dans le palmarès de fin d'année du CAM et sur la période qui couvre la formation des huit peintres de la Montée Saint-Michel, que ceux-ci aient tenu le haut du pavé, récoltant, année après année, prix et mentions (2.26, 27). Suivons-les dans l'ordre chronologique de leurs récompenses. Pour fastidieuse qu'elle soit, cette énumération nous fait comprendre avec quelle constance ces étudiants se sont maintenus dans les premières positions.

En 1903, Onésime-Aimé Léger et Jean-Onésime Legault remportent chacun le deuxième prix de dessin. En 1904, dans la même catégorie, le premier prix va à Léger et le deuxième à Legault. L'année d'après, toujours pour le dessin, Legault décroche le premier prix, ainsi qu'une mention en lithographie. Nous retrouvons les deux artistes en 1907, alors qu'ils obtiennent une mention après leur première année en modelage. Dans cette discipline-ci, en 1908, Léger remporte le premier prix, et pour le dessin, lui et Legault sont hors concours.

En 1905 et 1906, Narcisse Poirier obtient des mentions pour le dessin. En 1908, il reçoit le premier prix en dessin et Ernest Aubin obtient sa première mention dans la même catégorie. De plus, en cette année 1908, on trouve, à leurs côtés, O.-A. Léger et J.-O. Legault, hors concours. En 1909, Aubin remporte le deuxième prix de dessin. Pour les trois années suivantes, soit 1910, 1911 et 1912, Aubin et Poirier font équipe pour récolter les prix de dessin et de peinture. En 1910, en dessin, si Poirier est hors concours, Aubin remporte le deuxième prix. L'année d'après, celui-ci obtient le premier prix en dessin et le deuxième en peinture, tandis que Poirier remporte le premier prix dans cette même catégorie. En 1912, tous deux sont hors concours: Aubin pour le dessin, Poirier pour la peinture, mais Aubin remporte le premier prix en peinture et en lithographie.

En 1913, deux nouveaux peintres de la Montée Saint-Michel se distinguent au palmarès du CAM: Joseph-Octave Proulx, qui remporte le deuxième prix de dessin, et Jean-Paul Pépin, qui obtient une mention en lithographie, mention qu'il récolte à nouveau en 1914,

tandis que Proulx remporte le premier prix de dessin. De 1915 à 1918, Proulx et Aubin sont hors concours dans la catégorie dessin. Par ailleurs, en 1915, Aubin remporte le premier prix de modelage et Narcisse Poirier reçoit une mention dans la même catégorie. L'année d'après, Aubin remporte à nouveau le premier prix de modelage et, en 1917 et 1918, lui et Poirier sont hors concours dans cette catégorie.

Entre-temps, en 1916, pour sa deuxième année d'études, Joseph Jutras a obtenu une mention en dessin. En 1920, Aubin et Poirier sont hors concours dans les catégories dessin et modelage, tandis que Proulx récolte une mention en lithographie. Enfin, en 1923, Ernest Aubin clôt le répertoire en se retrouvant hors concours pour le modelage. Certes, d'autres élèves qu'eux, hommes et femmes, ont récolté prix et mentions durant cette période, et certains et certaines ont surnagé dans l'histoire de l'art au Québec[41]. Mais la constance de ceux qui allaient former le groupe de la Montée Saint-Michel à se maintenir en tête de liste est éloquente.

Par ailleurs, Ernest Aubin, Jean-Onésime Legault, Joseph-Octave Proulx et Narcisse Poirier ont étudié avec William Brymner à l'école de l'Art Association (**2.29**), mais les dates que nous avons ne sont pas toutes vérifiables. Brymner ayant pris sa retraite de l'AAM en 1921, ces études sous sa direction ne peuvent dépasser cette limite. En ce qui touche Aubin[42], la date nous est fournie par l'artiste lui-même, au verso d'une esquisse à l'huile où il inscrit : « Première tête faite à la Gallerie [*sic*] des Arts, 1913-1914 » (coll. part.). C'est le jeudi, jour de congé au CAM, qu'ils se rendaient à l'AAM. Pour Jean-Onésime Legault, les dates dont nous disposons vont de 1912 à 1917[43], soit après la fin de ses études au CAM en 1909 et après la fondation du groupe de la Montée Saint-Michel en 1911. En cette même année 1912, Joseph-Octave Proulx s'inscrit à l'école de l'AAM tout en poursuivant ses études au CAM[44]. Aubin, Legault et Proulx se seraient donc retrouvés compagnons de classe sous la direction de Brymner. Pour ce qui est de Narcisse Poirier, après avoir décroché le premier prix de peinture en 1911, il devient élève – pour combien de temps ? – de Brymner, car il se réclamera d'avoir étudié avec ce maître[45].

Enfin, notons qu'à l'automne 1923, quand ouvre l'École des beaux-arts de Montréal, Aubin et Proulx s'y inscrivent en classe de modelage, sous la direction d'Alfred Laliberté, leur ancien professeur du CAM. Ils n'y passeront qu'une année, et au printemps 1924, ils récolteront chacun une « première mention honorable » dans la catégorie du modèle vivant pour l'un et de l'antique pour l'autre[46].

Parmi les peintres de la Montée Saint-Michel, Aubin, Legault, Léger et Proulx sont les portraitistes du groupe et, à l'exception de Léger, ils se spécialisent dans le nu. Chez Proulx, le nu est présent non en tant qu'académie – comme la plupart du temps chez Aubin et Legault –, mais en tant que personnage évoluant dans un cadre naturel, principalement le bord d'une rivière ou d'une source (10.36-40). Au crayon et à l'huile, Aubin, Legault et Proulx se partagent l'art du paysage. Mais alors que Léger se sert de celui-ci pour souligner la pensée ou l'idée dont ses personnages – essentiellement féminins – sont porteurs, Aubin exclut pratiquement tout personnage de ses paysages – même urbains –, un personnage demeurant pour lui un être d'intérieur dont il fera plutôt le portrait.

Si des thématiques se recoupent, si des genres sont abordés en commun parmi les peintres de la Montée, on en trouve l'exemple chez Legault et Léger, qui s'inscrivent tous les deux, comme nous l'avons dit, dans la mouvance symboliste. Une affinité se rencontre également chez Jutras et Pépin, qui affectionnent le thème de la vieille maison canadienne campée dans son environnement rural.

Poirier, qui reste un spécialiste de la nature morte, sera rejoint sur ce terrain par Martel, mais les paysages de ce dernier sont d'une touche et d'un coloris beaucoup plus hardis que ceux de Poirier et son catalogue animalier beaucoup plus varié.

Les deux sculpteurs du groupe restent Aubin et Léger, toujours sur plâtre. Le premier se cantonne dans les bustes, le second s'adonne aussi à ce genre, mais évolue vers un éloquent symbolisme.

2.28 Edmond Dyonnet, *William Brymner*, photographie, vers 1896-1897.

2.29 Ernest Aubin, *Vue de l'atelier de modèle vivant de la Galerie des Arts*, vers 1913-1914, encre sur papier.

De grandes espérances

Divers événements précédant l'année 1911 ont pu influer sur la décision de ces jeunes artistes de se former en groupe, d'unir leur idéal sous une bannière commune, en vue d'une série d'actions décisives, poussés par l'espoir vers un avenir qui s'annonce prometteur.

Dans la première décennie du XXe siècle, alors que les futurs peintres de la Montée Saint-Michel s'inscrivent l'un après l'autre aux Arts et Manufactures, la peinture canadienne et québécoise s'engage dans une phase de développement que souligne la critique de l'époque. Les expositions de l'AAM et de l'Académie royale des arts du Canada (ARAC[47]) voient les journaux leur consacrer de grandes pages illustrées de croquis et de photographies, accompagnés d'articles détaillés qui montrent le « degré de perfection [que] la peinture canadienne commence à atteindre[48] ».

Dès le Salon de 1902, le changement est là : « On remarque surtout des œuvres plus sérieuses que d'habitude, des poèmes au lieu de bluettes, des tableaux de peintres plutôt que des essais d'amateurs[49]. » Quelques années plus tard, on est en droit de déclarer : « L'exposition actuelle démontre que nos artistes peuvent faire d'aussi bons portraits, d'aussi bons paysages et d'aussi bons tableaux de genre que ceux de la plupart des grandes capitales européennes[50]. »

L'école du Conseil des arts et manufactures se ressent à sa manière de cette expansion dans le domaine des arts. La cérémonie de la remise des prix de fin d'année et l'exposition des travaux d'élèves prennent l'ampleur d'un événement artistique d'importance. La présence sur la scène de la grande salle du Monument-National de plusieurs personnages en vue, de divers officiels et dignitaires, montre le sérieux de l'événement et attire la foule[51], de même que la partie musicale exécutée par des musiciens et les élèves de la classe de solfège[52]. Dans la salle, les élèves prennent place à l'avant, dans les sièges du parterre. Depuis 1899, les prix consistent en médailles d'argent d'abord, puis de bronze, gravées aux armes du CAM et au nom de l'élève et de la classe dans laquelle il s'est illustré[53]. Les lauréats ne sont connus que le soir même de la remise des prix. À l'énoncé de son nom, chacun des appelés doit monter sur scène, où il reçoit son prix des mains de l'une ou l'autre des personnalités présentes, avec compliments et sous les applaudissements de la salle.

Ensuite, l'exposition des travaux d'élèves toutes catégories, qui s'ouvre le soir même de la distribution des prix et qui est présentée dans la grande salle du quatrième étage du Monument-National, débarrassée de son ameublement, prend chaque année de plus en plus d'ampleur. De 1906 à 1912, le nombre de travaux exposés passe de mille à deux mille[54], et l'exposition attire tant de visiteurs qu'à partir de 1904 il faut l'ouvrir même le dimanche. Les journaux couvrent largement ces événements et donnent la liste détaillée des élèves méritants, précédée d'un résumé ou de la transcription intégrale des discours prononcés.

Même le gouvernement montre des signes d'intérêt pour les choses de l'esprit. En Chambre, on s'interroge : « Qu'avons-nous fait jusqu'ici pour encourager les lettres, les arts et les sciences en cette province ? Et que devons-nous faire pour assurer, dans notre jeune pays, le succès de nos artistes, de nos savants et de nos littérateurs[55] ? » On affirme « que le jour n'est pas loin où le gouvernement aidera d'une façon ou de l'autre au mouvement littéraire, artistique ou scientifique[56] ». Pour ce faire, on propose la mise sur pied d'« une commission composée de personnes artistes, littérateurs ou poètes[57] ». Même s'il ne faudra pas moins de dix ans pour que ces vœux pieux se réalisent et que soient créés le prix David, décerné annuellement aux auteurs, puis les écoles des beaux-arts de Québec et de Montréal, en 1922 et 1923, il reste que, sur le moment, ces projets intellectuels et artistiques qui sont dans l'air stimulent les esprits et démontrent une prise de conscience grandissante.

Le Club Saint-Denis pose un geste concret, et présente, en avril 1911, son premier Salon de peinture et de sculpture. Cette « manifestation exclusivement pour nos artistes peintres et sculpteurs canadiens-français[58] » récolte un énorme succès dans son idée de « détruire la légende trop répandue que nos peintres et sculpteurs ne travaillent pas assez et ne sont pas à la hauteur de leurs autres compatriotes[59] ». Onésime-Aimé Léger, l'un des futurs peintres de la Montée Saint-Michel, est un des principaux exposants avec une sculpture, une aquarelle et deux huiles, dont l'une, *Un Souffle* (**6.8**), est acquise par le Club Saint-Denis, avec une douzaine d'autres – sans parler des œuvres achetées par le public visiteur[60].

Au milieu de cette expansion des arts dans la métropole, de cette réception critique qui remplit de plus en plus de pages dans les journaux et les revues, les consciences s'aiguisent, l'intérêt du public grandit, qu'il s'agisse des expositions des élèves du CAM ou de ceux de l'AAM, des Salons officiels, ou encore des expositions personnelles d'artistes. De 1910 à 1912, on est à construire le nouvel édifice de l'Art Association of Montreal, rue Sherbrooke Ouest. Ce palais de marbre remplacera le local devenu trop étroit du square Phillips où loge l'AAM depuis 1879. Ce changement de lieu augmentera considérablement la surface d'exposition destinée aux salons du printemps et de l'automne, qui regroupent des artistes toujours plus nombreux, et permettra l'accueil d'un plus vaste public. Cette nouvelle « Galerie des Arts », comme on l'appellera, place Montréal « sur le même pied que les grandes villes européennes[61] ».

Tout cela suscite de l'espoir, nourrit la confiance chez de jeunes peintres en formation qui vont bientôt s'unir pour un meilleur bond en avant.

Ce siècle avait onze ans…

Le groupe qui gravite autour d'Ernest Aubin devient suffisamment régulier dans ses activités en un même lieu donné pour songer à prendre un nom. C'est ce qui se fait le 25 octobre 1911[62], alors que quelques-uns d'entre eux sont réunis et qu'Ernest Aubin propose le nom de « peintres de la Montée Saint-Michel[63] », ce nom s'imposant de lui-même à cause du chemin providentiel qui a mené Aubin, quelques années plus tôt, à ce lieu qui reste la découverte de sa vie. Désormais, ce que ces peintres désignent sous le nom de « Montée Saint-Michel » englobe le domaine Saint-Sulpice et ses environs où ils se retrouvent pour « paysager ».

Ce groupe a pour première particularité d'être composé d'élèves en apprentissage, tous étudiants aux Arts et Manufactures, et pour seconde particularité celle d'avoir été suscité par celui qui était alors le plus jeune d'entre eux, Ernest Aubin. Ces étudiants constituent le premier groupe de peintres à se former à Montréal au début du XXᵉ siècle. Recevant leur formation à la même école et sous les mêmes professeurs, ils créent une amicale qui saura traverser les décennies.

Le groupe trouve son unité dans le fait que ses membres étudient tous sous les mêmes maîtres dans le même établissement et que, de ce fait, ils adhèrent à des principes artistiques communs. Ensuite, leur unité tient au lieu qui les rassemble, au territoire qui les définit et qu'ils ont baptisé du beau nom de « Montée Saint-Michel » sous lequel ils se sont rassemblés, un espace bien inscrit dans la topographie montréalaise, qui reste un coin de nature où le bonheur de se retrouver et de peindre est au rendez-vous.

En cette année 1911, Legault et Léger terminent leur formation au CAM. Poirier vient de refaire volontairement sa quatrième année d'études, alors qu'Aubin achève, lui, cette quatrième année. Proulx s'apprête à entamer sa troisième année et fera sa quatrième année deux fois. Jutras commence sa formation. Ni le statut d'élève ou de diplômé ni les écarts d'âge ne constituent un obstacle entre eux. Jutras et Aubin ont dix-sept et dix-neuf ans, tandis que Legault en a vingt-neuf et Léger et Martel trente. Poirier en a vingt-huit, et Proulx se situe dans la moyenne avec ses vingt-trois ans. En ce début de décennie, seuls Jutras et Poirier sont mariés.

À la Montée, les divers membres du groupe peignent ensemble et parfois presque côte à côte et sur le même motif (1.13). Si Aubin reste le chef de file du groupe, c'est en tant que rassembleur et non comme maître à penser avec un programme esthétique à promouvoir ou des ambitions publicitaires à faire valoir. Ont-ils échangé parfois leurs impressions sur leurs productions respectives ? C'est possible, mais dans l'ensemble, on croit comprendre que chacun travaillait à sa manière et selon des buts personnels. À chacun son programme. Seul Jean-Paul Pépin, le dernier à entrer dans le groupe, se réclamera d'Ernest Aubin comme ayant été son professeur de paysage.

Au moment où ils se constituent en groupe, les peintres de la Montée Saint-Michel font preuve de consensus en projetant de s'« incorporer[64] » afin d'avoir ce qu'on appelle une personnalité juridique. Leur intention de départ est donc de se faire connaître sous l'appellation qu'ils ont choisie et de mener possiblement diverses actions dont la première eût été, sans doute, une exposition de groupe, avec la mise en lumière de leur lieu d'élection. « Et nos artistes de rêver non seulement à la création du groupe, mais à sa vie, et à l'influence qu'il pourrait exercer sur ses membres, et encore sur l'art, et la vie de quantité d'autres artistes[65] […] », commentera un de leurs mentors. Mais ces projets vont se buter à des difficultés inattendues. Trois des membres du groupe ont connu, connaissent ou vont connaître une forme d'opposition ou une autre à leurs ambitions. Jutras s'est marié à dix-sept ans pour s'affranchir de la tutelle de son père qui ne voulait pas le voir étudier l'art. Jean-Paul Pépin se heurte à l'opposition totale de son père à sa vocation artistique. Enfin, Ernest Aubin aura la surprise de voir son père s'interposer entre lui et ses amis de la Montée Saint-Michel.

En effet, Benjamin Aubin, qui fut lui-même élève aux Arts et Manufactures[66], veille de si près sur le talent de son fils qu'il s'oppose à ce que celui-ci fréquente trop assidûment « les mêmes artistes, afin de ne pas perdre sa personnalité[67] ». La surveillance active qu'exerce ce père sur ce qu'il semble considérer comme un trésor et peut-être même comme sa création artistique entrave les projets que ce fils avait pour le groupe dont il est l'inspirateur. Aubin secouera ce joug, ou plutôt s'en dégagera en douce, lorsqu'en 1915 il aura son premier atelier, rue Saint-Jean-Baptiste – un atelier de fortune à même l'entrepôt du marchand d'articles religieux Desmarais & Robitaille pour qui il travaille, mais où, néanmoins, il peut recevoir ses amis de la Montée, principalement Proulx et Martel, et de là, s'il le veut, partir avec eux pour quelque expédition de peinture.

Il n'empêche que le coup de frein a été donné et que la cohésion et les objectifs du groupe s'en ressentiront. Autre coup de frein : en août 1914, le déclenchement de la Première Guerre mondiale, qui vient assombrir l'avenir et qui, amenant avec lui la menace de la conscription, joue un rôle dans la mise en veilleuse des projets des peintres de la Montée, car tous sont mobilisables…

Un atelier à ciel ouvert

Borné à l'est par l'avenue Papineau, à l'ouest par la rue Saint-Hubert et au sud par le boulevard Crémazie, le domaine Saint-Sulpice, en dehors des deux fermes qui l'occupent, s'étend au nord jusqu'à environ l'actuelle voie ferrée du Canadien National, mais se prolonge en fait jusqu'à la rivière des Prairies, englobant la paroisse du Sault-au-Récollet que les Sulpiciens ont fondée en 1736[68]. La grande ferme (**1.7**), occupée par la famille Deschamps, possède des écuries, des étables, des granges et autres bâtiments. La maison principale, entourée de grands ormes, est pourvue d'un toit noir, signe particulier que les peintres de la Montée reproduiront. La petite ferme (**1.6**), où vit la famille Laurin, comporte trois bâtiments de moyenne grandeur[69], y compris la maison d'habitation, et se trouve à proximité du boisé.

2.30 Ernest Aubin, *Ferme et gerbes à la Montée Saint-Michel**, n.s., s.d., huile sur carton. Du ciel, de la terre, de l'espace, de la perspective, des bâtiments, de l'ombre, de la lumière, la nature dans sa variété en toute saison, voilà ce qu'offrait cet atelier à ciel ouvert qu'était le domaine Saint-Sulpice et ses environs, baptisé Montée Saint-Michel par le groupe qui le fréquentait.

2.31 Ernest Aubin peignant à la Montée Saint-Michel, en compagnie d'un artiste non identifié, photographie, vers 1915. Remarquons le chapeau d'Aubin suspendu aux branches et le chevalet de fortune qu'il s'est fabriqué avec des bouts de branches trouvées sur le terrain.

Formant l'angle de la rue Saint-Hubert et du boulevard Crémazie, cette petite ferme possédait une croix de chemin, comme on en voyait alors dans le Québec rural. À l'effigie du Sacré-Cœur entouré d'une couronne d'épines et encerclé dans une auréole, cette croix, plantée dans un petit enclos de piquets de bois, datait d'au moins la fin du XIXᵉ siècle[70]. Tout près, en bordure du chemin qui passe devant la ferme et pénètre dans les terres, se dressait un grand orme (**1.8**; **3.39-41**; **4.11, 12**; **9.8**). Cet arbre, la croix de chemin et la modeste demeure composent un ensemble que les peintres de la Montée Saint-Michel reproduiront souvent, en toute saison, en dessin, en tableau, en photographie et en carte de souhaits (**4.41**), pour en faire leur emblème. Car c'est par cette petite ferme qu'ils pénètrent dans «le bois sacré cher aux arts et aux muses[71]».

Autour des fermes, les terrains sont répartis en semis de céréales, potagers et pâturages[72]. Les parties boisées sont composées surtout d'ormes et de chênes, mais on y trouve aussi des pins. D'autres parties sont des champs parcourus de divers sentiers et parfois traversés de ruisseaux qui courent entre des rochers et qu'enjambent de petits ponts de bois. Le domaine comporte une partie marécageuse qui, à la fonte des neiges, se transforme en lacs qui perdurent jusqu'à l'été[73], ce qui attire un peintre comme Élisée Martel (**7.42-44**). Cet espace à la fois domestiqué et naturel comprend aussi des chemins praticables où peuvent circuler les instruments agraires et qui mènent d'une ferme à l'autre. La nature y est diversifiée et – pour des peintres – les points de vue sont multiples. Les voies de circulation urbaines – alors peu encombrées – qui tracent les limites du domaine en font une sorte d'écrin dans l'île de Montréal, une manière de jardin réservé (**2.30**).

La beauté des lieux était connue depuis longtemps – et convoitée. Au moment de l'annexion du Sault-au-Récollet par la Ville de Montréal en novembre 1906[74], quelques jours à peine après la signature de l'accord, les conseillers municipaux annoncent un projet d'acquisition de l'«immense ferme appartenant aux Sulpiciens[75]» et de sa transformation en un parc «qui rivaliserait avec le Mont-Royal[76]». L'agencement naturel du lieu est tel qu'il suffira «d'y percer des allées et d'en orner les plates-bandes et nous aurons un vrai bois de Boulogne[77]», explique-t-on (**1.1**). «C'est le plus beau lopin de terre que je connaisse à Montréal[78]», déclare un des conseillers. Mais les Messieurs de Saint-Sulpice, qui n'ont pas sollicité cette offre, font savoir à ces administrateurs empressés qu'ils n'ont aucunement l'intention de vendre leur domaine, peu importe le prix qu'on leur en offrirait[79]. Et c'est à cette indépendance des Sulpiciens que les peintres de la Montée Saint-Michel doivent la sauvegarde du lieu qui leur a donné l'existence.

C'est toujours à bicyclette qu'Ernest Aubin se rend à la Montée Saint-Michel, emportant tout son fourbi de peintre[80], en partant du 459 de la rue Dorchester Est (auj. boulevard René-Lévesque), près de la rue Saint-André, où il habite avec ses parents et sa sœur Maria depuis 1911. Par la distance, Aubin est celui qui se trouve le plus éloigné de la Montée Saint-Michel. Si, à l'occasion, il veut s'épargner la peine de ce long trajet à bicyclette, il peut prendre le tramway, rue Saint-Denis, qui le débarquera au coin du boulevard Crémazie, autrement dit à la porte de la petite ferme – mais avec un bagage allégé, on le suppose…

Jutras est original : il a son propre coursier du nom de Tom. En partant de la rue Rachel Est, près de la rue Henri-Julien, ou de la rue Saint-Christophe, près du parc La Fontaine, où il habite successivement dans ces années-là, il se rend en un temps record à la Montée. Quand il sera devenu un homme d'affaires aisé, dans les années 1920, il utilisera sa voiture (2.32). Martel, qui vit dans sa famille au 1215, rue des Érables, entre les rues Rachel et Marie-Anne, se rend là-bas probablement par tramway. Narcisse Poirier, qui habite d'abord rue Pontiac, puis rue Saint-Denis, un peu au nord de l'avenue du Mont-Royal, se trouve déjà un peu plus près de la Montée et, comme Aubin, il fait lui aussi le trajet à bicyclette. Proulx habite rue de Bordeaux, à l'angle de la rue Saint-Zotique, et peut facilement se rendre à pied au rendez-vous des peintres, tout comme Legault qui, rue Alma, près de la rue Dante, se trouve à peu près à la même hauteur que Proulx. Quant à Jean-Paul Pépin qui, au début des années 1920, réside rue Fabre, au sud de la rue Saint-Grégoire, puis rue Saint-Denis, au nord de la rue Jarry, il est celui qui vit le plus près de la Montée. Enfin, Léger, qui va de déménagement en déménagement, n'a pas de point d'ancrage plus près du bois des peintres que l'adresse de son ami Legault, chez qui il se retrouve fréquemment.

Jutras se souvient de l'accueil sympathique que les habitants de la petite ferme faisaient aux peintres de la Montée :

> Ah ! Ces braves gens de la terre ! Sous l'aspect rustre, il y avait une certaine sensibilité pour les beautés de la nature, et cela paraissait à la manière dont ils nous recevaient, nous, les artistes. Ils étaient empressés envers nous, et leur délicatesse à notre égard nous comblait d'aise.
>
> Ceci me rappelle la première fois que je me rendais à la Montée, sur l'invitation d'Aubin d'aller les rejoindre afin de peindre avec eux. Je frappai à la porte de chez les Laurin pour leur demander la permission d'entrer sur leur ferme afin de rejoindre mes amis. Ce fut avec un aimable sourire que madame Laurin me dit : « Vous faites partie du groupe de peintres qui viennent paysager chez nous ? » Sur un « Oui, madame ! », elle me dit de filer tout droit vers la clairière et que là, je trouverais mes amis[81].

L'accueil bienveillant ajoute au plaisir de se trouver en ce lieu et au sentiment de camaraderie que suscite le fait de se retrouver entre peintres. Et Jutras se souviendra longtemps de ce verre d'eau fraîche qu'une des fillettes Laurin lui avait apporté un jour d'été, alors qu'il était à peindre par temps de grande chaleur[82].

Découvreur de cet emplacement, chef de file de ceux qu'il y conduit, Ernest Aubin en est aussi l'hôte le plus assidu : « Je ne crois pas, dira Jutras, que durant les trente années passées, un seul ravin, fossé, ponceau, roche, et tous les arbres de la Montée, fut oublié, tant sa collection d'études est une preuve tangible de mes avancées. /Ce fut son paradis terrestre[83]. » Durant la semaine, Aubin aide son père dans son atelier de photographie, Joseph Jutras gagne sa vie comme étalagiste, Élisée Martel est commis chez Omer DeSerres, Joseph-Octave Proulx est peintre d'enseignes commerciales et Jean-Onésime Legault s'adonne à divers travaux de publicité et de photographie. Onésime-Aimé Léger, lui, est

2.32 Juliette Trottier-Jutras, Photographie de Joseph Jutras en expédition de peinture, au début des années 1920, avec son automobile : « En voyage vers Québec, [Narcisse] Poirier [à l']intérieur, Jos. [Jutras] assis sur le marchepied, posés par Mme J. Jutras », dit la légende au dos de la photo, rédigée par Jutras. Durant cette même décennie, Jutras fera d'autres voyages, à Québec et au lac des Deux-Montagnes notamment, en compagnie cette fois d'Ernest Aubin.

2.33 Jean-Paul Pépin, Photographie d'Ernest Aubin s'avançant sur le chemin de la ferme Robin, à la Montée Saint-Michel, le 10 juillet 1927. Pépin a aussi photographié Ernest Aubin stationnaire cette fois (3.10).

dessinateur à *La Patrie* et à *La Presse*, et Narcisse Poirier, propriétaire d'un immeuble à logements, s'en tire plutôt bien et, de plus, il est très bon vendeur de ses tableaux. Donc, dans un premier temps, c'est surtout le samedi et le dimanche que les peintres de la Montée se réunissent, chacun ayant alors moins d'obligations. Avec les années, l'aisance financière venant et avec elle plus de liberté, les excursions de peinture auront des horaires plus variés.

Habitués à se retrouver dans les mêmes classes de dessin, de peinture et de sculpture pendant tant d'années, les peintres de la Montée se rencontrent aussi pendant des années dans un même lieu, extérieur celui-là, qui fait office pour eux de classe de plein air – lacune dans l'enseignement du CAM, d'autant frustrante que leur professeur Edmond Dyonnet enseigne cette peinture en liberté à l'école de l'AAM depuis 1901[84]. Peut-être certains des futurs peintres de la Montée n'ont-ils pas attendu l'arrivée d'Ernest Aubin pour peindre en extérieur, mais leur rassembleur aura contribué à fonder pour eux tous leur propre classe de plein air.

Le groupe de la Montée Saint-Michel est une association à géométrie variable, c'est-à-dire que les huit membres qui la composent se rendent à leur lieu de rendez-vous favori en solitaires, par deux, trois ou quatre, c'est selon (**1.12-15**). Là, ils plantent leur chevalet devant le même motif ou se dispersent. Et ces solos, duos, trios et quatuors, s'ils varient dans leur composition, sont toujours constitués à partir des mêmes huit éléments – à quelques exceptions près lorsqu'un invité se joint à eux. Ainsi, il arrive qu'Aubin, Jutras, Pépin et Proulx travaillent sur le même motif[85], ou qu'Aubin se retrouve avec Martel ou Pépin ou Jutras ou Proulx, et d'autres fois que Pépin soit en compagnie de Proulx, ou Poirier en compagnie de Jutras, et Legault avec Léger ou Aubin. Au dos des pochades qu'ils exécutent, Aubin, Pépin et Martel inscrivent parfois le nom du compagnon avec qui ils se

À GAUCHE

2.34 Ernest Aubin, *Lune et orme**, 1929, huile sur bois. Aubin a fait toute une série de tableaux représentant cette scène qui le fascinait.

À DROITE

2.35 Photographie d'un tableau non localisé d'Onésime-AiméLéger, datant de 1919, exposé en 1941 à la galerie Morency sous le titre *L'Orme*, puis au collège André-Grasset en 1944 sous le titre *L'Arbre*. Il faisait partie de la collection du sulpicien Émile Filion.

2.36 Ernest Aubin, *Aube à la Montée Saint-Michel**, n.s., s.d., huile sur carton.

trouvent. Ainsi, à l'occasion, on peut suivre certaines pérégrinations des uns avec les autres sur divers laps de temps.

D'autre part, si, dès 1907, Jean-Onésime Legault est l'un des premiers à suivre Ernest Aubin à la Montée Saint-Michel (5.15, 16), il sera aussi l'un des derniers à l'y retrouver, en 1943 (5.79), peu avant qu'Aubin ne commence à fréquenter avec sa femme, de plus en plus souvent et de plus en plus longuement, Sainte-Adèle, dans les Laurentides. Léger, on le sait, préfère sa table de travail ou son chevalet, mais les grands ormes de la Montée ou les reflets sur l'eau des lacs qui s'y forment au moment du dégel l'attirent[86] – surtout s'il y va, bien sûr, en compagnie de Legault.

Une forme originale d'excursion que pratique Aubin, d'abord avec Martel, et plus tard avec Pépin, est le campement de nuit. Il ne s'agit plus d'une randonnée d'une journée dont on revient avec un chargement de pochades et de croquis, mais d'une installation sur place, avec tout le matériel nécessaire : tente, fanaux, sacs de couchage, vêtements, réchauds, ustensiles, victuailles. Car Aubin aime peindre de nuit, quand il y a clair de lune et que la lumière de celle-ci joue dans les cimes des arbres et se reflète dans les étangs (2.34) ou frappe la croix de chemin de la petite ferme (3.39-41). Et puis, avant la nuit, il y a cette heure du crépuscule pour laquelle il crée, à l'usage de ses confrères, une véritable « école du soir » (2.37 ; 5.33 ; 8.16, 17), quand le couchant se déploie au-dessus de la Montée dans toute sa vastitude. Puis viendront les petites heures du matin, quand la vie aux champs s'éveille (2.38 ; 8.7, 8).

Dans leurs explorations territoriales, les peintres de la Montée Saint-Michel ne s'en tiennent pas aux strictes limites cadastrales du domaine Saint-Sulpice. On ne saurait les ramener à la seule fréquentation de leur espace identitaire. Leur terrain de chasse est plus vaste, comme l'explique Joseph Jutras, qui précise que, vers l'est, la Montée Saint-Michel

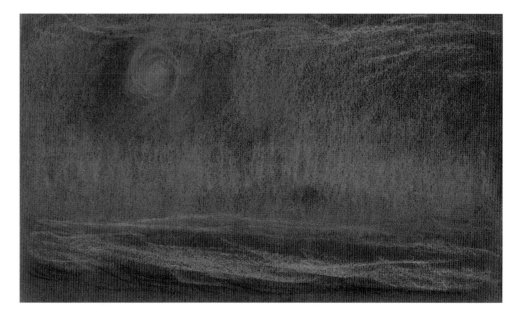

2.37 Joseph Jutras, *Effet de soleil couchant**, n.s., s.d., pastel sur papier teinté. Jutras frôle ici la disparition du sujet au profit des formes et des couleurs. Le thème crépusculaire se résume à des formes suggérées et des couleurs brillantes.

2.38 Élisée Martel, *Lever du jour, ferme Robin*, 1928, huile sur bois.

allait pour eux «jusqu'au village de Saint-Léonard-de-Port-Maurice[87]» et qu'au sud, «par le boulevard Rosemont, notre domaine artistique s'étendait jusqu'au ruisseau de la Grive, aujourd'hui rue Lacordaire[88]». Cet élargissement triple presque la superficie du territoire initial et englobe les carrières Dupré et Labesse[89] qui jouxtent le domaine Saint-Sulpice et une partie de Saint-Léonard-de-Port-Maurice.

Les peintres de la Montée explorent l'île de Montréal d'une manière encore plus large, et Jutras et Aubin semblent être les athlètes du groupe en ce qui concerne ces expéditions au long cours. On ne se doute pas toujours des distances que les peintres de cette époque pouvaient parcourir à pied dans le but de découvrir de nouveaux sites. Les excursions montréalaises d'Aubin et de Jutras, qui ont lieu du printemps à l'automne, se font d'un bout à l'autre de l'île. Se donnant rendez-vous rue Notre-Dame, ils filent droit devant eux jusqu'à Longue-Pointe ou Pointe-aux-Trembles, dans l'est de l'île, longeant d'aussi près que possible les rives du fleuve, ce qui représente un parcours de vingt-cinq kilomètres, « sous un ciel bleu [qui] faisait disparaître toute fatigue. [...] À chaque pas, un sujet nous invitait à le "croquer", car outre notre boîte à peinture et [notre] chevalet, notre cahier pour croquis nous suivait toujours dans nos excursions vers "le beau[90]" ». Une autre fois, les compagnons se rencontrent au boulevard Crémazie et se dirigent vers l'ouest, empruntant le chemin de la Côte-de-Liesse (4.9) jusqu'à Dorval : « Bagages au dos et d'un pas léger, nous franchissions les sept à huit milles de distance, à admirer les beautés de la nature. [...] Au retour, nous revenions par la côte Vertu, aux mêmes décors que la côte de Liesse. Nous revenions à la tombée du jour, notre cahier de croquis bien rempli, avec même quelques pochades enlevées dans l'enthousiasme du moment[91]. »

À l'extérieur de Montréal, c'est souvent à Longueuil (4.7, 8) que le groupe se pose pour travailler. Parfois, l'excursion pédestre, qui dure toute la journée, mène Aubin, Jutras, Maurice Le Bel (1898-1963[92]) – un invité –, Martel et Poirier jusqu'à Boucherville, sur la rive sud. Enfin, Jutras, avec sa confortable voiture, se montrera généreux avec ses confrères Aubin et Poirier à qui il procurera les joies de plusieurs randonnées loin de Montréal, qu'il s'agisse de la ville de Québec ou de la vallée du Richelieu.

« Presque un carrefour »

La Montée Saint-Michel n'est pas un fief jalousement gardé par ces peintres qui l'ont élu et qui l'arpentent en toute saison. Le lieu, connu tout simplement sous le nom de domaine Saint-Sulpice ou ferme des Sulpiciens, était déjà fréquenté par plusieurs artistes[93], dont Adrien Hébert (1890-1967), élève du CAM de 1914 à 1917 (2.41), et Georges Delfosse (1869-1939) (4.2), un professeur de Narcisse Poirier. Il y eut ceux aussi que les peintres de

2.39 Marc-Aurèle Fortin, *Paysage à Ahuntsic*, entre 1925 et 1940, mine de plomb et aquarelle sur papier. L'église Saint-Alphonse-d'Youville (commencée en 1929), dont on voit ici le clocher, boulevard Crémazie, se trouvait à proximité de la Montée Saint-Michel. L'intérieur fut décoré par Émile Vézina.

2.42 Umberto Bruni, *Ferme située entre les rues Papineau et Saint-Hubert à Crémazie*, 1934, huile sur bois. On reconnaît la grande ferme avec son toit noir, ses cheminées et ses lucarnes (1.7).

la Montée entraînaient avec eux sur les lieux, dont Maurice Le Bel (**2.43**), élève du CAM et proche de Joseph Jutras, Rodolphe Duguay (1891-1973[94]) (**9.14**), autre élève du CAM et ami de Narcisse Poirier, et Marc-Aurèle Fortin (1888-1970[95]) (**2.39**), lui aussi élève du CAM et ami de Jean Paul Pépin. D'après Jutras, leurs professeurs de l'école du Conseil des arts et manufactures fréquentaient aussi les lieux : Dyonnet, Saint-Charles, Franchère, Gill et Paradis. Est-ce que ce sont leurs élèves qui leur ont indiqué cet emplacement ou les professeurs qui le connaissaient déjà se passaient-ils le mot ? Suzor-Coté, ami de ces professeurs, s'y serait retrouvé, paraît-il.

Bien plus tard, Jean-Onésime Legault entraînera à la Montée Saint-Michel le peintre Bernard Mayman (1885-1966), Juif d'origine polonaise, élève du CAM également[96], ainsi que Charles Tulley (1885-1950), dont il fera le portrait[97]. Legault parcourra encore la Montée avec son seul et unique élève, le jeune Francesco Iacurto (1908-2001), qui, à son tour, y conduira ses deux amis de la communauté italienne de Montréal, Umberto Bruni (1914-2021) (**2.42**) et Joseph Giunta (1911-2001).

2.43 Maurice Le Bel, *À la Montée Saint-Michel*, 1924, gravure sur linoléum.

2.44 Sylvia Daoust, *Vieilles maisons, rue des Carrières*, vers 1935, gravure sur bois. Ce sont des maisons qu'Ernest Aubin a souvent peintes et dessinées.

Les peintres de la Montée font même un émule en la personne de John Young Johnstone (1887-1930), qui enseigne la peinture au CAM à partir de 1918, et qui, durant l'été, prend l'initiative de convier ses élèves à peindre en plein air[98], notamment dans la rue des Carrières, hautement pittoresque, et fréquentée par les peintres de la Montée. C'était alors le visage non plus de la nature, mais de la ville – une ville encore un peu campagnarde. Cette rue était habitée par ceux qu'on appelait les « pieds noirs », c'est-à-dire les ouvriers qui travaillaient dans les carrières des alentours. Sylvia Daoust (1902-2004), future sculptrice qui étudie au CAM depuis 1918, y fera une excursion (**2.44**), probablement sous la direction de Johnstone, ainsi que le graveur de Québec Herbert Raine (1875-1951) et d'autres, dont Judith Sainte-Marie (1886-1970).

La présence des femmes à la Montée Saint-Michel est soulignée par Joseph Jutras qui cite en premier Eugénie Gervais (1863-1943) (**2.40**), née Boudreau, Américaine de Manchester, dans le New Hampshire – comme Joseph-Octave Proulx –, francophone de culture qui, après de probables études antérieures, s'inscrit au CAM en 1910, à l'âge de quarante-sept ans[99]. Elle récolte une mention en peinture dès la fin de sa première année, en même temps qu'une dénommée B. A. Bastien (dates inconnues), avec qui elle se lie d'amitié. Eugénie Gervais passe bientôt en classe de modelage (**2.45**), où elle fait la connaissance d'Ernest Aubin, de Narcisse Poirier et de Rodolphe Duguay, tout en continuant à étudier et à se distinguer dans le dessin et la peinture dans ces mêmes classes où elle côtoie Joseph-Octave Proulx et Joseph Jutras.

En 1916, en classe de dessin, puis en classe de peinture, s'inscrit une dame Juliette Villeneuve (dates inconnues) qu'Eugénie Gervais conduit à la Montée, dont elles seront deux fidèles (**2.46**). Auparavant, en 1915, elle avait lié amitié avec une jeune femme de Longueuil, Judith Sainte-Marie, inscrite en classe de dessin et de peinture sous Charles Gill. Si l'aînée initie la Longueuilloise au pittoresque de la Montée Saint-Michel, la jeune artiste initie son amie montréalaise aux charmes de la rive sud.

De par ses origines américaines, Eugénie Gervais a le contact facile avec les étudiantes anglophones des classes du CAM et quelques-unes d'entre elles, intriguées par ce lieu dont elles entendent parler, se rendent à la Montée Saint-Michel à l'invitation de leur consœur et aînée. Il est toutefois difficile d'identifier ces « dames anglaises[100] » auxquelles Jutras fait

2.45 Rodolphe Duguay, Antoine Leroux, Eugénie Gervais et Ernest Aubin en classe de modelage au CAM, le 16 octobre 1917. Cette photographie a été reproduite – avec plusieurs autres du CAM – dans *The Montreal Daily Star*, 20 octobre 1917, p. 1.

allusion. Hasardons le nom d'Emily Coonan (1885-1971), qui a étudié le dessin et le mode-lage aux Arts et Manufactures de 1903 à 1908, celui de Regina Seiden (1897-1991), inscrite au CAM en 1917 en classe de modelage où elle lie amitié avec Rodolphe Duguay[101] et dont Judith Sainte-Marie fera le portrait, ainsi que le nom de Madame M. Burns (**Chr.7**).

Mais, pour tous et toutes ces artistes, comme le précise Joseph Jutras, «leur séjour à la Montée Saint-Michel ne fut que passager[102]», «sans union aussi vivante[103]» que celle du groupe des huit qui en a pris possession. Il reste que tout se tient dans ce microcosme de la Montée Saint-Michel où peintres, dessinateurs, graveurs, photographes, hommes, femmes, francophones, anglophones, italophones se croisent, se mêlent, arpentent cet atelier à ciel ouvert sur l'île de Montréal, et qui présente une exceptionnelle concentration d'artistes.

S'exposer

Quand il s'agit d'exposer leurs œuvres et de se faire connaître, les peintres de la Montée Saint-Michel procèdent en solo ou par duo, trio ou quatuor – et non pas sous leur nom collectif, leur appellation commune, qui reste un code d'amitié artistique, une affaire entre eux. La réception critique varie de l'un à l'autre, allant de la mention polie à l'appréciation bien sentie, et jusqu'à l'éloge. Sur l'ensemble, Léger, Poirier et Pépin sont ceux qui cumulent le plus grand nombre de comptes rendus critiques. Aubin, Jutras, Martel et Proulx recueillent une réception plus modeste. Quant à Jean-Onésime Legault, par un de ces mystères qui restent entiers, après avoir été refusé au Salon du printemps, il se contentera d'exposer à la galerie L'Art Français.

Léger et Poirier sont les deux premiers à être admis au Salon du printemps de l'Art Association, l'un en 1908, l'autre en 1912. Aubin y entre en 1915, Proulx et Jutras emboîtent

2.46 Eugénie Gervais, au premier plan, peignant en compagnie de Juliette Villeneuve à la Montée Saint-Michel, photographie, vers 1917. En 1911, toutes deux, avec sept œuvres chacune, comptèrent parmi les sept femmes qui figurèrent au premier Salon de peinture et de sculpture du Club Saint-Denis.

le pas respectivement en 1917 et 1922, et Élisée Martel s'y retrouvera en 1934. À partir de 1945, Jean-Paul Pépin, lui, optera pour les expositions personnelles dans des lieux hors des circuits habituels. À cela s'ajoutent, pour tous, des participations à diverses expositions collectives ou la tenue d'expositions individuelles qui, outre Pépin, seront le fait de Jutras, Poirier et Martel. De là découle la réception critique sur une échelle variable en quantité et en qualité.

La reconnaissance critique vient à Onésime-Aimé Léger à partir du moment où il expose des sculptures (6.33-37, 43). Au premier Salon de peinture et de sculpture du Club Saint-Denis en 1911, son buste du photographe Lactance Giroux (1869-1942) est accueilli comme « un coup de maître[104] ». Charles Gill le remarque et on le reproduit dans la presse. Ses tableaux – huiles, pastels, encre et aquarelle – sont longuement commentés dans les journaux. Léger est bien perçu pour ce qu'il est : le peintre « des poétiques allégories[105] ».

Dès sa première œuvre exposée en 1912, Narcisse Poirier marque ce qui fera sa spécificité et le rendra reconnaissable entre tous : la nature morte, avec ses arrangements de fruits, de fleurs, de légumes et d'accessoires (9.30-39). La régularité de ses apparitions aux salons officiels et la multiplication de ses expositions personnelles – toujours fort abondantes en tableaux – font qu'on le présente comme « un des plus actifs et des plus enthousiastes travailleurs parmi nos artistes[106] ». Alors qu'il renouvelle ses paysages en se déplaçant aux quatre coins du Québec, ses natures mortes, conçues dans la retraite de son atelier, sont comme un thème et ses variations et sont exécutées selon une méthode éprouvée : « représenter les choses telles qu'il les voit[107] ». Poirier réussit à maintenir le charme, car il « possède à un haut degré le sens décoratif[108] », et c'est autour de cela que la critique fait consensus.

« Pépin est d'abord surprenant[109]. » Voilà ce que répéteront sur tous les tons les critiques qui visiteront ses expositions. Pépin se définira comme « un artiste de la plus pure tradition canadienne[110] » avec, en même temps, une gestuelle emportée qui donne à sa peinture une « facture assez brutale[111] ». Puis, d'une part, il évolue vers les transparences des lavis couleur à la manière des vitraux (8.33, 34) pour, d'autre part, hachurer ses huiles à coups de zébrures (8.29, 30, 54, 57) qui donnent un aspect de vélocité à ses surfaces. Tant et si bien qu'il a l'honneur d'en arriver à « susciter des controverses[112] ».

Alors qu'Ernest Aubin expose à l'Art Association avec régularité depuis 1919, il faut attendre 1930, au moment où il entre à *La Presse* comme dessinateur et devient un collègue du critique Albert Laberge, pour que ce dernier s'aperçoive de sa présence au Salon du printemps. *Vieux magasin de bonbons* (3.73) est, tout à coup, « une impression de soir très heureusement rendue[113] » et *Nos Vieilles Maisons*, « une œuvre fort importante[114] ». Laberge reproduit le tableau dans son article de *La Presse*. Auparavant, Aubin avait eu à se contenter de rapides salutations du genre : « Mentionnons encore parmi les sculpteurs M. Ernest Aubin, avec son groupe *Retour du champ*[115]. » Il en fut ainsi pour Joseph-Octave Proulx : « Un portrait d'homme et un portrait de femme au crayon, représentent le travail de J.-O. Proulx[116]. »

On accorde à Joseph Jutras « du coloris, de l'atmosphère et de la lumière dans ses toiles[117] », ce qui n'est pas si mal. Pour ses dessins, dont beaucoup sont à la mine de plomb et quelques-uns à la plume, on souligne qu'il s'agit là « [d']œuvres très concises » (4.7-10). En effet, quelques éléments seulement, une maison, un arbre, la route, surgissent sous son crayon. Élisée Martel peint beaucoup, mais se montre peu, et quand il expose pour la seule et unique fois au Salon du printemps, il fait mouche alors qu'il présente son *Vieux coq* et qu'on a la surprise de découvrir « un animalier chez les nôtres[118] » (**7.27-35**).

Pour ce qui est de la réception du groupe lui-même, il faudra attendre 1941, au moment où ses membres présentent leur seule et unique exposition collective.

Un atelier sous les toits

Au début des années 1920, les peintres de la Montée Saint-Michel obtiennent ce que bien des groupes d'artistes rêvent d'avoir : un atelier commun où se retrouver, discuter, peindre, bien sûr, vivre dans une atmosphère d'art et peut-être, à l'occasion, festoyer. Ernest Aubin, encore, est à l'origine de cet exploit. Son atelier improvisé dans l'entrepôt de Desmarais & Robitaille, rue Saint-Jean-Baptiste, se trouve à quelques pas d'un autre atelier, un vrai celui-là, et vaste, au quatrième et dernier étage du 22, rue Notre-Dame Est (auj. le 26-28) (**2.47-50**), connu sous le nom de L'Arche. Des artistes, des littérateurs, des comédiens, des étudiants, des musiciens ont fait connaître cet endroit comme il en existait peu à Montréal :

2.47 Immeuble du 22, rue Notre-Dame Est (auj. 26-28), sur la gauche, photographie, 1910. Ses deux lucarnes du quatrième étage abritaient L'Arche.

2.48 Ernest Aubin, *Séance de pose à L'Arche avec modèle et peintre non identifiés*, photographie, entre 1922 et 1929. Une lampe électrique, dont on aperçoit la perche, est utilisée. Sur le plateau, le plâtre *Jeune fille à la tresse** (3.9) d'Ernest Aubin.

Immense, L'Arche, avec ses coins et ses recoins perdus dans l'obscurité latente, éclairée à la mode de jadis par les lampes et les chandelles, avec le silence qu'on sent y planer, invite au repos de l'esprit. Les bruits de la ville n'y arrivent que rarement en rumeur sourde et indistincte. C'était entre ses murs, l'effacement, l'oubli de la réalité.

La forme de son toit à angle brisé, ses lucarnes, le vieux marteau de cuivre à la porte, reculent les limites du temps de plusieurs années en arrière. Quelques rayons avec des livres, un piano dans un coin, des chaises de paille, des tabourins [*sic*] et des bancs de bois composent l'ameublement. Les murs disparaissent complètement sous la profusion des gravures et des peintures[119].

En 1904, Émile Vézina – qui est connu de tous les peintres de la Montée –, aménagea ce grenier à sa convenance en y faisant percer un puits de lumière. Au début des années 1910, Léger partagea l'espace avec d'autres peintres, dont Marc-Aurèle Fortin, et un peu avant cette date, le jeune Jutras, âgé de quinze ans, vint y prendre des leçons de dessin avec Vézina. Après être passé entre plusieurs mains, dont le groupe littéraire la Tribu des Casoars, de 1913 à 1918[120], l'atelier était maintenant occupé par le peintre Alfred Miro[121] (1876-1922), frère du musicien Henri Miro (1879-1950), et par Serge Lefebvre[122] (dates inconnues) (**3.52**), qu'Aubin a connu de l'école du CAM.

Après la mort de Miro, en 1922, Aubin s'informe du loyer auprès de Lefebvre, lequel n'est que de douze dollars par mois, et il devient l'unique signataire du bail. Pendant un certain temps, Lefebvre continuera de fréquenter les lieux. Mais durant les sept années qu'Aubin louera L'Arche, de 1922 à 1929, l'atelier accueillera principalement Élisée Martel, Joseph-Octave Proulx et Joseph Jutras. Pour prévenir toute intrusion de locataires anciens ou de curieux, Aubin change le loquet de la « trappe magique[123] » qui donne accès à l'atelier, pour une serrure dont il garde seul la clé.

Pour Aubin et Martel, tous deux célibataires, L'Arche devient comme un second domicile. Aubin, qui s'occupe maintenant de sa mère depuis que son père est mort, peut, quand il se retrouve au 22, rue Notre-Dame Est, peindre, dessiner, sculpter à sa guise son modèle favori, Irène Lussier (dates inconnues), à qui le lie une tendre amitié. Martel, lui, a son coin pour ses travaux d'ébénisterie : palettes, boîtes à peinture, chevalets, écrans, qu'il revend au privé ou à des commerçants, comme son ancien employeur Omer DeSerres. L'entente entre les deux amis est si cordiale qu'ils y passent même parfois la nuit, le plateau de pose servant de lit. Quant à Joseph Jutras, pour qui un atelier est depuis toujours un objet de fantasmes artistiques, au 22, rue Notre-Dame il se sent « transporté dans un autre monde[124] ». Il se charge volontiers des courses, car il aime les joyeuses agapes entre copains dans ce décor qui en a vu d'autres et qui semble s'en souvenir. À l'occasion, un des plaisirs d'Aubin, lorsque Martel et Proulx sont réunis à l'atelier, est de leur faire la lecture à voix haute, en particulier du recueil de Victor Hugo, *Les Quatre vents de l'esprit* (1881), ou de quelque roman nouvellement paru, comme *Les Fantômes blancs* (1923), d'Azylia Rochefort, surtout peut-être parce que son ami Lefebvre l'a illustré avec un confrère des Arts et Manufactures, Albert Fournier (dates inconnues).

Les autres peintres du groupe fréquentent aussi l'atelier (**2.49, 50**), surtout le dimanche. Pour ce que nous en savons, ils discutent de leur excursion de la journée, de leur moyen de déplacement : à pied, à bicyclette ou en voiture, et règlent les comptes de leur organisation s'il y a lieu[125]. S'il fait mauvais temps, on s'installe dans l'atelier et chacun travaille à agrandir des pochades, à terminer un tableau, ou bien on fait venir un modèle, féminin de préférence. Quant à Pépin, s'il gravit à l'occasion les escaliers tortueux du 22, rue Notre-Dame Est, il prend surtout l'habitude, à cette époque, de recevoir les peintres de la Montée chez lui. Marié depuis 1923, il a maintenant un logis et plus d'indépendance vis-à-vis de son père, qui ne veut toujours rien entendre de la vie d'artiste. Pépin se rapproche donc du groupe de la Montée. Ce sont des soupers qu'il organise – car il est un bon vivant. Et les autres peintres reçoivent leurs confrères à chacun leur tour – sauf Aubin à cause de sa vieille mère, ce qui ne l'empêche pas, quand même, d'accueillir chez lui, à l'occasion, l'un ou l'autre

2.49 Ernest Aubin, *Séance de pose à L'Arche, sous le puits de lumière, avec modèle et quelques amis non identifiés*, photographie, entre 1922 et 1929. À gauche, de dos, on reconnaît Joseph Jutras. Devant lui, sous la tablette, on voit le tableau de Joseph-Octave Proulx, *Vieux-Montréal en hiver* (10.23) et, plus à gauche, une représentation de la petite ferme avec sa croix de chemin par l'un ou l'autre des peintres du groupe.

de ses amis de la Montée (8.6). Pourquoi ces joyeuses agapes n'ont-elles pas lieu dans le vaste local de L'Arche ? Aubin, se souvenant des rumeurs qui couraient du temps des Casoars, ne veut pas de problèmes avec le propriétaire ni avec les voisins et il s'en tient à ses fricots avec Martel, Proulx et Jutras.

Durant ces sept années passées à L'Arche, à quelle page de leur vie en sont les peintres de la Montée, maintenant qu'ils ont troqué leur atelier en plein air pour un atelier sous les toits ? En 1922, quand ils prennent possession des lieux, onze années se sont écoulées depuis le baptême de leur groupe, onze années dont quatre ont été dévorées par la guerre. Un monde est derrière eux – et une bonne partie de leur jeunesse – et un autre monde s'ouvre devant eux avec ses interrogations. À partir de 1919, Aubin revient au Salon du printemps

2.50 Une séance de pose, à L'Arche, avec modèle non identifié (10,19), quelques peintres de la Montée Saint-Michel et peut-être de leurs amis, photographie, entre 1922 et 1929. De dos, à droite, on reconnaît Ernest Aubin.

et pour de bon. Léger et Poirier y sont restés présents tout le temps de la guerre. Durant cette période, Poirier, tout en maintenant sa présence aux Salons, multiplie les expositions personnelles à la bibliothèque Saint-Sulpice et participe à quelques expositions collectives chez Morency Frères. Inspiré par son ami Poirier, Jutras présente, lui aussi, une exposition personnelle, mais à la Palestre nationale et une autre chez lui, à son domicile, et qui a du succès. À partir de 1927, les peintres de la Montée trouvent une nouvelle occasion d'exposer ensemble, ailleurs qu'aux Salons officiels, avec l'ouverture de la galerie d'art du grand magasin Eaton, sous la direction d'Émile Lemieux[126] (1889-1967), galerie qui présente annuellement une exposition collective. Aussi est-ce à cette galerie que Jean-Paul Pépin expose pour la première fois dans un cadre professionnel, entouré de Jutras et Poirier, et qu'Élisée Martel se décide enfin à montrer ses œuvres.

Dans le monde de l'art canadien et québécois de l'après-guerre, de nouveaux groupes se forment à Toronto et à Montréal, composés d'artistes jeunes et qui semblent vouloir prendre leur revanche sur ces années de vaches maigres de la Grande Guerre. Fondés l'un et l'autre en 1920, le Groupe des Sept se préparait de longue main à entrer dans l'arène de l'art, pour y mettre en valeur «l'âpre, fruste et rude nature du Canada[127]», tandis que le Groupe de Beaver Hall, «des coloristes d'avant-garde[128]», qui compte alors une vingtaine de membres, est composé surtout d'anciens élèves de l'école de l'Art Association[129] – dont une majorité de femmes.

Ces deux groupes vont ébranler les assises de la peinture traditionnelle. Au Salon du printemps 1922 auquel participe le Groupe de Beaver Hall, au tapage des couleurs affichées répond le tapage de la critique outragée[130] – tapage qui, chez Albert Laberge, se transforme en enthousiasme musical : «L'impression que donnent ces couleurs est celle d'un jazz qui, avec emportement, avec furie, éparpillerait ses notes les plus sonores, les plus bruyantes, les plus aiguës[131]. » La manière de Laberge d'apprécier cette peinture par comparaisons musicales est d'autant plus provocante que le jazz est une musique encore fort décriée dans la province de Québec[132].

Lorsque Laberge, en janvier 1921, avait annoncé que « quelques-uns des peintres les plus enthousiastes et les mieux doués de la jeune génération viennent […] de former un cénacle qui s'est déjà mis à l'œuvre[133] », en parlant du Groupe de Beaver Hall, « phalange d'élite, possédant le même idéal et déterminée à marcher de l'avant[134] », ce qui a dû rappeler certains souvenirs aux peintres de la Montée. Cependant, la proposition du Beaver Hall de « coopérer avec les artistes canadiens-français et de les aider dans la mesure du possible de réaliser tout ce qu'ils sont en mesure de donner[135] » n'a pas dû trouver chez eux un grand écho. S'ils veulent être un groupe, ce ne sera pas dans le sillon d'un autre groupe, et s'ils conservent un projet esthétique commun, c'est celui du lieu qui les rassemble : la Montée Saint-Michel.

Ces événements leur font comprendre que le monde de la peinture change et que les notions qu'on leur a inculquées avant la guerre ne sont plus celles qui ont cours dans l'après-guerre. Pourtant, ni Aubin, ni Jutras, ni Martel, ni Proulx ne redoutent la couleur. Ils en usent avec jouissance et constance, mais sans se départir d'une certaine bienséance formelle, sans renoncer au soutien d'un académisme de bon aloi profondément intégré à leur nature. L'adhésion aux valeurs nouvelles de la peinture n'est pas leur affaire. Leur voie est trop bien tracée depuis trop longtemps. Ils y sont trop bien engagés pour ne pas suivre jusqu'au bout cette route qu'ils veulent à leur image, un peu marginale désormais et cherchant, plutôt que la révolution, à ne se soucier que d'évolution[136].

Aubin reste le chef de file de la Montée Saint-Michel, où il semble avoir signé un bail tout autant qu'à L'Arche, et entraîne désormais dans son sillage Jean-Paul Pépin, qui s'attache à lui et veut apprendre le paysage en côtoyant son aîné. Jutras, qui approche la trentaine, s'active plus que jamais dans une fructueuse entreprise de parfumerie. Legault, qui entre dans la quarantaine, outre ses travaux photographiques, vient, avec son ami Johnny Ledoux, qu'il a connu aux Arts et Manufactures, de lancer un commerce d'enseignes publicitaires. Quant à Léger, à peine plus âgé que Legault, trop malade, est retourné vivre chez sa mère et n'expose plus. Il fait désormais de l'illustration pour des publications de la Société Saint-Jean-Baptiste et, avec Aubin, illustre divers livres de classe, dont le *Cours de lecture* des frères Maristes. Il mourra en 1924, à quarante-trois ans. Il est le premier du groupe à disparaître. Poirier, qui, en 1921, est rentré d'un séjour en Europe et qui aborde, lui aussi, la quarantaine, va de l'avant avec les nouveaux sujets rapportés de France et d'Italie, qu'il montre aux salons annuels et dans ses expositions personnelles. Au milieu de la trentaine, Proulx exerce toujours son métier de peintre d'enseignes et, quoique marié, continue de vivre avec son père (il est orphelin de mère). Aubin, Jutras, Poirier et Proulx continuent d'exposer à l'AAM. Ainsi va la vie chez les peintres de la Montée Saint-Michel au cours de la période de L'Arche.

Tout allait pour le mieux dans le meilleur des ateliers jusqu'à ce que les mauvaises langues du voisinage ne commencent à se délier. Les mêmes ragots qui avaient couru sur leurs prédécesseurs, la Tribu des Casoars, à savoir que cet atelier est quasi un lieu de débauche, les rattrapent – la différence étant que les Casoars ont quitté L'Arche peu à peu, tandis qu'il

en ira autrement pour les peintres de la Montée. Les allées et venues de femmes et de
d'hommes (2.51, 52) qui s'engagent sous la porte cochère pour monter – cela ne fait pas
de doute – dans cet atelier d'artistes – dont on ne sait ce qu'il faut penser – ont éveillé la
curiosité d'un observateur zélé. En effet, les peintres de la Montée auraient pu continuer à
occuper l'atelier sans encombre, n'eût été ce commerçant d'en face, un marchand de bois
sons alcoolisées, néanmoins pudibond, qui fait part de ses soupçons de débauche au
nouveau propriétaire, la librairie Beauchemin. Au printemps 1929, le libraire, sans enquêter
plus avant, refuse de renouveler le bail et transforme l'atelier en un commode entrepôt pour
ses cargaisons de livres… Du même coup, il a la regrettable idée de supprimer les lucarnes
du grenier et de les remplacer par un muret de béton qui lui fait gagner de l'espace vers
l'avant – muret toujours en place de nos jours et qui défigure la façade originale de
l'immeuble.

En ce même mois de mai 1929 où les peintres de la Montée perdent leur atelier, quelque
chose se passe dans le bois sacré. En effet, les Messieurs de Saint-Sulpice ont défriché une
portion de terrain, à l'ouest de la petite ferme Laurin, et amorcent la construction d'un
externat classique : le collège André-Grasset. Depuis qu'ils ont découvert cet emplacement

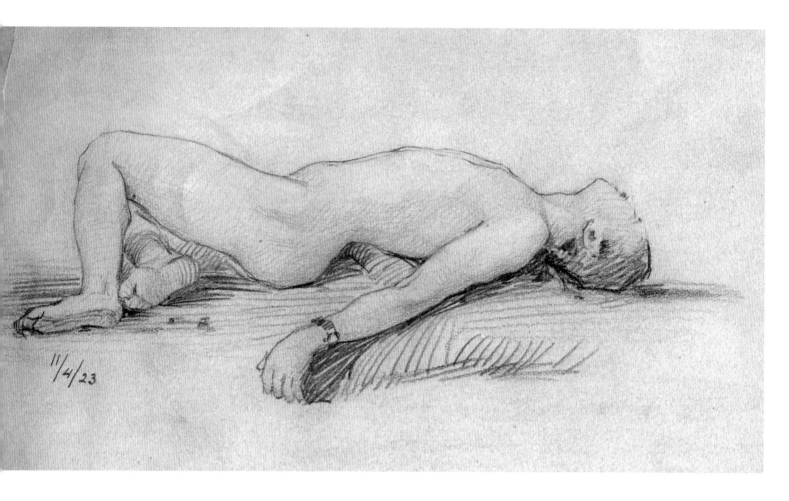

2.52 Ernest Aubin, *Nu masculin à la montre**, 11 avril 1923, crayon et fusain sur papier. Deux nus allongés, dessinés à L'Arche.

où rien ne semblait jamais devoir bouger, depuis qu'ils explorent dans tous les sens ce territoire d'une richesse, pour eux, inépuisable, c'est la première fois qu'ils sont témoins d'une modification qui en change l'aspect. Un an plus tard, peu avant l'inauguration du collège, à l'automne 1930, les Sulpiciens font démolir la petite ferme et relogent la famille Laurin dans la grande ferme[137]. Toutefois, la croix de chemin, quoique déplacée, est conservée. Expulsés de leur atelier sous les toits dont on a changé la vocation et massacré l'ordonnance, bousculés dans le rituel d'accès à leur atelier en plein air avec la disparition d'une partie de leurs armoiries, les peintres de la Montée Saint-Michel vivent un bouleversant début des années 1930.

Une crise

Après leur expulsion de L'Arche, les peintres de la Montée sont confrontés à ce problème : « Il n'y a pas d'ateliers disponibles pour nos artistes à Montréal, chacun travaille dans un coin quelconque[138]. » Du groupe, seuls Legault et Poirier se sont aménagé chez eux un atelier avec un éclairage adéquat. N'ayant plus d'espace commun, nos artistes se concertent et échafaudent le projet de faire construire, dans l'est de la ville, près du Jardin botanique, nouvellement créé dans le quartier Maisonneuve, une série d'ateliers avec une salle d'exposition. Là, pour un prix modique, les artistes trouveraient non seulement un lieu de création à leur convenance, mais aussi un espace où exposer et vendre leurs œuvres. Jutras, qui est versé dans l'art de la publicité, concocte divers plans pour que l'entreprise puisse s'autofinancer.

Mais bientôt, conséquence du krach de Wall Street, le monde connaît une des plus grandes crises économiques de son histoire – ce qui met fin au généreux programme imaginé par les peintres de la Montée : « C'était notre idéal, dira Jutras, mais la crise nous empêcha de présenter notre projet aux autorités et nous remîmes à plus tard la tentative[139]. » À plus tard, autrement dit : aux calendes grecques. Les années qui viennent seront difficiles pour tout le monde. Jutras lui-même voit son florissant commerce de parfumerie emporté dans la débâcle.

2.53 Jean-Onésime Legault, *Art Association of Montreal, cours Dyonnet, avec J.-O. Proulx, N. Poirier et J.-P. Pépin*, vers 1935, huile sur carton. Legault représente ici, à grands traits, trois des peintres de la Montée à une séance de modèle vivant de l'école de l'ARAC, donnée à l'AAM de 1925 à 1940.

Il n'empêche que les peintres de la Montée restent présents sur la scène artistique. Au moment de leur éviction de L'Arche, en mai 1929, Aubin, Jutras, Martel et Poirier présentaient onze tableaux à la *Second Exhibition of Works by Quebec Artists* de la galerie du magasin Eaton, et l'année suivante, ils en présentaient neuf à la *Third Exhibition of Works by Province of Quebec Artists* de la même galerie. En plus du Salon de l'AAM, en cette année 1930, Aubin et Poirier avaient participé à la *First Annual Exhibition of Canadian Arts* à La Malbaie, dans Charlevoix, avec deux tableaux chacun, et avaient répondu à l'invitation d'Ivan Jobin (1885-vers 1975) qui avait créé un espace d'exposition, rue Sainte-Catherine Ouest, dans les locaux des Interior Decorating Galleries[140]. Toutefois, à partir de 1931, les noms d'Aubin, Jutras, Martel et Proulx disparaissent des espaces d'exposition. Seul Poirier tient la route et Pépin attend le moment opportun.

Depuis l'automne 1929, les espaces d'exposition diminuent à Montréal. En effet, la bibliothèque Saint-Sulpice, qui, à partir de 1916, offrait gratuitement ses salles du rez-de-chaussée aux artistes, cède maintenant celles-ci au Conservatoire de musique[141]. Jutras publie une lettre ouverte dans laquelle il réclame le retour des expositions à la bibliothèque des Sulpiciens, brandissant – ô surprise… – la bannière de son groupe : « Les peintres de la Montée Saint-Michel demandent une salle pour leurs expositions[142]. » On voit surgir là, tout à coup, et pour la première fois publiquement, ce nom qui ne circulait qu'entre les membres du groupe. Certes, l'utilisation du nom du groupe – tout occulte qu'il fût – vise à donner plus de poids à la requête de Jutras qui, ici, emprunte une voix collective. La réponse – ironique – viendra du rédacteur en chef de la chronique musicale du *Devoir*, Frédéric Pelletier, qui offre aux peintres de la Montée Saint-Michel de « décorer le Conservatoire et sa salle de concerts [puisque] les murs n'y manqueront pas[143] ».

Malgré ces divers aléas, quelques-uns des peintres de la Montée trouvent moyen de se regrouper à nouveau. En 1925, leur ancien professeur Edmond Dyonnet a conclu une entente avec l'ARAC – dont il est le secrétaire – pour financer à l'école de l'AAM, durant les soirs de semaine, une classe de modèles vivants. Aubin se met à fréquenter ces séances du soir dès 1926 (**3.73**). À partir du début des années 1930, alors que la société s'enfonce dans la crise économique, ses confrères Legault, Pépin, Poirier et Proulx l'y rejoignent (**2.53**). Pour certains d'entre eux, c'est la première fois qu'ils ont accès, de manière continue, à des modèles nus des deux sexes. Ici, autant le modèle féminin est intégralement nu (**2.54**; **3.64, 65**; **5.73, 74**), autant le modèle masculin porte toujours le caleçon, le support athlétique ou le cache-sexe (**3.63, 66, 67**; **5.70, 71, 72**) – à quelques exceptions près. Aubin et Legault sont les plus assidus à ces séances du soir et accumulent dessins et croquis au fusain et à la sanguine, y allant, à l'occasion, de quelques versions à l'huile (**3.67**).

Au milieu des années 1930, le groupe de la Montée Saint-Michel commence à se disperser. Martel, après la mort de son père, en 1933 (sa mère est morte l'année précédente), s'il devient propriétaire de l'immeuble à logements qu'il habite depuis toujours, se porte aussi acquéreur d'une ferme, à Saint-Léonard, pas trop loin de la Montée, où, avec son frère cadet, il construit une maison. Il peut y élever à sa guise des animaux, cultiver son potager et ses fleurs – et peindre dans sa ferme et ses alentours. C'est là qu'il devient peintre animalier et peintre de natures mortes. Jutras quitte l'avenue Papineau – où il habitait non loin d'Aubin – pour le quartier Rosemont, rue Masson, où il loue une maison avec un terrain

qu'il transforme en potager pour aider à la subsistance de sa famille. Joseph-Octave Proulx part pour les États-Unis en 1934. Il y restera deux ans, puis reviendra à Montréal, mais alors il peint de moins en moins. Puis, en 1936, Jean-Paul Pépin quitte Montréal pour Saint-Elzéar (8.27), dans l'île Jésus.

En 1936, c'est la onzième et dernière participation d'Aubin au Salon de l'AAM et la quatrième et dernière pour Jutras. En mai, le trio Aubin, Jutras et Poirier participe à l'exposition *Montréal dans l'art,* qui se tient à la galerie d'art Eaton, aux côtés, entre autres, de Maurice Le Bel, ancien compagnon de la Montée, et de Marc-Aurèle Fortin, qui s'est déjà aventuré dans les mêmes parages. En 1937, Poirier, qui en est à sa vingt-septième participation à l'AAM et à sa septième à l'ARAC, n'apparaîtra plus dans les salons officiels – ni à la Montée Saint-Michel. Il se contentera désormais d'expositions personnelles. Enfin, en 1940, Ernest Aubin, sa mère étant placée en maison de retraite, se marie à l'âge de quarante-sept ans, avec Laurette Bélisle, infirmière. Ils iront bientôt s'installer à Sainte-Adèle, dans les Laurentides.

Dès lors, quel sort le destin réserve-t-il individuellement et collectivement aux peintres de la Montée Saint-Michel? Ce groupe qui, à la fin des années trente n'en est plus un, ses membres s'étant éparpillés et retirés des manifestations officielles, ce groupe dont le nom autant que l'existence sont restés affaire privée et que l'on pourrait croire parvenu à son extinction, va connaître contre toute attente une renaissance que rien ne laissait prévoir, un rassemblement de ses cendres d'où jaillira une vie nouvelle et définitive et ce, paradoxalement, alors qu'il est en soi une chose du passé – un passé réactualisé par une importante conférence donnée sur eux en 1941 (**C.6**), suivie d'une exposition collective (**C.10**), la première et la seule de leur existence.

2.55 Ernest Aubin, *Deux nus masculins assis, avec détail d'un pied**, 1934, sanguine sur papier.

2.56 Ernest Aubin, *Vache au repos*, 1907, huile sur carton. Cette pochade figurait en 1941 dans l'exposition du groupe à la galerie Morency (C.10) ainsi que dans l'*Exposition d'art canadien* au collège André-Grasset en 1944 (C.13), sous le titre *Vache couchée*. Elle faisait partie de la collection d'Émile Filion. Pour modeste qu'elle soit, cette petite huile est à l'origine du vaste corpus des peintres de la Montée Saint-Michel, puisque c'est grâce à ce sujet champêtre qu'Ernest Aubin a découvert le domaine Saint-Sulpice où il a entraîné ses amis.

CHAPITRE 3

ERNEST AUBIN (1892-1963) L'ÉTERNEL ÉTUDIANT

Ernest Aubin (3.1) n'a pas eu à s'interroger longtemps sur sa vocation d'artiste. Fils de Benjamin Aubin[1], photographe, dessinateur et sculpteur, il a eu ses premiers contacts avec l'apprentissage de l'art dès l'âge de cinq ans, alors que son père l'emmenait aux cours du soir du Conseil des arts et manufactures (CAM). Pour occuper l'enfant, Edmond Dyonnet (1859-1954), le professeur de dessin, lui remettait une planche, une feuille et des crayons[2]. Mais le passe-temps tournait vite à l'exercice, et le père de constater que ce fils avait des aptitudes qu'il faudrait faire fructifier. À la maison, Benjamin Aubin disposait ses dessins, sculptures et photographies dans les différentes pièces de la maison ; dans son salon réservé à la musique, Mme Aubin jouait du piano, comme Maria, le seul autre enfant de la famille, qui étudiera, elle aussi, le dessin aux Arts et Manufactures aux côtés de son frère. Ainsi, Ernest a grandi dans une atmosphère d'art qui restera toute sa vie son climat naturel[3], sans qu'il ait aucune idée d'en changer et dont il tirera l'essentiel de sa subsistance.

Deux ans après la naissance d'Ernest, le 10 novembre 1892, dans le quartier Saint-Henri, à Montréal, Benjamin Aubin avait ouvert son studio de photographie à l'étage de l'immeuble qu'il habitait, le 3673, rue Notre-Dame[4]. En 1904, sur les conseils d'un ami bien intentionné, il tente l'aventure de s'installer avec sa famille dans la région de Lanaudière, à L'Assomption, qui connaît alors une période d'expansion. Là-bas, la réalité se révèle moins séduisante que prévu pour l'artiste photographe qui, pour joindre les deux bouts, fait de la sculpture sur bois pour les églises de la région[5]. Le petit Ernest est mis à contribution et prend part aux travaux des champs. Au milieu de ces corvées, l'adolescent admire la nature autour de lui et, ayant gardé le souvenir des soirées au CAM, se dit qu'il aimerait bien être peintre pour pouvoir reproduire tout ce qu'il voit de beau autour de lui, mais, dans les circonstances, ce rêve lui paraît irréalisable[6]. Au bout de trois ans, Benjamin Aubin revient à Montréal avec son fils, tandis que sa femme demeure à L'Assomption avec leur fille pour assurer le fonctionnement du studio de photographie.

En 1910, Mme Aubin ferme le studio de L'Assomption et revient dans la métropole avec sa fille Maria. Enfin réunie, la famille prend logis au 459, rue Dorchester Est (auj. boulevard René-Lévesque), en face du couvent des Sœurs de la Miséricorde, près de la rue Saint-André.

3.1 Ernest Aubin, *Autoportrait jeune*, n.s., s.d., fusain sur papier.

3.2 Ernest Aubin, *Mercure attachant ses talonnières (d'après Jean-Baptiste Pigalle)*, 1909-1910, fusain sur papier.

3.3 Ernest Aubin, *Tête d'homme portant cravate**, 1914-1915, fusain sur papier.

3.4 Ernest Aubin, *Jeune fille à la boucle d'oreille**, 1913-1914, fusain sur papier. En 1913, Joseph-Octave Proulx a dessiné le même modèle sous un angle légèrement différent (10.8).

3.5 Ernest Aubin, *Jeune femme de trois-quarts**, 1920, fusain et craie sur papier beige.

« Avant que de peindre : apprendre à dessiner[7] ! »

Dès son retour à Montréal, en 1907, Ernest, qui allait sur ses quinze ans, s'est inscrit aux cours du soir du CAM. Il retrouve, au quatrième étage du Monument-National, la vaste salle de cours qu'il connaît si bien (2.21). Il revoit aussi le maître Dyonnet, titulaire de la classe de dessin avancée, qui dut éprouver une certaine satisfaction à voir revenir ce garçon, qui a grandi et dont le talent s'affirme rapidement. C'est le début, entre l'élève et le professeur, d'une relation d'estime qui durera jusqu'à la fin des années 1930. En même temps que son fils – qu'il suit de près –, Benjamin Aubin s'était inscrit, lui aussi, en classe de dessin. En 1910, Maria entre au CAM à son tour, en classe de dessin, où elle rejoint son frère Ernest[8], tandis que le père passe en classe de modelage. Mme Aubin, quant à elle, s'inscrit aux cours de couture, où sa fille l'accompagne. Ainsi, plusieurs soirs par semaine, toute la famille Aubin se retrouve au Monument-National.

Inscrit en classe avancée, Ernest Aubin suit toutes les étapes du cours : cubes, cônes, sphères, puis copies de modèles en plâtre (3.2) où il se distingue en appuyant sur l'expressivité de la figure, ce qui annonce son intérêt pour la pratique du portrait. Une fois en classe de modèles vivants, s'il dessine plusieurs sujets en pied ou de trois quarts, sa préférence va au buste et même à la tête presque exclusivement, car la figure humaine le captive (3.3-5).

En 1911, au terme de sa quatrième année d'études, il remporte le premier prix de dessin (2.27). Même si cette quatrième année clôt en général le cycle d'études, Aubin poursuivra encore dans cette discipline pendant douze ans, trouvant là l'occasion de pratiquer le modèle vivant autant qu'il le veut, en compagnie des camarades de la Montée Saint-Michel, tels que Joseph Jutras, Joseph-Octave Proulx et Narcisse Poirier. Il figure alors hors concours aux expositions des travaux d'élèves qui se tiennent à la fin de chaque année scolaire.

Peindre I

À la rentrée de 1910, alors qu'il va sur ses dix-huit ans, Aubin s'inscrit au cours de peinture qui se donne en après-midi sous la direction de Jobson Paradis, lequel enseigne également le dessin le soir et le jour. Les cours de plein air n'étant pas au programme de l'école des Arts et Manufactures, Paradis, à l'exception de quelques modèles en plâtre et de quelques modèles vivants, centre son enseignement sur la nature morte[9] (3.6). Le professeur fournit lui-même les accessoires qui forment les compositions proposées à ses élèves : plâtres (tête de femme ou de moine, gargouille), chandeliers, livres, vases, casseroles, jarres, instruments de musique (mandoline), plantes, fruits (mandarines, citrons), légumes (choux, oignons, asperges, carottes), bouquets de fleurs, et même palette d'artiste avec tubes et pinceaux… Tout est bon pour mener l'élève à exercer son œil et son pinceau. À la fin de sa première année en peinture, Aubin remporte le deuxième prix et, au terme de sa troisième année, en 1913, il figure hors concours dans l'exposition de fin d'année (3.4).

À la rentrée de cette année-là, Jobson Paradis, qui a quitté Montréal pour s'établir à Ottawa, est remplacé par le peintre et poète Charles Gill. Pour poursuivre sa formation en peinture, Aubin se tournera plutôt vers l'école de l'Art Association of Montreal (AAM) qui vient de s'installer dans le nouvel édifice que l'association a fait construire, rue Sherbrooke Ouest.

3.6 Ernest Aubin, *Nature morte à la gargouille**, 1913, huile sur toile.

À GAUCHE

3.7 Ernest Aubin, *Benjamin Aubin*, père de l'artiste, 1919, plâtre.

À DROITE

3.8 Ernest Aubin, *Jeune fille au béret**, 1922, plâtre. Le béret que porte ce modèle féminin rappelle celui des étudiants de l'Université Laval de Montréal, rue Saint-Denis, que chaque faculté arborait à ses couleurs. Peut-être Aubin a-t-il trouvé ce béret à L'Arche, occupée par la Tribu des Casoars, groupe d'étudiants de l'Université Laval de Montréal, de 1913 à 1918, et en a-t-il coiffé son modèle ?

Entre-temps, ambitieux quant à sa formation d'artiste et se distinguant dans toutes les disciplines de l'art, Aubin s'inscrit, en 1911, en classe de lithographie, où il restera deux ans, remportant chaque fois le premier prix. Puis, poursuivant toujours dans cette lignée de perfectionnement, en 1912, il entre en classe de modelage sous la direction d'Alfred Laliberté (1877-1953). Il y restera neuf ans, remportant tous les honneurs[10] – et non sans avoir donné à son professeur un peu de fil à retordre. En effet, celui-ci rapporte : « Je me souviens lorsqu'il fut mon élève en sculpture, lorsque je lui faisais remarquer les défauts de sa figure, il avouait tout avec humilité, ou il semblait se frapper la poitrine en disant, par ma faute, par ma faute, par ma très grande faute, et il continuait à faire la même erreur[11]. » Sa résistance face aux conseils de l'éminent sculpteur et professeur Alfred Laliberté semble indiquer qu'Aubin a déjà ses idées à lui en matière de sculpture – à moins qu'il ne subisse l'influence de son père, qui étudie dans la même classe de modelage depuis 1910, et ce, jusqu'en 1913[12].

Chef de file

Entre le moment où il s'inscrit au cours de peinture de Jobson Paradis, en 1910 et celui où il entre à l'école de l'AAM, en 1913, s'insère, pour Aubin, le 25 octobre 1911, un événement qui, sous ses dehors informels, peut avoir l'air anodin, mais qui va signer le destin d'un certain nombre d'artistes, dont le sien au premier chef. Il s'agit du baptême du groupe qui s'est formé autour de lui depuis quelques années et qui prend le nom de « peintres de la Montée Saint-Michel ». Ce groupe est composé de confrères du CAM auxquels il a fait connaître le domaine Saint-Sulpice, vaste ferme au nord de Montréal où ils se retrouvent pour peindre. Pourquoi ne pas avoir pris alors le nom de « peintres du domaine Saint-Sulpice » ? C'eût été, d'une part, s'approprier le nom des Seigneurs de l'île de Montréal sans leur en demander la permission – nom qui eût été un peu lourd à porter – et, d'autre part, faire une petite entorse à la vérité historique. Dès 1907, à son entrée au CAM, Aubin avait déjà découvert cet atelier naturel, vraisemblablement en bifurquant de l'avenue Papineau, à bicyclette, par le coude la rue des Carrières (qu'il fréquentera, 5.22) pour arriver à la montée Saint-Michel (avec un petit *m*), en pleine campagne, laquelle, tout droit, l'avait conduit au domaine des Sulpiciens – éden inconnu des peintres montréalais où il reviendra si souvent (1.4, 12-15). À l'école des Arts et Manufactures, ne tarissant pas d'éloges sur ce lieu enchanteur, il y avait entraîné l'un après l'autre ses camarades de classe, dont certains sont devenus des fidèles. D'où, quatre ans plus tard, ce nom dont ils se sont revêtus. Joseph Jutras, Jean-Onésime Legault, Onésime-Aimé Léger, Élisée Martel et Narcisse Poirier forment alors le groupe qui gravite librement autour

3.9 Ernest Aubin, *Jeune fille à la tresse**, entre 1913 et 1918, plâtre. Avec plusieurs autres, cette sculpture avait été transportée à L'Arche par Ernest Aubin (2.48, 49). Eugénie Gervais (2.45) a travaillé à partir du même modèle pour réaliser le buste intitulé *La Pensée*.

3.10 Jean-Paul Pépin, *Ernest Aubin à la Montée Saint-Michel*, photographie, 10 juillet 1927. Au fond, la ferme de Napoléon Robin (informations de la main de J.-P. Pépin au dos de la photographie). Un chef de file... qui savait être solitaire.

de son chef de file, pour le plaisir de peindre ensemble dans un environnement élu pour son charme et la multitude des sujets qu'il présente en toute saison. Pas de manifeste, pas de publicité, pas de programme esthétique autre que celui de peindre chacun selon son talent et en bonne et stimulante compagnie.

De ce compagnonnage, Ernest Aubin aurait fait son bonheur pour longtemps s'il n'avait été contrarié par son propre père qui semblait nourrir en matière d'émulation artistique des idées bien précises. La présence, pour ne pas dire l'omniprésence, du père auprès de ce fils qui montrait des talents précoces pourrait avoir été quelque peu contraignante.

On sait que Benjamin Aubin ne se séparait guère de son fils[13]. Celui-ci lui était un auxiliaire précieux dans son travail de photographe – ce qui, du même coup, initiait Ernest à un métier qui lui servira plus tard. En fin de journée venait l'heure de se rendre – tous deux – aux cours du Monument-National, qui débutaient à 19 h 30. Or, en voyant ce fils mêlé à un groupe dont il était l'instigateur pour ne pas dire l'inspirateur, Benjamin Aubin a pu sentir que celui qui, d'ordinaire, lui était soumis en tout et pour tout commençait peut-être à lui échapper, à s'affranchir non seulement de sa tutelle patriarcale, mais aussi de sa surveillance artistique. Témoin des talents de son rejeton en dessin, en peinture et en sculpture, et entrevoyant peut-être pour lui un brillant avenir, il entendait le préserver d'influences extérieures qu'il jugeait nocives à sa jeune personnalité[14].

Une première étape dans l'émancipation de la tutelle paternelle survient au moment où Ernest entre au service de la maison Desmarais & Robitaille, un commerce d'articles religieux et d'ornements d'église dont le magasin principal est situé au 19, rue Notre-Dame Ouest. Là, il travaille, entre autres, à la décoration et à la réfection de statues de plâtre, à la pose de la feuille d'or et à la confection de crèches[15]. Nous supposons que c'est en 1913, année où il entre à l'école payante de l'Art Association, qu'il prend cet emploi, lequel lui apporte une autonomie financière qu'il fait fructifier à sa façon.

Peindre II

Après le départ de Jobson Paradis, son professeur de peinture aux Arts et Manufactures, Aubin poursuit sa formation dans cette discipline à l'école de l'Art Association, qui vient de s'installer dans son nouvel édifice, rue Sherbrooke Ouest. Comme tant d'autres, Ernest Aubin est attiré par la personnalité de William Brymner (2.28), directeur de cette école, « [cette] figure, la plus belle peut-être de notre patrimoine artistique, Brymner, le maître incontesté, le fondateur d'une école d'où sont sortis nos meilleurs artistes[16] ». Pendant un an et demi, Aubin va étudier la peinture sous sa direction.

Ce n'est d'ailleurs pas la première fois qu'il met les pieds dans cette école. Déjà, en 1908-1909, une année seulement après son entrée au CAM, son professeur Edmond Dyonnet l'avait invité à venir, le jeudi – jour de relâche au CAM – aux séances de modèles vivants qu'offrait l'AAM[17]. Aubin a alors seize ans[18]. À cette époque-là, a-t-il les moyens de couvrir les frais qu'exige cette école ? Peut-on imaginer qu'il ait joui de la protection de Dyonnet ? Celui-ci, qui partageait de manière épisodique la classe de dessin avec son ami Brymner, avait peut-être pris le jeune Aubin sous sa protection. Laissait-on alors un adolescent de seize ans dessiner des modèles nus ? Dans ce cas, ce ne pouvait être que des modèles masculins[19].

Donc, de l'automne 1913 au printemps 1914, et pour le premier trimestre de 1914[20], Ernest Aubin, à raison d'un soir par semaine, le jeudi, suit les cours de peinture de William Brymner. Après ses études à Paris de 1878 à 1885, Brymner s'était fait le promoteur de l'impressionnisme au Canada et, en 1896 et 1897, il avait donné sur ce sujet deux confé-rences[21]. On ne sait ce que le jeune Ernest Aubin, au moment où il entre dans la classe de Brymner, en 1913, a pu recueillir ici et là de connaissances sur la technique impressionniste, en visitant le Salon du printemps ou le Salon d'automne à l'AAM et en lisant les comptes rendus, en faisant quelques lectures – mais quoi qu'il en soit, ni Edmond Dyonnet ni Joseph Saint-Charles ne mettent leurs élèves sur cette piste dans les cours du CAM. Pour le moment, donc, à l'école de l'Art Association, Aubin exécute un premier essai – un portrait de femme en buste – où il conjugue son apprentissage du dessin selon Edmond Dyonnet et sa pratique de l'huile selon Jobson Paradis. Les quelques autres rares témoignages que nous avons du passage d'Aubin chez Brymner sont aussi des portraits, d'hommes cette fois[22], dans les mêmes tons de terre et de sépia, peints sur carton ou sur toile, mais où l'artiste se montre un peu plus généreux dans l'empâtement. Si, fusain à la main, il se montre expert dans l'art de dessiner un visage, d'en rendre les volumes et l'expression, il en va autrement avec le pinceau. Quoi qu'il en soit, Aubin, habitué peut-être à faire à sa tête, au terme de son année et demie à l'école de l'Art Association, n'a pas rejoint l'enseignement de Brymner – ou n'a pas encore été rejoint par cet enseignement.

Le pas sera franchi en 1915. On a vu que son emploi chez Desmarais & Robitaille marque pour lui une première étape alors qu'il acquiert plus d'autonomie vis-à-vis de son père. Une deuxième étape survient, en lien encore avec son employeur, quand il s'installe dans son premier atelier. Il s'agit de l'entrepôt que Desmarais & Robitaille loue à partir de 1915 au 49, rue Saint-Jean-Baptiste (auj. le 475), un peu au sud de la rue Notre-Dame, et qui lui sert pour l'exécution de divers travaux. On ne sait si d'autres employés y ont accès, en tout cas, Aubin y travaille et y jouit de suffisamment de liberté pour le considérer comme

3.11 Ernest Aubin, *Lever du jour en hiver**, n.s., s.d., [1915], huile sur carton.

son atelier[23], son chez-lui d'artiste, où il peut peindre s'il le veut et recevoir ses confrères de la Montée, surtout Joseph-Octave Proulx et Élisée Martel, loin du regard sourcilleux de son père.

Est-ce parce qu'il peut mieux réfléchir à sa peinture dans un lieu qui, au fond, est le sien et qu'il a eu le temps d'assimiler les leçons de Brymner ? Aubin, cette année-là, va devenir un nouveau peintre. Ce n'est ni dans la nature morte ni dans le portrait que s'opérera ce changement, mais dans un paysage exécuté en plein air, hors de l'atelier, et pas même un paysage d'été ou d'automne ni même un de ces crépuscules dont il sera si prodigue par la suite, mais dans une scène d'hiver, une scène de matin d'hiver où on ne voit pas, de prime abord, comment la couleur pourrait avoir rendez-vous – mais Aubin le sait, lui qui aime se lever tôt.

Un jour, vers la fin de la saison froide, en 1915, Aubin se trouve dans un terrain en friche qui domine le quartier Hochelaga, dans l'est de Montréal (3.11). Entre deux buttes où se faufile un sentier, une vue se dégage au loin sur le port, où se devine un silo avec, à côté, d'autres installations. Il est très tôt. La fonte des neiges a commencé et a dégagé les buissons qui portent encore les couleurs rouille de l'automne, ainsi que, ici et là, diverses portions

3.12 Ernest Aubin, *Jour de fin d'hiver**, 1915, huile sur carton.

de terre. Le moment choisi – le lever du jour – va déterminer pour Aubin l'événement pictural. D'instant en instant, la lumière monte à l'horizon et s'amplifie jusqu'à éclater dans une fanfare de roses, de jaunes, de bleus et de violets. La couleur éclate dans le ciel et sur la palette du peintre qui capte cette heure indicible, fait virevolter son pinceau dans une touche spontanée toute nouvelle pour lui. La métamorphose du monde sous l'effet de cette lumière a transformé l'artiste.

L'enchantement premier a été fixé à jamais sur le support. Quelque temps après, Aubin revient sur place pour entreprendre une deuxième pochade (3.12). Le soleil est monté et, par cette journée qui semble un peu humide, le ciel reste d'une sorte de bleu-gris neutre. C'est vers le sol que le regard du peintre se tourne, le sol davantage à découvert, le jour s'avançant et le temps s'adoucissant toujours plus ayant fait fondre davantage de neige. On distingue des installations portuaires plus nombreuses. Sur le talus de droite, le peintre fait glisser sur la neige de sommaires jeux d'ombre et de lumière et aligne, au pied du talus de gauche, cinq petits buissons guillerets qui n'apparaissaient pas encore dans sa première pochade.

Pour Ernest Aubin, c'est plus qu'un lever du jour auquel il vient d'assister, c'est plus qu'aux étapes d'une fonte des neiges, c'est à sa propre naissance de peintre. Ces deux pochades, il les conservera telles quelles, sans les transposer en tableaux. Sur ces surfaces réduites, il a tout dit de son émotion, il a déployé l'essentiel de son nouveau savoir et de sa maestria. Aubin sera un peintre de l'immédiat.

Un maître de l'improvisation

Un critique de l'époque l'a dit : « Une simple étude revêt toute l'importance d'un tableau : elle acquiert une intensité qui fascine tout d'abord et transmet à l'âme du spectateur le sentiment originel dont elle est pénétrée[24]. » Les notations d'Ernest Aubin sur ses nombreuses planchettes de bois parlent d'elles-mêmes, tiennent un langage qui leur est propre et qui se suffit à lui-même. C'est ce « sentiment originel » qui intéresse le peintre et qu'il veut montrer, tout vif, témoignage direct de ses choix, de son émotion et de son savoir-faire d'artiste du terrain.

Une fois sa pochade exécutée, Aubin considère son travail de peintre comme terminé. L'œuvre est faite[25]. Il a fixé sur son rectangle de bois ou de carton l'instant qui lui paraissait si beau et qui allait fuir. Tout est dit ici en quelques centimètres carrés. La concision de la pochade peut se comparer à certaines formes poétiques brèves comme le haïku ou le tanka, que privilégie un poète tel Jean-Aubert Loranger (1896-1942[26]), ou le quatrain adopté par Emily Dickinson (1830-1886[27]). Ernest Aubin est un adepte du format réduit, de la formule condensée.

Un monde de rêve et de poésie et presque d'infini tient sur une surface grande comme la main (3.13). La modestie de la surface n'exclut pas la profondeur du champ, ni la vastitude de l'impression, ni l'intensité de la vision. Aubin pousse encore plus loin le défi que lui présente ce format quand il le réduit de moitié ou même des trois quart[28]. Nous approchons

de la miniature et la difficulté paraît insurmontable vu les sujets paysagistes auxquels le peintre s'attaque – mais non, le miracle a lieu et on admire la maestria de l'artiste pour qu'un climat de rêverie aussi dense et aussi complet puisse se déployer sur une si petite surface (3.14, 15).

Sa pochade dit tout ce que le peintre a eu à dire sur le moment. Aubin propose au spectateur de revivre en réduction ce qu'il a vécu grandeur nature. Ce n'est pas tant le tableau final qui intéresse Aubin que l'esquisse en marche, le spontané, le saisi sur-le-champ, « le vierge, le vivace et le bel aujourd'hui[29] » qu'il fixe avec l'assurance d'un virtuose, l'ingéniosité d'un improvisateur, la sûreté d'un œil infaillible. Aubin transpose rarement ses notes en atelier. Il s'agit d'un choix délibéré, d'une prédilection, d'une exigence même à faire vite, bien et juste – et aussi, n'en doutons pas, d'un « à quoi bon » agrandir ces pochades en tableaux qui dormiront dans la cave ou la remise. Dans un tableau de chevalet – et Aubin en a peint un certain nombre –, il lui faut se déprendre de la spontanéité de l'improvisation virtuose pour devenir l'exécutant appliqué d'une partition qui s'éloigne de la tonalité originale mais dont l'exécution peut s'avérer aussi une pleine réussite (3.26).

Enfin, une fois fixé sur le recto, le paysage doit être annoté au verso, où Aubin a l'habitude d'inscrire le lieu, le jour et même l'heure de son exécution, et souvent le compagnon avec qui il se trouvait, généralement Jean-Paul Pépin, mais aussi Joseph Jutras, Jean-Onésime Legault, Élisée Martel ou Joseph-Octave Proulx.

Aubin était si intimement convaincu de la valeur intrinsèque de la pochade, de l'esquisse comme œuvre d'art à part entière et finie en soi, qu'il avait relevé et transcrit cette citation d'Eugène Boudin (1824-1898), un des précurseurs de l'impressionnisme : « Tout ce qui est peint directement et sur place a toujours une force, une puissance, une vivacité de touche qu'on ne retrouve plus dans l'atelier[30]. » Autre citation relevée par Aubin, provenant de Diderot (1713-1784), encyclopédiste et critique d'art (entre autres) : « Les esquisses ont communément un feu que le tableau n'a pas. C'est que l'esquisse est l'ouvrage de la chaleur et du génie, et le tableau l'ouvrage du travail, de la patience, des longues études et d'une expérience consommée de l'art[31]… » Voilà, résumé en deux citations, l'art pictural d'Ernest Aubin.

Au mont Royal

Au milieu de la décennie 1910, alors que son père met un frein à sa fréquentation de la Montée Saint-Michel, Aubin se tourne vers le mont Royal, autre écrin de verdure, mais en élévation, au cœur de la métropole. À « la montagne », comme on dit, avec ses sous-bois, ses sentiers et le visage changeant des saisons, Aubin se fait à la fois dessinateur et peintre. Autant à la Montée sa préférence ira aux grands ormes qui peuplent ce territoire, autant au mont Royal (3.17) elle va aux bouleaux qui y vivent en colonies. En ce sens, il entreprend des séries, ce qui est une de ses caractéristiques. Dans ce milieu dominé par l'érable, le conifère, le chêne et le tremble, ils sont facilement repérables avec leurs troncs blancs, minces et élancés, qui se détachent de la masse plus sombre de la forêt, et leur écorce texturée, qui se défait d'elle-même par larges bandes, offre à l'œil des surfaces tantôt claires, luisantes, d'un gris rose argenté, tantôt presque noires et striées de blanc, qui s'étagent sur leur fût étroit.

3.16 Ernest Aubin, *Étude de bouleaux et de roches au mont Royal**, fusain sur papier.

3.17 Ernest Aubin, *Du haut du mont Royal**, 1920, huile sur bois.

3.18 Ernest Aubin, *Bouleaux au mont Royal**, 1926, huile sur bois.

Aubin, à la recherche d'un sujet, a emprunté le chemin Olmsted qui sinue sur le flanc est du mont Royal. Après avoir marché environ un kilomètre et demi, il a probablement tourné à droite, empruntant un chemin plus étroit et moins fréquenté, où il a rencontré bientôt quelques ensembles de bouleaux qui vivent là, entre des éboulis de rochers ou agrippés à même le flanc de la montagne. C'est à cet endroit que le peintre va s'attacher, et presque exclusivement au tronc si caractéristique de ces arbres. Regroupés en un certain nombre d'individus, avec leurs formes étroites et sinueuses, divisées en bandes aux nuances variées, ces bouleaux semblent danser les uns autour des autres et mettent du rythme dans le paysage. Accessoire important de cette chorégraphie : les rochers, d'entre lesquels ils ont l'air de s'être extirpés (3.16, 18), l'aspect frêle de l'arbre soulignant d'autant mieux sa victoire sur le lourd rocher avec lequel il a lutté. Autant ces rochers sont enfoncés de tout leur poids dans le sol, autant les fûts qui s'en échappent filent dans un seul élan vers le ciel. Ces mêmes rochers sont l'objet d'une attention particulière du peintre et deviennent parfois un élément important du tableau, sinon le sujet principal (3.24). Dans leur matière sombre et dans

À GAUCHE
3.19 Ernest Aubin, *Arbres et rochers**,
9 novembre 1921, fusain et pastel sur papier.

À DROITE
3.20 Ernest Aubin, *Deux bouleaux**, n.s., s.d.,
[1921], fusain et pastel sur papier.

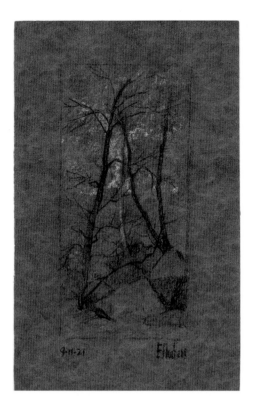

À GAUCHE
3.21 Ernest Aubin, *Groupe de bouleaux**, n.s., s.d.,
huile sur bois.

À DROITE
3.22 Ernest Aubin, *Trio de jeunes arbres**,
8 novembre 1921, fusain et pastel sur papier.

leurs formes irrégulières, le peintre découvre des reflets rosés, verdâtres ou bleutés qui les harmonisent au décor végétal où ils sont campés.

Même si ce n'est pas sa saison préférée[32], Aubin se risque au mont Royal en hiver. Par un jour ensoleillé, la lumière reflétée par la neige transfigure bouleaux et rochers (**3.23**). Des tons de rose, d'orange et de vert abolissent leur minéralité, tandis que les troncs des arbres se teintent de vert lime clair, de gris-bleu, de jaune et de rose pâle qui transmuent leur nature végétale. Dans cette lumière hivernale, des choses cachées se révèlent. L'arrière-plan de la forêt dépouillée se fond dans ce rose et ce bleu qui font apparaître sur la planchette du peintre une vision éblouie, née de ce redoublement de lumière sur la blancheur de la neige. Quelques troncs morts, maigres, tordus, se détachent en noir sur cet excès de lumière qui les pressure et leur fait rendre ce qui restait en eux de substances aux tons rougeâtres, bruns et bleutés.

À l'automne 1921, toujours au mont Royal, Aubin exécute une série de dessins au fusain et au pastel (matériau qu'il emploiera peu) sur de petites feuilles de papier brun-gris texturées. À peu près tous de format identique, ces croquis occupent le centre du feuillet et sont, pour la plupart, entourés d'un trait noir. Pour l'artiste, la saison en cours est ici le prétexte tout trouvé pour expérimenter la rencontre des crayons de pastel et du bâton de fusain, le fusain allant au dessin proprement dit, le pastel aux rehauts. De

3.23 Ernest Aubin, *Bouleaux en hiver**, n.s., s.d., huile sur bois.

jeunes arbres d'essences variées sollicitent le dessinateur et celui-ci, penché sur le petit format de sa feuille, ne s'en concentre que davantage sur la finesse du tracé (**3.19, 20, 22**). Il s'arrête à une mêlée de troncs élancés que de gros rochers ont poussés les uns vers les autres et qui barrent le passage du sentier. Les touches papillonnantes de couleur ne sont pas réservées qu'aux feuillages d'automne ; elles mouchettent le ciel gris, ou attestent un ciel bleu, ou encore caractérisent de rose ou de jaune tel ou tel rocher.

Un de ces dessins (**3.25**) a été transposé à l'huile (**3.26**). Nous avons là un exemple de la méthode d'Aubin quand il agrandit une esquisse pour en faire un tableau. Ce dessin compte parmi les plus travaillés de la série. Un sentier se faufile entre de jeunes arbres et des troncs plus massifs autour desquels s'enroulent les tiges de ce qui pourrait être une vigne sauvage ou des ronces. Si, dans le dessin, elle n'était suggérée que par de discrètes

touches de pastel jaune, dans sa traduction sur toile Aubin redonne à la trouée lumineuse sur laquelle débouche le sentier toute l'importance qu'il en avait gardée dans son souvenir. Au premier plan, Aubin rend à la forêt toute la frondaison qui était absente de son dessin et atténue les détails des maigres troncs. L'ombre, qu'elle s'étende sur le gros arbre de droite ou tapisse le sentier, rend une teinte bleutée qui se communique aux feuillages, tandis que le peintre accentue le contraste entre la retraite ombreuse où il est posté et le dégagement lumineux qui se présente à lui. La touche des feuilles, que le soleil les frappe ou non, est ici plus étale, là plus vive, selon qu'il s'agit du tronc et du sol ou des feuillages colorés et des branchages agités.

PAGE PRÉCÉDENTE
3.24 Ernest Aubin, *Rochers et bouleaux au mont Royal**, s.d., huile sur bois.

3.25 Ernest Aubin, *Sentier au mont Royal**, n.s., s.d., fusain et pastel sur papier.

Le port de Montréal

Pendant la même période où il peint «à la montagne», et avant son retour à la Montée Saint-Michel au début des années 1920, Aubin a commencé à fréquenter le port de Montréal. Du mont Royal aux installations portuaires, il passe du végétal au minéral, de la terre au béton, de l'abri des sous-bois au découvert des quais. Les randonnées que fait Aubin dans le Vieux-Montréal en compagnie de Joseph Jutras l'ont conduit dans ces parages où la prolifération des machineries de fer et des bâtiments de béton s'allie au dégagement du ciel et à la présence de l'eau.

Toutefois, Aubin ne prend pas ce qui est à portée de vue dans les installations portuaires, soit le silo à grain n° 2, derrière le marché Bonsecours, qui aurait pu s'imposer à lui par sa monumentalité[33]. À pied ou à bicyclette, il pousse beaucoup plus loin vers l'ouest, où il arrête son choix – comme Joseph-Octave Proulx l'a fait (10.33) – sur le canal de Lachine. Il débute en 1916 par une vue générale de son futur terrain d'investigation (3.27), décor de bitume, de béton, de fer, de terre et d'eau, avec, à gauche, le profil de l'élévateur à grain n° 5, le canal et le pont ferroviaire, puis, à droite, quelque installation dont la cheminée fumante

PAGE PRÉCÉDENTE
3.26 Ernest Aubin, *Effet de lumière au mont Royal**, n.s., s.d., huile sur toile marouflée.

3.27 Ernest Aubin, *Port de Montréal, canal de Lachine*, 1916, huile sur carton.

3.28 Ernest Aubin, *Port de Montréal**, 1920, huile sur carton.

indique l'activité. Le soleil perce à travers un ciel voilé aux vapeurs troubles. La place est toutefois déserte, car Aubin exclut de ses représentations portuaires, à de rares exceptions près, toute présence humaine, contrairement à Adrien Hébert et à Marc-Aurèle Fortin qui peignent aussi le port et chez qui elle foisonne[34]. Ernest Aubin ne raconte à peu près rien de l'activité humaine et industrielle qui se déploie sur les quais. Là n'est pas son intérêt. Seules comptent ses impressions personnelles, qui décident de sa composition et font qu'il choisit, par exemple, cette heure de l'aube peu fréquentée par les peintres – et par la population en général.

Quand l'activité humaine est manifeste, c'est en elle-même, c'est-à-dire sans présence humaine visible, comme dans *Port de Montréal* (**3.28**). Le premier plan, avec sa verdure avare, la suite de la locomotive et des wagons, les grues stationnaires, les puits et les fumées qui s'échappent des cheminées contre un ciel où le bleu perce à peine font de ce petit tableau un condensé d'activités portuaires qui se déroulent comme en marge du monde.

De préférence, Aubin se rend sur les lieux tôt le matin afin d'être seul. Cet ensemble de béton et d'acier que sont l'élévateur à grain et les bateaux amarrés dans le canal, le peintre cherche non pas à les représenter tels qu'ils sont ni même à les interpréter selon son pinceau, mais à saisir leur transfiguration, pour ne pas dire leur transmutation, aux premières heures du jour, par des effets de lumière qui dissolvent le fer et le béton et en font un autre matériau propre à la peinture d'esquisse telle que l'aime Ernest Aubin. Ce sont des sujets à saisir dans un moment où, émergeant des ténèbres de la nuit, ils ne sont pas encore ce qu'ils sont, mais quelque chose d'autre, qui n'a pas encore de nom et qui ne pourrait s'appeler que peinture…

Dans *Port de Montréal, près de la cale sèche* (3.29), peint en 1919, la magie de l'heure matinale opère dans le ciel et sur l'eau, mais sourd des profondeurs du béton et du métal, le bâtiment n'étant que striures mêlées de gris et de bleus, trouées ici et là par quelques percées du support de bois qui remonte à la surface. Sur la partie droite de sa pochade, Aubin laisse à découvert une partie de sa planchette, dont le ton brun rougeâtre s'accorde à celui de la cheminée de la barge et du remorqueur. Dans ce dosage d'ombre et de lumière, les feux de la barge et du remorqueur amarrés font trembler leurs reflets dans l'eau calme. Les fumées de leurs cheminées s'entortillent dans la brise et constituent, avec les touches dorées des lumières dans l'eau, les seuls éléments de mouvement de la scène.

Cinq ans plus tard, curieusement, comme si le sujet était revenu le hanter, Aubin retourne sur les lieux, campe le même point de vue, mais à une heure plus matinale encore que la première fois, c'est-à-dire aux premières lueurs du jour (3.30). Le rosissement du ciel et l'ombre plus épaisse le favorisent : l'élévateur se transforme en une accumulation de blocs de couleur, bleu-magenta, gris-bleu, rose-gris, ocres mats, où le sujet disparu n'est qu'un prétexte à la peinture. Nous ne sommes pas loin de l'abstraction. Ce qui captive le peintre, ce n'est pas l'élévateur à grain en tant qu'architecture, mais le volume de sa masse en tant que sujet d'étude pour le phénomène provoqué par l'avancée des premières clartés du matin sur sa matière dont elle change la nature. Ce moment où le sujet n'est pas encore

3.29 Ernest Aubin, *Port de Montréal, près de la cale sèche*, 1919, huile sur bois.

3.30 Ernest Aubin, *Près de la cale sèche*, n.s., 1924, huile sur bois. Inscription au dos : « 27 juillet 1924 près de la cale sèche près du pont Wellington. » Les quais du bassin Wellington servaient surtout au déchargement du charbon.

sujet, mais suspendu dans sa propre attente, n'aurait peut-être pas intéressé beaucoup d'autres peintres qu'Ernest Aubin.

À l'opposé de ces deux expériences, et comme s'il voulait les compléter, Aubin rend visite au silo n° 5 pour la troisième fois, mais en fin de journée (**3.31**). Et alors, comme s'il était décidé à en finir, il ne s'agira plus d'une pochade, mais d'un tableau de format moyen et, qui plus est, peint sur toile et non sur une planchette de bois.

Le soleil couchant frappe en plein le bâtiment, qui subit dans cette lumière horizontale et déclinante sa transformation nouvelle. Une dominante bleutée envahit la composition, en touche toutes les parties, sauf le fronton – peut-on dire – de l'élévateur, marqué d'un jaune intense qui se retrouve à valeur égale dans les nuages qui obliquent vers le couchant. Elle est complétée par des notes de vert mêlées au ciel et propagées sur les quais, sur le remorqueur et sur la barge, dont la fumée de cheminée encense le silo. Sur la droite, la grande grue au repos dresse les lignes sombres de sa géométrie de mécanique.

Comme il l'a fait avec ses planchettes de bois – habitude qu'il conservera –, Aubin laisse apparaître des parties de son support, ce qui ajoute encore au caractère de la pochade, de l'esquisse, et cette fois-ci, c'est le grain de sa toile qu'il montre et qu'en plus il frotte de noir, puis, ne résistant pas à l'appel de ce noir, il trace sur le pourtour de son tableau un liséré qui l'encadre sur ses quatre côtés et le soutient par lui-même.

Avec *Cargos amarrés* (**3.32**), Aubin veut réduire la distance entre lui et son sujet. Il y parvient si bien que plus de la moitié des coques des deux navires est hors champ. Descendu sur les quais, il s'est approché le plus possible de ces transatlantiques ancrés l'un à côté de l'autre. La puissance écrasante de ces colosses d'acier qu'il veut ainsi ressentir physiquement, pourra-t-il la traduire sur la surface d'une pochade ? À nouveau, le peintre joue de sa gamme de bleus – des bleus soutenus qu'il décline sur les surfaces de l'acier, des bleus densifiés par la zone d'ombre où le peintre est campé puisque la vue est prise d'assez bas.

3.32 Ernest Aubin, *Cargos amarrés**, n.s., s.d., huile sur bois.

3.33 Jean-Onésime Legault, *Groupe de trois faucheurs à la Montée Saint-Michel*, photographie, s.d. Legault a apposé ce cliché sur un fond de ciel nuageux, venu d'un autre cliché, et qui n'existait pas dans l'image originale (coll. part.) – technique de superposition propre au pictorialisme.

Un jet de vapeur expulsé par le navire de gauche fait sur lui-même de multiples volutes, arrêté dans son élan par la coque de son voisin. Tout là-haut, une portion de ciel se dégage entre la cheminée de l'un et le bastingage de l'autre, là où la lumière accroche cette chaloupe de sauvetage rose et vert qui se démarque et qui n'a pas échappé au peintre.

Retour à la Montée Saint-Michel

Le retour d'Ernest Aubin à la Montée Saint-Michel en 1919 (3.33, 34) se signale par une scène de nuit dont les éléments deviendront emblématiques du groupe dont il est l'instigateur : la croix de chemin et la petite ferme Laurin, flanquées du grand orme qui marquent l'entrée du domaine Saint-Sulpice (3.39-41). À cette heure de la nuit, l'endroit est désert, la quiétude totale. Aubin est seul sur place. On dirait un retour en secret sur ces lieux qu'on l'avait pratiquement contraint à ne pas fréquenter, des retrouvailles seul à seul en cette nuit d'été éclairée par la lune et piquetée d'étoiles, ces lieux si chargés de sens pour lui…

La fenaison et la mise en gerbe comptent parmi les moments de l'année qui intéressent le plus Aubin à la ferme des Sulpiciens (2.30 ; 3.35, 36), intérêt qu'il partage avec Jutras (4.17), Pépin (8.12, 24) et Proulx (10.11, 12). Elles lui offrent l'occasion de tableaux de plein air, horizontaux, où les différents plans constituent pour le peintre autant d'études atmosphériques selon l'heure du jour, la teneur de l'air. Les touffeurs de juillet bleuissent l'arrière-plan du boisé, tandis que les ormes et autres arbustes d'un vert vigoureux marquent la séparation d'avec les premières mottes de foin dispersées dans le champ. Dans ce jaune des blés, le peintre introduit des nuances de verts et de traces de rouge qui jouent le rôle d'ombres et que, de plus, il mêle aux herbes folles au premier plan. Si l'heure et le vent tournent, les nuées s'allongent dans le ciel en une calme plage et une ombre bienfaisante vient assombrir l'alignement des arbres et des bâtiments, tandis que les blés attendent d'être fauchés.

Parfois, la gerbe seule devient le sujet du tableau (3.35), pour mieux en scruter la structure pourrait-on dire, ou encore un bout de clôture de perches, plantée parmi les roches et les chardons, cadrés serrés, étudiés de près (8.10), comme il le faisait au mont Royal avec le rocher auquel, soudain, il accordait toute son attention (3.24).

3.34 Ernest Aubin, *Travaux du soir à la Montée Saint-Michel**, n.s., s.d., huile sur bois.

3.35 Ernest Aubin, *Gerbes**, n.s., s.d., huile sur toile.

3.36 Ernest Aubin, *Meules et ormes**, n.s., s.d., huile sur carton.

Les chants du crépuscule

Aubin prolonge ses après-midi à la Montée Saint-Michel – à moins qu'il n'y arrive expressément en fin de journée. L'horizon dégagé laisse toute la place au spectacle du coucher du soleil, toujours beau, jamais le même. Mais que ce soit là où ailleurs, Aubin ne se lasse pas de ce sujet, de ces paysages de ciel enflammés, sanglants, dorés. Les crépuscules lui

permettent d'explorer les formes des nuages qui se mettent en place, se sculptent, absorbent la lumière, l'interceptent, la dirigent, et de sonder aussi les textures variables des ombres. L'horizon de la Montée se présente avec son boisé à l'orée duquel un orme solitaire ou des arbres groupés font penser à des personnages figés dans l'attitude dans laquelle ils ont été surpris (3.14).

3.37 Ernest Aubin, *Montée Saint-Michel, ferme des Sulpiciens (coucher de soleil)*, 29 juin 1933, huile sur bois.

3.38 Ernest Aubin, *Montée Saint-Michel, coucher de soleil*, n.s., s.d., huile sur bois. Au dos, une esquisse titrée *Ferme des Sulpiciens* est datée du 13 juin 1937.

L'avancée de la nuit se dédouble par le jeu des reflets dans l'eau. D'actives nuées couleur bleu nuit font du ciel, de la terre et de la rivière un seul et même monde crépusculaire où se fondent les bords de cette rivière avec ses bosquets d'arbres et la silhouette d'une habitation.

Les rayons et les ombres se retrouvent partout dans l'œuvre d'Ernest Aubin – comme dans celle de ses confrères de la Montée qu'il a initiés à cette école. Aubin y revient sans cesse parce que ce moment du jour où tout s'enflamme en s'apaisant n'est jamais le même et lui offre sans cesse de nouvelles occasions de varier sa palette, de mettre à l'épreuve sa technique et sa capacité à saisir l'instant au bout de son pinceau qui court sur sa planchette de bois pour traduire son émotion qu'il nous transmet dans l'étonnement et l'admiration.

Hymnes à la nuit

S'il prolonge ses après-midi à la Montée Saint-Michel jusque dans la soirée, il arrive aussi à Aubin de prolonger ses soirées jusque dans la nuit. Il se laisse alors surprendre par l'heure entre chien et loup, l'heure bleue où ciel et terre communient dans une même lumière qui les égalise, les prolonge l'un dans l'autre, où tout devient silhouette (3.43). Il découvre alors un autre visage de la Montée – et rien ne lui est plus cher.

Le retour d'Aubin à la Montée Saint-Michel en 1919 se fait sous le signe de la nuit. Cette scène nocturne, qu'il capte avec la petite ferme, son orme et sa croix de chemin, Aubin y est particulièrement attaché et, dans les circonstances, elle présente un défi pour le peintre. On en a conservé trois versions. D'un coup de pinceau vigoureux, il brosse une esquisse sur planchette de bois (3.39). La croix de chemin avec sa petite clôture qui la ceinture, la barrière à droite, qui ouvre sur le chemin qui s'avance dans les terres et la petite ferme de profil sont tous frappés par le clair de lune qui les détache du fond sombre de la nuit. Même le grand orme semble pénétré d'un peu de la lumière lunaire et paraît moins noir que le fond de la nuit. On repère dans le ciel la constellation de la Grande Ourse.

Sa deuxième version sur toile est d'un format un peu plus grand (3.40). D'une part, il déplace légèrement sa constellation et, d'autre part, il allume deux fenêtres de la petite maison. On devine aussi dans le ciel de longues nuées baignées par la lumière de la lune, quoique celle-ci semble quelque peu voilée, car sa lumière n'a plus l'intensité de la première esquisse.

La troisième version est un grand tableau sur toile (3.41) qu'Aubin expose au Salon du printemps de 1920 – et c'était là le but des deux essais précédents – et à nouveau en 1930 à la troisième exposition annuelle de la galerie Eaton. Comparativement aux deux versions précédentes, la version de 1920 est de beaucoup simplifiée. Les étoiles ont disparu, ainsi que la barrière de la route, la croix a perdu son auréole centrale, ses ornements au bout de ses bras. Les fenêtres de l'habitation ont été remplacées par une surface à peu près uniforme. Dans ce dépouillement de ce que le peintre a peut-être considéré comme des détails superflus, le climat de l'œuvre gagne en sérénité, pour ne pas dire en contemplation. Rien

3.39 Ernest Aubin, *Croix de chemin de la Montée Saint-Michel*, s.d., huile sur bois.

3.40 Ernest Aubin, *La Croix de chemin**, 1919, huile sur toile. La flamme d'une chandelle suffit à allumer ces petites fenêtres qui rougeoient dans la nuit étoilée.

3.41 Ernest Aubin, *La Croix du chemin*, 1920, huile sur toile.

pour distraire le spectateur de ce rêve lunaire qui imbibe les longues nuées du ciel et transforme en fantôme d'ombre le grand orme dématérialisé par la lumière de la lune. Comme phosphorescente, la croix se dresse seule au centre du tableau – et il y a peut-être là, pour Aubin, une signification personnelle…

Se trouver sur place au moment de la tombée de la nuit (3.42) est une chose, y rester jusqu'au lendemain matin en est une autre, et c'est ce que va faire Ernest Aubin. Seul ou avec un compagnon, soit Élisée Martel ou Jean-Paul Pépin, muni de tout son matériel, il campe sur les lieux – avec la permission des fermiers – et peint à la lumière d'un fanal[35]. Pour que l'enchantement ait lieu, les nuits de pleine lune ont, bien sûr, sa préférence. La lente rotation du ciel étoilé dialogue avec la ponctuation fixe de l'éclairage urbain, dans un paysage que domine une lune pleine, frappée d'insolation, vibrante de fièvre, diffusant sa clarté intense dans la nuit qu'elle bleuit, au-dessus des rangées d'ormes qui bordent les fermes avoisinantes (3.43). Dans un format plus réduit encore que celui de cette pochade où la vastitude est au rendez-vous, Aubin, pour ne présenter que l'objet poétique qui le captive et pour le densifier à l'extrême, nous montre ce moment saisissant où une lune énorme est prise dans la frondaison ébouriffée d'un orme qui avance et déverse sur elle l'abondante chevelure de ses branches comme autant de griffes dans lesquelles il veut la retenir (3.44).

Le tableau *Chemin Crémazie, nuit d'hiver* (3.45) est une des rares scènes nocturnes d'hiver qu'a peintes Aubin à la Montée Saint-Michel – et de nuit. La composition présente deux bâtiments le long d'un chemin bordé de neige, bâtiments dont l'un est une habitation, l'autre une grange, et devant lesquels se dressent un arbre dénudé et un lampadaire. Plus question d'étoiles ni de clair de lune dans cette scène urbaine. Ce qui a retenu Aubin, c'est le silence et la solitude de cette scène qu'il est seul à voir par cette froide nuit d'hiver et qui n'existe que par l'unique présence du lampadaire qui tient lieu de tout éclairage. La composition est divisée

3.42 Ernest Aubin, *Lueurs au crépuscule**, n.s., s.d., huile sur bois.

3.43 Ernest Aubin, *Montée Saint-Michel, chemin Crémazie*, 10 juillet 1927, huile sur bois.

en son centre par cet arbre dont le tronc se divise lui-même en deux branches maîtresses, situé presque entre les deux bâtiments séparés l'un de l'autre – et dont l'un est sans fenêtres. L'ensemble de ces éléments nous parle peut-être plus de l'intimité secrète d'Ernest Aubin qu'il ne s'en doutait au moment où il les a choisis…

Quelques ailleurs

Ernest Aubin, évidemment, ne peint pas que sur le territoire de la Montée Saint-Michel. Il fait quelques excursions à Saint-Roch-sur-Richelieu, au Bic, dans le Bas-Saint-Laurent, en compagnie d'Élisée Martel, en Gaspésie avec sa femme Laurette, et, au nord de Montréal, à Sainte-Thérèse avec Martel aussi, à Val-David et à Québec avec Joseph Jutras, ainsi que dans la région de Charlevoix. Sainte-Thérèse, où il va camper avec Martel, lui inspire un panorama où le vert frais des champs et le doré des nuages au soleil levant sont divisés par la ligne bleuâtre des collines. Le coup de pinceau aussi est horizontal…

3.44 Ernest Aubin, *Ferme des Sulpiciens*, 19 juin 1931, huile sur bois.

Ernest Aubin, évidemment, ne peint pas et ne tente pas ses expériences nocturnes ou crépusculaires que sur le territoire de la Montée Saint-Michel. S'il va dans la région du lac des Deux-Montagnes et de Québec avec Joseph Jutras, avec son ami Élisée Martel il s'offre une expédition moins lointaine, à Sainte-Thérèse, où ils se rendent à motocyclette pour camper. Si, plus tard, au milieu des années cinquante, Aubin se rendra jusqu'en Gaspésie avec sa femme Laurette, en octobre 1931 – et par quel moyen et pourquoi, on ne sait –, c'est encore avec l'indéfectible Élisée Martel qu'il se rend au Bic, dans le Bas-Saint-Laurent dans la région de Rimouski (3.46). Ce séjour lui inspire des formats verticaux, dont plusieurs nocturnes. Sur une planchette (3.47), Aubin, dans la partie du bas, peint une étude de trois voiliers échoués sur une mince bande de terre, avec une portion de mer un peu plus large. Toutefois, les trois quarts de la composition

3.45 Ernest Aubin, *Chemin Crémazie, nuit d'hiver,* 1924, huile sur toile.

À DROITE

3.46 Élisée Martel [?], *Ernest Aubin peignant à l'abri de son parasol, au Bic,* photographie, 1931.

3.47 Ernest Aubin, *Deux esquisses*,* 1931, huile sur bois.

représentent un vaste ciel nuageux où se lisent les mouvements du vent – genre d'études auxquelles se prêtent si bien les bords de mer. Un liséré d'écume souligne le reflux des eaux sur la grève.

La partie supérieure de la planchette est occupée par une étude de crépuscule. Ici, nous avons quitté le rivage pour l'intérieur des terres, dont la partie verdoyante, au premier plan, n'est pas plus large que la bande de sable où reposent les trois goélettes. Le fleuve se devine tout juste, dominé par l'immense déploiement du soir doré.

Suivent trois esquisses de même format, qui aboutiront à un grand tableau. De nuit, Aubin prend pour sujet un des trois voiliers échoués. Il le capte au moment où les premières lumières du soir s'allument sur la rive et se reflètent dans l'eau (3.48). De grosses étoiles sont déjà présentes dans le ciel et le mât du bateau pointe très haut parmi elles, ce qui amène le peintre à titrer son tableautin *Le Bateau sous les étoiles* (coll. famille Gareau). Le mât a dicté au peintre la verticalité de sa composition. La lune s'étant levée, sa clarté glacée change la physionomie du voilier qui, de verdâtre dans la pochade précédente, au moment du transit vers la nuit, passe maintenant au bleu luminescent auquel s'ajoute des ombres : celle du beaupré sur la proue et celle de l'embarcation elle-même sur le sol (3.49). De vagues nuées se voient dans le ciel tandis que l'eau prend une teinte bleutée.

Aubin se rapproche de ce que sera son tableau définitif. Il ajoute au mât du voilier couché quelques cordages qui apparaissaient timidement et, quelques mètres plus loin, devant lui, l'ancre plantée dans le sable. La nuit est noire et les étoiles en ressortent d'autant mieux. Quant au grand tableau, il est terminé la même année, en atelier (3.50). Aubin apporte tout son soin à cette scène de nuit sur laquelle les acheteurs ne se sont certainement pas rués – car, pour remarquable qu'il soit, compte tenu de la difficulté du sujet, il ne peut flatter le goût que de rares connaisseurs.

3.48 Ernest Aubin, *Le Bic*, n.s., s.d., [1931], huile sur bois.

3.49 Ernest Aubin, *Le Bic* [*bis*], n.s., s.d., [1931], huile sur bois.

3.50 Ernest Aubin, *Bateau tiré au rivage*, 1931, huile sur toile.

Dans cette grande huile sur toile, Aubin fait la synthèse de ses trois esquisses précédentes. Les cordages – plus nombreux encore – affirment un souci de véracité, et l'ancre est présente, à demi enfoncée dans le sable. La nuit teintée de lune est bleu pâle et les points lumineux de la Grande Ourse se lèvent au-dessus de l'horizon où s'avance une langue de terre. Plus de feux allumés sur cette autre rive où tout le monde dort. De ce côté-ci, le peintre veille… Cette embarcation, dans son échouage, dans son abandon, dans son attente, pointant vers les étoiles un mât que des cordages retiennent solidement au sol, a captivé Aubin, qui y a trouvé matière à exprimer ses sentiments dont la lecture reste ouverte.

Une Arche en ville

Avoir un atelier où s'isoler pour peindre, recevoir ses amis et ses modèles hante toujours Ernest Aubin. Legault et Poirier ont le leur à même leur logis ; Léger a eu le sien pendant quelques années, rue de Bleury. L'entrepôt de Desmarais & Robitaille a été récupéré en 1921 par la nouvelle Commission des liqueurs du Québec (auj. Société des alcools du Québec). Après avoir joui de cet espace pendant cinq ans, Aubin se retrouve donc sans atelier… mais il y a L'Arche, tout à côté, au 22, rue Notre-Dame, presque à l'angle de la rue Saint-Jean-Baptiste, où se trouvait l'entrepôt de Desmarais & Robitaille. Niché sous les combles au quatrième étage, dans ce qui était autrefois un grenier, le lieu est connu depuis plusieurs années, alors que de jeunes étudiants de l'Université Laval de Montréal, rue Saint-Denis, l'occupaient et l'avaient baptisé de ce nom, qui lui est resté. Jutras connaît ce vaste atelier pour y avoir pris quelques leçons de dessin, vers 1908, avec le peintre et caricaturiste Émile Vézina, lequel avait aménagé ce grenier en atelier en 1904.

De son côté, Aubin connaît l'un de ses actuels occupants, Serge Lefebvre (**3.52**), condisciple de l'école des Arts et Manufactures[36], qui partage les lieux avec Alfred Miro (1876-1922[37]), frère du compositeur d'origine catalane Henri Miro (1879-1950). Or Alfred Miro s'éteint en 1922 et – coïncidence – Benjamin Aubin meurt lui aussi en cette même année, le 14 juillet. Ce même mois, Ernest Aubin s'installe à L'Arche (**2.47-50 ; 3.51**). On ne peut

3.51 Isaïe Nantais, *L'Arche*, 23 avril 1917, encre sur papier. L'intérieur de l'atelier, tel qu'il se présentait cinq ans avant qu'Ernest Aubin ne s'y installe. « Les murs disparaissent complètement sous la profusion des gravures et des peintures », écrivait Ubald Paquin qui fréquenta cet ancien grenier avec ses amis de la Tribu des Casoars (« Ce qu'est notre Quartier latin et ce que sont ses poètes », *Le Canada*, 27 avril 1917, p.5).

3.52 Serge Lefebvre, *Pierrot et Colombine**, 1917, crayon de couleur, encre et gouache sur papier. Une des œuvres de Lefebvre qui étaient fixées aux murs de L'Arche (4.4). Lefebvre se spécialisait dans les œuvres égrillardes.

rêver atelier plus vaste ni mieux aménagé. Aubin y apporte aussitôt nombre de ses œuvres, qu'il dispose sur les murs, sur toute surface susceptible de les recevoir : pochades, tableaux, sculptures, objets de toutes sortes.

Alors qu'il devient le locataire de L'Arche en 1922 et qu'il entreprend sa dernière année d'études à l'école des Arts et Manufactures, la question se pose, pour Aubin, du modèle vivant qu'il n'aura plus désormais à sa disposition chaque semaine comme c'est le cas au CAM. Maintenant, il doit regarder dans son entourage, et nous trouvons sous son pinceau des personnages féminins – surtout – et masculins – moins fréquents – rarement identifiés, tandis qu'au crayon ou au fusain, il note parfois le nom de la personne. Habitué à s'exercer sur une surface restreinte avec ses pochades, Aubin cadre ses portraits de très près : le buste, c'est tout, se concentrant sur le visage – laissant peu de place au vêtement, supprimant la pose, écartant les accessoires. De plus, pas de fond travaillé ou caractéristique pour ses modèles. Rien ne doit distraire le spectateur du visage proposé à son attention.

À GAUCHE

3.53 Ernest Aubin, *Jeune fille au turban bleu**, n.s., s.d., huile sur carton.

À DROITE

3.54 Ernest Aubin, *Femme au chapeau rouge**, n.s., s.d., huile sur carton. Comme dans *Jeune fille au turban bleu**, Aubin accorde son attention au chapeau du modèle et à sa blouse, caractéristiques dans les deux cas de l'élégance du modèle.

3.55 Ernest Aubin, *Jeune homme à la pipe**, 1923, huile sur bois. Renforcée par la pose oblique du modèle, l'expressivité jaillit de la chevelure hirsute, du regard clair et direct dirigé vers le peintre, de ce sourire esquissé qui fait saillir les pommettes et de cette grosse pipe noire dont il n'a pas voulu se départir. Il s'agit peut-être de Serge Lefebvre, compagnon du CAM et de L'Arche.

À quelques exceptions près, l'expressivité que l'on attend d'ordinaire d'un portrait ne se retrouve chez Aubin que de manière fort discrète. En général, son coup de pinceau à la fois vif et précis en fait office. Ces portraits d'atelier se ressentent de la touche spontanée qu'il a développée dans ses pochades (**3.53-55**). Aubin crayonne aussi maints portraits d'hommes dans des circonstances extérieures au travail d'atelier. Il se livre alors à un travail d'esquisse, portant toujours avec lui un carnet à anneaux qu'il n'hésite pas à ouvrir en public, dans un parc ou dans un tramway, croquant un profil, une attitude, une expression. Toujours et partout, Aubin est un dessinateur à l'affût.

Ayant son atelier – que ce soit celui de la rue Saint-Jean-Baptiste ou celui de la rue Notre-Dame – au cœur du Vieux-Montréal, Aubin peint la ville, et surtout certains de ses aspects (**3.56-61**).

Aubin applique à la basilique Notre-Dame (**3.60, 61**) le même traitement que celui qu'il a appliqué à l'élévateur du canal de Lachine (**3.29-31**), soit la saisie du sujet dans un éclairage qui en modifie et l'aspect et la matière. Mais alors que pour l'élévateur, ses deux études se sont faites à cinq ans d'intervalle, ici, Aubin saisit la façade de

3.56 Ernest Aubin, *Scène de marché**, n.s., s.d., huile sur bois.

3.57 Ernest Aubin, *Marché couvert**, 1925, encre sur papier. Ces deux scènes ont peut-être été croquées au marché Bonsecours, rue Saint-Paul, dans le Vieux-Montréal, où Aubin s'approvisionnait, habitant tout près, rue Dorchester.

l'église le même jour d'hiver, dans une lumière d'après-midi qui frappe les tours de côté et montre avec plus de précision les détails de la scène, comme la neige au bord des trottoirs, les poteaux et les arbres. Sa seconde étude offre, quant à elle, un éclairage de soleil couchant que ceignent les deux tours et estompe le décor de la rue où l'ombre monte.

3.58 Ernest Aubin, *Rue Turgeon*, s.d., huile sur toile. Cette rue se trouve dans le quartier Saint-Henri, à Montréal, où est né Ernest Aubin.

3.59 Ernest Aubin, *Le Vieux Magasin*, 1919, huile sur bois.

À GAUCHE
3.60 Ernest Aubin, *Église Notre-Dame*, 1919, huile sur bois.

À DROITE
3.61 Ernest Aubin, *Église Notre-Dame* [*bis*], n.s., s.d. [1919], huile sur bois.

De l'Académie royale des arts...

À L'Arche, atelier privé, la question du nu s'était posée pour Aubin. Le peu d'expérience qu'il en a eu à l'école de l'Art Association en 1908-1909 n'a pas fait de lui un artiste du nu – fût-il académique. La prise de possession de son nouvel atelier, en 1922, est pour lui l'occasion d'un premier nu – féminin – (2.51), suivi, l'année d'après, d'un deuxième nu – masculin (2.52). Trouver des modèles, même dans son entourage, qui posent nus n'est pas chose facile. Quant à la morphologie humaine, si Aubin l'a déjà bien suffisamment explorée au CAM, drapée dans tous ses états, et qu'il se dirige davantage maintenant vers le portrait, il désire aller beaucoup plus loin – comme tout artiste que le corps intéresse. Il jouit certes de l'espace de l'Arche, où il accueille ses collègues de la Montée et divers modèles, mais l'atmosphère de la classe d'étude lui manque. En 1926, les circonstances viennent à sa rescousse lorsqu'Edmond Dyonnet – après un bref passage à l'École des beaux-arts de Montréal – prend la direction d'une classe spéciale de modèles vivants subventionnée par

CHEZ NOS ARTISTES : Les cours de 1931 de la "Royal Canadian Academy of Arts", de Montréal, sous la direction de Monsieur Ed. Dyonnet, R.C.A.   (Photo la "Presse")

l'Académie royale des arts du Canada (ARAC) (**3.62**) et réservée aux artistes professionnels. Ernest Aubin retourne à l'école du soir[38], mais avec un avantage considérable : là, les modèles des deux sexes, nus, plus rarement drapés, sont à la disposition des artistes. Aubin s'y rend deux ou trois fois par semaine et y retrouve son maître de toujours, Edmond Dyonnet, ancré dans une tradition dont il n'entend pas démordre, malgré certains coups de bélier retentissants qui ont commencé à ébranler les sacro-saintes institutions académiques.

C'est au cours de cette longue période qui va de 1926 à 1940 qu'Ernest Aubin atteint le sommet de son art dans la représentation du corps humain. Tous ces dessins, très nombreux, sont exécutés dans un but personnel de perfectionnement et de contentement de soi, sans aucune idée d'exposition publique ou de production autre qui en découlerait. D'ailleurs, les nus ne figurent que très rarement dans les expositions de l'AAM, de l'ARAC et des galeries d'art de l'époque. Et puis, pour Aubin, c'est l'occasion de se retrouver chaque semaine en compagnie de confrères qu'il estime, comme Napoléon Savard et Georges Latour[39], Paul Caron, sans oublier ses confrères de la Montée qui feront partie de cette classe : Joseph-Octave Proulx, Narcisse Poirier, Jean-Paul-Pépin, Jean-Onésime Legault et, occasionnellement, Élisée Martel.

Là comme dans le portrait, l'éternel féminin l'emporte sur l'éphémère masculin – entendons en quantité. Lorsqu'Aubin dessine ces grandes feuilles d'études, il y met un soin égal, peu importe le sexe du modèle. La connotation érotique est davantage associée aux groupes de nus féminins (**3.64, 65**), plus porteurs de sens dans ce cas, quoique Aubin, consciemment ou non, ait su capter ce qu'il pouvait y avoir de lascif, et peut-être même de provoquant, dans la pose adoptée par un modèle masculin (**3.66, 67**). Dans le privé, toutefois, il saura exploiter la magie du miroir qui reflète le dos du modèle féminin qui, ainsi, et bien

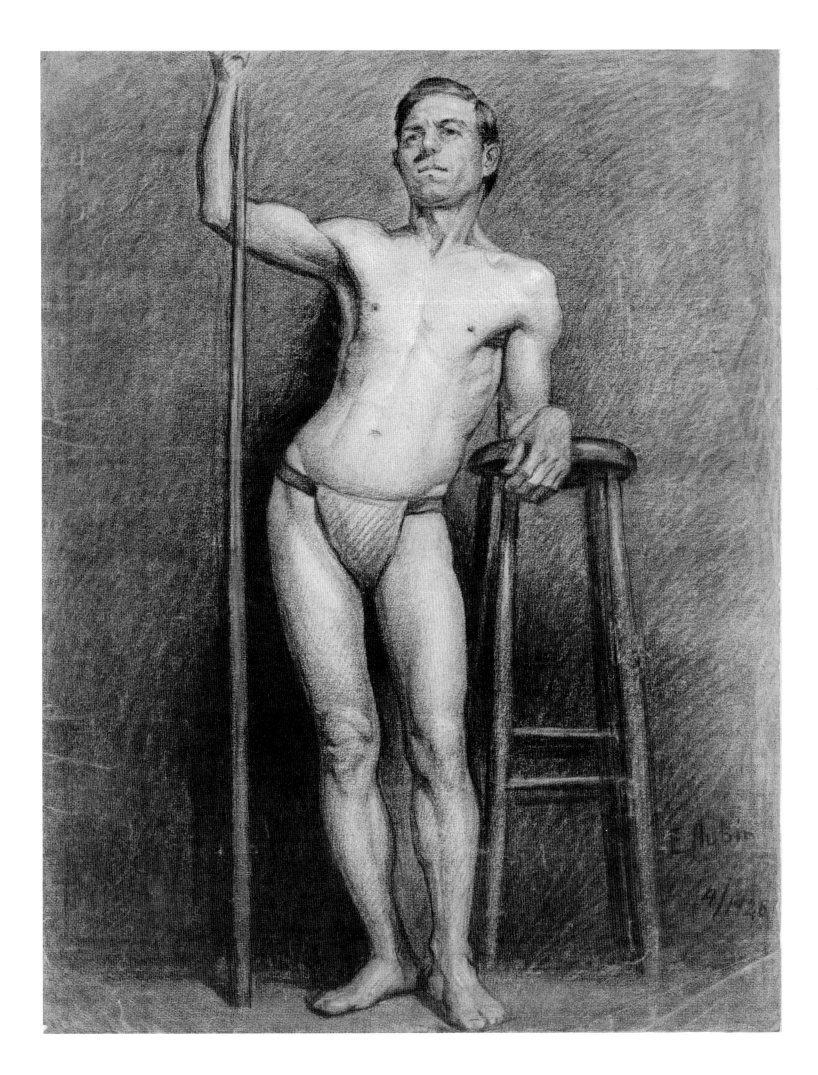

PAGE PRÉCÉDENTE

3.64 Ernest Aubin, *Mosaïque de nus féminins*, 1937, fusain et craie sur papier.

3.65 Ernest Aubin, *Mosaïque de nus féminins*, 11 et 13 janvier 1938, fusain et sanguine sur papier.

3.66 Ernest Aubin, *Modèle masculin assis**,
10 février 1938, fusain sur papier.

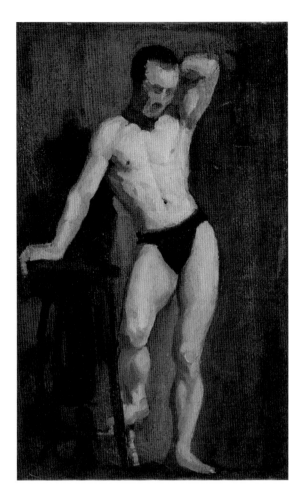

À GAUCHE

3.67 Ernest Aubin, *Modèle masculin au tabouret**, n.s., s.d., huile sur toile.

que de trois-quarts est vu à la fois de face et de dos, sur tout son pourtour pour une charge sensuelle plus globale (3.68). C'est de ce modèle qu'il a voulu faire un grand tableau pour le présenter au Salon du printemps de 1934.

... à Sainte-Adèle

Après la mort de son père, survenue en 1922, Ernest, qui va avoir trente ans, vivra seul avec sa mère jusqu'en 1940, alors qu'elle est placée dans un établissement. En 1925, il quitte le logement du 459, rue Dorchester, pour devenir propriétaire du 5136, avenue Papineau, un peu au nord de la rue Laurier, un immeuble à logements multiples. Lui et sa mère se trouvent ainsi à l'abri des soucis financiers, et tous les travaux d'appoint d'Ernest leur procurent une vie sinon aisée, du moins confortable.

L'Arche, cependant, sera fermée en 1929 par un propriétaire trop influencé par les ragots du voisinage au sujet des personnes du sexe féminin qu'on y voit monter[40]... Sur la vie sentimentale d'Ernest Aubin, longtemps célibataire, nous savons peu de choses. Nous n'avons pas de certitude quant à la teneur exacte de sa relation avec son modèle Irène Lussier. Son nom revient souvent dans les carnets où Aubin comptabilise – avec un soin

3.68 Ernest Aubin, *Nu au miroir*, n.s., s.d., huile sur bois. Cette pochade, qui représente Irène Lussier, compagne d'Ernest Aubin à l'époque, préluda à la réalisation d'un nu grandeur nature (coll. part.) que le peintre voulait présenter au Salon du printemps de 1934 et qu'il ne put achever (8.6).

souvent maniaque – son temps, qu'il découpe en tranches précises d'activité. Diverses notations de ces carnets laissent deviner que cette relation était une relation de proximité, sinon intime. Irène refusera néanmoins la demande en mariage que celui-ci lui fera[41].

Finalement, le lundi de Pâques 1940, soit le 25 mars, Ernest Aubin, qui a quarante-six ans, épouse Laurette Bélisle (**3.69**), infirmière[42], de vingt ans sa cadette, qu'il connaît depuis quelques années déjà. La mère d'Ernest, placée dans un établissement de santé, quittera ce monde en octobre de la même année. Une nouvelle vie commence pour Ernest. «Dans la famille [de Laurette Bélisle], le chant, la musique, faisaient partie de sa vie. Son rapprochement avec les arts, en s'unissant à Ernest Aubin, ajoutait à sa vie un jalon de plus vers le "Beau[43]" », témoignera son ami Joseph Jutras. Leur voyage de noces à Ottawa est pour lui l'occasion de visiter la Galerie nationale (auj. Musée des beaux-arts du Canada). Dès 1943, lui et sa femme fréquentent les Laurentides[44] : Mont-Rolland d'abord, puis Sainte-Adèle, où ils louent un chalet durant la belle saison[45]. Ce coin leur plaît tellement que, bientôt, ils y séjournent dès le mois de mars et n'en repartent qu'en novembre. Dans les Laurentides, Aubin se fait connaître comme artiste, comme en témoigne une lettre à sa sœur, Maria :

> Autour du lac et dans Sainte-Adèle-en-Haut, il y a autre chose plus rare – des gens qui ont de l'argent de trop. Les premières semaines, j'ai peint à Mont-Rolland, c'est plus pittoresque. Mais, tu comprends, [avec] ma boîte et mon parapluie, j'ai fait sensation. Les enfants sont venus me voir, les parents ensuite. Comme ils n'ont jamais rien vu, ils étaient pleins d'admiration. Les langues ont marché, et comme je changeais de place assez souvent, je ne pouvais pas avoir de meilleure annonce que mon parapluie ouvert[46].

Une journaliste qui fait la tournée des ateliers parle de lui dans *L'Avenir du Nord*[47], le journal de la région, et le fidèle Joseph Jutras ne manquera pas d'attirer lui aussi l'attention sur la présence d'Ernest Aubin à Sainte-Adèle dans une lettre ouverte publiée dans le même hebdomadaire[48]. Bref, le travail lui vient rapidement dans la petite municipalité de Sainte-Adèle et ses environs, qu'il couvre d'enseignes publicitaires et où les commerces et les camions de livraison s'embellissent de l'élégant lettrage dans lequel il est expert. À cela s'ajoutent les retouches de photographies, les tableaux de paysage et les peintures minia-tures vendues comme souvenirs aux touristes, et même des commandes de sculpture en plâtre et de portraits à la sanguine ou à l'huile pour les notables de l'endroit et des alentours. Il s'emploie également à divers travaux qui continuent de lui être commandés de Montréal, où il maintient ses relations.

En 1947, avec les économies d'Ernest et le petit héritage que Laurette a reçu à la suite du décès de son père, ils font l'acquisition, sur la route entre Mont-Rolland et Sainte-Adèle, d'un terrain sur lequel se trouve une croix de chemin[49] (doux souvenir de la Montée Saint-Michel). C'est là qu'Ernest entreprend la construction de sa maison, qu'il mènera avec la lenteur et le soin qui le caractérisent[50] (3.70). Seul nuage dans cette période heureuse : la mort subite de J.-O. Legault, confrère de la Montée, survenue le 6 juin 1944. Ernest et Laurette font spécialement le voyage à Montréal pour assister aux funérailles, où ils retrouvent Jutras et Pépin[51].

Dans son coin des Laurentides, Aubin reçoit les visites de Proulx, Poirier et Jutras, ainsi que de Claire Fauteux (1890-1988), ancienne consœur à l'AAM, avec qui il est resté en amitié. Régulièrement, sa sœur Maria vient le voir, accompagnée de son mari et de leurs enfants, dont Thérèse, sa filleule. Il dessine le portrait de tout le monde ou sculpte telle ou telle tête dans la glaise. Ses randonnées pour « paysager » se font dans les alentours, et plus particuliè-rement dans les sous-bois, qui restent enneigés jusqu'au début de mai. Lui et Laurette s'offrent quelques voyages, dont un en Gaspésie à l'été 1954. Ernest est plus heureux que jamais et envoie, tout au long du parcours, des cartes qu'il dessine lui-même à son fidèle ami Joseph Jutras ainsi qu'à Mgr Maurault. La construction de la maison progresse au rythme lent et régulier d'Ernest, qui a toujours tout son temps, et, finalement, en 1950, le couple s'y installe pour de bon – avec le téléphone. Les années passent, tranquilles et heureuses.

3.70 Maison d'Ernest Aubin à Sainte-Adèle, début des années 1950, après son achèvement, photographie. Au fil des ans, Aubin y avait apporté ses plus beaux tableaux, lesquels s'envoleront en fumée dans l'incendie de 1963.

Tout cela est-il trop beau pour durer ? Deux malheurs vont s'abattre sur Aubin et hâter la fin de ses jours. En mai 1958, sa femme meurt des suites d'un coup de poing reçu en pleine poitrine d'un patient déséquilibré. Plongé dans le désarroi le plus total, Ernest se réfugie à Val-David, chez une amie qui habite une maison en forme de moulin, Georgette Du Perré[52] qui, elle-même artiste, l'héberge et l'assiste de sa compréhension. Il vient parfois à Montréal pour voir si son immeuble de l'avenue Papineau est en ordre, et il en profite pour rendre visite à sa sœur Maria et à ses neveux et nièces dont il fait le portrait. Il visite aussi Québec, qu'il affectionne particulièrement et qui lui offre de nouveaux sujets de peintures et de dessins. Qu'advient-il de sa maison de Sainte-Adèle qu'il a désertée et qui, bien que remplie de ses tableaux les plus chers, lui rappelle surtout le cruel souvenir de celle qui n'y est plus (3.71) ? Arrive ce qui devait arriver : en mars 1963, la maison, avec tout son contenu, est réduite en cendres par un incendie, œuvre d'un pyromane. Deux mois plus tard, Ernest Aubin est admis à l'hôpital – où il ne manque pas d'emporter son carnet de croquis dont il se sert pour dessiner ses voisins de lit. Le 30 mai, au lendemain de la visite que lui a rendue Joseph Jutras, il meurt. Il a soixante-dix ans.

Réception critique

En cette année 1915, si importante pour Aubin qui a alors son premier atelier, celui-ci soumet une œuvre au jury du Salon du printemps, laquelle est acceptée[53]. Cette œuvre, Aubin l'intitule prudemment *Étude*, signifiant par là qu'il ne prétend pas offrir quelque chose d'achevé, qu'il s'agit plutôt d'une étape vers plus de perfectionnement. Proulx ne procédera pas autrement quand il exposera à son tour à l'AAM[54]. L'*Étude* d'Aubin ne sera pas remarquée par la critique, tandis que Léger et Poirier, qui participent à ce même salon,

3.71 Ernest Aubin, *Sainte-Adèle*, 30 juin 1958, mine de plomb sur papier. Ce dessin est peut-être l'adieu que le peintre fit à sa maison de Sainte-Adèle, vue ici de l'arrière, puisqu'il fut croqué un mois après la mort de sa femme, survenue en mai 1958, alors qu'Aubin décidait de ne plus habiter cette maison où vécut le couple.

reçoivent leur part d'attention, chaleureuse dans le cas de Léger[55], tout juste correcte dans le cas de Poirier[56]. Après cette première apparition aux cimaises de l'AAM, Aubin attendra quatre ans avant d'y revenir, soit en 1919, après l'intermède de la Première Guerre mondiale, et exposera à un rythme régulier jusqu'en 1930. Dessins, peintures (**3.72**) et sculptures se succéderont, témoignant de l'évolution de l'artiste dans ces diverses techniques – mais pas de pastels, ni d'aquarelles, ni de gravures, techniques qu'il effleure à peine. Après 1930, nouvelle pause, de cinq ans cette fois-ci, due peut-être au contexte économique. Enfin, il revient au Salon du printemps en 1935, puis en 1936 – année où il s'arrête.

Entre-temps, de 1927 à 1930, Aubin, avec d'autres confrères de la Montée Saint-Michel, a participé aux expositions annuelles de la nouvelle galerie du grand magasin Eaton, ainsi qu'à celle des Interior Decorating Galleries[57], et ailleurs en province, à la *First Annual Exhibition of Canadian Arts*, du Manoir Richelieu, à La Malbaie. Cependant, contrairement à ses confrères Jutras, Martel, Pépin et Poirier, Aubin ne présentera jamais d'exposition personnelle. En cela, il rejoint Legault, Léger et Proulx, et dans son cas, comme dans celui de ces derniers, ce n'était pourtant pas la matière qui manquait. L'exposition de 1941 à la galerie Morency le prouve, où il était, parmi les huit exposants, celui qui avait le plus de numéros au catalogue, avec soixante-deux œuvres. La dernière apparition d'Aubin dans une exposition publique date de 1944, à l'*Exposition d'art canadien* présentée au collège André-Grasset, avec six pièces provenant de la collection du sulpicien Émile Filion.

Sur une période de vingt-cinq années d'apparitions publiques, la fortune critique d'Ernest Aubin est modeste. Dans les premières années, les comptes rendus du Salon du printemps mentionnent, signalent, citent les envois d'Aubin, sans plus. Seul son plâtre *Le rêve*, qu'il expose en 1921, se voit accorder le qualificatif de « charmante allégorie[58] ». Il faut attendre 1930, alors qu'Ernest Aubin devient un collègue d'Albert Laberge à *La Presse* – où

3.72 Ernest Aubin, *Lever de soleil*, dit aussi *Les Saules*, n.s., 1929, huile sur toile. Bien qu'il ait été exposé au Salon du printemps de 1929 (étiquette au dos de la toile), Aubin n'a pas signé ce tableau. Peut-être n'en était-il pas totalement satisfait.

il fait de l'illustration et de la photogravure –, pour que le critique officiel s'arrête enfin à sa production. Au Salon du printemps de cette année-là, Laberge consacre trois lignes à cette scène de nuit urbaine, *Vieux magasin de bonbons* (**3.73**), qu'il décrit comme « une impression de soir très heureusement rendue […] une vision pittoresque dans laquelle les effets d'ombre et de lumière font un intéressant contraste[59] ». Le tableau a toutefois le privilège d'être reproduit dans le haut de l'article, voisinant une nature morte de Narcisse Poirier. Quelques semaines plus tard, l'occasion est donnée à Laberge de parler à nouveau de cet « artiste des journaux » à la troisième exposition de la galerie d'art du magasin Eaton, où Aubin se retrouve en compagnie de Jutras, Martel et Poirier : « M. Ernest Aubin, expose trois tableaux dont un, le n° 6, *Vieille Maison*, est une œuvre fort importante. C'est une scène d'hiver largement brossée, très agréable à voir et qui mettrait une note de distinction dans un salon, un vivoir ou une bibliothèque[60] », écrit Laberge qui ne donne pas de précisions sur le contenu de l'œuvre, puisqu'elle est reproduite dans le haut de son article avec quelques autres.

Avec ce tableau, qu'il avait précédemment exposé au Salon de l'AAM de 1926 sous le titre *Nos Vieilles Maisons* (**3.75**), Aubin va avoir sa petite revanche sur une critique qui, jusqu'ici, ne lui a pas prêté une grande attention. Après, donc, l'avoir présenté à nouveau à la galerie Eaton en 1930, Aubin la présente une troisième fois à l'exposition inaugurale des *Interior Decorating Galleries*, au 4159, rue Sainte-Catherine Ouest, à laquelle Narcisse Poirier participe aussi. Une fois encore, le tableau d'Aubin est remarqué et on le reproduit, sans commentaires, mais en grand format cette fois, avec d'autres tableaux de l'exposition, dans *La Revue populaire*[61]. Mieux encore, l'année suivante, dans la série « Chefs-d'œuvre canadiens » de *La Presse*, qui, de façon irrégulière, occupe une page entière du journal,

3.73 Ernest Aubin, *Old Candy Store (Faubourg Québec), Montréal*, dit aussi *Vieux magasin de bonbons*, 1930, huile sur bois. Ce tableau a été reproduit dans *La Presse*, le 22 mars 1930, p. 49.

Nos Vieilles Maisons est à nouveau reproduit, en couleur cette fois, ce qui permet une meilleure appréciation de l'œuvre (3.74). Laberge y présente le tableau comme un «remarquable paysage d'hiver» et souligne les «brillantes qualités de coloriste» du peintre, qui livre un «tableau tout vibrant de couleurs et d'une facture simple et puissante [qui] est l'une des meilleures œuvres de M. Aubin[62]...».

La destinée de ce tableau connaît son aboutissement en 1936, lorsque le frère Gilles, o.f.m., fait paraître une étude sur «La neige dans l'art canadien», dans laquelle il propose une approche inédite du tableau :

> Avec *Nos Vieilles Maisons*, M. Aubin se révèle intimiste. Je veux dire que le portraitiste, habitué à scruter les âmes pour en poser un beau reflet sur les fronts, a adopté la même méthode pour la maison. Et il l'a fait avec la meilleure école qui cherche moins à dessiner juste les traits eux-mêmes qu'à capter une caractéristique de la physionomie, et réussir ainsi une ressemblance morale qui n'exclut pas toujours l'autre[63].

Donat Coste – qui a peut-être lu l'article du frère Gilles – reprendra la même idée en commentant un dessin à la plume d'Aubin (3.76) : «Ceci est sans apprêt, croqué sur le vif, par surprise. [...] Ernest Aubin dispose ici d'une pénétration psychologique qu'envierait

CHEFS-D'OEUVRE CANADIENS (No 17)

"Nos Vieilles Maisons", par Ernest Aubin.

Le remarquable paysage d'hiver que nous reproduisons aujourd'hui est dû au pinceau de M. Ernest Aubin qui, depuis une dizaine d'années, est l'un des exposants réguliers au Salon de l'Art Association. Doué de brillantes qualités de coloriste, le peintre nous montre ici l'une de ces vieilles habitations en pierre que nos ancêtres aimaient à se construire après avoir défriché leur petit domaine et avoir acquis une modeste aisance. Ce tableau tout vibrant de couleurs et d'une facture simple et puissante est l'une des meilleures œuvres de M. Aubin, qui est un paysagiste averti doublé d'un excellent portraitiste.

LA cigarette Buckingham possède un bouquet qui procure une délicieuse sensation de fraîcheur et de satisfaction... sensation qui lui vaut d'être, depuis nombre d'années, le mélange de tabacs à cigarettes le plus populaire au Canada. Faite des plus belles feuilles de tabacs de choix mûris à point et mélangés selon un procédé secret qui fait ressortir toute la richesse et toute la fragrance de chaque tabac, la Buckingham est essentiellement une cigarette de qualité. Les tabacs dans la Buckingham sont inondés de soleil... pénétrés de rayons ultra-violets... qui lui confèrent ce surcroît de douceur et de moëlleux qui la distingue des cigarettes ordinaires et en fait la préférée des vrais fumeurs. La Buckingham est toujours fraîche... dans son paquet scellé breveté.

Paquets de 12
15¢

20 pour 25¢

Buckingham CIGARETTES
BY SPECIAL APPOINTMENT
PHILIP MORRIS & CO. LIMITED
ESTABLISHED OVER 60 YEARS
Buckingham CIGARETTES

Collectionnez cette série de peintures de nos peintres canadiens

3.74 Initiative d'Albert Laberge, la série « Chefs- d'œuvre canadiens » reproduit en couleur et avec commentaires des œuvres d'artistes québécois et canadiens, en général à la page 24 et dernière du « Magazine illustré » de *La Presse* à partir du 22 mars 1930. *Nos Vieilles Maisons* d'Ernest Aubin, paru le 21 novembre 1931, est le numéro 17 de la série.

maint romancier. […] L'échelle a épousé la pente du toit… La corde à linge bat une histoire au vent… La fenêtre condamnée cache une vieille blessure[64]. »

Enfin, on connaît l'appréciation finale et en demi-teinte du critique Reynald, qui a succédé à Albert Laberge à *La Presse*, de l'exposition du groupe en 1941 : « Aubin est paysagiste avant tout. Il a beaucoup de facilité et beaucoup d'âme et quand il parvient à un peu d'audace il arrive à créer une toile d'une tonalité neuve, balayée par un superbe ciel de vent : *La Ferme Robin*. Il a multiplié les ébauches intéressantes sur le port de Montréal[65]. » L'écrivain Robert de Roquebrune voit les choses autrement : « Il saute aux yeux que le maître du groupe, le seul à notre sens qui possède un talent réel, c'est Arsène [*sic*] Aubin. Son observation est personnelle, il traite ses sujets avec une touche originale. Son fusain intitulé *Femme au repos* est dessiné d'un trait sûr et aisé. Quelques-unes de ses vieilles maisons ont du caractère et une couleur très juste[66]. »

L'éternel étudiant

Dans le cours de l'année 1929, Ernest Aubin transcrit, dans le journal de Jean-Paul Pépin, qu'il fréquentait alors régulièrement, cette pensée d'Ingres (1780-1867) : « Quand vous posséderez pour cent mille francs de métier, achetez-en encore pour deux sous[67] ! » Quand on connaît l'exacte citation de l'auteur du *Bain turc*[68], on voit qu'Aubin l'adapte selon ses idées, car il remplace la « facilité » initialement pointée par le grand peintre français par le « métier », c'est-à-dire l'expérience.

Il faut voir avec quelles précautions Aubin – qui ne s'est jamais pris pour le professeur de ses camarades – se permet, et ce, très tardivement, de glisser quelques conseils à son vieil ami Jutras – conseils qui nous renseignent sur sa propre méthode de travail : « Quand tu fais autre chose, au jardin principalement, là où tu es si près de la nature, tout en travaillant cherche à voir plus coloré, remarque les formes et les proportions des choses qui t'entourent, remarque surtout la valeur et la technique dont tu pourrais te servir, *afin de progresser toujours*, et tu n'auras pas perdu ton temps[69]. »

Aubin a commencé à crayonner dès l'enfance, autour de 1900, et a cessé sur son lit d'hôpital, en 1961. Entre les deux, il a accumulé trente années d'études, de formation, englobées dans au moins cinquante-cinq années de pratique. Ce mode de vie studieux sous la férule de maîtres chevronnés, ce besoin ressenti de pousser toujours plus loin ses capa-

3.75 Ernest Aubin, *Nos Vieilles Maisons*, 1926, huile sur toile.

cités, étaient pour lui une condition nécessaire au maintien de sa pratique du dessin et de la peinture. L'idée de faire carrière dans le milieu artistique montréalais ne l'ayant pas tourmenté outre mesure, il a préféré à cette âpre lutte le statut toujours nouveau d'éternel étudiant (3.77, 78).

3.76 Ernest Aubin, *Arrière de la maison n° 31A, 38, rue Saint-Vincent à Montréal*, imprimé, 1925. Joseph Jutras (4.10) et Narcisse Poirier (9.28) ont représenté ce même arrière de maison.

Arrière de la maison no 31a, 33, rue St-Vincent à Montréal

3.77 Ernest Aubin peignant au bord de l'eau, photographie, vers 1915.

Cette manière d'être en formation constante, d'être dirigé par un œil critique, qu'il a toujours connue, soit avec son père, soit avec ses professeurs Dyonnet et Laliberté, cacherait-elle un manque d'assurance, de confiance en soi, un sentiment d'inaccomplissement qui aurait empêché Ernest Aubin de parvenir à l'âge adulte de l'artiste qui s'affirme, qui s'impose même ?

Ernest Aubin a-t-il pensé ou espéré faire carrière, ou devenir un artiste professionnel selon les critères établis pour ce statut ? Exposant régulier au Salon du printemps et ailleurs à l'occasion, initié à certains rouages du milieu artistique, il n'a pas dû se faire illusion très longtemps, les places à prendre à Montréal en ce début du xxe siècle n'étant pas si nombreuses pour un peintre. Expositions personnelles, succès de critique et de vente, commandes, présence en galerie et dans les manifestations artistiques où il est bon d'exposer, fréquentation des collectionneurs, ouverture de son atelier aux visiteurs et journalistes, participation aux rencontres d'artistes, visibilité aux vernissages, insertion dans les associations structurées comme le Arts Club, toutes ces exigences qui faisaient partie du système de la vie professionnelle, il les laissait à d'autres, plus habiles que lui en ces matières. D'ailleurs, son tempérament effacé le portait à rester en retrait et le privait des ressources d'audace nécessaires pour conquérir le large espace public des lieux d'exposition et l'espace privé restreint des collectionneurs.

C'est ici qu'entre en compte la timidité proverbiale d'Ernest Aubin, relevée par divers commentateurs, et qui transparaît parfois sur certaines photographies. L'historien Olivier Maurault, le critique Reynald, le sculpteur Alfred Laliberté soulignent tous trois ce trait de personnalité d'Ernest Aubin. Joseph Jutras lui-même n'a pas manqué de déplorer ce trait de caractère, reprochant à son ami de rester « caché derrière une trop grande modestie[70] ». Reynald se montrera exaspéré par ce qu'il appellera sa « damnée timidité[71] ». Si l'on s'avance dans l'interprétation, cette caractéristique déterminerait un manque d'audace à la fois dans la vie et dans la carrière, une incapacité à se pousser plus avant sur la scène artistique et sa prédilection, en peinture, pour les « petits sujets[72] » – « petits » aux yeux d'une certaine critique –, et qu'il conserve sur planchette de bois dans ses réserves.

3.78 Ernest Aubin modelant la tête de sa filleule Thérèse, à Sainte-Adèle, photographie, vers 1950. De la jeunesse à la maturité, la nécessité vitale de créer.

Pourtant, cette timidité ne l'a pas toujours caractérisé, lui qui, à quinze ans, endossait sa fonction de chef de file du futur groupe de la Montée Saint-Michel, porté par son juvénile enthousiasme. Mais on connaît aussi quel frein son père autoritaire et possessif a voulu y mettre… C'est peu à peu, de restriction en restriction, que cette timidité a dû s'installer. Un certain assujettissement d'Ernest Aubin à sa famille a pu y jouer son rôle. Certes, à vingt et un ans, il a un atelier chez son employeur, Desmarais & Robitaille, et, quelques années plus tard, il devient locataire de L'Arche. Sa sœur Maria s'étant mariée et ayant fondé une famille[73], Ernest reste seul avec ses parents, jusqu'à la mort de son père, en 1922, puis seul avec sa mère, laquelle semblait exercer aussi sur son fils un fort ascendant.

À l'instar de ses professeurs dessinateurs, peintres et sculpteurs, Aubin a-t-il été attiré par l'enseignement ? Il ne semble pas qu'il ait donné de cours privés, mais le professorat a failli le voir entrer dans ses rangs. À l'automne 1923, l'École des beaux-arts de Montréal s'apprête à ouvrir ses portes et Dyonnet et Laliberté vont quitter le CAM pour y enseigner. À l'occasion, l'un et l'autre, quand ils étaient au CAM, proposaient à leur ancien élève de les remplacer les soirs où ils devaient s'absenter, ce qui constitue une marque de très haute estime quand on connaît les exigences de ces deux maîtres. Laliberté propose à Aubin le poste de second professeur de modelage auprès d'Elzéar Soucy, qui va devenir premier professeur[74]. Et le poste de professeur de dessin sera aussi à pourvoir. Aubin rédige donc une demande pour ces deux postes, espérant que l'un ou l'autre lui reviendra[75]. Il n'obtiendra ni l'un ni l'autre[76], mais le seul fait de ces offres laisse entrevoir chez lui des qualités de pédagogue que l'on n'aurait pas soupçonnées de prime abord. Et puis, dans cette atmosphère de classe d'art qu'il connaissait depuis son enfance, Aubin se sentait chez lui.

D'autres occasions se présentent à lui – qu'il ne sait ou ne peut saisir. Au cours de ses explorations fréquentes du port de Montréal, il se fait offrir plusieurs fois la traversée gratuite par les capitaines avec qui il entrait en conversation. Mais là, impossible de quitter sa mère ni de même songer à s'organiser pour que quelqu'un prenne sa relève auprès d'elle le temps de ce séjour outre-Atlantique[77]…

3.79 Ernest Aubin, *Nos Légendes de Noël*, 1931, huile sur carton. Ces illustrations en grisaille ont accompagné un texte d'Édouard-Zotique Massicotte, inspiré de l'essai *Fêtes et corvées* (1898) du poète Pamphile Lemay, et ont paru dans *La Presse*, 19 décembre 1931, p. 17. Les légendes suivantes accompagnaient les cinq petites vignettes (de gauche à droite) : « On voit des coffres de fer remplis d'or », « Les trépassés se lèvent, sortent de leurs sépulcres », « Au malin qui interceptait votre route », « Tous les animaux se mettent à genoux dans les étables et adorent le "Divin Enfant" », « Ils se disent d'une voix dolente... ».

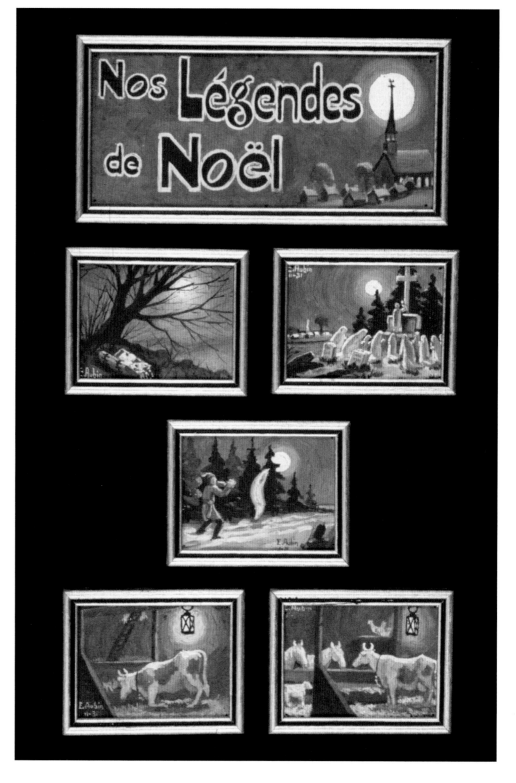

« On lui a aussi proposé de partir avec l'équipe de peintres qui sont allés dans l'Ouest, peindre pour le CNR [Canadian National Railway[78]]. » S'il s'agit de l'expédition qu'entreprennent, en 1926, Edwin Holgate (1892-1977) et Alexander Young Jackson (1882-1974) du Groupe des Sept, en compagnie de l'anthropologue Marius Barbeau (1883-1969), initiateur de ce projet en Colombie-Britannique, sur le fleuve Skeena, en territoire gitxsan, Aubin a perdu là une occasion incomparable de voyager et de travailler en compagnie d'éminents confrères[79]. Il décline l'invitation, pour la même raison. C'est dire, cependant, qu'il était suffisamment connu et apprécié pour qu'une telle offre lui soit présentée.

Loin d'ambitionner de vivre exclusivement de la vente de ses œuvres, Ernest Aubin aura été, à sa manière et toute sa vie, un artiste professionnel, car jusqu'à la fin, polyvalent, il a toujours tiré sa subsistance de ses travaux artistiques : photographie (prises de vue, tirages, agrandissements colorés ou non, retouches), décoration et réparation de statues d'église (dont l'application de la feuille d'or), travaux lithographiques, notamment pour les pages de mode en couleur de *La Presse*, des illustrations diverses pour ce même journal (**3.79**) ainsi que des illustrations de manuels scolaires[80] en collaboration avec Onésime-Aimé Léger, cartes de souhaits, enseignes publicitaires peintes ou sculptés[81], lettrages pour véhicules commerciaux, étiquettes pour les flacons de parfum de son ami Jutras (**4.22**), portraits au crayon, à l'huile et même en plâtre, moulages de médaillons. Les exemples

3.80 Ernest Aubin en tenue de modeleur, photographie, vers 1920.

de ces travaux montrent qu'Ernest Aubin n'a jamais cru devoir abaisser les exigences de son art pour se conformer aux lois du gagne-pain. Jamais, d'ailleurs, il n'a fait de compromis avec quelque autre métier d'appoint. Seul l'immeuble à logements qu'il a acquis en 1925, après la mort de son père, lui a apporté, ainsi qu'à sa mère, un revenu garanti, mais Aubin n'en a pas moins continué ses diverses pratiques artistiques alimentaires – et personnelles.

De plus, Aubin a toujours vécu entouré d'artistes : dans ses années d'études de 1907 à 1940, avec ses compagnons de la Montée Saint-Michel, dans son atelier de L'Arche et même dans sa retraite de Sainte-Adèle, où il s'est lié d'amitié avec le sculpteur sur bois Zénon Alary (1894-1974), qu'il avait connu à l'école des Arts et Manufactures. Sa vie fut une vie d'artiste du début à la fin, et rien d'autre.

Même si une part importante de son œuvre nous échappera à jamais puisqu'elle est partie en fumée dans l'incendie de sa maison de Sainte-Adèle, tout ce qui nous est parvenu, tout ce qui a pu être recensé à ce jour – et nous ne doutons pas qu'il reste des découvertes à faire – témoigne de l'artiste exceptionnel que fut Ernest Aubin. Ce qui lui a manqué de son vivant, c'est la visibilité – laquelle, aujourd'hui, lui est rendue.

CHAPITRE 4

JOSEPH JUTRAS (1894-1972) PEINTRE ET PARFUMEUR

C'est en visitant l'atelier de Joseph Saint-Charles[1], son professeur de dessin à l'école Olier, que Joseph Jutras (4.1) a le coup de foudre pour tout ce qui touche à la vie d'artiste : « Quel honneur, quel plaisir de voir de mes yeux un atelier de véritable artiste ! Chevalets de toutes dimensions, portraits, natures mortes[2]. » Ce lieu fermé et magique est une révélation pour l'écolier. Nous sommes en 1907, le garçon a alors treize ans, âge impressionnable s'il en est, et chaque semaine, lorsque Saint-Charles vient donner son cours à l'école primaire dirigée par les Sulpiciens, le jeune Jutras attend le moment où le miracle se produit : « D'un seul coup de fusain, un dessin apparaissait[3]. » Cet « excellent professeur, doux, généreux, mais ne tolérant pas les fainéants ni les indisciplinés[4] », est pour lui un être fascinant, un mystère – d'où cette demande de visiter l'atelier du maître, faveur que lui accorde ce dernier, touché par l'avide curiosité de cet élève qui annonce peut-être une vocation : « Un sentiment nouveau s'emparait déjà de ma jeune et faible personne. Que deviendrais-je dans la vie, artiste peintre, sculpteur, musicien ou même poète ? Je n'en savais rien, mais l'art, quelle qu'en fût la nature, chantait déjà à mon oreille d'enfant[5]. »

Joseph Jutras, né Andrew Evans le 18 février 1894 d'un père irlandais et d'une mère canadienne-française, était ce qu'on appelait un enfant naturel. Il sera le fils adoptif et unique d'Olier Jutras et de Victoria Gougeon. Marchand général à l'aise, Olier Jutras avait son commerce et sa propriété rue Sanguinet, entre la rue Mignonne (auj. boulevard De Maisonneuve) et la rue Émery. La ville de Montréal se développant considérablement en ce début du XXe siècle, Olier Jutras réoriente sa carrière et devient un agent immobilier réputé[6]. Il s'installe dans la portion nouvellement construite à l'intention de la bourgeoisie canadienne-française de la rue Saint-Denis, au 705, un peu au nord de la rue Roy. Les établissements d'enseignement que fréquentera son fils se trouvent tous à proximité : l'Institut des sourdes-muettes, l'école Olier, le collège Mont-Saint-Louis. Toutefois, son père, qui le destine au monde des affaires, comme lui, l'envoie terminer ses études à l'Archibishop's Commercial Academy, afin d'y parfaire son anglais. Nous sommes à l'automne 1908 et Joseph a quatorze ans et demi.

Olier Jutras ne joue pas de chance, car le collège anglo-catholique de l'ouest de Montréal se trouve derrière la cathédrale Marie-Reine-du-Monde, rue Sainte-Cécile, où le peintre Georges Delfosse (1869-1939) (4.2) travaille à la réalisation d'une commande de sept grands tableaux historiques[7]. Le jeune Jutras passe ses deux après-midi de congé

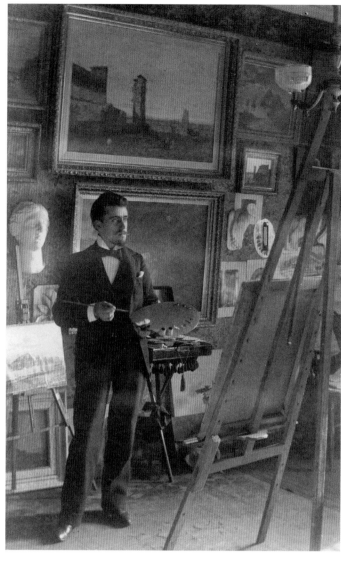

4.1 Maurice Le Bel, *Portrait de Joseph Jutras*, 1916, crayon de couleur sur papier. Le peintre et graveur Maurice Le Bel (1898-1963) était un des artistes que Jutras avait le plus de plaisir à retrouver à la Montée Saint-Michel.

À DROITE

4.2 Georges Delfosse dans son atelier, au 1562, rue Ontario, entre les rues Sanguinet et Sainte-Élizabeth, qu'il occupa de 1897 à 1904, photographie.

hebdomadaires à rendre visite au peintre dont l'atelier temporaire est installé dans la salle des chantres. De plus, Delfosse est assisté de plusieurs aides, dont Alfred Beaupré (1884-1957), Auguste Rho (1867-1947) et Émile Vézina (1876-1942) (**4.3**). Le collégien observe tout ce monde « avec des yeux éblouis devant tant de talent[8] ».

Pour une durée d'un an, Émile Vézina possédera une galerie, L'Art National, dans la côte de la rue Saint-Denis, au 422. Joseph Jutras ne manque pas de s'y arrêter. Là encore, il est témoin du spectacle de la création artistique. Parmi tout un encombrement de tableaux, d'escabeaux et de cadres, il observe Vézina et Beaupré qui, en compagnie d'Onésime-Aimé Léger, s'affairent à la production de grandes affiches pour les théâtres du boulevard Saint-Laurent. Subjugué par la rapidité et la qualité d'exécution de ces artistes, Jutras se présente à Vézina en jeune néophyte qui aimerait étudier sous sa direction. Quelques leçons auront lieu à l'atelier personnel de l'artiste, dans le grenier du 22, rue Notre-Dame Est, qui prendra plus tard le nom de L'Arche (**4.4**). Le lieu de création de Vézina, foisonnement de désordre artistique, et sa personnalité un peu excentrique lui laisseront un souvenir durable :

Comme accessoires, une table recouverte de papiers, de dessins à peine esquissés, des toiles adossées au mur et, pêle-mêle sur la "grande tablette" comme le dirait le peintre Aubin, c'est-à-dire par terre, une quantité de volumes, grands amis de l'artiste car Émile Vézina est fort lecteur. [...] Des croquis de toutes sortes jonchaient la pièce ; il fallait voir ce laisser-aller[9] !

« À 15 ans, le feu sacré prenait naissance en moi et mon plus grand désir était de devenir artiste[10] », dira-t-il, ajoutant : « J'en frémissais de joie, rien qu'à la vue d'un artiste[11]. » C'est alors que l'adolescent, en quête d'apprentissage et de conseils, entreprend une tournée des ateliers d'artistes (4.2, 5[12]). Il s'informe dans les galeries, dans les librairies, chez les photographes et les marchands de couleurs des noms et des adresses des artistes peintres et, résolu, va se présenter à eux :

> Dans mon entourage, on me trouvait osé d'aller frapper ainsi à la porte de peintres anglais. Cullen, Johnstone, Sheriff Scott, me reçurent très amicalement, en me faisant voir les œuvres qui ornaient leur atelier. On me questionnait sur mon idéologie et ce que mon rêve était pour moi dans la vie. Aucun ne me fit voir les moments sombres de la vie d'artiste. Au contraire, on m'encouragea à suivre la voie que je désirais embrasser[13].

En 1911 a lieu le premier Salon de peinture et de sculpture du Club Saint-Denis, uniquement consacré à des artistes canadiens-français. Le jeune Jutras s'y précipite : « Cette mémorable exposition, pour moi fut une des premières que j'eus le

4.3 Émile Vézina, photographie, 1907. Vézina collabora plusieurs fois avec Delfosse pour ses grandes décorations d'églises.

4.4 Ernest Aubin, *Intérieur de L'Arche, avec la lucarne de droite donnant sur la rue Notre-Dame*, photographie, 1922. À gauche de la lucarne, sur le mur en pente, on repère un dessin de Serge Lefebvre (3.52), ami d'Ernest Aubin et occupant de L'Arche.

bonheur de voir vers l'âge de seize ans. Quelle impression ressentie à cet âge, avide comme j'étais du beau et rêvant d'en faire carrière ! […] C'était pour moi une vision d'art, mon premier banquet artistique[14]. »

Mais son père, qui désire le garder avec lui dans l'immobilier, ne voit pas les choses du même œil. Joseph sait pourtant qu'il ne pourra supporter très longtemps les tâches ennuyeuses de cet univers[15]. Alors comment concilier son amour de l'art avec le gagne-pain ? Il veut suivre des cours, se former, étudier – ce qui signifie aller à l'encontre de l'autorité du père qui ne veut pas entendre parler de peinture et d'art. Et voilà que l'amour tout court vient bientôt au secours du jeune homme, qui épouse, le 6 juin 1911, en l'église Saint-Jean-Baptiste, Victoria Beauchamp. Le couple s'installe dans le même immeuble qu'Olier Jutras.

Une école et des maîtres

Joseph Jutras a dix-sept ans et sera bientôt père d'un premier enfant. Il est maintenant un homme avec des responsabilités familiales et il est maître de ses décisions. En octobre 1911, il s'inscrit au Monument-National – ainsi disait-on pour le Conseil des arts et manufactures (CAM) qui y logeait –, dans la classe des débutants que dirige Joseph Saint-Charles, lequel retrouve son jeune enthousiaste de l'école Olier.

Désireux de mettre à profit le plus tôt possible les quelques notions d'art qu'il a acquises, Jutras débute comme retoucheur d'épreuves photographiques chez L. J. A. Péloquin, installé dans la côte de la rue Saint-Denis. Travail ingrat, peu créatif, mais qui permet la pratique du coup de crayon et rapporte quelques sous. Péloquin, qui propose aussi des agrandissements coloriés à l'aquarelle, engage à son studio divers artistes pour remplir les commandes. C'est ainsi que Jutras entend parler de Narcisse Poirier comme artiste peintre. S'informant aussitôt de son adresse, il se rend à son domicile, au 120, rue Pontiac, entre l'avenue du Mont-Royal et la rue Gilford : « En charmant homme, humble et sincère, au premier instant nous liâmes amitié[16]. » Poirier – qui est un homme de vingt-huit ans – suit à l'école des Arts et Manufactures les cours de peinture de Jobson Paradis et vient de remporter un prix dans cette discipline[17], et ses fusains, réalisés sous la direction d'Edmond Dyonnet, sont mis hors concours aux expositions de fin d'année. Il invite Jutras à revenir le voir pour s'exercer au portrait, car il reçoit de temps à autre quelque vieillard de l'hospice qui vient poser – et, du coup, Poirier fait le portrait de Jutras. Il lui prête aussi, pour qu'il s'exerce au dessin, un buste en plâtre représentant Richelieu, comme celui dont dispose le CAM.

De Poirier, Jutras prendra l'exemple d'un homme assidu au travail. Ils peindront souvent ensemble, à son atelier de la rue Pontiac et en plein air :

Je l'ai accompagné bien souvent, car pendant 20 ans, nous avons peint ensemble. / Nous avons parcouru toutes les routes qui sillonnent l'Île de Montréal, la Côte Saint-Michel, Saint-Léonard, la rivière des Prairies, du bout de l'Île à l'autre, la Côte-de-Liesse, la Côte-Vertu, les Bois-Francs. J'avais alors un coursier du nom de Tom, et nous avons parcouru ces routes, dessinant nos vieilles maisons. Quel heureux temps[18] !

Plus tard, Jutras troquera le coursier contre une automobile dernier cri et il en fera profiter Poirier (2.32). Ces moments de proximité partagés avec son aîné sont formateurs

4.5 Edmond-Joseph Massicotte dans son atelier du 22, rue Notre-Dame Est, photographie, s.d. Au mur de gauche, on aperçoit plusieurs affiches d'Alfons Mucha, une de grandes admirations de Massicotte.

pour Jutras, même si Poirier ne joue pas les professeurs : « C'est à son exemple et [grâce à] ses conseils que j'ai pu faire ma vie d'artiste. Il fut, en un mot, mon professeur discret[19]. »

Autre professeur auprès de qui Jutras fera un bout d'apprentissage : Edmond-Joseph Massicotte. Le jour où il aperçoit, dans l'*Almanach Beauchemin* de 1912, l'annonce de la parution d'une gravure de Massicotte, *Le Mardi-gras à la campagne*[20], la première d'une série qui fera sa renommée, n'écoutant que sa fougue, l'artiste en herbe va frapper à la porte de l'illustrateur (**4.5**). Cela est d'autant plus facile que son atelier se trouve sous celui d'Émile Vézina, rue Notre-Dame. Hardi, Jutras lui propose de colporter sa gravure dans tous les bureaux et les commerces qu'il connaît grâce à son emploi dans l'immobilier, en échange de quoi le maître lui donnera des leçons de dessin : « Je fus le premier de ses élèves à vendre ses gravures au prix de cinquante sous chacune, dont je retirais dix sous par copie, ce qui me permettait, après la vente de dix copies, de me payer une leçon à un dollar de l'heure[21]. »

Toutefois, Jutras va délaisser l'immobilier pour se tourner vers quelque chose où il pourra faire valoir les quelques talents artistiques qu'il a commencé à développer. Faisant jouer ses crayons de couleur, il soumet des idées de décoration de vitrine au marchand de chaussures F.-X. Lasalle, dont une des succursales, au 347, rue Rachel Est, se trouve non loin du nouveau domicile d'Olier Jutras, au 157 de la même rue. Certes, Joseph se retrouve encore dans le monde des affaires – mais avec, au moins, un petit côté artistique où ses idées peuvent être mises en valeur. Puis, bientôt, il devient étalagiste chez C. H. Catelli, important fabricant de pâtes alimentaires, pour passer ensuite à l'entreprise américaine Heinz qui fabrique nourriture pour bébé, mets préparés et ketchup, et pour laquelle il deviendra voyageur de commerce.

Des visites d'ateliers, des bouts d'essai auprès d'artistes reconnus, l'amitié débutante avec Narcisse Poirier, une année d'études à l'école des Arts et Manufactures, des retouches de photographies : Jutras considère que tout cela ne suffit pas à faire de lui un artiste.

À l'automne 1914, Joseph Jutras se réinscrit au CAM, pour deux ans cette fois. Il reprend le dessin et touchera au modelage et à l'architecture. Il est maintenant dans la classe d'Edmond Dyonnet, « le plus redouté, le moins tendre », mais, se souvient Jutras, « il me donna de précieux conseils devant mon pauvre travail d'alors », et d'ajouter : « Il m'encouragea en me disant qu'il n'était pas nécessaire d'aller à Paris, quand, dans notre province et au Canada, il y avait de tout pour satisfaire un paysagiste[22] », leçon que Jutras retiendra. En modelage, dans la classe d'Alfred Laliberté, il a la surprise, certains soirs, de voir arriver le célèbre Suzor-Coté, peintre et ami du sculpteur, « Suzor-Coté qui venait se grouper aux élèves pour se refaire la main, disait-il. Quel joyeux compagnon que ce maître : sans prétention, il se mêlait aux élèves, causait avec nous[23] ». En 1916, au terme de l'ultime étape qui conclut sa modeste formation académique, Jutras récolte une mention honorable et quelques-uns de ses dessins figurent à l'exposition de fin d'année[24] (**4.6**).

Rendre l'essentiel

Pendant une dizaine d'années, Jutras va se concentrer sur la pratique du dessin, non pas le dessin d'atelier, avec objets et modèles comme au CAM, mais le dessin en plein air, à la plume d'abord (4.7), au trait maigre et précis, puis à la mine de plomb, à la ligne pâle et mince (4.8, 9). Il usera parfois du crayon de couleur (4.31) et du pastel (4.16, 43), plus rarement de l'aquarelle. Jutras est un dessinateur prudent, qui se surveille et suit des règles précises de fidélité à la réalité qu'il a sous les yeux. Ainsi, il choisit maisons de ferme, granges, habitations, ruines, modèles bien dociles et bien campés, où la part du paysage se résume à quelques arbres, isolés pour la plupart, dont il schématise volontiers les branches. À cela s'ajoutent les rares herbages qu'il lui arrive de signaler.

Pour ses dessins, Jutras n'utilise pas toujours le papier, mais un certain carton blanc à la surface lisse[25], un peu glacée, où la pointe mord assez peu – ce qui lui convient sans doute dans sa prudence de dessinateur. La numérotation qu'il inscrit sur ces dessins montre qu'il pouvait en exécuter jusqu'à une centaine par année.

Durant ces années où il est son propre maître, Jutras, qui s'efforce de se discipliner, exécute ses croquis avec scrupule et se laisse rarement aller à la spontanéité, à l'interprétation. Toutefois, à la longue, le trait devient plus duveteux, plus crayonné, plus agile ; il respire davantage, est plus vivant, plus frotté et non plus seulement incisé, ce qui donne davantage de volume aux éléments, une meilleure consistance – même si, très souvent, le dessin reste peu appuyé.

Pour beaucoup, ces croquis sont des témoins des expéditions de Jutras en compagnie de Narcisse Poirier et d'Ernest Aubin, tous deux confrères du CAM, expéditions qui les conduisaient d'un bout à l'autre de l'île tout en passant par le Vieux-Montréal (4.10) : « La plus intéressante façon de voyager sur la route est encore à pied. Il n'y a rien de comparable. La bicyclette, l'auto et même l'ancienne voiture ne laissent pas le temps d'explorer à notre guise les beautés de la nature qui nous entoure et nous invite[27]. » De 1911 à 1915, Jutras et ses compagnons arpentent la métropole ; à partir de 1916, ils essaiment vers la Rive-Sud :

4.7 Joseph Jutras, *Longueuil*, 16 juin 1918, encre sur carton[26].

4.8 Joseph Jutras, *Longueuil* [*bis*], 16 juin 1918, mine de plomb sur papier. Il est difficile de déterminer la nature de cette construction, qui est peut-être une cache pour les chasseurs ou une remise.

4.9 Joseph Jutras, *Saint-Laurent, Côte-de-Liesse*, 30 juin 1918, mine de plomb sur papier. La présence, au premier plan, du soc fiché en terre indique l'activité agricole qui régnait à cette époque dans le village de Saint-Laurent.

Chambly et Longueuil (**4.8**), puis vers l'île Jésus, au nord. Assidu, craignant la dispersion de son crayon, Jutras s'en tient à son objectif premier de fidélité à une réalité bien cadrée, sobre, qui fera dire que « dans ces œuvres très concises, l'artiste n'a voulu rendre que l'essentiel[28] ».

4.10 Joseph Jutras, *Rue Saint-Vincent, intérieur de la cour*, 24 mai 1923, mine de plomb sur carton. Ernest Aubin a, lui aussi, croqué cette maison (3.76). Narcisse Poirier (9.28) et Georges Delfosse l'ont peinte et Herbert Raine l'a gravée.

À la Montée Saint-Michel

Quand il entre à l'école des Arts et Manufactures en 1911, Joseph Jutras, comme plusieurs autres, entend parler d'un élève de la classe avancée qui recrute des volontaires pour le suivre au domaine Saint-Sulpice, un lieu en plein air dans le nord de Montréal, qu'il vante beaucoup et où il fait bon peindre. Cet élève s'appelle Ernest Aubin. D'un an plus âgé que Jutras, il a déjà quatre années d'études à son actif avec prix et mentions. Aubin, qui sent de la flamme et de la passion chez ce nouveau venu, l'invite à se joindre au petit groupe qui se retrouve de temps à autre au domaine. Et c'est ainsi que, le 25 de ce mois d'octobre 1911, alors que quelques condisciples sont réunis autour d'Ernest Aubin, Joseph Jutras assiste au baptême du groupe, qui prend le nom de « peintres de la Montée Saint-Michel » – cette voie royale (**1.4**) qui a mené Aubin en ce lieu béni quelques années plus tôt. Le jeune Jutras, de dix-sept ans, n'oubliera jamais cette date qui a consacré l'existence de ce groupe amical qui – il ne s'en doute pas encore – va jouer dans sa vie un si grand rôle. Voilà donc un excellent début pour celui qui disait « v[ouloir] à tout prix [s]'introduire dans le giron artistique[29] », « et en vivre[30] » ajoutait-il, mais ça, c'est une autre affaire…

Grand explorateur de ce territoire, Jutras en donne sa propre description topographique : « La Montée Saint-Michel, pour nous, commençait à la rue Saint-Hubert et le boulevard Crémazie, jusqu'au village de Saint-Léonard-de-Port-Maurice, et par le boulevard Rosemont notre domaine s'étendait jusqu'au ruisseau de la Grive, aujourd'hui rue Lacordaire ou, communément connu sous le nom du bois des Pères Franciscains qui y avaient établi un juvénat[31]. »

4.12 Joseph Jutras, *La Croix à la Montée Saint-Michel**, 1930, huile sur toile. Cette croix de chemin était comme la carte de visite des peintres de la Montée (4.41) et « elle fut l'objet de mon attention à mes débuts dans la vie artistique et compte parmi mes premiers croquis », dira Jutras dans sa lettre à Olivier Maurault (12 janvier 1941). Ici, le peintre représente la croix avec les trois bâtiments de la ferme Laurin, quelques mois avant qu'ils ne soient démolis pour laisser place au nouveau collège André-Grasset, que font construire les Sulpiciens.

4.11 Joseph Jutras, *La Croix du chemin*, 4 juin 1919, mine de plomb et encre sur carton. La triade symbolique du groupe de la Montée Saint-Michel : le grand orme, la petite ferme et la croix de chemin, qui marquent l'entrée du domaine Saint-Sulpice, désigné, par extension, sous le nom de Montée Saint-Michel. C'est une sorte de rite d'initiation, de passage obligé, pour les peintres du groupe que de représenter la petite ferme Laurin avec sa croix.

4.13 Joseph Jutras, *Chemin Saint-Michel*, 8 novembre 1925, encre sur carton. Le chemin de la côte Saint-Michel prolongeait le boulevard Crémazie et allait se perdre dans les terres de Saint-Léonard-de-Port-Maurice.

4.14 Joseph Jutras, *Entrée de la Montée Saint-Michel, Saint-Hubert et boulevard Crémazie*, s.d., huile sur toile. Un chemin principal, des champs cultivés, des ormes, un boisé...

Le domaine Saint-Sulpice et ses alentours proches ou lointains forment le territoire de la Montée Saint-Michel. Certains éléments auxquels s'exerceront tous les peintres du groupe s'imposent à Jutras : le chemin qui permet aux fermiers de circuler (4.14), les champs parsemés de gerbes ou de meules de foin avec, au fond, l'alignement des ormes créant une sorte de rempart (4.17), les animaux, dont principalement la vache (4.18) – premier sujet d'Aubin à la Montée Saint-Michel (2.56) – avec quelques bâtiments de ferme et, bien sûr, la croix de chemin qui flanque l'habitation des Laurin (4.11, 12). À cela s'ajoute cette école du soir qu'a instaurée Ernest Aubin et à laquelle Jutras s'exercera volontiers et pendant longtemps (4.15, 16).

Avec l'émulation que lui donne le groupe, et à l'exemple d'Ernest Aubin particulière-ment, Jutras, qui passe enfin à la technique à l'huile, apprend à faire vite et bien, que ce soit au couteau ou au pinceau, sur un format pochade qu'il gardera tel quel ou un format petit tableau qu'il peint sur le motif. Il devient peintre. Faisant une pause avec l'encre et la mine de plomb, il expérimente le crayon de couleur et le pastel. Le travail de la pochade réalisée rapidement devant le paysage, le crayon de couleur ou le bâton de pastel qui court sur le papier pour noter un effet particulier à un moment précis, répondent au tempérament enthousiaste et spontané de Jutras qui peut enfin s'exprimer. Dans certaines de ses esquisses, le sujet semble disparaître au profit d'un résultat qui laisse place à la pure jouissance de la couleur et du mouvement (4.15, 16). On trouve, dans la correspondance entre Aubin et

4.15 Joseph Jutras, *Étude de crépuscule**, n.s., s.d., huile sur isorel. Dans cette étude atmosphérique, Jutras superpose les différentes phases du déclin du jour. Ainsi se succèdent, par étagement, les ombres de la terre, les lignes plus claires, puis plus denses de l'horizon, la coloration des nuages et l'ultime épanchement de la lumière qui, bientôt, va disparaître.

4.16 Joseph Jutras, *Couchant**, n.s., s.d., crayon de couleur et pastel sur papier. L'art de laisser courir l'inspiration...

4.17 Joseph Jutras, *Récolte dans la Montée Saint-Michel*, 1920, huile sur isorel.

Jutras, des échos de leur vie de peintre en compagnonnage. D'une part – et on reconnaît là le « père de la Montée Saint-Michel[32] » désireux de partager ses admirations pour en multiplier la jouissance –, Aubin écrit à Jutras au sujet d'une expédition qu'il vient de faire à Laval-des-Rapides : « Il me fait de la peine de profiter seul de tant de belles choses[33]. » À son tour, Jutras s'exclamera, avec la sincérité qui est sienne : « Je suis jaloux de toi, oh ! mon cher ami, c'est une envie folle d'être à tes côtés, palette en main, déversant à grands traits des couleurs sur celle-ci, pour les reprendre avec la pointe de mon pinceau et laisser les empreintes de mon enthousiasme[34]. »

Outre Narcisse Poirier, dont nous avons parlé plus haut, et Ernest Aubin, Jutras sera proche d'Élisée Martel, qu'il côtoiera à L'Arche, et de Jean-Paul Pépin, qui sera le dernier à se joindre au groupe vers la fin des années 1920. Compagnonnage, partage, émulation, admiration : « C'est [par] l'ambiance, le contact avec d'autres artistes que j'ai pu *m'affermir* dans mon art[35]. »

4.18 Joseph Jutras, *La Caillette*, s.d.,
huile sur carton.

Parfumeur

Mais au milieu de cette décennie, une dure épreuve frappe Joseph Jutras : en juin 1915, sa femme meurt, à l'âge de vingt-deux ans, lui laissant trois enfants, dont deux mourront en bas âge[36]. La musique, grande consolatrice dans les moments d'épreuve, le sollicite plus que jamais – car Jutras est mélomane. Plus précisément, c'est le chant qui l'attire. Il suit des cours chez Joseph-Arsène Brassard[37] et fait partie de sa chorale, le dimanche, au sanctuaire du Saint-Sacrement, avenue du Mont-Royal. Et c'est grâce à la musique qu'il fait la connaissance de celle qui deviendra sa seconde épouse. De passage chez un de ses clients, l'épicier Magloire Trottier, comme représentant de la maison Heinz, Jutras entend, venant d'une pièce voisine, « d'admirables pièces classiques[38] » jouées au piano. C'est Juliette, la fille de l'épicier, qui se destine à l'enseignement de la musique. Jutras demande la permission de

4.19 Joseph Jutras, *La Branche brisée, boulevard Pie-IX*, dit aussi *L'Arbre cassé*, s.d., huile sur toile. Les peintres de la Montée Saint-Michel essaimaient un peu partout sur l'île de Montréal, comme en témoigne ce tableau. Le chatoiement de la lumière à l'horizon donne à penser que la scène se situe au lever du jour. Au loin, on distingue la flèche d'une église – réelle ou imaginaire. Ce tableau a figuré dans l'exposition personnelle de Joseph Jutras, tenue à son domicile, du 10 au 13 décembre 1944.

s'attarder un peu pour écouter davantage. Et c'est ainsi qu'un jour, après une cour assidue, vint la demande en mariage, lequel sera célébré le 5 juillet 1920. « Nous vivons tous deux d'une vie d'artiste[39] », dit Jutras, car, autant il aime entendre sa femme jouer, autant celle-ci aime accompagner son mari dans ses chants favoris. Onze enfants naîtront de cette union.

Dans l'intervalle, l'artiste et l'homme d'affaires se sont rencontrés en Jutras, non pas dans le monde de l'immobilier comme le souhaitait son père, mais dans celui plus inattendu et plus rare de la parfumerie – autre volet de la personnalité d'artiste de Joseph Jutras. Tout a débuté en octobre 1918. Jutras a vingt et un ans ; il est veuf depuis trois ans. « Peut-être vous demandez-vous ce que la parfumerie vient faire dans ma vie d'artiste[40] ? » Il faut savoir que Jutras s'intéresse aux fleurs non seulement en tant que peintre, mais aussi en tant qu'horticulteur, car il les cultive lui-même, pour leur beauté et pour leur senteur : « Pour aimer davantage ces fleurs si belles à l'œil et qui me hantaient, je voulus en connaître le parfum et dès lors je me mis à étudier la flore et ses aromates[41]. » Il se procure un traité de parfumerie, qui l'enchante dès les premières pages[42]. Charme visuel et charme olfactif se conjuguent dans son imagination d'esthète qui commence à ruminer des ambitions d'homme d'affaires. Il prend les premiers renseignements auprès d'un chimiste de ses amis et s'abonne aux revues américaine et française *American Perfumery* et *La Parfumerie*. Il installe son laboratoire dans le sous-sol de la maison familiale, maintenant au 1421, avenue Papineau.

« Il faut avoir du "nez", c'est-à-dire pouvoir différencier les diverses odeurs des bases essentielles et être en mesure de composer des bouquets qui peuvent plaire. Je ne sais d'où venait ce sens délicat[43]… », explique le nouvel artiste en parfumerie[44]. Il élabore sa première

4.20 Rodolphe Duguay, Étiquette pour le parfum *Boule de Neige*, de Joseph Jutras, 1920, encre et lavis sur papier.

AU CENTRE
4.21 Edmond-Joseph Massicotte, Affiche publicitaire pour le parfum *Faites-moi rêver*, de Joseph Jutras, 1920, imprimé.

À DROITE
4.22 Ernest Aubin, Projet d'étiquette pour le parfum *Cœur et fleur*, qui deviendra *Cœurs et fleurs*, de Joseph Jutras, 1928, encre et gouache sur papier.

fragrance et, une fois parvenu à un résultat qui le satisfait, lui donne le nom attrayant de *Faites-moi* rêver[45] (**4.21, 23**). Il enregistre son entreprise sous le nom de Parfumerie Joseph Jutras. Pour les solutions olfactives, il fait principalement affaire avec la société suisse Givaudan qui a une succursale à New York[46]. Pour ses flacons, si certains proviennent de Bohême, la plupart sont de fabrication canadienne[47].

S'il choisit lui-même le flacon qui renfermera son parfum et si, pour l'étiquette qui figure sur ce flacon, il s'inspire d'Edmond-Joseph Massicotte, pour ce qui est de son affiche publicitaire, c'est à ce dernier qu'il s'adresse. Car Jutras fabrique un produit haut de gamme et veut en rehausser le cachet artistique. Massicotte a orné nombre de publications de luxe de silhouettes féminines dans le style Art nouveau, à la manière du célèbre affichiste Mucha[48], et c'est dans cet esprit aérien et voluptueux qu'il réalise cette affiche (**4.21**). Pour son deuxième parfum, *Boule de Neige* (**4.20, 23**), en 1920, Jutras fait appel à Rodolphe Duguay[49], étudiant au CAM et ami de Narcisse Poirier. Ensuite, pour *Parfait bonheur*, en 1925 (**4.24**), il se tourne vers une firme américaine et pour *Cœurs et fleurs* (**4.22**), en 1928, il fait appel à son confrère de la Montée Saint-Michel Ernest Aubin.

Reste à commercialiser ces produits. Les publicités, conçues par Jutras lui-même, vantent les diverses qualités des produits présentés : « *Faites-moi rêver,* c'est l'aîné des parfums Jutras, d'une senteur capiteuse, troublante même, il évoque merveilleusement l'Orient des songes voluptueux, des méditations rêveuses. C'est le parfum des jeunes filles romanesques… et des amoureuses[50]. » « Comme son nom l'indique, *Boule de Neige* est un parfum gai et mutin, il est le plus luxueux, le plus riche des parfums Jutras, le plus tenace aussi, d'une individualité fine et piquante[51]. » « *Parfait bonheur* diffère en cela de tous les parfums-lilas existant, même les plus réputés ; et c'est cette différence qui fait sa supériorité : vous avez l'effet de respirer le lilas en pleine floraison[52]. » Au flacon de parfum, Jutras ajoute bientôt les poudres parfumées et complète son offre avec les accessoires que sont les vaporisateurs et les houppettes, le tout présenté dans des coffrets garnis d'une doublure et rehaussés de satin, en fini bleu royal à l'intérieur et à filament d'argent, qu'il a lui-même conçus (**4.24**).

Jutras profite de sa position à la compagnie Heinz pour placer sa marchandise partout où elle peut l'être : « Comme ma situation de voyageur de commerce [me permettait de] rencontrer quantité de personnes, j'en profitai pour faire de l'échantillonnage [de mon parfum] et mousser en douce une de mes ambitions bien légitimes, celle de devenir patron. […] Les connaissances de la publicité et de l'art de la vente, acquises chez mes patrons d'hier ont été pour moi un chemin tout tracé pour atteindre au succès tant désiré[53]. » *Faites-moi rêver* connaît bientôt une vogue appréciable. En 1922, Joseph Jutras réalise son ambition de devenir son propre patron. Les produits se multiplient et les succès de vente vont toujours croissant. Le parfumeur réussit à constituer une équipe d'employés dans son laboratoire sur place et d'agents un peu partout au Québec[54], ainsi qu'à Ottawa et à Toronto, en Ontario, et il avait au moins un détaillant au New Jersey et en Californie, et même à Haïti et au Yukon, bref « du tropique au pôle nord[55] ». Avec fierté, il annonce que « la parfumerie J. Jutras est essentiellement canadienne-française[56] »

À GAUCHE

4.23 S. J. Hayward, Photographie du flacon *Boule de Neige* et du flacon *Faites-moi rêver*, avec l'étiquette dessinée par Rodolphe Duguay en 1920 et l'étiquette dessinée par Joseph Jutras en 1919, celle-ci librement inspirée d'Edmond-Joseph Massicotte.

À DROITE

4.24 Projet de publicité pour *Parfait bonheur*, de Joseph Jutras, 22 décembre 1924, mine de plomb, gouache et imprimé sur carton.

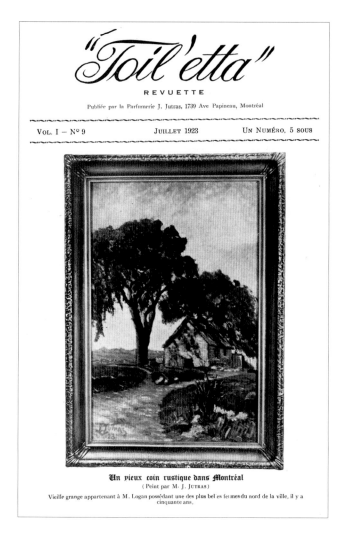

et qu'il est, lui, « le parfumeur de la Canadienne[57] ». En 1923, il devient membre de la Chambre de commerce de Montréal[58].

Bientôt, il crée ce qu'il appelle une « revuette » de quatre pages, au curieux nom : *Toil'etta* (**4.25**), publiée par sa parfumerie, « dont le rôle sera de causer d'un peu de tout : de mode, parfums, musique et même d'art culinaire[59] ». À ce programme il faut ajouter la promotion que Jutras fait de la peinture, d'abord celle de son ami Narcisse Poirier qu'il présente dès le deuxième numéro de sa « revuette[60] », ainsi que de la poésie, puisqu'il annonce *Les Signes sur le sable*, premier recueil d'un poète et pharmacien du nom d'Émile Coderre (1893-1970[61]) qui est un de ses dépositaires montréalais et qui deviendra fameux sous le nom de Jean Narrache[62]. Enfin, Jutras n'oublie pas de promouvoir sa propre peinture – qu'il n'a pas abandonnée, tout industriel qu'il soit devenu.

Un peintre sur la route

Dans cette nouvelle vie d'homme d'affaires où il brasse des dizaines de milliers de dollars[63], Joseph Jutras n'oublie pas qu'il est non seulement artiste en parfumerie, mais aussi artiste peintre. Et non seulement il ne l'oublie pas, mais il le fait savoir à sa nombreuse clientèle

4.27 Joseph Jutras, *À Nicolet*, s.d., huile sur toile. Ce tableau a figuré dans l'exposition de Jutras en 1926, à la Palestre nationale. Jutras avait de nombreux parents au village de Nicolet, en face de Trois-Rivières, qu'il visitait régulièrement au cours de ses tournées de voyageur de commerce. Au loin se profile la silhouette de l'imposante cathédrale qui sera démolie en 1955 à la suite d'un glissement de terrain qui l'a fortement endommagée.

par le truchement des publicités de son entreprise. En illustrant la page couverture de la revue musicale *Le Passe-Temps*[64] (**4.26**) dans laquelle il annonce ses parfums depuis trois ans, Jutras se fait connaître du même coup comme artiste visuel. Puis il insère dans diverses publicités de sa parfumerie sa propre photographie où on le voit palette et pinceau en main devant son chevalet, le peintre et le parfumeur se donnant ainsi rendez-vous sur la même page pour célébrer « Les arts réunis[65] ». Un article du *Devoir* sur le sixième anniversaire de son entreprise ne manque pas de dire que « les amateurs se rappellent peut-être qu'il y a quelques années, M. Jutras exposait deux ou trois petites toiles de belle venue au salon de la Galerie des Arts[66] ».

Tout parfumeur renommé qu'il soit devenu et autant que puisse l'accaparer son entreprise, Joseph Jutras n'a pas tourné le dos à sa vocation de peintre : « Malgré cette occupation assez chargée de responsabilités, je ne délaisse pas mon art, et les quelques instants de repos, ou à travers mes voyages dans mon Québec, mon chevalet, mes pinceaux et ma boîte me suivent partout[67] » (**4.27, 28, 30, 31**).

4.28 Joseph Jutras, *Vieux moulin aux Grondines*, s.d., huile sur carton[68].

Pendant des années, Jutras s'est exercé par le dessin à coucher sur papier les demeures vieilles et moins vieilles, mais toujours de quelque cachet architectural, qu'il rencontrait dans ses randonnées exploratoires montréalaises au nord ou au sud de l'île. Après son passage formateur dans les sentiers amicaux de la Montée Saint-Michel, il s'est apprivoisé à l'art du paysage et il est maintenant en mesure d'unir l'habitation qu'il chérit au décor environnant qui l'habille (**4.29**).

Au terme de deux décennies d'exploration de l'île de Montréal et de ses environs et puis, finalement, de diverses régions du Québec, Jutras s'est défini comme un « peintre sur la route[69] », et ce, d'autant plus qu'en 1923 il s'est payé le luxe d'une automobile. Ses expéditions antérieures avaient d'abord été liées à son travail de représentant en produits alimentaires et se faisaient par train, carriole et autres transports locaux. Libre désormais de se déplacer où il veut, si Jutras consacre d'abord ses tournées à sa parfumerie, la peinture le suit comme son ombre. D'une part, quand il n'a que ses fins de semaine de libres ou les jours fériés, son programme est fixé :

> Les jours de dimanche et de fête, les jours où il peut s'échapper et mettre les affaires de côté, M. Jutras s'en va en automobile avec un ami, et, lorsqu'ils arrivent devant un coin pittoresque, devant un paysage intéressant, ils arrêtent et prennent leur toile et leurs couleurs, ils brossent une esquisse. L'étude terminée, ils repartent et s'éloignent pour faire halte devant un nouveau site qui fera appel à leur imagination d'artistes[70].

L'ami de ses excursions de peintre, c'est soit Narcisse Poirier, soit Ernest Aubin.

D'autre part, quand Jutras s'engage dans des expéditions plus lointaines, le « peintre sur la route » se double d'un « peintre touriste, qui aime sa province, l'admire, la comprend et en fait le sujet de ses toiles[71] ». Le sujet de ses toiles, certes, mais aussi un sujet d'étude historique, car Jutras ne fait pas que se déplacer et choisir ses sujets à peindre, comme une vieille demeure, ou un manoir, ou un moulin. Au contraire, « [il] s'informe de leur histoire[72] », et ce, pour mieux se pénétrer de son sujet.

Contrairement à ce que fera Jean-Paul Pépin avec ses dessins du Vieux-Montréal, Jutras ne rédige pas des paragraphes entiers au dos de certaines de ses œuvres afin de les mettre en contexte et d'informer le collectionneur, mais il livre déjà, par le titre qui désigne ses sujets, une première indication historique (**4.7, 28, 30, 31**). Ensuite, si l'on reproduit dans un article qui lui est consacré quelques-unes de ses toiles peintes sur la route ou un de ses dessins, il fournit des notes explicatives : « Ce n'est pas seulement un peintre, c'est un historien par le pinceau[73]. » Que représente, pour Jutras, partir sur la route en expédition de peinture ? « Une langueur de rêve s'empare de vous et vous regardez à droite et à gauche, scrutant l'horizon, les prés et surtout ces belles maisons de pierres qui ressemblent aux vieilles de chez nous, car elles aussi ont un cœur[74]. »

Comme Donat Coste le disait pour Ernest Aubin[75], Jutras scrute les antiques demeures en psychologue : « Vous avez remarqué, dira Jutras, que j'ai un culte plus particulier pour les vieilles maisons, c'est qu'elles semblent me parler lorsque je les peins[76]. » Bien conservée ou quelque peu délabrée, une vieille maison, comme celle de Mgr Dubuc, par exemple, à Boucherville (**4.30**), en appelle une autre dans un même cadrage, que ce soit une dépendance attenante au bâtiment principal ou une grange en retrait : « Chacune d'elles est une amie pour moi, et, à sa rencontre, je l'interroge et écoute son langage intime[77]. »

4.29 Joseph Jutras, *Scène d'hiver**, 1936, huile sur carton. Les œuvres peintes au couteau ne sont pas très nombreuses dans la production de Jutras (4.17), mais comptent parmi ses plus belles réussites, par leur relief à la fois vivant et nuancé, d'un impressionnisme très personnel.

Parfois, lorsque la maison à laquelle Jutras s'attache n'a pas de passé historique officiel qu'il puisse faire valoir dans le titre de son tableau ou de son dessin, il lui arrive, par sa réflexion propre, de lui en créer un, ou de le deviner, comme avec cette demeure en ruine de L'Acadie (auj. Saint-Jean-sur-Richelieu) qu'il croise un jour de printemps (**4.32**). Après avoir croqué son sujet dans le coin gauche en haut sa feuille, du même crayon, il formule un long commentaire, qu'il aligne jusqu'au bas de sa feuille, inspiré par cette maison qui menace ruine – car Jutras aime et aimera toujours écrire. Il commence par un quatrain lyrique, avant de poursuivre en prose :

> La maison abandonnée
> Laisse en nos cœurs
> Un peu de ses pleurs
> En songeant aux vieilles années[78].

Jutras a tracé sa propre géographie de peintre itinérant : « Je suis un peu vagabond, il est vrai, en allant par les routes peindre des paysages ici et là. Les abords du Richelieu m'attirent et de leur côté les Laurentides me charment. De l'île d'Orléans à l'Outaouais, en passant par les Cantons de l'Est, je ne puis résister à l'appel de nos verdoyantes collines. Plus j'erre ainsi, plus je trouve ma province belle, invitante au point d'enlever tout désir de visiter les pays étrangers avant d'avoir bien vu le mien[79]. » Et si on lui demande quel est le plus beau coin de la terre que ses yeux ont contemplé, il répond sans hésiter : « Ma province tout entière[80] ».

4.30 Joseph Jutras, *La Maison de M*[gr]* Dubuc, Boucherville*, s.d., huile sur bois. Le chanoine Georges Dubuc (1906-1985), supérieur du séminaire de Nicolet, a été nommé prélat domestique en juin 1953, puis vicaire général quelques mois plus tard.

4.31 Joseph Jutras, *Berthier, Québec*, n.s., s.d., [1927], mine de plomb et crayon de couleur sur papier. Ce dessin représente la chapelle presbytérienne de la famille Cuthbert, construite en 1786, à Berthier en Haut (auj. Berthierville). Jutras l'a croquée de la route qu'il empruntait avec sa voiture pour se rendre à Québec, où il emmena Ernest Aubin en juin 1927. Le bâtiment, alors abandonné, était entouré de végétation. Sa restauration ne débutera qu'en 1928.

4.32 Joseph Jutras, *L'Acadie*, 20 mai 1924, mine de plomb sur papier. Les longs arbres qui n'ont pas encore leurs feuilles semblent fichés en terre sous la maison et vouloir l'étayer pour qu'elle ne s'écroule pas.

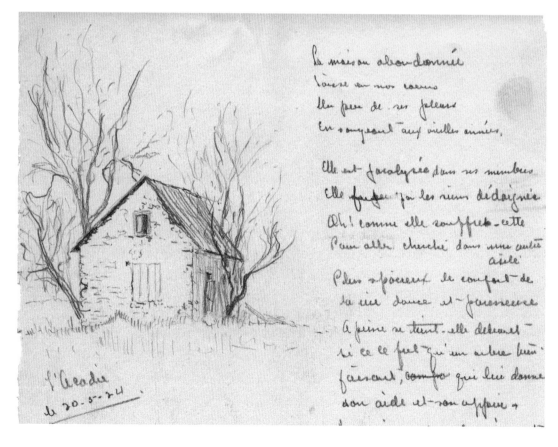

Expositions et revendications

Au printemps de 1922 – année où il devient son propre patron grâce à sa parfumerie –, Jutras expose pour la première fois au Salon de l'Art Association of Montreal (AAM) une *Scène d'hiver* (4.33). Ses confrères de la Montée, Aubin, Poirier (de retour d'Europe) et Proulx figurent aussi à ce salon. Mais la même année, désireux de participer au Salon d'automne de l'Académie royale des arts du Canada (ARAC), Jutras se voit refusé[81]. Il en est piqué au vif, et apparemment il n'est pas le seul. Et en première page de *La Presse*, alors que le Salon est en cours, on peut lire ceci :

> Comme on sait, depuis plusieurs années, un certain nombre d'artistes sont loin d'être satisfaits de la manière dont les traite le jury de l'Académie Royale canadienne lors de son exposition annuelle. Cette année, paraît-il, le jury s'est montré plus sévère que d'habitude et le bruit court qu'un nombre considérable d'œuvres envoyées à l'exposition ont été refusées. De là, plus grand mécontentement que jamais, irritation même. M. Jutras a levé l'étendard de la révolte. Il a eu des entrevues avec plusieurs artistes mécontents comme lui, qui lui ont promis leur appui et leur coopération[82].

La « révolte » de Jutras s'exprime dans l'idée de la création d'un Salon des Indépendants, comme il en existe un à Paris, libre de tout jury. Pour Jutras, il ne s'agit pas que d'une affaire d'amour-propre : il a avec lui nombre d'artistes mécontents. Albert Laberge, comme en appui aux revendications de Jutras, publie dans le même numéro de *La Presse* de novembre 1922, un article signé – ce qu'il ne fait pas souvent –, intitulé « L'art et les artistes[83] ». Il y évoque ceux qui, après avoir parfait leurs études à Paris, de retour au pays « se heurtèrent à l'indifférence générale » et d'autres qui durent « accepter des besognes ingrates, des emplois fastidieux[84] », déconvenue qu'il souhaiterait voir épargnée à la génération actuelle : « Il est grandement temps, conclut le critique, qu'un réveil s'opère parmi notre public, si l'on ne veut pas que la jeunesse qui pousse, épouvantée par le triste sort de ses aînés, s'écrase et n'immole l'idéal qu'elle a dans le cœur et le sentiment de beauté qui fermente en elle. »

Alors qu'en 1923 Jutras expose à nouveau au Salon du printemps, un autre article fait état de ce salon indépendant, ce qui confirme que Jutras n'a pas lâché son idée. Même si l'article ne cite pas son nom, on y reconnaît ses propos :

> Il y a actuellement une certaine excitation dans les milieux où l'on parle Beaux-Arts et il ne serait pas impossible que dès l'automne, Montréal, à l'instar de Paris et autres grandes capitales, ait son salon des Indépendants, c'est-à-dire un salon où tous les peintres, dessinateurs, sculpteurs, seraient admis librement à exposer, sans distinction de nationalité ou de croyance. On y admet-trait également les ultra modernes s'il s'en trouve chez nous, et le public seul serait invité à juger les exhibits au mérite. Il y aurait sans doute un jury pour l'octroi des diplômes ou prix, mais personne ne serait empêché d'exposer. Nous n'avons pas obtenu de détails plus précis relatifs à ce projet, nous ne savons pas encore à quel endroit se tiendrait ce salon. Seulement, c'est une bonne chose qu'il y ait un réveil d'art parmi nous et nous n'aurons jamais trop de ces intéressantes manifestations[85].

PAGE PRÉCÉDENTE

4.33 Joseph Jutras, *Paysage d'hiver*, dit aussi *Scène d'hiver*, 1922, huile sur carton. Premier tableau que Jutras expose au Salon du printemps de 1922.

4.34 Joseph Jutras, *Longue-Pointe*, 18 avril 1920, mine de plomb sur carton. Cette maison au toit étrangement allongé a servi de modèle à Jutras pour son tableau exposé à l'AAM en 1922 (4.33). Jean-Paul Pépin s'inspirera de la même exagération architecturale pour ses tableaux à connotation patriotique et allégorique (8.33).

Ce salon n'aura pas lieu. Une telle organisation demande du temps et de l'argent aussi, et son entreprise de parfumerie sollicite beaucoup Jutras. De plus, il faut, entre les artistes, de la solidarité plus que des récriminations. « Si le projet ne s'est pas réalisé, ce n'est pas de sa faute[86] », dira Albert Laberge. Au moins, Jutras aura osé secouer le cocotier des expositions officielles et susciter, appuyé par le critique de *La Presse*, une prise de conscience quant à la condition des artistes.

En 1931, Jutras revendique à nouveau et publiquement davantage d'espaces pour les artistes, et cette fois pour le groupe de la Montée Saint-Michel, nommément désigné sous sa plume. Au moment où le Conservatoire national de musique s'apprête à acquérir l'édifice de la bibliothèque Saint-Sulpice, rue Saint-Denis, pour s'y installer[87], Jutras, qui se souvient de l'époque où cette bibliothèque, de 1915 à 1929, présentait des expositions de peintures, publie une lettre ouverte :

> Nous sommes assurés d'un conservatoire National. Merci pour les musiciens et merci pour le public qui pourra entendre de beaux concerts à prix populaire. L'endroit est bien choisi et il n'est pas douteux que l'entreprise sera un beau succès.
>
> Maintenant, les peintres de la Montée Saint-Michel qui ont donné maintes expositions de tableaux à Saint-Sulpice, et qui ont réussi à faire connaître leurs œuvres du public, se demandent si, à côté de la musique, on ne pourrait pas faire une petite place à la peinture et mettre une salle à la disposition des artistes canadiens pour donner quelques expositions.
>
> Ne pourrait-on pas donner aux peintres, graveurs, dessinateurs, sculpteurs, la chance de faire valoir leur talent en leur accordant dans ce Conservatoire un coin pour y donner leurs expositions ?
>
> À côté de la musique, il y a la littérature, la peinture, la sculpture, qui ont également droit à l'encouragement. Les peintres de la Montée Saint-Michel demandent une salle pour leurs expositions[88].

En disant que les peintres de la Montée Saint-Michel ont présenté à la bibliothèque Saint-Sulpice plusieurs expositions, Jutras nous surprend un peu, car seul Narcisse Poirier y a déjà exposé, et ce, quatre fois, en 1924, 1925, 1926 et 1928. Mais le groupe n'étant peut-être pas encore tout à fait officialisé en 1931 avec les huit membres qu'on lui connaîtra, il se peut que Jutras, dans son esprit, englobe ceux qui les ont suivis à la Montée plus ou moins régulièrement ou qui y sont allés d'eux-mêmes et qui ont présenté leurs œuvres à la bibliothèque Saint-Sulpice : Maurice Le Bel, qui a exposé, en 1924, une série de gravures sur bois et sur linoléum, en compagnie d'Ivan Jobin et d'Edwin Holgate, Georges Delfosse, qui a exposé en ce même lieu en 1917 et qui a été entraîné à la Montée par son élève Narcisse Poirier, lequel y a entraîné à son tour son collègue Rodolphe Duguay, qui a exposé à la bibliothèque Saint-Sulpice en 1929, sans exclure Marc-Aurèle Fortin, que Jean-Paul Pépin a initié aux charmes de la Montée Saint-Michel et qui a présenté deux expositions personnelles, en cette accueillante bibliothèque, en 1919 et 1926. Jutras songe-t-il à y produire une exposition de groupe des peintres de la Montée Saint-Michel ? Il lui faudra attendre dix ans, et ce sera un sulpicien, justement, autrefois directeur des expositions à la bibliothèque de la rue Saint-Denis, Olivier Maurault, qui en sera l'artisan, en 1941.

Après la perte de L'Arche, leur atelier, en 1929, à la suite des ragots de voisins malveillants et alors que l'immeuble passe aux mains de la librairie Beauchemin[89], quelques-uns des peintres de la Montée avaient élaboré le projet de faire construire des ateliers et une salle d'exposition pour ceux, trop nombreux, qui ne possédaient ni leur propre lieu de création ni un endroit pour faire valoir leur production[90]. La crise économique arrivant, l'idée reste en plan, mais Jutras y revient nombre d'années plus tard, dans une lettre ouverte qui nous éclaire sur les intentions antérieures de son groupe :

Chers lecteurs,

Vous savez sans nul doute que, pour bien travailler il faut à l'artiste un atelier, un coin approprié où il peut se retirer, méditer et produire, mais peut-être que l'on ne vous a jamais appris que Montréal ne pouvait mettre à la disposition de ses artistes qu'environ vingt-cinq ateliers, tous loués d'ailleurs, et que les autres artistes doivent se loger au petit bonheur d'une chambrette mal éclairée ou un grenier, à fondre l'été et à geler l'hiver.

C'est là tout notre avoir, pour permettre à la gent artistique, qui augmente de jour en jour, de mettre en valeur son acquis.

Où se loger, les études finies ? Tel est mon cas et celui de tant d'autres. Y aurait-il possibilité de créer un centre artistique, aux environs du Jardin Botanique, disons, où nous trouverions réunis une centaine d'ateliers de diverses grandeurs ? Sculpteurs, peintres, graveurs, etc., y trouveraient avantage, et cela à prix modéré.

Une salle d'exposition au centre pour aider à faciliter l'écoulement des œuvres.

Oh ! je ne demande pas un château, ni un monument.

Si chacun y allait de son écu, un simple écu, nous aurions des ateliers et nos artistes seraient en mesure de produire pour notre plus grande gloire, chers compatriotes[91].

Et il fait suivre sa signature de la mention « Un des peintres de la Montée Saint-Michel 2633, rue Masson ».

4.35, 36 Couverture et première page de l'intérieur du catalogue de la première exposition privée de Joseph Jutras en 1925.

Un indépendant

Jutras figure au Salon du printemps de 1926 avec *On the Sherbrooke Street West*, peint au cours de ses longues pérégrinations avec Ernest Aubin, et ce sera la dernière fois avant dix ans, alors qu'il réapparaît aux cimaises de l'AAM en 1936 avec un pastel de la Montée Saint-Michel : *Ferme McAvoy*.

En dépit de son absence des lieux officiels d'exposition, Joseph Jutras est bien déterminé à ne pas se laisser rayer du milieu des arts visuels. Puisqu'il ne cesse pas de peindre, il ne cessera pas d'exposer. Il se créera lui-même son salon indépendant, chez lui, en organisant à son domicile, dès 1925, au printemps, alors que le Salon de l'AAM bat son plein, une première exposition privée (4.35, 36), qui sera suivie de plusieurs autres. Cette première exposition d'un « indépendant » comprend 75 pièces : 62 huiles et 13 croquis, dont deux, prend-il soin de signaler dans sa liste des œuvres présentées, *Maison Renaud* et *Seigneurie Lussier (St-Vincent de Paul)*, ont été exposées à la Galerie des Arts en 1923[92]. Pour conclure son petit texte d'introduction, se référant au fameux *Voyage autour de ma chambre* de Xavier de Maistre[93] (1763-1852), il invite ses visiteurs : « Alors procédons comme Joseph [*sic*] de Maistre en faisant "Un voyage autour de mon salon" au lieu de ma chambre. »

L'année d'après, en février 1926, il exposera dans un lieu où l'on ne s'y attendrait pas, mais qui a l'avantage d'être très fréquenté : la Palestre nationale, rue Cherrier, dans la salle de réception. Pas question de location : la salle est prêtée « à titre gracieux[94] ». Pour les trente-huit premières pièces, la liste est la même que pour l'exposition de 1925 à son domicile, après quoi les vingt-deux pièces qui suivent sont nouvelles – remplaçant, nous le supposons, celles qui ont été vendues. Les croquis, eux, sont les mêmes à l'exception d'un seul.

De 1927 à 1930, il participe, avec des confrères de la Montée, soit Aubin, Martel, Pépin et Poirier, aux expositions annuelles de la galerie du grand magasin Eaton. Organisées par Émile Lemieux, artiste lui-même, ces expositions ont lieu soit à l'automne, avant le Salon de l'ARAC, soit au printemps, après celui de l'AAM. Jutras revient une dernière fois chez Eaton en 1936 pour l'exposition thématique *Montréal dans l'art,* à nouveau avec son pastel *Ferme McAvoy*.

Sur une période de onze ans, soit de 1930 jusqu'à la première exposition des peintres de la Montée Saint-Michel à la galerie Morency, en 1941, où il présente dix-neuf œuvres, Jutras n'aura exposé qu'une fois et une seule œuvre, en 1936. Le contexte de la crise économique qui sévit et les difficultés personnelles de Jutras, à la suite de la perte de sa parfumerie – sur quoi nous reviendrons –, pourraient être l'explication la plus plausible de cette absence des lieux officiels.

Après l'exposition des peintres de la Montée à la galerie Morency, Jutras attend trois ans pour reprendre ses expositions indépendantes chez lui, en 1944, et les répéter en 1947, en 1948 et en 1955. Et pour ce nouveau départ, en 1944 il y va de deux expositions dans la même année, l'une en mai, l'autre en décembre. Ces expositions se tiennent sous les auspices d'Émile Falardeau (1886-1980), « généalogiste et grand ami des artistes[95] ». Falardeau, qui est également collectionneur, a publié, outre des opuscules de généalogie, de modestes mais marquants ouvrages sur divers artistes du Québec[96]. Ce faisant, il a constitué un groupe d'amateurs qu'il conduit dans divers ateliers, où l'artiste tient, pour ces visiteurs, une exposition d'un jour, ce qui contribue à le faire connaître par des gens de goût et peut lui occasionner quelques ventes. L'idée est aussi d'amener ce public à un «contact direct avec les artistes[97]». L'exposition du 28 mai 1944 s'ouvre par une allocution du généalogiste, qui présente l'artiste, suivie de la réponse de celui-ci. Falardeau ne manque pas de désigner Jutras comme «un des sympathiques membres du groupe des Peintres de la Montée Saint-Michel[98]», ainsi qu'il était mentionné sur le carton d'invitation. L'exposition, qui comprend quatre-vingt-six items, demande le logis entier de Jutras et commence dans le salon, se poursuit dans le couloir et s'achève dans l'atelier. Elle dure encore quelques jours pour les personnes qui ont reçu leur invitation par la poste.

En décembre suivant, Jutras répète l'expérience avec, cette fois, une exposition de soixante œuvres, toujours sous le patronage d'Émile Falardeau et de ses invités. L'exposition s'ouvre par la photographie du groupe de la Montée Saint-Michel, prise à l'occasion de la conférence d'Olivier Maurault en 1941 (C.7). Bilan de la première exposition : quatre ventes, pour un total de 56 $. À l'exposition suivante, un tirage d'une œuvre de l'artiste a lieu. Bilan : sept ventes pour un total de 113 $. Les temps sont durs…

Temps de crises

En octobre 1927, à la suite de transactions financières malencontreuses[99], Joseph Jutras perd sa parfumerie au profit d'un de ses créanciers, Albert Bellefontaine, parfumeur établi au 1676, rue Saint-Denis[100]. Même si Jutras n'est plus propriétaire de son entreprise[101], il en garde la gérance, ce qui fait qu'il est en mesure de lancer, en avril 1928, son nouveau parfum, *Cœurs et fleurs*, que «le parfumeur de la Canadienne vient de créer[102]», et, en juin 1929, *Adorela*, sa «fameuse huile à parfum qui charme[103]». En 1932, au plus creux de la crise économique, Bellefontaine abandonne la parfumerie Jutras, que son gérant tente de sauver, mais devant le refus des banques de le soutenir, c'est la faillite totale[104].

4.37 Joseph Jutras, photographie, 1941. Les Montréalais ne sont pas peu surpris de voir un peintre exposer ses tableaux sur les pelouses d'un édifice aussi fréquenté que le palais de justice[105].

Le samedi 31 décembre 1932, veille du jour de l'An, Jutras, à la fois désespéré et déterminé, à trois heures de l'après-midi se rend au square Phillips, rue Sainte-Catherine Ouest, en face du grand magasin Morgan, et expose ses tableaux en plein air. Il a exactement vingt-deux cents en poche. Une nombreuse clientèle qui s'affaire aux achats de dernière minute va et vient tout alentour. À sept heures et demie du soir, les vingt-deux cents s'étaient changés en vingt-deux dollars[106] : « Mon art me servit de planche de salut[107]. »

Certains jouent de la musique dans la rue, d'autres chantent ou présentent des numéros de mime ou d'acrobatie : pourquoi un peintre, en plus de planter son chevalet ici et là, ne pourrait-il pas exposer ses tableaux ? À partir de ce moment, Jutras adoptera cette singulière et inusitée façon de faire, et ce, au moins jusqu'à la fin des années 1940.

« Son atelier est là où il plante son chevalet et ouvre sa boîte de couleurs. Sa galerie d'art est l'endroit le plus proche sur l'herbe, l'argile ou le trottoir où il peut exposer ses œuvres sans nuire à personne[108]. » Le territoire de Jutras s'étend du palais de justice (**4.37, 38**), dans l'est de la ville, jusqu'au quartier Greenwich, à Pointe-Claire, dans l'ouest, en passant par le square Phillips, le square Dominion, la rue Drummond et la rue Peel, qu'il croise sur son passage. Là, quand il n'y a pas de pelouses où étaler ses tableaux, il les place sur le rebord des fenêtres. Ainsi, clients et employés qui entrent et qui sortent ne peuvent les manquer – sans oublier les passants et les touristes qui circulent.

Autre façon d'arrêter les passants, de les intriguer : « Il siffle doucement un air gai tout en préparant une autre toile d'un bâtiment historique ou ancien ou d'une belle scène de la nature dans le Vieux-Montréal[109]. » Cette originalité vaut à Jutras la une de *La Patrie* et des articles dans les journaux anglophones – excellente publicité. Outre la vente de ses tableaux, il propose aux passants et aux curieux d'exécuter leur portrait au crayon en deux minutes, pour vingt-cinq ou cinquante sous.

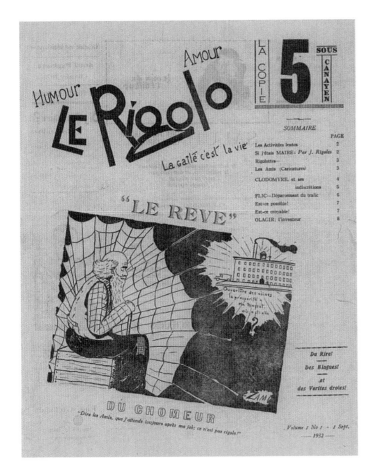

4.39, 40 Page couverture du *Rigolo*, 1er septembre 1932, journal de huit pages, entièrement conçu par Joseph Jutras, et page féminine signée Rigolette [p. 3], archives privées.

En général, Jutras étale une douzaine de tableaux dont les prix varient entre quinze et cinquante dollars, et la plupart du temps les recettes sont bonnes[110] : « "Je ne sais pas pourquoi d'autres artistes montréalais ne le font pas, dit-il, je suppose qu'ils sont trop fiers." Plus d'artistes devraient suivre son exemple, dit-il. "Les gens doivent être plus en contact avec les artistes[111]." »

Certes, cette façon de vendre ses tableaux ne suffit quand même pas à Jutras pour faire vivre sa famille et il accumule divers métiers d'appoint. Il devient journaliste et vendeur de publicité pour la revue *L'Hôtellerie*, qui couvre tout le territoire du Québec.

Et, malgré tous ses soucis quotidiens, il trouve le moyen de créer un journal humoristique, *Le Rigolo,* qui ne connaît qu'un seul numéro, en 1932. Jutras rédige et dessine lui-même les huit pages de son *Rigolo,* sous divers pseudonymes, dont celui de Zami pour les illustrations. En page couverture (**4.39**), le vieux chômeur rêve de la réouverture des usines promises par le maire Fernand Rinfret : « Dire les Amis que j'attends toujours après ma job ; ce n'est pas rigolo ! » À l'intérieur, on y trouve une caricature représentant Jean-Paul Pépin avec la légende : « La pépinière de l'art chez les jeunes à Montréal. / Un peintre de la Montée St-Michel ». Plus loin, il s'en prend à Frédéric Pelletier, qui, l'année précédente, se moquait des peintres de la Montée, sous la rubrique « Est-ce croyable ? possible ? » : « Que le Dr Frédéric Pelletier ait accepté la chaire de professeur d'art musicale [*sic*], dans l'association des Peintres de la Montée St-Michel ». Et Jutras n'oublie pas la page féminine sous forme de courrier du cœur et d'agence matrimoniale, tenue par Rigolette (**4.40**).

Après ce bref amusement, s'alliant à l'Union catholique des cultivateurs, il se lance dans la vente de modèles pour tapis crochetés[113], art ménager qui connaît alors un certain renouveau, et pour lesquels il peint des canevas. Sa femme elle-même réalise plusieurs de ces tapis pour divers hôtels de la province et pour les bateaux de la Canadian Steamship Line. De plus, chaque année, Jutras produit, à l'aide de pochoirs, des cartes de Noël (**4.41**) qu'il envoie à des bureaux d'avocats et d'hommes d'affaires, à des députés, à des personnalités en vue, en échange de quoi il espère obtenir des commandes pour un certain nombre de cartes, voire des commandes de tableaux.

Enfin, derrière son nouveau logis du 2633, rue Masson, dans le quartier Rosemont, où il s'installe en 1934, il cultive un appréciable morceau de terre qu'il divise en verger et en potager ; il vend une partie de la récolte, l'autre servant aux besoins de sa famille. Devenu connaisseur dans la pratique du jardinage, il participe à la fondation du syndicat des jardiniers de Rosemont ; il en dessine l'emblème et le dote de la devise *En bêchant nous vaincrons !* Dans le *Lovell's Montreal Directory*, il se désigne encore et toujours comme « artiste ».

À partir de 1939, sa situation se rétablit. Il travaille pour le gouvernement en tant que vérificateur des contrats de guerre, les hostilités ayant repris en Europe. Au début des années 1950, il devient enquêteur pour la pension de la Sécurité de la vieillesse, ainsi que juge de paix. « Mon travail me laisse des loisirs, écrit-il à Ernest Aubin, et je continue à peindre des "pochardes", mal incurable mais plus doux que le cancer[114]. »

Peintre de quartier

S'il y a en Jutras un « peintre sur la route », il y a aussi un « peintre de quartier[115] », celui qui ne s'éloigne pas trop de chez lui, qui trouve ses sujets dans le proche voisinage ou en déambulant dans sa ville. Quelle ville est donc Montréal pour Jutras ? Quel Montréal représente-t-il dans sa peinture ? Ce qui caractérise une métropole – rues, commerces, voitures, tramways, édifices, par exemple –, on en trouve très peu dans les représentations urbaines de Jutras, et les personnages y sont rarissimes. Le port de Montréal, tant prisé par Aubin et par d'autres peintres de sa génération, l'a assez peu retenu. Fidèle à sa vocation de « peintre paysagiste », ainsi qu'il l'inscrit sur sa carte de visite et sur son en-tête de lettre, ce sont les aspects les plus champêtres de Montréal qui l'intéressent, car Jutras a besoin d'arbres, de fleurs, de gazon, de terre, de ciel, pour que son pinceau se mette en action.

Dans plusieurs représentations urbaines de Jutras, l'arbre prend une place prépondérante, surclassant parfois les bâtiments. C'est un peu la revanche de ce grand végétal sur le traitement maigrelet que lui a trop longtemps réservé le dessinateur (4.9, 10). Parfois, il est le sujet même du tableau, traité avec toute la générosité qu'il mérite (4.42). Son arbre, Jutras l'a conquis de haute lutte, et il en jouit comme son sujet lui-même jouit de cette matinée de printemps.

La ruelle, typiquement montréalaise, permet à Jutras d'embrasser les arrière-cours et leurs hangars recouverts de tôle (4.44). Dans l'ombre grandissante d'un coucher de soleil, cette scène, magnifiée par les hauts ormes dont la silhouette escalade le ciel, rappelle l'expérience d'Ernest Aubin, en 1924, avec les installations du canal de Lachine (3.27, 29, 30) où les masses, comme ici, s'ordonnent en blocs de couleurs.

D'autre part, écartant de sa composition l'envahissement de la nature, ou du moins n'en conservant que peu d'éléments, Jutras choisit la rue Notre-Dame au moment où sa partie sud est encore dans l'ombre, le soleil n'étant pas encore très haut dans le ciel (4.45). Il peint les deux survivantes de trois maisons jumelles qui faisaient autrefois l'angle avec la rue Saint-Vincent. Une première d'entre elles (celle qui faisait l'angle) et une moitié de l'autre ont été démolies en 1912 pour la construction de l'édifice de La Sauvegarde[116]. Délaissant la grisaille des pierres à laquelle on se serait attendu, Jutras profite de l'ombre, qui uniformise toutes les valeurs de cette composition ; il lui donne des tons de terre et de cuivre, suggérés par la saison automnale dont témoignent les rares

EN HAUT
4.42 Joseph Jutras, *Arbre chez oncle Olier Décarie, à Notre-Dame-de-Grâce*, s.d., huile sur isorel. Le peintre n'a pas oublié les rais de lumière que le soleil projette entre les planches de la clôture...

EN BAS
4.43 Joseph Jutras, *Tour ouest du Grand Séminaire de Montréal**, 9 mai 1934, pastel sur papier. La dédicace « À ma Juliette » s'adresse à Juliette Trottier, la femme de Jutras. Ernest Aubin et Narcisse Poirier, ainsi que bien d'autres peintres, ont représenté l'une ou l'autre des deux tours du Grand Séminaire de Montréal, ou les deux à la fois.

4.44 Joseph Jutras, *Coucher de soleil*, 1931, huile sur carton.

feuilles aux branches de l'orme. Ces maisons ont retenu l'attention de plusieurs peintres, dont Maurice Cullen[117], qui les a représentées par une nuit d'hiver, et de plusieurs photographes, dont Edgar Gariépy[118] (**4.46**) – ami de Jutras et de Narcisse Poirier (**9.13**).

S'il va au mont Royal (**4.48**), il ne choisira pas tel sentier, telle frondaison, tel bouquet d'arbres, tel point de vue sur la ville ; il préfère un ancien pont de pierre – les pierres l'attirant toujours – dont l'arc ouvre sur un trou de verdure que son pinceau chiffonne en cinq ou six coups brefs. Jutras peint sa pochade avec une vivacité et une sûreté égales à celles d'Ernest Aubin.

Au cours de la décennie 1940, le paysage urbain du nord de Montréal se modifie, les projets – dont celui du boulevard Métropolitain – se multiplient, les constructions d'immeubles grugent les abords du domaine Saint-Sulpice, le percement et l'élargissement de voies de circulation le balafrent de toutes parts, et le fidèle Joseph Jutras devient le dernier du groupe à hanter la Montée Saint-Michel, surtout qu'Ernest Aubin passe une grande partie de l'année dans les Laurentides à partir de 1943.

Alors qu'en 1941 Olivier Maurault prépare sa conférence sur le groupe de la Montée Saint-Michel et demande à Jutras de lui livrer ses souvenirs, la nostalgie de toutes ces années qui sont derrière – avec sa jeunesse – s'empare de lui. La Montée est un éden dont la superficie ne cesse de rétrécir avec le temps. Pour faire place au collège André-Grasset, la petite ferme des Laurin a été démolie en 1930, elle qui marquait, pour les peintres de la Montée, la porte d'entrée de leur paradis terrestre : « La croix du coin reste belle à ma vue, mais un sentiment de tristesse semble l'accompagner. Sa vieille maison et les ormes qui l'ombraient n'y sont plus[119] », raconte Jutras, qui revient régulièrement sur les lieux. À Ernest Aubin, l'instigateur de toute cette aventure de la Montée Saint-Michel et qui se retire de plus en plus souvent dans les Pays-d'en-Haut, il confie : « Je parcours des sentiers déjà battus par nos gros sabots, mais il me manque un compagnon, un ami. Souvent, je me sens seul et je n'ose m'aventurer aussi loin que nous allions ; on dirait que le cœur me manque[120]. »

Enfin, une dernière fois, à la fin de 1946, Joseph Jutras évoque – toujours pour son ami Aubin – « la Montée Saint-Michel dont je reste le seul à parcourir les sentiers[121] ».

Réception critique

Ce sont ses expositions privées, tenues chez lui de 1925 à 1948, qui ont valu à Joseph Jutras l'attention de la critique. S'il en était resté au circuit des salons et des galeries, il n'aurait récolté que des mentions de passage, parcimonieuses, du genre « un joli paysage d'hiver[122] », « deux intéressants paysages[123] », « un gentil pastel[124] » ou, au mieux, « un paysage sobre et verdoyant[125] ». Nous n'en saurions pas plus sur l'impression que produisait son œuvre sur les personnes censées faire profession de critiques d'art.

4.45 Joseph Jutras, *Vieilles maisons, rue Notre-Dame et Saint-Vincent*, dit aussi erronément *L'Arche, rue Notre-Dame*, 1920, huile sur bois. Ce tableau a figuré à la troisième exposition privée de Jutras, en décembre 1944, mais il ne représente pas L'Arche du 22, rue Notre-Dame Est, près de la rue Saint-Jean-Baptiste (2.47). Il s'agit plutôt de maisons plus à l'est, que l'on voit sur la photographie suivante d'Edgard Gariépy (4.46).

4.46 Edgar Gariépy, *Édifice de La Sauvegarde*, situé au 92 rue Notre-Dame Est, photographie, vers 1913-1914. Collée contre l'édifice, on voit la maison dont il ne reste que la moitié, à côté de sa voisine, qui est complète, et que Jutras a représentées dans son tableau (4.45).

4.47 Joseph Jutras, *Maison sur le boulevard Gouin*, 1925, huile sur carton. Les maisons du boulevard Gouin ainsi construites à flanc de côte étaient disposées le long de la rivière des Prairies qui coulait plus loin en contrebas.

Résolu à se donner la visibilité qu'il souhaite, Jutras, en présentant « dans ses salons[126] » des expositions qui rassemblent entre trente-neuf et quatre-vingt-six pièces, et en rencontrant lui-même le critique qui lui rend visite – tout autant que les visiteurs –, est en mesure de montrer ce que salons officiels et galeries lui refusent : le déploiement de sa véritable production et l'homme qu'il est en tant qu'artiste. Lui qui estimait que « les gens doivent être plus en contact avec les artistes[127] », il a trouvé dans son cas le moyen pour que cela se fasse.

De 1922 à 1941, Jutras a figuré au Salon du printemps et a été accueilli dans quelques galeries (Eaton, Morency, L'Art Français), mais ce système restrictif ne correspondait pas à ses ambitions et contrariait son besoin de rapport direct avec toute personne intéressée par sa peinture. C'est pourquoi, transgressant les normes, il est allé jusqu'à exposer ses tableaux en plein air sur les pelouses des bâtiments publics ou sur les rebords des fenêtres des banques. Dans les comptes rendus de ses expositions ou dans les articles qui portent sur lui, on ne manque pas de relever son « vigoureux talent[128] » et les mots « force et enthou-siasme[129] » employés pour décrire ce que dégagent ses œuvres révèlent sa personnalité. Le côté voyageur de Jutras, « toujours en quête de coins pittoresques[130] », est souligné à diverses reprises, lui qui « a parcouru toutes les routes, suivi tous les chemins des alentours de Montréal[131] » ou encore s'est fait « artiste itinérant pour peindre la ville[132] ». On rappelle aussi, comme Jutras l'indique lui-même d'ailleurs, qu'avec sa profession de parfumeur et ses autres occupations il ne peint pas à temps plein, qu'il n'accorde à la peinture « que ses loi-sirs[133] » – et on constate que, « dans ces conditions, les résultats qu'il a obtenus sont absolu-ment surprenants[134] ».

Albert Laberge, le grand manitou de la critique d'art à *La Presse*, qui n'avait mentionné que brièvement la présence de Jutras aux Salons de l'AAM de 1922 et de 1923, change complètement d'attitude après que ce dernier a présenté sa première exposition personnelle chez lui, en 1925, et une autre à la Palestre nationale, en 1926 – car ce genre d'audace lui plaît et il aime rendre visite aux artistes[135]. Laberge, donc, reconnaît tout à coup à Jutras « un talent remarquable » ; il estime « qu'il y a du coloris, de l'atmosphère et de la lumière dans ses toiles[136] » et que le peintre « sait admirablement choisir les sujets de ses tableaux[137] ». De son côté, Henri Letondal remarque dans l'ensemble « une certaine poésie dont la fraîcheur éclaire chacun des tableaux et des dessins[138] ».

4.49 Joseph Jutras, *Vieille grange à Sainte-Dorothée*, 1946, huile sur toile.

On souligne évidemment la prédilection du peintre pour les vieilles maisons, qu'il associe musicalement à la chanson *Les vieilles de chez nous*[139], vieilles maisons « qu'il fait voir sous des traits émouvants[140] », « vieux murs, auxquels il prête une vie qu'on ne leur soupçonnait pas[141] », « vieux murs, dit Jutras lui-même, qui captent les rayons solaires et nous les renvoient étincelants de chatoyantes couleurs[142] », et ainsi il fait « ressortir les reflets de rouille qui éclairent certaines pierres[143] » **(4.50)**. Jutras peint toujours sur le motif et son approche est simple : « Mon grand désir lorsque je peins est non pas d'embellir, mais de reproduire toute la beauté que nos paysages recèlent », et ce, ajoute-t-il à l'adresse de ses visiteurs, dans le but « de vous plaire en vous faisant voir des paysages que vous coudoyez très souvent, oserais-je dire, mais qui parfois ont échappé à votre regard[144] ».

4.50 Joseph Jutras, *Boulevard Crémazie*, dit aussi *Vieille maison d'Écossais*, 1940, huile sur toile. Sous son second titre, ce tableau a figuré dans l'exposition de 1941 à la galerie Morency et a été reproduit dans *Le Canada*, 16 avril 1941, p. 3, sous le titre *Vieille maison écossaise*. Il faisait partie de la collection Émile Filion.

Reynald, qui succède à Laberge à *La Presse*, accorde à Jutras deux mentions, l'une en 1934 au sujet d'un tableau, *Angle des rues Craig et Saint-Gabriel,* qu'il reproduit et qui lui fait dire que cet «amateur de bon talent […] sait saisir l'aspect fugace des choses dans l'atmosphère qu'il leur découvre[145]», l'autre en 1936, à propos d'une de ces «cartes de Noël d'un mérite original[146]» (**4.41**) qu'envoie Jutras au temps des fêtes. Il en restera là jusqu'à la première exposition du groupe de la Montée Saint-Michel, en 1941, chez Morency, alors qu'il considère que ce «bon père de famille, ex-parfumeur, jardinier émérite» est resté un «amateur» et qu'il qualifie ses tableaux de «canevas[147]». La technique vivante de Jutras est loin du canevas, et des canevas proprement dits, Jutras n'en a pas exposé chez Morency, le catalogue est là pour le prouver – mais il l'a peut-être fait plus tard, si l'on en croit la description embarrassée d'un critique: «Pourtant, dans l'ensemble des tableaux exposés, on ne peut s'empêcher de remarquer combien certaines œuvres diffèrent des autres, non seulement par la composition, mais surtout par la technique. Un certain nombre de toiles manquent, semble-t-il, d'une certaine subtilité dans les couleurs[148].» Cette description se rapproche en effet des canevas qu'à une certaine époque Jutras a peints comme modèles pour tapis crochetés[149], exécutés selon une touche très uniforme, les couleurs ne réclamant pas ici de nuances, mais un découpage clair pour l'artisane[150].

Si, en 1925, il constatait qu'«il faut que M. Jutras ait à un haut degré l'amour de l'art pour produire l'œuvre qu'il offre aujourd'hui au public», vingt ans plus tard, alors qu'il a eu largement le temps de découvrir l'homme et de connaître sa production, Albert Laberge

4.51 Joseph Jutras, *Maison Léonard, boulevard Gouin Est*, 3 mars 1949, huile sur toile. Jutras ne s'arrête pas à une seule manière de peindre mais en approfondit plusieurs, comme le montrent ces deux tableaux (4.50, 4.51), peints presque à dix années de distance dans un style bien différent.

est en mesure d'émettre ce jugement, qui est un véritable condensé du parcours de l'artiste : « L'exposition de tableaux de Joseph Jutras démontre de façon éclatante ce que peuvent accomplir l'amour de l'art, le travail et la persévérance car, on peut le dire, c'est en répondant à son impérieux désir de devenir un artiste qu'il a forgé son métier et qu'il est devenu le paysagiste qu'il est aujourd'hui[151]. »

« Une vie d'artiste n'est jamais assez longue »

Enfin, pour compléter le portrait de ce personnage éclectique, après l'étalagiste, le peintre, le mélomane, le parfumeur et le jardinier, signalons l'homme soucieux d'écriture.

La rédaction et la publication de textes personnels se manifestent chez lui à partir de 1920 avec la création de sa « revuette » *Toil'etta,* où il fait paraître son premier article

4.52 Joseph Jutras, *Sainte-Dorothée*, juin 1966, huile sur isorel. Jutras venait d'emménager dans ce village de l'île Jésus. Le soleil se couche sur cette existence remplie par un indéfectible amour de l'art et de la vie.

consacré à un artiste : Narcisse Poirier. Infatigable épistolier, Jutras n'hésite pas à faire usage des tribunes libres des journaux pour défendre et promouvoir l'art et les artistes, comme lorsqu'il écrit aux journaux des Pays-d'en-Haut pour attirer l'attention, sur la présence d'Ernest Aubin qui habite maintenant à Sainte-Adèle[152]. À l'occasion, il prend un pseudonyme pour se faire critique d'art au sujet d'une exposition de son ami Narcisse Poirier[153]. Après la mort d'Émile Vézina, en 1942, pour qui il avait un grand attachement, il mène, par correspondance, une enquête poussée auprès de ceux qui l'ont connu et, y joignant ses souvenirs personnels, écrira sa biographie et donnera sur lui une conférence à la Société historique de Montréal. Il fera de même pour les peintres René-Charles Béliveau et Georges Delfosse, et pour l'artiste lyrique Paul Dufault[154] : enquêtes et conférences. Au fil des années, il rédigera plusieurs versions de sa propre autobiographie, racontant l'éveil de sa vocation

4.53 Joseph Jutras, photographie, 1921. Armes au poing...

artistique, les péripéties de son entreprise de parfumerie, de même que ses nombreux souvenirs sur Ernest Aubin, Narcisse Poirier, sur le groupe des peintres de la Montée Saint-Michel et sur L'Arche qu'ils ont habitée.

Au début des années 1960, il déménage sur l'île Jésus, à Pont-Viau tout d'abord, puis à Sainte-Dorothée (4.52), où il devient voisin de son confrère de la Montée Saint-Michel, Jean-Paul Pépin, qui s'est établi sur cette île en 1936. Pépin vivra jusqu'en 1983, mais Jutras le précédera dans la tombe en 1972, à l'âge de soixante-dix-huit ans. Deux mois avant sa mort, en réponse à une lettre circulaire de Rolland Boulanger, directeur du Service des arts plastiques au ministère des Affaires culturelles, il avait donné divers renseignements autobiographiques, et évoqué, bien sûr, les peintres de la Montée[155], ce à quoi Rolland Boulanger avait répondu : « N'hésitez pas à nous transmettre tout document que vous jugeriez utile pour nous permettre de préparer un petit ouvrage sur les Peintres de la Montée Saint-Michel[156]. » Pour que cet ouvrage voie le jour, il faudra attendre encore quelques années…

« Nous, les peintres, nous sommes gâtés mais jamais rassasiés, car nous avons toujours soif du beau et une vie d'artiste n'est jamais assez longue[157] », écrivait le paysagiste Joseph Jutras, dans les années de sa maturité. Mais, en dépit de ce tempérament animé par le « feu sacré[158] », Jutras n'est pas à l'abri du doute, et un jour de 1967, alors que son époque artistique est derrière lui, que la peinture nouvelle lui est incompréhensible, qu'il a quitté Montréal pour se rapprocher de Jean-Paul Pépin, qui vit à Sainte-Dorothée, le peintre vieillissant, se comparant à ses illustres prédécesseurs – professeurs et artistes –, se confie au papier :

Mais moi, que suis-je devant ces maîtres d'hier, bien nôtres par la race et le sang ?

Ne suis-je pas qu'un simple barbouilleur qui cherche ou tâtonne dans la beauté suprême de l'art ? Un pauvre paysagiste sans verni [sic], qu'une modeste instruction n'a pas permis d'évoluer dans la sphère du rêve et de l'idéal qu'ont vécu ces grands de chez nous ? […] J'ai honte de me dire artiste devant toute cette céleste constellation artistique qui a rayonné dans le firmament de l'art.

Parfois la haine s'empare de moi, et je voudrais tout reprendre mes œuvres et en faire un feu, non de joie mais de dégoût pour ce pauvre gars qui a rêvé, un jour de jeunesse, de devenir artiste envers et contre tous[159].

Et Jutras d'ajouter aussitôt : « Mais, devant ces voiles ténébreux de la vie, pourquoi se laisser choir ? »

En effet, dans ce moment d'amer retour sur lui-même, ses amis auraient pu rappeler au peintre de la Montée Saint-Michel ces quelques mots qu'il adressait à son ami Ernest Aubin, et dans lesquels il résumait sa vraie philosophie d'artiste : « Inutile de dire que déposer mes pinceaux dans ma boîte produit le même effet qu'un guerrier éprouverait en déposant les armes[160]. » Et à ce même ami, encore, ne livrait-il pas cet instantané où on le saisit en pleine action : « [J'ai] une envie folle d'être à tes côtés, palette en main, déversant à grands traits des couleurs sur celle-ci, pour les reprendre avec la pointe de mon pinceau et laisser les empreintes de mon enthousiasme[161] », décrivant par là sa joie inaltérable de peindre.

CHAPITRE 5

JEAN-ONÉSIME LEGAULT (1882-1944) ENTRE RÉALISME ET SYMBOLISME

Alors que ses confrères de la Montée Saint-Michel – Aubin, Jutras, Léger, Poirier et Proulx – figurent nombre de fois, année après année, au Salon du printemps de l'Art Association of Montreal (AAM) et parfois au Salon d'automne de l'Académie royale des arts du Canada (ARAC), et cela de 1908 à 1937, le lot (sans titre) de quatre tableaux soumis par Jean-Onésime Legault (5.1) en 1921 au jury du Salon du printemps a été refusé en bloc. Rangé dans la catégorie des « *Rejected Works*[1] », le lot est retourné à l'artiste le 29 mars, trois jours avant l'ouverture de l'exposition, le 1er avril. Élève d'Edmond Dyonnet au Conseil des arts et manufactures (CAM) et de William Brymner à l'école de l'AAM, Legault ne jouait pas de chance puisque Brymner s'était retiré du jury en 1921, tandis que Dyonnet, cependant, restait en place jusqu'à l'année suivante... Celui-ci n'a-t-il pas cru bon d'user de son influence pour faire admettre son brillant élève au Salon du printemps ? À bientôt trente-neuf ans, Jean-Onésime Legault n'était-il pas un artiste assez mûr pour figurer auprès de ses pairs aux cimaises du salon annuel officiel ?

Les jurys qui procèdent à la sélection des œuvres ne sont pas infaillibles, on le sait, et des critiques de l'époque ont souligné l'abondance de médiocrités dans certains des Salons du printemps de l'AAM[2]. Joseph Jutras fut l'un des rares à protester publiquement contre ces sélections arbitraires dont il n'était pas le seul à subir la rigueur, en particulier pour le Salon d'automne sous le patronage de l'ARAC[3]. D'autre part, une œuvre rejetée ne l'est pas exclusivement en fonction de sa plus ou moins bonne qualité, mais aussi en fonction de l'espace disponible. William Brymner ne déclarait-il pas :

> Le Salon du printemps est une institution qui donne à tous ceux qui peuvent dessiner ou peindre la chance de soumettre leurs travaux. Il a pour objectif d'encourager l'artiste consciencieux, et aussi de donner à l'étudiant l'occasion de montrer ce qu'il peut faire[4].

Quoi qu'il en soit, Jean-Onésime Legault ne récidivera pas auprès du jury de l'AAM.

C'est donc en retrait des manifestations officielles que Jean-Onésime Legault a poursuivi sa vie d'artiste, œuvrant dans le domaine de la photographie et de ses dérivés, dans celui de la publicité et des portraits de commande, à quoi s'ajoutent

5.1 J.-O. Legault, *Par moi-même devant ma glace*, 1917, mine de plomb et fusain sur papier.

5.2 J.-O. Legault, *La Croix du chemin*, 1943, huile sur toile. La scène représente un coin de Saint-Elzéar, sur l'île Jésus, où Legault allait peindre avec Jean-Paul Pépin. Le tableau servit à illustrer le calendrier de l'oratoire Saint-Joseph de 1945 – qui parut après la mort de l'artiste, survenue en 1944.

les nombreux dessins et tableaux, faits pour lui-même, mû qu'il était par sa seule passion et soutenu par des amitiés vraies, parmi lesquelles ses confrères de la Montée Saint-Michel.

L'exposition du groupe de la Montée Saint-Michel en 1941, à la galerie Morency, fut pour lui la première occasion d'exposer dix-sept de ses œuvres. C'est peu après qu'il devint un des artistes de la galerie L'Art Français[5]. L'unique exposition personnelle qu'il prépara lui-même dans son atelier de la rue Alma n'eut pas lieu : en mai 1944, le généalogiste et historien Émile Falardeau (1886-1980) proposa de lui amener un groupe d'amateurs désireux de le connaître et de se procurer quelques pièces – ce qu'il venait de faire ce même mois avec Joseph Jutras, collègue de la Montée. Aidé de sa fille Jeannine, l'artiste dressa le catalogue des œuvres qu'il désirait montrer, signant, datant et titrant celles qui le nécessitaient. La mort subite de l'artiste survint quelques jours avant la visite prévue. L'œuvre de Jean-Onésime Legault resta dans sa famille.

À l'automne 1944 se tint au collège André-Grasset l'*Exposition d'art canadien* dont un volet était réservé aux peintres de la Montée Saint-Michel. Un tableau de Jean-Onésime Legault y figurait. En 1963, Émile Falardeau publiait un article au titre interrogateur : « J.-O. Legault, peintre oublié[6] ? » Il y reproduisait un de ses derniers tableaux : *La Croix du chemin* (5.2) Peintre oublié, Jean-Onésime Legault ? Ses confrères de la Montée Saint-Michel ne l'étaient pas moins à cette époque – sauf Narcisse Poirier et Jean-Paul Pépin, qui avaient su se maintenir dans le milieu des galeries d'art et qui ne rataient jamais une occasion de rappeler leur appartenance au lointain groupe de la Montée Saint-Michel à l'existence officieuse – comme le faisait d'ailleurs constamment Joseph Jutras.

Vaste, complexe, riche, l'œuvre de Jean-Onésime Legault, à travers les diverses disciplines où elle s'exerce, émerge tel un continent et le rapide aperçu que nous donnerons ici ne fait qu'effleurer les énigmes et les clés d'un être préoccupé par une vision du monde où littérature, poésie, philosophie, musique, architecture, photographie et peinture se répondent et se confondent.

« L'art, le but de la vie »

Jean Baptiste Onésime Legault naît le 2 octobre 1882 à Sainte-Justine-de-Newton, dans le comté de Vaudreuil-Soulanges, près de la frontière ontarienne. Il est le deuxième enfant d'Onésime Legault, alors cultivateur, et de Marie-Obéline Brouillard, qui a neuf ans de moins que son mari. En 1886, la famille s'installe à Montréal, dans le quartier Saint-Louis, avec trois enfants, des garçons. Six autres suivront – trois garçons, trois filles – au fil des déménagements jusqu'en 1900. Onésime père devient menuisier, charpentier et machiniste[7].

Alors qu'Onésime a quinze ans et fréquente, en 1897-1898, l'école qui se donne dans le sous-sol de l'église Saint-Joseph, rue Richmond, dans l'ancien faubourg des Récollets, il reçoit une médaille : « Prix spécial de dessin / décerné à / O. Legault / École Saint-Joseph ». Au verso, on peut lire : « F. X. Craig, donateur[8] ». Le jeune homme entamera bientôt sa formation qui couvrira une huitaine d'années. Là-dessus, il ne semble pas avoir reçu d'opposition de sa famille.

5.3 J.-O. Legault, *Jeune femme au chignon**, 1904, fusain sur papier[9].   5.4 J.-O. Legault, *Garçon au gilet**, 1907-1908, fusain sur papier.

5.5 J.-O. Legault, *Italienne lisant**,
1908, fusain et craie sur papier.

À l'automne 1901, alors qu'il atteint ses dix-neuf ans, Onésime Legault s'inscrit aux
cours du soir du CAM qui se donnent au dernier étage du Monument-National, en classe
d'architecture[10] et en classe de dessin à main levée. À la rentrée de 1902, il poursuit la classe
de dessin, dans le cours avancé dirigé par Edmond Dyonnet. En juin 1903, à la clôture de
l'année scolaire, il remporte le premier prix[11]. Sans plus d'hésitation, il s'inscrit dans le
Lovell's Montreal Directory comme « *artist* ». Jusque-là, dans sa signature, il faisait précéder
son patronyme de l'initiale d'un seul de ses prénoms. À partir de la rentrée de 1903, où il
entame sa troisième année d'études et quitte la classe des moulages pour celle du modèle

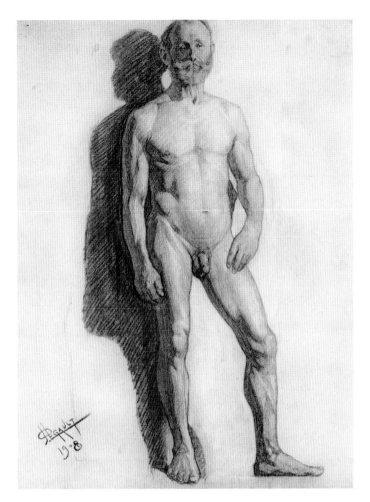

À GAUCHE

5.6 J.-O. Legault, *Nu masculin debout**, 1908, fusain sur papier.

À DROITE

5.7 J.-O. Legault, *Modèle masculin debout portant le caleçon, entouré de cinq croquis divers**, s.d., fusain sur papier.

vivant, il signera J.-O. Legault – nouveau baptême pour cette naissance, qui se veut définitive, au monde de l'art[12]. À la distribution des distinctions de fin d'année en juin 1904, il remporte cette fois le deuxième prix – la concurrence étant des plus rudes avec deux de ses confrères et amis : Onésime-Aimé Léger (**5.9, 10 ; 6.13, 66**) et Alfred Beaupré, qui se partagent ex æquo le premier prix[13].

L'année scolaire 1904-1905 apporte une variante intéressante : outre les modèles habituels, hommes et femmes en tenue de ville, des modèles d'origine italienne viennent poser en costumes nationaux (**5.5**) et, pour la première fois aussi, des enfants (**5.4**), ce qui stimule l'intérêt pour l'étude de la figure et du costume[14]. À la rentrée, Jean-Onésime s'inscrit aussi en classe de lithographie. La reproduction lithographique pouvant servir à des procédés commerciaux, il était bon d'en connaître l'usage pour qui aspirait à gagner sa vie avec une forme ou une autre de son art. Les cours de lithographie se donnant le lundi et le mercredi, Legault a donc une année 1904-1905 assez chargée avec ses cours de dessin le mardi et le vendredi. En juin 1905, au terme de sa quatrième année d'études, il reconquiert le premier prix de dessin[15]. On voit déjà dans cette production de l'école des Arts et Manufactures vers quel dessinateur impeccable s'achemine Jean-Onésime Legault.

Travaillant au fusain, Legault s'applique au rendu de la physionomie et du costume à l'aide du noir et de ses nuances (**2.22, 26**). Tout au plus parfois utilise-t-il les rehauts de craie pour mettre en valeur la blouse d'une Italienne qui, le coude appuyé sur un petit socle, abaisse les yeux sur le livre qu'elle y a posé (5.5).

Un autre modèle a bénéficié d'un traitement attentif de la part du dessinateur (5.7). Debout, tenant sagement les mains derrière le dos, pose un jeune homme portant le caleçon. Sollicité par cc corps svcltc aux formes estompées, Legault y est revenu plusieurs fois, mais pour semer sa feuille de divers croquis, une sorte d'aide-mémoire pour des projets éventuels ou plus immédiats, dictés par des commandes ou par sa fantaisie, représentant une rue enneigée où un tramway est embourbé, un navire balloté par les vagues, une carriole arrivant dans un village, des angelots, trompette au poing, filant droit vers la terre, une dame sur le seuil d'une porte qui remet quelque chose à un enfant – scènes du réel et d'imagination…

La formation que propose le Conseil des arts et manufactures s'étend sur quatre ans. Arrivés au terme de leur formation, la plupart des élèves quittent l'école. Certains, cependant, choisissent de poursuivre pendant une, deux, trois ou même plusieurs années leurs études auprès de leurs maîtres. Ils sont alors classés hors concours quand ils figurent à l'exposition de fin d'année. Legault s'offre donc trois années supplémentaires pendant lesquelles son assiduité, cependant, ne sera pas des plus grandes.

Pour l'année scolaire 1905-1906, nous ne trouvons à son actif que sept dessins datés et aucune mention de son nom dans l'exposition de fin d'année. À l'automne 1906, il s'inscrit en classe de modelage, mais revient en 1907 à ses premières amours, le dessin, et en force cette fois, car à l'exposition annuelle, en juin 1908, la place d'honneur lui échoit avec seize dessins exposés hors concours[16]. De la dernière année d'études qu'il entreprend au CAM à l'automne 1908, et qu'apparemment il ne complète pas, seuls quelques dessins, cinq en tout, nous sont parvenus. L'un d'eux, daté de février 1909, qui représente un jeune homme en tenue sportive, est peut-être le dernier qu'il ait produit au Monument-National. Le nom de Legault n'apparaît pas dans le répertoire de l'exposition de fin d'année. Cet homme qui vient d'avoir 26 ans ne se sent plus tout à fait l'âme d'un élève.

La production moindre et l'assiduité variable de Legault durant ses dernières années à l'école des Arts et Manufacture peut s'expliquer par le fait qu'en même temps, de 1907 à 1909, il étudie à l'école de l'Art Association, dirigée par William Brymner. Certains dessins datés de cette période le prouvent en ceci qu'ils représentent des modèles nus, exclusivement masculins, la plupart portant le caleçon (5.7), d'autres intégralement nus (5.6), modèles que seule l'école de l'AAM offrait aux étudiants[17]. Une autre caractéristique de plusieurs de ces dessins est l'ombre que ces modèles projettent derrière eux et qui résulte de l'éclairage frontal de la classe de l'AAM, dispensé par une lampe suspendue au plafond et dont l'abat-jour était tourné vers le plateau de pose (2.29) – d'où l'ombre en question. Sur l'ensemble des 47 nus de Legault se rapportant à cette période, on dénombre 25 nus intégraux. Ces derniers l'emportent – de justesse – sur le nu au caleçon. Dans l'ensemble, les modèles présentaient un physique plutôt ingrat, étant de forte corpulence ou affichant une mine plus proche de la trogne que du visage, sur quoi un œil porté à l'esthétique classique comme Legault trouvait difficilement de quoi s'alimenter. Cependant, trois ou quatre modèles font exception et ont davantage sollicité le dessinateur.

Un nu intégral de 1908 montre un homme d'un certain âge, à barbe blanche (5.6), dont le corps musclé, bien proportionné, raconte l'effort physique déployé au long d'une vie ou une pratique sportive efficace. Il pose non sans fierté. Parmi les nus de cette série, il est celui dont le rendu est le plus poussé et Legault a dessiné ce modèle plus d'une fois.

Les amis de l'art

Au cours de ses années d'études, Legault noue un certain nombre d'amitiés qui perdureront et dont quelques-unes influenceront sa vie professionnelle. La première, et la plus importante, est celle d'Onésime-Aimé Léger. Lorsque Legault s'inscrit au CAM en 1901, Léger s'y trouve déjà depuis deux ans. L'un et l'autre se talonneront pour les prix de dessin[18]. Ces deux rivaux sont déjà les meilleurs amis du monde, car tout les rapproche : leur passion du dessin, leur attirance pour le symbolisme, leur goût pour la libre pensée. Outre qu'ils ont presque le même âge et qu'ils partagent au moins un de leurs deux prénoms, ils ne sont pas nés très loin l'un de l'autre puisque Saint-Isidore-de-Prescott, en Ontario, où Léger a vu le jour, ne se trouve qu'à une douzaine de kilomètres de Sainte-Justine-de-Newton, au Québec. Quant à l'alcool, Legault s'y est adonné avec beaucoup plus de modération que son ami Léger (5.9, 10).

En 1904, une séparation d'un an survient quand Léger s'embarque pour l'Europe, où il va étudier à Bruxelles, un des bastions du symbolisme, ce mouvement international qui, même s'il n'est plus à son apogée, n'en continue pas moins de faire des adeptes à travers le monde. Lorsqu'il revient à Montréal, Legault, pour fixer l'événement de leurs retrouvailles, photographie son ami en compagnie de son frère Albert – son préféré – et de leur père (6.13).

Il semble avoir été entendu, dès l'installation dans cette maison familiale de la rue Alma, située un peu au nord de la rue Saint-Zotique, dans la nouvelle municipalité de Saint-Louis, que le rez-de-chaussée (5.8) allait constituer, pour Jean-Onésime, son logis et son lieu de travail avec atelier de peinture et studio de photographie, car pour l'une et l'autre de ces pratiques, il doit recevoir des clients chez lui. Les parents et les plus jeunes de la famille occupaient l'étage[19]. Vivre dans son lieu de création et créer dans son espace de vie, tel était

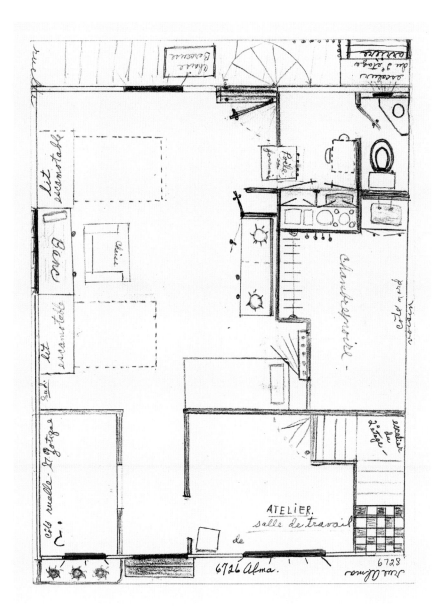

5.8 Plan du rez-de-chaussée du 6726, rue Alma, où J.-O. Legault passera sa vie. Dessin fait de mémoire, en 2005, par Madeleine et Françoise Bélisle, nièces de l'artiste, qui ont souvent visité leur oncle dans son atelier.

le plan de vie de Legault. Par goût, il reste célibataire afin de mieux ménager ses aventures galantes – sa correspondance en témoigne. Bref, l'artiste est l'exception de la famille.

L'atelier occupait la pièce à droite en entrant et donnait sur la rue, côté nord-est. Quelques détails particuliers caractérisaient ce lieu : les stores s'actionnaient non du haut vers le bas, mais du bas vers le haut, afin que l'artiste puisse doser la lumière, et l'espace était équipé d'une chambre noire où Legault développait ses photos. L'accès en était dissimulé dans le mur tapissé, et on tirait le buffet comme on ouvre une porte pour y accéder. Les visiteurs étaient notamment intrigués par l'absence de lit... En effet, Legault disposait de deux lits simples mais escamotables afin, d'une part, de pouvoir recevoir et, d'autre part, de gagner de l'espace. Enfin, une dernière particularité pour qui parvenait jusqu'à la cuisine : le couvert y était toujours mis pour plus d'une personne – signe d'accueil permanent.

Aux murs, quelques-unes de ses œuvres préférées : *Un soir à Soulanges* (coll. part.), peint en 1903, qui est, à notre connaissance, son premier tableau, *Balade au clair de lune* (**5.46**), de 1908, des dessins dont *Longueuil* (**5.34**) et le portrait de sa fille, Jeannine (**5.30**), ainsi que de grands fusains du temps de l'école des Arts et Manufactures. Plusieurs des nombreuses cartes postales d'art sont également épinglées, cartes qu'il a reçues de ses correspondants et correspondantes et qu'il aime avoir sous les yeux comme des rappels de la beauté, d'œuvres accomplies ou de certains idéaux, et par besoin comme d'une sorte de petit musée personnel où poser le regard et, qui sait, y trouver de la motivation. Les sentences et maximes qu'il transcrit sur des cartons enluminés, quelquefois en lettres gothiques et historiées d'une lettrine sont d'autres aidemémoire qu'il prend soin d'encadrer, comme des lignes de conduite à se rappeler, à méditer. Par exemple : « La bouche verse toujours le trop-plein du cœur », adapté de l'Évangile selon Luc[20], et « Qui s'occupe de lui-même est mal occupé », qui paraphrase un proverbe hébreu[21]. Parfois, en fonction de ses idéaux, il adapte certaines citations de ses poètes préférés, par exemple : « Sois bon, la bonté va du cœur au visage », qui s'inspire d'un vers de Victor Hugo, lequel se lit ainsi : « Sois calme. Le repos va du cœur au visage[22]. »

En 1906, Legault et Léger décident de laisser une empreinte de leur amitié dans cette maison qui déjà les réunit si souvent : ils peignent chacun un grand tableau qui sera maroufflé dans le vestibule d'entrée[23]. Pour Legault, ce sera un *Pâtre à la houlette* (**5.44**), et pour Léger une *Muse à la lyre* (**5.45**).

À l'automne de cette année 1906, Léger reprend les études et s'inscrit au CAM avec Legault, mais tous deux cette fois en classe de modelage. Dans cette discipline, il ne nous est parvenu qu'une œuvre de Legault : un buste en plâtre représentant son jeune frère Albert. En fin d'année scolaire, Legault récolte une mention en modelage, mais à la rentrée suivante, il revient en classe de dessin, où le suit Léger qui n'abandonne pas cependant le modelage puisqu'il aura pour professeur Alfred Laliberté (1878-1853) qui arrive de Paris où il a terminé sa formation. Au printemps 1908, Legault et Léger exposent hors concours dans la catégorie dessin.

À partir du moment où, en 1921, un autre photographe vient s'installer à proximité de chez lui, rue Dante, Legault s'en fait un allié. Ce photographe s'appelle Giuseppe Iacurto et fait partie de cette « petite Italie » qui, depuis quelques années, s'est développée dans ce coin de Montréal. Les deux photographes échangeront divers services. Legault retouchera à l'aérosol ou au crayon des agrandissements de photographies que son confrère lui envoie[24]. Dans cette famille, Francesco, le fils unique, né à Montréal en 1908, sert parfois de commissionnaire à son père, apportant rue Alma les travaux à compléter ou venant prendre livraison d'une commande terminée.

Le garçon, qui s'attarde parfois dans l'atelier de Legault, deviendra son premier et unique élève[25]. Le temps qu'il commence ses classes aux Arts et Manufactures, puis qu'il passe à l'École des beaux-arts de Montréal, Legault et lui en viendront à peindre ensemble une œuvre religieuse commandée par les Clercs de Saint-Viateur (**5.13**). Iacurto a toujours été très près de ces religieux enseignants, car il a fait ses études secondaires sous leur direction. Au cours de ces années-là, un religieux de cette communauté se joint à lui et Legault quand ils vont faire du croquis sur les bords de la rivière des Prairies ou ailleurs : le père Wilfrid Corbeil (1893-1979) (**5.14**), futur fondateur du Musée d'art de Joliette, qui, lui aussi, comme ses deux comparses,

5.11 J.-O. Legault, *Un peintre non identifié, assis sur son pliant et tenant sur ses genoux sa boîte à peinture*, photographie, 17 août 1919.

5.12 J.-O. Legault, *Deux peintres non identifiés en compagnie de Legault*, photographie, 17 août 1919. Pour ses autoportraits individuels ou de groupe, Legault se sert de son déclencheur à distance. Ces photographies – et d'autres – ont été prises au cours d'une expédition à Shawbridge, dans les Laurentides.

avait étudié aux Arts et Manufactures. En 1943, lorsque son élève Iacurto, parrainé par Edmond Dyonnet, Adrien Hébert et F. S. Coburn, est reçu à l'Académie royale des arts du Canada, Legault ne peut que soupirer : « Veinard[26]… »

À la Montée Saint-Michel

Sur son apprentissage de la peinture, nous sommes peu renseignés. Au CAM, Legault a pu suivre la classe de peinture décorative, dirigée par Joseph-Charles Franchère, jusqu'à sa suppression au printemps 1903, et son premier tableau connu, *Un soir à Soulanges* (coll. part.) date de cette année-là. Il a pu suivre aussi les cours de peinture donnés au CAM l'après-midi par Jobson Paradis à partir de 1906 et axés sur la nature morte (**2.23**).

Deux pochades, dont l'une est datée de 1907 et titrée *Montée Saint-Michel* (**5.15**) et dont l'autre (**5.16**) est une composition semblable à la première, indiquent que Jean-Onésime Legault a fait une première excursion à la Montée Saint-Michel en compagnie d'Ernest Aubin l'année même où celui-ci entre en classe de dessin à l'école des Arts et Manufactures et où il cherche à entraîner ses confrères vers ce lieu qui le ravit. En ce début d'hiver, Legault se laisse convaincre par Aubin de le suivre au domaine Saint-Sulpice, autrement dit la Montée Saint-Michel, par une journée ensoleillée. Là, il peint deux pochades, dont l'une représente un ruisseau parmi les premières neiges, alors que les arbres du fond portent encore leurs

EN HAUT

5.13 J.-O. Legault, *Francesco Iacurto et Jean-Onésime Legault dans l'atelier*, posant devant un tableau que les deux peintres viennent de terminer pour les Clercs de Saint-Viateur, photographie, vers 1935.

EN BAS

5.14 J.-O. Legault, Francesco Iacurto et le père Wilfrid Corbeil, c.s.v., peignant à Laval-des-Rapides, photographie, vers 1935.

dernières feuilles d'automne. Dans une seconde pochade, il représente le même ruisseau, mais les arbres y sont dépouillés, la couche de neige y est plus épaisse et recouvre une partie du cours d'eau, d'où l'on conclut qu'il l'a peinte un peu plus tard dans la saison. Suivront une série de petits tableaux, presque tous de même format, ainsi que divers dessins que l'on trouve dans un carnet daté 1903-1908 et qui indiquent une fréquentation régulière de ce lieu et de ses environs, probablement en compagnie d'Ernest Aubin, tous les deux plantant parfois leur chevalet devant le même motif ou l'un retournant seul sur des lieux visités ensemble (**5.17-22**).

EN HAUT
5.15 J.-O. Legault, *Montée Saint-Michel*, 1907,
huile sur carton.

EN BAS
5.16 J.-O. Legault, *Montée Saint-Michel [bis]**, s.d.,
[1907], huile sur carton.

Ruisseaux, étangs, rochers, grands ormes, arbrisseaux, lisière du bois entrent dans le répertoire de Legault, ainsi que la petite ferme avec sa croix de chemin et, à l'instar de tous ceux qu'Aubin entraîne dans ces parages, les longs crépuscules qui se déploient au-dessus de l'horizon dégagé de ce coin campagnard de Montréal.

Legault ne s'en tient pas qu'au dessin et à l'huile pour fixer la Montée Saint-Michel sur papier. Il se sert aussi de la photographie (1.8-11, 16 ; 7.41). Comme pour sa première exploration, c'est aussi en hiver qu'il choisit de fixer sur négatif ce lieu dont il s'éprend, intéressé sans doute par le contraste du noir et blanc qu'il obtient alors. Il marche à nouveau

5.21 J.-O. Legault, *Rue des Carrières*, s.d., huile sur toile marouflée.

5.22 Ernest Aubin, *Rue des Carrières**, n.s., s.d., huile sur toile.

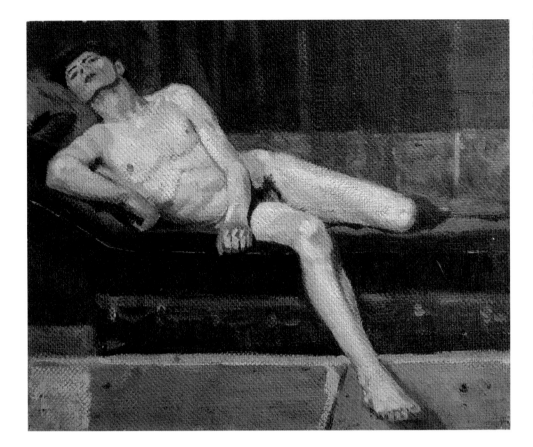

dans les traces d'Aubin, son initiateur, en cadrant cet orme en bordure d'une clôture qui longe un champ cultivé, qu'il saisit, lui, Legault, en hibernation (5.17), tandis qu'Aubin l'a fixé à l'heure bleue où le jour n'est pas encore le soir et le soir pas encore la nuit (5.18).

Durant cette période de fréquentation de la Montée Saint-Michel s'insèrent pour Legault cinq nouvelles années d'études à l'école de l'Art Association, mais on ne sait à quelle fréquence[27]. Le 25 octobre 1911, le groupe qu'il fréquente a pris le nom de « peintres de la Montée Saint-Michel ». À partir de 1912, stimulé à la fois par la naissance du nouveau groupe auquel il appartient et par l'ouverture du nouvel édifice de l'AAM, rue Sherbrooke Ouest, Legault veut se perfectionner en peinture et s'inscrit au cours de William Brymner. Joseph-Octave Proulx, son confrère de la Montée, s'y inscrit en même temps que lui, tandis qu'Ernest Aubin les suit en 1913. Certains tableaux conservés par Legault, des nus (5.23), des portraits (5.24), témoignent de cette période dont il reste cependant peu de traces.

En 1917, alors qu'il termine à l'école de l'AAM, Legault dessine au crayon un autoportrait[28] (5.1). Bien mis, le regard franc et doux, la moustache soignée, tenant sa pipe préférée dans le coin de sa bouche, c'est une forme d'hommage qu'il se rend au terme de toutes ces vaillantes années de formation. Il a trente-cinq ans.

5.24 J.-O. Legault, *Jeune femme en rouge**, entre 1912 et 1917, n.s., huile sur toile marouflée. La draperie derrière ce modèle est caractéristique de la salle de pose de l'école de l'Art Association, ainsi que le plateau à gradins du nu précédent (5.23).

Guerre et après-guerre

Entre 1914 et 1929, soit sur une durée de quinze ans, la production de Legault se concentre essentiellement sur son gagne-pain : illustrations sous le nom de Marc de Thé, photographies commerciales (stéréogrammes), enseignes publicitaires[29], publicités diverses pour des commerces de matériel d'artiste, des écoles d'art ou des studios de photographie, produits alimentaires ou boissons alcoolisées, caricatures, même, sous le nom d'Oneze. C'est aussi l'époque de la Grande Guerre. Bien qu'il soit mobilisable, on ne sait si la *Loi sur le service militaire* adoptée en août 1917 l'inquiète.

Un effroi – propre au symbolisme d'ailleurs – se retrouve dans *Darkness Came* (**5.25**) et *Le Destin* (**5.26**). Ceux-ci traduisent-ils les sentiments de Legault en ces temps de boucherie guerrière ? Un être au vêtement déchiqueté apporte un flambeau fumant à la ville aux dômes et aux édifices somptueux, gage pourtant de civilisation, mais privée de lumière dans tous les sens du terme – puisque la guerre est là. Le fusain de modestes dimensions qu'est *Le Destin* répond-il à cette frayeur des ténèbres qui gagnent le monde ? Il s'agit d'une figure seule, de face, en buste, une tête de femme. Son vêtement à demi défait, sa chevelure désordonnée, s'accordent à l'égarement de ses yeux agrandis par la peur. L'inéluctable se lit dans ce regard fixe et cette bouche fermée d'où aucun cri ne peut s'échapper. La posture de face ajoute à l'aspect paralysé du personnage devant le destin qu'il voit venir avec terreur.

En 1919, après la fin du conflit, le statut professionnel de Legault, désormais âgé de trente-sept ans, se précise : il dessine et fait imprimer ses enveloppes de correspondance (**5.27**). Dans un dessin pointilliste, imprimé dans ce ton de vert vibrant que Legault

5.27 J.-O. Legault, enveloppe d'affaires, s.d., imprimé. En 1927, la numérotation des rues ayant été refaite, Legault, sur son enveloppe, et sur son en-tête de lettre, dut changer le 744 pour le 6726.

À DROITE
5.28 J.-O. Legault, en-tête de lettre officiel, s.d., imprimé. Legault écrivait ici à Ernest Aubin, installé à Sainte-Adèle, dans les Laurentides.

affectionne, la peinture et l'architecture sont représentées avec, au second plan, la nature par le profil d'un boisé. Une lampe d'Aladin symbolise l'inspiration. Et puis, ce sera son en-tête de lettre officiel (**5.28**). Il représente un personnage masculin drapé à l'antique, à la fois athlète et éclaireur, qui brandit le flambeau de l'art qui éclaire le monde. Le personnage est auréolé d'une devise: *Il est aux yeux de l'homme une voie droite*, adaptée du livre des Proverbes (21,2): « Toutes les voies de l'homme sont droites à ses yeux. » Cette devise que s'octroie Legault dit à la fois l'espoir renaissant après le conflit mondial de 14-18 et l'idéal d'intégrité humaine et artistique dont se réclame le peintre.

Sinon, Legault produit divers encarts publicitaires où il s'annonce comme « portraitiste » et propose des « photographies reproduites en tous genres en couleur, au crayon », des portraits à main levée, des portraits à l'huile ou à l'aquarelle. Au moins, par le truchement de cette pratique commerciale, il peut se livrer à sa passion du portrait. À partir de 1920, l'annuaire *Lovell* ouvre une section « *Artists* – Artistes peintres », où Legault figurera chaque année. Il reste que, pour cette période 1914-1929, en dépit de sa profession bien affichée d'« artiste-peintre », peu d'œuvres à l'huile de Legault nous sont parvenues.

Épisode de la vie d'un artiste

L'année 1924 marque pour Jean-Onésime deux événements importants et opposés: la mort, le 25 mai, de son ami Léger et la naissance, le 23 décembre, de sa fille Jeannine (**5.30**). En effet, à 42 ans Legault devient père. En cette avant-veille de Noël, Yvonne Cadieux (**5.29**), sa jeune compagne de dix-huit ans, met au monde celle qui sera leur fille unique. À l'époque, les enfants nés hors mariage formaient l'exception – une exception assez répandue, cependant, si l'on songe que certaines communautés religieuses, comme les Sœurs du Bon-Pasteur et les Sœurs de Miséricorde, recueillaient non seulement les mères célibataires et leurs enfants, mais aussi des enfants abandonnés dans l'anonymat. Mais d'abandonner leur fille, il n'en est pas question pour Jean-Onésime et Yvonne.

Yvonne n'était pas la première femme dans la vie de Legault – et ne sera pas la dernière. Il l'a connue à l'automne 1923[30], alors qu'elle faisait le ménage chez un ami commun. Née le 15 avril 1906, elle n'avait alors que dix-sept ans, c'est-à-dire qu'elle était mineure, la majorité étant fixée à vingt et un ans à l'époque. C'est une belle jeune fille à la chevelure crépue et abondante et au regard clair. Maria, une des sœurs de Jean-Onésime, qui, depuis son mariage en 1919, habite à l'étage du 744 de la rue Alma, aide le couple à s'occuper de la petite.

5.29 J.-O. Legault. *Yvonne Cadieux*, compagne de l'artiste, photographie, vers 1924.

À l'occasion, Aurore vient aussi donner un coup de main, bien qu'elle habite un peu plus loin, rue Saint-Hubert[31]. Il en va de même pour les parents de Jean-Onésime qui, maintenant, logent au 843, rue Alma, un peu plus au nord.

Vivant en dehors des conventions religieuses et aimant sa vie d'artiste célibataire, Jean-Onésime ne se sentait aucune attirance pour le mariage. Lorsque Jeannine vient au monde, la situation est délicate au regard du voisinage et de la société en général. Il n'était pas aisé, dans le Québec des années 1920, de déroger ostensiblement aux conventions en ce qui avait trait à la vie sexuelle et à la religion. On pouvait être facilement ostracisé.

Arrive le moment où il faut songer à faire instruire la petite. Un acte de baptême était obligatoire pour l'inscription d'un enfant à l'école. Ainsi, le 18 février 1930, en l'église Saint-Alphonse-D'Youville – qui est la paroisse de Legault –, Jeannine, âgée de cinq ans, reçoit le baptême. Maria, qui habite toujours à l'étage au-dessus de son frère, est la marraine. Quant au parrain, Jules Saint-Amand, il est un ami de la famille. La cérémonie a lieu six mois avant la rentrée des classes et permet de compléter les formalités d'inscription. Ni Yvonne ni Jean-Onésime ne sont présents à la cérémonie. Il faut dire que l'entente n'est pas des plus cordiales entre ceux, qui furent autrefois des amoureux. En effet, Yvonne, au bout de quelque temps, avait quitté Jean-Onésime. Celui-ci élèvera seul sa fille.

À l'automne, Jeannine commence son école primaire. Il est plus que probable qu'elle reçoit l'instruction religieuse et qu'elle fait sa première communion. À douze ans, elle deviendra pensionnaire au couvent de Longueuil.

C'est le moment où Legault se remet au dessin. Legault est un portraitiste pur, en ce sens que, comme Ernest Aubin, il s'en tient au sujet. Son attention se concentre sur le visage à reproduire, la seule chose qui l'intéresse au moment de la pose. Ses portraits sont en buste, de face ou de trois quarts et ne s'accompagnent d'aucune mise en contexte, d'aucun de ces arrière-plans rappelant l'environnement ou symbolisant la personnalité du modèle qui pose sans aucun accessoire. Seul le vêtement fait partie du portrait, d'une manière minimale, n'allant pas au-delà des épaules, s'y ajoutant parfois, pour les femmes, le chapeau (5.31). Une fois terminée la fixation des traits et le rendu de la tête, l'intérêt du dessinateur est épuisé : sa tâche terminée.

Sur la feuille, le modèle perd son identité, car Legault n'indique pas le nom du personnage – à une exception près pour son ami Onésime-Aimé Léger (6.68). Même le portrait de sa fille, Jeannine, ne porte aucun nom. Le seul ancrage est la date, le jour, le mois ou l'année, apparaissant sur le feuillet. Leur anonymat nous force à regarder ces portraits davantage pour ce qu'ils sont que pour la personne qui y est représentée. Le portraitiste Jean-Onésime Legault nous convie alors à une confrontation plastique plutôt qu'à une étude psychologique.

Ce qui séduit dans ces portraits au crayon, ce n'est pas l'interprétation que le dessinateur propose du modèle qu'il a devant lui, ni le caractère ou les caractéristiques qu'il en fait ressortir, ni non plus le coup de crayon original, novateur, qu'il aurait mis au point et par lequel il aurait traité son sujet. Bien au contraire, ce qui séduit et même fascine, dans les portraits au crayon de Legault, c'est cette fidélité non pas tant photographique que sensuelle, tactile, avec laquelle il rend son sujet, cette précision qui ne peut reposer que sur la ressemblance à l'égard du modèle, mais avec, en plus, ce frottis caressant de la mine de

plomb, du crayon noir ou du fusain sur le papier, et dont il reste dans le dessin une fois terminé un quelque chose de sensitif, de charnel, qui tient à la technique employée, au sujet traité et à la personnalité de l'artiste, admiratif de la figure humaine, qu'elle soit celle d'un homme (5.32) ou celle d'une femme – avec une préférence innée.

Dessiner un visage, c'est en avoir caressé du crayon l'entière surface pour la déposer sur le papier et en conserver l'intact souvenir – avec cette touche de chaleur bien à soi qui est celle de Jean-Onésime Legault et qui, à travers le temps, émane encore du dessin.

« La peinture est une jalouse qui ne souffre pas de rivale »

Cette citation qu'il attribue à Michel-Ange (1475-1564), Legault l'avait transcrite soigneusement sur un petit carton rectangulaire comme pour l'avoir toujours devant les yeux. Les multiples contraintes liées à l'obligation de gagner sa vie ont dû contribuer à la lui rappeler souvent. Legault finira par souffrir de l'accaparement de ce gagne-pain trop exclusif de la retouche et des agrandissements photographiques, du portrait sous toutes ses formes, des éternelles idées de publicités à trouver... Jean-Paul Pépin, son confrère de la Montée, s'en souvient : « Un jour qu'il me parlait, il se plaignait de se voir obligé de retoucher des films [*sic*] de photographes. "Ah ! disait-il, si j'avais un revenu de seulement 25 $ par semaine, je me consacrerais à la peinture que j'adore[32] !" » Entre 1903 et 1929, soit une période de vingt-cinq ans, la peinture n'apparaît que de manière très épisodique dans la production de Legault, supplantée par les travaux alimentaires. Pourtant, en 1919, quand il a dessiné son en-tête de lettre (5.28), n'y a-t-il pas inscrit en grandes lettres « J. O. Legault, artiste-peintre » ?

En juillet 1932, Legault reçoit, par on ne sait quel intermédiaire, une commande du chanoine Grégoire-Auguste Picotte pour son église Saint-Joseph, à Lanoraie, dans Lanaudière. Il s'agit d'une copie d'une *Mise au tombeau* que, sur la foi de l'image qui lui a été transmise, Legault – ou le chanoine – attribue au Tintoret (1518-1594), mais qui est en réalité de Pasquale Ottino (1578-1630[33]). Cette besogne amène l'artiste à sortir ses crayons et ses pinceaux. Le déplacement qu'il fait pour rendre visite à son commanditaire réveille son inspiration de paysagiste. Sur place, il peint un crépuscule qu'il intitule simplement *Lanoraie* (5.33) et qui renoue avec les beaux soirs de la Montée Saint-Michel.

Ainsi, en 1932, au creux de la crise économique qui plonge le monde occidental dans le chômage, Legault amorce un retour à l'art pour l'art. Est-ce en plus, pour lui, le tournant de la cinquantaine qui joue dans ce nouveau départ qui va prendre les allures d'une urgence ? Après toutes ces années consacrées à des travaux alimentaires – lesquels se font plus rares au moment de la crise économique –, et après cet intermède de son petit tableau de Lanoraie, il renoue d'abord, et selon une logique tout académique, avec sa passion première, le dessin, mais non pas le dessin de commande, plutôt un dessin personnel, pour lui-même, selon ses goûts, pour ensuite laisser de plus en plus de place à l'huile, qui deviendra presque sans « rivale » dans les dernières années.

La commande – fût-elle une copie – d'un tableau religieux pour l'église de Lanoraie a joué un rôle dans le réveil du peintre qui sommeillait en Legault, mais lorsqu'il vient livrer son tableau à l'été 1933, c'est le crayon qui le rattrape et il exécute un dessin à teneur symboliste, *Le grand pin de Lanoraie* (5.49), dont nous aurons à reparler.

5.34 J.-O. Legault, *Longueuil*, 1932, mine de plomb et fusain sur papier.

Bientôt, les excursions de Legault reprennent : sur l'île de Montréal, au Bois-Franc de Cartierville et à la pointe d'À-Ma-Baie à Pierrefonds, à Longueuil, à Laval-des-Rapides, à Saint-Denis-sur-Richelieu. À partir de ce moment, le peintre adopte le support et le format qui seront désormais les siens : la toile marouflée sur carton, aux dimensions de 26 x 36 cm (10 x 14 po), lequel sera ponctué de quelques variantes jouant autour de 16 x 22 cm (6 x 8 po), 18 x 25 cm (7 x 10 po) ou 22 x 17,5 cm (8 x 7 po). Peu à peu, Legault va passer du portrait au paysage, et de la mine de plomb à l'huile.

À quelques exceptions près, Legault ne peint pas de paysages habités par l'homme. Au contraire, à la place de représenter explicitement la présence humaine, il ne fait que signaler le passage de celle-ci par la représentation de bâtiments – maison, ferme, grange – désertés, à l'état d'abandon, parfois même de délabrement (5.36). Les bâtiments qu'il choisit se présentent en solitaires, rarement groupés, quoique pourvus d'appentis, de dépendances ou de rallonges. Pas un être humain n'apparaît sur le seuil ni dans les parages pour leur donner quelque « supplément d'âme[34] ». Si quelque chose habite le paysage de Legault, c'est le silence d'une présence humaine changée en souvenir et qui laisse la parole aux objets prétendument inanimés[35]. La vieille maison comme motif principal de composition pourrait paraître un sujet banal si Legault ne lui insufflait une signification particulière, venue de l'impitoyable passage du temps et de l'état de délaissement qui marque les bâtiments qu'il choisit (5.35). S'ils l'attirent, c'est qu'il livre, grâce à eux, sa réflexion sur la condition humaine, sa pensée existentielle si l'on peut dire, frôlant même l'interrogation métaphysique. À cela s'ajoute le compagnonnage de l'arbre, présence à la fois enracinée et mouvante, défiant le temps et les forces de la nature, manifestant le cycle du renouveau. Ainsi, les œuvres réalistes de Legault renferment une symbolique cachée.

Les paysages d'hiver sont rares chez Legault – sauf dans son œuvre photographique (1.16 ; 5.17, 54-56, 64). Dans quelques compositions au crayon se voient les dernières neiges qui fondent aux approches du printemps. L'un d'eux, *Maison et grand arbre au bord de l'eau* (coll. part.) montre, de dos, une grande maison de bois aux appentis complexes, flanquée d'un arbre immense qui semble sorti du flanc même de cette maison et la recouvre

5.35 J.-O. Legault, *Vieille école*, 1936, huile sur toile marouflée. « Auj. démolie », a indiqué le peintre au dos de son tableau.

du vaste panache de ses branches nues. La maison est ainsi mise à découvert par l'arbre dépouillé. Tout autour, le terrain est raviné par la fonte des neiges dont les restes se voient autour des hangars. La grande demeure qui nous tourne le dos et regarde la rivière débarrassée de ses glaces est-elle habitée ? Aucun objet, aucun animal, aucun être humain en vue ne le laisse supposer.

Ce dessin est à rapprocher d'un autre, exécuté en cette même année 1932, mais en été, et titré *Longueuil* (5.34). Avec le pignon à deux fenêtres et le large auvent de la galerie, la maison s'apparente à la précédente. Toutefois, elle est entourée d'une abondante végétation qui dissimule une partie de sa façade. Le volet droit des deux fenêtres est ouvert et les carreaux brisés disent que cette maison n'est plus habitée. Au premier plan, un piquet de travers est tout ce qui reste d'une ancienne clôture qui marquait l'espace privé de la propriété.

Le tableau *Vieille école* (5.35) représente un bâtiment complexe, avec sous-sol et rez-de-chaussée muni d'une galerie plain-pied, puis un toit à deux versants courbés percé de lucarnes et terminé par un clocheton surmonté d'une croix. La galerie a perdu sa balustrade ; sur le côté, l'escalier qui menait au logis de l'institutrice ou de l'instituteur n'a plus que la moitié de sa rampe et ne présente que des dangers. La fraîcheur des tons de beige et

5.36 J.-O. Legault, *Montée Saint-Michel*, s.d., huile sur toile marouflée.

de rose fané qu'a choisis le peintre atténue l'aspect délabré du bâtiment. Tout autour, des fleurs vivaces – et tenaces – tachettent de leurs points lumineux l'invasion des herbes folles. Le soleil d'automne qui frappe la maison de côté réchauffe ce qui n'a plus de vie, rajeunit la décrépitude. Même la tangente des cimes des arbres suit la pente du toit et tout est entraîné vers une chute qui sera inéluctable : la maison croulante, les feuillages roussis. Le peintre a balayé d'un vigoureux pinceau ce ciel hésitant entre la pleine lumière et l'ennuagement.

Certains bâtiments délaissés ont la faveur de Legault à cause de leur architecture hétéroclite, résultat d'ajouts successifs avec des matériaux homogènes ou de provenances variées. Cette bicoque repérée dans la Montée Saint-Michel (5.36) est posée au sommet d'un flanc rocheux qui la met à la vue de tous, la livre aux intempéries – exactement le contraire de la maison de *Longueuil* (5.34), reculée dans la verdure.

5.37 J.-O. Legault, *Saint-Gérard-Majella*, 9 juillet 1939, mine de plomb sur papier.

Ce flanc rocheux est celui d'une des carrières de pierre qui jouxtaient le domaine Saint-Sulpice. S'agissait-il de la maison du gardien du lieu, d'un des ouvriers en chef ou, abandonnée, peut-être était-elle le refuge d'une personne sans-abri? Le brancard d'une charrette traîne là. Autant les strates rocheuses du premier plan paraissent solidement étagées, autant la cahute semble prête à s'envoler au moindre coup de vent ou à perdre une partie de son revêtement fait des matériaux les plus divers qui sont loin d'en garantir la solidité. Des mottes de verdure vivotent dans ce sol ingrat, ainsi qu'un chétif arbrisseau; de leur mieux, ils rafraîchissent cet ensemble aux tons de terre et de sable, de tôle rouillée et de bois crevassé. Là encore, le pinceau de l'artiste a badigeonné le ciel dans un sens et dans l'autre, ne laissant transparaître qu'un très léger fond de bleu.

Dans *Saint-Paul-de-Joliette* (5.38), Legault cerne de plus près cette maison abandonnée qu'il a d'abord croquée une première fois (5.37) sur la route de Saint-Gérard-Majella (auj. secteur de L'Assomption), dans Lanaudière. Un dessin complémentaire a dû servir pour la composition du tableau, car l'ensemble est présenté de trois quarts plutôt que de l'arrière. Ce tableau est une étude sur la décoloration opérée par le temps sur les structures en bois. Appentis, rallonges, hangars, remises sont venus se greffer sur le bâtiment principal au fil des années. La façade proprement dite est dans l'ombre, avec les branches des arbres qui s'avancent jusqu'au balcon dont il ne reste que la plateforme. Elles touchent la pente du toit qui est d'une teinte de brun rosé, tandis que le vert-de-gris couvre le toit de la petite remise du bas sur le côté. Les moustiquaires de la rallonge qui jouxte la façade tiennent bon encore. Tout penche dans cet entassement d'habitacles qui vont d'un côté et de l'autre. Le toit très allongé par l'arrière caractérise le bâtiment principal et semble vouloir retenir dans son

5.38 J.-O. Legault, *Saint-Paul-de-Joliette*, 1943, huile sur toile marouflée.

grand angle les deux autres constructions plus petites, fichées dans son flanc. Construit sur un terrain en pente, cet ensemble disparate signait là son triste destin.

« Solitaire », ainsi est qualifié, dans son titre, le grand orme d'un tableau que Legault a peint à Laval-des-Rapides en 1939 (coll. part.). Après les avoir unis dans un même arrangement, l'artiste sépare ces deux porteurs de sens que sont pour lui la maison et l'arbre, et ce pour mieux faire tenir à l'arbre son langage propre – puisque c'est à son tour d'être le sujet central de la composition. Vivant de sa vie profuse, l'arbre est roi dans le paysage de Legault. C'est sa majesté, sa plénitude qui arrête le peintre, et *L'Orme* (**5.40**), cet autre tableau qui représente le même type d'arbre, est une explosion de verdure saisie dans son jaillissement. Dans les deux cas, la solitude ici est une solitude de grandeur et non de déréliction.

5.39 J.-O. Legault, *Le Vieux Saule, Saint-Elzéar*, 1934, huile sur toile marouflée.

Non plus dressé à la verticale, mais circonscrit dans la forme ovale, l'arbre remplit la composition du *Vieux saule, Saint-Elzéar* (**5.39**), mélange d'arabesques et de touffes de verdure. Legault se livre à des études sur les tons de vert, autant dans les champs cultivés que dans la lisière des bois et les lointains. Il joue avec les harmoniques de ce ton, déployant une sorte de nuancier. Cette manière d'assembler les variantes d'une même couleur, d'une même teinte, il la tient peut-être de son professeur Brymner, qui y excellait[36]. Ces gammes de printemps et d'été, Legault s'y exercera sans cesse dans sa peinture, mouchetant son coup de pinceau dans *L'Orme* (**5.40**) et dans *L'Orme solitaire* (coll. part.), balayant davantage sa pâte dans *Le Vieux saule,* y allant de nuances presque aquarellées dans *Printemps* (**5.41**).

Un symboliste

Son amitié pour Onésime-Aimé Léger a certes contribué à nourrir chez Jean-Onésime Legault son intérêt pour le symbolisme. Et cela, d'autant que la proximité des deux amis a fait de Legault un témoin de la création de l'œuvre symboliste de Léger. Le symbolisme – qui d'ailleurs touche à tous les domaines de l'art et dont le manifeste, signé Jean Moréas (1856-1910), a paru en 1886, l'année de la dernière exposition du groupe impressionniste – veut transmettre une idée, projeter un rêve, proposer un idéal ou même une quête ou, à tout le moins, une interrogation spirituelle et, en ce sens, s'élève contre le matérialisme.

Dans le carnet de dessin de Legault datant de 1903-1908, on trouve d'énigmatiques figures féminines (coll. part.), propulsées sous la force de quelque émotion dans des attitudes de tourment ou de douleur. Ce ne sont plus des portraits, mais des représentations d'un état d'âme.

5.40 J.-O. Legault, *L'Orme*, 1937, huile sur toile. Ce tableau a été peint à Saint-Elzéar et il a figuré dans l'exposition de 1941 à la galerie Morency. Les ciels d'un bleu aussi prononcé (5.2) ne sont pas le fait habituel de Legault, qui préfère rendre l'ensoleillement d'une manière plus pondérée (5.35) et jouer avec des atmosphères plus voilées (5.41, 5.77), plus assourdies (5.36), voire nuageuses (5.38, 5.42).

PAGE SUIVANTE

5.41 J.-O. Legault, *Printemps*, s.d., huile sur toile marouflée. Le minuscule personnage au chapeau, accroupi près du ruisseau, est représentatif de certains autres personnages de Legault qui se tiennent en arrêt près d'une source (5.52) ou d'un cours d'eau (5.53). Ici, il se tient immobile, noyé dans l'exubérance du renouveau printanier.

En 1906, une année après son retour de Bruxelles d'où Léger a rapporté un riche bagage symboliste, les deux amis, comme nous l'avons dit, scellent leur amitié en peignant deux toiles qui seront marouflées d'un côté et de l'autre dans le vestibule du 744, rue Alma : un *Pâtre à la houlette* pour Legault (5.44), une *Muse à la lyre* pour Léger (5.45). Legault représente un pâtre vêtu d'une peau de mouton, chaussé du cothurne et qui, houlette à la main, assis sur un rocher, veille sur son troupeau ; on aperçoit au loin sa maisonnette flanquée d'un bouquet d'arbres, et en ce début de journée le ciel se teinte de rose. Un motif de feuilles de platane accompagnées de leurs fruits en forme de petites boules crépues court sur le bandeau qui encadre la composition. La muse de Léger, vêtue à l'antique, assise sur les premières marches d'un temple dorique, s'adosse aux colonnes qui soutiennent le fronton. Elle tient une lyre – symbole de la poésie – et regarde au loin dans la plaine où se dressent trois peupliers. Un croissant de lune apparaît dans le ciel du

5.42 J.-O. Legault, *Saint-Polycarpe*, s.d., huile sur toile marouflée, 18 x 25 cm (coll. part.). Le ciel lourdement chargé rehausse le contraste des verts dans ce paysage que traverse la rivière Delisle, située dans les environs de Soulanges où se trouve Sainte-Justine-de-Newton, village natal de Legault, qui touche la frontière nord de Saint-Polycarpe.

soir. Un motif de feuilles de saule accompagnées, elles aussi, de leurs petits fruits, court tout autour de la composition.

Le cothurne du berger, la tunique de la muse reculent dans une lointaine antiquité ces deux personnages étrangers au monde contemporain.

Ce couple qui, d'une part, représente les travaux pratiques du jour et, d'autre part, les ouvrages de l'esprit serait-il aussi le symbole des amants séparés, ou des amants qui se cherchent ? Le diptyque se présente en oppositions complémentaires : la houlette et la lyre, la peau et la tunique, la cabane et le temple, le matin et le soir. Mais le symbolisme végétal accentue le sens des deux tableaux. Le solide bouquet d'arbres contre lequel se blottit la maison du berger parle de confiance et de stabilité, tandis que les trois peupliers – des cyprès peut-être – isolés dans la plaine peuvent indiquer un lieu de sépulture et figurer le monde des absents auxquels songe la muse. Autant, d'un côté, la houlette du pâtre se dresse en signe de vigilance et de présence attentive, autant, de l'autre, la lyre délaissée de la muse parle de langueur et de désillusion. La vigoureuse feuille de platane est l'inverse de la frêle feuille du saule, la joie agitée de l'une et le chagrin dolent de l'autre, la ténacité de la première, l'abattement de la seconde séparent le pâtre et la muse qui se cherchent à travers le temps et l'espace.

Legault revient au personnage du berger dans *Balade au clair de lune* (**5.46**), qu'il peint en 1908, œuvre symboliste qui, en même temps, est un hommage à l'un de ses poètes romantiques préférés, Alfred de Musset (1810-1857), dont le poème du même nom est l'un des plus célèbres[37]. Mais le tableau de Legault, plus dramatique, n'a rien de la fantaisie du poème de Musset.

5.43 J.-O. Legault, *Vue du fleuve*, 1939, huile sur toile marouflée. La nature flexible, souple, la ville rigide, lourde, séparées par la mouvance ininterrompue du fleuve.

Sur la pointe d'un rocher plat, un berger et ses deux chiens regardent la lune qui apparaît entre les nuages. Le berger dresse sa houlette où est suspendue sa gourde. Surplombant une plaine, élevés au-dessus du niveau du sol, les trois témoins reçoivent la lumière qui, un instant, déchire les ténèbres et projette ou plutôt rejette leur ombre derrière eux. C'est l'instant où l'on voit dans la nuit, où la conscience de soi s'illumine, instant auquel il faut répondre de tout son être. Le berger n'a plus charge de son troupeau et même ses chiens, subjugués eux aussi, ne sont plus aux ordres de leur maître. Chacun perd ses attributs serviles au profit de cet instant de la révélation où la lumière se fait dans les ténèbres. Ils

5.44 J.-O. Legault, *Pâtre à la houlette**, 1906, huile sur toile (avant restauration).
5.45 O.-A. Léger, *Muse à la lyre**, 1906, huile sur toile (avant restauration).

PAGE SUIVANTE

5.46 J.-O. Legault, *Balade au clair de lune*, 1908, huile sur toile. Legault, qui transcrit au dos de son tableau quelques vers du poème de Musset « Ballade à la lune », produit, dans le titre de son tableau, une variation du titre de son inspirateur en parlant plutôt d'une promenade (« balade ») que d'une sérénade (« ballade »).

gardent les yeux fixés sur la source de cette lumière passagère dont ils devront conserver le souvenir puisque les nuées vont bientôt recouvrir la lune.

Paysagiste, Legault l'est, bien sûr, grâce à la Montée Saint-Michel, qu'en est-il des représentations urbaines dans son œuvre, lui qui, quand même, a étudié en architecture ? C'est de manière parcellaire que la ville ou ce qui l'évoque s'insère dans l'œuvre du peintre où elle prend figure de symbole. La nature et la ville se tiennent à distance l'une de l'autre. Dans *Arbres et silhouette urbaine* (5.47), nous sommes soit au moment des premières neiges, soit à la période de la fonte, car le sol apparaît en plusieurs endroits. Au premier plan, les arbres sont nets et précis, tandis que la ville et ses édifices se fondent en une silhouette vague qui occupe l'arrière-plan. S'agit-il, pour Legault, de la classique opposition ville/campagne ? L'individualité des arbres de tailles et d'essences variées s'oppose à la masse anonyme et compacte du profil urbain où la partie se perd au profit du tout. La vulnérabilité même des arbres dépouillés répond à la dureté des édifices agglomérés en un seul et même bloc

5·47 J.-O. Legault, *Arbres et silhouette urbaine**, 1933, mine de plomb et craie sur papier.

comme pour parer à l'invasion de la nature. Quelques branches maîtresses du bouleau du premier plan se tordent dans des sinuosités fantaisistes, tandis que celles de ses voisins s'élancent dans des mouvements peut-être désordonnés mais libres, qui accentuent le contraste avec le découpage en angles de la masse urbaine.

La suprématie de la nature sur la ville, toujours tenue à distance, s'affirme encore dans *Vue du fleuve* (**5.43**), peint en 1939.

Si nous poursuivons l'exploration de l'œuvre symboliste de Legault, ne serait-ce que chronologiquement, nous rencontrons à nouveau la présence de l'architecture, mais sous une forme qui a la particularité d'être à la fois détaillée dans son dessin et énigmatique quant à son usage (**5.48**). Nous sommes une fois encore en hiver, mais à la fin de la saison si l'on en juge par la mare de neige fondue au premier plan. Vu entre les branchages d'une rangée d'arbres, un imposant monument dresse sa structure complexe. Les deux urnes placées de chaque côté de sa balustrade laissent à penser qu'il s'agit d'un monument funéraire, peut-être d'un cénotaphe. L'artiste s'est-il inspiré d'une architecture réelle, l'a-t-il créée de toutes pièces, l'a-t-il conçue à partir de diverses sources ? Nous trouvons-nous dans le coin reculé d'un cimetière où nous n'apercevons cependant aucun autre monument ni aucune pierre tombale, ou sommes-nous à l'extrémité d'un vaste parc ou de quelque autre espace vert aménagé pour accueillir ce genre d'ouvrage ?

De larges escaliers mènent à un palier où se trouve un grand dais de pierre à quatre piliers surmonté d'une coupole sur laquelle se dresse un ange aux ailes déployées. Le dais abrite une statue que l'artiste a suffisamment esquissée pour en indiquer la présence – mais rien de plus. Elle se tient sur un socle à plusieurs degrés. Autant l'ange debout sur le dôme et qui semble prêt à prendre son envol est un signe religieux en soi, autant la silhouette esquissée sous le dais demeure indéfinissable dans sa fixité. Sous le palier, trois soupiraux rectangulaires pourraient laisser croire qu'il s'agit là d'un caveau où reposent plusieurs membres d'une même – et prestigieuse – famille.

Pour cette réflexion sur la vie et la mort, Legault a choisi ce moment où le temps s'immobilise entre la fin de l'hiver et le début du printemps. Ce choix pourrait être significatif quant aux doutes de l'artiste sur la destinée humaine après la mort. Des dernières neiges presque toutes fondues s'échappent quelques touffes d'herbe – promesse d'une vie à venir. Au premier plan, une large flaque d'eau s'est accumulée. De l'autre côté, une clôture délimite le terrain réservé au cénotaphe. Une section de cette clôture s'est défaite et présente une ouverture vers le grand terrain où nous accueille un bouleau solitaire. C'est un passage vers le monde du souvenir qui est peut-être la seule forme de vie post-mortem à laquelle croyait

5.48 J.-O. Legault, *Arbres et monument**, 1933, mine de plomb et fusain sur papier.

Legault[38]. Mais pour aller de ce côté-ci à l'autre, il faut franchir la mare d'eau, sorte de Styx des Anciens, image des boues de cette vie où le reflet des choses visibles révèle leur nature éphémère. De grands arbres sans feuillage, en attente de résurrection figurent le monde des humains. Disent-ils l'incertitude où est figée la pensée de l'artiste ? Car nous ne sommes pas encore au moment où la nature revit, mais seulement aux prémices du renouveau. Nous nous tenons sur un seuil – tout symbolique.

Le grand pin de Lanoraie (**5.49**) a été réalisé à l'été 1933, après les deux dessins précédents, alors que Legault allait remettre au chanoine Picotte la copie de la *Mise au tombeau* que le prélat lui avait commandée l'été précédent. Cet arbre majestueux a frappé l'artiste à cause de son aspect incliné et en regard du paysage qui se profile à l'arrière-plan. Touchant

5.49 J.-O. Legault, *Le grand pin de Lanoraie*, 1933, mine de plomb et fusain sur papier.

Le grand pin de Lanoraie..

sur trois côtés le cadre de la composition, le grand pin noir est plein d'une ombre que ne traverse pas la lumière de ce beau jour d'été. Au fond, le clocher dresse dans le ciel son architecture à trois étages, tandis que l'arbre superpose ses longs branchages inégaux. Ce clocher est porteur d'un sens religieux que vient appuyer, sur la droite, celui du couvent de Lanoraie, surmonté d'une croix[39]. Si l'arbre symbolise l'homme, sa posture penchée indique qu'il a subi tout au long de sa croissance une déviation, dont les causes peuvent être multiples, tandis que le clocher de l'église, dont les lignes droites escaladent tranquillement le ciel, indique la solidité des convictions que rien n'ébranle. Serait-ce forcer l'interprétation que d'avancer que la symbolique de l'œuvre est d'essence religieuse, à savoir que la foi traverse les épreuves sans fléchir, tandis que l'homme laissé à lui-même ploie dans l'adversité ? Et faudrait-il parler davantage non pas de l'inclinaison mais de l'inclination de l'arbre vers la rectitude du clocher ? Incroyant, sans doute, Jean-Onésime Legault, d'après ce qu'on en

5.50 J.-O. Legault, *Le Déclin*, s.d.,
huile sur toile. Plusieurs esquisses au plomb
ont préludé à la conception de ce tableau.

PAGE PRÉCÉDENTE

5.51 J.-O. Legault, *Les Trois Âges*, s.d., huile sur toile avec deux baguettes de bois verticales.

sait, mais non pas ignorant de la religion ni incapable d'une réflexion en ce sens. La route qui passe devant ce prince des résineux le contourne soigneusement, on aurait envie de dire respectueusement, par égard pour la majesté de ce grand être blessé.

Dans ses dernières années, Legault produit deux ambitieux tableaux symbolistes : *Le Déclin* (5.50) et *Les Trois Âges* (5.51), deux paysages habités de personnages et qui se ressentent de cette période de la Seconde Guerre mondiale qui marque un nouveau recul de la civilisation. Le premier tableau se concentre sur un seul personnage : une femme. Le second en représente onze : six hommes, cinq femmes.

Le Déclin reprend le thème du crépuscule, de la fin du jour, mais chargé d'un sens dramatique qu'il n'avait pas jusqu'ici et que lui confère la présence centrale du personnage chancelant qui lui communique cette charge émotive. Pris entre la bande bleue du ciel et celle de l'étendue d'eau, ce crépuscule imbibe les nuages, rougeoie comme une braise. Les lueurs du flamboiement sont captées par les feuillages ramassés au sommet de ces longues perches que sont les arbres qui strient de haut en bas la composition et cernent de leurs barreaux symboliques le personnage en détresse[40].

En effet, au centre du tableau, lumineuse, nue, couverte d'un seul lambeau de gaze, une femme, la tête renversée, plie les genoux sous le poids de la douleur qui l'assaille. Sa longue chevelure qui pend semble concourir à la tirer davantage vers le sol. Parmi ces arbres émondés, au bord de la mer, à cette heure du jour, la voici dans cette absence de vêtement qui la rend plus vulnérable encore et qui peut être le signe d'une détresse plus profonde encore : la folie de sa souffrance qui l'a conduite dans ce chemin aux rochers ensanglantés par les reflets du crépuscule. Attiré, magnétisé par cette douleur qui se communique à tout, un de ces longs arbres, plus éloigné et plus petit, fléchit et épouse la courbe que fait le corps de la malheureuse.

La cause d'une douleur si extrême se trouve peut-être dans cette voile blanche qui fuit au loin sur la mer, vers l'horizon, emportant avec elle un impossible amour, et que suit de très haut dans le ciel une mouette – colombe de la paix migrant vers des contrées inconnues.

Les Trois Âges est un triptyque formé d'une seule surface peinte sur toile que Legault a divisée avec deux baguettes de bois. Ce type d'œuvre en trois panneaux est fréquent dans la peinture symboliste, car il permet l'illustration d'une pensée dans ses prémices, son développement et sa conclusion. Le triptyque de Legault est une œuvre de longue réflexion et de longue haleine. Une dizaine de croquis préparatoires illustrent la recherche et les tâtonnements de l'artiste pour trouver ses personnages. Au dos de sa toile, à la suite du premier titre, le peintre a inscrit : *Dans la vie*, ainsi qu'un sous-titre pour chacun des trois panneaux, c'est-à-dire *Au bonheur, Vers l'avenir* et *La misère*. Les trois temps de son tableau se déroulent dans un grand paysage vespéral et serein, dont la ligne d'horizon n'est accidentée que par quelques collines et bosquets. Il est traversé par un long cours d'eau dont le mince filet symbolise le chemin de la vie et près duquel paissent quelques bêtes. Des harmonies de vert et de rose composent la gamme de ce tableau.

Le premier panneau présente le « bonheur » de la jeunesse et de l'amour : un jeune homme nu est assis sur un tertre moussu et tient sur son genou sa lyre au repos[41]. Il regarde, debout devant lui et vêtue d'une tunique pourpre, celle qui est peut-être son Eurydice, qui tient ce qui semble être un écheveau – l'écheveau du temps.

Le panneau central, le plus important des trois en superficie, est celui qui concentre le plus de personnages : six. Sur un monticule se tiennent deux jeunes femmes, l'une vêtue de rose, l'autre de vert. Du haut de leur élévation, le vent – celui de la liberté – joue dans leurs vêtements et dans leur chevelure. Ce vent gonfle un pan de la robe de la jeune femme en rose, qui se soulève et se recourbe au-dessus de sa tête et que le bout noué à son bras empêche de s'envoler[42]. C'est une sorte de nimbe, tout à coup, qui lui confère une importance particulière, qui souligne sa prééminence, car c'est elle qui, d'une main, désigne à sa compagne l'« avenir » qui se trouve devant elle – un avenir jonché de morts. La jeune femme en vert se penche vers ce futur qu'elle a sous les yeux comme le présent le plus immédiat, son regard attaché sur l'enfant mort qui lui fait face. Ces morts, tous jeunes, comptent parmi les plus humiliés, car ils sont privés de leurs vêtements – dignité fondamentale de l'être humain –, et leurs dépouilles jetées à même le sol – celui d'un champ de bataille – sont sans sépultures. Comment ne pas y reconnaître ces vies absurdement fauchées en pleine jeunesse par la guerre mondiale en cours ?

Le troisième panneau est l'envers du premier. Le vieillard nu est debout et, pour ménager sa pudeur, tire à lui un pan de l'ample manteau de deuil de sa femme assise et adossée contre un arbre mort[43]. Cette « misère » est à la fois celle de la vieillesse, celle de la pauvreté et celle de l'impuissance. La femme ne regarde pas le charnier que fixe son compagnon et dont l'un des corps est tombé de leur côté, face contre terre : elle tient son regard sur le fossé qui les retranche, les exclut, dans leur vieillesse accablée, et ne rend leur impuissance que plus cruelle. Même l'arbre contre lequel s'adosse la vieille femme et sous lequel se tient son compagnon ne peut représenter un abri, car lui aussi il est mort et ressemble aux arbres calcinés des champs de bataille.

Nudité et paysage vont se rencontrer encore dans l'œuvre de Legault pour tenir le langage du symbolisme, mais dans un autre registre que *Le Déclin* et *Les Trois Âges*. L'étendue d'eau, ruisseau ou étang, avec sa surface réflective, a valeur, chez Legault, de miroir, c'est-à-dire d'introspection – image qui s'approfondit en se réfléchissant. Aussi le dessin pointilliste *La Source* (**5.52**) et le montage photographique *Méditation* (**5.53**) présentent-ils une tentative d'interrogation sur soi, incarnée dans les deux cas par un personnage féminin.

Une jeune femme nue, debout, se penche sur un ruisseau qui se trouve à ses pieds. La nudité de l'une et la transparence de l'autre se complètent. La recherche de soi dans la vérité réclame le dépouillement, l'absence d'artifices. Les bras du personnage repliés sur sa poitrine insistent sur l'état d'intériorisation que décrit la scène. Dans ce paysage en pente, au ciel chargé de nuages, se dresse ce qui ressemble à un petit temple avec sa coupole surmontée d'un lanterneau, le tout posé sur une base rectangulaire où se devinent trois ouvertures. S'agit-il à nouveau d'un monument funéraire ? À moins qu'il ne soit le réservoir abritant l'eau vive dans laquelle la jeune femme est venue chercher

5.52 J.-O. Legault, *La Source*, n.s., s.d., encre sur papier. La curieuse petite construction que l'on voit ici a été inspirée à Legault par la tour de l'Horloge, à Halifax, et par le lanterneau de l'ancien hôtel de ville de Saint-Jérôme, aux silhouettes semblables et qu'il a photographiés (coll. part.).

LA SOURCE.

5.53 J.-O. Legault, *Méditation*, montage photographique. Avec l'œuvre précédente (5.52) et celle-ci (5.53), Legault produit, par le moyen de deux médiums différents, tantôt une version estivale, tantôt une version hivernale d'une scène semblable, d'abord à terrain découvert avec un personnage nu, puis dans un boisé avec un personnage vêtu de la tête aux pieds. Il a produit différentes versions du montage photographique ci-dessus, et dans cette version le flou de l'image est un choix esthétique.

sa vérité? En tout cas, il suggère à sa manière que la recherche de sens a ici une connotation spirituelle qu'étaye la posture de recueillement du personnage. Dans ce paysage déclive, presque désert, parsemé de maigres arbrisseaux, l'élément humain et l'objet architectural constituent les principes verticaux qui redressent l'inclinaison du monde.

Une similarité de composition, mais inversée et en version hivernale, se présente dans le montage photographique *Méditation*. En plein hiver, dans un boisé, un personnage qui a toutes les apparences d'une religieuse, se trouve là et semble en arrêt à la vue d'un ruisseau assez large et qui n'est pas encore entièrement gelé. Pour le personnage, il représente un obstacle inattendu sur son parcours. Ce miroir glacé risque de lui renvoyer l'image de la religieuse qu'elle est dans cet environnement où l'on ne s'attendrait pas à la voir – car enfin, que fait-elle en ce lieu en cette saison hostile? Ce ruisseau figé vers lequel elle s'avance avec attirance et réticence évoque-t-il le froid glacial des sens réprimés dans la vie religieuse? Est-ce le désir d'évasion du carcan communautaire, et ce, même à travers une contrée inhospitalière comme ce boisé hivernal traversé par la balafre qu'est ce ruisseau? Est-elle confrontée à l'impossible fuite alors qu'elle retrouve au-dehors ce qu'elle fuyait audedans d'elle-même? Le trouble psychologique du personnage se reflète dans le choix qu'a fait l'artiste d'un tirage légèrement hors foyer – figure du monde brouillé dans la tête du personnage. Mais Legault a laissé le champ libre à l'interprétation puisqu'il n'a pas donné lui-même de titre à sa composition – le présent titre ayant été donné par le possesseur de l'œuvre.

Un réaliste et un pictorialiste

Cette composition photographique que nous venons d'examiner figurait avec d'autres œuvres de son choix sur les murs du logis de Jean-Onésime Legault (5.13 ; 6.66). La photographie constitue une des expressions essentielles de sa pensée d'artiste.

Bien qu'à notre connaissance il ne se soit jamais annoncé comme photographe, Legault a fait de la photographie toute sa vie, et cette pratique et ses dérivés ont été une de ses principales sources de revenus. En 1905, quand il s'installe au 744, rue Alma, une pièce du logis est spécialement aménagée pour servir de chambre noire : c'est dire l'importance qu'il accordait à cette pratique.

Legault a trempé dans le milieu de la photographie à Montréal avec son ami Onésime-Aimé Léger, qui travaillait pour Zénon Juteau (1870-1918) et pour Lactance Giroux (1869-1942), deux de ses amis, qui avaient pignon sur rue et étaient tous deux membres de l'Association des photographes professionnels de la province de Québec. Ernest Aubin, confrère de la Montée Saint-Michel, faisait aussi de la photographie, mais surtout à titre documentaire, et il s'était formé auprès de son père Benjamin qui s'est toujours annoncé comme photographe et possédait son propre studio.

Amusante coïncidence, Legault fréquentera l'atelier de Léger de 1909 à 1911, lequel était installé dans l'édifice qui avait abrité l'ancien studio du photographe William Notman, au 17, rue de Bleury (**6.20**).

L'intérêt de Legault pour la photographie comme pratique autonome s'est manifesté assez tôt, dès le début de sa formation au Conseil des arts et manufactures, de concert avec son intérêt pour l'architecture, le dessin et la peinture. Parmi les premiers témoignages photographiques que nous avons de lui, on trouve deux autoportraits le représentant, lui et un de ses frères, dans des mises en scène où les attitudes, les objets, les jeux de miroirs sont calculés. Déjà, l'idée de composition est présente.

Le corpus photographique de Legault comprend des portraits d'amis et de sa famille, des portraits d'enfants, des autoportraits, des paysages urbains et ruraux. Cette pratique semble avoir été intensive surtout durant les décennies 1910 et 1920 où Legault ne faisait pas de peinture. En 1912[44], il entreprend une série de voyages qui le conduisent jusqu'à Terre-Neuve dans le but de capter des images inédites qui favoriseront la vente de ses stéréogrammes. Ce procédé très en vogue consistait en deux photographies presque identiques, collées sur un même carton rectangulaire, mais dont le cadrage était légèrement décalé ; on les regardait dans un appareil qui, juxtaposant les deux images, donnait un effet de trois dimensions. Si les cartes stéréoscopiques représentent l'aspect le plus commercial de la pratique photographique de Legault, celle-ci n'est toutefois pas et ne saurait être qu'un moyen de subsistance ou de divertissement : elle est aussi création, et, en ce sens, Legault s'est adonné à la photographie d'art dans la mouvance du pictorialisme, celui-ci étant le pendant photographique du symbolisme en peinture.

Alors que l'hiver est peu présent dans les dessins et les tableaux de Legault, on le retrouve fréquemment dans ses photographies de paysages. Même si celles-ci auraient pu servir à de futurs tableaux, il n'en est rien. Legault ne transposera sur la toile ou le papier aucune de ses photographies – à l'exception de la petite ferme Laurin pour l'affiche de l'exposition des peintres de la Montée Saint-Michel en 1941 (**C.1**), un seul portrait d'enfant et un seul portrait d'adulte : celui de son ami Onésime-Aimé Léger (**6.68**), mais fait à partir d'un cliché d'un autre photographe. S'il y a transposition, ce sera transposition de la photographie dans la photographie, par la manipulation de divers négatifs et clichés qu'il superpose, retravaille dans le but de créer une œuvre – dans l'esprit du pictorialisme (**5.60-64**).

La difficulté de se déplacer en hiver avec son matériel, qui consistait en un appareil sur trépied, n'a pas constitué un empêchement pour lui. Au contraire. Conscient du fait que peu de photographes se risquent à l'extérieur durant la saison froide, cela l'encourage à développer sa singularité. Les vieilles maisons cossues flanquées d'arbres géants, destinés à vivre aussi longtemps qu'elles, comptent parmi ses préférences. Les

images de ruisseaux au milieu d'un décor de neige rappellent ses premières pochades réalisées à la Montée Saint-Michel en 1907 (**5.17, 18**). On se demande même si Legault, au moment de cette exploration inaugurale, n'est pas revenu sur place avec son appareil photo.

Lorsqu'il arrive dans une ville, proche ou lointaine, que ce soit Port-aux-Basques (**5.57-59**), Saint-Jérôme (**5.60**), Sorel, Halifax (**5.61**), Mont-Laurier, Saint-Faustin ou Piedmont, Legault ne se dirige pas vers les endroits les plus connus pour leur pittoresque et que tout bon guide touristique ou toute bonne publicité se doit de présenter. Il ne nourrit pas l'idée d'offrir à son éventuelle clientèle une collection des coins dont ils peuvent trouver l'image partout. Au contraire, il choisit le ou les points de vue qui lui paraissent originaux, et ce sont eux qu'il photographie – à sa manière, selon ses cadrages, qui donnent des aperçus inédits. Par exemple, il ne rapporte de la ville de Sorel qu'un seul cliché, *Vue du parc* (coll. part.), qui représente la rangée d'arbres du parc Royal que longe la rue George,

5.60 J.-O. Legault, *Saint-Jérôme*, photographie, s.d., tirage avec interventions.

À DROITE

5.61 J.-O. Legault, *Point Pleasant Park, Halifax*, photographie, 1912, tirage avec interventions.

arbres entre lesquels il capte une demeure toute en bois, d'allure bourgeoise, à l'architecture intéressante, que le spectateur surprend comme à la dérobée.

Sur ses photographies de Saint-Jérôme (**5.60**), on constate des interventions, notamment pour les fonds qu'il désire nuageux, mais qui, sur le tirage original, n'apparaissent que comme une surface unie. Selon la technique pictorialiste, Legault procède donc au tirage de divers négatifs sur le même papier afin d'obtenir un ciel nuancé ; parfois, il intervient sur le papier lui-même, à l'encre ou peut-être à l'huile, pour obtenir l'effet voulu. À l'aide de deux négatifs superposés et d'interventions manuelles, il crée de véritables tableaux. Dans *Boisé à l'orée d'un temple grec* (**5.62**), on trouve la fusion de plusieurs images : celle du parc La Fontaine, celle de travaux de voirie et celle de la Bibliothèque municipale de Montréal, inaugurée en 1917, transformées par l'artiste en un monde d'idéalisation. De nombreux clichés photographiques de Legault ont été réalisés en 1912, grande année d'activité pour le photographe.

5.62 J.-O. Legault, *Boisé à l'orée d'un temple grec*, montage photographique, s.d. Le titre a été donné par le propriétaire de l'œuvre. Encore une fois, le flou de l'image est un choix de l'artiste pour suggérer le flottement du réel.

Legault prend rarement des photographies spontanées. C'est pourquoi, les tableaux vivants faisant partie des pratiques du pictorialisme, il compose minutieusement ses portraits de famille – parents, frères et sœurs, neveux et nièces étant des modèles tout désignés et dociles aux demandes de l'imaginatif photographe (5.65, 66). Il prend toujours, il a soin de mettre en scène, dans des attitudes significatives, les protagonistes qui posent devant l'œil de son appareil.

5.63 J.-O. Legault, *Le Pâtre*, montage photographique, s.d. Des essais photographiques, des esquisses à l'aquarelle et au crayon ont précédé cette image finale.

LE PATRE

J·O·LEGAULT

5.64 J.-O. Legault, *La ferme Laurin, en hiver*, photographie, s.d. On croirait à une séquence inédite du *Nosferatu* (1922) de Murnau.

Ses deux sœurs, Maria et Aurore, sont ses modèles préférés, avec ses frères Henri et Albert. Il y a aussi une nièce (5.67), non identifiée. Elle se montre photogénique inspirante, et est celle qui répond le mieux aux suggestions et aux demandes du photographe. À ce groupe s'ajoute son neveu Maurice Mayer, fils de Maria. Legault ne photographie pas les enfants dans leur spontanéité de petits êtres gracieux, turbulents et rieurs. Bien au contraire, il leur suggère des poses, des attitudes auxquelles eux-mêmes, à cause de leur jeune âge, ne songeraient pas, mais avec leur beauté, leur fraîcheur et leur innocence, ils sont seuls à pouvoir incarner les idées de l'artiste photographe. Legault compose ses portraits d'enfants telles des énigmes à déchiffrer (5.69).

Comme fond, il utilise une toile qu'il a peut-être peinte lui-même ou qu'il a commandée chez un marchand de matériel photographique, qui représente un vaste parc baignant dans une lumière évanescente, auquel on accède par un large escalier à balustrade et où s'effilent de longs peupliers. Pour la mise en scène, Legault utilise ses propres meubles ou emprunte ceux de sa sœur Maria qui vit à l'étage du dessus. À partir des vêtements des fillettes, il conçoit leur costume en y ajoutant divers accessoires dans le sens du tableau qu'il a en tête. Enturbannées, vêtues de gaze et de tulle, adoptant des attitudes hiératiques ou songeuses, les fillettes se présentent alors comme des êtres exotiques, mythiques, arrivant d'un monde supérieur, mais en mission spéciale dans notre univers, personnifiant la nostalgie d'une innocence perdue, notion propre au symbolisme. La gaze dont le photographe se sert dans nombre de ses compositions fait crouler autour de ces jeunes êtres une cascade laiteuse dont le mouvement contraste avec leur immobilité et concourt à dématérialiser leur monde (5.68). Ce nuage transparent et souple, qu'il pouvait manier à son gré, était cher à Legault en ce qu'il représentait de vaporeux et de rêveur.

Le nu retrouvé

L'année 1932 reste pour Jean-Onésime Legault la grande année du retour à la pratique de l'art pour lui-même. Il retrouve ses confrères de la Montée Saint-Michel en s'inscrivant, comme plusieurs d'entre eux, aux classes de modèle vivant de l'Académie royale des arts du Canada (ARAC), que leur ancien professeur du CAM, Edmond Dyonnet, dirige à partir de 1925 et qui se donnent dans les locaux de l'école de l'AAM, rue Sherbrooke Ouest. Legault y rejoint Ernest Aubin, Jean-Paul Pépin, Narcisse Poirier et Joseph-Octave Proulx et, pour fixer ces heureuses retrouvailles, il brosse une pochade représentant ses amis au

travail devant leurs chevalets (2.53). Que cinq des huit peintres de la Montée se retrouvent dans les classes du soir de l'ARAC résulte d'un effet d'entraînement. Aubin est le premier à s'y inscrire en 1925, après quoi Narcisse Poirier le suit, puis Pépin, qui peint beaucoup avec Aubin à la Montée en ces années-là, puis Proulx, un des habitués de L'Arche. Dans cette période troublée par la crise économique, où tout va si mal, ils choisissent de se retrouver deux soirs par semaine, comme au temps de leur jeunesse à l'école des Arts et Manufactures. C'est un retour aux sources, c'est-à-dire à la pratique du dessin, surtout par le nu.

Relativement à ceux des années 1907-1908 à l'école de l'Art Association, les modèles de l'ARAC jouent un rôle dans le virage formel que prend Legault dans les années 1930, à vingt ans d'écart, et ce changement radical tient à la qualité des modèles qui sont choisis en fonction du potentiel esthétique qu'ils présentent. Sélectionnés par le professeur, Edmond Dyonnet, les modèles féminins et masculins sont jeunes et beaux – ce qui n'exclut pas quelques modèles d'âge plus mûr et intéressants. Ils posent intégralement nus pour les femmes, beaucoup moins pour les hommes qui, la plupart du temps, portent le cache-sexe ou le support athlétique. Dans l'un et l'autre genre, Legault apporte un soin égal à ses dessins.

De 1932 à 1939, Legault livre une abondante production au crayon, au fusain et à la sanguine. Certains feuillets portent des mentions comme « 1 soir », « 2 soirs », ou « 3 soirs ». On trouve dans cette production le croquis fait en quelques minutes et le grand dessin

5.68 J.-O. Legault, *Deux nièces*, photographie, s.d. Legault aimait particulièrement cette photographie, qu'il avait transposée au crayon en y ajoutant un fond crépusculaire et qui se trouvait suspendue dans sa salle à manger (6.66).

À DROITE

5.69 J.-O. Legault, *Un neveu travesti en peintre*, photographie, s.d. Legault figure ici un enfant orphelin qui se fait le peintre de sa mère disparue – une sorte d'« enfance de l'art ».

soigné et fini. À plusieurs reprises, Legault se retrouve aux côtés d'Aubin devant le même modèle (5.73, 74).

On ne saurait dire si des modèles ont posé pour Legault dans son atelier ni même si sa compagne Yvonne a posé pour lui. Le nu, tel qu'il le pratique dans les années 1930, se fait dans un cadre académique où les modèles sont fournis. Le modèle ne se livre pas à l'artiste dans l'intimité de son atelier personnel : il est là pour la classe qui se trouve devant lui, il est là pour tous. L'artiste ne peut rien demander au modèle en fait de poses. C'est à lui de développer sa propre relation avec le modèle – comme s'ils étaient seuls.

Tout ce que Legault sait faire de beau et de parfait avec la figure humaine en dessin, il le transpose sur le corps nu du modèle qu'il représente. Mais parfois aussi, il passe outre aux normes classiques et transgresse les balises du bien-faire. Il ne présente alors que des tronçons (5.75, 76) qui font voir le corps dans des attitudes de torsions, sous des angles imprévus, montrant des parties de corps jetées sur le papier d'un trait à la fois brut et sûr, sans complaisance pour l'esthétique admise. Terminé le scrupule du dessin fini, poussé dans les derniers retranchements de la bonne tenue académique. Legault vit alors une autre aventure esthétique avec le corps où une part d'imagination entre en jeu.

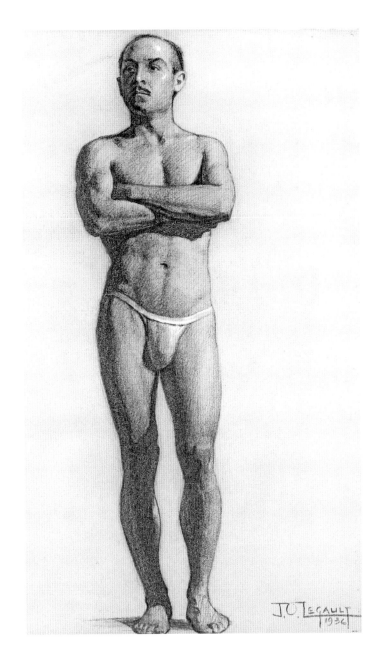

5.70 J.-O. Legault, *Modèle masculin debout, bras croisés**, 1936, mine de plomb et craie sur papier.

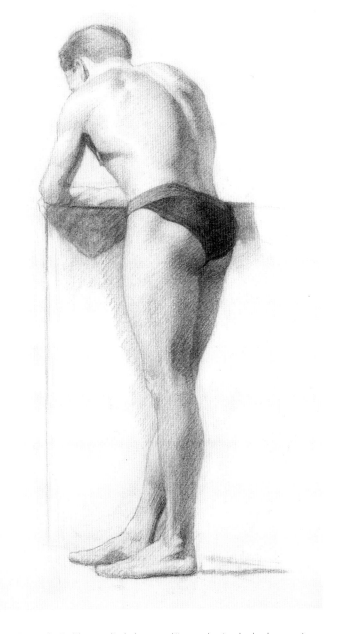

5.71 J.-O. Legault, *Modèle masculin de dos, accoudé**, n.s, s.d., mine de plomb sur papier.

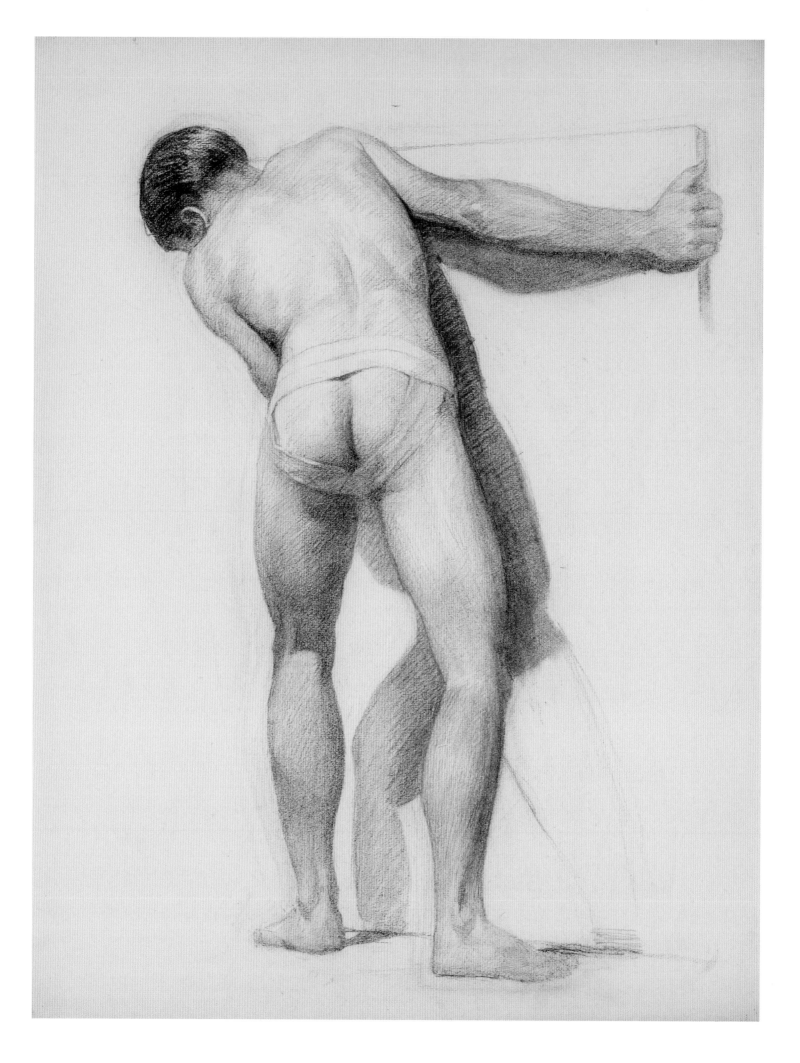

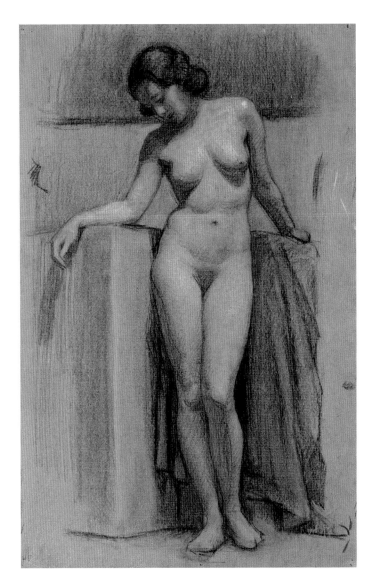

5.73 Ernest Aubin, *Nu féminin au socle et à la draperie**, s.d., [1939], mine de plomb et craie sur papier.

5.74 J.-O. Legault, *Nu féminin au socle et à la draperie**, 1939, mine de plomb sur papier.

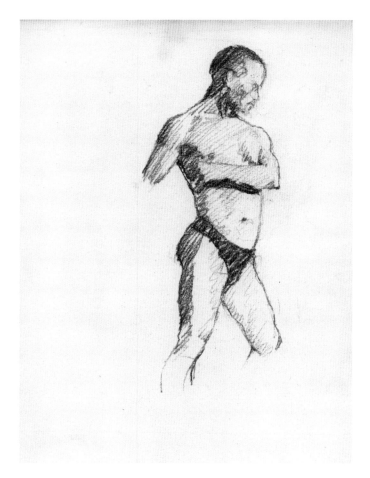

5.75 J.-O. Legault, *Modèle masculin aux jambes et au bras tronqués**, n.s., s.d., [1937], mine de plomb sur papier.

À DROITE

5.76 J.-O. Legault, *Modèle masculin, bras et tête**, n.s., s.d., [1937], mine de plomb sur papier.

Être vu

Parallèlement aux années 1932-1939, nous dénombrons une vingtaine de tableaux à l'huile. Datés et titrés pour la plupart, ils permettent de suivre les pérégrinations de l'artiste à la recherche de nouveaux sites. C'est surtout sur l'île Jésus qu'il se rend, plus particulièrement à Laval-des-Rapides (5.14) et, plus à l'est, à Saint-Elzéar (auj. Vimont) (5.2), où il retrouve Jean-Paul Pépin qui s'est installé dans cette petite municipalité en 1936 avec sa famille. Sinon, sur la même île, il se rend à Cap-Saint-Martin (5.77) et à Saint-Vincent-de-Paul, et pousse même quelques expéditions en région, car son frère Albert le conduit avec son automobile[45] à Saint-Paul-de-Joliette (5.37), à Saint-Gérard-Majella (5.38) et à Lanoraie (5.33), dans Lanaudière.

Ces tableaux, Legault les range chez lui, avec d'autres. À qui les montre-t-il? Où les expose-t-il? Par l'entremise du collectionneur René Bergeron (1904-1971), il est probable que Legault, dans les années 1940, est représenté par la galerie L'Art Français avec laquelle Bergeron fait affaire.

À peine la crise économique vient-elle de se résorber qu'en septembre 1939 la guerre éclate de nouveau en Europe. À partir de cette date, et curieusement pour cet incroyant, les travaux artistiques de Legault sont en bonne partie liés à deux communautés religieuses : les Clercs de Saint-Viateur, pour leur revue *L'Ami des sourds-muets,* et les pères de Sainte-Croix, pour les calendriers de l'oratoire Saint-Joseph (5.2). Mais un membre d'une autre

5.77 J.-O. Legault, *Cap-Saint-Martin*, s.d. [1943], huile sur toile marouflée. C'était ce que le peintre appelait son « studio [...] manière de dire car j'étais là aux quatre vents », écrira-t-il à Ernest Aubin (19 octobre 1943, archives Estelle Piquette-Gareau).

communauté religieuse, Olivier Maurault, prêtre de Saint Sulpice, va intervenir pour modifier le cours des choses.

Recteur de l'Université de Montréal depuis 1934, Olivier Maurault est un homme cultivé, un esthète, un amateur d'art et un historien. Un dessin de Legault, intitulé *La Reine du Carnaval*[46] (C.2), dédicacé en 1938 en « Humble souvenir à Mgr Olivier Maurault », fait foi d'une relation déjà établie dans des circonstances que l'on ignore. D'autres œuvres de Legault, des huiles notamment, s'ajouteront à la collection du sulpicien.

Maurault donne une conférence sur le groupe de la Montée Saint-Michel le 26 mars 1941, à la bibliothèque municipale, devant la Société historique de Montréal, et la première exposition collective du groupe se tient du 15 au 30 avril à la galerie Morency – elle se prolongera jusqu'au 15 mai. Legault expose dix-sept œuvres et a l'honneur de dessiner l'affiche de l'exposition (C.1). On lui fait aussi l'honneur d'une réception critique – ou ce

5.78 J.-O. Legault, *Tricentenaire de Montréal (1642-1942)*, illustration pour le calendrier de 1942 de La Sauvegarde, compagnie d'assurance sur la vie, imprimé. Par un montage d'images de provenances diverses qu'il a harmonisées, Legault représente l'évolution de Ville-Marie et sa première palissade avec Maisonneuve et les Autochtones.

5.79 J.-O. Legault, *Montée Saint-Michel*, 1943, huile sur toile marouflée.

5.80 J.-O. Legault, *Autoportrait dans l'atelier*, photographie, s.d. Des livres, une planche à dessin, un regard vers la lumière, soutenu par la présence de l'éternel féminin.

qu'on peut appeler ainsi – qui témoigne surtout de la méconnaissance de l'homme et de l'artiste. « Legault est surtout portraitiste », résume-t-on devant les quatre portraits à la sanguine, au fusain et à l'huile qu'il expose. Serait-il aussi paysagiste ? « Ses paysages sont en verts trop adoucis, presque ternes[47]. » Et puis, dans l'ensemble, « Legault est un élève appliqué qui manque de tempérament[48] ». Tout dépend de ce qu'on entend par l'application d'un élève et de ce qu'on estime être le tempérament. Devant tant d'à-peu-près et pour une fois qu'il s'exposait à la critique, le peintre posera-t-il crayons et pinceaux ? Bien au contraire. Qui donc aura assez d'influence négative sur lui pour l'empêcher de peindre ? Si on n'apprécie pas ses verts, il s'y mettra plus que jamais, en été comme en automne (5.77, 79). On le traite d'élève appliqué ? Ironiquement, c'est de ses travaux commerciaux (5.78) que lui étaient venus les plus chaleureux éloges sous la plume même du critique de *La Presse*[49].

Au début de 1944, Legault travaille longuement au tableau qui servira d'illustration au prochain calendrier de l'oratoire Saint-Joseph : *La Croix du chemin* (5.2). C'est à Saint-Elzéar, sur l'île Jésus, où habite Jean-Paul Pépin, qu'il a trouvé son sujet. Le grandiose de l'arbre s'accorde au symbole religieux de la croix où se voient le Sacré-Cœur et les instruments de la Passion : couronne d'épines, éponge de vinaigre et lance. Le paysan qui passe touche du doigt son chapeau qu'il vient de soulever en marque de respect. Chose rare : Legault a octroyé à cette belle journée de septembre un ciel bleu, lui qui préfère d'ordinaire les temps mi-nuageux ou couverts.

En mai, stimulé par la perspective de l'exposition personnelle que lui a demandé le généalogiste Émile Falardeau pour son groupe d'amateurs, Legault, retourne à la Montée Saint-Michel, dans le but d'y inclure des œuvres de date récente. Il s'y rend en compagnie de Francesco Iacurto, qui habite Québec et qui est de passage à Montréal. Ce dernier propose d'emmener le jeune Umberto Bruni (1914-2021), qui habite alors rue Chambord, près de la rue Saint-Zotique, et qui fréquente la Montée Saint-Michel depuis 1934 (2.42). Il est alors un jeune peintre débutant[50].

Ce nuancier de verts qu'il aime tant, Legault l'a appliqué, l'automne précédent, à son dernier grand tableau de la *Montée Saint-Michel* (5.79), qui représente une scène de fenaison. Dans un champ jaune paille où les blés ont été fauchés, s'avance une petite char- rette de foin tirée par un cheval. Debout sur le chargement, le cultivateur, bride en main, conduit la bête vers la sortie de l'enclos. Pour peindre cette scène pastorale, le peintre s'est placé en légère contre-plongée. Ici, la palette des verts se fond dans une estompe dictée par la chaude humidité du jour. Legault balaie davantage sa touche pour rendre la chaleur assourdie de ce jour d'automne qui n'a pas encore dit son dernier adieu aux touffeurs de l'été.

L'exposition qu'il prépare pour son ami Falardeau est presque prête. Cette besogne assez longue et néanmoins entreprise dans la joie l'a-t-elle fatigué outre mesure? En ce mardi 6 juin, Jean-Onésime attend le retour de sa fille pour compléter la liste des tableaux dans le cahier que tous deux ont utilisé à cet effet, y inscrivant le titre et le prix de chaque œuvre. Vers la fin de l'après-midi, il s'installe dans son fauteuil préféré et ajuste ses lunettes pour lire le journal où il lit les détails du débarquement des Alliés qui a lieu ce jour même en Normandie.

Comme à leur habitude, les enfants de Maria, qui habite toujours au-dessus, au retour de l'école, veulent faire un arrêt chez l'oncle J.-O. (ainsi qu'on l'appelait familièrement). Celui-ci aime bien les recevoir pour une petite collation et il s'amuse parfois à les faire dessiner et à leur montrer comment faire du lettrage[51]. Il est donc 16 h 30 lorsqu'ils frappent comme ils le font toujours à la vitre de la porte. Leur oncle soulève le rideau et leur fait signe que, cette fois-ci, c'est non. Les enfants sont surpris, car c'est bien la première fois qu'il refuse de les accueillir. Ce jour-là, au sortir de son travail, Jeannine s'était rendue chez sa tante Aurore[52], la sœur de Jean-Onésime, où elle avait passé la soirée. Vers 21 h, plus tard que d'habitude, Jeannine est de retour à la maison. Elle trouve son père assis dans son fauteuil Morris, les lunettes sur le nez, le journal posé sur les genoux, la tête renversée sur le dossier, les yeux clos. Il est mort. Il avait soixante et un ans.

CHAPITRE 6

ONÉSIME-AIMÉ LÉGER (1881-1924) DE NOBLES RÉVOLTES

Même si Onésime-Aimé Léger (6.1) a peu frayé avec les peintres de la Montée Saint-Michel, ces derniers n'ont pas hésité à le compter au nombre des leurs au moment de la première exposition du groupe, en 1941, à la galerie Morency. Il y avait alors dix-sept ans que l'artiste était décédé. « Tous affirment qu'il en faisait partie : Martel, Jutras, Aubin, Legault (surtout avec lui)[1] », écrivait-on d'une part, en connaissance de cause, et : « Il n'a rien de commun avec le groupe[2] », écrivait-on d'autre part, sans trop savoir. Certes, Onésime-Aimé Léger n'avait rien de commun avec personne – sauf avec Jean-Onésime Legault, son ami de toujours, qui, lui, faisait partie du groupe de la Montée Saint-Michel et qui y a entraîné son confrère (2.45), avec lequel il partageait des idées bien personnelles sur la peinture, sur l'art et sur la vie. Léger a eu suffisamment de rapports avec Ernest Aubin pour que celui-ci conserve dans ses papiers plusieurs dessins de l'artiste (6.5, 40, 64, 65). D'ailleurs, Léger et Aubin se sont partagé l'illustration d'un ouvrage pédagogique[3]. Joseph Jutras, qui collectionnait les grandes pages en couleur que Léger produisait pour *La Patrie* (6.29, 31, 33), a vu le peintre plus d'une fois à l'œuvre et a même fréquenté son atelier. Enfin, Léger a exposé au Salon du printemps en compagnie d'Ernest Aubin, Narcisse Poirier et Joseph-Octave Proulx. Ces liens avérés suffisent à intégrer Onésime-Aimé Léger au groupe de la Montée Saint-Michel, et ce, en conformité avec le souhait des membres qui lui ont survécu.

Un an après la mort de Léger, survenue en 1924, quelques-uns de ses amis lui rendirent hommage au Salon du printemps en présentant quatre tableaux parmi les derniers et les plus significatifs de sa production. Puis, il fallut que ses confrères de la Montée l'exhument au moment de leur exposition collective, où y figuraient dix de ses œuvres. Cette mise en lumière de l'artiste est sans doute à l'origine de la décision d'un des frères de Léger d'aller reprendre chez Jean-Onésime Legault « toutes [l]es choses[4] » que l'artiste y avait laissées et qui, tout à coup, revêtaient une certaine valeur, ou un certain sens, en tout cas. Si elles étaient restées là, « toutes ces choses » nous seraient parvenues, puisque les descendants de Legault ont conservé les archives de leur grand-père.

Tout cela pour dire que, sur une production qui couvre un quart de siècle, restreint est le nombre d'œuvres d'Onésime-Aimé Léger qui nous est parvenu. Après sa mort, son œuvre semble avoir subi, sinon un rapide naufrage, du moins une dispersion et une disparition graduelles, conséquence de l'oubli dans lequel était tombé le nom de l'artiste. Il se peut aussi que Léger ait été lui-même responsable de la perte d'une partie importante de sa production,

6.1 Onésime-Aimé Léger, photographie, vers 1910. « Léger, se roulant d'interminables cigarettes... », se souvient Joseph Jutras. Ici, avant la cigarette, c'est le regard qui est allumé...

les nombreux déménagements qui ont ponctué sa courte existence ayant pu faire en sorte qu'il égare ou abandonne plusieurs œuvres et papiers[5].

Aimé Léger – comme on l'appelait – était certainement quelqu'un que l'on considérait comme à part dans sa famille. Son style de vie – l'art –, ses idées – anticléricales –, les circonstances de sa mort – l'alcool –, ont dû susciter des réactions dans son proche et moins proche entourage, ce qui n'a pas empêché de fortes amitiés de l'accompagner au long de son existence. La mort de l'artiste, à quarante-deux ans, a été perçue comme la conséquence fatale « d'un "struggle for life" trop âpre[6] ».

« Un grand gentleman[7] », disait de lui Elzire Giroux (6.41). Albert Laberge nous le décrit « maigre, sec, nerveux, avec une figure émaciée d'ascète et d'abondants cheveux rejetés en arrière à la Paderewski », ajoutant : « Léger avait une figure pleine de caractère qu'on n'oubliait jamais après l'avoir aperçue une fois[8]. » Alfred Laliberté parle de lui comme d'un « petit bonhomme tout grêle[9] » et Joseph Jutras se souvient de « Léger, haut comme trois pommes[10] ». Gustave Comte a souligné sa « frêle constitution[11] », et, dans l'entourage de son ami Jean-Onésime Legault, on le surnommait « Blanc-Pic[12] ».

Laberge, qui a fréquenté Léger, dresse de lui un chaleureux portrait : « Je ne peux penser à ce fier artiste sans me sentir tout vibrant de sympathie pour cette belle intelligence, pour ce grand cœur, ce vigoureux talent, cette âme généreuse, cet esprit indépendant et le cerveau bouillant de nobles révoltes[13]. » Jutras s'exclamera : « Léger, ah ! quel artiste, une vraie marmite en ébullition[14] ! », et Gustave Comte évoquera le « cerveau riche en conceptions splendides » de celui qu'il qualifiera de « prêtre de la Beauté[15] ».

Enfance et études

Quatrième d'une famille de onze enfants, Onésime-Aimé Léger naît le 14 novembre 1881 en Ontario, dans le village de Saint-Isidore (comté de Prescott), près de la frontière du Québec. Son père, Victor Léger, est peintre en bâtiment. En 1888, la famille tente sa chance aux États-Unis, à Lawrence (Massachusetts), mais revient au pays en 1892, à Saint-Isidore pour, quatre ans après, s'installer définitivement à Montréal[16], dans le quartier Saint-Henri, puis, quelques années plus tard, dans la nouvelle cité de Maisonneuve, dans l'est de l'île[17].

Onésime-Aimé Léger va avoir dix-huit ans quand, le 9 octobre 1899, il entre au Conseil des arts et manufactures (CAM[18]), logé dans l'édifice du Monument-National, boulevard Saint-Laurent, dans la classe de dessin pour les débutants. Celle-ci est dirigée par Joseph Saint-Charles, portraitiste réputé. D'ordinaire, lorsqu'un élève de la classe des débutants a suffisamment fait de progrès, il passe dans la classe avancée sous la direction d'Edmond Dyonnet, maître incontesté du dessin. Or, Léger restera dans la classe de Saint-Charles durant ses quatre années d'études, peut-être parce que l'entente avec ce professeur était si cordiale et les progrès accomplis si satisfaisants qu'il ne voyait pas la nécessité d'en changer.

Toutefois, ce n'est pas avant sa quatrième année d'études (qui, en principe, marque le terme du cycle d'apprentissage) que le nom de Léger apparaît dans le palmarès des prix de fin d'année. Est-ce parce qu'il est resté dans la classe des débutants – alors qu'il n'en était plus un – et que, conséquemment, il n'est pas passé sous la férule du maître Dyonnet qu'il n'a récolté aucune mention ni aucun prix ? Pourtant, comme l'affirmera Joseph Saint-Charles, « ses dessins étaient au nombre des meilleurs de la classe[19] ».

Dans ce contexte, Léger va jouir d'un privilège que l'artiste Saint-Charles, autant que le professeur, n'a accordé à aucun autre de ses élèves. Usant de son influence, il fait paraître une lettre ouverte dans le prestigieux *Album universel* en janvier 1903, accompagnée d'une photographie de son élève (6.2). « Tête d'artiste inspiré », note la rédaction de la revue au début de la notice biographique de Léger. Et un peu plus loin dans la revue, on trouve la reproduction pleine page d'une œuvre du jeune protégé (6.3).

Voilà un sérieux appui – et voilà aussi qu'en juin de la même année, Léger remporte enfin un prix, celui de dessin, le deuxième, en quatrième année d'études[20]. La lettre ouverte de Saint-Charles a-t-elle été entendue comme une protestation déguisée ? L'année suivante, en juin 1904, c'est le premier prix, cette fois, que récolte Léger[21].

Au moment où ce prix lui est décerné, Léger n'est pas à Montréal. Le 9 mai 1904, il se trouve à New York d'où il s'embarquera pour l'Europe le 11 juin[22]. Sans doute lui fait-on parvenir son prix – diplôme et médaille – avant qu'il ne s'embarque, cette décoration pouvant appuyer sa candidature dans les établissements où il veut étudier. Joseph Saint-Charles n'a pu qu'encourager son protégé à aller se perfectionner sur le Vieux Continent, lui qui, de 1888 à 1894, puis de 1896 à 1898, a vécu là-bas, étudiant en France et en Italie. Nous ignorons cependant d'où Onésime-Aimé Léger a tiré l'argent nécessaire pour cette année d'études qu'il passera outre-Atlantique. Joseph Saint-Charles a pu y mettre du sien, certes, et même rédiger quelques lettres d'introduction pour son protégé – à moins que l'article de l'*Album universel* n'en tienne lieu…

Sujet du terroir dans le goût populaire, *La Fête des Rois à la campagne* représente un cheval qui arrive au galop, naseaux fumants et tirant un « berlot » dans lequel ont pris place trois personnages – comme les trois rois mages, mais beaucoup plus agités qu'eux… À l'arrière-plan, d'un côté, se profile la silhouette de quelques maisons à demi enfouies dans la neige et dont la cheminée fume, et, de l'autre, apparaît un second berlot qui file droit sur le chemin du rang. Léger sera coutumier de ce genre de mise en scène, avec le sujet principal au premier plan et le paysage à l'arrière, tout au fond.

La Fête des Rois à la campagne est un pastel. Dessinateur-né, Léger manifeste très tôt une préférence pour cette technique (6.4, 5), qu'il pratiquera toute sa vie, qui n'était pourtant pas la plus répandue parmi les peintres. La question faisait même débat[23]. Pour sa première participation au Salon du printemps en 1908, c'est un pastel que Léger exposera.

Le *Portrait de Blanche Léger* (6.4), exécuté lui aussi en 1903, nous place devant un artiste qui a la maîtrise parfaite de son instrument. Quelque peu intimidée par la demande de son grand frère qui désire de faire son portrait et lui enjoint de demeurer immobile – ce à quoi une enfant de cinq ans est peu habituée –, la petite rentre légèrement le menton et fixe son frère, qui frotte des bâtonnets de couleur sur une feuille de papier. Probablement assise sur un tabouret dissimulé sous son ample robe, elle s'adosse au mur pour mieux garder la pose. La finesse de la chevelure châtaine, la

6.2 Lettre de Joseph Saint-Charles, dans « M. Aimé Léger », *Album universel*, 10 janvier 1903.

6.3 Onésime-Aimé Léger, « La Fête des Rois à la campagne », *Album universel*, 10 janvier 1903.

6.4 O.-A. Léger, *Portrait de Blanche Léger*, 1903, pastel sur papier.

À DROITE

6.5 O.-A. Léger, *D'après N. Sichel*, vers 1903, pastel sur papier. Cette œuvre de Nathaniel Sichel (1843-1907), peintre orientaliste, a été reproduite en noir et blanc dans *Munsey's Magazine* (août 1895, p. 440), sous le titre *A Bayadere*. C'est peut-être là que Léger l'a découverte pour en faire une interprétation en couleur en exerçant ses dons de pastelliste. Fidèlement, il a reproduit la signature de N. Sichel. Au verso de ce pastel se trouve, tête-bêche, un fusain représentant une jeune fille aux longs cheveux (6.40). Cette œuvre double se trouvait dans le fonds d'atelier d'Ernest Aubin, avec d'autres dessins de Léger.

carnation pâle et tendre du visage, le regard interrogateur de la fillette, la bouche sagement close, parlent d'une vie à ses débuts, fraîche et remplie d'innocence et de paix. Dissimulées dans les plis du vêtement, qui est brossé d'une main plus appuyée et où se répondent des harmonies de blanc, de rose et de gris, les mains n'apparaissent pas. La délicatesse du matériau et l'exécution tout en nuances s'accordent bien à la grâce et à la fragilité de l'enfance. Le modèle qui intercepte la clarté laisse, sur la droite, un pan de pénombre où l'artiste choisit d'apposer sa signature et la date.

Pour simple qu'il soit dans sa composition, ce portrait, si raffiné dans son exécution, annonce l'œuvre que sera celle d'Onésime-Aimé Léger : habitée par la présence humaine, essentiellement féminine, messagère de ses idées et de ses interrogations, et représentante d'un idéal de beauté qui hantera l'artiste jusqu'à la fin. Il est significatif, au seuil de notre étude de l'artiste, de constater que c'est d'abord avec la poudre du pastel qu'il s'est voulu peintre, car ce matériau convient mieux à un travail d'intérieur, dans un atelier, car Léger sera un artiste de chevalet, un homme penché sur sa table à dessin, mûrissant ses conceptions dans l'intimité de son cabinet. De plus, le pastel appelant le support papier, ce dernier gardera la préférence de l'artiste, avec l'emploi d'autres techniques comme le fusain, la mine de plomb, l'encre et l'aquarelle, qui correspondent au dessinateur fondamental qu'est Onésime-Aimé Léger.

Bruxelles : symbolisme et luminisme

Ce n'est ni à Paris, ni à Rome, ni à Londres que se rend Onésime-Aimé Léger pour parfaire ses études, mais à Bruxelles. Voilà qui le distingue de ses contemporains, pour qui Paris était le phare de l'Europe artistique. Alors pourquoi Bruxelles ? Le séjour en Belgique est certainement moins onéreux qu'en France. Quelle autre raison aurait poussé Léger à faire ce choix ? Au tournant du siècle, Bruxelles est un des hauts lieux du mouvement symboliste européen. Fondé à Paris avec le *Manifeste du symbolisme* de Jean Moréas, paru en 1886, qui concernait la littérature, ce mouvement s'est rapidement internationalisé et a gagné toutes les sphères de l'art. Le poète belge Émile Verhaeren fut le premier, en 1887, à appliquer l'épithète de « symboliste » à un peintre dans un de ses articles sur Fernand Khnopff[24]. Le mouvement symboliste pictural entend reprendre à la littérature son bien, c'est-à-dire celui d'une pensée exprimée, comme Mallarmé le faisait au nom des poètes en voulant « reprendre notre bien[25] », disait-il, à la musique.

6.6 La rue d'Or, à Bruxelles, façades des numéros 2 à 10, photographie, vers 1920. Cette rue se trouvait sur le tracé de l'actuel boulevard de l'Empereur. Léger habitant au 9, ces façades étaient ce qu'il voyait de sa fenêtre.

Comme tous les peintres québécois et canadiens de l'époque qui ont séjourné en France, Joseph Saint-Charles a été en contact avec ce mouvement bien implanté à Paris et il a été témoin de manifestations symbolistes majeures, comme le Salon de la Rose + Croix qui a eu lieu de 1892 à 1897 et qui a fait grand bruit[26]. Si lui-même ne semble pas en avoir subi l'influence, il n'en ignorait pas l'existence et ses conversations avec son élève Léger ont pu instruire celui-ci et lui faire prendre conscience de sa personnalité qui l'orientait dans cette voie.

À vingt-trois ans, Onésime-Aimé Léger commence à former sa pensée et à vouloir l'exprimer dans sa peinture. Il ne veut pas seulement être le miroir du monde extérieur, mais projeter sur la toile le monde qu'il sent vivre au-dedans de lui, les idées qui s'agitent dans sa tête et les sentiments qu'il éprouve. Au moment de la grande traversée de 1904, son choix est fait. Chez lui, l'homme s'intègre à l'artiste, et c'est pourquoi il se tourne vers cette forme d'art à la fois intellectuel et poétique qu'est le symbolisme.

Le 20 juin 1905, il débarque à Anvers et le 22, il arrive à Bruxelles[27]. Auprès de qui et dans quel établissement étudiera le jeune artiste venu du Canada ? Nous l'ignorons. Nous ne connaissons que son adresse : 9, rue d'Or (**6.6**), un petit bout de rue dans le centre de la capitale, à proximité de la place de la Justice. À ce moment de l'année, les sessions d'études sont terminées dans les principales écoles d'art, qui ne rouvriront qu'à l'automne. Peut-être Léger s'inscrit-il quelque part pour une session d'été ? Chose certaine, il visite les musées – comme il l'a sans doute fait à New York. A-t-il voyagé en dehors de la Belgique ? La seule bribe de témoignage que nous possédons vient d'un de ses amis qui a parlé de ce « tour d'Europe [où Léger] avait vu les grands musées et fréquenté les maîtres[28] ».

L'événement artistique dont Léger sera témoin durant son séjour bruxellois est la création du Cercle Vie et Lumière par le peintre Émile Claus (1849-1924). Issu du groupe de La Libre Esthétique, le nouveau cercle entend pousser l'impressionnisme dans une direction plus solaire en promouvant une intensité encore plus grande de la lumière. C'est pourquoi le mouvement sera qualifié de « luministe ». Le Cercle Vie et Lumière tient sa

première exposition dans le cadre du salon annuel de La Libre Esthétique en février et mars 1905, au Musée Moderne, à Bruxelles. Il est raisonnable de penser que Léger a visité cette exposition. La préface du catalogue, que signe le mécène Octave Maus, présente ces nouveaux peintres qui « substituèrent à l'étude objective de la nature […] un idéal différent : celui d'émouvoir au moyen d'impressions subjectives déterminées par les jeux de la lumière[29] ». Dans cette préface qui évoque aussi le mouvement néo-impressionniste, Maus louange « la division pigmentaire », propre à ce mouvement.

Une œuvre de Léger non datée, mais qui peut avoir été produite au cours de cette année bruxelloise, nous est parvenue : *Jeune femme vue de profil* (6.7). Ce pastel est une œuvre de plein air, ce qui sera peu fréquent chez Léger, et s'accorde au mouvement luministe par le ton des couleurs, dicté par la lumière naturelle. En plan très rapproché, l'artiste présente le

buste d'une jeune fille vue de profil et portant un bonnet de toile blanche, replié sur le haut du crâne. Ce bonnet rappelle celui de ces femmes qui, en Belgique, se regroupaient en communautés religieuses laïques sous le nom de béguines. Par-dessus ce bonnet, elles plaçaient une coiffe plus ample. Même si Bruges était la plus renommée pour ses béguinages, Bruxelles et ses alentours en possédaient aussi, et Léger a très bien pu trouver son modèle sur place ou dans la proche banlieue.

Le cadrage serré, la proximité du modèle donne une importance exagérée au bonnet blanc de la jeune fille auquel répond le gros nuage blanc qui monte à l'horizon, dans un ciel bleu qui, lui, concorde avec le bleu de la blouse de la jeune fille parsemée de pois blancs. C'est sur le fond de ce nuage que se détache le profil du personnage, profil que l'artiste a voulu parfait, ainsi que les détails de l'œil avec les cils et la prunelle. D'un air grave – qui sera celui de tant de personnages de Léger –, la jeune fille regarde au loin. Immobile, absorbée dans sa pensée, avec attention, elle fixe un point qui est hors champ.

Le découpage laisse peu de place à l'environnement extérieur dans lequel est campée la jeune fille. Mais si le bonnet et le nuage y occupent beaucoup de place, à côté de la modeste portion de prairie que l'on voit au second plan, le feuillage d'un vert vigoureux contre lequel se tient la jeune fille n'est pas sans s'imposer lui-même. Les espèces de lianes brunâtres qui traversent l'espace à la verticale et sur lesquelles se greffe ce feuillage nous font nous questionner sur l'essence de ce végétal, car, même si ces feuilles rappellent celles du théier, on reste perplexe. La rigidité des longues tiges, la vigueur des feuilles qu'elles supportent figurent-elles un abri ? Représentent-elles la captivité du personnage ? Le bonnet qui emprisonne la chevelure, les feuillages aux solides tiges brunes qui s'avancent jusque devant le buste de la jeune fille sont, chacun à sa manière, des éléments qui la retiennent, qui tracent les limites de sa liberté.

Une autre œuvre de Léger peut être considérée comme s'inscrivant dans l'esprit des luministes belges : *Un Souffle* (**6.8**), qui date de 1910. Le peintre – car il s'agit ici d'une huile – est alors de retour à Montréal depuis cinq ans. Il s'agit d'une œuvre d'imagination à teneur symboliste, et Léger donne à son tableau toutes les apparences d'une œuvre de plein air. La lumière émane de partout ; elle est omniprésente, dans la moindre brindille du paysage, dans la moindre parcelle du personnage ; elle est au bout de chaque touche de pinceau. Hachurée, cette touche fait vibrer toute la surface de la toile ; elle est l'élément même de la lumière dont cette surface est saturée. Œuvre solaire s'il en est et comme nous en rencontrerons peu dans la production de Léger.

En s'inspirant de la Semeuse du dictionnaire Larousse, mais qu'il inverse de droite à gauche, le peintre élabore une composition à symbolique végétale, qui gravite autour d'une jeune femme vue de profil – une fois encore. Elle tient à la main un pissenlit à longue tige incurvée dont elle souffle les aigrettes blanches. La fleur est tenue à la hauteur de la bouche et la jeune femme fixe la boule duveteuse désormais entamée, qui a perdu sa beauté naturelle, altérée sous l'effet d'un seul souffle.

La chevelure blonde, nouée sur la nuque, fait écho à la simplicité du long manteau pâle jeté sur les épaules du sujet. Comme dans le pastel *Jeune femme vue de profil*, la perfection du profil féminin, délimité par une ligne aussi pure que continue, conduit l'œil sur son tracé caressant. Mais ici, loin des feuilles et des tiges qui grimpaient comme une invasion autour de la jeune novice, le marronnier allonge une longue branche au-dessus de la tête de la jeune femme, décrivant une arabesque très Art nouveau – Bruxelles étant une des villes les plus marquées par ce courant artistique (**6.9**). Les grandes mains de ces feuilles sont aussi l'image du désir ; elles convoitent cette tête, mais en vain : la jeune femme demeure attentive aux seules fragilités de ce monde, résumées dans le globe duveteux de cette fleur à demi flétrie.

À l'arrière-plan, sur un horizon bleuté par une chaleur méridionale, se dressent, d'un côté, un pin parasol et, de l'autre, un peuplier de Lombardie. Pour justifier son luminisme et son symbolisme, Léger a placé son personnage au solstice d'été, au plein midi de sa jeunesse et de sa beauté, et au moment où la fleur jaune s'est transformée en une boule duveteuse. Bien campés sur l'horizon, profondément enracinés, ils sont tout le contraire de la sphère formée de plumets que le moindre souffle emporte. Ils sont l'un et l'autre dans l'attente. La résignation de l'arrondi du pin parasol, l'agressivité pointue du peuplier résument les sentiments opposés qui agitent le peintre. Robustesse des feuilles du marronnier, évanescence des aigrettes du pissenlit, résilience du pin parasol, élan du peuplier, exotisme du paysage, la symbolique d'*Un Souffle* est toute de contrastes et cerne la jeune femme qui n'en est qu'au début de sa méditation sur la beauté éphémère de ce monde. Ce sur quoi la jeune fille du pastel tenait son regard fixé, nous l'avons maintenant sous les yeux : ce qui se perd, ce qui se défait, ce qui s'en va.

Retour à Montréal

Léger revient à Montréal le 7 mai 1905 sur le navire *Ottawa*[30] et réintègre sa famille, qui habite au 91, avenue Desjardins, dans le quartier Maisonneuve, dans l'est de Montréal, où sa mère, maintenant veuve[31], continue d'élever ses plus jeunes enfants, Oséas, Blanche et Hector, quatre, sept et treize ans, ainsi qu'Oscar, dix-sept ans. Conséquemment à la mort de leur père, et comme il était de coutume à l'époque, les aînés deviennent soutiens de famille. On ignore quelle est la part d'Onésime-Aimé dans cette responsabilité. Or un logis occupé par cinq personnes, en plus de lui-même, n'est pas l'idéal pour un artiste qui a besoin d'espace pour créer et ranger sa production. C'est pourquoi il est heureux de se réfugier dans deux ateliers qui lui seront accessibles : celui de son mentor Joseph Saint-Charles et celui de son ami Jean-Onésime Legault.

Il n'est pas certain que beaucoup de portes s'ouvrent devant Onésime-Aimé Léger sous l'effet de son certificat d'études bruxellois – sauf celle de Joseph Saint-Charles, fier de son protégé, qui l'accueille dans son atelier de la rue de Bleury pour qu'il l'aide à terminer un tableau religieux, commande qui ne le passionne guère : la *Présentation de la Vierge au temple*, pour l'abside de la chapelle du Grand Séminaire, tableau qui sera livré en 1907.

Jean-Onésime Legault, ami et confrère du CAM, vient de prendre, en 1906, un atelier au 58, rue Saint-Gabriel, puis, en 1908, il change pour le 37, rue Notre-Dame Est (« room 117 », dit l'annuaire *Lovell*), son domicile étant maintenant le rez-de-chaussée du 744, rue Alma (auj. 6726). Rue Alma, ou à l'un ou l'autre des ateliers de Legault, Léger prendra l'habitude de laisser du matériel pour pouvoir peindre et dessiner, et peut-être aussi des vêtements, car il y passe parfois la nuit. Probablement à l'automne 1905, Legault photographie son ami dans le vivoir de la rue Alma où on voit Léger en compagnie du père et du frère de Legault (**6.13**).

Pour Léger, une fois de retour au Québec, comment entretenir la filiation symboliste qu'il a nourrie du temps qu'il était à Bruxelles ? Dans l'immédiat, son ami Legault est son allié le plus sûr, puisque tous deux, depuis qu'ils ont fait connaissance au CAM en 1902, partagent une même attirance pour ce courant européen. Les deux amis seront témoins de leur production respective dans cet esprit qui les anime, Legault comme photographe, en s'engageant dans le pictorialisme

6.9 O.-A. Léger, Vignette pour la chronique « Ce qu'il faut lire », *La Revue nationale*, juillet 1921. Au tournant du siècle, la capitale de la Belgique est aussi la capitale de l'Art nouveau, fait d'arabesques et de volutes – leçon que Léger a retenue.

6.10 Lactance Giroux, *Onésime-Aimé Léger*, photographie (détail), 1904.

6.11 O.-A. Léger, *Autoportrait de l'artiste à vingt-trois ans*, 1904, huile sur toile.

À DROITE

6.12 O.-A. Léger, *Autoportrait de l'artiste à vingt-quatre ans*, 1905, huile sur toile.

(pendant photographique du symbolisme pictural), Léger en ajoutant bientôt la sculpture au dessin, au pastel et à la peinture. Et puis voilà qu'en 1906, probablement dans l'atelier de Legault, rue Saint-Gabriel, ils décident de peindre chacun un grand tableau pour en orner le vestibule du 744, rue Alma. Les toiles seront marouflées de part et d'autre du mur d'entrée. Celle de Legault représente un *Pâtre à la houlette* (5.44) et celle de Léger une *Muse à la lyre* (5.45), vision permanente de leur amitié chaque fois que l'un d'eux entre dans ce vestibule et avertissement pour tout visiteur franchissant ce seuil symbolique qu'il se trouve dans un sanctuaire d'art.

Comme s'il savait qu'il y aurait un avant et un après Bruxelles, Léger a peint deux autoportraits, l'un en 1904, avant son départ (6.11), l'autre en 1905, après son retour (6.12). Une seule année sépare ces deux regards que l'artiste pose sur lui-même, mais ces portraits reflètent les transformations vécues par le sujet, du point de vue tant de la physionomie que de la psychologie. Dans les deux cas, la technique à l'huile s'impose, gage de durabilité pour fixer sur le support classique de la toile ces deux images de lui-même que l'artiste veut léguer à la postérité.

Dans le premier autoportrait, le jeune homme est quelqu'un qui s'interroge, dans le second quelqu'un qui a trouvé. L'un comme l'autre sont des interprétations de deux photographies de l'artiste, la première par Lactance Giroux (6.10), la seconde par Jean-Onésime

Legault (6.13) – des amis chers. L'*Autoportrait de l'artiste à vingt-trois ans,* présente un jeune homme glabre, vu de face jusqu'aux épaules et légèrement incliné vers la droite, en plan très rapproché. Pour mieux nous interpeller, il plonge son regard droit dans le nôtre. La pénombre sur laquelle il se détache fait surgir ce visage tendu, concentré, presque crispé, travaillé par une interrogation intense sous un front légèrement plissé aux sourcils presque batailleurs. Ce regard volontaire, scrutateur, nous enjoint de répondre à la question qui taraude le jeune artiste, mais dont lui seul, au fond, possède la réponse. La chevelure est rejetée en arrière et, outre le col blanc, le seul détail vestimentaire visible est le nœud de soie, attribut distinctif auquel tenaient les artistes peintres.

Dans l'*Autoportrait de l'artiste à vingt-quatre ans*, même si, du point de vue technique, le peintre conserve une palette conventionnelle, semblable au précédent portrait, avec une gamme sobre de noirs, de bruns et de beiges, l'évolution est sensible, d'abord par le choix du format, qui permet à l'artiste de se représenter presque en entier, ensuite par la posture du modèle. Assis de trois quarts, les jambes croisées, portant le veston, en contre-plongée, le peintre fixe le spectateur comme du coin de l'œil. Il a pris de l'altitude. Voulant montrer l'homme nouveau qu'il est devenu, il ne se compose plus une attitude de confrontation, mais, sûr de lui-même, présente un visage qui reflète sa calme assurance. La chevelure est plus ondulée, plus souple, et la moustache nouvelle dit à sa manière le supplément

6.13 Jean-Onésime Legault, *Onésime-Aimé Léger, en compagnie d'Albert et Onésime Legault*, frère et père du photographe, photographie, 1905.

de maturité acquise. Bien en évidence, sa main droite repose sur son genou, tandis que l'autre tient non pas un pinceau, mais un stylet, lequel est parallèle à la position légèrement inclinée du sujet, symbole de convergence. Ce n'est donc pas en peintre avec sa palette et ses pinceaux que Léger fixe son image sur la toile, mais en dessinateur avec son fusain à la main, bien en évidence. Quant au nœud de soie qu'il portait sur la photographie de Legault, il est toujours en place.

À l'automne 1905, Léger et Legault se réinscrivent à l'école des Arts et Manufactures en classe de dessin avec modèles vivants, sous la direction d'Edmond Dyonnet. Ni lui ni Legault ne termineront cette année d'études[32]. À la rentrée de 1906, ils se reprennent et s'inscrivent à nouveau en classe de dessin, certes, mais aussi en classe de modelage. Si dessin, pastel et peinture sont à sa portée, avec, bientôt, l'aquarelle, Léger entend élargir ses possibilités d'expression, car, à Bruxelles, il a pris conscience de l'importance de la sculpture dans l'art symboliste[33] et il se sent prêt à affronter l'argile à main nue pour façonner ses idées en trois dimensions. Lui et Legault étudieront sous la direction d'Alexandre Carli (1861-1938), alors seul titulaire de la classe de modelage, qui appartient à une lignée de sculpteurs et de statuaires d'origine italienne implantés dans la métropole depuis le milieu du xixᵉ siècle. À la distribution des prix en juin 1907, les deux artistes récoltent chacun une

6.14 Alfred Laliberté dans son atelier de la rue Sainte-Famille, photographie, 1940. Entouré de ses multiples créations d'esprit symboliste, Laliberté travaille à *L'Angoisse* (plâtre, coll. part.).

mention. Mais à la rentrée qui suit, Legault délaisse la sculpture et reste en classe de dessin, tandis que son compagnon, s'il reste lui aussi en classe de dessin, poursuit sa formation en modelage sous la direction, cette fois, d'Alfred Laliberté (6.14).

Depuis l'été 1907, celui-ci est rentré de Paris après cinq années d'études à l'École des beaux-arts. Pour Léger, le contact avec ce nouveau professeur va lui permettre de vivifier l'esprit symboliste qu'il cultive, car Laliberté a baigné dans ce courant encore très fort dans la capitale française et sa production en porte de multiples traces. « L'allégorie m'apparut comme la plus haute aspiration de l'idéaliste, de l'être affiné[34] », dira-t-il. En marge des portraits en buste qu'il produit, des monuments historiques qu'on lui commande, des sujets du terroir qu'il multiplie, le sculpteur Alfred Laliberté éprouve la nécessité impérieuse d'exprimer ses pensées intimes, ses sentiments les plus profonds, ses idées sur la vie : « Il me serait sans doute difficile de ne pas faire de temps à autre de figures allégoriques[35] » – et celles-ci abondent dans son œuvre.

En octobre et novembre 1907, Laliberté expose, dans une des salles du Monument-National, quatre-vingts œuvres qui représentent une partie importante de sa production parisienne. À côté des nombreux sujets du terroir, la critique s'arrête à plusieurs « esquisses purement symboliques : *L'Humilité*, *L'Effort*, *Le Vertige*, *L'Innocence*, *La Vie et la Mort*, [qui] respirent une philosophie profonde[36] », et l'on reconnaît, dans ce sculpteur, un « véritable tempérament de virtuose, épris d'idéal[37] ». Durant l'année 1908, Laliberté, passant par de noirs moments de dépression, exprime ses sentiments dans « une série d'œuvres dramatiques[38] » qui ont pour titres *Le Baiser suprême*, *Le Désir de la mort*, *Le Désespoir*, et qui, à l'avance, font écho à des œuvres d'Onésime-Aimé Léger qui porteront des titres comme *Pauvre cigale*, *La triste Ophélie*, *L'Adieu*, *La Mendiante*, *Sans asile*, *Les Ronces*…

En ces premières années où il expose à Montréal, quelques-uns des mots clés du vocabulaire symboliste se retrouvent dans presque toutes les appréciations critiques que l'on fait des œuvres de Laliberté : allégorie, symbolique, idée, poète, poésie, philosophie, idéal, espoir, rêve – puisque c'est le propre de l'œuvre symboliste de transmettre une idée, d'entraîner le développement littéraire, philosophique même, de provoquer l'inspiration poétique, car elle contient tout cela en elle. Ce monde que génère Alfred Laliberté intéresse au plus haut point Onésime-Aimé Léger. Pour une première fois en sol québécois, Léger est en contact direct avec un artiste d'esprit symboliste sorti des écoles européennes, qui, de surcroît, est son professeur.

En juin 1908, Léger obtient le premier prix de modelage en deuxième année d'études. Voilà qui lui suffit, voilà son passeport pour poursuivre sa création en ce domaine.

Entre-temps, à la rentrée de 1907 au CAM, alors que Léger se partage entre le dessin et le modelage, il a vu arriver dans la classe de dessin d'Edmond Dyonnet un jeunot qui s'en va sur ses quinze ans – Ernest Aubin – et qui vante à ses confrères un coin de nature qu'il vient de découvrir au nord de Montréal et qui est, paraît-il, un vrai paradis pour les peintres. Pour y parvenir, il a emprunté la montée Saint-Michel (avec un petit *m*) – voie de circulation fort pittoresque en elle-même.

Ce lieu idyllique, c'est le domaine Saint-Sulpice, et le nom de Montée Saint-Michel (avec un grand M) finira par s'imposer et désigner cet espace et ceux qui l'environnent où les artistes, rassemblés par Ernest Aubin, viendront peindre et dessiner pendant des décennies. Aubin engage donc ses nouveaux amis à l'y suivre les fins de semaine. Legault est un des premiers – sinon le premier – à accompagner ce jeune enthousiaste en son lieu de prédilection.

Legault convainc sans doute son ami Léger de l'y suivre avec quelques autres condisciples. Le lien le plus sûr de Léger avec la Montée Saint-Michel, c'est son ami Legault, qui va la fréquenter pendant plusieurs années consécutives. Mais la peinture en plein air n'est pas ce qui convient le mieux à ce penseur pictural, qui préfère son chevalet et sa table de travail, de sorte que ses excursions à la Montée ne seront pas légion (2.45).

Deux photographes

Comme deux autres de ses confrères de la Montée Saint-Michel, soit Joseph Jutras et Narcisse Poirier, et comme d'autres élèves du CAM[39], Onésime-Aimé Léger a travaillé pour le peintre et photographe Zénon Juteau (1860-1918) (6.15). Pour ce que nous en savons, Léger faisait pour lui de la retouche de photographie. Nous trouvons le nom de Juteau comme photographe pour la première fois en 1907, dans le compte rendu d'une activité de l'Association des photographes professionnels de la province de Québec[40], mais il a pu amorcer la pratique de la photographie bien avant cette date. Toutefois, l'homme s'annoncera toujours comme artiste ou artiste peintre[41], même quand il partagera son logis avec un autre photographe, un certain A. Seers, membre, lui aussi, de l'Association des photographes[42]. Léger a connu Juteau assez tôt, si l'on en juge par le jeune visage qu'il présente sur une photographie où apparaissent les deux artistes et qui témoigne de leur proche amitié.

Peut-être est-ce par le truchement de Juteau que Léger a fait la connaissance d'Édric-Lactance Giroux (1869-1942) (6.16) – appelé tout simplement Lactance Giroux – qu faisait également partie de l'Association des photographes[43]. Giroux, qui s'intéresse en outre au cinéma[44] et au théâtre[45], ouvre, en 1904, son premier studio de photographie au rez-de-chaussée de son domicile, au 749, avenue du Mont-Royal Ouest, près de l'avenue du Parc[46]. C'est là qu'il réalise ses premiers clichés de Léger (6.10), avec qui il va nouer une amitié durable. Léger sculptera les bustes de l'un et l'autre de ses amis et bienfaiteurs photographes.

Au cours des années, Giroux fera plusieurs clichés de Léger qu'il voyait régulièrement. L'un d'eux date de son retour d'Europe (6.18). En bon pictorialiste et homme de théâtre, Giroux aimait composer certains portraits, en ce sens où, par des arrangements d'attitudes, de costumes et de chevelure même, il transformait ses modèles en personnages. Ici, dans une esthétisation poussée, il fabrique à Léger ce qu'on appelle une tête, en ébouriffant la chevelure en parasol, en taillant la moustache qui se termine en pointes effilées, avec le nœud de soie bien en évidence, tout cela accompagné d'une pose étudiée qui présente de son ami l'image d'un dandy.

6.15 Onésime-Aimé Léger et de Zénon Juteau, photographie vers 1900.

6.16 Lactance Giroux, *Autoportrait avec une sculpture d'Onésime-Aimé Léger*, photographie, s.d.

6.17 Lactance Giroux, *Coucher de soleil*, photographie, vers 1920.

À DROITE
6.18 Lactance Giroux, *Onésime-Aimé Léger*, photographie, vers 1905.

Giroux acquerra aussi plusieurs œuvres de Léger, dessins, tableaux, sculptures. En 1909, il lui commande un dessus de cheminée[47] sous forme de grand panneau horizontal. C'est une curieuse réflexion que propose le peintre dans ce tableau sur lequel les yeux se porteront à maintes reprises les soirs où l'on est assis devant le feu qui pétille dans l'âtre…

Les tons de terre, de bistre et de sépia dont use Léger dans *Femme tenant une cruche* (**6.19**) rappellent ceux dont il s'est servi dans ses deux autoportraits. Mais dans ce paysage matinal, le peintre ajoute des touches de blanc et de vert, des nuances de bleu et de rose. Le pinceau effleure tout juste la surface et donne des allures de pastel et d'aquarelle à son tableau. La veine symboliste se maintient et nous convie à l'interrogation, et à nouveau, la femme incarne les sentiments que l'artiste veut exprimer, les idées qu'il veut transmettre, la poésie qu'il y a en lui.

Au bord d'un lac, au lever du jour, une jeune paysanne, pieds nus et laissant pendre une cruche au bout de son bras, immobile, regarde, ou plutôt vient de surprendre, sur la rive opposée, trois personnes qui s'ébattent dans l'eau. Deux silhouettes rapprochées l'une de l'autre forment un couple, tandis qu'à quelque distance une autre silhouette se tient seule. Le soleil commence à monter au-dessus des arbres et un trait de lumière vient toucher le bord de la longue robe de la jeune femme, qui reste sans bouger, songeuse à la vue de ces corps nus, oubliant la tâche pour laquelle elle est venue là avec sa cruche. Deux énormes massifs d'arbres se partagent les rives et débordent hors du cadre de la composition. Ce sont apparemment des saules, voilés d'ombres que le soleil levant n'a pas encore dissipées. Amour, beauté, nudité, liberté, voilà tout ce dont ne jouit pas cette jeune paysanne vêtue pour les travaux du jour.

Une certaine correspondance s'établit entre elle et la jeune femme quelque peu à l'écart du couple – pour ne pas dire exclue de leur colloque érotique. Un certain échange, tout muet soit-il, a peut-être lieu de l'une à l'autre par-dessus l'infranchissable surface liquide[48]. Le trouble qu'y suscitent les trois baigneurs

6.19 O.-A. Léger, *Femme tenant une cruche*, 1909, huile sur toile.

représente le trouble caché dans l'âme de la paysanne isolée, mais qui, lui, n'affleure pas à la surface. Derrière elle surgissent du sol quatre fleurs, trois blanches et une noire. Ce sont des narcisses – emblématiques de toute cette scène de l'autre rive qui se reflète dans l'eau. Les fleurs blanches symbolisent les trois silhouettes nues, et celle qui est fanée la jeune paysanne sans amour.

Assez tôt, Léger insuffle ce sentiment de distance, d'inaccessibilité, cette notion de privation pour ne pas dire d'exclusion dans ces figures qu'il campe dans des paysages qui épousent leur état d'âme, qui en sont comme la traduction visible. Ces personnages, arrêtés par quelque chose, accomplissent à peine une action ou viennent de l'interrompre, rejetés en eux-mêmes. Voilà la direction dans laquelle s'est engagée la pensée d'Onésime-Aimé Léger et qui annonce toute l'œuvre à venir.

Tournée d'ateliers

En 1909, à vingt-sept ans, Léger prend son premier atelier personnel au 17, rue de Bleury. On sait combien, pour un artiste, la possession d'un atelier le confirme dans son statut professionnel. L'année précédente, Léger avait exposé pour la première fois au Salon du printemps, ce qui a joué un rôle dans sa reconnaissance publique et personnelle comme artiste, et il revenait à ce même salon en 1909[49]. Situé dans la partie ouest du Vieux-Montréal, cet atelier, muni d'un puits de lumière et d'une rangée de fenêtres en arrondi,

6.20 Studio William Notman, *Le Studio Notman*, 17, rue de Bleury, photographie vers 1875. Sur le toit, on aperçoit l'ouverture du puits de lumière. L'immeuble existe toujours, mais se trouve dans un état de délabrement avancé.

À DROITE

6.21 Émile Vézina en arabe, photographie prise à Tunis, le 15 janvier 1912, au cours de son voyage en Afrique du Nord.

était l'ancien studio des photographes Notman[50] (**6.20**). Joseph Saint-Charles, qui l'occupait depuis 1905, vient de le quitter. C'est là que Léger a assisté son ancien professeur dans la réalisation de la *Présentation de la Vierge au temple* en 1905-1907.

Léger reçoit fréquemment son ami Legault à son atelier, qui est un peu, pour lui, comme une seconde adresse puisqu'il s'y fait expédier du courrier[51]. Mais cet atelier, surtout, Léger le partage corps et biens avec le peintre, poète et caricaturiste Émile Vézina (**6.21**), qui vient de laisser le vaste atelier qu'il s'était aménagé au quatrième et dernier étage du 22, rue Notre-Dame Est (**2.47-50**), mais où il reviendra de temps à autre, selon les occasions. De plus, en 1908, Vézina avait ouvert, dans la côte de la rue Saint-Denis, un peu au sud de la rue Sherbrooke, un commerce d'encadrements qui faisait aussi office de galerie : L'Art National. C'est là, ou rue Notre-Dame, qu'Onésime-Aimé Léger a fait la connaissance d'Émile Vézina, et c'est à L'Art National qu'on le retrouve, dans la partie de la boutique qui sert d'atelier, où il brosse de grandes affiches pour un cinéma du boulevard Saint-Laurent. Il est aidé par Alfred Beaupré, son redoutable concurrent au CAM.

Laissons parler un témoin oculaire, le jeune Joseph Jutras, futur membre du groupe de la Montée Saint-Michel et inlassable visiteur de tout ce que Montréal comptait d'ateliers d'artistes :

Beaupré, aidé d'Aimé Léger, se lançait à l'assaut. Il fallait les voir à l'œuvre, [l'un] grimper sur une chaise et l'autre se jucher sur un escabeau ; ils esquissaient à grands traits. Léger, haut comme trois pommes, tapageait comme six hommes. Mais le voyant au travail, il grandissait à vue d'œil dans notre estime tant son talent fusait. […] N'imaginez pas que c'était de là-peu-près ou un simple bousillage. Léger ne badinait jamais avec le dessin : « Bien ou rien ! » C'était « bien ». Beaupré, aidé par un jeune étudiant du nom de Doucet, aujourd'hui architecte réputé chez nous, appliquait les couleurs dictées par Léger. Une vraie fourmilière artistique, un va-et-vient sans précédent, et les affiches sortaient par enchantement, pimpantes et attrayantes : de la vie du « farwest » aux scènes d'amour, du comique aux drames les plus sombres. De tout[52] !

Il faut que l'entente ait été vraiment cordiale entre Vézina et Léger pour que les deux artistes, après la liquidation de L'Art National en 1909, emménagent dans le même atelier rue de Bleury[53]. Cet arrangement convenait très certainement à Léger, puisque Vézina, qui était à l'aise financièrement, partageait le coût du loyer. L'installation de Léger dans le studio des Notman a quelque chose de cocasse, quand on sait que, depuis plusieurs années, il est lié d'amitié à trois artistes qui sont aussi photographes : Zénon Juteau, Lactance Giroux et Jean-Onésime Legault.

D'autres témoignages de Joseph Jutras, indéfectible admirateur de Léger et de Vézina, nous permettent de les voir au travail :

La vie de bohème ne fut jamais mieux partagée, car Vézina et Léger en étaient les disciples les plus accomplis. Là-haut ! Là-haut ! ce n'était pas l'amour au sixième étage, mais au troisième un grand atelier où Vézina partageait la vie avec son copain, ayant un coin de l'atelier où tables et livres se confondaient.

De larges pièces décoratives couvraient les murs, têtes de femmes, nus, tableaux à peine esquissés représentant des scènes de la mythologie ou bibliques. De grands chevalets d'occasion, placés au centre de la pièce, sous le puits de lumière, portaient les toiles représentant les Apôtres, commandées par une de nos églises d'en dehors de Montréal.

Vézina, habile dessinateur, aidait son copain à tracer et préparer les tableaux en commande. Il fallait les voir au travail ! D'abord, il faut se tenir pour avertis que la discipline n'était pas leur fort, chacun y allait à sa guise. Nonchalamment étendus sur une chaise à trois pattes, ils discutaient sur tout autre sujet que l'œuvre en cours. Vézina se dressait tout à coup de son long corps comme si la foudre était tombée à ses côtés, fusain en main, traçant à larges traits les figures évangéliques ou des arabesques, turlutant toujours quelques extraits d'opéra, surtout « La fleur que tu m'avais jetée » de Bizet, son air de prédilection.

[Il] reculait pour juger de l'effet de son travail, tandis que Léger roulait d'interminables cigarettes, ne tenant pas une conversation évangélique, car dans ce temps ses convictions religieuses n'étaient pas des plus rassurantes. À vrai dire, à les voir et entendre, leur présence parmi les Apôtres était paradoxale. Mais au point de vue artistique, un accord parfait régnait ; l'un était le complément de l'autre[54].

« Le dimanche était jour de fête à l'atelier de Léger[55] », nous apprend aussi Joseph Jutras. En effet, des artistes étaient invités à des séances de modèle vivant – au caractère quelque peu improvisé :

À l'heure convenue, pas de modèle. Alors, Léger, grommelant, descendait à la course, – dégringolait plutôt les trois escaliers en nous servant quelques jurons accompagnés – disons fionnés – d'argot. Il nous revenait avec un modèle, n'importe qui, n'importe quoi, n'importe comment, à tel point qu'il fallait payer une consommation pour stimuler le modèle, et comme le prix variait suivant le sujet, quelques-unes préféraient se faire payer en liquide [entendre en alcool]. Si bien qu'à la fin de la séance de pose, la Vénus avait bien ses bras, mais ses jambes vacillaient tellement qu'il fallait suspendre le travail et reconduire sur le trottoir, clopin-clopant, la belle Eugénie. Edmond-Joseph Massicotte tempêtait, le gros [Seymour D.] Parker, décorateur au Théâtre Français, riait de l'aventure et les autres, plus ou moins contrariés, se promettaient de ne plus revenir. Mais le dimanche suivant, tous revenaient, sauf Massicotte qui ne se laissait pas influencer facilement. Il décida que dorénavant il s'arrangerait pour avoir ses propres modèles à son atelier, 22, rue Notre-Dame Est, étage inférieur à L'Arche[56].

Si Jutras ne nomme pas ici Émile Vézina parmi les artistes présents, c'est peut-être parce que ces séances du dimanche ont lieu durant la période où il fait son deuxième voyage en Europe, de l'automne 1911 au printemps 1912. Sur le moment, cette absence prolongée de Vézina ne crée peut-être pas trop de difficultés financières à Léger, car, depuis 1910, il est dessinateur de presse à *La Patrie* et l'acquisition de son tableau *Un Souffle* (**6.8**), en 1911, par le Club Saint-Denis, contribue à stabiliser sa situation financière – du moins pour un temps.

En mai 1912, au retour de Vézina, une dispute éclate entre les deux amis, « une de ces chicanes d'amis qui, dans la vie, se présentent aussi souvent qu'une mauvaise digestion[57] », et ils quittent l'atelier de la rue de Bleury. Léger trouve un logis au 286, rue Saint-Timothée, un peu au nord de la rue Sainte-Catherine, c'est-à-dire non loin du studio de son ami Lactance Giroux.

N'ayant plus d'atelier personnel, Léger se rabat sur l'ancien atelier de Vézina, rue Notre-Dame, devenu collectif depuis qu'il est occupé par un groupe de comédiens et de peintres qui porte le nom facétieux aux allures de devinette de Société des Faiseux[58] (**6.22**). Giroux, qui est informé de tout ce qui se passe dans le monde du théâtre, a peut-être indiqué à Léger la nouvelle vocation de l'atelier de la rue Notre-Dame, à moins que Vézina lui-même ne s'en soit chargé. Pour être « Faiseux », il fallait avoir de l'« adon ». Cette mystérieuse qualité était flairée par les membres du groupe chez les rares personnes qui, selon eux, la possédaient, l'« adon » consistant à être d'un abord sympathique, d'un commerce facile. Par ailleurs, le « Faiseux » – le mot viendrait du Lac-Saint-Jean[59] – n'est pas employé dans son sens péjoratif de celui qui lève le nez, qui fait le précieux, mais qualifie plutôt celui qui a de l'altitude – ce qui n'est pas la même chose… Il faut croire qu'Onésime-Aimé Léger correspondait à ces deux caractéristiques, puisqu'il a été reçu comme membre officiel au sein de ce groupe.

La Société des Faiseux, qui compte onze membres (un de plus s'ajoutera bientôt), se divise en deux clans : celui des disciples de la Bohème Galante d'après Gérard de Nerval, qui réunit six comédiens[60] et celui des disciples de la Bohème d'après Henry Murger, qui compte cinq artistes[61], dont Onésime-Aimé Léger. Une anecdote sur celui-ci ? « Dans un bocal, sur une des fenêtres, se trouve un petit poisson à qui l'on [n']a pas donné à manger depuis six mois et qui continue à vivoter, ce qui permet à Léger de développer sa théorie que rien ne se perd[62]. » Un portrait en pied ? « O.-A. Léger, peintre, sculpteur, dessinateur, etc., a réussi, ayant 35 cordes à son arc, à avoir 36 misères ; au point de vue physique, avait le ventre collé aux reins, l'a toujours du reste. A fait le buste de Lactance Giroux[63]. »

6.22 Réunion de quelques membres de la Société des Faiseux, au 22, rue Notre-Dame Est, photographie, vers 1912. De gauche à droite : Albert Savard, Paul Coutlée (tenant un livre), Paul-Émile Senay (pipe à la bouche), Paul Leclerc (tenant sa pipe), Paul Copson (portant le nœud de soie) et Wenceslas Tremblay (pipe à la bouche). Au fond, devant le chevalet, Marc-Aurèle Fortin.

6.23 Vir [pseud. d'Émile Vézina], Illustration de la couverture de *Souvenirs de prison*, de Jules Fournier, 1910.

À DROITE

6.24 O.-A. Léger, Illustration de la 4ᵉ de couverture de *Souvenirs de prison*, de Jules Fournier, 1910.

Depuis son retour de Chicago, en 1910, où il a étudié à l'Art Institute, Marc-Aurèle Fortin (1888-1970) fréquente l'atelier des Faiseux grâce à son ami l'humoriste Paul Coutlée. Si Legault a entraîné Léger à la Montée Saint-Michel, Fortin entraînera Léger dans son village natal, Sainte-Rose, sur l'île Jésus, ce dont témoigne un *Paysage (Sainte-Rose*[64]*)* que Léger expose au premier Salon de peinture et de sculpture du Club Saint-Denis, qui a lieu en avril 1911.

Mais c'est avec un nouveau venu dans la Société des Faiseux – dont il devient le douzième membre – que Léger nouera amitié : Paul Copson (1881-1916) (**6.51**), qui vient de faire son entrée à l'école des Arts et Manufactures, en octobre 1912, et qui apporte tout l'exotisme de cette Angleterre et de cette France d'où il arrive[65]. Paul Leclerc et Albert Fréreault, eux-mêmes étudiants à la même école, considérant que Paul Copson, ce personnage vêtu à la manière «des anciens bohèmes montmartrois[66]», correspond tout à fait à l'esprit de leur groupe, l'invitent à se joindre à eux. Est-ce à cause de son aura de bohème et de ses études européennes qui recoupent quelque peu les siennes – et de ce soupçon de symbolisme qui se trouve dans certaines de ses œuvres – que Léger s'attache à Copson ? Deux ans plus tard, au moment du déclenchement de la guerre en Europe, Copson s'engage sous les drapeaux. Le 3 août 1916, il est tué au cours de la bataille d'Ypres, en Belgique. Avant de partir, il avait confié ses œuvres, incluant son chevalet, à son ami Léger[67].

Le régime de vie des membres de la Société des Faiseux, qui n'occupent pas l'atelier tout au long du jour, permet à Léger à la fois de travailler en paix et de rompre la solitude en soirée, quand les joyeux drilles se pointent le bout de leur nez.

Un humoriste inattendu

En 1910, grâce à l'entremise d'Émile Vézina, grand admirateur et ami du journaliste pamphlétaire Jules Fournier (1884-1918), fondateur du *Nationaliste* avec Olivar Asselin (1874-1937), Léger va illustrer de quinze dessins les *Souvenirs de prison* du bouillant journaliste, qui sort tout juste de la prison de Québec.

Caustique à souhait, d'une ironie souvent cinglante, écrit d'une plume alerte, plein d'esprit et de mépris envers ses détracteurs, ce texte avait tout pour plaire au caricaturiste du *Nationaliste*, Émile Vézina, connu sous le pseudonyme de Vir. Cependant, celui-ci se contente de signer le dessin de la couverture (**6.23**), laissant à son compagnon Léger le soin d'orner l'intérieur de la plaquette. Celui-ci ne signe ses dessins que de son monogramme OAL et nulle part dans l'ouvrage – ni dans les recensions critiques – il n'est fait mention des auteurs des illustrations. Illustrer les *Souvenirs de prison* d'un journaliste ayant dénoncé la corruption de certains juges et ayant payé d'une peine d'emprisonnement son audace dut plaire à Léger que toute forme d'injustice révoltait.

En quatrième de couverture (6.24), une surprise nous attend : un dessin humoristique montrant d'énormes cafards se livrant à des jeux d'acrobatie sur la fourchette du prisonnier – éloquent commentaire sur les conditions d'hygiène de sa détention. On sourit, on rit presque. Jusqu'ici, on ne connaissait pas à un artiste aussi grave qu'Onésime-Aimé Léger ce don de s'amuser et d'amuser les autres. Il faut dire qu'on ne fréquente pas le spirituel et prolifique caricaturiste du *Nationaliste* Émile Vézina ni la joyeuse bande des Faiseux sans en tirer bénéfice au chapitre de l'humour. Dans cette veine, lorsque Léger entre comme dessinateur au quotidien *La Patrie*, on le sollicitera pour ses talents de caricaturiste.

En cette même année 1910, alors qu'il devient membre de l'Association des photographes professionnels de la province de Québec[68], Giroux déménage son studio du 749, avenue du Mont-Royal Est au 498, rue Sainte-Catherine Est, dans le Quartier latin, où les théâtres sont nombreux, le plus fréquenté étant le Théâtre National. C'est justement à côté de ce dernier que Giroux s'installe. Bientôt, on le surnommera « l'artiste des photographes et le photographe des artistes[69] », car tout ce qu'il y a de vedettes locales et internationales défile dans son studio. Les photographies d'artistes de Giroux paraissent dans *La Patrie*, dans la rubrique « Théâtres, concerts, spectacles » et dans *Le Passe-Temps* où travaille son ami Gustave Comte, critique musical, qui, comme Giroux, est un collectionneur des œuvres de Léger. On peut ainsi penser que c'est grâce à leurs influences combinées que Léger entre à ce quotidien comme illustrateur.

À côté des divers croquis qu'il fournit au journal pour les événements de l'actualité qu'on lui demande d'illustrer, Léger est amené à illustrer les articles de Gustave Comte sur la nouvelle saison d'opéra qui s'ouvre à Montréal. C'est dans le studio de Giroux que Léger croque la silhouette des artistes de la Montreal Opera Company[70], qui y viennent, d'une part, pour se faire photographier et, d'autre part, pour répéter leurs rôles.

Alors que Vézina travaillait souvent d'après le fameux coup de plume de Charles Dana Gibson[71], Léger, lui, adopte une manière différente. Sa caricature s'apparente à la silhouette plutôt qu'au portrait-charge. Son dessin joue sur le contraste des pleins et des vides. L'effet comique repose sur un aspect exagéré de l'apparence physique ou de l'attitude du sujet, les artistes lyriques se prêtant particulièrement bien à ce genre d'exercice.

Ces contacts répétés avec le monde du théâtre et de l'opéra amènent Léger à assister à une « délicieuse soirée[72] » de bohème improvisée dans le studio même de Giroux où se rencontrent les membres de la troupe d'opéra qui se produit au His Majesty's – y compris les chefs d'orchestre (6.25) – et ceux de la troupe du Théâtre National. Pour la circonstance, Giroux emprunte le piano dudit théâtre. Chanteurs, chanteuses, comédiens, comédiennes y vont chacun de son numéro, pour bientôt se livrer à une « fantaisie échevelée » : « La soirée se termina dans la représentation fantastique d'un opéra hybride, composé de fragments de *Mireille*, *Faust*, *Carmen*, *Tannhäuser*, etc., où tous ceux qui avaient un peu de voix chantaient les premiers rôles, alors que les artistes de l'opéra jouaient le rôle du public. […]

6.25 O.-A. Léger, Caricatures des artistes pendant la répétition de *Mignon*, d'Ambroise Thomas : « 1. Le Signor Agide Jacchia, le chef d'orchestre, en train de diriger un passage difficile ; 2. M. Deru, le ténor : "Elle ne croyait pas, dans sa candeur naïve…" ; 3. Mlle Elba, rôle de *Mignon*, chantant "Connais-tu le pays ? ", en toilette d'intérieur ; 4. Un clarinettiste de l'orchestre, qui a du "vent" et de l'ouvrage », 1910, imprimé.

6.26 O.-A. Léger, Croquis de cinq des personnes présentes à la soirée musicale et théâtrale, improvisée dans l'atelier du photographe Lactance Giroux : 1. Gustave Comte, critique musical à *La Patrie* ; 2. Le ténor Deru, dans « La fleur que tu m'avais jetée » de Bizet ; 3. Mme Devoyod, pianiste au Théâtre National ; 4. Le ténor Autori jouant le rôle de Colline dans *La Bohème* de Puccini ; Joseph-Philéas Filion, le « bon géant » du Théâtre National, 1910, imprimé.

On s'amusa ferme à la bohème, jusqu'à une heure avancée de la nuit[73]. » Cinq croquis de Léger représentant quelques-uns des artistes présents (**6.26**) accompagnaient le compte rendu de cette soirée.

Ainsi, durant les années de l'atelier de la rue de Bleury et de l'atelier de la rue Notre-Dame, soit la période 1909-1913, Léger fréquente un milieu artistique, musical et théâtral qui grouille de monde et où l'on sait s'amuser.

Dessinateur de presse

Pour bien connaître Onésime-Aimé Léger, il faut tenir compte des illustrations que l'artiste a publiées dans les journaux et les revues, et même dans les ouvrages pédagogiques, car elles constituent un volet essentiel de sa production[74]. L'année 1910 a marqué le début d'une période de stabilité pour Léger, qui devient autonome financièrement grâce à son art. Outre le fait qu'il a son atelier depuis l'année précédente, de septembre 1910 à janvier 1914, il sera illustrateur dans les deux grands quotidiens de la métropole, *La Patrie* et *La Presse* – position que convoitent bien des artistes[75]. À *La Patrie*, l'amitié du critique musical Gustave Comte a joué en sa faveur, tandis que l'admiration du critique d'art Albert Laberge pour son œuvre a contribué à son entrée à *La Presse*[76].

La fonction de dessinateur de presse[77] peut s'avérer ingrate, en ceci que l'artiste choisit rarement l'événement qu'on lui demande d'illustrer de deux, trois, quatre ou cinq croquis. De plus, l'intérêt qu'il y porte peut être variable, qu'il s'agisse des méfaits des intempéries, d'un incendie ravageur, d'une fête de charité, d'une séance au tribunal, d'une assemblée politique, de l'ouverture de la saison de la chasse, des expositions canines, du banquet de quelque ligue ou société philanthropique, d'une association de travailleurs, ou encore d'une course de chevaux ou d'un concours de cochons graissés. Ce qui favorise Léger dans cette tâche, c'est qu'il est un physionomiste et qu'il aime croquer la tête des orateurs, reproduire les attitudes d'un groupe de personnes dans des circonstances variées. Quoiqu'économe, le coup de plume est précis et révèle un dessinateur aux dons supérieurs dont la production est d'une qualité qui ne faiblit pas, peu importe le sujet.

Même s'il peut faire preuve d'imagination dans n'importe quel travail, trois occasions particulières permettent au dessinateur de faire œuvre créatrice : d'abord, dans la page en couleur du samedi lorsqu'on la lui propose, ensuite, dans les contes que contiennent chaque année les numéros spéciaux autour de la fête de Noël, et enfin, dans les romans-feuilletons. Si la page en couleur offre le plus d'espace – et est la plus payante[78] –, elle présente aussi des contraintes, car, en général, la thématique de cette page est imposée par la direction du journal, selon la saison en cours (**6.29, 32, 33**), les fêtes religieuses (**6.31**), ou bien dans quelque but pédagogique (**6.30**). L'artiste peut se trouver d'autant plus freiné lorsque le journal insère dans cette page plusieurs photographies qui restreignent l'espace qui lui est alloué. On peut juger alors du degré d'habileté du dessinateur pour faire tourner la contrainte à son profit. Même dans une page comme *Le Canada agricole* (**6.29**) qu'occupe en partie un montage de sept photographies, Léger réussit à caser quatre dessins dans l'espace restant : un grand, qui représente un faucheur qui s'avance dans un champ de blé où voltigent les trèfles sous la faux, et trois plus petits, rehaussés de couleurs vives, représentant un bouc et des brebis, une oie avec ses petits et des ruminants dans un champ.

À GAUCHE
6.29 O.-A. Léger, *Le Canada agricole*, illustration, 1912.

À DROITE
6.30 O.-A. Léger, *Les Métiers de la rue*, illustration, 1912. Au milieu de sept photographies de divers métiers, Léger, outre son grand dessin, insère sept petits croquis représentant autant de métiers.

Dans ses illustrations du samedi, Léger innove de diverses façons en ne remplissant pas sa page avec un seul dessin, mais en multipliant les croquis. Il procède par ordre hiérarchique, donnant la première place au dessin principal qui illustre la thématique, puis disposant les autres dans le reste de l'espace.

Dans *La Sainte-Catherine* (*La Patrie*, 25 novembre 1911, p. 1), par exemple, l'ensemble des images est déposé sur un arrière-plan de branches mortes qui se détachent en blanc sur un fond bleuté, ce qui souligne ce moment de l'automne où nous sommes parvenus. Léger présente dans un tondo (tableau de forme ronde) la sainte du IVe siècle avec ses attributs symboliques : la palme des martyrs, la roue dentée de son supplice, le manteau bleu de la Vierge. Elle est la seule de l'ensemble à avoir droit à une palette qui réunit le jaune (la sagesse) et le vert (espoir du mariage), les couleurs qui lui sont traditionnellement associées. Les cinq autres dessins rectangulaires sont en noir et blanc. Disposés dans l'espace restant et couvrant les trois quarts de la page, ils représentent l'aspect profane de cette fête, soit les différentes étapes de la fabrication de la tire, friandise coutumière préparée le jour de la Sainte-Catherine, illustrées sous forme de scènes de la vie familiale. En bas, à gauche, une illustration disposée en oblique ajoute sa variante à l'ensemble et montre un paysage de neige avec un traîneau qui vient de dépasser quatre longues épinettes et qui, au clair de lune, s'avance dans un long chemin serpentant, scène de la vie rurale.

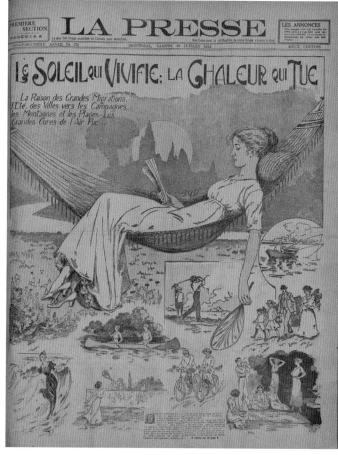

À deux reprises, une fois dans *La Patrie* et une fois dans *La Presse*, Léger conçoit sa page en couleur du samedi sous forme de triptyque, avec un panneau central plus large et deux plus étroits. Le triptyque est une présentation souvent adoptée par les peintres symbolistes; chaque volet a sa signification[79]. Le premier triptyque de Léger, *L'Hiver* (**6.33**), présente une thématique que l'artiste a pu explorer librement pour produire son illustration à sa guise. Le second est l'illustration d'un conte du terroir: *Le Fiancé de neige* (**6.34**).

Dans le panneau central de son premier triptyque, le dessinateur place une jeune femme debout dans un décor de tourmente hivernale. Vêtue d'une ample robe mauve, sa cape est soulevée par la bourrasque qui répand en même temps sa longue chevelure noire. La neige qui tombe à gros flocons s'accumule sur les branches des arbres et des arbustes qui occupent les volets latéraux. L'illustration peut vouloir évoquer, de façon poétique et imaginative, les rigueurs de l'hiver qu'on se prépare à affronter. Cependant, cette composition soulève des questions. L'étrange habillement de cette femme intrigue par son contraste avec le paysage hivernal et enneigé. Autant la jeune femme est immobile au centre du décor, autant tout bouge autour d'elle et s'emporte et se précipite. Son corps statique est pris dans une robe tourbillonnante devenue complice des éléments hostiles qui l'assaillent et la livrent tête et bras nus aux intempéries. Son attitude impassible indique qu'elle ne fait rien pour se protéger. Les yeux presque clos, la tête à demi renversée, dénotent un renoncement à la lutte. La jupe gonflée par le vent et la cape qui s'envole débordent dans le panneau de gauche où s'avance un bout de branche fourchu, pointé vers la jeune femme, qui est peut-être ce qui l'arrête. D'ailleurs, n'est-ce pas vers cet obstacle qu'elle abaisse le regard ? Tout en bas, dans le coin gauche de ce même panneau et faisant une incursion dans le panneau central, un autre bout de branche morte avance ses griffes.

L'autre triptyque, *Le Fiancé de neige*, contraste avec *L'Hiver* par son grand calme et, en dépit de son titre, présente une scène d'automne aux tons de gris et de sépia. Une jeune autochtone assise au bord d'un ruisseau s'accoude à un rocher et pose son pied près de l'eau. Elle se regarde dans ce miroir qui lui renvoie l'image de sa solitude et de son chagrin. De maigres arbrisseaux l'entourent, où ne restent que quelques feuilles que le vent arrache et fait virevolter. Le sol en est jonché, ainsi que la surface de l'eau, et il en tombe même sur les cheveux et sur l'ample vêtement aux bords frangés de la jeune pensive. Dans le volet de gauche, en bas, se trouve un encadré qui reproduit le passage de l'*Évangéline* de Longfellow qui a inspiré ce conte[80], passage où la jeune femme de la nation shawnee raconte la légende de Mowis, « le fiancé de neige, qui obtint et épousa une jeune fille ; / Mais, quand vint le matin, il se leva et sortit de son wigwam / S'évanouissant et se fondant et se dissolvant aux rayons du soleil / Jusqu'à ce qu'elle ne le vit plus, quoique elle le suivît bien loin dans la forêt[81] ».

Léger a su tirer profit de l'espace étroit de cet encadré pour y intégrer la lettrine du mot « Motif », mot qu'il trace de sa propre plume et qui coiffe la citation de l'*Évangéline*. Cette lettrine surmonte un dessin à la plume (le reste du triptyque étant au crayon) montrant un paysage où un cours d'eau sinue vers un arbre sans feuilles qu'entoure un vol d'oiseaux, et au-dessus duquel l'artiste a laissé courir sa plume en volutes décoratives. Au bas de ce paysage, il a repris le motif des fougères que l'on voit aux pieds de la jeune Indienne dans le panneau central.

Dans ces deux triptyques au langage développé, Léger maintient sa thématique de la figure féminine comme incarnation de sa pensée d'artiste symboliste.

Sculpteur

Léger attend trois ans après son retour à Montréal pour exposer au Salon du printemps de l'AAM, soit en 1908 – au même moment où Alfred Laliberté, son professeur de modelage, y fait lui aussi son entrée. Il lui faudra patienter trois autres années avant qu'un critique s'avise de parler de ses œuvres – et encore, ce ne sera pas dans le cadre du salon officiel, mais dans celui d'une exposition parallèle : le premier Salon de peinture et de sculpture du Club Saint-Denis, qui se tient du 24 au 29 avril 1911 et qui remporte un grand succès. Et

6.33 O.-A. Léger, *L'Hiver*, illustration, 1910. « L'hiver, je l'aimerai lorsque la neige ne sera plus la gueuse qui perce les haillons, qui tue les enfants pauvres sur le sein glacé de leur mère » (L. de R., « Les deux hivers », texte qui accompagnait l'illustration de Léger, p. 6, dans *La Patrie*).

LA PRESSE

PREMIERE SECTION

Le plus fort tirage quotidien au Canada sans exception.

Nos livres pour la vérification de notre tirage ouverts à tous

VINGT-HUITIEME ANNÉE No 291 — MONTREAL, SAMEDI, 12 OCTOBRE 1912 — DEUX CENTINS

SI UN MAGASIN

a résolu de vendre ses marchandises à beaucoup' meilleur marché qu'elles ne valent réellement ce l'annonce qu'il publie aujourd'hui

LE FIANCÉ DE NEIGE

LÉGENDE DU TERROIR
ÉCRITE
SPÉCIALEMENT POUR LA "PRESSE"

Motif

(d'Henry Wadsworth Longfellow, dans
EVANGELINE, IIe partie, chant IV.)

....Once, as they sat by their evening fire, there
  [silently entered
Into their little camp, an Indian woman, whose
  [features
Wore deep traces of sorrow, and patience as great
  [as her sorrow.

Then, at the door of Evangeline's tent, she sat and
  [repeated
Slowly, with soft, low voice, and the charm of her
  [Indian accent,
All the tale of her love, with its pleasures, and
  [pains, and reverses.

But at length, as if a mysterious horror
Passed through her brain, she spake, and repeated
  [the tale of the Mowis,
Mowis, the bridegroom of snow, who won and wedded
  [a maiden
But, when the morning came, arose and passed
  [from the wigwam,
Fading and melting away and dissolving into the
  [sunshine,
Till she beheld him no more, though she followed
  [far in the forest.

Then, in those sweet, low tones, that seemed like a
  [weird incantation,
Told she the tale of the fair Lilinau, who was wooed
  [by a phantom
That through the pines o'er her father's lodge, in
  [the hush of the twilight
Breathed like the evening wind, and whispered love
  [to the maiden
Till she followed his green and waving plume
  [through the forest
And nevermore returned, nor was seen again by
  [her people.

(Longfellow—op. cit.)

C'EST l'automne.

Et tout meurt : automne des choses—
automne des cœurs.

Et le vent gémit ses lourds sanglots
longs dans la ramure des pins qui survivent
et des érables qui s'effeuillent, qui s'épa-
nouissent comme la vie, comme l'amour.

À suivre sur la page IX.

là encore, plus que le peintre, c'est le sculpteur qui sera louangé – même si c'est un de ses tableaux qu'acquerra le Club Saint-Denis : *Un Souffle* (**6.8**).

Avec deux huiles, une aquarelle et un plâtre, Léger est le seul artiste de ce salon à s'afficher sous trois techniques différentes, qui reflètent à la fois sa polyvalence et la variété de son inspiration. Son « étude japonaise[82] », *Madame Chrysanthème,* inspirée du roman de Pierre Loti[83] (1850-1923), *Un Souffle,* « décoration[84] », « l'un [de ses] principaux envois[85] », et son aquarelle *Paysage (Sainte-Rose),* prêtée par Gustave Comte, « sont de belle facture[86] », certes, mais, « ce qui est une surprise », c'est qu'Onésime-Aimé Léger « expose un buste de M. E.-L. Giroux, fortement conçu et qui ferait honneur à un sculpteur de profession[87] » (**6.35**).

Alfred Laliberté, qui expose à ce même salon avec son élève, ne s'y était pas trompé :

> « Ce petit bonhomme tout grêle avait du talent, du tempérament. […] Étant donné sa corpulence si frêle, il ne pouvait pas avoir de force musculaire, mais il trouvait moyen d'y mettre de la couleur, de la chaleur dans la sensibilité de la forme et avec un sentiment qui valait bien l'équivalent de la force musculaire en art[88]. »

Les journaux reproduisent une photographie du buste de Lactance Giroux, précisant qu'il « fait l'admiration des connaisseurs [et que] comme début en modelage, on admet que c'est un coup de maître[89] ». Et la critique cite l'opinion du peintre et poète Charles Gill, alors professeur de dessin à l'école normale Jacques-Cartier et futur professeur au CAM, qui « déclarait que ce buste était excessivement intéressant[90] ».

À l'opposé, en peinture, du personnage féminin, lequel est hautement symbolique et se fait messager des idées et des sentiments intimes du peintre, la figure masculine, chez Léger, incarne un personnage concret, comme il le représentait dans les pages couleur de *La Patrie* et de *La Presse.* C'est le cas avec Lactance Giroux, et il en sera de même avec le photographe Zénon Juteau[91], avec l'homme politique George-Étienne Cartier[92], avec les personnages historiques de Jacques Jarret de Verchères et de sa femme (**6.37, 38**), les lieutenants-colonels Jeffrey Hale Burland[93] et Frank Stephen Meighen[94], l'athlète Wilfrid Cabana[95].

C'est sous la forme tridimensionnelle de la sculpture, et précisément par le portrait en buste, que la figure masculine fait son entrée dans l'œuvre d'Onésime-Aimé Léger. Dans sa transmutation artistique, cette figure appelle le modelage de l'argile, le coulage du plâtre, le contact direct avec la matière d'où sortira son effigie. C'est un portrait en trois dimensions et le format grandeur nature vient ajouter à la présence réaliste du sujet.

Après la photographie que Giroux a faite de lui, en 1905, à son retour de Bruxelles, et où il était figuré en artiste (**6.18**), c'est au tour de Léger de représenter Giroux en artiste (**6.35**). C'est ce que dit le nœud de soie, bien en évidence, attribut classique des peintres de l'époque, que porte ici le modèle, et qui est peut-être celui de Léger, qu'il aurait prêté à son ami pour les séances de pose. Le buste a probablement été réalisé dans le studio de Giroux, comme ceux du lieutenant-colonel Burland et du lieutenant-colonel Meighen[96] et comme la statuette de Wilfrid Cabana, qui se produisait parfois juste à côté, au Théâtre National. Giroux, qui est peintre à sa manière en pratiquant le pictorialisme photographique (**6.17**), aspire aussi à la peinture de chevalet et, à cette fin, il a pris des leçons avec son ami Léger. Ce buste de Giroux par Léger établit donc une connivence entre le peintre devenu sculpteur et le sujet sculpté présenté en peintre, la mise en scène de la chevelure mi-longue (ainsi que

PAGE PRÉCÉDENTE
6.34 O.-A. Léger, *Le Fiancé de neige,* illustration, 1912. « Et la fille des vieux guerriers rouges, la fille aux yeux semblables au bleuet que l'aurore embue de ses rosées ; celle que les jeunes guerriers disent être la Rose des roses, rêve au bord silencieux des eaux sombres, ce pendant que les fougères s'effondrent d'avoir vécu, que les nids se taisent et que l'automne chante, infiniment triste. […] Elle rêve qu'il doit être doux d'aimer à deux » (Le Passant [Gaston de Montigny], « Le Fiancé de neige », *La Presse,* p. 7).

6.35 O.-A. Léger, *Buste de Lactance Giroux*, 1911, plâtre patiné.

À DROITE

6.36 O.-A. Léger, *Buste de Victoria Dupuis-Léger*, mère de l'artiste, 1915, plâtre patiné.

Giroux aimait la porter) et du nœud de soie des artistes donnant au personnage représenté son air de praticien des arts.

Dans cette tête à forte ossature, dans ce gros visage d'homme du peuple, loin des clichés de l'artiste en esthète tel que Giroux s'est plu à travestir Léger, il y a de la noblesse, de l'idéal, et le visage est beau par le sérieux du regard qui rejaillit sur le modelé des traits. Légèrement abaissés, les yeux dégagent ainsi le haut de la paupière, ce qui vient souligner l'expression du regard, occupé à quelque réflexion, à quelque conception même. Pour ce buste, tout portrait qu'il soit, il ne s'agissait ni pour le modèle ni pour le sculpteur de n'être que « très ressemblant[97] », extérieurement parlant. Il fallait plus : faire affleurer l'âme. C'est en artiste créateur que Lactance Giroux est représenté, c'est-à-dire pour ce qu'il est réellement.

À partir de 1911, et pendant quatre ans, la sculpture constituera l'essentiel de la production de Léger et fera de lui un artiste remarqué aux salons annuels[98].

Un matin de juin 1911, le curé Frédéric-Alexandre Baillairgé (1854-1928), de Verchères, cousin de Lactance Giroux, se trouve au studio du photographe[99]. Une vive discussion s'engage entre le curé et un acteur français du nom de Bonnet au sujet d'Henri Bourassa et de « son catholicisme par trop copieusement étalé dans le champ politique[100] », l'acteur français étant libre-penseur. Onésime-Aimé Léger, qui a ses propres idées sur ces questions, reste coi – d'autant que le curé Baillairgé, après avoir vu le buste qu'il a fait de son cousin Giroux, vient de lui passer commande pour deux sculptures : celles de M. et de Mme de Verchères (6.37, 38), dans la foulée d'un projet de monument en l'honneur de Madeleine de Verchères[101].

Dès l'année 1911, qui marque le début d'une forme de reconnaissance pour l'artiste qu'il est, Léger s'inspire de plus en plus de figures puisées dans la littérature, dont les références livrent dès l'abord le sens de l'œuvre au spectateur qui se trouve devant elles, comme, en peinture, *Madame Chrysanthème* (1911) d'après Pierre Loti, puis, en sculpture, *Ophélie* d'après Shakespeare, *Évangéline* (1913) d'après Longfellow, *Pauvre cigale* (1913) d'après La Fontaine, figures de l'amoureuse éprouvée ou de l'artiste incompris. Puis il revient à un symbolisme pur avec *L'Adieu, La Pensée* et *Amour maternel*, toutes de 1915[102], pour conclure cette période par un hommage filial : le buste de *Victoria Dupuis-Léger* (6.36), sa mère. Ainsi, après les portraits réalistes de Giroux, Juteau, Burland et Cabana, Léger produit cinq œuvres d'imagination à l'intérieur de la série des quinze plâtres dont nous connaissons les titres, mais dont cinq originaux seulement nous sont parvenus jusqu'à ce jour.

On le sait, la femme est la figure centrale de l'œuvre d'Onésime-Aimé Léger. L'artiste lui confère une capacité à aimer, à souffrir, à ressentir, qui la rend seule digne d'incarner ses pensées et ses émotions. Mais, en plus de ces attributs de la sensibilité et de la beauté de son visage que l'artiste lui prête si fréquemment, la femme a aussi cette autre beauté cachée qu'est son corps. C'est ce que nous révèle – en partie – le plâtre *Femme à la poitrine dénudée* (6.39), que Léger n'a pas jugé bon de titrer lui-même, et qui représente un buste de femme nue jusqu'à la pointe des seins. La tête renversée et légèrement tournée sur le côté, le menton relevé, les yeux clos, la bouche esquissant un vague sourire, la chevelure déployée, cette figure évoque une présentation couchée ou inclinée. Ces yeux clos, que l'on rencontre si souvent dans l'univers symboliste[103] et que maintes œuvres d'Alfred Laliberté illustrent[104], sont-ils fermés sous la pression du sommeil ou tournés vers quelque vision intérieure ? L'abondante chevelure éparse est-elle le jouet du vent ? Ne flotterait-elle pas plutôt sur quelque surface ? Cette œuvre nous questionne.

La position couchée de cette femme, sa chevelure répandue, ses yeux fermés évoquent un autre personnage représenté dans l'œuvre de Léger, c'est-à-dire Ophélie, cette « triste Ophélie[105] » qu'il a exposée sous forme de plâtre à l'Arts Club en novembre 1913. Cette héroïne de Shakespeare, morte noyée dans des circonstances qui hésitent entre l'accident

6.37 O.-A. Léger, *François Jarret de Verchères, 1641-1700*, 1911, plâtre patiné.

À DROITE

6.38 O.-A. Léger, *M^de J. de Verchères, née Marie Perrot, 1655-1728*, 1911, plâtre patiné. Le 21 juillet 1911, le curé Frédéric-Alexandre Baillairgé note dans son journal qu'une fois les deux sculptures terminées, Léger a modelé son buste (non localisé) avec ce qui restait de glaise.

6.39 O.-A. Léger, *Femme à la poitrine dénudée**, 1912, plâtre.

À DROITE

6.40 O.-A. Léger, *Modèle féminin aux longs cheveux**, n.s., s.d., fusain et traces de pastel. Ce dessin se trouve tête-bêche au verso du pastel *D'après N. Sichel* (6.5). Il date peut-être du temps de l'école des Arts et Manufactures, que Léger a fréquenté de 1899 à 1904, et de 1905 à 1908.

et le suicide[106], les peintres l'ont représentée flottant sur l'eau, la chevelure dénouée, les yeux ouverts ou parfois fermés – une iconographie qui recoupe le plâtre de Léger[107]. Réalisée en 1912, celui-ci a pu être exposé l'année suivante à l'Arts Club. La sculpture donne à penser que le modèle lève le bras gauche, comme fait la malheureuse héroïne qui tente de se raccrocher aux branches du saule d'où elle est tombée dans la rivière qui va l'emporter. La plupart du temps, l'héroïne est représentée toute vêtue, puisque, dans la pièce de Shakespeare, il est dit que l'ampleur de ses vêtements l'empêche de sombrer immédiatement. Mais Léger peut très bien s'arroger le droit de représenter nue son Ophélie[108] ou, inversement, prendre prétexte de ce personnage pour réaliser son nu[109].

Si Léger n'a pas exposé ce plâtre au Salon du printemps de 1913, où pourtant il figurait avec trois sculptures, c'est probablement parce que les membres du jury l'ont refusé à cause de la poitrine dénudée et de la pointe visible des seins. Par conséquent, elle était plus à sa place dans une exposition privée comme celle de l'Arts Club, qui réunissait ce soir-là une centaine de personnes[110].

Pauvre cigale

Léger est au début de la trentaine et les figures malheureuses se multiplient dans son œuvre : *Jeune femme tenant une cruche* (**6.19**), *Madame Chrysanthème*, *Évangéline*, *Pauvre cigale*, *Ophélie*, personnages privés d'amour, images d'un destin parfois tragique. Sont-elles la projection des expériences amoureuses de l'artiste ? Sont-elles une incarnation de ses épreuves sentimentales dans l'objet même qui en est la cause ? Pour nous guider, nous n'avons qu'une brève allusion d'Alfred Laliberté, qui relie les échecs amoureux de Léger à son penchant pour l'alcool : « Léger, pour noyer des déboires de fortune ou plutôt des chagrins d'amour, s'est enfoncé trop dans cette mer de boue où tout s'enfonce, en avalant trop de ce liquide poison qui raccourcit la vie à tant d'hommes[III]. »

Les « déboires de fortune » auxquels Laliberté fait allusion renvoient ou à la perte de son atelier de la rue de Bleury ou à la fermeture d'un commerce qu'il a mis sur pied en colla-

6.43 O.-A. Léger, *La Lettre**, 1910, encre et lavis sur papier. Au Salon du printemps de 1916, Léger a exposé un pastel intitulé *La Lettre* (non localisé).

boration en 1916 et dont nous reparlerons. Les chagrins d'amour sont plus difficiles à cerner. Nous ne connaissons rien de l'entourage féminin de Léger, sauf les trois filles de Lactance Giroux, qu'il voyait régulièrement[112] – surtout les deux premières : Elzire, l'aînée, née en 1897 (**6.41**), Antoinette, née en 1899 (**6.42**). Léger se serait-il épris de l'une d'elles ? On retrouve ensemble Léger et Antoinette Giroux dans un souvenir que rapporte sa sœur Elzire : « Un mécène, le colonel Meighen, qui habitait Cartierville et possédait une résidence secondaire à Métis-sur-Mer, a commandé son buste à O.-A. Léger. Ce qui fut exécuté. Antoinette Giroux, la comédienne, récitait des vers à la demande de ce monsieur pendant qu'il posait pour Léger dans le studio de Lactance Giroux. » Le buste de Meighen n'a pu être exécuté au-delà de 1918, car, cette année-là, Giroux ferme son studio. Antoinette avait alors dix-neuf ans. Mais nous ne pouvons guère aller au-delà de ces quelques bribes de renseignements quant à la présence en chair et en os de la femme dans la vie d'Onésime-Aimé Léger.

Le penchant pour l'alcool et les conséquences qui en découlent ont-ils quelque lien avec la fin abrupte du contrat de Léger à *La Presse* en janvier 1914 et son absence des cimaises de l'AAM au printemps de la même année? À l'automne, la guerre éclate en Europe – fin de la Belle Époque – et va étendre son ombre sur la vie et l'œuvre de Léger. Les temps sont ceux de la confrontation avec une dure réalité qu'il lui faut traduire en symboles.

Nous n'avons pas localisé les trois sculptures que Léger expose au printemps et à l'automne 1915 : *La Pensée*, *L'Adieu* et *Amour maternel* (**6.45**) – nous avons seulement une photographie de cette dernière et des descriptions détaillées et très senties d'Albert Laberge pour les deux premières. Ces descriptions ne remplacent certes pas ces œuvres perdues, qui comptaient parmi les plus importantes qu'ait produites Léger, mais la force des mots a ici l'avantage de nous mettre mentalement en leur présence. Et il ne fait guère de doute, Albert Laberge étant un proche de l'artiste, qu'il y ait beaucoup des propres mots de ce dernier dans ceux de son ami et critique :

> Dans la première de ces œuvres, Léger nous montre une figure mince, maigre, vieillie, aux lèvres qui n'ont jamais connu la joie, et la main appuyée sur la tempe. *La Pensée* de Léger […] a voleté au-dessus des hôpitaux, des morgues, des champs de bataille, des berceaux vides. Elle est celle qui a pesé la douleur, qui a vu la durée éphémère du bonheur et des roses ; elle est celle qui s'est arrêtée sur les problèmes douloureux sans en trouver la solution ; elle a vu les injustices, les iniquités et les trahisons. Elle a la bouche amère, et elle est désabusée, triste comme la vie[113]…

La vieillesse ne s'était pas encore apparue dans l'œuvre de Léger, elle ne s'était pas encore taillé une place dans sa réflexion, elle n'avait pas encore atteint son modèle emblématique : la femme. C'est maintenant chose faite avec *La Pensée*, au printemps 1915. L'évocation « des hôpitaux, des morgues, des champs de bataille » nous fait comprendre les pensées qui tourmentent Léger en cette période troublée, d'autant que son ami Paul Copson, qui s'est enrôlé en octobre 1914, va bientôt aller livrer combat outre-mer.

> *L'Adieu* est une allégorie d'une infinie tristesse. Une jeune femme lance vers celui qui s'en va, qu'on ne voit pas, un baiser suprême qui nous fait deviner le déchirement profond de tout son être. L'on sent que c'est le meilleur d'elle-même qu'elle jette vers celui qu'elle ne reverra plus. Ce geste d'adieu provoque en nous un écho infiniment douloureux parce qu'il marque l'arrachement violent de toutes les tendresses qui sont dans un cœur, la séparation fatale et éternelle. Il fait monter à la gorge les sanglots qu'ont sanglotés ceux que la destinée brutale a séparés de l'objet aimé[114].

6.44 O.-A. Léger, *La Mariée**, 1910, encre et lavis sur papier.

6.45 Photographie du plâtre *Amour maternel*, d'O.-A. Léger, exposé sous ce titre au Salon d'automne de 1915[116].

L'Adieu, tel que le décrit Albert Laberge, semble être un écho de la séparation d'avec sa fiancée Gabrielle – nom fictif ou réel, nous ne savons pas – vécue par Paul Copson lorsqu'il est parti pour le front. Léger a peut-être même été témoin de la scène, car on en connaît le récit, et certains détails recoupent la description de la sculpture qu'en donne Albert Laberge, possiblement nourrie de ses conversations avec Léger : « Gabrielle et Paul étaient dans les bras l'un de l'autre, relate Paul Coutlée. Le moment de se quitter venait de sonner. Paul s'arracha des bras de Gabrielle, l'embrassa longuement une dernière fois, puis partit dans le soir. / Gabrielle le regarda s'en aller, elle le regarda du plus loin qu'elle put l'apercevoir[115]. »

Amour maternel[117], qui date aussi de 1915, forme une trilogie avec *La Pensée* et *L'Adieu* et représente un sujet universel : la mère et l'enfant. Un critique traduisait ainsi son sentiment : « La figure de l'enfant est souriante, mais celle de la mère, grave et douce, est d'une infinie tristesse. L'on sent qu'il y a dans le cœur de cette femme un abîme de peine. Elle est de celles qui ne sourient jamais[118]. » De son côté, Laberge commentera ainsi cette œuvre : « Au lieu de se pencher vers lui avec amour, de le regarder avec douceur, la mère grave, la figure douloureuse, une figure vieillie avant l'âge, une figure qui a versé des larmes dans la solitude et qui semble avoir connu toutes les tristesses de la vie, paraît absorbée dans une amère méditation. Sans doute, se demande-t-elle quel sera le sort de son enfant, si sa destinée sera aussi rude, aussi douloureuse, aussi pitoyable que la sienne[119]. »

L'enfant souriant, la mère inquiète et les yeux fixés sur les malheurs futurs qui guettent le petit être qu'elle tient contre elle, enveloppé dans son grand châle : celui qui ignore tout encore, celle qui sait tout d'avance. D'un même mouvement, le châle qui recouvre sa tête enveloppe l'enfant qu'elle presse sur son sein, comme si ce geste protecteur pouvait conjurer le sort.

La Pensée, *L'Adieu*, *Amour maternel* s'inscrivent dans ce qu'on peut appeler les œuvres de guerre de Léger.

Techniques mixtes

Léger, dès la fin de 1915, revient au pastel et introduit l'aquarelle dans sa pratique. *Le matin et le soir de la vie* (**6.46**) présente, comme *Amour maternel,* deux figures contrastées, mais d'une autre teneur : la jeunesse épanouie, encore insouciante, et la vieillesse racornie qui la suit comme son ombre. Avec cette vision en raccourci que Léger a de la vie, la fin n'est pas très loin de son commencement. Pour une quatrième et dernière fois après *Jeune femme vue de profil* (**6.7**), *Un Souffle* (**6.8**) et *Femme à la poitrine dénudée* (**6.39**), une figure pleine de fraîcheur apparaît dans l'œuvre de Léger et, qui plus est, sans vêtements.

Une jeune fille nue et une vieillarde en haillons, vues de profil, marchent côte à côte. La jeune fille arbore une longue chevelure rousse nouée sur la nuque ; elle se détache en clair sur le fond sombre de la vieillarde, que son ample manteau déguenillé recouvre de la tête aux pieds, de la même manière que la nudité recouvre la jeune fille en entier. Comme si son long bâton ne lui était pas d'un secours suffisant, la vieillarde pose la main sur l'épaule de

sa compagne, montrant ainsi qu'elle lui est déjà vouée. Les deux personnages sont encadrés, d'un côté, par un tronc d'arbre dégarni dévolu à la vieillesse et, de l'autre, par un buisson verdoyant qui symbolise la jeunesse. S'il figure les promesses de la vie qui attendent la jeune fille rousse, ce buisson n'en est pas moins traversé en diagonale par le bâton noir de la vieillarde, ce qui prend valeur d'avertissement. Le « matin » de la jeune fille respire la beauté, la fraîcheur et la liberté, tandis que, dans son « soir », la vieillarde peine et cache sa honte sous de longs haillons noirs, image de l'usure du temps. Dans le ciel de l'arrière-plan, quelques nuages, du matin ou du soir, on ne sait.

À partir de maintenant, on retrouvera, chez Léger, ce profil de vieillarde et ce même vêtement sommaire, tout d'une pièce ou composé d'un châle et d'une ample jupe, souvent effrangé, seul abri dont bénéficient ces pauvresses, sombre linceul qui leur est déjà dévolu et dans lequel elles vivent les jours de leur déréliction.

Dans *La Dernière étincelle* (**6.48**), le châle de la malheureuse a glissé sur ses épaules et laisse sa tête à découvert – dégradation supplémentaire de son triste état par ce temps de froid et de neige. Nous sommes toujours en 1916, au cœur de cette guerre qui fait rage sur le Vieux Continent, et *La Dernière étincelle* reflète à sa manière cette période de malheurs. Mais, relativement à l'œuvre précédente (**6.46**), la vieillarde ici représentée n'a plus de connotation occulte ; elle est tout simplement humaine et livrée à un état d'extrême dénuement.

Vêtue de noir, assise sur un rebord de pierre et adossée contre un muret, une vieille femme regarde à ses pieds un feu de brindilles en train de s'éteindre. Au second plan s'étend un vaste champ couvert de neige que ferme l'orée d'un bois, image de son isolement, d'où ne viendra aucun secours. L'épaisse grisaille du ciel étouffe les dernières lueurs du crépuscule, qui répondent au feu mourant aux pieds de la miséreuse. Quatre déclins s'entrecroisent dans cette composition : celui de l'année, celui du jour, celui du brasier et celui du personnage[120]. C'est cet avant-dernier moment, chargé de résignation et d'abattement, que Léger a voulu fixer. D'un tragique sans grande démonstration, avec un nombre restreint d'éléments et une palette réduite, cette œuvre présente l'image de la vie ramenée à sa plus fugace expression : l'étincelle. Une rangée de buissons dégarnis trace la fragile frontière entre ce feu de camp dérisoire qui se meurt aux pieds de la vieille femme et la vaste plaine enneigée qui s'étend au loin.

Le personnage est campé dans une situation au caractère inusité qui confine à l'absurde. Cette pauvresse insuffisamment vêtue se trouve à l'extérieur en plein hiver et le feu minuscule qu'elle a réussi à allumer à ses pieds est d'une pathétique inutilité. Elle ne songe même pas à se couvrir la tête de son châle, alors que le jour finissant va glacer l'atmosphère. L'incongruité de la situation dans laquelle s'est mise la vieillarde contient sa propre réponse et démontre l'absence de secours qu'elle peut se porter à elle-même. La dernière étincelle est aussi celle de la raison qui s'est déjà envolée de son cerveau. L'extrême dénuement matériel et la détresse psychologique ici ne font qu'un. La pauvresse n'est pas songeuse : elle est absente.

Sans asile

Entre le moment où il quitte le toit familial, en 1909, et celui où il y revient, en 1918 – pour y mourir six ans plus tard –, Léger a donné à ceux qui l'ont connu l'impression d'« une bohème sans cesse persistante[121] ». On s'accorde aussi pour dire que cet homme était d'une constitution frêle, tout à l'opposé de ce personnage « en ébullition[122] » qu'il était comme artiste, et que ce mode de vie qu'il s'imposait, joint aux excès de l'alcool, mettait sa santé à rude épreuve. Quand il laisse son atelier de la rue de Bleury, Léger quitte le Vieux-Montréal et s'installe dans le quartier Saint-Jacques (**6.49**), rue Saint-Timothée, près de Lactance Giroux, rue Sainte-Catherine, et de Zénon Juteau, rue Ontario. Et en même temps, il est relativement proche de l'atelier du 22, rue Notre-Dame. Mais presque chaque année, Léger change de domicile. Ainsi, régulièrement, Legault[123] et Giroux accueillent leur ami, souvent après une soirée trop arrosée[124]. Giroux, pour empêcher Léger de retourner boire, garde sous la main du papier et du matériel de peinture qui retiennent ce dernier de sortir[125].

Ces changements de domicile n'influent pas sur la régularité de sa production. Sa stabilité, Léger la trouve dans le travail, car sculptures, aquarelles, pastels, se succèdent au

6.49 O.-A. Léger, *Sur les toits*, dit aussi *La flèche de l'église Saint-Jacques*, s.d., encre et aquarelle sur papier. La flèche de l'église donne sur la rue Saint-Denis, et le grand portail (dont on aperçoit les pointes à gauche), donne sur la rue Sainte-Catherine.

À DROITE

6.50 [O.-A. Léger], *Viau & Léger, portraitistes*, 1917, imprimé. Il s'agit soit d'une affiche publicitaire, soit d'un couvert destiné à un calendrier.

Salon du printemps. De 1910 à 1914, il travaille comme dessinateur de presse dans les grands quotidiens montréalais, où il assure la continuité d'une production exigeante. Léger est de ces artistes qui peuvent créer n'importe où, dont l'inspiration n'est pas tributaire d'un lieu de travail fixe.

Il reste qu'en 1916, d'errance en errance, il finit par échouer chez Zénon Juteau. Il y passe sans doute quelques mois, puis, sur les conseils de son vieil ami et soutien, à l'automne 1916, Léger se reprend en main. À l'instar de Juteau et de Copson, qui, en 1914, s'étaient lancés en affaires, l'un dans l'hôtellerie[126], l'autre dans la confiserie[127] – on ignore avec quel succès –, Léger tente à son tour l'aventure en s'associant avec Adrien Viau[128], ancien employé de Juteau, qui est dessinateur et photographe. Enregistrée le 19 octobre 1916 sous la raison sociale « Viau & Léger, portraitistes » (**6.50**), cette entreprise propose des dessins en tout genre ainsi que des publicités. Léger installe le bureau de leur commerce dans un immeuble à logements, au 250, rue Sanguinet, à l'angle de la rue Émery, dont il fait son domicile, Viau habitant rue Saint-André, où il s'annonce comme photographe. Le temps de faire imprimer un couvert de calendrier pour 1917, qui sert de publicité, l'entreprise Viau & Léger ne survivra pas à la nouvelle année.

6.51 Paul Copson, *Fillette en blouse blanche assise sur une chaise*, s.d., huile sur toile.

Après avoir vécu la vie d'artiste depuis 1909, après ses amours malheureuses et après l'échec de son association avec Adrien Viau, Onésime-Aimé Léger, en 1918, revient vivre chez sa mère, qui habite maintenant dans le quartier Maisonneuve seule avec sa fille Blanche, qui a atteint ses vingt ans (6.52). En 1916, la mort lui a ravi son ami Paul Copson (6.51), âgé de trente-cinq ans, tombé au champ d'honneur en Belgique, le 3 août, au cours de la bataille d'Ypres. Puis, en juin 1918, elle lui enlève son ami Zénon Juteau, qui n'a que quarante-huit ans. De plus, cette année-là, Lactance Giroux ferme son studio de photographe et devient employé de la Ville de Montréal comme photographe officiel. L'armistice, le 11 novembre 1918, vient mettre son paraphe au bas de ce chapitre de sa vie, qui se clôt pour Onésime-Aimé Léger.

Amour maternel

Lorsqu'il expose son pastel *Sans asile* au Salon de l'AAM de 1918, était-ce un signal qu'il envoyait à qui saurait le comprendre – un signal de détresse ? Nous n'avons aucun renseignement sur *Sans asile,* mais ce titre reste fort éloquent en lui-même et s'inscrit bien dans l'esprit des œuvres de pitié, pourrions-nous dire, de déréliction, d'Onésime-Aimé Léger. Cette œuvre a été exposée avec *Mme V. L.,* c'est-à-dire Victoria Léger, sa mère. Et ainsi, côte à côte, ces deux œuvres, d'une certaine manière, dialoguent du fils à la mère, le premier tendant possiblement la main à la seconde…

L'état de santé de Léger va en se détériorant. Giroux, qui photographie l'artiste depuis une quinzaine d'années, n'a certes pas manqué de remarquer les changements survenus dans la physionomie de son ami, depuis le petit jeune homme frais de 1904 jusqu'à l'homme mûr du début des années 1920, qui porte les stigmates de l'alcoolisme[129]. On dirait même que Léger tenait à se faire photographier afin de laisser une trace de ces changements physiques causés par la lente maladie qui le ronge (6.62) – sorte de témoignage légué à la postérité de ce que la vie et l'art ont fait de lui.

À partir de 1918, Léger devient illustrateur pour la Société Saint-Jean-Baptiste de Montréal et pour l'éditeur Flavien Granger. Il réalise des illustrations au lavis pour les concours littéraires de la Société (6.54, 55), des illustrations en couleur pour une quinzaine de ses *Contes historiques* (6.56), des illustrations à la plume pour *La Revue nationale* (6.9) et, surtout, pour *L'Oiseau bleu* (6.57), revue pour la jeunesse, et, pour Granger, des illustrations pour l'*Histoire du Canada,* d'Adélard Desrosiers, pour un *Atlas-Géographie,* ainsi que pour le *Cours de lecture* et un *Manuel de langue française* des Frères maristes, pour lesquels il s'est partagé la tâche avec son confrère de la Montée Saint-Michel, Ernest Aubin.

6.55 O.-A. Léger, Illustration pour « Marie-Alice », conte d'Yvette O.-Gouin, 1919, imprimé.

À DROITE

6.56 O.-A. Léger, « Dollard des Ormeaux », huitième de la série des *Contes historiques* de la Société Saint-Jean-Baptiste de Montréal, 1919, imprimé.

À côté de ces travaux alimentaires qu'il exécute consciencieusement, Léger continue à peindre – des œuvres graves et élaborées. Il poursuit une réflexion amorcée en 1915 avec *La Pensée* et *L'Adieu*. La guerre est terminée en Europe, mais la plaie est loin d'être refermée. Le commentaire de Léger sur cet après-guerre qui commence, on le trouve dans une encre et aquarelle de 1919, présentée sous le couvert d'une sentence d'origine biblique : *La vie est parsemée de ronces et d'épines*[130] (**6.58**).

D'une blancheur d'ivoire, une jeune fille rousse – comme dans *Le matin et le soir de la vie* (**6.46**) –, nue jusqu'à la ceinture, est agressée de toutes parts par un taillis de ronces au fond d'un ravin où elle s'est fourvoyée. Ses pieds, ses mains et sa chevelure se prennent dans les épines auxquelles elle ne peut échapper. Un pas de plus, et son corps immaculé subira le même sort. La nature, chez Léger, est hostile, pleine de dangers, et l'humain n'y trouve pas ce lieu ouvert et invitant qu'en font en général les paysagistes. Dans cette aquarelle de 1919, Léger a multiplié par dix, par cent, les branchages ennemis qu'on a pu voir dans son illustration *L'Hiver* (**6.33**) de 1910, et le cours d'eau, comparativement à celui de *Femme tenant une cruche* (**6.19**) de 1909, même s'il est réduit aux proportions d'un ruisseau, n'en est pas moins un obstacle inévitable et infranchissable.

6.57 O.-A. Léger, « Noël / Le retour au village natal », illustration, décembre 1922. Loin de l'imagerie traditionnelle, Léger présente Noël sous son aspect le moins souriant, soit celui d'un vagabond, d'un sans-abri, et ce, en première page d'une revue destinée à la jeunesse. Par esprit de fraternité, nombre de fois l'artiste se sera penché sur les déshérités de ce monde, sur les souffrants, dont il se sentait solidaire.

En 1920, au Salon du printemps auquel il participe pour la onzième et dernière fois, Léger rend un hommage explicite à celle qui lui témoigne son inconditionnel et maternel amour en exposant un *Portrait de ma mère*, à l'encre et à l'aquarelle. Celui-ci est accompagné d'un grand tableau intitulé *Le Crépuscule* (**6.60**). Lui, le dessinateur, le pastelliste, l'aquarelliste, le sculpteur, avait délaissé la technique à l'huile depuis 1912, et n'y était revenu qu'en 1919, au Salon du printemps et à celui d'automne, avec *Le Repos*, *Le Fagot* et *Les Ronces*, ces deux dernières (non localisées) étant des versions à l'huile des deux aquarelles originales. *Le Crépuscule* s'inscrit dans cette lignée. Au moment de sa présentation, le tableau a séduit par ses « qualités décoratives[131] » : on le trouvait « si joli[132] ! » L'éblouissement doré du soleil couchant et la technique pointilliste – souvenir des luministes de Bruxelles, en 1905 – l'emportaient sur le sens symboliste de l'œuvre.

Le Crépuscule reprend certains éléments de *La Dernière étincelle* (**6.48**) de 1917 et du *Fagot* de 1919 (**6.59**) : même vieillarde adossée – mais à un arbre, cette fois –, même feu en train de s'éteindre – mais dans un décor d'automne –, même plaine qui court jusqu'à l'horizon du soir – mais en apothéose. Léger module la représentation de la vieillesse, de la pauvreté et de la solitude, à l'image du déclin du jour et du feu qui s'éteint. À bonne distance, la pauvresse regarde davantage s'éteindre les quelques tisons de son feu dérisoire plutôt que de chercher à s'y réchauffer, puisque c'est inutile. Maigre, isolée, humiliée dans son indigence qui la montre nue à moitié, elle n'a même plus le réflexe de se couvrir. « Sans asile », elle fixe l'extinction des dernières braises qui lui parlent de sa propre fin. Le pan droit du grand drap ramené sur sa tête l'empêche de voir la splendeur du crépuscule – cette fin du jour en beauté qui est comme une insulte à sa sombre décrépitude. Le gros tronc d'arbre auquel elle s'adosse ne parle que de force et de vie. On dirait que c'est lui qui a grandi dans le dos de la vieillarde et qui lui fait maintenant courber l'échine. Tout à côté, entre elle et un buisson aux feuilles rousses, gît un fagot de branches mortes qu'elle avait peut-être apporté là dans l'intention de nourrir son feu. Les mains posées sur ses genoux relevés, apparemment, elle n'y songe plus. À quoi bon, puisque la nuit va venir et, avec elle, le froid qui l'emportera.

Cette composition juxtapose le crépuscule du soir, splendide, et celui de la vie, pathétique. Cette vieille pauvresse est-elle la projection de l'artiste lui-même, qui se voit ainsi à ce moment de sa vie ? Dernière œuvre qu'il a montrée en public, peut-on voir dans *Le Crépuscule* le testament d'Onésime-Aimé Léger, sa pensée ultime, à savoir l'immuable beauté du monde à côté de l'irrémédiable décrépitude humaine ? Quoi qu'il en soit, ce tableau fut, pour Léger, sa manière de s'inscrire dans cette « école du soir » tant pratiquée par les peintres de la Montée Saint-Michel.

PAGE PRÉCÉDENTE

6.58 O.-A. Léger, *La vie est parsemée de ronces et d'épines*, 1919, encre et aquarelle sur papier. Sous le titre *Les Ronces*, il a existé une version à l'huile de cette aquarelle, exposée au Salon d'automne de 1919 et au Salon du printemps de 1925. Les ronces, les épines représentent le chemin de la vie.

6.59 O.-A. Léger, *Le Fagot*, s.d., [1919], pastel, encre, et aquarelle sur papier (avant restauration). Sous le même titre, il a existé une version à l'huile de cette aquarelle, exposée au Salon du printemps de 1919. Le fagot représente ici le dur labeur de l'existence et le bois mort dont il est fait répond à la vieillesse du personnage et aux lambeaux qui le couvre.

6.60 O.-A. Léger, *Le Crépuscule*, 1920, huile sur toile. Ce tableau semble être la suite du *Fagot* de 1919 : on y retrouve le même personnage de la vieillarde et, au sol, le même amas de branches mortes qu'elle transportait.

Même s'il décide de ne plus exposer, même s'il s'emploie à fournir illustration après illustration pour les commandes qu'il reçoit, Léger continue de produire, pour lui-même, et 1922 est une année – sa dernière ? – de grande production.

Après la figure isolée du *Crépuscule,* figée dans l'attente de la mort, *Ximénès* (**6.61**) nous projette dans une multitude agitée, tourmentée, qui vocifère dans un décor de cauchemar – fantômes des victimes de l'inquisiteur Francisco Jiménez de Cisneros (1437-1517) qui appellent à la vengeance. Cette œuvre est à mettre au compte de la conscience sociale de l'artiste et de son esprit critique face à la religion. Dans ce cas-ci, en effet, Léger s'en prend à un morceau de choix : l'Inquisition. « Tableau évocateur et dérangeant[133] », cette ambitieuse aquarelle nous montre, dans une mise en scène spectaculaire, le cardinal-archevêque de Tolède et inquisiteur général entouré de la foule de ses victimes qui le pointent du doigt, brandissent le poing vers lui, se tordent de douleur, hurlent de désespoir, dénonçant leur juge[134].

6.61 O.-A. Léger, *Ximénès,* 1922, encre et aquarelle sur papier. « Léger a peint là un tableau d'un tragique inouï qui égale les scènes dessinées par Gustave Doré pour l'*Enfer* du Dante[135] ».

PAGE PRÉCÉDENTE

6.62 O.-A. Léger, *La Transition*, 1922, encre et aquarelle sur papier. Albert Laberge, qui s'est longuement attardé aux principales œuvres de Léger, et qui a vu celle-ci exposée au Salon du printemps de 1925, n'en a soufflé mot.

Debout sur de larges blocs de pierre qui supportent ce que l'on devine être une potence, la Justice, représentée par une femme nue jusqu'à mi-corps et plus grande que nature, a brisé ses chaînes et pointe, elle aussi, l'inquisiteur. Celui-ci, au centre du tableau, repousse du geste le bourreau, son acolyte, qui lui désigne la hache dont il s'est servi pour tous ces crimes – alors qu'il s'agissait plutôt du feu du bûcher –, à moins qu'elle ne soit l'arme choisie pour exécuter l'accusé. Sous un ciel de Jugement dernier, de noirs vautours attendent leur proie et l'un d'eux déjà s'apprête à l'attaquer. Tout l'arrière-plan est occupé par l'amas informe de la foule grouillante et gesticulante des morts que l'accusé a sur la conscience. C'est ici l'image d'une de ces « nobles révoltes[136] » qui hantaient le cerveau d'Onésime-Aimé Léger et dont parlait Albert Laberge. À ce chapitre, certaines œuvres, qui ne nous sont pas parvenues, sont à ranger dans la même catégorie : *La mort d'Étienne Dolet*[137] (1917) et *Abélard et Héloïse* (date inconnue)[138], deux sujets qui touchent également à la religion.

Dans un tout autre registre, *La Transition* (**6.62**), qui date aussi de 1922, ne représente qu'un seul personnage. La note bleue y domine, car la scène baigne dans la clarté de la lune. Sur le seuil d'une porte arabe formée d'un arc en fer à cheval, une femme d'allure imposante – proche parente de la Justice dans *Ximénès* –, nue jusqu'à la ceinture, se tient debout, les mains croisées sur le ventre. Elle lève la tête vers ce que l'on devine être la lune, dont la lumière découpe son ombre derrière elle, avec, dans le coin inférieur droit du tableau, l'angle d'un édifice qu'on ne voit pas. La surface du mur entourant la porte est travaillée d'une multitude de motifs. Cette porte s'inspire du mihrab[139] de la grande mosquée de Cordoue[140], en Espagne. Comme dans *Ximénès*, nous sommes en territoire ibérique et dans le monde de la religion – mais une religion musulmane, pacifiée, contemplative.

Trois marches mènent à la porte – trois degrés qui constituent un premier indice vers une transition. À l'intérieur du mihrab se voit une balustrade munie d'arcs à colonnettes. La femme du premier plan, quelque peu décalée vers la droite, est placée exactement au centre de la première arcade que l'on voit par l'ouverture de la porte et qui donne sur le ciel nocturne au bleu intense.

La transition ici suggérée semble se situer à la fois sur un seuil et à un apogée. Pieds et tête nus, la femme, qui a dévêtu le haut de son corps – siège des sentiments et de l'intellect – se présente dans sa vérité, calme, sûre d'elle-même, confiante. Elle est postée sur la deuxième des trois marches, celle, en effet, de la transition. Sa demi-nudité elle-même la situe à une étape

6.63 O.-A. Léger, *La Défense du foyer*, 1922, encre et aquarelle sur papier. Cette scène s'inscrit dans l'esprit des *Contes historiques* de la Société Saint-Jean-Baptiste de Montréal (6.56).

entre deux états. Elle regarde face à face, si l'on peut dire, la pleine lune, astre transitoire par excellence. Toute la scène est suspendue dans l'instant où quelque chose est en train d'advenir. Mais quoi ? S'agit-il d'une prêtresse qui s'apprête à officier ? Mais de quelle religion, de quelle croyance se réclame-t-elle ? Est-elle même en train d'officier ? Ou de prier quelque dieu lunaire ? De s'offrir à lui ? Ce tableau est aussi une œuvre de transgression. En effet, Léger, moins que personne, n'est du genre à se soumettre à une religion, et cette femme qu'il représente, outre le fait que la femme musulmane n'est pas admise dans le mihrab de la mosquée, défie tous les codes en se présentant non seulement sans voile sur la tête, mais encore poitrine nue. Étrange tableau, d'une entière nouveauté chez Léger, à connotation sacrée, initiatique, où tous les éléments sont des symboles qui s'additionnent sans se révéler. Même le contraste des valeurs entre l'extérieur du mihrab baigné par la clarté froide de la lune et l'intérieur chaud aux tons mordorés créés par une lampe qu'on ne voit pas ajoute à la symbolique de la transition.

À côté d'une œuvre ésotérique comme celle-ci, Léger, plongé dans les illustrations des *Contes historiques* de la Société Saint-Jean-Baptiste, peint – avant ou après, nous ne savons pas –, un tableau réaliste comme *La Défense du foyer* (6.61), épisode de la Nouvelle-France. La scène montre une femme aux vêtements déchirés, tenant à bout de bras la massue dont elle vient de se servir pour abattre l'Iroquois qui l'attaquait. De l'autre bras, elle tient l'enfant qu'elle a soustrait à l'ennemi. Ce dernier gît maintenant face contre terre[141] et l'arme que brandit l'héroïne menace un autre assaillant qui s'enfuit et dont on voit l'ombre se profiler à côté du cadavre – détail astucieux qui justifie le bras levé de la mère. Les formes généreuses de cette « brave Canadienne[142] » témoignent de sa force physique décuplée par sa détermination. Il y a un brin de provocation de la part de Léger dans cette illustration au nu féminin bien en évidence et masculin sur le ventre, qu'il savait pertinemment devoir être refusée par la Société Saint-Jean-Baptiste dont les publications étaient d'une valeur non moins chaste que hautement morale.

Réception critique

Albert Laberge a réservé à Onésime-Aimé Léger un traitement de faveur comme il en a rarement accordé à d'autres artistes. À partir de 1911, et pour les quatorze années suivantes, il consacrera aux œuvres que l'artiste expose des paragraphes et même des articles exclusifs, lorsque telle ou telle œuvre lui paraît d'une valeur exceptionnelle. Dans ces textes s'entend l'admiration inconditionnelle de Laberge pour cet esprit avec qui il se rencontrait sur bien des points ; il s'y entend même une passion et pour l'homme et pour l'œuvre. Le critique n'a pas assez de qualificatifs pour célébrer la pensée et la production de Léger, qui était un des artistes qu'il fréquentait.

Laberge appréciait tant les illustrations pleine page que Léger publiait dans les journaux du samedi (6.29-34) qu'il demandait : « Pourquoi M. Léger n'expose-t-il pas aussi quelques-uns de ces dessins décoratifs qui plaisent si fort aux artistes[143] ? » Toute l'œuvre d'Onésime-Aimé Léger est sous-tendue par le dessinateur qu'il est (6.62, 63). Assez tôt, dans le cas de la beauté féminine, et un peu plus tard dans le cas de la beauté masculine, l'artiste a défini son type esthétique, a fixé ce qui représentait pour lui, en ce domaine, son idéal personnel, soit la finesse des traits garantissant la délicatesse de l'âme. Une étude de mains et une étude de bras – masculins ici dans les deux cas – révèlent le sens plastique de Léger, celui du raffinement dans la force et de la grâce dans le geste, ce sens

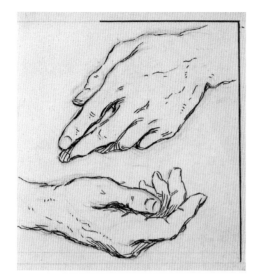

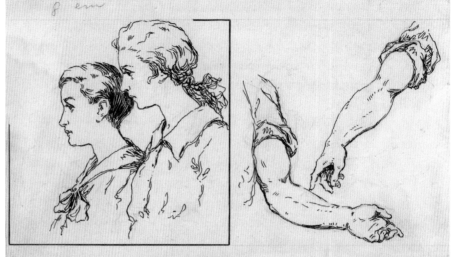

6.64 O.-A. Léger, *Étude de mains**, vers 1923, mine de plomb et encre sur carton.

À DROITE

6.65 O.-A. Léger, *Jeune garçon et jeune fille de profil** et *Étude de bras**, vers 1923, encre sur carton. Ces deux dessins – et bien d'autres de Léger – ont servi au *Manuel de langue française*, 1931, Montréal, Librairie Granger Frères, p. 27 et 43, manuel qu'il a illustré conjointement avec Ernest Aubin.

de la beauté physique qui était le sien et qui a peut-être été pour lui source de certaines souffrances.

Voyant le succès remporté par son buste de Lactance Giroux (**6.35**) au salon du Club Saint-Denis, et qui a attiré sur lui l'attention de la critique, Léger choisit de persévérer pour un temps dans le domaine de la sculpture. Ainsi, de 1911 à 1915, des plâtres figurent annuellement aux salons officiels au nombre d'un, deux ou trois à la fois. Léger a visé juste, car ses plâtres lui vaudront non seulement de chaleureux commentaires de la part d'Albert Laberge dans ses comptes rendus, mais aussi des articles séparés qui leur seront consacrés.

En 1912, un an après sa découverte de Léger au Club Saint-Denis, Laberge constate le « développement rapide » des dons du sculpteur. Trois ans plus tard, en 1915, l'artiste semble avoir atteint l'apogée de son art avec les deux plâtres symbolistes *La Pensée* et *L'Adieu*, « d'une valeur artistique exceptionnelle[144] », auxquels Laberge consacre un article entier où il « proclame hautement que Léger est un très grand artiste[145] ». Un autre critique admire sans restriction « tout ce que produit cet artiste si merveilleusement doué[146] ».

Si l'on souligne souvent les « émotions » que transmettent les œuvres de Léger, peintures, aquarelles, sculptures, si l'on affirme que « c'est une parcelle de son âme qu'il met dans chacun de ses tableaux[147] », on souligne aussi la « pensée » qui a présidé à leur création, comme dans la sculpture qui porte ce titre. *La Mendiante* et *La Lettre* sont « deux œuvres bien pensées[148] ». Quant à « la pensée qu'elle s'est plu à refléter[149] », *Lu Dernière étincelle* (**6.48**) « est une de ces rares conceptions dont un artiste a le droit d'être fier, attendu que souvent elles sont du domaine de l'imagination et se prêtent difficilement à l'exécution[150] ».

Dans l'ensemble, pas un bémol – sauf Reynald, tardivement, en 1941, lors de la première exposition du groupe, qui écrit avec quelque réticence : « Léger est d'un tout autre siècle comme artiste. […] Son style est plutôt 1905[151] », songeant sans doute – mais vaguement – à la période du symbolisme finissant.

« Sa fin dans un sourire rêveur... »

Le 14 novembre 1923, Jean-Onésime Legault fête chez lui le quarante-deuxième anniversaire de naissance de son ami Léger. Ce n'était peut-être pas la première fois qu'il organisait une telle fête, mais celle-ci semble avoir revêtu une signification particulière. Pressentait-il que c'était là, peut-être, le dernier anniversaire de son ami qu'il aurait l'occasion de célébrer ? Legault, à l'aide de son déclencheur à distance, immortalise l'événement par une photographie de la joyeuse tablée (6.66).

Appréciant les « tableaux vivants », Legault fait prendre à chacun des sept convives présents une attitude spéciale, caractéristique, qui donne à cette photographie un air de charade, de rébus[152]. Léger, accroupi à côté de Legault, la mèche sur le front, tourne les yeux vers la main du photographe, dissimulée, qui active le déclencheur. Sur la table, un peu à droite, se dresse la photographie encadrée du fêté[153], que l'on a ornée d'une grappe de raisin et devant laquelle on a placé un verre de vin, ce que l'on peut interpréter comme un hommage au goût prononcé de Léger pour cette boisson. Sur le passe-partout de la photographie, il est inscrit : « Au vieil ami, Legault & Iacurto. Nov. 1923 ». Au mur, à droite, dans un petit cadre, une des maximes préférées de Legault, soigneusement calligraphiée : « La bouche verse toujours le trop-plein du cœur[154]. » Sur le mur derrière le groupe est accrochée une grande photographie encadrée, ou serait-ce plutôt une transcription au crayon ou au pastel d'une des photographies préférées de Legault, qui représente deux de ses nièces (5.68). De tous les convives, seul Legault a tombé la veste et se trouve en gilet.

C'est le dernier anniversaire de Léger, sa dernière photographie, et ce sera son dernier hiver. Que penser de cet aveu qu'il aurait fait à Albert Laberge : « J'ai gaspillé ma santé, j'ai fait des extravagances, ce que vous appelez des erreurs, mais je ne le regrette pas et, si j'avais à recommencer ma vie, je ferais encore la même chose. À quoi bon être bien portant si l'on ne peut faire des folies. Je veux pouvoir me dire que pendant que j'avais la santé, j'ai vécu le plus joyeusement possible[155] » ?

Lorsqu'on tient ce genre de propos à l'âge qu'avait Léger, pour gouailleurs qu'ils puissent paraître, c'est que, depuis longtemps, on ne tient guère à la vie et que mourir n'est plus qu'une formalité à remplir. Quand cet artiste, dont les « conceptions n'ont jamais été souriantes », affirme avoir vécu « le plus joyeusement possible » et que s'il avait à recommencer sa vie, il ferait la même chose, c'est sans doute parce que, dans son esprit, cette vie serait irrévocablement la même, qu'on la vive une fois ou cent fois, c'est-à-dire cruelle. Cette joie qu'il dit avoir été la sienne relevait peut-être de cette joie des désespérés dont le seul remède est de forcer le rire pour oublier qu'ils ont surtout envie de pleurer.

« Était-il sincère ? se demande Laberge. Blaguait-il pour cacher l'amertume qui était en lui[156] ? » Cette amertume encore vivace, apparemment, Léger n'avait pu la vaincre, et Laberge la décelait dans ces paroles moqueuses. Personnage introspectif à la vision sombre de l'existence, Léger, dans son œuvre, ne propose pas de contrepartie à la médiocrité du monde, aux injustices de la vie, à son sentiment pénible de l'existence, et ce, contrairement à nombre de peintres symbolistes dans la lignée desquels il s'inscrit pourtant. Ce que disait Laberge de sa sculpture *La Pensée* : « [...] elle est celle qui s'est arrêtée sur les problèmes douloureux sans en trouver la solution[157] », s'applique ici. Léger ne propose pas la possibilité d'un monde plus beau, plus grand, plus serein qui élève l'esprit au lieu de seulement le

6.66 Jean-Onésime Legault, *Réception pour souligner l'anniversaire de naissance d'Onésime-Aimé Léger*, photographie, 14 novembre 1923. La main gauche sous la table, Legault tient son déclencheur à distance. Outre Léger accroupi à côté de Legault apparaît, derrière Léger et fermant les yeux, le peintre Francesco Iacurto (1908-2001). Les autres convives n'ont pas été identifiés.

torturer, l'ascension rédemptrice vers un idéal salvateur[158]. Alors, où trouver dans son œuvre l'expression positive de cette « supériorité sur l'ambiance terre-à-terre[159] » que lui prêtait Gustave Comte ?

Seule *La Transition* (**6.62**) – une de ses dernières œuvres et qui a laissé muet son ami Albert Laberge – vient rompre cette uniformité dans le malheur ; seul ce tableau ouvre la porte sur une vision sereine de la vie, nocturne, certes, mais baignée par la clarté lunaire, loin de la multitude qui s'agite sous le soleil, loin du décor banal du quotidien. Seule dans l'œuvre de Léger, *La Transition* propose quelque transcendance dans le calme inaltérable qui s'en dégage, dans sa sous-entendue mystique, liée à la notion lente et sûre du passage en train de s'accomplir. Et encore, cela se présente dans un contexte mystérieux qui ne livre pas toutes ses clés, dont le propos, justement, est de ne pas se dévoiler entièrement, et qui demande une approche patiente au bout de laquelle, malgré tout, l'interrogation demeure la seule réponse. La femme, encore ici, joue un rôle essentiel ; elle constitue le passeur de cette transition, elle dont la mission n'est plus une mission de séduction, de souffrance, mais une mission de force tranquille et d'affirmation paisible, immobile dans son inébranlable confiance.

Trop profondément marqué par une ou plusieurs blessures dont l'origine est difficile à situer dans son existence, mais dont la présence irrévocable l'a miné peu à peu, cet homme qui a « promené sur la vie un regard désabusé[160] », cet artiste dont « [l']œuvre porte ce double cachet de révolte et de tristesse[161] », lui, Onésime-Aimé Léger, « a vu venir sa fin dans un sourire rêveur[162] ». C'était le grand soulagement de quitter enfin ce monde.

Le 27 mai 1924, par une matinée de printemps, les funérailles d'Onésime-Aimé Léger, mort deux jours auparavant, ont lieu en l'église Saint-Clément, à proximité du 3378, rue Adam, où il venait d'emménager avec sa mère et sa sœur quelques semaines plus tôt.

6.67 O.-A. Léger, *Trompe-la-Mort*, 1913, mine de plomb et encre sur carton. Ce dessin, reproduit dans *La Presse* des 23 et 25 avril 1913, p. 9 et 11, servit à annoncer la première livraison du feuilleton de Jules Mary, le 26 avril suivant, p. 37, où figurait un autre dessin de Léger.

À DROITE

6.68 Jean-Onésime Legault, *Portrait du peintre Aimé Léger*, 1935, mine de plomb sur papier. Onze ans après la mort de l'artiste, Legault a réalisé ce portrait de son ami Léger, d'après une photographie prise en novembre 1923, pour son anniversaire, quelque six mois avant sa mort, par le photographe Giuseppe Iacurto. Ici, Léger ne porte plus les cheveux longs, artistement rejetés en arrière comme il l'a fait si longtemps, ni le nœud de soie qui caractérisait les peintres de l'époque. Le temps de la bohème est terminé. Avec les cheveux coupés court et la rectiligne cravate, se conformant désormais à l'image du dénominateur commun, il pouvait – comme tout le monde – entrer dans la mort.

CHAPITRE 7

ÉLISÉE MARTEL (1881-1963)
UN PEINTRE ANIMALIER

Nous en savons plus sur l'oncle d'Élisée Martel, le violoniste Oscar Martel (1848-1924), de réputation internationale, que sur son neveu, membre du groupe des peintres de la Montée Saint-Michel, qui possédait une abondante documentation sur son parent musicien[1]. Mais sur Élisée Martel lui-même (7.1) – baptisé Arsène Élisée et qui signait A. E. Martel –, aucunes archives ne nous sont parvenues. Des tableaux, oui, heureusement, une poignée de dessins, répartis dans de rares collections privées ou muséales. Ce que nous savons de lui nous vient d'abord des renseignements colligés par le sulpicien Olivier Maurault auprès du principal intéressé, pour sa conférence de 1941 sur le groupe auquel il appartenait, et de quelques témoignages écrits de ses confrères. Pour l'essentiel, disons que la biographie d'Élisée Martel s'inscrit dans la trame de sa proche amitié avec Ernest Aubin, le chef de file de la Montée – deux inséparables, tels que les décrit Joseph Jutras dans les quelques souvenirs qu'il nous a laissés de ce paysagiste que fut Élisée Martel, qui se transforma, dans la deuxième moitié de sa vie, en peintre animalier.

Le dessin, la peinture, l'amitié

Sans que nous disposions de dates précises, nous savons qu'Élisée Martel a étudié pendant une dizaine d'années au Conseil des arts et manufactures (CAM[2]), avec probablement diverses interruptions, ce qui le range néanmoins dans la moyenne de ses confrères de la Montée quant aux années de formation. C'est sur les conseils de Jobson Paradis, professeur de dessin à l'école Olier, que le jeune Martel, qui y faisait ses études, se serait inscrit aux cours du soir du CAM – où il devait retrouver ce même professeur. L'idée a dû mettre un certain temps à faire son chemin, car, si Martel a eu aussi Charles Gill comme professeur au CAM, ainsi que l'affirme Olivier Maurault[3], il faut qu'il y soit allé au moins jusqu'à l'année scolaire 1913-1914, Gill étant entré en fonction en 1913. Conséquemment, Martel ayant étudié dix ans à l'école des Arts et Manufactures et

7.1 Ernest Aubin, *Élisée Martel à L'Arche*, photographie, entre 1922 et 1929. Le personnage dans l'ombre au premier plan pourrait être Joseph-Octave Proulx, ce dernier étant avec Aubin et Martel, un des principaux occupants de L'Arche en ces années 1920. Le tableau sur lequel Martel pose son pinceau est d'Ernest Aubin (3.41). Sur le plateau de pose, un plâtre d'Aubin.

7.2 Élisée Martel, *Jeune homme au bambou*, 1915, fusain sur papier.

7.3 Élisée Martel, *Tête de jeune fille**, 1915, fusain sur papier.

ayant produit des dessins avec modèles en plâtre et modèles vivants jusqu'en 1915 (**7.2, 3**), il s'y serait donc inscrit vers 1905. Il était alors dans sa vingt-quatrième année. Il est le plus âgé des peintres de la Montée Saint-Michel à avoir commencé sa formation.

Lorsqu'Ernest Aubin entre en classe de dessin en 1907, Martel s'y trouve déjà. Ils lient amitié. Martel a onze ans de plus qu'Aubin, qui en a quinze. Selon une tactique dont il se prévaudra avec ses autres condisciples du CAM, Aubin entraîne Martel dans ce coin de rêve qu'il vient de découvrir : le domaine Saint-Sulpice. Avec Joseph-Octave Proulx qui entre au CAM en 1908, à dix-neuf ans, ils vont former le « noyau primitif[4] » du futur groupe de la Montée Saint-Michel. En 1911, le 25 octobre, plusieurs des peintres entraînés dans le sillage d'Ernest Aubin se trouvent réunis, et il est probable que Martel, très près d'Aubin, est présent et assiste au baptême du groupe sous le nom de « peintres de la Montée Saint-Michel », en l'honneur de cette voie de circulation qui traverse dans l'axe nord-sud l'ensemble des territoires où ces peintres se retrouveront pendant des décennies et dont le cœur restera le domaine Saint-Sulpice.

Avant le départ de Jobson Paradis du CAM en 1913 et après l'arrivée de Charles Gill qui lui succède, Martel étudie la peinture, d'abord avec Paradis qui enseigne cette technique deux après-midi par semaine et qui fait travailler la nature morte à ses élèves – enseignement dont Martel tirera plus tard un grand profit (**7.36-40**) –, ensuite avec Charles Gill, qui reprend la classe de son prédécesseur, sans que nous sachions s'il suit ses traces quant à la thématique de son enseignement. Quoi qu'il en soit, Martel va plus loin que le cadre scolaire

7.4 Élisée Martel, *Profil de jeune fille**, 1925, encre sur papier.

7.5 Élisée Martel, *Maison et corde à linge**, n.s., s.d., mine de plomb sur papier. En 1941, à la galerie Morency, Martel a exposé *Jour de lavage*, une huile dont la thématique recoupait peut-être celle de ce croquis.

7.6 Ernest Aubin, *Sports d'hiver*, n.s., 1926-1927, encre et gouache sur papier. Un projet de publicité pour la quincaillerie Omer DeSerres. Le ski, la luge, le hockey, le patinage et la raquette comptent alors parmi les principaux sports d'hiver des Montréalais.

À DROITE

7.7 Jobson Paradis, *Carré Saint-Louis*, n.s., s.d., fusain sur papier. On aperçoit, sur ce dessin, le monument au poète Octave Crémazie, œuvre de Louis-Philippe Hébert, inauguré en 1906.

du CAM : il se rend à l'atelier de l'un et l'autre de ses professeurs pour prendre des leçons privées. Paradis a son atelier au 458, rue Berri (auj. démoli), à proximité du square Saint-Louis (**7.7**), et Charles Gill a le sien au 1263, avenue De Lorimier (auj. le 4411), un peu au sud de l'avenue du Mont-Royal (**7.8**). À ce moment, Martel est un peintre plutôt conventionnel (**7.9**), qui n'annonce pas le coloriste qu'il deviendra ni l'artiste délivré du carcan d'une représentation trop proche de la réalité.

Si Martel peut s'offrir ces leçons privées auprès de ses professeurs, c'est grâce à son emploi de commis à la quincaillerie Omer DeSerres (**7.6**), au rayon de la peinture, évidemment, où Aubin, notamment, va s'approvisionner, car le magasin, qui se trouve à l'angle des rues Sainte-Catherine et Saint-Denis, n'est pas très loin de chez lui, au coin de la rue Saint-André, mais un peu plus au sud, rue Dorchester (auj. boulevard René-Lévesque).

À la Montée Saint-Michel, à L'Arche et ailleurs...

Il reste peu de témoignages de l'activité d'Élisée Martel à la Montée Saint-Michel, activité qui s'est pourtant étendue sur une vingtaine d'années. Jusqu'à présent, nous n'avons retrouvé qu'une seule pochade faisant explicitement référence à la ferme Robin (2.38), tant fréquentée par les peintres de la Montée. Pour d'autres œuvres se rapportant possiblement à ce lieu, il faut aller vers les conjectures, les rapprochements, les probabilités.

Dans le catalogue de l'exposition collective de 1941 à la galerie Morency, onze tableaux de Martel sont regroupés dans la section « Montée Saint-Michel ». On peut en examiner les titres l'un après l'autre et tenter de les rattacher à diverses œuvres d'Élisée Martel qui nous sont parvenues, titrées ou non, et qui évoquent possiblement la Montée Saint-Michel. On trouve un *Roi de la basse-cour* (7.34, 35), coq flamboyant qui devait régner dans l'une ou l'autre des fermes du domaine Saint-Sulpice, ainsi qu'un *Automne n° 1* et un *Automne n° 2,* saison des couleurs plusieurs fois représentée par Martel (7.14, 17). *Réflexions* (entendons « reflets ») pourrait s'apparenter à *Branche s'avançant au-dessus de l'eau* (7.10) où elle semble vouloir se mirer, mais le tableau de 1941 était un peu plus petit que celui-là (26,6 x 31,7 cm [10½ x 12½ po]). Un autre tableau, qui fera partie de l'exposition personnelle de Martel à l'École des arts et métiers en 1949, sera intitulé *Reflet au ruisseau* (dimensions inconnues) et traite du même thème. D'ailleurs, le ruisseau est un élément récurrent dans la peinture de Martel, de même que l'étang, et aux reflets que produit leur surface miroitante répondra la laque brillante des meubles dans les futures natures mortes du peintre (7.37-39).

Toujours dans l'exposition de 1941, on trouve *Bois de corde* et *Coucher de soleil* qui s'inscrivent dans cette école du soir instaurée par Ernest Aubin sur le territoire aux horizons bien dégagés de la Montée et à laquelle se sont mis tous les membres du groupe, ainsi qu'une *Fonte des neiges* qui prouve que Martel avait commencé dès l'époque de la Montée

7.8 Charles Gill dans son atelier, photographie, s.d., imprimé. Gill a occupé cet atelier, situé avenue De Lorimier, de 1913 à 1917. Le tableau devant lequel il pose représente la mort de saint Joseph.

À DROITE

7.9 Élisée Martel, *Neige sur le mont Royal*, s.d., huile sur carton. Ce tableau a figuré dans l'*Exposition d'art canadien*, présentée du 29 octobre au 4 novembre 1944 au collège André-Grasset. Il faisait partie de la collection Émile Filion. Martel abandonnera cette manière sage et probe de peindre, pour une touche plus libre, plus colorée.

7.10 Élisée Martel, *Branche s'avançant au-dessus de l'eau**, s.d., huile sur toile.

à peindre les dégels du printemps, genre dans lequel il se spécialisera par la suite (**7.42-44**). Les *Champs fleuris* sont suivis d'une *Étude de roches* et d'un autre tableau du même titre, mais rangés dans la section « Paysages divers ».

Au tout premier plan de *Rochers et ruisseau* (**7.11**), le gros bloc qui émerge de l'eau se pose comme le sujet principal de la composition. Il présente des arêtes polies, qui atténuent l'idée du danger qu'il pourrait constituer, et oppose sa minéralité statique à la fluidité du ruisseau dont les eaux courent jusqu'à lui, qui baigne dans une sorte de crique. Il oppose aussi sa masse au verdoiement des buissons remuants qui sont au second plan et trouve un écho dans cet autre rocher devant lequel se dresse l'arbre de gauche. Le traitement que Martel accorde à ses rochers varie comme celui qu'il accorde à ses arbres, tantôt découpés, tantôt vagues. Mais pour peindre ses rochers, il se montre plus sommaire dans sa hardiesse que ne l'est Ernest Aubin quand il peint ceux du mont Royal (**3.19, 24**) et qu'il capte les nuances subtiles de la lumière à leur surface. Élisée Martel y va de multiples reflets colorés, de phosphorescences roses, bleutées et mauves qui font bondir sa peinture en dehors des conventions. Dans ces rochers qui reviennent d'un tableau à l'autre, on retrouve même ces « reflets de rouille qui éclairent certaines pierres[5] » qu'avait remarqués le critique Albert Laberge au sujet de Joseph Jutras et que l'œil d'Élisée Martel est allé chercher.

7.11 Élisée Martel, *Rochers et ruisseau**, s.d., huile sur toile.

Dans *Ruisseau et grands arbres* (**7.12**), nous pouvons reconnaître les ruisseaux qui traversaient la Montée et les champs cultivés, bordés par ces grands ormes qui apparaissent si souvent dans les représentations de ce lieu (**1.9**).

Enfin, onzième et dernier des tableaux de la section « Montée Saint-Michel », *Ferme pauvre* représentait peut-être la petite ferme Laurin.

Toutefois, *Vieille maison à Saint-Léonard*, classée dans la section « Paysages divers » de l'exposition de 1941, aurait pu figurer parmi les œuvres de la Montée, Saint-Léonard-de-Port-Maurice – comme on l'appelait alors – étant l'un des lieux dûment fréquentés par le groupe. De même, *Cheval au repos* (**7.13**), qui faisait partie de l'exposition personnelle de Martel en 1949 à l'École des arts et métiers, pourrait être une scène vue sur une des fermes

7.12 Élisée Martel, *Ruisseau et grands arbres**, s.d., huile sur toile. Ce tableau pourrait entrer dans la thématique d'*Étude de roches*, autant que dans celle d'*Étude d'arbres*, exposées chez Morency en 1941.

7.13 Élisée Martel, *Cheval au repos*, s.d., huile sur toile.

du domaine Saint-Sulpice ou une ferme du voisinage. D'après une liste de tableaux de Martel dressée par Jean-Paul Pépin, celui-ci aurait peint un tableau intitulé *Tom, cheval de J. Jutras, Saint-Léonard*, à l'époque où Jutras utilisait son coursier pour aller peindre avec ses amis Narcisse Poirier et Élisée Martel.

Vieux pont de bois (**7.14**), qui figurait dans l'exposition de 1949, est une œuvre ambitieuse, tant par la complexité de la composition que par le savoir-faire technique de l'artiste. Cette scène d'automne est habitée par un grand orme que la saison a à peine touché. Un ruisseau au-dessus duquel est posé une sorte de plateforme qui sert de pont coule au pied de l'orme qui déploie ses larges branches et d'un maigrelet chicot d'arbre qui se dresse tout droit et crée un curieux contraste avec le géant sur lequel il se profile. Tout l'ensoleillement de cette journée radieuse se tient dans l'arrière-plan doré du tableau.

Pour susciter l'intérêt, autant du peintre que d'un certain public acheteur, « vieilles » doivent être les maisons, les fermes, les tours que peint Martel, et « vieux » les ponts, les moulins, les forts, dont il souligne la caractéristique d'ancienneté dans le titre de ses tableaux. Pourtant, quoi de moins séculaire dans le rendu qu'il en propose que cette *Maison, Sainte-Scholastique* (**7.15**) ou cette *Vieille maison à Saint-Léonard* (**7.16**), pimpantes de couleurs sous leur ciel bleu et dont les pierres ne parlent que de jeunesse dans leur blondeur rosée ? Martel, un peu à la manière de Joseph Jutras (**4.50**), son confrère de la Montée Saint-Michel, a bien rendu « [ces] vieux murs qui captent les rayons solaires et nous les renvoient étincelants de chatoyantes couleurs[6] ».

7.15 Élisée Martel, *Maison, Sainte-Scholastique*, 1934, huile sur toile.

Pour rendre le passage du temps, l'ancienneté de la chose, son vieillissement, et cette fois sur du bois, Martel, ainsi qu'il le fait alors dans le rendu de la végétation, modifie sa technique dans *Cabane à sucre, Charlemagne* (7.17). On dirait que ce bois dont est faite cette construction est délavé, qu'il a perdu ses couleurs d'origine, que cette cabane au milieu d'une forêt d'érables a pris sur elle, sur son toit, sur sa façade, les teintes de l'automne où le peintre l'a découverte. Denses, les feuillages, qui se sont départis de leurs couleurs au profit de la cabane, résultent de la balayure du pinceau plutôt que de sa solide application comme dans *Vieille maison à Saint-Léonard*, leur donnant ainsi plus de mouvement.

Martel se distingue de la plupart de ses prédécesseurs et de ses contemporains – et notamment de son confrère de la Montée Saint-Michel, Narcisse Poirier (9.45) – qui ont

7.16 Élisée Martel, *Une vieille maison à Saint-Léonard*, dit aussi *Maison de A. E. Martel, Pointe-aux-Trembles*, 1935, huile sur toile de jute. Sous son premier titre, ce tableau a figuré dans l'exposition de 1941 à la galerie Morency et a été reproduit dans *Le Canada*, le 16 avril 1941, p. 3, et dans *Photo-Journal*, le 17 avril 1941, p. 9.

traité cette thématique. En effet, il présente sa cabane à sucre non pas en pleine activité, au moment des premiers dégels du printemps comme le veut la tradition, avec les ouvriers qui recueillent l'eau d'érable et les visiteurs qui s'en régalent, mais plutôt solitaire dans les bois, au tout début de l'automne et non au printemps, dénuée d'activité, muette, désœuvrée, abandonnée peut-être, car son état de délabrement ne fait pas de doute, et ce, par un après-midi ensoleillé. Il donne des reflets enluminés au vieux bois de la bâtisse, qui laissent à penser qu'elle fut peut-être peinte de couleurs vives. Autant son autre confrère de la Montée Saint-Michel, Jean-Onésime Legault, cherche à rendre dans ses nuances la texture du vieux bois qui a subi le passage du temps (5.38), autant Élisée Martel passe outre à cette fidélité au réel et fait assaut de couleurs comme si elles exsudaient du bois rongé par les années.

7.17 Élisée Martel, *Cabane à sucre, Charlemagne, Qc*, s.d., huile sur toile. À son exposition de 1949 à l'École des arts et métiers, Martel a exposé deux tableaux intitulés *Cabane à sucre* (dimensions inconnues), le premier au prix de 50 $, le plus cher de l'exposition et le premier sur la liste du catalogue, et le second à 8 $, de dimensions conséquemment plus modestes.

7.18 Lucien Parent, *Un coin de L'Arche*, 1918, encre et gouache sur carton. Architecte, Lucien Parent (1893-1956) fut amené à L'Arche par Marcel Dugas (1883-1947), dont il épousera la cousine.

7.19 Ernest Aubin, *Élisée Martel sous la tente*, photographie prise soit au cours de leur séjour à Sainte-Thérèse en 1923, soit pendant leur voyage vers le parc national du Bic, à Rimouski, en 1931.

Deux ateliers, deux expéditions, une rencontre et une rupture

Lorsqu'Aubin s'aménage un coin d'atelier dans l'entrepôt de la firme de Desmarais & Robitaille, marchands et fabricants d'articles religieux pour qui il travaille, rue Saint-Jean-Baptiste, dans le Vieux-Montréal, Élisée Martel est, avec Joseph-Octave Proulx, l'un des premiers qu'il y accueille. C'est encore le « noyau primitif » qui reste bien soudé. On ne connaît rien de très précis sur leurs activités en ce lieu, mais il va de soi qu'ils y font de la peinture, du dessin, et ils mettent peut-être la main à certains travaux de restauration dévolus à Aubin, comme la réparation de statues en plâtre ou l'apposition de feuilles d'or sur le bois ou le plâtre. Aubin occupera cet entrepôt pendant sept ans, de 1915 à 1922.

Pendant les sept années suivantes, les mêmes trois amis se retrouveront dans un autre atelier qu'Aubin loue, cette fois au 22, rue Notre-Dame Est (**7.18**), sous les toits, à quelques pas de l'entrepôt de Desmarais & Robitaille, atelier célèbre au milieu des années 1910 sous le nom de L'Arche, lequel lui est resté. Nos trois mousquetaires s'en sont adjoint un quatrième – afin de respecter la coutume – en la personne de Joseph Jutras, confrère de la Montée Saint-Michel, grand amateur d'ateliers d'artistes, et qui va tomber amoureux de ce vaste espace idéalement aménagé où seront reçus, à l'occasion, les autres membres du groupe de la Montée.

Aubin partage L'Arche à égalité avec son copain Martel – mais c'est Aubin qui en a la clé. Martel, qui vit avec son père Odilon et son jeune frère René, rue des Érables, s'occupe d'ébénisterie, habileté qui lui vient de son ancêtre paternel, Pierre-Élisée[7]. Il fabrique du matériel d'artiste : boîtes à peinture, chevalets, écrans, travaux pour lesquels il s'est aménagé un espace à L'Arche, et vend sa production à des particuliers et probablement à son ancien employeur, Omer DeSerres. Aubin et Martel sont alors les deux célibataires du groupe[8] et peuvent ainsi vivre leur bohème librement. Certains soirs, ils dorment à L'Arche, le plateau de pose leur servant de lit, chacun emmitouflé dans de grosses couvertures Buffalo.

Les amis Martel et Aubin se sont offert deux escapades connues : l'une à Sainte-Thérèse, pas très loin au nord de Montréal, l'autre au Bic, assez loin, à Rimouski. Ainsi, en août 1923, avec sa motocyclette triporteur, Aubin emmène Élisée Martel à vingt-huit kilomètres de la métropole pour y camper pendant une semaine (**7.19**) et, entre autres choses, pour y peindre de nuit, « de 1 h a.m. jusqu'au matin[9] ». Dans la lettre qu'il écrit alors conjointement à sa mère et à sa sœur Maria, Aubin décrit d'une manière amusante les habitudes et phobies de son compagnon, le soir, dans la tente : « Voici M. Martel. Afin que les BUBITES ne lui entre [*sic*] pas dans les oreilles, il s'enveloppe la tête dans un vieux rideaux [*sic*] puis se l'attache autour du cou avec une ficelle quelconque. » Aubin, lui, a peur des araignées. En surprend-il une qui s'est immiscée dans leur tente ? Il s'empare d'une paire de ciseaux et la coupe en deux ! Les amis finissent par s'endormir sur leurs lits confectionnés avec de la paille…

En octobre 1931, ils font un grand saut en se rendant au Bic (7.20, 21), dans la région de Rimouski, sur le bord du fleuve. Pourquoi à ce moment de l'année ? Pourquoi si loin, à cinq cents kilomètres de Montréal ? Et par quel moyen se sont-ils rendus là-bas ? Cette expédition va marquer un tournant dans la vie personnelle d'Élisée Martel : la rencontre de celle qui deviendra sa compagne officielle et qui se prénommait Marie-Anna. On ne sait comment ils se sont connus, mais Marie-Anna, qui est alors au début de la quarantaine, quitte mari et enfants pour suivre Élisée Martel qui, lui, approche de la cinquantaine.

CI-HAUT
7.20 Élisée Martel [?], *Ernest Aubin avec son parasol, au Bic*, photographie, 1931.

7.21 Élisée Martel, *Falaises du Bic**, s.d., huile sur toile. Autant, au Bic, Ernest Aubin se concentrait sur des scènes de nuit (3.48-50), autant Élisée Martel s'en tenait à des scènes diurnes et peignait, comme à son habitude, ses rochers hauts en couleur (7.10-12, 14).

7.22 Élisée Martel, *Deux études de profil féminin**, n.s., s.d., mine de plomb sur papier. On ne saurait dire s'il s'agit du profil de Marie-Anna, la compagne d'Élisée Martel, rencontrée au Bic, ou d'une autre « amie » de ce dernier dont Ernest Aubin faisait le portrait en 1923.

À la suite de la mort de son père, en 1933, un an après sa mère, en tant que fils aîné, Élisée hérite de l'immeuble de la rue des Érables et a tout loisir d'y installer Marie-Anna, soit avec lui, soit dans un des logements de l'immeuble. Pour le peu qu'on en sait, cette femme, que l'on n'appelait pas autrement que « la p'tite[10] », avait un caractère particulier qui ne la faisait pas accepter facilement des autres peintres du groupe[11]…

Quelques années après leur expédition au Bic, une rupture survient entre Élisée Martel et Ernest Aubin – ce que rien ne laissait présager dans cette amitié déjà vieille de trois décennies. Martel – qui a entre-temps acquis une petite ferme – est à peindre un coq pour le prochain Salon du printemps, celui de 1934. En même temps, Aubin prépare un nu de grandes dimensions, vertical (**3.68**; **8.6**). Dans cette histoire, il est question d'« un modèle dont Aubin se servait pour faire une toile qu'il devait présenter au même Salon et que Martel indisposait contre lui[12] ». On sait que les deux artistes ont déjà travaillé de concert avec le même modèle (**7.23, 24**) et qu'Aubin peignait son grand nu chez Martel lui-même. Le modèle était Irène Lussier, compagne d'Aubin à l'époque. Y eut-il jalousie de la part de Martel ou de Marie-Anna ? Il semble en tout cas que le ressentiment de Martel contre Aubin ait été suffisamment fort pour qu'il prenne ou qu'on le pousse à prendre les grands moyens : en cachette, il tue le coq qu'il était en train de peindre et s'en lamente auprès d'Aubin qui, n'écoutant que son bon cœur, met son tableau de côté et empaille le coq – car il est taxidermiste à ses heures – pour que son ami Martel puisse finir son tableau[13]. Mais lui, Aubin, n'a plus le temps de finir le sien à temps pour le Salon – et c'était là ce que voulait Martel, sa vengeance. Aubin apprendra bientôt que c'est Martel lui-même qui avait tué son coq. La rupture est consommée – et prendra fin en 1941 quand ils se retrouveront à la conférence qu'Olivier Maurault donnera sur eux à la bibliothèque municipale de Montréal (**C.7**).

7.23 Élisée Martel, *Nu allongé sur le ventre**, s.d., huile sur toile.

7.24 Ernest Aubin, *Nu allongé sur le ventre**, 21 mai 1932, mine de plomb sur papier. D'une qualité d'exécution très différente, ces deux esquisses représentent le même modèle dénudé – lequel entraînera une querelle entre les deux artistes.

7.25 Ernest Aubin, *Odilon Martel, père d'Élisée Martel*, 31 mai 1933, plâtre. Sur la base, Aubin a inscrit : « O. Martel, père de mon vieil ami E. Martel, E. Aubin 31-5-1933. »

Le règne animal

« Par sa nature d'artiste, il était extrêmement aimable, doux, et il charmait[14] », écrit Jean-Paul Pépin qui nous livre là, sur Martel, le portrait le plus complet que nous ayons. Il ajoute aussi : « Martel fut le peintre animalier du groupe. Il vivait avec ses bêtes, telles que coqs, oies, pigeons, chats et chiens, lapins, poules, poussins, etc. Il fallait le voir au milieu d'elles : il avait une grande table, et sur cette table il avait un canard, et ses poussins venaient manger dans son assiette[15]. » Ainsi Jean-Paul Pépin nous décrit-il Élisée Martel au milieu des animaux de sa basse-cour dont il a fait ses animaux de compagnie. C'était peut-être le rêve de toute sa vie que d'avoir une petite ferme, d'y élever les animaux de son choix, d'y cultiver un potager, d'y faire pousser des fleurs – et de peindre tout cela. Ce rêve, Martel le réalise grâce au petit capital dont il hérite à la mort de son père, en 1933. Dans ces circonstances, Ernest Aubin assiste son ami dans son deuil, car, le jour même de la mort d'Odilon Martel, il modèle un buste en plâtre en souvenir de ce dernier (7.25).

Dans un premier temps, Martel achète un terrain à Saint-Léonard (7.26), donc sur le territoire de la Montée Saint-Michel, mais à presque deux kilomètres de tout chemin. Lui et son jeune frère René entreprennent la construction d'une maison, qu'ils ne sont pas pressés de terminer, mais qu'ils habitent néanmoins. Outre la culture d'un jardin, Martel se met à l'élevage des animaux et, à l'occasion, en fait peut-être le commerce[16].

Ce nouveau mode de vie va modifier la peinture de Martel d'une manière sensible mais graduelle. Si, en 1934, il se fait remarquer par son *Vieux coq* au Salon du printemps, sept ans plus tard, c'est encore ce volatile qu'il présente, en trois tableaux différents, à l'exposition du groupe de la Montée à la galerie Morency. Notons cependant que, parmi les paysages exposés, on relève une *Vieille maison à Saint-Léonard* et une *Vieille ferme à Longue-Pointe,* qui révèlent ses pérégrinations dans la partie est de l'île.

Combien de temps Élisée Martel a-t-il vécu à Saint-Léonard ? Dans sa conférence de 1941, Olivier Maurault évoque ce « coin » de Saint-Léonard et ne souffle mot de Pointe-aux-Trembles d'où le peintre se manifestera en septembre 1948, En effet, cette année-là, Martel fait imprimer une carte de visite (7.45) et annonce dans les journaux une « Exposition de peintures », tous les samedis et dimanches après-midi, à son atelier, au 3875, boulevard Saint-Jean-Baptiste, précisément à Pointe-aux-Trembles[17]. La date 1935 du tableau *Vieille maison à Saint-Léonard*, dit aussi *Maison de A. E. Martel, Pointe-aux-Trembles, boulevard Saint-Jean-Baptiste,* (7.16) est-elle erronée[18] ? Évoquant l'exposition de 1941 chez Morency, Albert Laberge écrit, en 1948 : « Depuis cette époque,

7.26 Joseph-Octave Proulx, *Montée Saint-Michel, Saint-Léonard*, 1930, huile sur toile marouflée sur carton ondulé. Le village appelé alors Saint Léonard-de-Port-Maurice faisait partie du territoire de la Montée Saint-Michel, tel qu'exploré par les peintres du groupe – dont Joseph-Octave Proulx et Élisée Martel qui y ont pris goût.

M. Martel a installé son atelier au 3875 de la rue Saint-Jean-Baptiste, à la Pointe-aux-Trembles[19]. » En 1941, Martel n'est plus au 4273, rue des Érables, où il a toujours habité avec son père et son frère. La galerie Morency donne comme adresse du peintre le 4283, rue des Érables[20]. Or le *Lovell's Montreal Directory* nous apprend qu'à cette adresse loge Marie-Anna, et l'astérisque qui suit son nom indique qu'elle est propriétaire. De plus, elle partage cette adresse avec Georgiana Jamart, inscrite comme veuve, qui est sa fille. Élisée Martel, « *painter* », comme l'indiquait l'annuaire, n'a plus d'adresse à Montréal. On peut en conclure, qu'il s'est établi à Pointe-aux-Trembles au moins dans le cours de l'année 1941, « au milieu d'arbres et de buissons[21] », et que le 4283, rue des Érables est un pied-à-terre.

Ce retour à Pointe-aux-Trembles était un retour aux sources puisque c'est dans cette petite municipalité presque rurale qu'est né Élisée Martel. Était-ce pour offrir à son jeune frère, déjà malade peut-être, un environnement encore plus sain que celui de Saint-Léonard qu'il s'est installé ainsi, plus à l'est, dans cette partie de Montréal ? René mourra le 2 février 1949, à cinquante-huit ans. Ses funérailles ont lieu en l'église Saint-Enfant-Jésus – où Élisée a été baptisé –, sise boulevard Saint-Jean-Baptiste. Élisée a alors soixante-sept ans.

Son atelier ouvert était-il un essai pour jauger la réaction du public devant ses tableaux ? L'expérience semble avoir été suffisamment concluante pour l'encourager à se lancer dans l'aventure d'une exposition personnelle (7.46). C'est ce qu'il fait en avril 1949, à l'École des arts et métiers, ancienne Université de Montréal, rue Saint-Denis, dont le vestibule très passant sert à l'occasion de lieu d'exposition. Un confrère de la Montée, Jean-Paul Pépin,

7.27 Élisée Martel, *Quatre études de coqs chanteclers**, n.s., s.d., mine de plomb sur papier.

À DROITE

7.28 Élisée Martel, *Étude d'une poule wyandotte perdrix et trois études d'un coq plymouth**, n.s., s.d., mine de plomb sur papier.

en est un habitué et il a pu indiquer ce lieu à Martel. Par ailleurs, Joseph Jutras soutient son confrère Martel et s'implique personnellement.

Ainsi, en février 1949, deux mois avant l'ouverture de l'exposition, Jutras enregistre la raison sociale l'Entre-Aide Artistique[22], qu'il fonde dans le but de « venir en aide aux artistes peintres, sculpteurs, céramistes, littérateurs, poètes, historiens, musiciens, chanteurs et artisans canadiens[23] ». Son moyen est simple : il sollicite des personnes pour qu'elles deviennent membres de son association au coût d'un dollar par année et il vend des billets de tirage pour un de ses propres tableaux en vue d'amasser des fonds, qu'il gérera selon sa juste décision dont il informera les membres. On ne sait si l'association eut une longue vie ni si elle vint en aide à plusieurs artistes, mais le geste est là, caractéristique de l'homme Jutras. À notre connaissance, Élisée Martel est le premier à en bénéficier et nous croyons même que Jutras a mis sur pied cette association spécialement pour soutenir son ami. La

couverture du catalogue de l'exposition de Martel affiche, bien en vue, « Sous le patronage de/[l']Entr'Aide Artistique Enrg. », et les quelques comptes rendus qui paraîtront ne manqueront pas de le mentionner.

Comme le disaient son carton d'invitation et la publicité dans les journaux en 1948, « ses œuvres comprennent des paysages, des natures mortes et des animaux[24] ». C'est par ces deux derniers genres – qui ne comptent pas parmi les plus pratiqués – que se distingue Élisée Martel, et plus particulièrement encore par ses animaux. Aimer les animaux est un don que l'on a ou que l'on n'a pas. On peut ne pas leur être indifférent, sans pour autant aller jusqu'à vouloir vivre au milieu d'eux. C'est pourtant ce qui est arrivé à Élisée Martel à cinquante ans passés. Il semble avoir trouvé dans la vie animale une fraternité et une communion que ses semblables ne lui ont pas apportées, l'absence quasi totale de représentations humaines dans sa production signalant un désintérêt marqué. Seuls les animaux, qu'il aimait tendrement, l'ont amené à peindre le vivant. Boulevard Saint-Jean-Baptiste, il

7.29 Élisée Martel, *Quatre études de canards**, n.s., s.d., mine de plomb sur papier.

À DROITE

7.30 Élisée Martel, *Six études de chats**, n.s., s.d., mine de plomb sur papier.

7.31 Élisée Martel, *Trois études de chats**, n.s., s.d., mine de plomb et encre sur papier.

À DROITE
7.32 Élisée Martel, *Cinq études de carpes et un profil féminin**, n.s., s.d., mine de plomb et encre sur papier.

ne s'agit plus seulement de coqs (**7.27**). Toute une basse-cour est là. Poules (**7.28**), poussins, lapins, oies, chiens et chats (**7.30, 31**) vont lui tenir compagnie et lui servir de modèles, tout autant que les canards (**7.29**), les poissons (**7.32, 36**) et les grenouilles des ruisseaux et des étangs environnants. Les animaux de la ferme, comme le cheval (**7.13**), et ceux du pâturage, comme les vaches et les veaux, l'intéressent aussi (**7.33**), à quoi il faut ajouter les moineaux et même les perroquets. Ce sont des animaux familiers, proches, accessibles, que peint Martel, des animaux qu'il peut étudier et qui deviennent la source de son inspiration.

Martel, peintre animalier, en même temps qu'il cherche une représentation juste de son modèle, crée son propre naturalisme avec une touche à la fois simplifiée et recherchée, fantaisiste et vivante, empreinte de candeur et d'affection.

Par le format et la composition, *Grande ferme* (**7.35**) est le tableau le plus ambitieux d'Élisée Martel. Les animaux et le paysage s'y rencontrent en parfaite harmonie. Au premier plan, bien en évidence et au centre du tableau, le coq, animal fétiche du peintre, brun, juché sur une pierre plate, lance son cocorico, tandis que, devant lui, debout aussi sur une pierre

7.33 Élisée Martel, *Études de vaches et de veaux**, n.s., s.d., fusain et huile au dos d'une huile sur toile. On songe à l'art pariétal.

7.34 Élisée Martel, *Coq et gerbes de blé**, s.d., huile sur toile. En 1941, à la galerie Morency, Martel a exposé *Le Roi de la basse-cour*, tableau plus petit (39,3 x 45,7 cm [15½ x 18 po]) que celui-ci. Toutefois, le coq ici représenté pourrait fort bien remplir cette fonction royale.

7.35 Élisée Martel, *Grande ferme**, n.s., s.d., huile sur toile. Étonnamment, Élisée Martel n'a pas apposé sa signature sur son chef-d'œuvre où tout son répertoire le plus abouti est réuni : paysage, animaux, fleurs, rochers. Peut-être ne le considérait-il pas comme achevé ?

7.36 Élisée Martel, *Nature morte aux poissons bleus*, 1933, huile sur toile.

plate mais plus petite, un autre coq, blanc celui-là, s'incline devant la majesté de son rival. Entre eux, une poule brune, les pattes à même le sol, fait la révérence au coq blanc et s'incline peut-être aussi devant la force du cri du grand coq. Le peintre a inscrit dans ces trois figures, qui pourraient sortir tout droit d'une scène du *Chantecler* d'Edmond Rostand, une décroissance dans la hiérarchie des rôles. Au second plan, dans le champ fauché, deux poules vaquent à leurs occupations, tandis qu'une autre fait de même, mais plus en retrait, tout près de la charrette à foin.

Deuxième élément en importance de cette composition, cette énorme charrette est chargée à pleine capacité d'un foin soigneusement peigné, qui retombe jusqu'à terre, blond, lisse, soyeux. Du massif d'arbres derrière l'amas doré de la charrette émerge un trio d'ormes. Sur la gauche, aux longs champs cultivés succède un horizon boisé où se détache l'aigrette d'un peuplier solitaire et où se tapissent les bâtiments de ferme. Un ciel d'un bleu parfait, comme les aime Martel, règne sur cette scène idyllique.

Natures mortes ou vives

Parfois, les animaux de Martel se retrouvent dans ses natures mortes – sans vie comme les autres éléments du tableau arrachés de leur milieu naturel. Ils en deviennent alors le sujet principal. Martel s'inscrit ainsi dans une longue tradition où une dépouille d'animal se mêle aux arrangements de fruits, de fleurs, de légumes, accompagnés d'objets usuels. Outre les premiers essais imposés par son professeur Jobson Paradis au CAM, qui ne faisait travailler à ses élèves que la nature morte composée principalement d'objets de la vie courante, de plâtres et parfois de quelques fleurs ou légumes qu'il fournissait lui-même, Martel semble s'être mis assez tard à la pratique de ce genre. Chez Morency, en 1941, il ne présente aucune nature morte, tandis que son exposition personnelle de 1949 à l'École des arts et métiers compte une section spéciale avec sept pièces de ce genre.

Dans le cas de Martel, les harengs (7.36) et le canard (7.37) qu'il expose sous nos yeux sont en voie d'être consommés. Il ne s'agit pas de restes d'animaux, comme la tête seule, par exemple, résultat d'un dépeçage, mais d'une bête entière et comestible. En ce qui concerne les harengs, cette nature morte l'est à double titre : par les deux poissons qui gisent dans l'assiette ovale et dont les queues se croisent en signe de solidarité dans l'épreuve de la mort et par les fleurs fanées qui inclinent la tête dans leur vase rond. Est-ce le fumet plutôt prenant des harengs qui a inspiré à Martel ce trait d'humour des fleurs asphyxiées par une trop grande proximité ? Ces deux absences de vie ont dû amuser le peintre qui les a fait se rencontrer dans son tableau où elles établissent entre le végétal et l'animal une sorte de « dialogue des morts ». Les harengs proviennent sans doute du marché, mais les fleurs sont-elles sauvages ou est-ce que ce sont des fleurs que Martel a lui-même cultivées ? Le peintre a la particularité non seulement de posséder une basse-cour, mais aussi de cultiver lui-même ses légumes et ses fleurs, qui lui fournissent les éléments nécessaires à ses tableaux.

7.37 Élisée Martel, *Nature morte au canard et aux courges**, s.d., huile sur toile.

Dans *Nature morte au canard et aux courges* (7.37), la basse-cour et le potager se rencontrent sur une table à la surface laquée, tandis que l'élément floral est apporté par un paravent à motifs de branches fleuries qui occupe le fond de la composition. Cette laque et ces motifs de fleurs donnent une touche orientale au tableau et se retrouvent plus caractérisés encore dans *Nature morte aux oranges et au pamplemousse* (7.38), où la laque fait office de miroir et où les bonzaïs japonais du paravent (ou de la tapisserie) sont accompagnés de pagodes. Ainsi, basse-cour et potager se côtoient dans un décor exotique.

7.38 Élisée Martel, *Nature morte aux oranges et au pamplemousse**, s.d., huile sur toile.

À l'inverse, les *Asters* (**7.39**) de Martel jouent de sobriété, le modeste bouquet de fleurs sauvages, posé dans un vase sur une table, se détachant sur un fond uni. Le vase ne se reflète qu'en partie dans la surface laquée, alors que l'ombre du bouquet est projetée sur le mur par une lumière crue et frontale. Le peintre peint à la fois le bouquet et son ombre. Quant à ses *Glaïeuls* (**7.40**), il les a peints sur place, dans son coin de jardin, n'osant attenter à un ensemble de beauté aussi parfaite, dans toute sa liberté naturelle.

7.39 Élisée Martel, *Asters**, n.s., s.d., huile sur toile.

Dégels

« Non loin de sa terre coule un ruisseau, l'artiste le peint au dégel[25] », nous informe un articulet de l'époque. Comme pour ses natures mortes à fond exotique, est-ce tardivement qu'Élisée Martel en est venu à peindre des dégels, son installation à Pointe-aux-Trembles lui en offrant l'occasion à la faveur dudit ruisseau ? Pourtant, le domaine Saint-Sulpice, qui se couvrait de mares et d'étangs à la fin de l'hiver (**7.41**), lui avait déjà permis d'exploiter ce thème puisqu'à l'exposition de 1941 il exposait une *Fonte des neiges*.

7.40 Élisée Martel, *Glaïeuls**, s.d., huile sur toile.

À DROITE

7.41 Jean-Onésime Legault, *Fonte des neiges à la Montée Saint-Michel*, photographie, s.d. Ainsi qu'Élisée Martel, J.-O. Legault s'intéressait à ce moment du printemps où la neige qui fond découvre le sol, dégage la végétation et où se forment les mares.

Martel ne résiste pas à la couleur (7.21, 43). Il la voit partout. Les dégels qu'il peint, soit à la Montée Saint-Michel, soit à Pointe-aux-Trembles, sont hauts en couleur en cette période de l'année où les scènes de neige fondante offrent surtout une blancheur sourde, une grisaille qui laisse à nu les arbres et un sol qui commence tout juste à se découvrir. La dominante gris perle des grands ciels effilochés d'avril (7.42), les derniers restes de neige, les étangs qui se forment et les branches encore nues des arbres n'empêchent pas l'artiste d'enluminer sa composition.

Dans ce moment de la saison où la nature revient à elle-même, Martel porte à sa puissance maximale le moindre frisson de vie que son œil décèle : sève qui s'éveille dans les arbres, eaux qui se remettent à couler, sol qui réapparaît (7.43, 44). Tout est marqué de tons vifs qui semblent annonciateurs de la vie qui va renaître. Tout éclate d'espérance dans ce spectacle d'une résurrection longuement attendue.

Réception critique

Très modeste est la réception critique d'Élisée Martel, l'artiste ne s'étant pas beaucoup manifesté. Il participe deux fois aux expositions annuelles de la galerie Eaton, en 1929 avec trois tableaux et en 1930 avec un tableau. Puis vient sa participation au Salon du printemps de 1934 avec un tableau. Après quoi, il présente vingt-quatre pièces à l'exposition du groupe

de la Montée Saint-Michel à la galerie Morency en 1941. Avec deux tableaux, il figure dans l'*Exposition d'art canadien* de 1944 au collège André-Grasset. Enfin, son atelier ouvert de 1948 et son exposition personnelle de 1949 sont les deux manifestations qui lui valent des articles quelque peu substantiels.

Pour le Salon du printemps de 1920, Élisée Martel avait soumis une pochade intitulée *Effet de nuit*, qui avait été refusée[26]. Il attendra quatorze ans avant de tenter à nouveau sa chance. En 1934, il attire l'attention avec son unique tableau présenté au Salon du printemps : *Vieux coq.* « Pour la première fois aussi avons-nous le bonheur de trouver un animalier chez les nôtres », écrit Roméo Boivin, qui n'y va pas de main morte, estimant que, dans ce tableau, « [se] révèle[nt] déjà toutes les possibilités futures d'un peintre qui pourra, pour nous et nos fils, remplacer Rosa Bonheur[27] » !

Sept ans plus tard, c'est encore son animal fétiche qui le fera remarquer au moment de l'exposition du groupe de la Montée Saint-Michel chez Morency en 1941. Parmi les vingt-quatre œuvres qu'il présente, il n'expose que trois tableaux du genre animalier, lesquels montrent un coq dans les phases de son existence et forment une sorte de triptyque : *Jeunesse, Maturité, Digne vieillesse.* Ces tableaux ont l'heur de plaire au critique Reynald, qui les reproduit dans son compte rendu et qui note : « Il [Martel] les comprend et les peint avec tout le soin d'un peintre éleveur de volailles, mais leur ajoute je ne sais quel soupçon de panache à la Rostand[28] » – Rostand tout aussi incontournable dans l'approche du genre animalier que Rosa Bonheur, à cause de son célèbre *Chantecler*[29]. Mais un autre critique trouve que ces tableaux représentant le même animal sont « d'une bonne observation, mais

7.42 Élisée Martel, *Grand dégel**, s.d., huile sur toile. Le ruisseau qui coulait près de la ferme de Martel à Pointe-aux-Trembles prenait peut-être les proportions d'un étang au moment de la fonte des neiges – à moins qu'il ne s'agisse ici de la Montée Saint-Michel elle-même.

7.43 Élisée Martel, *Dégel*, 1930, huile sur toile.

7.44 Élisée Martel, *Dégel à la Montée Saint-Michel**, s.d., huile sur toile. En 1941, Martel a exposé une *Fonte des neiges* et, en 1949, un autre *Dégel* ainsi qu'une *Fin d'hiver*.

Exposition de Peintures

Ouvert tout les samedis et dimanches après midi
de 2 p. m. à 5 p. m.

à l'atelier **E. A. MARTEL**

Doyen des peintres de la Montée St-Michel

3875 BLVD ST-JEAN-BAPTISTE (En haut de la rue Sherbrooke)

PAYSAGES, NATURES MORTES ET ANIMAUX

EXPOSITION

de

A. Elyse Martel

du 1er avril au 14 avril
inclusivement

à l'Ecole des Arts et Métiers

rue St-Denis, près Ste-Catherine

Ancien Université de Montréal

Sous le patronage de

Entr'aide Artistique Enrg.

À GAUCHE
7.45 Carte de visite d'Élisée Martel annonçant les portes ouvertes de son atelier, s.d.

À DROITE
7.46 Couverture du catalogue de l'exposition personnelle d'Élisée Martel, à l'École des arts et métiers en avril 1949.

qui n'échappe pas à la monotonie[30] ». De son côté, Reynald émet une réserve sur l'autre genre pratiqué par le peintre : « Ses paysages sont moins caractéristiques[31] » – selon lui.

En 1948, lorsque Martel annonce son atelier ouvert les samedis et dimanches (7.45), un journaliste que nous supposons être Albert Laberge lui rend visite[32]. Le journaliste affirme d'abord que Martel est de ces « peintres qui n'ont pu se livrer à leur art qu'après avoir rempli des emplois divers, pendant longtemps[33] » – confidence qu'il tient sans doute de l'artiste lui-même. Toutefois, notons que Martel, qui « est amené par Aubin à la Montée et y vient avec lui pendant au moins vingt ans[34] », a dû peindre un certain nombre de tableaux sur une aussi longue période. Par ailleurs, et au contraire d'un peintre voyageur comme Joseph Jutras – Laberge souligne que, chez Martel, il s'agit de « sujets pris sur place », animaux, fleurs, fruits, fermes –, le temps des pérégrinations était terminé pour l'artiste. S'il estime que « les tableaux de M. Martel témoignent d'une application certaine » et s'il reconnaît, pour ce qui est de ses coqs et de ses poules, qu'« il [en] décrit le plumage avec minutie », il semble pencher davantage vers les natures mortes, parmi lesquelles « une nature morte de fruits [lui] a paru le plus éclatant ». Il estime que « les autres [tableaux] mettent en œuvre des moyens plus modestes ». Si Laberge pense ici aux paysages, on regrette que des œuvres aussi fortes que *Vieux pont de bois* (7.14) ou que tel ou tel autre *Dégel* (7.42-44) n'aient pas trouvé grâce à ses yeux.

Pour son exposition personnelle de 1949 (7.46), Martel construit sa personnalité au sein du groupe de peintres auquel il appartient en reprenant le titre que lui avait donné Olivier Maurault dans sa conférence de 1941, à savoir celui de « doyen[35] ». Ainsi, sur sa carte de visite annonçant son atelier ouvert et sur la couverture du catalogue de son exposition de 1949, il inscrit, bien en évidence, son titre de « doyen des peintres de la Montée Saint-Michel », titre que les quelques articles qui paraîtront sur lui reprendront également.

En 1949, alors que la peinture au Québec est engagée à fond dans l'abstraction et que le congédiement de Paul-Émile Borduas de l'École du meuble, à la suite de la parution de son manifeste automatiste *Refus global,* l'année précédente, a provoqué une polémique dont les échos ne sont pas près de s'éteindre[36], les tableaux d'Élisée Martel « parlent un idiome peu en usage aujourd'hui[37] », dit un critique, qui ajoute : « Comme l'on sent que cette façon de peindre est révolue. » Le jugement d'un autre critique selon qui « le doyen des peintres de la Montée Saint-Michel demeure un peu primitif dans son dessin[41] » rejoint l'appréciation de celui qui écrit : « Il y a une candeur vraiment touchante dans ces peintures si peu modernes et pourtant si humaines par leur simplicité[42]. » La façon dont Martel enlumine ses toiles de tons vifs, de couleurs pures, laisse dubitatif et on lui adresse cette remarque : « Là où l'artiste consent à couper un peu ses couleurs, il donne des œuvres plus intéressantes[38]. »

Élisée Martel s'est singularisé par ses animaux de basse-cour et de compagnie, ses natures mortes à fond oriental et ses dégels printaniers, fruits de ses réflexions d'artiste, de son évolution qui n'a pas été tributaire de ses succès aux salons officiels, ni de sa visibilité aux cimaises des galeries, ni de la circulation de ses œuvres sur le marché de l'art, ni de la réception critique (des plus restreintes) qui lui a été réservée, mais de son seul amour de l'art, intrinsèque à sa personne. Peindre pour lui ne relevait que de sa passion. Il a eu la chance, grâce à ses amitiés avec les peintres de la Montée Saint-Michel, et particulièrement grâce à l'amitié privilégiée qui l'a lié à Ernest Aubin, de vivre dans un climat d'émulation constant, de discussion et de pratique artistique, ses travaux d'ébénisterie lui laissant du temps pour peindre et l'immeuble à logements légué par son père lui permettant d'être à l'abri des soucis financiers, ne faisant pas dépendre sa subsistance de sa peinture et lui évitant le risque de rejeter celle-ci comme cause de ses déboires et de sa misère.

Destin

Par la force des choses, ses archives ayant disparu et les renseignements sur sa personne étant assez rares, Élisée Martel reste un homme secret. En ce qui touche sa vieillesse, tout au plus sait-on qu'au printemps 1961, il s'offre du bon temps en Floride[39]. Il meurt en novembre 1963[40], quelques mois après la mort de son ami Ernest Aubin et quelques mois après être devenu propriétaire d'un immeuble de l'avenue Colonial, et par la disparition de ses archives, Élisée Martel est resté un homme secret.

Après qu'Ernest Aubin a rompu avec lui, Martel, à son tour, rompra – avec sa compagne. Rappelons qu'en 1941 le peintre a vendu l'immeuble du 4277 de la rue des Érables et a acquis, au nom de Marie-Anna, un autre immeuble dans la même rue, au numéro 4283. S'il descend à cette adresse quand il vient en ville, c'est là aussi qu'il entrepose ses tableaux. Or Martel se lasse de « la p'tite » et veut la quitter. Cette dernière le prend très mal. Mais le peintre décide quand même de se séparer de sa compagne. Lorsqu'il revient chercher ses tableaux, celle-ci lui déclare avoir tout brûlé – ce qui était faux. C'était sa manière de se venger. Inconsolable, Martel croira jusqu'à la fin de ses jours à la perte irrémédiable de son œuvre[41].

Le mensonge de sa compagne, en dépit du coup cruel qu'il a porté à l'artiste, a en quelque sorte préservé l'œuvre de Martel d'une dispersion posthume qui aurait pu lui être fatale. Marie-Anna entreposera les quelque soixante-dix tableaux de Martel chez son fils Fernand qui, marié, possédait une maison avec une cave où ranger cette cargaison. Un jour, au début des années 1970, apprenant en conversant avec sa voisine Suzanne, que son mari, Hubert Van Gijseghem, était un collectionneur généraliste, il lui fait voir cet ensemble de tableaux du « chambreur de sa mère[42] », ainsi qu'il l'appelait, qui signait A. E. Martel. Suzanne et Hubert Van Gijseghem connaissaient déjà les peintres de la Montée Saint-Michel par leur amitié avec Jean-Paul Pépin. Le collectionneur et son épouse acquièrent l'ensemble des tableaux que lui propose le fils de Marie-Anna – à l'exception de quelques-uns que lui et sa femme gardent pour leurs enfants… Peu après, alors que l'ex-compagne de Martel, assez âgée, doit abandonner son logis pour une maison

7.47 Élisée Martel, *Deux études de chats* (détail), n.s., s.d., mine de plomb sur papier.

de retraite, Van Gijseghem lui rend visite et acquiert une dizaine d'autres tableaux qu'elle avait aux murs ou qu'elle gardait sous son lit, ainsi que le chevalet de l'artiste et un plâtre d'Ernest Aubin représentant le père d'Élisée Martel (7.25). Le collectionneur recueille aussi un lot de dessins qui traînaient par terre, dans le désordre des préparatifs du déménagement. Heureusement…

CHAPITRE 8

JEAN-PAUL PÉPIN (1897-1983) LE TRADITIONALISTE MODERNE

Dès le premier article qui paraît sur son exposition personnelle inaugurale de 1945, Jean-Paul Pépin (8.1) rend hommage à Ernest Aubin, « son professeur de paysages[1] ». Il reprendra cet hommage à maintes reprises dans des entrevues, des témoignages et dans son journal personnel. En effet, à partir du milieu des années 1920 et jusqu'au milieu des années 1930, Jean-Paul Pépin, le benjamin du groupe et dernier venu, aura été, à la Montée Saint-Michel, le compagnon d'Ernest Aubin, de jour comme de nuit, au crépuscule et à l'aurore. Selon la liste des tableaux et des pochades qu'il a exécutés à la Montée durant cette période que Pépin raconte dans son journal, les plus anciens datent de 1925 et les plus tardifs de 1936[2]. De son côté, Aubin, lorsqu'il se trouvait avec son disciple pour peindre sur le motif, avait l'habitude de noter au dos de sa pochade : « Co. PP », c'est-à-dire « Compagnon, Paul Pépin ». La pochade d'Aubin la plus tardive que nous ayons retrouvée portant cette mention date du 21 juillet 1935. « C'est mon ami Ernest Aubin qui m'a appris les secrets du paysage. J'ai peint sur le domaine des Sulpiciens pendant 20 ans [sic] avec le père de la Montée Saint-Michel, Ernest Aubin, mon ami sincère. Ce fut lui qui me donna les plus précieux conseils, et c'est grâce à lui si je suis un artiste peintre aujourd'hui[3] ! »

8.1 Eugène, *Jean-Paul Pépin*, photographie, 1931.

Les deux hommes se sont connus en 1912 au cours de lithographie du Conseil des arts et manufactures (CAM), situé au Monument-National[4]. Pépin a quinze ans, Aubin en a vingt. Aubin en est à sa cinquième année d'études en dessin et en peinture, et c'est sa deuxième année en lithographie. Il accumule prix et mentions. Le groupe des peintres de la Montée Saint-Michel, dont il est l'instigateur, a pris forme en octobre 1911 et il se peut qu'Aubin ait emmené son jeune et enthousiaste confrère dans son coin de prédilection, le domaine Saint-Sulpice, le cœur de la Montée Saint-Michel. À l'automne 1912, Jean-Paul Pépin vient d'entrer à l'Académie commerciale catholique Le Plateau où il a pour

8.2 Jean-Baptiste Lagacé, au moment où il était l'un des deux présidents de l'Union catholique, 1902, imprimé. C'est là qu'il a donné ses premiers cours d'esthétique. Les femmes étaient admises aux séances qui se tenaient dans l'amphithéâtre du collège Sainte-Marie.

8.3 Jean-Baptiste Lagacé, Illustration pour *La Corvée*, deuxième concours littéraire de la Société Saint-Jean-Baptiste de Montréal, 1917.

professeur de dessin son oncle maternel Jean-Baptiste Lagacé (1868-1946[5]) (**8.2, 3**), qui, depuis 1904, est titulaire de la chaire d'histoire de l'art à l'Université Laval de Montréal, rue Saint-Denis[6]. Il est certain que l'oncle s'est intéressé aux talents de son neveu et que l'amour pour l'art de celui-ci a redoublé au contact de cet homme auréolé de prestige.

D'autres influences ont pu jouer : Jobson Paradis (**2.17, 18**), par exemple, qui enseigne le dessin à l'école Montcalm où Jean-Paul fait son cours primaire et qui remarque celui-ci[7] – Paradis qu'il reverra en 1912 au CAM où il enseigne le dessin et la peinture. En cette même école Montcalm, Jean-Charles Drouin (1887-1951), architecte de formation, partage

pendant un certain temps les cours de dessin avec Paradis, et c'est lui qui aurait poussé Jean-Paul Pépin à suivre les cours du soir au Monument-National[8].

Refus total

Jean-Paul est le troisième garçon de la famille. Son père, Eugène Pépin, après avoir été commis-voyageur pour le compte de la librairie Beauchemin, a ouvert sa propre librairie, au 500, rue Sainte-Catherine Est, entre les rues Saint-André et Saint-Timothée[9]. En plus de l'enseigne habituelle au-dessus de la porte d'entrée, le nom de la librairie avait été peint sur le trottoir, de sorte que les piétons ne peuvent passer sans le voir. C'est un commerce d'importations, de gros et de détail. Durant leurs temps libres, les deux garçons Raymond et Jean-Paul travaillent à la librairie (8.4). Leur père les destine à prendre sa succession.

C'est lorsqu'il est devenu propriétaire de sa propre librairie, en 1912, qu'Eugène Pépin a envoyé son fils Jean-Paul suivre les cours de lithographie au CAM, où le futur libraire pourra parfaire ses connaissances dans les techniques de l'imprimé. Les livres d'art importés de France ne manquent pas sur les tablettes de la librairie Pépin, et sur chacune d'elles se trouve une paire de gants blancs à l'intention de ceux qui voudraient feuilleter l'un ou l'autre de ces livres[10]. Blanche Castonguay, la mère de Jean-Paul, pianiste et chanteuse[11], est la sœur d'Églantine Castonguay, que Jean-Baptiste Lagacé a épousée en 1904. Devant l'attirance de Jean-Paul pour les arts, Blanche a une préférence pour ce fils qui aime l'écouter jouer du

8.5 Le 462, rue Saint-Christophe (auj. le 1710), photographie. La famille Pépin y emménagea en 1912. Jean-Paul Pépin a tracé un X au-dessus de la lucarne qui était celle de sa chambre.

piano et qui, de plus, manifeste des dispositions pour les arts. Elle l'encourage et l'emmène visiter les quelques galeries d'art de Montréal, dont William Scott & Sons, la plus célèbre, ainsi que le magasin Morency Frères (**C.3, 4**), qui vend des tableaux, et le nouvel édifice de l'Art Association of Montreal (AAM, auj. Musée des beaux-arts de Montréal), rue Sherbrooke Ouest au moment du Salon du printemps[12].

Lorsque son condisciple du CAM Ernest Aubin entre au service des marchands d'art religieux Desmarais & Robitaille, en 1915, et qu'il utilise leur entrepôt de la rue Saint-Jean-Baptiste, où il travaille, pour s'en faire un atelier, Pépin s'y retrouve avec quelques autres des peintres de la Montée Saint-Michel, dont Joseph Jutras et Joseph-Octave Proulx[13]. À ce moment-là, il a pu prendre davantage conscience de l'existence du groupe. Ces fréquentations ont pour effet d'attiser plus que jamais le désir de Jean-Paul de devenir peintre – artiste peintre. C'est ce qu'il déclare à son père. Refus immédiat et catégorique de ce dernier[14].

Jean-Paul a alors dix-huit ans.

Pourtant, à la librairie Pépin, on vend du matériel d'artiste… Et justement, parmi les peintres et rapins de tout acabit qui viennent s'approvisionner, il y en a certains qui sont, disons, « des bohèmes, des soulards[15] », et comme Jean-Paul s'était ouvert à quelques-uns d'entre eux de son désir de devenir artiste lui aussi, ils lançaient à Eugène Pépin : « Soyez pas inquiet, le père, votre fils ça va faire un artiste, il est plein de talent, c'est merveilleux[16] ! » Et le père de Jean-Paul, en entendant ces individus d'allure peu recommandable, d'apostropher son fils : « Viens voir, tu vas être comme ça dans quelques années… Oui, on va t'en faire un artiste avec toi, regarde, tu vas être comme ça dans quelques années, pis la réputation des Pépin tu l'auras assommée[17] ! » Ce qu'Eugène Pépin ne sait pas, c'est que son fils était de connivence avec ces personnages puisqu'« [il] pillait les réserves de peinture de son père qu'il donnait aux artistes pour qu'ils lui permettent de les suivre partout[18] ». Ainsi, peut-être a-t-il pu suivre Georges Delfosse – très recommandable, lui –, toujours en quête d'un élève ou d'un aide et qui aurait accepté la présence du gamin à ses côtés alors qu'il peignait les scènes du Vieux-Montréal pour lesquelles la Ville lui avait passé plusieurs commandes[19].

En dépit de l'opposition de son père, le jeune Pépin ne renonce pas à son idée, d'autant que sa mère est de connivence avec lui et tient secrets certains cours du soir qu'il aurait suivis au CAM et pour lesquels elle déboursait ce qu'il fallait[20]. Mais le stratagème est rapidement découvert et Eugène Pépin intervient à nouveau pour faire cesser toute étude d'art à son fils. Nous sommes en 1918[21]. Jean-Paul a vingt et un ans et il est majeur.

Compagnons à la Montée Saint-Michel

À partir du moment où, en 1923, le 24 septembre, jour de son anniversaire de naissance, Jean-Paul Pépin se marie avec Irène Hamelin (1902-1984) et emménage au 722, rue Fabre, il reprend contact avec les peintres de la Montée Saint-Michel. À l'époque, Jean-Paul pratique le même métier qu'a exercé son père chez Beauchemin : il est commis-voyageur, et cela au service de la librairie paternelle. Quoiqu'épisodiques, ces tournées ont l'avantage de lui faire découvrir bien des coins de pays – ce qui marquera son œuvre plus tard. Et il peut alors dessiner s'il le veut et même peindre. Comme Joseph Jutras, Pépin sera pendant plusieurs années « un peintre sur la route[22] » et ses expositions en témoigneront[23].

Les retrouvailles avec les peintres de la Montée Saint-Michel prennent l'allure non pas d'expéditions de peinture, mais de réunions autour d'une table bien garnie ! Elles ont lieu d'abord chez Jean-Paul[24], le mercredi[25], puis chez chacun des autres peintres, qui reçoivent à leur tour les autres membres du groupe. À cela Pépin ajoute une note d'originalité : celle de souligner chaque année, chez lui, le 29 septembre, la fête de saint Michel archange, le saint patron du groupe. Au cours de ces rencontres, Pépin relance l'idée d'une consolidation du groupe – qu'il a maintenant intégré. On parle à nouveau de faire enregistrer officiellement le nom du groupe, d'incorporer l'association[26]. L'idée d'officialiser un groupe qui, de toute façon, est déjà cimenté par l'amitié mutuelle que se portent ses membres n'a peut-être pas fait beaucoup de chemin, d'autant que Jean-Paul Pépin s'absente souvent de Montréal et que les bouches à nourrir se multiplient dans son foyer[27]. Il n'empêche que c'est durant ces années que Pépin commence à fréquenter la Montée Saint-Michel avec celui qu'il appellera son « professeur[28] » : Ernest Aubin.

Les peintres de la Montée Saint-Michel se sont toujours défendus de s'être influencés les uns les autres, chacun conservant son style et ses sujets. Dans le cas de Pépin, la chose est un peu différente, car celui-ci se met volontairement à l'école d'Ernest Aubin, qui est celui du groupe qu'il admire le plus et qu'il suit, à partir du milieu des années 1920, à la Montée Saint-Michel. Là, il rencontre inévitablement d'autres membres du groupe : Joseph Jutras, Jean-Onésime Legault, Élysée Martel, Joseph-Octave Proulx[29]. Leurs rendez-vous durèrent une dizaine d'années et se poursuivirent, mais plus espacés, après qu'Aubin, en 1943, ait commencé à s'absenter de Montréal du printemps à l'automne pour Sainte-Adèle, dans les Laurentides. Pépin ira l'y rejoindre à quelques reprises pour des expéditions de peinture.

La Montée Saint-Michel enchante Pépin : « C'était merveilleux ! On retrouvait là tous les plus beaux bois du Québec, des petits lacs, des ruisseaux… On pouvait commencer à peindre à l'aube et n'arrêter que le lendemain tellement c'était beau. […] Il aurait fallu cinq vies pour tout peindre ce qu'il y avait là[30] ! » Il parlera « des magnifiques ormes, deux fois centenaires, des étangs, des chemins, et un magnifique bois de toutes les sortes d'arbres. C'était un vrai Barbizon de Montréal[31] ! »

8.6 Jean-Paul Pépin chez Ernest Aubin, en compagnie de deux femmes non identifiées, photographie, vers 1935. Derrière la tête d'Ernest Aubin, un buste en plâtre représentant son père. Au mur, en haut à gauche, son tableau *Nos Vieilles Maisons* (3.75) et, plus bas, *Chardons et clôture* (8.10). Sur la porte du fond et sur le mur de droite, épinglés, un *Nu debout à la draperie* et un *Nu de dos à la draperie*, exécutés lors des séances de modèle vivant à l'ARAC qu'Aubin fréquente depuis 1926. Sur le même mur, on devine dans l'ombre le grand nu vertical (coll. part.) sur lequel Aubin travaillait pour le Salon du printemps de 1934 (3.68), et qu'Élisée Martel l'empêcha de terminer – ce qui fut à l'origine de leur brouille.

8.7 J.-P. Pépin, *Champ de sarrasin, ferme sulpicienne, rue Saint-Hubert*, été 1925, huile sur bois.

8.8 J.-P. Pépin, *Pommier au matin*, s.d., huile sur bois. Au dos, Pépin a précisé : « Quatre heures a.m., ferme Robin. » Déjà, le goût du mouvement se lit dans cette pochade des débuts de Pépin à la Montée Saint-Michel dans les années 1925, 1926.

Dans sa géographie des lieux, Pépin se conforme à l'encadrement traditionnel de la Montée par le boulevard Crémazie au sud et la rue Saint-Hubert à l'ouest, mais il va cependant au-delà de l'avenue Papineau et du boulevard Pie-IX, pour atteindre Saint-Léonard, ce qui répond à des descriptions de quelques autres membres du groupe[32], et il repousse aussi la limite nord jusqu'au boulevard Gouin, qui longe la rivière des Prairies[33].

8.9 J.-P. Pépin, *Montée Saint-Michel, automne*, 16 septembre 1926, huile sur toile.

Si la datation des tableaux est exacte, on est surpris de voir combien, en l'espace d'une même année, comme en 1926 (**8.9, 12**) et en 1927 (**8.14**), peuvent différer les styles pratiqués par Pépin, l'un montrant une facture assez poussée, l'autre portant des traces de ce qu'on pourrait appeler naïveté. C'est une habitude qu'il conservera d'avoir ainsi plusieurs manières qui se suivent et se côtoient et dont chacune, semble-t-il, le délasse de l'autre. Il pratique tantôt la pochade, tantôt l'huile sur toile, il use tantôt du pinceau, tantôt de la spatule ; il se lance dans le placage des couleurs vives, puis il se complaît dans les teintes assourdies et soigneusement brossées (**8.9**). Plus tard, la critique soulignera ces variations qu'on trouvera d'une exposition à l'autre. C'est que Pépin expérimente sans cesse.

Il crée sa technique au fur et à mesure qu'il peint – l'essentiel étant de peindre. Il n'apprend pas d'abord une technique pour pouvoir peindre ensuite, non, il crée sa technique en peignant. En élaborant ainsi sa manière de faire par la pratique, il se questionne, il modifie cette technique. Que faire avec une maison, des arbres et des nuages que l'on répète indéfiniment, sinon en renouveler sans cesse l'approche technique ? Des constantes, toutefois, apparaîtront, tandis que son album d'images se modifiera radicalement au début des années 1950, alors que le paysage urbain envahira sa production et qu'il deviendra un dessinateur à nul autre pareil.

Cette première période à la Montée Saint-Michel, qui marque ses vrais débuts comme peintre, Jean-Paul Pépin la décrira sous le nom d'« académisme poétique[34] », en ce sens qu'il se place sous la férule d'un maître et qu'il pratique le paysage à des heures où la nature se

8.10 Ernest Aubin, *Chardons et clôture**, 1926, huile sur toile.

trouve entre deux états, dans une sorte de songe ou de demi-songe, c'est-à-dire le crépuscule du soir, les nuits de pleine lune ou les premières lueurs du jour. En fait, Aubin soumet son disciple au même régime qu'il s'impose à lui-même, afin de surprendre tous les visages de la Montée, tous ses états d'âme. Maintes fois, les deux artistes se retrouvent sur le même motif (**8.10, 11**) que peint Aubin et que dessine Pépin – exigence que lui a peut-être imposée son professeur.

Ainsi qu'il le fera si souvent plus tard, Pépin dessine de préférence à l'encre plutôt qu'au fusain ou au plomb. En bon apprenti, il lui arrive de coller d'assez près au style de son maître, comme dans ces meulons (**8.12, 13**) qu'Aubin a fréquemment représentés (**3.35, 36**), ainsi que Narcisse Poirier (**9.9**) et Joseph-Octave Proulx (**10.11, 12**).

Montée St-Michel, Ferme Sulpicienne, Multicel — Ferme Laurin.

8.11 J.-P. Pépin, *Montée Saint-Michel, ferme sulpicienne*, 1931, encre et gouache sur papier. Même à quelques années d'intervalle, les deux artistes croquent l'un et l'autre les mêmes scènes de la Montée.

C'est un monde automnal, matutinal et crépusculaire que peint Jean-Paul Pépin au cours de ses premières excursions à la Montée Saint-Michel en compagnie de son guide. Les belles journées d'été près des champs cultivés de la ferme Laurin (8.7), les petites heures du matin dans les parages de la ferme Robin (8.8), pour connaître la perspective et les couleurs, le mystère de la nature qui sort de son sommeil ou pour y apercevoir un spécimen d'arbre aux formes expressives, constituent le menu ordinaire de la formation de Pépin avec Aubin. Celui-ci, professeur, n'est pas qu'un maître technicien, c'est un éducateur et non seulement de l'œil, mais aussi de l'âme.

Par un après-midi d'octobre, dans un décor d'ormes, de bouleaux jaunis et de bosquets tachetés de rouge en bordure d'un étang, Pépin se lance dans un pari risqué où le guette le danger des couleurs, et plus encore celui d'un reflet dans l'eau d'un étang (8.9). Il résout le problème en optant pour une gamme de jaunes, de bruns rougeâtres et de verts délayés qu'il unifie par un coup de pinceau qui relève du flou artistique. Le même groupe de bouleaux sera revisité l'année d'après, et, cette fois, le peintre y va d'une touche plus assurée, plus vigoureuse, tout en présentant des feuillages simplifiés en forme de quenouilles (8.14). Cette vigueur, il s'y était déjà essayé à l'automne 1926, en cadrant un long chemin que lui et Aubin aiment emprunter (8.15), qui est bordé de longs ormes qu'Aubin a peints de jour

8.12 J.-P. Pépin, *Meules, ferme Laurin*, 1926, huile sur carton. Au verso, de la main de Pépin : « 1ère peinture à la Montée Saint-Michel, Montréal, avec mon professeur Ernest Aubin », ce qui n'est pas tout à fait exact au regard d'une pochade (8.7) datée de l'été 1925, qu'il a exécuté en compagnie d'Aubin qu'il suivait alors à la Montée.

et de nuit (5.18) et que Jean-Onésime Legault a photographiés (1.10, 11 ; 5.17). Riche en matière pigmentaire, en teintes nuancées et conduit par une technique qui s'affirme, ce tableau résume bien la manière de Pépin en cette première période créatrice.

Puis, le nouveau confrère de la Montée Saint-Michel se met à cette école du soir que tous les membres du groupe ont fréquentée sous l'influence d'Ernest Aubin. *Montée Saint-Michel, fin d'été* (8.16) présente un paysage à la fois dramatique et chaleureux, où le soleil qui recule derrière un massif d'arbres et que l'horizon va engloutir n'est plus qu'un brandon encore ardent, certes, mis qui tire à sa fin. Le cloaque sanguinolent diffuse sa lueur dans le ciel tout entier et la nuit est déjà là, de ce côté-ci des grands arbres. Dans un autre tableau, plus grand que cette pochade, et intitulé *Montée Saint-Michel, novembre* (coll. famille Gareau), Pépin a inscrit, au dos, que ce paysage est inspiré par la mélodie *Automne*, de Gabriel Fauré[35], sur un poème d'Armand Silvestre. Peut-être était-ce un des airs que sa mère lui chantait en s'accompagnant elle-même au piano ? Au moment où il peignait cette toile, les premiers vers de ce poème sont peut-être venus à l'esprit du peintre : « Automne au ciel brumeux, aux horizons navrants, / Aux rapides couchants[36]… » *Montée-Saint-Michel, fin d'été* baigne dans le même climat musical crépusculaire.

8.13 Ernest Aubin, *Meule de foin*, 1932, huile sur bois.

Avec *Montée Saint-Michel, carrière Varin* (**8.17**), peint sur bois, on se trouve devant le même paysage de bouleaux et d'étang que *Montée Saint-Michel, novembre*, mais localisé cette fois[37]. On dirait que le peintre a voulu refaire le même crépuscule, avec ce sens dramatique qu'il sait y mettre, certes, mais en usant d'une palette plus relevée et d'un relief plus expressif, grâce au pinceau qui montre ses traces sur la planchette de bois où il glisse.

Volontiers, Pépin affirmera : « Ma peinture est musicale. L'on trouve dans le ciel de mes tableaux des symphonies de Brahms, de Beethoven et surtout de Bach et du folklore québécois. Ravel s'inspirait des paysages pour créer sa musique, moi je m'inspire de la musique pour faire les miens[38]. » On voit dans cette déclaration un effet de l'influence musicale de la mère de l'artiste qui, dès la naissance de chacun de ses enfants, plaçait leur berceau près de son piano et jouait ses morceaux favoris. Après avoir quitté la maison familiale, lorsque Jean-Paul se rendra chez sa mère, ce sera souvent pour l'écouter jouer du piano.

8.14 J.-P. Pépin, *Les Bouleaux, Montée Saint-Michel*, 1927, huile sur carton.

8.15 J.-P. Pépin, *Montée Saint-Michel, octobre*, 1926, huile sur carton.

8.16 J.-P. Pépin, *Montée Saint-Michel, fin d'été*, 1934, huile sur bois. Une inscription au dos nous apprend qu'il s'agit de la ferme Robin.

Agent d'artistes

Au printemps 1929, Eugène Pépin meurt à soixante ans, et Jean-Paul et son frère Raymond héritent de la librairie. L'effondrement de Wall Street, à l'automne suivant, vient compliquer les choses. Alternativement, Jean-Paul et Raymond assurent la présidence de la librairie, mais les affaires périclitent, et le commerce, après avoir tenu bon, fait naufrage en 1936[39]. Jean-Paul Pépin quitte alors Montréal et emménage avec sa famille à Saint-Elzéar (auj. quartier Vimont), sur l'île Jésus. Deux ans après, il est à L'Abord-à-Plouffe (auj. quartier Chomedey), puis, en 1939, il s'installe définitivement à Sainte-Dorothée (**8.18-20, 29, 32**), d'abord rue Renaud, puis rue Principale, dans la maison dite Champagne[40].

8.17 J.-P. Pépin, *Montée Saint-Michel, carrière Varin*, 15 juin 1927, huile sur bois. Une inscription au dos de cette pochade nous dit qu'elle a été peinte en compagnie d'Ernest Aubin, qui apprend alors à Pépin – lui, maître de l'esquisse – l'art de la spontanéité, ce qui lui servira toute sa vie.

8.18 Jean-Paul Pépin, à Sainte-Dorothée, dans sa maison du 16, rue Renaud, auparavant chemin de la Manufacture, photographie, 1949.

À DROITE

8.19 J.-P. Pépin, *Chemin de la Manufacture, Sainte-Dorothée*, 1944, huile sur bois. Après cette date, le chemin de la Manufacture devient la rue Renaud.

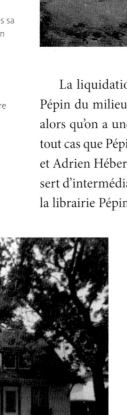

8.20 Le 89, rue Principale, à Sainte-Dorothée, maison dite Champagne, où vécut Jean-Paul Pépin à partir de 1954, photographie. Le peintre avait son atelier à l'étage, où se trouvent la double lucarne.

La liquidation de sa librairie et le déménagement sur l'île Jésus éloignent Jean-Paul Pépin du milieu des affaires et du milieu artistique. Comment, désormais, gagner sa vie, alors qu'on a une famille de huit enfants et qu'on approche de la quarantaine ? On sait en tout cas que Pépin se fait agent d'artistes, notamment pour Marc-Aurèle Fortin (1888-1970) et Adrien Hébert (1890-1967), mais aussi pour son confrère de la Montée Joseph Jutras, et sert d'intermédiaire pour des collectionneurs comme le sulpicien Émile Filion. À l'époque, la librairie Pépin n'était pas loin de l'atelier d'Hébert, rue Sainte-Julie, entre les rues Saint-Denis et Sanguinet, ni de la galerie Morency, rue Sainte-Catherine (C.3, 4), à côté de la chapelle Notre-Dame-de-Lourdes. Peut-être Adrien Hébert s'approvisionne-t-il à l'occasion à la librairie Pépin en matériel de peinture ? Et Fortin, qui n'était pas homme à prendre soin de son apparence, comptait peut-être parmi ces « bohèmes » qu'Eugène Pépin voyait entrer dans sa boutique et dont l'exemple pour son fils Jean-Paul lui semblait déplorable…

C'est assez tôt que Pépin s'est lié avec Marc-Aurèle Fortin (8.21), car ce dernier a assisté à son mariage en 1923 et lui a fait cadeau d'un tableau[41]. Cette amitié durera vingt ans et constituera aussi un appoint financier pour Pépin, jusqu'au moment où, en 1943, la galerie L'Art Français devient le représentant exclusif de Fortin. Les liens sont si étroits entre les deux hommes que, pendant ces deux décennies, Fortin vient manger chez Pépin chaque semaine. Mme Pépin en profite alors pour lui couper les cheveux et laver ses vêtements, Fortin empruntant pour l'occasion des vêtements à son hôte. Parfois, que ce fût à Montréal ou à Sainte-Dorothée, Fortin restait pour la nuit. Lorsque naît Marie-

Andrée, huitième enfant de Pépin, en 1935, Marc-Aurèle acceptera d'être son parrain. Deux ans auparavant, Ernest Aubin avait été choisi pour être le parrain de Julien – qui sera peintre…

Pépin, qui habite non loin de la Montée Saint-Michel, y entraîne son ami Fortin (8.22). D'ailleurs, Fortin connaissait au moins deux membres du groupe de la Montée Saint-Michel : Onésime-Aimé Léger, qui faisait partie tout comme lui de la Société des Faiseux au début des années 1910, laquelle tenait séance sous les combles du 22, rue Notre-Dame Est (6.22), et Joseph-Octave Proulx, qu'il avait croisé dans l'atelier de Suzor-Coté, lequel, de 1912 à 1915, habite au 222, rue Berri, Fortin logeant alors dans la même rue et Proulx – qui s'absente souvent aux États-Unis – étant à Montréal ces années-là[42]. Les excursions de peinture avec Fortin à la Montée constituent une autre école d'apprentissage pour Pépin, surtout à cette époque où le peintre de Sainte-Rose est devenu un maître de l'aquarelle. D'ailleurs, Fortin, jaloux de son originalité, recommandera à Pépin de ne pas prendre sa manière, surtout en ce qui concerne les arbres[43]…

Lorsque Pépin s'établit sur l'île Jésus, d'une part, il se rapproche de Fortin, qui est revenu y vivre en 1933, et il y retrouve à l'occasion Jean-Onésime Legault, du groupe de la Montée, qui, dans ces années-là, comme Pépin, vient peindre à Laval-des-Rapides, à Saint-Elzéar et à Cap-Saint-Martin.

Le fief de Fortin était l'île Jésus, plus précisément son village natal de Sainte-Rose, qui longe la rivière des Mille Îles. La présence de Pépin à Saint-Elzéar, puis à L'Abord-à-Plouffe et enfin à Sainte-Dorothée, fait l'affaire de Fortin qui, lorsqu'il s'absente durant l'été pour fuir les chaleurs de la région montréalaise, charge son ami de veiller sur ses affaires – moyennant commission. À cette époque, Pépin est un peintre qui peint – mais qui n'expose pas.

Les trois glorieuses

D'après la liste de ses œuvres qu'il dresse dans son journal[44], pendant la période de la Montée Saint-Michel, qui s'étend sur près d'une douzaine d'années, de 1925 à 1936, Jean-Paul Pépin produit beaucoup de tableaux, mais, en effet, n'en expose pas – du moins que l'on sache. Sa famille toujours plus nombreuse, les soucis de gestion d'une librairie qui subit les affres de la crise économique et les tournées qu'il doit faire à l'extérieur de Montréal ne lui laissent guère de temps pour envisager des démarches auprès des marchands de tableaux.

Les débuts de Pépin aux côtés d'Ernest Aubin à la Montée Saint-Michel semblent prolifiques, car le jeune peintre aurait exposé, en 1925, trente petits tableaux à l'occasion d'une fête de charité du Bien-Être de la Jeunesse qui se tenait à l'Assistance publique[45]. Son père n'en a probablement rien su – mais peu importe, au fond, à Jean-Paul, désormais marié et père de famille, et qui est un des rouages importants de la librairie paternelle.

Fort de la solidarité des peintres de la Montée Saint-Michel, Pépin fait une apparition en octobre 1927 dans l'exposition d'ouverture de la galerie d'art du grand magasin Eaton, où il figure aux côtés de Joseph Jutras et de Narcisse Poirier, mais aussi en compagnie de Georges Delfosse, Marc-Aurèle Fortin, Adrien Hébert, Ivan Jobin et Roméo Vincelette, nouvel adepte de la Montée Saint-Michel.

Dès la mort de son père, en 1929, Pépin entre en contact avec la galerie Morency. D'après ses dires, il aurait eu dans cette galerie, en 1933, ce qu'il appelle sa première exposition[46], suivie de deux autres en 1938 et en 1940[47]. Il s'agissait probablement d'expositions de vitrine, où un nombre déterminé d'œuvres d'un même artiste étaient présentées uniquement dans cet espace du magasin, une pratique courante chez les frères Odilon et Louis Morency[48].

La première apparition, significative, de Jean-Paul Pépin dans une manifestation officielle a lieu dans le cadre de la première exposition des peintres de la Montée Saint-Michel, à la galerie Morency, en avril 1941 et où il présente vingt-quatre de ses œuvres. Pépin a quarante-trois ans, l'âge où bien des peintres qui n'ont pas connu un tant soit peu de succès décrochent et rangent leurs pinceaux, alors que lui déballera toute sa panoplie… Parmi les tableaux de format moyen et petit qu'il présente, dix-neuf sont des paysages de la Montée Saint-Michel, dont plusieurs pochades du temps de ses excursions à la Montée avec Aubin, quatre sont de Saint-Elzéar et un de Saint-Jérôme. À cause des « tons délicats » qu'il affiche et qui donnent « des effets de pastel » à ses tableaux, Pépin est considéré par la critique comme « le plus féminin du groupe[49] ». Cette perception sera radicalement contredite à partir de 1945, alors que Pépin, à quarante-huit ans, débarque pour de bon dans le monde des expositions, où l'on parlera de sa « facture, assez brutale[50] » et de « [s]es lignes […] dures, énergiques[51] ».

Sur une période intensive de trois ans, de l'automne 1945 à l'automne 1948, il présente huit expositions personnelles qui ne laissent personne indifférent. De plus, il participe à deux expositions collectives : l'une au Gala des arts, à Verdun, et l'autre à l'École technique de Trois-Rivières. En outre, il accroche diverses œuvres dans les bureaux du Service du tourisme de la province de Québec. Et à l'intérieur de ces trois années de fièvre créatrice, il trouvera le moyen de renouveler son style… C'est donc d'un coup que Jean-Paul Pépin surgit dans le paysage artistique montréalais – et d'un coup aussi qu'il s'en retirera.

Jean-Paul Pépin tient sa première exposition personnelle à l'automne 1945. Elle comprend vingt et un tableaux et est présentée dans un lieu non conventionnel pour ce genre d'événement : la librairie Déom, rue Sainte-Catherine Est, près de l'ancienne Université Laval de Montréal. Cornélius Déom devait être – on le suppose – un ami de longue date du libraire Eugène Pépin, plus confrère que rival. Les titres des tableaux exposés révèlent les lieux que le peintre voyageur de commerce a fréquentés durant ses tournées en région. Des villages, de petites municipalités de préférence : Neuville, Beaumont, Kamouraska, Cap-Saint-Ignace, île d'Orléans. L'île Jésus, que Pépin habite et explore maintenant depuis

8.23 J.-P. Pépin, *Le Manoir Dénéchaud, à Berthier-en-Bas*, 1945, huile sur isorel.

8.24 J.-P. Pépin, *Août à Sainte-Dorothée*, 1945, huile sur carton.

neuf ans, n'est pas oubliée, et Saint-Elzéar (8.27), Sainte-Dorothée (8.19), Laval-sur-le-Lac, Saint-Vincent-de-Paul (8.30) et L'Abord-à-Plouffe figurent en bonne place. La Montée Saint-Michel est représentée par trois œuvres seulement. Jean-Paul Pépin se définit nettement comme un paysagiste régionaliste[52].

L'année d'après, en 1946, à l'hiver, au printemps et à l'automne, Jean-Paul Pépin frappe à trois reprises : il organise d'abord une exposition au magasin de meubles et de décoration N.-G. Valiquette, rue Sainte-Catherine Est, à l'angle de la rue Berri – encore un lieu non conventionnel pour les expositions de peinture –, puis deux chez Morency Frères. Ces expositions comprennent respectivement quinze, treize et dix-sept tableaux. Là encore, d'après les titres des œuvres, nos informations sur le territoire d'exploration du peintre-commis-voyageur s'étoffent : Berthier (8.23), Giffard, Saint-Eustache, Cap-Santé, Les Éboulements (8.25), Beauport, Boischatel – sans oublier Sainte-Dorothée.

Pour sa vieille maison de Sainte-Famille, à l'île d'Orléans (coll. part.), Pépin a utilisé à la fois le pinceau et le couteau, ce dernier lui paraissant plus sûr pour représenter les plis, replis, amoncellements et étalements de la neige… Le peintre du milieu des années 1940

8.25 J.-P. Pépin, *Manoir de Sales Laterrière, Les Éboulements*, 1946, huile sur toile.

n'a plus rien à voir avec celui du milieu des années 1920 et des années 1930. Il est devenu maître de lui-même et de la matière qu'il manipule, triture, appose, étale. Peint-il ces scènes – île d'Orléans, Berthier, Les Éboulements – d'après d'anciens croquis, d'anciennes esquisses ? C'est possible, car, au fond, a-t-il encore le temps et même les moyens de se livrer à de longues pérégrinations pour trouver des sujets pittoresques ?

Tout est en action dans la peinture de Pépin, qu'il s'agisse du ciel où défilent des nuages, des arbres qu'un fort vent fait courber, des frondaisons qui semblent agitées en tous sens, ou encore d'une maison travaillée de toutes parts par les matériaux qui la composent et sur lesquels s'exerce l'emprise du temps…

En 1947, Pépin présente deux expositions d'envergure : l'une au printemps chez Morency Frères, avec quarante œuvres, l'autre à l'automne à la galerie anglophone Robert Oliver, avec trente-trois œuvres. Ces deux expositions comportent une nouveauté : des lavis couleur (8.32) qui contribueront pour beaucoup à la réputation de Jean-Paul Pépin, qui se montrera très prolifique dans cette technique. Pépin explore encore et toujours son fief de l'île Jésus où il est constamment en contact avec la nature.

Enfin, en février et en octobre 1948, Pépin présente deux expositions – ses deux dernières avant longtemps – à l'École centrale des arts et métiers, dans l'ancien édifice de l'Université de Montréal, rue Saint-Denis. La première rassemble vingt-cinq huiles et douze lavis couleur, et la seconde vingt-six pièces où les huiles et les lavis ne sont pas distingués les uns des autres dans le catalogue. Il s'agit de la huitième exposition personnelle de l'artiste[53], qui s'affiche pour la deuxième fois sous la bannière des « P.D.M.S.M. » – acronyme qui a dû en intriguer plusieurs –, c'est-à-dire « peintres de la Montée Saint-Michel », après l'exposition collective de Trois-Rivières en mars 1948[54].

Hormis la galerie Robert Oliver, située rue Sherbrooke Ouest, Pépin aura concentré toutes ses expositions dans le Quartier latin, qui reste un des plus achalandés de la métropole.

Étrangement, Jean-Paul Pépin revient à son *modus operandi* d'avant sa première exposition de 1945 et même d'avant l'exposition des peintres de la Montée Saint-Michel en 1941 : il peint sans exposer, et ce, jusqu'à ce qu'il présente, en 1966, une rétrospective de ses œuvres à la galerie Morency. Comment expliquer cette mystérieuse et soudaine disparition d'un peintre pour qui les choses allaient si bien, qui recueillait une réception critique comme bien des artistes en auraient rêvé ?

Son ami et collectionneur Roger Parent, qui tient une rubrique à *Photo-Journal* sous le nom du Boulevardier, annonce qu'à partir du 15 janvier 1949 se tiendra une exposition de l'artiste au club de golf Islemere « de St-Eustache-sur-le-Lac », sous le patronage, paraît-il, d'une association de langue anglaise[55]. En mars, on dit qu'il prépare une exposition pour l'automne, mais c'est au mois d'août qu'il la tiendra à l'École des arts et métiers. Pourtant, on n'en trouve trace ni dans les archives du peintre, ni dans ses curriculum vitæ, ni dans les journaux de l'époque – sauf sous la plume du Boulevardier. Pour cette exposition, Pépin aurait produit une trentaine de tableaux et autant de lavis couleur[56]. On annonce de plus qu'il exposera à Québec et à Ottawa, et même à New York. Déjà, en 1947, il aurait exposé dans la Vieille Capitale[57]. Même chose pour Ottawa la même année[58] et pour New York[59]. Il ne subsiste de ces entreprises que leur annonce dans les journaux. Il faut attendre 1954 pour que filtre une information, sibylline, à savoir que « si le peintre Jean-Paul Pépin n'expose plus, c'est qu'il est trop occupé à un certain travail pour l'Unesco[60] ». On n'en sait pas plus.

Pourtant, s'il n'expose pas, il peint, et il vend, comme il le faisait déjà avant sa première exposition chez Déom[61]. Au début de 1949, le Boulevardier nous informe : « Le peintre J.-P. Pépin éprouvera quelques difficultés à présenter une exposition d'œuvres récentes au printemps, car les amateurs s'acharnent à acquérir ses tableaux, dès le dernier coup de brosse donné. Au temps des Fêtes, ce traditionaliste de la peinture canadienne a complètement épuisé les œuvres réalisées au cours des derniers mois[62]. » Cela indique que Pépin possède un assez vaste réseau d'acheteurs autour de lui. Pour l'exposition à l'École centrale des arts et métiers en août-septembre 1949, le seul renseignement que nous possédions se rapporte au succès des ventes, car, « pour les touristes venus des États-Unis et d'Europe, les œuvres du traditionaliste québécois semblent hautement prisées[63] ».

Depuis 1947, Jean-Paul Pépin, de juin à octobre, travaille, à raison de cinq après-midi par semaine, au Bureau de renseignements touristiques de Montréal, filiale du Service du tourisme du Québec, situé au square Dominion. Il en sera ainsi pendant dix ans[64]. Si cela ne suffit pas à le faire vivre l'année durant, les nombreux tableaux qu'il vend avec son savoir-faire acquis durant ses années de commis-voyageur peuvent lui assurer un revenu modeste, mais décent. Car, à partir du moment où il travaille dans le Vieux-Montréal et qu'il commence à le peindre et à dessiner ce quartier plus que jamais menacé par le pic des démolisseurs, Jean-Paul Pépin n'aura de cesse de faire la tournée des bureaux d'avocats, de notaires, des professionnels de tout acabit de la rue Notre-Dame et de la rue Saint-Jacques – la rue des affaires – pour proposer ses œuvres à ces messieurs bien nantis afin qu'ils en ornent leurs bureaux.

La peinture artisanale

Sans en démordre, Jean-Paul Pépin se veut « un artiste de la plus pure tradition canadienne[65] », un « continuateur de la tradition canadienne-française en peinture[66] », un adepte de « l'école pure de la tradition[67] », se réclamant bientôt – son nationalisme s'aiguisant – de la « peinture québécoise[68] », puis de la « peinture canadienne québécoise[69] », pour se définir, vers la fin de sa vie, comme « le peintre de la Tradition Québécoise[70] ».

En se rattachant à cette peinture qu'il veut « pure » et ancrée dans la « tradition », en se présentant comme un « continuateur », Jean-Paul Pépin entend donner à son art des assises sûres et fortes, authentiques, inébranlables, fondées sur le vrai et s'inscrivant dans une continuité profondément enracinée. En ce sens, il rejette toute influence extérieure : « J'ai refusé d'aller en Europe il y a trente ans pour ne pas subir une influence étrangère et m'attacher profondément aux choses du Québec[71] », dira-t-il, dénonçant les artistes marqués par les mouvements contemporains américains ou français qui, conséquemment, selon ses vues, ne peuvent être qualifiés de peintres québécois ou canadiens, n'ayant pas puisé leur inspiration dans le terreau de la race et dans l'âme du pays. Plus encore, Pépin, en s'attachant avec exclusivité à certaines caractéristiques des intempéries hivernales et à certaines activités du peuple relatives au métier à tisser, définira son art comme celui de « la peinture artisanale dans la diagonale[72] ». Qu'est-ce à dire ?

8.28 J.-P. Pépin, *Route de campagne*, 1948, encre et lavis sur papier.

Cette tradition que Jean-Paul Pépin revendiquera toute sa vie repose sur trois éléments formels : les zébrures de la neige que le vent pousse en diagonale, la maison ancestrale et le tapis natté artisanal appelé catalogne. L'élément clé qu'est la maison québécoise à l'architecture typique, berceau de la race, s'impose de lui-même dans tout paysage régionaliste, et Pépin le campe au cœur de sa pratique picturale de la même manière qu'il le fixe au milieu de son tableau. Il lui adjoindra les vieux moulins à vent disséminés sur le territoire et qui ont contribué à la survivance du peuple.

Une des particularités de la peinture de Jean-Paul Pépin qui la rend bien identifiable, ce sont les zébrures qu'il incruste dans la pâte encore fraîche de ses tableaux. Deux événements distincts, que l'artiste a conjugués, sont venus donner à son art les caractéristiques essentielles par lesquelles Pépin fera la promotion de ses peintures.

Le premier événement se produit en mars 1945, ou en mars 1948 (Pépin donne les deux dates[73]), au moment d'une de ces intempéries dont le Québec était coutumier à ce moment de l'année : la vue de la neige poussée en diagonale par le vent donne à Pépin l'idée d'introduire cet effet de rayures dans ses tableaux (8.29). S'il le fait avec des paysages, bientôt il le fera dans beaucoup d'autres compositions : natures mortes, vieilles maisons (8.30 ; Chr.15), scènes urbaines, afin de leur donner « un mouvement doublé d'un relief rare et peu commun[74] ».

L'autre événement se produit à l'automne 1948, alors qu'il va retrouver Ernest Aubin, son « professeur », qui habite désormais à Sainte-Adèle. « Chaque année vers la même date, mon ami Ernest Aubin et moi, nous allions peindre les Laurentides, avec ses couleurs uniques au monde, et mon ami Ernest Aubin disait de l'automne dans le Québec : "C'est le

8.29 J.-P. Pépin, *La Tempête, Sainte-Dorothée*, 1948, huile sur toile.

gala de la nature et celui des peintres[75]". » La fin de la journée arrive et une brume épaisse tombe, empêchant les deux hommes de reprendre la route. Ils passent donc la nuit chez l'habitant, et cela grâce à la générosité d'une femme qui se trouve seule avec ses enfants, le mari étant parti bûcher pour quelques jours. « C'est le sommeil profond, raconte le peintre, jusqu'à 5 h du matin. Tout sommeille dans la maison. Une porte est entrouverte, et là je vois un métier à tisser avec 4 à 5 verges de catalogne fabriquée qui représente les couleurs de l'automne[76]. » Ces couleurs éclatantes intriguent Jean-Paul Pépin. Le lendemain matin, au moment du déjeuner, raconte-t-il, il demande à la femme : « "Madame, où prenez-vous vos couleurs pour faire vos catalognes ? Je ne vois [autour de nous] aucun livre de référence." Mais elle répond : "Je vais les chercher les couleurs dans la nature. Une bande blanche, la neige, des vertes les arbres, les bleues les cieux, le brun les aulnes, etc., etc., etc." Alors ! Je lance à mon ami [Aubin] un cri à réveiller les morts : "Je l'ai trouvée la peinture canadienne québécoise[77] !" » Et c'est ainsi que Pépin modifie radicalement sa palette : « J'ai découvert dans le dessin pourtant fort simple des catalognes par nos mères et nos grands-mères, le choix des couleurs qui entrent désormais dans mes peintures[78]. »

Ainsi, les catalognes des campagnes, hautes en couleur, exécutées par des artisanes et qui relèvent des arts rustiques, vont inspirer Jean-Paul Pépin pour créer ce qu'il appellera la « peinture catalogne[79] » caractérisée par les couleurs pures, presque sans mélange. C'est parce qu'il s'inspire de l'humain, de l'artisane des campagnes et de la créativité de celle-ci ancrée dans la tradition qu'elle représente, que Pépin peut appeler sa peinture « artisanale » et « traditionnelle ». Superposées à ce coloris puissant, les diagonales de la neige poussée par le vent et qui symbolisent la saison emblématique du Québec forment ce que Jean-Paul Pépin va appeler cette fois sa « peinture artisanale dans la diagonale[80] ». Toutefois, pour celui qui affirmera : « Le "bataclan" du terroir, c'est mon domaine[81] », cette fidélité à la tradition n'entrave en rien les audaces techniques qu'il médite. Au contraire, Pépin cultivera cet heureux paradoxe : « Mon rêve serait de parvenir à peindre des sujets régionalistes dans la facture la plus moderne qui soit[82]. »

À partir du moment où il introduit les traits en diagonale dans ses tableaux, Pépin délaisse le pinceau et ne peint plus qu'au couteau, « à la truelle[83] » comme il dit, car, pour que ces rayures s'inscrivent dans la pâte, il faut que celle-ci soit fraîche, ce qui demande une exécution rapide de l'œuvre. La forme en souffre-t-elle ? La critique de l'époque s'exprime ainsi : « Tous les tableaux de l'artiste semblent exécutés rapidement, sans insister sur les détails, mais sans les négliger non plus[84]. » Nous y reviendrons.

La catalogne inspire Jean-Paul Pépin non seulement en ce qui concerne sa palette, mais aussi en tant qu'objet en soi, qui peut servir soit de couvre-lit ou de tapis de plancher. Vers la fin de 1948 apparaissent dans ses tableaux des catalognes comme éléments décoratifs (8.33). C'est sous la forme de tapis nattés, ronds, qu'elles se retrouvent dans les angles supérieurs de ses toiles, semblables aux coins relevés d'un rideau sur la scène du paysage[85] (8.34). Ainsi, les catalognes flottent dans le ciel et donnent à la composition un caractère onirique. D'autres fois, on les retrouve au sol, immenses, et elles sont le terrain même sur lequel reposent les maisons ancestrales, leurs lieux de conception auxquels elles rendent hommage en se couchant à leurs pieds[86]. On les voit dans *Maison canadienne à Saint-Vincent-de-Paul* (8.30). La scène griffée par une violente intempérie montre le combat entre

8.30 J.-P. Pépin, *Maison canadienne à Saint-Vincent-de-Paul*, s.d., huile sur panneau. En 1945, chez Déom, Pépin a exposé *Saint-Vincent-de-Paul, le vent*, et, en 1946, chez N.-G. Valiquette, *Fin de jour en octobre*, à Saint-Vincent-de-Paul.

la lumière du ciel et les ténèbres de la terre. Les traits en diagonale accentuent la vélocité de cette averse, alors que le dégagement soudain du ciel crée un effet d'éblouissement et redouble la force de ce vent qui fouette les arbres. Tous ces éléments participent d'une sorte d'hallucination où s'est laissé emporter l'artiste et qu'il renouvellera dans d'autres œuvres, huiles, dessins ou lavis (**8.40. 41, 72, 73 ; Chr.15**).

À la même époque aussi, Pépin introduit dans sa peinture un autre de ses leitmotivs qui prendra valeur de signature : les nuages, surfaces blanches uniformes cernées d'un seul trait et fortement allongées. Ces nuages, toujours pareils ou presque, l'artiste en a donné l'explication : « Les nuages blancs signifient des revenants et des fantômes ! Comme le Canadien français et anglais est superstitieux, j'ai voulu leur donner par ces formes de nuages fantômes leurs idées d'autrefois et d'aujourd'hui. […] Chaque village du Québec a une histoire de fantôme et de légendes. […] Les nuages attachés aux cheminées de mes maisons canadiennes ont des formes de cœurs. Ces cœurs étaient ceux de nos ancêtres disparus[87]. » D'une part, Pépin fait référence aux histoires fantastiques – diables, loups-garous, apparitions – que les anciens racontaient le soir, à la veillée, tradition qu'il incorpore ainsi dans ses tableaux, et, d'autre part, il évoque les colons au cœur vaillant, source de toute tradition.

Autres arrondis : les arbres, dont la tête est enveloppée dans un invisible filet, un peu comme certains buissons ou certaines plantes que l'on recouvre d'une toile de jute à l'approche de l'hiver (**8.33**). Ces « arbres bouillonnants[88] » deviennent un des lieux communs de la peinture de Jean-Paul Pépin. L'enchevêtrement des branches et le fouillis des feuillages disparaissent au profit de frondaisons cloisonnées par un seul trait. Cette méthode a l'avantage, pour le peintre, de supprimer la difficulté que représentent ces branchages et ces feuilles, auxquels il s'attaquera certes encore, mais que, pour le moment, il confond en une seule surface de couleur où le traitement de la pâte laisse deviner les caractéristiques de la végétation. En formant cette masse cernée d'un trait appuyé, le peintre permet aussi à ces arbres ainsi emmaillotés de se balancer. Car pourquoi un arbre serait-il droit comme on en voit dans tous les tableaux ? C'est trop conventionnel pour Pépin. Leur forme rassemblée dans cette sorte de camisole, ils se courbent, ils penchent d'un côté ou de l'autre et ils adressent des saluts, font la révérence à une vénérable maison au toit breton (8.33) ou à l'auguste manoir seigneurial[89] (8.23). Ces arbres – qui sont des personnages – se présentent par groupes de deux, trois ou quatre. Le boisé, la forêt, les bosquets sont devenus trop conventionnels pour l'artiste Pépin. Il préfère créer lui-même ses propres conventions, son propre alphabet visuel. Mais ni les diagonales, ni les catalognes, ni les nuages arrondis, ni les arbres cloisonnés ne sont systématiquement présents dans tous les tableaux de l'artiste. Jean-Paul Pépin ne s'oblige pas à représenter automatiquement ces éléments dans ses tableaux. Même s'il les sollicite fréquemment, il n'en fait pas un système et se garde la liberté d'expérimenter.

La plupart de ces motifs nouveaux ont un sens symbolique, qui plonge dans la tradition, ainsi que l'expliquera le peintre et tel que le rapporte un critique : « Un silo représente, dans sa pensée, l'âme canadienne inébranlable, tandis que les arbres échevelés et les nuages-soucoupes (ovales, cette fois) symbolisent les difficultés d'ordre social, politique et religieux auxquelles l'âme canadienne eut à faire face pour sauvegarder son indépendance[90]. » Certes, si ces conceptions ne révolutionnent pas la philosophie de l'art, elles ont cependant le mérite d'être sincères, de nous faire connaître le fonds de nationalisme authentique qui habitait Jean-Paul Pépin, et elles ont eu la faculté d'inspirer le peintre dans son traditionalisme artistique dont il ne s'est jamais écarté, et c'est ce qui importe.

Tante Élodie

En 1947, alors que Jean-Paul Pépin en est à sa sixième exposition personnelle, on écrit que le peintre « a varié son genre, récemment[91] ». Cela se rapporte non seulement à une première apparition des incrustations en diagonale dans sa peinture et à la technique des lavis couleur qu'il pratique depuis peu, mais à une autre apparition, unique et mémorable, celle du portrait[92]. D'abord présenté sous le titre *Portrait d'une vieille Canadienne* en 1947, le tableau en question prend le titre de *Ma tante Élodie* lorsque Pépin l'expose de nouveau l'année suivante[93].

Institutrice, Élodie Pesant-Nadon (8.31) était un personnage dans le village de Sainte-Dorothée, où elle a enseigné toute sa vie. À l'époque où, en 1944, Jean-Paul Pépin s'installe dans sa maison de la rue Principale, l'enseignante est déjà retraitée. Elle est connue de tout le village et attire l'attention par ses promenades à bicyclette ou avec sa brouette qu'elle pousse devant elle, s'adressant volontiers aux enfants dont elle a l'habitude. Ceux-ci sont trop heureux de pouvoir approcher ce personnage pittoresque que l'on appelle familièrement « ma tante Élodie[94] ». Quoiqu'elle fût mariée, nous ignorons si elle a des enfants.

La voyant passer souvent devant chez lui, Pépin a dû lier conversation avec l'ancienne institutrice – il a lui-même des enfants qui fréquentent l'école du village. On ne sait comment la chose s'est faite, mais lui, qui n'est pas portraitiste, est si captivé par la physionomie peu commune de cette femme que l'idée lui vient de faire son portrait. Non pas une

esquisse, non pas une pochade, mais un tableau, un vrai portrait comme l'exige le genre, soit de format 76,1 x 101,6 cm. Il a suffi peut-être d'une première fois où la vieille institutrice est entrée dans la maison de la rue Principale pour faire non seulement connaissance avec Irène, la femme de Pépin, mais avec les tableaux de l'artiste, pour que l'accord s'installe. S'attardant quelque peu, assise en face du peintre, celui-ci y voit la pose toute trouvée pour son portrait.

Le travail s'est fait très lentement, sur une année peut-être ou plus[95], les séances s'échelonnant au fil des passages, ou fréquents ou irréguliers, de l'institutrice chez le peintre, ce qui, de toute façon, lui a permis de prendre son temps pour la réalisation de ce tableau qu'il savait être important.

En 1947, ses expositions se multipliant, Jean-Paul Pépin est en pleine effervescence créatrice. Pour ce portrait, il rassemble les principales ressources de son art : ses couleurs pures, sa touche rythmée, sa technique au couteau – son œil aigu. Avec autant d'attention que s'il regardait un paysage qui le fascine ou une demeure ancienne qui l'enthousiasme, il scrute la physionomie d'Élodie Pesant. Il convoque dans sa mémoire les séances de modèles vivants qu'il a suivies, dans les années 1930, avec ses confrères de la Montée Saint-Michel aux cours de l'Académie royale des arts du Canada à l'AAM, sous la direction d'Edmond Dyonnet.

Pour ce portrait, un fond blanc, texturé certes, mais nu, donne toute l'importance au sujet principal qui, ici, se suffit amplement à lui-même, touchant des coudes les deux extrémités du cadre, remplissant l'espace par la masse de sa présence expressive.

Nulle recherche dans la pose du modèle, car cela n'était pas dans la nature de cette femme austère. Assise dans un fauteuil dont on aperçoit tout juste les bras sur lesquels elle s'appuie, l'institutrice, mains jointes sur le ventre, regarde le spectateur ou plutôt le peintre bien en face. La posture frontale parle de simplicité et de naturel, et le regard, quoique sans aménité, de franchise. C'est une vieille dame dont les cheveux grisonnent à peine, mais dont les traits racontent une longue vie. Elle ne sourit pas ni n'a l'air renfrogné. Elle est là, elle pose, tout simplement. Elle ne fait pas faire son portrait : on fait son portrait. Avec ses cheveux qui, séparés au milieu par une raie bien droite, retombent de chaque côté en lui cachant les oreilles, sa mise sans recherche qui se compose d'une blouse rouge et d'une jupe bleue, toutes deux à motif à fleurs, Élodie Pesant se présente telle qu'elle. Elle est de celles qui, au cours de leur vie, ont eu d'autres préoccupations que leur apparence.

Jean-Paul Pépin est un peintre qui fait parler, qui fait bouger, remuer, respirer ce qu'il peint, qu'il s'agisse d'une maison, d'un arbre, d'un ruisseau. Il en va de même avec *Tante Élodie*. Mais cette fois, il ne s'agit plus de spontanéité, d'emportement devant un paysage balayé par la lumière ou un arbre que le vent secoue. Il s'agit de peindre un modèle assis immobile devant soi et qui vous regarde et qui attend. Le peintre Pépin canalise son énergie. Autant l'expression du visage est neutre, la posture convenue, le vêtement sobre, autant chaque coup de spatule, chaque coup de pinceau donne à l'ensemble une éloquence extraordinaire. Les incrustations profondes des rides et la multiplication des plis du vêtement sont rendues par les poussées du couteau et les retouches en noir du pinceau. À la fois fortes et grandes, les mains croisées présentent de longs doigts dont les sinuosités répondent à celles non seulement du visage, dont elles expriment autant que lui le passage du temps, mais à

8.32 J.-P. Pépin, *Église Sainte-Dorothée*, 1947, lavis sur papier. En bas à gauche, Pépin a inscrit qu'il s'agissait du « 103ᵉ » de ses lavis couleur. Celui-ci a fait partie de ceux présentés pour la première fois chez Morency en 1947 et il figurait tout en haut de la liste des lavis exposés.

celles aussi de la blouse et de la jupe. Le pinceau s'est aussi longuement attardé dans les plissements du vêtement où les fleurs, indiquées par de fines touches de vert et de jaune, constellent la blouse rouge et se perdent dans le bleu dense de la jupe. Touches plaquées ou semblables à des pelures, sinuosités du trait, spirales même, empâtements, étalements, le travail du peintre équivaut à une sorte de labourage, de matière tournée et retournée. Tout bouge, remue, vit, court dans ce tableau. Autant le modèle est immobile, autant sa représentation est animée[96].

« Une toile fait exception[97] », soulignait-on au moment de l'exposition où *Tante Élodie* fut montrée pour la première fois. Pépin, quant à lui, présentait ce tableau comme « la peinture la plus importante de [s]a vie artistique[98] ». Hormis celui de sa mère[99], c'est le seul portrait que nous connaissions qui soit dû à son pinceau. En regardant *Tante Élodie*, on se dit que la critique a eu raison quand elle a écrit de Jean-Paul Pépin qu'« il produit des œuvres solides et parfois des chefs-d'œuvre[100] ».

Lavis couleur

Dans ses lavis couleur, Pépin évolue de la représentation à la transformation, pour ne pas dire à la transmutation. Les zébrures dans ses tableaux à l'huile ne sont qu'un artifice à côté des transparences sublimes de ses encres diluées, traversées par la lumière d'un autre monde.

Pour ces lavis qu'il expose pour la première fois en 1947, Pépin a repris le pinceau, délaissé depuis dix ans en faveur de la spatule. Il revient à cet outil, mais sur un support nouveau pour lui en tant que peintre : le papier. Lui qui a vu si souvent Marc-Aurèle Fortin appliquer l'aquarelle sur le papier avec une maîtrise souveraine – et sans dessin préalable – en a certainement retiré quelque enseignement qu'il a voulu mettre à profit.

L'avantage du lavis (de l'encre diluée dans de l'eau) est qu'il sèche rapidement, et tout ce qui est rapide dans l'exécution intéresse Jean-Paul Pépin. Dans la première série, l'artiste travaille avec vivacité. Cette marque de la rapidité se voit dans les traits de plume ou de pinceau fin dont il sème sa composition (8.32). À l'encre noire, ces traits sont distribués sur le lavis couleur qui a été d'abord appliqué. Ces noirs viennent compléter la forme et les volumes. Autant qu'on puisse en juger, l'artiste ne fait pas de dessin préliminaire au crayon sur son papier : il crée directement sa composition avec son lavis. Chez Pépin, la nature est animée d'un mouvement perpétuel qui change un tronc d'arbre en torsades (8.34) et ses branchages en pelotes de feuilles. Pépin privilégie la direction oblique, qu'on remarque dans ses nuages allongés vers la droite, tandis que ses arbres penchent vers la gauche de préférence, ce qui donne du rythme à sa composition.

Les arbres enturbannés et les rondes catalognes de ses tableaux à l'huile s'invitent dans ses lavis, dans lesquels, aussi, a lieu la mutation des diagonales de ces mêmes tableaux à l'huile, et qui sont peintes cette fois, et non plus incrustées dans la pâte. Si l'on croit les retrouver dans les traits multiples dont il strie ses applications de couleurs, on les reconnaîtra mieux dans une deuxième période, qui commence en 1949 et où le dessin du peintre et la vision du monde qu'il propose se modifient radicalement. Dans *Maison, toit breton* (8.33) et *Pommiers en fleur à la Montée Saint-Michel* (8.34), l'artiste abandonne les emportements antérieurs de son dessin et de ses couleurs. Tout relève maintenant de la discipline : la forme bien délimitée de la maison dont les angles semblent tirés à la règle, les cercles ovales, superposés et transparents, qui tiennent bien serrée la tête des arbres, les nuages obliques et allongés avec soin.

Mais à cette composition bien rangée qu'est *Maison, toit breton*, vient s'ajouter un élément aussi puissant que nouveau : l'effet hallucinatoire. La réalité, avec les assises concrètes de la maison, de l'arbre, du sol et des nuages, est passée du côté du rêve éveillé. Les disproportions du toit étiré vers le haut, les arbres en ballons aux teintes rouges translucides, les nuages gigantesques d'un blanc absolu sont dominés par un ciel d'où tombe un éclairage qui unifie toute la scène et où resplendit une aurore boréale qui est de la plus pure création

8.33 J.-P. Pépin, *Maison, toit breton, Baie-Saint-Paul*, 1949, lavis sur papier collé sur carton. Dans le libellé de son titre inscrit entre deux lignes tracées à la règle au bas de sa composition, l'artiste indique qu'il s'agit ici de son 227ᵉ lavis.

du peintre. Ce phénomène est rendu par les multiples striures de lavis aux nuances de bleu et de vert, de gris et de rose, que le peintre étale comme il le faisait avec ses diagonales en peinture et qui connaissent ici une véritable mutation, provoquant un effet de diaprure aux inflexions fascinantes. On est subjugué par la beauté onirique de ce monde situé hors de celui qu'on connaît et pourtant fait des mêmes éléments que ce dernier, mais transmué par la force hallucinatoire de la vision intérieure de l'artiste. Sous l'effet de ce puissant hallucinogène qu'est l'imagination du peintre, le monde change de nature et accède à un nouveau ciel et à une nouvelle terre. Assis à sa table de travail, le motif de ses peintures, c'est son imagination, cette démence dont il a le plein contrôle et qui déforme ce qu'il voit tout en l'embellissant.

Toutefois, Jean-Paul Pépin n'entend pas en rester là. La ligne droite qui s'est introduite dans ses hallucinations sur papier va imposer sa calme régularité dans la troisième période de ses lavis couleur, qui s'étire jusqu'au milieu des années 1960. Ses arbres reprennent leurs frondaisons, et un monde ordonné, tout de nuances et de fraîcheur, accompagne l'artiste vieillissant.

« Montréal, la ville aux cent visages[101] »

L'intérêt de Jean-Paul Pépin pour les vieilles architectures rurales du Québec l'amène à s'intéresser à l'architecture historique du Vieux-Montréal. À partir de 1947, comme nous l'avons dit, Pépin travaille durant les mois d'été au Service du tourisme, au square Dominion. Dès le premier été, il expose dans ces bureaux six tableaux représentant divers aspects du Vieux-Montréal et qui marquent le début de son œuvre urbaine : *Château de Ramezay,*

8.34 J.-P. Pépin, *Pommiers en fleur à la Montée Saint-Michel*, s.d., lavis sur carton.

Montréal; *Vieilles maisons de la rue Saint-Vincent*; *Vieille maison du Patriote, rue Saint-Paul*; *Église Notre-Dame-de-Bonsecours*; *Les tours des Messieurs de Saint-Sulpice*; *L'Hôtel Rasco*. À l'automne, son exposition à la galerie Robert Oliver, consacrée aux « scènes du Québec et du Vieux-Montréal[102] », contient six tableaux dont les titres reprennent ceux présentés l'été précédent, et il s'agit sans doute des mêmes œuvres, mais mises en vente cette fois, auxquelles il ajoute quatre lavis couleur qui sont aussi des scènes urbaines : *Le vendeur d'eau, Vieux-Montréal*; *Seconde vieille église de Bonsecours*; *Première église écossaise, Vieux-Montréal*; *La Compagnie du Nord-Ouest, Montréal*. Son exposition de 1948 à l'École des arts et métiers présente à son tour trois œuvres du même caractère, soit deux huiles et un lavis couleur : *Notre-Dame-de-Bonsecours, Montréal, Hôtel Rasco* et *La pluie au printemps, Montréal*. La même année, au Salon de peinture de Trois-Rivières, il expose à nouveau

8.35 J.-P. Pépin, *Faubourg à M'lasse, coin Panet et Dorchester Est, côté sud*, 1953, photographie d'un lavis sépia. La rue Dorchester est devenue l'actuel boulevard René-Lévesque.

8.36 J.-P. Pépin, *Faubourg à M'lasse, 1107 à 1097 rue Plessis*, 1953, photographie d'un lavis sépia. On aperçoit le clocher de l'église Sainte-Brigide, située rue Champlain, entre les rues Sainte-Catherine et le boulevard René-Lévesque.

8.37 J.-P. Pépin, *Faubourg à M'lasse, rue Maisonneuve, côté Est, près de la rue Lagauchetière*, 1953, photographie d'un lavis sépia. Cette rue de Maisonneuve, qui est devenue la rue Alexandre-DeSève, débutait à la rue Notre-Dame pour s'arrêter à la rue Sherbrooke.

8.38 J.-P. Pépin, *Faubourg à M'lasse, coin Cartier et Dorchester, côté Sud-est*, s.d., photographie d'un lavis sépia.

Notre-Dame-de-Bonsecours et, à l'automne, encore à l'École des arts et métiers, *Château Ramezay*. Par ailleurs, au bout des titres de plusieurs de ses paysages de la Montée Saint-Michel, Pépin ajoute la mention « Montréal », pour bien ancrer ce coin de nature dans la ville à laquelle il appartient et faire ressortir non seulement le côté architectural de la métropole, mais encore son aspect naturel.

Attaché comme il l'est à l'architecture traditionnelle québécoise, et connaissant l'histoire de la métropole grâce à son poste d'informateur au Service du tourisme, Pépin ne peut que réagir, et c'est d'abord en artiste qu'il le fait. Le Faubourg à la Mélasse – prononcez Faubourg à M'lasse – que traverse la rue Dorchester (auj. boulevard René-Lévesque) est le plus immédiatement menacé, et c'est là que Jean-Paul Pépin commence son recensement. Les rues Panet, Plessis, de Maisonneuve, Cartier, Champlain, qui, toutes, croisent la rue

Dorchester, reçoivent sa visite. « Et là, j'ai commencé à aimer le Vieux-Montréal, la vieille maison, les vieux murs, la vieille pierre, les lucarnes, les corniches, les styles peut-être bâtards, mais admirablement construits », dira-t-il, pour ajouter : « C'était un rêve à toutes les heures du jour[103]. » Sur place, au lavis sépia ou à l'huile, il fixe ce qui, bientôt, disparaîtra, emporté dans les camions des démolisseurs. En atelier, à l'aide de ces premiers jets, il réalise des lavis couleur (**8.55, 56**), ainsi que des huiles de plus grand et moyen format (**8.54, 57**).

À l'été 1955, Jean-Paul Pépin est suffisamment actif sur le terrain d'un Vieux-Montréal en perdition et depuis suffisamment longtemps pour attirer l'attention d'un journaliste de *The Gazette* qui lui consacre deux grandes pages avec la reproduction de six lavis sépia (**8.35-38**). On louange son action artistique et patrimoniale : « Une grande partie du Montréal serait oubliée sans un artiste qui s'est donné pour mission de fixer sur toile et sur papier le Montréal d'autrefois. […] Au cours des quatre dernières années, l'artiste […] a préservé pour les générations présentes et futures de nombreux bâtiments de la rue Dorchester rasés pour faire place à l'artère multimillionnaire de la ville[104]. »

À l'image de leur auteur, les lavis sépia de Jean-Paul Pépin sont pleins de vie. L'artiste étale la matière dans les règles de l'art bien calculé des densités et des transparences, et celui, tout aussi précis, des blancs qui marquent des pauses dans la surface. Même s'« il s'est efforcé de conserver le plus fidèlement possible les bâtiments tels qu'ils apparaissaient, en s'affranchissant des détails insignifiants et en soulignant les points forts[105] », l'artiste, dans ses lavis, propose à la fois l'essentiel et la précision avec cette plume et ce pinceau fin, maniés à perfection et avec une spontanéité inégalable, qu'il s'agisse du clocher de Sainte-Brigide, dont la flèche riche d'éléments décoratifs émerge dans *Faubourg à M'lasse, 1107 à 1097 rue Plessis* (**8.36**), ou du rendu des persiennes et des lucarnes qu'on retrouve dans *Faubourg à M'lasse, 1112-1110, rue Champlain* (**8.40**).

Le lavis permet aussi à Pépin de renouveler son traitement des arbres en les dotant de généreuses tignasses ébouriffées dont certaines, plus bouclées, sont bien calmes, tandis que d'autres, plus libres, ont l'air d'être vivement agitées par le vent (**8.37**). L'invisible filet qui emprisonnait ces frondaisons et auquel l'artiste nous avait habitués est délaissé pour le moment. De l'ancienne manière, seule subsiste l'incontournable signature, reconnaissable

8.39 J.-P. Pépin, *Faubourg à M'lasse, 1285-1288A, rue Plessis*, s.d., photographie d'un lavis sépia.

À DROITE
8.40 J.-P. Pépin, *Faubourg à M'lasse, 1112-1110, rue Champlain*, s.d., photographie d'un lavis sépia. Ces six photographies de lavis sépia ont été reproduites dans *The Gazette*, le 11 juin 1955. Dans les archives d'Estelle Piquette-Gareau, elles portent au dos les mentions « Maisons du Vieux-Montréal » et « Démolies en 1953 ». Le format original de ces lavis sépia était de 35,6 x 50,8 cm (14 x 20 po).

entre toutes, des nuages blancs à l'oblique qui s'étirent dans le ciel. Dans le bas de son dessin, à gauche, Pépin inscrit sur deux ou trois lignes, en lettres bien moulées, les informations nécessaires à l'identification du lieu : nom du faubourg, de la rue ou de l'intersection et numéros d'immeuble. Ce sont des œuvres documentées que produit ce mémorialiste du Vieux-Montréal[106].

À l'été 1956, le temps commence à presser et Jean-Paul Pépin n'a plus le loisir de peindre ses huiles et d'élaborer ses grands lavis sépia sur place tant le rythme des démolitions s'accélère. Il entreprend donc le premier de ses trente-six carnets de croquis à l'encre qu'il produira, tous de format 12,7 x 17,8 cm[107] (5 x 7 po). Après le flamboiement des lavis couleur du milieu des années 1940 et le charme nostalgique des récents lavis sépia, Pépin affronte, en ce milieu des années 1950, le côté terre-à-terre du dessin à l'encre noire, du croquis, du « sketch », comme il dit, qu'exigent les repérages dans les quartiers menacés, de plus en plus nombreux. C'est à un véritable travail archivistique que se livre Jean-Paul Pépin, à un inventaire détaillé de ce qu'on ne verra bientôt plus et qui ne survivra désormais que sur papier. Voilà un nouveau prolongement de sa veine traditionaliste et un nouveau dessinateur qui naît en lui, qui invente sa technique au fur et à mesure qu'il avance dans sa pratique – comme il l'a fait en peinture.

Coups de plume, hachures, gribouillis, striures sont distribués sur la modeste surface du carnet avec assurance et spontanéité. Ces maisons, ces rues, ces arbres vivent sous nos yeux de leur vie réelle de tous les jours, mais poétisée par la touche du peintre qui les immortalise avec passion, exerçant un art à la fois subtil et robuste.

Du printemps à l'automne, durant les mois où il travaille au Service du tourisme, Jean-Paul Pépin se consacre à sa mission : « Compte tenu des jours de pluie, la saison dure environ 100 jours. Ce n'est pas très long et il faut travailler vite[108] », explique-t-il. « Pendant cette période d'été, je dessine des "Vieux-Montréal" dans le faubourg Québec et celui de la M'lasse. Ces séjours sont d'une importance vitale, puisque tous les jours disparaissent trois à quatre vieilles maisons[109] », confie-t-il à son journal. Dès 1957, il peut se vanter d'avoir produit deux cents dessins à la plume, qui inventorient tout le secteur compris entre les rues Ontario et Sainte-Catherine, Sanguinet et Saint-Dominique. Ce quadrilatère ne fait pourtant pas partie du Vieux-Montréal proprement dit, mais est plutôt un quartier populaire qui a la particularité d'être la cible d'un projet bien arrêté : le plan Dozois, déposé en 1954[110].

Connu sous le nom de son initiateur Paul Dozois (1908-1984), alors membre du comité exécutif du conseil municipal de Montréal, ce plan vise l'« élimination des taudis[111] » – ce sera le mot magique qui ouvrira la porte à tout un plan dit d'« aménagement[112] ». Présenté en 1954, approuvé en 1956, il est finalement mis en œuvre en 1958 et va donner un sérieux coup d'accélérateur à la démolition d'un Vieux-Montréal qui s'élargit, aux yeux de Pépin, aux quartiers du centre. Jean-Paul Pépin s'alarme : « *Montréal, la Ville aux Cent Visages* qui, dans quelques années, n'aura plus de *Visage Français,* deviendra la ville *Sans Visage*[113]. » Le journaliste Léon Trépanier n'avait-il pas écrit de son côté : « Depuis que le Plan Dozois a été approuvé par notre conseil municipal, je fais de fréquentes excursions dans le quadrilatère, formé des rues Ontario-Ste-Catherine-St-Dominique-Saint-Denis[114]. » Bientôt, Pépin se retrouve effaré devant « [un] Vieux-Montréal dont la démolition va plus vite que [s]es dessins[115] » (**8.43**). Mais encore une fois, la présence assidue de cet artiste qui talonne les démolisseurs de rue en rue ne passe pas inaperçue et c'est bientôt la télévision qui vient à lui.

Pour sa série *Images*, Radio-Canada consacre quelques émissions au Vieux-Montréal, et Jean-Paul Pépin est filmé et interviewé en train d'arpenter les vieilles rues et de dessiner les bâtiments historiques ou menacés (**8.44, 45**). L'émission est diffusée le 23 septembre 1957[116]. Au cours de l'interview, Pépin s'émerveille de ce que les cultivateurs installés à Montréal y soient venus « pour construire dans la ville même de vieilles maisons de campagne[117] », avec leur toit en pente et leurs lucarnes. Pépin résumera plus tard son intervention : « J'ai défendu le Vieux-Montréal contre la démolition effrénée, *le plus grand scandale fait aux anciens* qui construisirent leurs maisons avec amour et art. C'est toujours un crime que d'effacer les empreintes humaines imprimées dans la pierre par la main et l'âme des aïeux[118]. »

8.43 Démolition du Faubourg à M'lasse. Coupure de presse conservée par Jean-Paul Pépin et provenant d'un périodique non identifié, s.d.

À GAUCHE
8.44 Jean-Paul Pépin dessinant dans le Vieux-Montréal (capture d'écran tirée de la série télévisée *Images*, diffusée à Radio-Canada le 23 septembre 1957).

À DROITE
8.45 J.-P. Pépin, *L'ancienne douane, Place Royale, rue Saint-Paul Ouest*, juillet 1957, encre sur papier.

8.46 J.-P. Pépin, *Vieux-Montréal, 1165 à 1169, rue Labelle, près du boulevard Dorchester Est*, 1958, encre sur papier. Commentaire au dos du dessin : « Ces petites maisons de la rue Labelle sont jolies, charmantes, et nous laissent voir le bonheur d'y habiter. Au point de vue architectural, elles sont extrêmement intéressantes. »

À DROITE
8.47 Pierre Perrault interviewant Jean-Paul Pépin sur la place d'Armes, dans le Vieux-Montréal, en août 1964, photographie.

Non seulement Jean-Paul Pépin dessine, peint, fait parler de lui dans les journaux et à la télévision, mais il passe à l'action et entreprend diverses démarches. Il alerte les autorités supposées compétentes en la matière. C'est le début de son offensive contre l'« école des vandales[119] » qui détruisent sa ville bien-aimée. En ce sens, Jean-Paul Pépin peut affirmer : « Je suis un éternel engagé volontaire au service de l'Art[120] », et à nouveau : « Je suis un artiste peintre engagé, parce qu'on doit se battre avec la vie continuellement contre la bêtise, et que le dogmatisme c'est l'expression la plus dangereuse de la bêtise[121]. »

Il entreprend une campagne d'éducation en vue de sensibiliser la population et les élites au drame que vivent les « vieilles pierres[122] ». Mais on l'écoute bien peu. Dans son journal, il fulmine : « Que fait la *chienne* de Société historique [de Montréal] ? Elle dort durant cette hécatombe. *Montréal aux cent visages* disparaît. Et la *Commission Municipale d'Art*, que fait-elle ? Elle dort. Ces deux sociétés qui sont les défenseurs du patrimoine montréalais ! Pensez-vous que nous sommes bien gardés contre les vandales de la démolition du Vieux-Montréal, de[s rues] Dorchester, Saint-Urbain, Lagauchetière, Bleury[123] ! » Pépin s'adresse directement au département de l'urbanisme de la Ville et rédige, à l'intention du chef de ce département, un document intitulé *Suggestions pour la conservation du Vieux-Montréal au point de vue artistique, du tourisme et de l'urbanisme*[124]. Résultat : « Ma voix n'a pas été entendue[125]. »

Il n'en poursuit pas moins son combat avec les moyens qui sont les siens : sa plume et son pinceau. « Les vandales démolissent à une allure endiablée. Que restera-t-il dans un avenir rapproché ? Rien pour raconter l'histoire de Montréal de 1825 à 1960 dans ce quartier. Les imbéciles auront encore triomphé, encore une fois[126]. » À l'automne 1960, la démolition de l'Académie commerciale catholique, dite École du Plateau, rue Sainte-Catherine Ouest, et plus encore celle de la petite église de Nazareth, à proximité, œuvre du peintre et architecte Napoléon Bourassa, le scandalisent : « Désastre, cataclysme

8.48 Pierre Perrault interviewant Jean-Paul Pépin chez lui, dans son grenier de Sainte-Dorothée, en août 1964, photographie.

8.49 J.-P. Pépin, *Vieux-Montréal, rue Lagauchetière Est, entre Sanguinet et Hôtel-de-Ville*, 1959, encre sur papier. Commentaire au dos du dessin : « Cette rue est l'une des plus pittoresques du Vieux-Montréal. Il faut la parcourir pour la connaître. Mille choses nous intéressent. Ces petits magasins du coin, ces maisons à trois étages en pierre de taille ou en briques blanchies, ces lucarnes et surtout ces toits à la mansarde. »

Jean-Paul Pépin (1897-1983) le traditionaliste moderne • 377

8.50 J.-P. Pépin, *320 à 314, rue du Champ-de-Mars*, recto, 1964, encre sur papier.

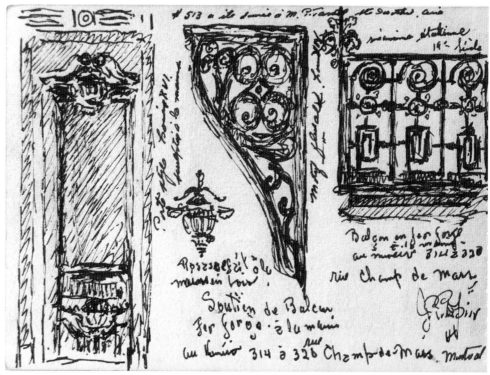

8.51 J.-P. Pépin, *320 à 314, rue du Champ-de-Mars*, verso, avec des détails de la porte d'entrée, de la ferronnerie et des soutiens (chapeaux) du balcon, encre sur papier.

irréparable[127] », déplore-t-il. « La petite église de Nazareth était un monument unique en Amérique du Nord, même du Nouveau Monde. La disparition de ce monument est une perte pour l'art au Canada[128]. » Nul doute qu'il partage ce triste constat d'un journaliste de l'époque : « Indifférent, un peuple assiste à la ruine de son berceau[129]. »

Au milieu des années 1960, une nouvelle occasion lui est donnée de se faire entendre. Le cinéaste et poète Pierre Perrault (1927-1999) (8.47, 48), qui est aussi homme de radio, interviewe Jean-Paul Pépin pour son projet de série radiophonique *J'habite une ville*, qui sera diffusée sur les ondes de Radio-Canada. Ainsi, le 18 septembre 1965, à 10 h 30 avec rediffusion à 19 h, alternant avec les commentaires narratifs de Pierre Perrault, Jean-Paul Pépin parle du Vieux-Montréal : « La ville aux cent visages, je vous le dis, a reçu une bouteille de vitriol en pleine figure[130]. » Et il entraîne son intervieweur dans les petites rues et louange, comme l'amoureux qu'il est sait le faire, l'architecture traditionnelle de sa ville natale :

> Regardez si c'est charmant ça, il y a une âme là-dedans ! Regardez les châssis, les portes et surtout les lucarnes. Montréal au point de vue lucarnes a trouvé toute son architecture propre à elle. Pourquoi croyez-vous ? C'est parce que personne ne voulait avoir la même lucarne. Alors ils ont créé une architecture qui était propre à la province de Québec et aux Montréalais. […]

> […]

> Regarde la jalousie qui s'ouvre par la moitié, là. Tu n'en vois plus, des jalousies comme ça, il n'y en a plus. Regarde la belle cheminée là, à droite là. Regarde la console avec les dessins. Regarde…

> […] Alors ces lucarnes, c'est l'histoire de l'architecture montréalaise. Ah ! c'est inouï ce qu'on a produit en deux cents ans. Il faut s'arrêter puis il faut regarder. Moi, ça a été le rêve de ma vie de pouvoir trouver une architecture inconnue[131].

La connivence des deux hommes est grande et la sympathie de Perrault pour Pépin est manifeste :

> Je l'écoute. Il parle. Et son destin le fascine. Par son enfance tout s'explique. Il peuple ses greniers d'épisodes. Il se découvre des fantômes. Il entend le piano de sa mère, la voix d'ange de sa tante… Il parle. Assis dans une lucarne comme un saint dans sa niche. Roi de son grenier. Maître d'orgueil. Acclamant les toits qui sont combles. Les corniches, les chambranles, les chevrons, les lambourdes, les girouettes, les gouttières[132].

Plus que jamais, Pépin arpente ces faubourgs si chers à son cœur et que la pelle mécanique attaque de toutes parts. Carnet en main, plume à l'encre de Chine au bout des doigts, il croque pâtés de maisons et demeures, rues et coins de rue qui, parfois, quelques jours plus tard ne sont plus qu'un amas de ruines[133]. Au verso de ses croquis ou sur un autre feuillet, il dessine un détail de ferronnerie (8.51), ou un détail d'un balcon, ou des chapeaux sculptés des entrées des maisons dont les formes raffinées le jettent dans l'admiration. Ou encore, il note des ornements de lucarnes – ces lucarnes qui le fascinent et dont il célèbre la variété (8. 46, 49, 50, 52). Comme pour ses grands lavis, dans le bas de ses croquis (qu'il a soin de numéroter), il inscrit au recto et au verso la rue et les numéros auxquels correspond la maison ou le groupe qu'il vient de croquer. Au verso aussi, il fait souvent un petit plan des rues pour bien situer l'emplacement du sujet dessiné. Il rédige aussi des renseigne-

8.52 J.-P. Pépin, *Vieux-Montréal, 1170 à 1168 rue Craig Est, coin Montcalm*, 1965, encre sur papier.

À DROITE

8.53 J.-P. Pépin, *Vieux-Montréal, église Saint-Jacques, côté rue Sainte-Catherine Est*, vers 1963, encre sur papier.

ments historiques parfois détaillés sur la maison ou la rue en question, ainsi que des impressions personnelles. Très souvent, il indique l'année où ce que nous avons sous les yeux a été construit et détruit et qui ne survit maintenant que par ce dessin exécuté par un homme en mission de sauvetage.

À côté de la réalisation d'une œuvre montréalaise remarquable, le constat de Jean-Paul Pépin sur le terrain même de sa ville est celui d'un homme troublé par les presque vingt années d'une entreprise de démolition aussi bien programmée : « Un sentiment d'angoisse nous étreint en songeant à la destruction outrancière des souvenirs de notre passé[134]. » Dans chacune des interviews qu'il donne, il y revient avec la même passion et la même indignation : « Je me suis battu toute ma vie pour sauvegarder notre patrimoine, et je suis passé pour un fou. Si tu savais le nombre d'engueulades que j'ai eues avec des ministres et des députés ! Ils me répondaient toujours la même chose : "On s'en occupe, M. Pépin !" Mais ils ne s'en sont jamais occupés[135]. »

8.54 J.-P. Pépin, *Vieux-Montréal, 1001 à 1003 rue Dorchester Est, Épicerie Giroux*, 1951, huiie sur carton.

8.55 J.-P. Pépin, *Le Petit Magasin*, 1957, encre sur papier. Au verso, Pépin a noté : « Magasin du coin, côté sud-ouest, Vieux-Montréal, faubourg Saint-Georges, 1 fait au lavis couleur 1957, 1 fait au lavis sépia 1958. »

PAGE SUIVANTE
8.56 J.-P. Pépin, *Le Petit Magasin*, 1957, lavis sur papier. On remarque, dans l'une et l'autre version, que la porte du magasin est ouverte.

Jean-Paul Pépin (1897-1983) le traditionaliste moderne • 381

404 Le "Petit Magasin" - Vieux Montréal -

coin St Dominique et Lagauchetière, Est Montréal -

J P Pepin en 1956

8.57 J.-P. Pépin, *Vieux-Montréal, Faubourg à la Mélasse*, 1967, huile sur isorel. Ce tableau représente la section de la rue Panet portant les numéros 1097 à 1081, un peu au sud du boulevard Dorchester. Ces huiles et lavis présentent un Vieux-Montréal en couleur comme on ne l'avait jamais vu...

Réception critique

« Qui est-il, ce Pépin, le plus populaire, le plus éloquent, le plus verbal, comme un chemin, le plus tonitruant, le plus singulier de tous les poètes ambulants, de tous les peintres itinérants, le plus invraisemblable, le plus incroyable ? » disait Pierre Perrault dans son émission radiophonique *J'habite une ville*. La réception critique de Jean-Paul Pépin va un peu dans ce sens de l'étonnement que causaient et la personnalité du peintre et sa peinture. « À première vue, les toiles de M. Pépin surprennent[136] », écrivait un critique, et l'on peut dire que cet effet d'étonnement reste celui que les tableaux de l'artiste produisent encore aujourd'hui. Si l'on se penche sur la réception critique de l'époque, cet effet de surprise tient à la « facture, assez brutale en général[137] » des œuvres du peintre pour lesquelles on estime parfois que « les lignes sont dures[138] », alors que l'ensemble de la composition n'est traité qu'avec « quelques troncs francs. […] des blancs, des verts, des bleus clairs[139] » et même « des bleus forts et des verts ahurissants[140] », tout cela appliqué à des « sujets académiques[141] », vieilles maisons, granges, paysages, d'où un puissant contraste entre la « facture plutôt moderne[142] » de l'artiste et « son goût traditionnel quant au sujet[143] ».

C'est que la réception critique de Jean-Paul Pépin tient compte à la fois de l'homme et de l'œuvre, tant l'un frappe autant que l'autre et tant les deux apparaissent indissociables. On y revient : « Pépin est d'abord surprenant. Il est aussi tout entier dans ses toiles. M. Pépin est un homme plein de vigueur, d'un feu et d'un enthousiasme sans pareils et tout rempli de son art[144]. » Le même critique le réaffirmera en d'autres termes : « Connaître l'homme, c'est comprendre ses toiles. Pépin est un homme vif, et ses toiles sont flamboyantes[145]. » Dans le style et dans les idées, chez Pépin, l'homme et l'œuvre, c'est tout un. Pour ceux qui l'ont connu, dès le contact avec sa production, le lien se fait vite. Pépin est à l'image de ses tableaux. Doté d'une « personnalité incontestable et sympathique[146] », il révèle dans ses entrevues journalistiques, télévisuelles et radiophoniques un personnage haut en couleur et d'une verve intarissable. L'écouter parler, c'est le voir peindre.

En résumé de toutes ces impressions, ce qui caractérise cet art, c'est la vigueur. Toute la critique s'accorde là-dessus. On souligne « la force, le coup de pinceau décisif[147] », on dit qu'il « peint fortement, énergiquement[148] », et on trouve partout « une vigueur remarquable[149] ». Ce n'est pas le sujet qui étonne, mais la manière dont il est traité. À toutes les caractéristiques soulignées précédemment il faut ajouter les striures en diagonale que le peintre creuse dans la pâte fraîche de certains de ses tableaux[150] et son usage du couteau à peindre, cette « truelle », comme il disait, qui l'amène à s'emparer généreusement de la matière et à l'appliquer sur la toile avec non moins de générosité, ce qui donne à son tableau un relief plein de mouvement. Différemment, dans les lavis sépia ou couleur qui réclament, eux, le pinceau, on suit avec fascination le travail du peintre qui évolue dans des délicatesses, des subtilités dans l'application qui relèvent d'un don de seconde vue qui nous mène dans un monde dont la beauté cachée se dévoile. L'audace du style transcende ce que le sujet a de conventionnel. Le regard que pose le peintre sur ces thèmes figés que sont la maison, les arbres, les nuages, qu'il répète sans cesse, ce regard, lui, n'est pas figé, car « la hardiesse de la technique les dégange du particulier et de l'éphémère pour les situer dans l'universel[151] ». Cette rencontre du traditionnel et de la modernité constituait le programme nettement arrêté de l'artiste Jean-Paul Pépin : « Mon rêve serait de parvenir à peindre des sujets régionalistes dans la facture la plus moderne qui soit[152]. »

Certes, Jean-Paul Pépin malmène plus d'une fois la couleur qu'il distribue de manière aléatoire. Mais tel est son bon plaisir de passer outre aux règles d'un certain art pour en créer un autre et provoquer cet effet de surprise dont il est friand et qui tient autant à sa personne qu'à son pinceau. Ce n'est pas l'harmonie qui l'intéresse, c'est le cri, l'accord dissonant, une sorte de dodécaphonisme des couleurs appliqué sur le conventionnel clavier du dessin.

Jean-Paul Pépin a rencontré sur sa route quelques détracteurs aussi convaincus que l'étaient ses admirateurs. Demombynes, au journal *Le Devoir*, s'en prend à l'artiste en ces termes : « La crudité des couleurs est choquante, ainsi que leur manque d'équilibre », écrit-il à propos de l'exposition de février 1948 à l'École centrale des arts et métiers. « Ce qui produit une impression d'étouffement, ajoute-t-il, c'est l'abus de touches voyantes, l'absence totale de fondu, de transition, de dégradé ; c'est surtout la méconnaissance totale des jeux d'ombre et de lumière[153] », sans se douter qu'il décrit là le programme pictural élaboré par Jean-Paul Pépin – moins l'« impression d'étouffement » que nous n'avons rencontrée nulle part dans son œuvre. À la seconde exposition que tient Pépin dans le même lieu en octobre suivant, un autre détracteur surgit – moins incisif que Demombynes –, qui a nom Rolland Boulanger, futur fonctionnaire au ministère des Affaires culturelles, avec qui Jean-Paul

8.58 Paul St-Jean, « Radiotages », caricature, *Radiomonde*, 28 février 1948.

CI-BAS

8.59 Zami [pseud. de Joseph Jutras], *Un peintre de la Montée Saint-Michel*, portrait-charge de Jean-Paul Pépin, 1932, p. 2.

Un peintre de la Monté St-Michel

Pépin échangera plus tard une sympathique correspondance. « La couleur vient comme elle peut dans les toiles de M. Pépin », dit le critique, qui se montre désarçonné devant « les maisons qui ont tendance à quitter leurs assises pour voyager aux caprices d'un cyclone venant d'on ne sait où[154] ».

Ces réticences, ces réserves, ces « critiques » n'ont pas l'heur de plaire aux admirateurs de l'artiste, qui se portent aussitôt à sa défense. Jacques Delisle déclare que Jean-Paul Pépin est « l'un de nos peintres les plus complets », vantant ses « progrès et découvertes constants ». Il affirme que « Pépin est une révélation », avant de conclure : « Comme celles du feu, les lignes de ses peintures sont sans cesse en mouvement et remuent malgré lui le spectateur, même le plus empantouflé[155]… » – cette dernière expression visant directement le critique du *Devoir*. De son côté, Maurice Huot ne tarit pas d'éloges : pour lui, l'exposition de Pépin est « une fête pour les yeux et le cœur », l'artiste « ne reste pas à la surface des choses » et, parlant de sa « délicatesse de poète muni du pinceau », de ses « toiles baignées d'optimisme et de joie », il affirme que Jean-Paul Pépin est « un maître qui fait aujourd'hui autorité[156] ». Enfin, son ami et collectionneur Roger Parent, déclare que « Pépin reste la plus forte personnalité dans la peinture canadienne contemporaine[157] ».

Dans l'ensemble, Jean-Paul Pépin a récolté une réception critique comme rêverait d'en avoir une – y compris la polémique – n'importe quel peintre.

L'arrière-saison

Son temps se passe entre la tenue de son journal, sa correspondance toujours abondante et la peinture. Sa production ne ralentit guère. À la fin de 1964, il fait son bilan : « Je finis cette année encore avec succès. 40 lavis sépia, lavis couleur, en noir et blanc, et 21 peintures à l'huile représentant des vieilles maisons canadiennes, Vieux-

Montréal, et paysages, faisant un montant de 61 morceaux de peintures et dessins. C'est une des plus petites années depuis 40 ans[158]. » S'il produit moins en quantité, selon ses dires, il produit en plus grand. Du 20 février au 2 avril 1966, il peint *Les Quatre saisons*[159], des panneaux de 91,4 x 61 cm (3 x 2 pi), dont il se dit très fier et pour lesquels il s'est inspiré de pochades réalisées à la Montée Saint-Michel au milieu des années 1920.

Puis, brusquement, à l'automne 1966, alors qu'il vient d'entrer dans sa soixante-dixième année, et après dix-huit ans d'absence du monde des galeries d'art, il présente une rétrospective de son œuvre chez Morency (**8.60**) sous le titre : *Exposition Jean-Paul Pépin : peintre de la Montée Saint-Michel et du Vieux-Montréal*. Outre des œuvres de divers formats, l'exposition contient une trentaine de petits tableaux et de pochades de la Montée Saint-Michel et dix « lithographies » originales numérotées des différents faubourgs de Montréal. La Galerie nationale du Canada (auj. Musée des beaux-arts du Canada), par l'intermédiaire du conservateur Jean-René Ostiguy, et après la visite de son adjoint Pierre Théberge, le 8 juillet 1966, chez le peintre à Sainte-Dorothée, acquiert *Paysage (printemps)* (**8.26**), qui date de 1946 et a été peint d'après une pochade de la Montée. Déjà, en 1946, lors de sa première exposition chez Morency, le Musée de la province de Québec (auj. Musée national des beaux-arts du Québec) avait acquis, par l'intermédiaire de son conservateur, Paul Rainville, *Le Manoir Dénéchaud à Berthier-en-Bas* (**8.23**).

Dans les réflexions sur l'art qu'il consigne dans ses gros carnets, Pépin se partage entre lucidité et errance. Quand il écrit : « Chaque grand artiste doit créer ses propres formes pour avoir sa personnalité[160] », ou « Les artistes les plus originaux d'aujourd'hui ne sont pas ceux qui apportent du nouveau, mais ceux qui savent peindre des choses connues comme si elles n'avaient jamais été peintes[161] », on ne peut qu'être d'accord. De même quand il parle de la vision artistique qu'il a pour sa ville natale, alors qu'il feuillette une revue d'art française : « La première ligne se lit comme suit : "Paris, capitale des arts". Pourquoi Montréal ne serait pas à son tour "Montréal, capitale des arts du Nouveau Monde" ? Des deux Amériques, seule la province de Québec est française. Donc, naturellement, c'est à nous que revient cet honneur. Ce n'est pas une chose impossible[162] ! », on admire son ambition.

Cependant, on trouve une contradiction entre sa sympathie pour l'abstraction et l'incompréhension qu'il manifeste envers ses compatriotes qui la pratiquent. Pépin aborde la question dès février 1948, dans un entretien qu'il a avec un journaliste : « Loin de moi de dénigrer les mouvements modernes. Personnellement, l'abstractionnisme m'attire fort, mais c'est une formule qui rompt avec la tradition de notre peinture nationale[163] », dit celui qui, alors, se définissait comme un « traditionaliste de la peinture canadienne[164] ». En ce sens, on peut le comprendre. Il n'y revient que dix ans plus tard, et sa pensée a mûri : « L'abstraction est un art propre à la personne qui le regarde et la personne qui le comprend. […] Dans l'abstraction, le symbolisme joue un très grand rôle. Dans l'abstraction, la psychologie et la philosophie jouent des rôles d'une importance capitale. Il est l'Art de demain[165] ! » Quelques mois plus tard, il ajoute : « Lorsqu'un peintre peut expliquer sa peinture abstraite, il est un bon peintre ; s'il ne le peut pas, il est mauvais[166]. »

Mais, au sujet de Paul-Émile Borduas (1905-1960), chef de file du mouvement automatiste créé dans la foulée du manifeste *Refus global* en 1948, et mort en 1960 à Paris où il vivait depuis cinq ans, Pépin écrit : « Il avait adopté comme nouvelle patrie la France, où il

a vécu et mourir [*sic*]. Il repose en terre française. Donc, il [n']a jamais été un peintre canadien, il a peint des peintures avec influence française[167]. » Quant à Alfred Pellan (1906-1988), il n'est guère mieux partagé : « Il expose à Montréal ces peintures automatismes [*sic*]. Il ne peut prétendre d'être un artiste canadien. Ces peintures n'ont jamais été canadiennes et ils [*sic*] ne le seront jamais. Pour moi, ces deux peintres, Borduas et Pellan sont purement d'influence française et ne peuvent être classés parmi les peintres canadiens[168]. »

Le problème, pour Pépin, c'est précisément cette question des influences venues de l'extérieur et qui corrompent la « pureté » de l'inspiration en terre d'origine. Il refuse d'accorder l'étiquette de « peintre canadien » à des artistes qui ont puisé leur inspiration dans des mouvements internationaux, surtout en ce qui concerne l'abstraction venue d'Europe. Alors, quand il déclare, en 1963, que « la peinture moderne c'est la peinture de demain[169] » et « [qu'on] ne peut pas empêcher la peinture moderne de faire son chemin[170] », que veut-il dire ? À quelle peinture fait-il référence ? À quel peintre songe-t-il ? Et presque dix ans plus tard, lorsque Françoise Faucher ira les interviewer, lui et sa femme, pour une émission télévisée, il déclarera : « Si j'avais trente ans, je me mettrais à l'étude de l'abstrait », ajoutant : « Parce que vous savez, l'abstrait, c'est le concret[171]. »

En ce sens, et ces opinions faisant leur chemin dans la pensée de Jean-Paul Pépin, celui-ci n'a pas encore dit son dernier mot ou plutôt donné son dernier coup de pinceau. En 1976, Jean-Paul Pépin, qui approche de ses quatre-vingts ans, exécute ce qui sera un de ses derniers tableaux – sinon son dernier : *Mars, dieu de la guerre* (8.62). C'est son plus grand tableau en termes de surface : 90 x 151 cm. L'artiste l'exécute dans une des deux pièces de son grenier qu'il vide complètement et où il n'installe que les deux chevalets nécessaires pour soutenir la grande toile tendue sur châssis[172]. Rien autour de lui qui puisse le distraire de l'œuvre à exécuter. Comme il l'a fait à plusieurs reprises pour divers tableaux, Pépin s'inspire d'un lavis couleur de la Montée Saint-Michel, peint en 1948 d'après un croquis

8.61 J.-P. Pépin, *L'Arbre mort, Montée Saint-Michel*, 1948, lavis sur carton.

antérieur, titré *L'Arbre mort* **(8.61)**, mais auquel il va donner un tout autre sens. À l'âge avancé qui est le sien, Jean-Paul Pépin y va plus largement et plus hardiment que jamais. L'événement est d'importance, car le peintre note dans son journal la date de sa touche finale : le 16 août 1976.

Ce tableau « représente l'humanité qui sera détruite par les atomes atomiques (les bombes) téléguidées[173] ». Il reflète les inquiétudes de Pépin face à l'usage de plus en plus fréquent des armes nucléaires à des fins expérimentales – ce qui pourrait conduire à l'irré-médiable catastrophe finale. « L'Arbre du milieu représente le Dieu de la destruction », et son aspect « bouillonnant » ne figure plus une stylisation poétique, telle que rencontrée si souvent dans les œuvres antérieures, mais le mortel nuage nucléaire. Symbole de vie, l'arbre est ici muté en symbole de mort. « À droite, les petits arbres représentent l'homme et la

8.62 J.-P. Pépin, *Mars, dieu de la guerre*, 1976, huile sur toile.

femme fuyant la mort. Ainsi le tableau représente la fin du monde », ajoute-t-il. Fidèle à sa technique de la diagonale qui fait pleuvoir sur sa composition des pluies. Si ce n'est pas un message d'espoir que nous envoie Jean-Paul Pépin à la fin de sa vie, artistiquement parlant il s'avance dans une technique qui, à y regarder de près – et le grand format de l'œuvre y aide – tire vers l'abstraction qui l'a toujours beaucoup intéressé.

Une des joies de la vieillesse de Jean-Paul Pépin aura été la rencontre avec la pédagogue et ex-comédienne Estelle Piquette-Gareau, qui, aiguillée par un de ses amis collectionneurs, est venue rencontrer le peintre chez lui, à Sainte-Dorothée. Intriguée par le groupe des peintres de la Montée Saint-Michel que son ami collectionneur lui a révélé, elle veut en savoir plus. Ravi, enchanté, Jean-Paul Pépin lui raconte tout et lui transmet les adresses et numéros de téléphone des familles des autres peintres du groupe, qu'elle ira rencontrer : « Je l'ai trouvée, celle qui va faire connaître les peintres de la Montée Saint-Michel ! »

Figure singulière parmi le groupe des huit de la Montée Saint-Michel, Jean-Paul Pépin se démarque par le paradoxe d'une modernité à l'assaut de la tradition, doublée d'une personnalité aussi colorée que sa peinture et un feu, une passion pour l'acte de peindre qui ne s'est jamais démentie et qui lui a apporté ses plus grandes joies : « Il faut l'entendre parler de son art pour comprendre que la peinture est la grande affaire de sa vie[174]. »

En 1963 meurent Ernest Aubin et Élisée Martel, deux des confrères de Pépin à la Montée Saint-Michel. En 1970, Joseph-Octave Proulx disparaît, la même année et au même âge que Marc-Aurèle Fortin avec qui Pépin a été lié de si près dans les années 1940. Puis, en 1972, Joseph Jutras meurt, lui qui, au début des années 1960, était venu s'installer sur l'île Jésus, à Pont-Viau d'abord, puis à Sainte-Dorothée, où il était devenu pratiquement un voisin de Jean-Paul Pépin. Après la disparition de Jutras, il ne reste que lui, Pépin, et Narcisse Poirier pour faire luire dans les ténèbres d'un oubli qui va s'épaississant la vacillante étoile des peintres de la Montée Saint-Michel.

8.63 Jean-Paul Pépin signant *Le Quêteux des routes*, photographie, mars 1948. La signature de cette œuvre (non localisée) s'est faite chez le collectionneur et ami Roger Parent, qui signait Le Boulevardier sa chronique « Rumeurs et potins » dans *Photo-Journal*, où il accordait une attention particulière aux peintres.

CHAPITRE 9

NARCISSE POIRIER (1883-1984)
FAIRE DE LA POÉSIE

« Vivant à l'écart, presque solitaire[1] », avec une réputation de « timidité[2] » et de « modestie[3] », Narcisse Poirier (9.1) est, avec Jean-Paul Pépin[4], le plus connu des peintres de la Montée Saint-Michel, celui qui a eu le plus à cœur de sortir de l'ombre, celui qui a le plus exposé, qui a produit et vendu le plus de tableaux, celui qui a obtenu la réception critique la plus nombreuse et qui – tant qu'à battre des records – a dépassé en longévité tous ses confrères de la Montée puisqu'il est mort à cent un ans. Menant une vie discrète et laborieuse, il l'a dirigée avec adresse, habitué comme il l'a été dès son arrivée à Montréal, à l'âge de seize ans, à se débrouiller par ses propres moyens. De plus, il est le seul du groupe dont la réputation a dépassé les frontières canadiennes grâce à une grande exposition qui s'est tenue en 1970 à l'ambassade du Canada à Washington, organisée par sa fille Hélène, qui avait épousé Louis Dupret, vice-consul de France à Washington. Enfin, il est le seul du groupe à avoir deux ouvrages qui lui ont été consacrés[5].

Au début du XXᵉ siècle, à Montréal, vendre ses tableaux n'était pas chose facile pour un peintre, la rareté des lieux d'exposition ne contribuant guère à créer une clientèle nombreuse et diversifiée. À quelques exceptions près, vivre de son art relevait de la chimère. Être introduit dans le milieu restreint et huppé des collectionneurs, majoritairement anglophone, demandait des démarches, de l'habileté à établir des liens et le désir de les entretenir, exigeait de faire acte de présence dans les événements mondains, de savoir approcher les trois ou quatre galeries existantes, d'être accepté au Salon du printemps de l'Art Association of Montreal (AAM, auj. Musée des beaux-arts de Montréal) et au Salon d'automne de l'Académie royale des arts du Canada (ARAC), et aussi, en plus, si on en avait les moyens, d'avoir son propre atelier où recevoir les visiteurs.

Poirier était un timide actif, un solitaire affairé, un modeste efficace et, au dire de ceux qui l'ont connu ou approché, s'il était un homme de peu de mots, apparemment, il n'en pensait pas moins puisqu'il a su faire montre d'une détermination peu commune pour gagner sa vie avec sa peinture – avec quelques à-côtés[6] –, élever sa famille[7] et, à l'âge de trente-deux ans, devenir propriétaire d'un bel immeuble à logements multiples, rue Saint-

9.1 Narcisse Poirier et sa première femme, Marie-Louise Gamache, à leur mariage, en 1908, photographie.

Denis (**9.2**), où il aménagea son atelier et où il vivra jusqu'à la fin de ses jours. De plus, au début des années 1920, lorsqu'il fit un voyage d'études en Europe, en compagnie de Rodolphe Duguay, il supporta lui-même les frais de son séjour[8].

« Homme pratique[9] », « travailleur acharné[10] », Poirier était doué de persévérance et savait saisir les occasions qui se présentaient à lui et tirer le meilleur parti des circonstances favorables. En 1912, alors que l'artiste fait son entrée au Salon du printemps, le critique Albert Laberge se souvient que « [s]es natures mortes ont attiré l'attention des collectionneurs[11] », et l'on peut croire que Poirier, présent sur les lieux, a su faire fructifier les ventes. Une chance se présenta au début de sa carrière, et peut-être même au cours de ses études, dont il sut tirer leçon : « Un voisin aimait ce que je faisais et m'achetait tout ce que je dessinais. Et voilà qu'un jour, il est forcé de déménager aux États-Unis, à Détroit. Cet homme, devenu client, voulait avoir d'autres toiles et je les lui fournissais régulièrement. Cet incident stimula mon ambition et me permit de constater que j'aimais assez la peinture pour en faire la carrière de ma vie[12]. »

Une vocation se dessine

Narcisse Poirier naît en 1883 à Saint-Félix-de-Valois, dans Lanaudière. Son père, qui est meunier, possède un moulin qui comptera parmi les quelques bons souvenirs de son enfance[13]. Sa mère, Mérélise Roy, meurt alors qu'il n'a que quatre ans. On ne sait trop pourquoi, mais son oncle et parrain – qui porte le même prénom que lui et qui est probablement le frère de son père – l'adopte. Cet oncle est fermier. S'il ouvre des yeux admiratifs sur la nature qui l'entoure, en revanche, le jeune Narcisse n'éprouve que peu d'attirance pour les travaux de la terre auxquels il est obligé de participer. C'est un grand garçon maigre aux longs doigts minces qu'il ne fait servir qu'à dessiner : « Tout, sur la ferme de son oncle et parrain, était sujet à être croqué. On le laissait bien à son caprice car, d'un autre côté, il savait se rendre utile aux travaux de la ferme[14]. » Ces jeux d'enfants prennent une autre signification quelques années plus tard lorsque l'adolescent voit, dans l'église du village, deux peintres décorateurs montés sur des échafaudages. Fasciné, il passe des heures à regarder les deux artistes exécuter les décorations[15].

L'un d'eux, Adrien Delorme, est peintre amateur et se rend peindre souvent avec son ami Joseph Laferrière sur les bords de la rivière Bayonne, non loin de Saint-Félix-de-Valois[16]. Ils y emmènent l'artiste en herbe, qui crayonne au dos de vieilles feuilles de

9.3 Narcisse Poirier, *Napolitaine*, 1907, fusain sur papier.

calendriers qui lui présentent une surface blanche à couvrir[17]. Mais surtout, les deux artistes l'informent de l'existence, à Montréal, d'une école d'art et de métiers, gratuite, où il pourra s'inscrire, et ils lui indiquent également – car il faut gagner sa vie – un peintre et photographe, Zénon Juteau, qui engage et forme beaucoup de jeunes débutants pour son commerce d'agrandissements et de retouches de photographies[18].

À l'automne de 1899, sans argent, le jeune Narcisse, seize ans, quitte Saint-Félix-de-Valois et arrive à Montréal où l'un de ses oncles accepte de l'héberger. Il déniche un emploi chez un encadreur – ce qui, déjà, le rapproche un tant soit peu du milieu de l'art – et se présente chez Zénon Juteau. Avec ces deux modestes revenus, il peut, d'abord, ne pas être à la charge de son oncle et, ensuite, s'inscrire, en octobre 1899, au cours de dessin à main levée donné par le Conseil des arts et manufactures (CAM), logé au dernier étage du Monument-National, boulevard Saint-Laurent. À partir de cette date et pour les vingt prochaines années, la vie de Narcisse Poirier sera une formation en continu qui le mènera, étape par étape, à un séjour d'études en Europe en 1920-1921.

Au CAM, les sessions débutent en octobre et se terminent à la fin de mars ou au début d'avril. Les prix sont décernés aux élèves en juin de chaque année, dans la grande salle du Monument-National. Ayant commencé ses cours de dessin à l'automne 1899, Poirier semble avoir suivi, du moins dans un premier temps, une formation irrégulière. S'il reçoit une mention honorable au printemps 1900[19], il saute cependant une année et se réinscrit à l'automne 1901, car, en juin 1905, dans le palmarès de fin d'année, « N. Poirier » – comme il aura toujours l'habitude de signer – apparaît en « quatrième année[20] » d'études, ce qui nous reporte, en effet, à 1901 pour sa deuxième inscription. En 1906[21], 1908[22] et 1910[23], son nom continuera d'être suivi de la mention « quatrième année », ce qui indique que, insatisfait de lui-même et par désir de perfectionnement, Poirier continue d'étudier dans cette même classe, sous la direction d'Edmond Dyonnet, qui s'occupe du cours avancé. En 1907, Poirier a figuré à l'exposition de fin d'année avec une *Napolitaine*[24] (**9.3**), mais ce n'était sans doute pas la première fois[25]. Enfin, au printemps 1908, il décroche le premier prix de dessin[26] avec une *Tête d'Italienne*[27]. En 1910, il expose hors concours[28]. Il a vingt-sept ans. Poirier n'est plus un jeune étudiant. Mais n'importe, ce prix de dessin tant convoité et obtenu à force de ténacité n'est qu'une étape.

Poirier est un homme régulier et constant dans ses actions. Alors même qu'il travaille chez le photographe Juteau, il trouve aussi une place chez le photographe L. J. A. Péloquin comme retoucheur, mais aussi comme vendeur itinérant à la fois pour l'un et l'autre employeur. Joseph Jutras, condisciple de l'école des Arts et Manufactures et bientôt confrère de la Montée Saint-Michel, qui a aussi quelque peu goûté de ce métier, se souvient : « L'on commençait vers 7 heures du matin, un bref arrêt pour le déjeuner, et de là jusqu'au dîner et ainsi de suite jusqu'à souvent 10 et 11 heures du soir. […] La moyenne de l'artiste rapide était de 25 à 30 portraits par jour[29]. » Évidemment, Poirier n'entend pas exercer ce métier toute sa vie, et d'ailleurs, selon Jutras, témoin oculaire, il ne s'y adonnait pas entièrement même lorsqu'il remplissait ses commandes chez son employeur – car la passion de peindre le tenaillait :

> Saviez-vous que, tout en retouchant ces portraits, il avait toujours à ses côtés, sur une petite table, un sujet qui l'attendait. C'était des fleurs, des fruits, des légumes, rehaussés d'un motif décoratif tel que théière en cuivre ou en faïence, ou autre vase. Tout en retouchant ces portraits, il jetait un coup d'œil à son sujet ; ayant saisi un effet, une couleur, une transparence qui se dégageait de son sujet, vite [il] prenait en main palette et pinceau. Il peignait vite et bien. C'était pour lui un moment de détente, et il se remettait à son travail[30].

À l'automne 1910, quand Poirier s'inscrit au cours de peinture que le CAM offre deux après-midi par semaine sous la direction de Jobson Paradis[31], il a déjà une expérience de la pratique de l'huile. Qui a initié Poirier à cette technique ? Peut-être l'a-t-il expérimentée chez le peintre Juteau ? Mais c'est peut-être ici qu'entre en scène le prolifique Georges Delfosse (1869-1939). Ce dernier, paraît-il, considérait Narcisse Poirier comme « son meilleur élève[32] ». C'est dire qu'ils ont dû se fréquenter d'assez près et sur un certain laps de temps. Poirier a fait la connaissance de Delfosse un jour que celui-ci était à peindre une maison du Vieux-Montréal[33]. Paysagiste, portraitiste et peintre de tableaux d'église, Delfosse est toujours à la recherche d'aides pour l'assister dans ses nombreux travaux et, comme il l'a fait avec tant d'autres, il a pu demander à Poirier sa collaboration, et cela peut-être autour de 1908-1909 alors qu'il peignait les grandes compositions qui allaient prendre place dans la cathédrale de Montréal. Poirier a pu ainsi devenir apprenti chez Delfosse, soit dans l'atelier même du peintre, rue Sherbrooke Est, soit dans celui qu'il s'était aménagé dans la cathédrale[34] – ce qui expliquerait l'absence de Poirier cette année-là au CAM. De plus, Poirier aida peut-être Delfosse pour les nombreux tableaux d'église que lui commandait le décorateur Toussaint-Xénophon Renaud (1860-1946) avec qui, d'ailleurs, il travaillera plus tard et à qui il donnera des leçons de peinture.

9.5 Narcisse Poirier, *Paysage d'hiver*, s.d., huile sur toile.

Quoi qu'il en soit, au printemps 1911, au terme de sa première année d'études en peinture au CAM, Poirier décroche le premier prix[35] et, en 1912, il expose hors concours[36].

Quand, en 1931, un journaliste lui demandera depuis combien de temps il se consacre à ses « travaux d'art », Poirier répondra : « Vingt ans », en précisant « sous Cullen et Brymner[37] », ce qui nous amène à 1911. En effet, en juin 1911, fort de son premier prix de peinture, qui constitue une honorable carte de visite, Poirier, désireux encore et toujours d'affermir son métier, se tourne vers une des grandes figures de la peinture d'alors, Maurice Cullen (1866-1934), qui donne des cours d'été en plein air. Poirier, qui veut être paysagiste, s'inscrit d'abord au cours que Cullen donne à Beaupré, près de Québec[38], en 1911[39].

Et sans doute est-ce aussi en cette même année 1911 que Poirier, toujours muni de son premier prix de peinture et fort de son cours d'été avec Maurice Cullen, s'inscrit auprès de William Brymner (1855-1925), directeur de l'école de l'AAM, avec qui il a toujours affirmé avoir étudié[40]. Ce cours, comme ceux de Cullen, est payant, rappelons-le. Poirier, qui n'ira pas au-delà de deux années d'étude en peinture au CAM, désire poursuivre sa formation sous deux grands maîtres. C'est dans les locaux du square Phillips, où l'institution loge jusqu'en 1912, qu'il étudie – on ne sait combien de temps – sous la direction de Brymner pour le portrait et pour le modèle vivant nu[41]. Inscrire sur sa feuille de route, dans son curriculum vitæ, dans sa notice biographique, dans le résumé de sa formation, le nom de Maurice Cullen, dont la réputation n'est plus à faire, et celui de William Brymner, directeur de l'école de l'AAM, est une marque de prestige dont un artiste d'alors se réclamait toute sa vie.

En passant par la Montée Saint-Michel

Puisque nous sommes en 1911, cette année-là, Poirier a vent qu'un groupe d'élèves du CAM – où il vient de refaire volontairement et pour la troisième fois sa quatrième année en dessin –, à la rentrée, le 25 octobre précisément, vient de prendre le nom de « peintres de la Montée Saint-Michel ». Il ne peut l'ignorer, car l'instigateur de ce groupe, Ernest Aubin, est dans la même classe de peinture que lui, sous la direction de Jobson Paradis – puisque Poirier étudie le dessin le soir et la peinture le jour. De plus, un nouveau venu au CAM, en classe de dessin, Joseph Jutras, adhérent enthousiaste de ce nouveau groupe, compte parmi ses récentes connaissances. Depuis qu'Ernest Aubin a fait son entrée au CAM en 1907, Poirier, comme les autres élèves de la classe de dessin, l'a entendu vanter le domaine Saint-Sulpice, vaste espace naturel au nord de Montréal, constitué de fermes appartenant aux prêtres de Saint-Sulpice. Aubin, qui fréquente ce lieu unique, encourage ses condisciples à le suivre. Dès 1907, l'effet d'entraînement n'a pas tardé à se produire. Jean-Onésime Legault et Onésime-Aimé Léger, collègues de Poirier en classe de dessin, emboîtent le pas. Poirier connaissait déjà Léger pour avoir travaillé avec lui chez Zénon Juteau[42]. Puis, Joseph-Octave

9.6 Narcisse Poirier, *Ancien moulin, Sault-au-Récollet*, s.d., huile sur toile. Le peintre a capté l'atmosphère moite de certaines journées de dégel au printemps.

9.7 Narcisse Poirier, *Paysage, Sault-au-Récollet*, 1963, huile sur toile. Cette harmonie impressionniste en bleu et vert est traversée par le vent d'été qui souffle de la rivière.

Proulx, un Américain d'origine canadienne-française, inscrit en classe de dessin en 1909, se laisse aussi convaincre par Aubin de venir peindre dans son paradis.

Au moment de la fondation de ce groupe informel, qui emprunte son nom à la proche voie de circulation appelée « montée Saint-Michel » qui longe le domaine Saint-Sulpice, Poirier a très certainement fait déjà quelques excursions dans ces parages. En peignant la croix du chemin qui flanque la petite ferme Laurin, laquelle tient lieu de porte d'entrée du domaine Saint-Sulpice (**9.8**), il se conforme à une sorte de rite obligé, de geste de courtoisie presque, pour tout peintre digne de ce nom qui fréquente cet endroit. Cette esquisse aux teintes automnales, Poirier l'a offerte à son fidèle compagnon de plein air, Joseph Jutras, avec qui il a parcouru Montréal et les environs. Outre cette croix de chemin, qui est l'emblème du groupe, nous savons que Narcisse Poirier a représenté diverses scènes de la Montée en privilégiant le crayon de couleur. Ces dessins, restés dans une collection privée aux États-Unis et que nous n'avons vus qu'en photographie, ne nous sont pas parvenus. Poirier demeure jusqu'à ce jour un dessinateur méconnu.

Beaucoup moins bucolique aujourd'hui, la côte Saint-Michel (**9.9**) est devenue le boulevard Crémazie, c'est-à-dire l'autoroute métropolitaine. Les perches posées contre la meule servaient à maintenir celle-ci en cours de montage. La pièce qui la recouvre semble destinée à la protéger des infiltrations éventuelles de la pluie. Quant aux poules, qui reviennent dans nombre de scènes rurales de Poirier (**9.10**), elles sont un souvenir d'enfance, car elles comptent parmi les premiers dessins exécutés par le garçon à la ferme de son oncle adoptif.

9.8 Narcisse Poirier, *À la Montée Saint-Michel, ferme Laurin*, s.d., huile sur bois. Un tableau intitulé *Croix du chemin* a figuré à la première exposition de Poirier à la bibliothèque Saint-Sulpice en décembre 1923. C'était peut-être une version de ce tableau-ci. Un autre tableau, sous le même titre, sera présenté à l'exposition collective des peintres de la Montée en 1941 à la galerie Morency.

9.9 Narcisse Poirier, *Côte Saint-Michel*, 1930, huile sur carton.

9.10 Narcisse Poirier, *Côte-de-Liesse*, 1936, huile sur carton.

9.11 Narcisse Poirier, *Rue des Carrières*, s.d., huile sur bois. Les personnages de Poirier sont discrets, évanescents dans leur dessin peu défini.

Urbaine avec un air campagnard, la rue des Carrières, non loin du domaine Saint-Sulpice, est l'un des lieux que les peintres de la Montée Saint-Michel fréquentent le plus. « L'un des coins les plus pittoresques de la métropole[43] », disait le critique Albert Laberge, qui connaissait les représentations que plusieurs peintres avaient faites de ce coin (9.11, 12), Joseph Jutras y a souvent accompagné Poirier, crayon à la main pour le premier et pinceau aux doigts pour le second : « C'était à deux pas de son atelier, rue Pontiac, quelques pieds plus bas que la rue Gilford. Le pays des Pieds-Noirs n'était pas un endroit où l'on pouvait se faire scalper, mais bien des carrieureurs [sic], hommes endurcis par un travail difficile, risqué, par le minage quotidien des pans de pierre que l'on extrayait pour la construction. Les Pieds-Noirs étaient un groupe de fier-à-bras, batailleurs, braves, secourables malgré l'écorce dure qui les enrobait[44]. »

Pour ce que nous en connaissons, la Montée Saint-Michel de Narcisse Poirier n'est pas celle d'Ernest Aubin, de Joseph Jutras ou de Jean-Onésime Legault. Elle est davantage excentrée du domaine Saint-Sulpice. Mis à part la croix de chemin, un sceau d'admission au sein du groupe de la Montée, Poirier exclut les étangs, les ponceaux, les ruisseaux, les grands ormes, les champs cultivés, les boisés, et se retire vers le Sault-au-Récollet qui

9.12 Narcisse Poirier, *Montréal en hiver, clair de lune, rue des Carrières, Montée Saint-Michel*, s.d., huile sur toile. Le tableau précédent et celui-ci représentent la même scène de jour puis de soir, d'abord en pleine tempête, puis après qu'elle se soit calmée. Avec, la plupart du temps, des personnages furtifs, réduits à une silhouette, Poirier suggère la présence humaine plus qu'il ne la campe.

Vieille Maison rue St Jean-Baptiste. Posée le 9 juillet 1914. Par Edgar Gariépy.

9.13 Edgar Gariépy, *Vieille maison, rue Saint-Jean-Baptiste*, photographie, 9 juillet 1914. Joseph Jutras et Narcisse Poirier peignent la maison Lacroix, dans le Vieux-Montréal.

marque l'extrême limite nord de l'ensemble du territoire de la Montée, ou va vers la limite ouest sur la Côte-de-Liesse, ou encore se rend rue des Carrières par temps de neige. C'est une Montée Saint-Michel en solitaire que pratique Narcisse Poirier. L'architecture hétéroclite d'un moulin – à scie, à farine? – sur les berges d'une rivière en plein dégel printanier (**9.6**), une maison de ferme cossue juchée sur son button (**9.10**), une meule isolée autour de laquelle danse et picore une famille de volailles (**9.9**), voilà des sujets qui lui sont propres et qu'il peint en solitaire.

Dans un ressouvenir tardif de cette contrée de la Montée Saint-Michel qu'il a beaucoup arpentée, seul ou avec Jutras par exemple, Poirier trouvera un surprenant renouveau dans sa manière de peindre. Comme pour ses ultimes natures mortes (**9.38, 39**), les derniers paysages de Narcisse Poirier sont saturés de lumière et de vie, particulièrement dans *Paysage, Sault-au-Récollet* (**9.7**), avec ce plein soleil d'été et cette brise qui souffle de la rivière des Prairies. Il y a ici une sorte de resurgissement d'un impressionnisme laissé en dormance jusque-là. Même les quatre personnages (trois femmes et un enfant) ont bénéficié d'un soin que Poirier n'a pas toujours apporté à ses figures dans un paysage.

Amitiés

Son travail alimentaire de retoucheur de photographies va apporter à Poirier deux amitiés artistiques, les seules que nous connaissions à ce solitaire qu'il était : Joseph Jutras et Rodolphe Duguay (1891-1973). Le jeune Jutras de dix-sept ans, nouvellement marié et qui veut s'introduire dans le milieu de l'art de diverses façons, débute comme apprenti retoucheur chez L. J. A. Péloquin. Là, il entend parler du peintre Narcisse Poirier qui vient travailler chez ce même photographe de temps à autre. Jutras note aussitôt son nom, car, pour se frotter à ce monde qui le fascine, il a entrepris une tournée des ateliers d'artistes[45]. Et le voilà qui sonne à la porte du 120, rue Pontiac, au nord de l'avenue du Mont-Royal, près de la rue Gilford, où loge Narcisse Poirier[46]. L'entente est tout de suite cordiale (9.13). Poirier fait le portrait du jeune homme, non sans lui recommander de s'inscrire aux cours gratuits de l'école des Arts et Manufactures, où lui-même, Poirier, étudie encore – ce que fait Jutras à la rentrée de 1911, juste à temps pour assister, en octobre, au baptême du groupe des peintres de la Montée Saint-Michel.

Au début de cette même année 1911, un nouveau venu fait son entrée dans les classes de dessin du CAM : Rodolphe Duguay[47]. L'amitié qui les unira comptera dans la vie de Poirier plus que toutes celles qu'il aurait pu avoir, car elle le mènera beaucoup plus loin qu'il n'aurait jamais pu l'imaginer. Originaire de Nicolet, si Duguay a des affinités avec Joseph Jutras, qui a des oncles et des tantes dans ce village de la Mauricie[48], c'est néanmoins avec Poirier qu'il nouera amitié.

Le nom de Narcisse Poirier apparaît dans le journal de Rodolphe Duguay en 1917 : « Allé pour la première fois peindre avec mon ami Poirier, sur le chemin Saint-Michel[49]. » Cette brève entrée, en plus de mentionner le nom de Poirier, constitue aussi la première mention de la présence de Duguay à la Montée Saint-Michel. Les deux artistes doivent se

9.14 Rodolphe Duguay, *Lueurs d'or*, 5 juillet 1919, huile sur carton.

9.15 Narcisse Poirier et Rodolphe Duguay, peignant à Saint-David, près de Drummondville, photographie, 31 août 1919. Canotier, gilet et cravate pour Poirier, chapeau mou, nœud de soie et chemise blanche pour Duguay, on est aux antipodes du débraillé conventionnel de la bohème d'artistes.

connaître depuis un certain temps puisque Duguay gratifie Poirier du titre d'«ami». Duguay a vingt-six ans, Poirier trente-quatre.

Outre l'école des Arts et Manufactures, Duguay et Poirier ont pu faire connaissance chez le photographe Péloquin où Duguay débute comme retoucheur en février 1911 et où Poirier travaille aussi, mais ils ont pu aussi se rencontrer chez Georges Delfosse auprès de qui Duguay s'est inscrit comme élève et avec qui il collabore épisodiquement de 1911 à 1917, comme le fait Poirier à peu près à la même époque. Cependant, témoin de son grand désir de perfectionnement, Poirier dirigera son ami Duguay vers le peintre Maurice Cullen, sous la direction de qui il a lui-même étudié et qui donne parfois des cours dans son atelier[50].

Pour le moment, en cette année 1917, les deux amis commencent à peindre ensemble. Poirier initie son ami Duguay aux crépuscules de la Montée Saint-Michel (**9.14**) – Montée que Duguay connaissait déjà quelque peu avec le bois Saint-Laurent qu'il avait découvert tout à proximité, en 1916[51]. C'est le début d'une suite de séances sur le motif et d'expéditions de peinture en commun, espacées, certes, mais régulières (**9.15**). Durant l'été, avec Arthur Hamel[52], confrère du CAM et ami de Duguay, les artistes se rendent à Rawdon, dans Lanaudière, où ils restent au moins une semaine[53]. À Saint-Thimothée, à proximité de Valleyfield, sur la Grande-Île, au sud-ouest de Montréal, Duguay rejoint Poirier qui est installé au village avec femme et enfants. Ils y resteront un mois[54]. La proximité grandit davantage entre les deux amis après la mort de la femme de Poirier, en mars 1919[55]. En août suivant, Poirier loge dans la maison familiale de Duguay, à Nicolet, d'où les deux peintres partiront en septembre pour Saint-David, près de Drummondville[56]. Hamel les accompagne, non seulement de sa personne, mais aussi de sa voix chantante qui fait résonner à leurs oreilles *La berceuse aux étoiles*[57], tandis que Poirier y va de *La chanson des blés d'or*[58]... Mais les deux amis peignent aussi en ville. Outre leurs cours à l'école des Arts et Manufactures[59], ils font du modèle vivant à l'Institut des sourds-muets où Duguay entraîne Poirier, ou encore ils font du croquis en plein air, soit au parc La Fontaine, soit au canal de Lachine, dont les peintres de la Montée Saint-Michel sont des habitués (**3.27, 29-32 ; 10.33**).

À l'été 1919, Rodolphe Duguay introduit Narcisse Poirier auprès de Suzor-Coté – le grand Marc-Aurèle de Foy Suzor-Coté (1869-1937). En janvier de l'année précédente, Duguay avait eu le privilège d'être présenté à l'artiste par un de ses amis influents, le frère Laurent Gonneville, clerc de Saint-Viateur. Duguay voulait soumettre ses œuvres au jugement de l'illustre peintre. Même si la rencontre se passe assez mal, Suzor-Coté, qui n'a jamais voulu prendre d'élèves, accepte néanmoins de conseiller Duguay. Il est possible que Poirier, intéressé par les récits que son ami Duguay lui fait de ses rencontres successives avec Suzor-Coté et les détails qu'il donne sur les conseils qu'il reçoit du maître, ait demandé, lui aussi, à faire la connaissance de l'un des plus prestigieux peintres canadiens. Quelques mois après une première rencontre entre Poirier et Suzor Coté, arrangée par Duguay, le maître accepte d'examiner les travaux de Poirier. Il écrit à Duguay : « Votre ami Mʳ Poirier est venu me faire voir ses études ce matin ; deux sont bonnes et quelques autres passables. […] Je lui ai donné quelque chose à faire pour moi[60]. » En effet, le maître a commencé à faire transposer à l'huile, par Rodolphe Duguay, certains de ses pastels, à la fois pour son apprentissage et pour honorer les commandes qui le pressent[61], et il tente la même expérience avec Narcisse Poirier. Et Suzor-Coté de pousser ses apprentis : « Je vous conseille à tous deux de faire un tableau pour le Salon du mois de mars prochain, ainsi qu'une nature morte[62]. » Poirier fera un *Bouquet de fleurs* et Duguay un paysage, *Le Chenal de La Ferme à Nicolet*, qu'ils soumettent tous deux à l'œil sévère du maître[63].

Au printemps 1920, Suzor-Coté, qui a fait en France plusieurs séjours prolongés, recommande formellement à Rodolphe Duguay d'aller étudier à Paris : « Quelque temps à Paris et vous verriez comme ça marcherait, il faut que vous y alliez, à l'automne[64] », lui dit-il, promettant de l'aider financièrement si celui-ci, de son côté, fait auprès de son entourage les mêmes démarches en ce sens. Ébranlé, enthousiaste, inquiet, plein d'espoir, Duguay, qui fait part de son projet à son ami Poirier, note sa réaction immédiate : « Il viendrait aussi probablement[65]. »

La traversée vers l'Europe coûte cher et un séjour d'études encore plus. Mais Poirier n'est pas pauvre, puisqu'il a pu acquérir, en 1915, un immeuble à logements multiples au 1354, rue Saint-Denis (auj. 4902-4906), un peu au sud du boulevard Saint-Joseph. Ce n'est pas grâce à sa besogne ingrate de retoucheur d'épreuves photographiques que Poirier a pu devenir propriétaire de ce bel immeuble, mais bien à son labeur incessant de peintre et à son extrême débrouillardise :

> On raconte que chaque fois qu'il faisait partie d'une excursion de peintres, alors que les autres revenaient avec tout un bagage de toiles, lui n'avait plus rien : il avait trouvé le moyen de vendre ses tableaux sur place, à des prix modiques, à la vérité, mais dont il était satisfait. La statistique prêtant main-forte à la légende ajoute qu'il a placé ainsi 300 pochades, études et tableaux, par année[66].

Au troisième et dernier étage de son immeuble, le peintre a installé son atelier et fait percer une fenêtre zénithale. En 1923, lorsque l'église de son village natal, Saint-Félix-de-Valois, lui commande deux grands tableaux pour être placés de chaque côté du maître-autel (**9.16, 17**), Poirier fait surélever le plafond de son atelier[67]. Cet espace supplémentaire lui servira à nouveau en 1929 quand le décorateur d'églises Toussaint-Xénophon Renaud lui

9.16, 17 Narcisse Poirier, « *Laissez venir à moi les petits enfants* », et *Les disciples d'Emmaüs*, 1923, huile sur toile marouflée, église Saint-Félix-de-Valois.

commande un tableau de grandes dimensions, pour l'église Saint-François-Xavier, à Rivière-du-Loup[68]. « Le plafond est vertigineusement haut, faisait remarquer une journaliste. Il suffirait d'ouvrir tout à coup les persiennes par beau temps pour que le soleil éclabousse toute la pièce de sa luminosité chère à l'artiste. Le vieux chevalet se tient droit devant la fenêtre. Sur les murs, les natures mortes et les paysages se succèdent comme les vers d'un poème[69]. »

Paris

Dès la décision prise de partir pour la Ville Lumière, Poirier, en guise de préparation, se procure un exemplaire du mensuel *Paris à l'eau-forte*, qu'il prête à Duguay et que celui-ci montre à Suzor-Coté qui y retrouve ce mot de Corot qu'il connaissait déjà : « Soyez consciencieux[70] ! » Et comme il le fait remarquer aux deux artistes sur leur départ : « Vous n'êtes plus trop jeunes pour les études, donc il vous faut redoubler d'efforts[71]. » En effet, si Duguay a vingt-neuf ans, Poirier en a trente-sept. Mais ce dernier ne voit pas pourquoi il laisserait passer cette chance de se perfectionner encore davantage – surtout en l'agréable compagnie de son ami Duguay. Certes, à cet âge-là, en général, la formation d'un artiste est terminée, il n'y a plus guère possibilité d'acquis nouveaux et déterminants. Mais dans le cas de Poirier, ce sera tout le contraire – et non pas comme il s'y serait attendu…

Le mardi 5 octobre 1920, le *Scotian* arrive au Havre, et le soir même Poirier et Duguay sont à Paris où, près de la gare Saint-Lazare, ils prennent une chambre d'hôtel. Dès le lendemain, ils s'enregistrent au Commissariat canadien, boulevard des Capucines, comme doit le faire tout Canadien débarquant à Paris. Puis, au 10, rue Cassette (**9.18**), dans le 6e arrondissement, non loin du jardin du Luxembourg, rive gauche, au cœur de Paris, ils louent une chambre pour deux à l'Hôtel de Bretagne où logent beaucoup de leurs compatriotes. En dépit des fortes préventions des Canadiens français de l'époque au sujet de la Ville Lumière, Duguay, lucide, note : « Ô ! grand Paris. Je ne vois pas Paris comme on me l'avait dépeint. Les femmes sont toutes aussi réservées qu'à Montréal, du moins dans les quartiers où je suis allé[72]. »

Leur première visite, le mercredi 6 octobre, se fait à l'église Saint-Germain-des-Prés, qui se trouve tout à côté, et, le lendemain, pour l'église Saint-Sulpice, encore plus près de leur hôtel. La cathédrale Notre-Dame, ce sera pour la messe du dimanche. Pour le moment, ils commencent leurs flâneries dans Paris. Duguay note : « Suivi la Seine au bord de laquelle nous avons vu plusieurs artistes en train de peindre ou dessiner. Que c'est joli, Paris[73] ! » Ils

9.20 Narcisse Poirier, *Seine et Trocadéro*, 1920, huile sur toile. Nombreuses sont les œuvres produites par Poirier à Paris, mais assez peu sont maintenant accessibles. Une seule fois, en 1946, Poirier a exposé un tableau titré *Trocadéro et Seine*, mais si l'on en juge par le prix (25 $), ce devait être un format plus petit que celui-ci.

traversent le jardin des Tuileries et admirent le Louvre qu'ils visitent le lendemain, vendredi. « Dieu ! que c'est beau[74] ! » s'exclame Duguay à cette première visite. « Que de chefs-d'œuvre[75] ! », s'exclame-t-il à nouveau au cours de leur deuxième visite qui a lieu dès le lendemain. Le jour même de leur première visite au Louvre, il y eut celle du musée du Luxembourg, dans le jardin du même nom : « Quelles peintures ! Quelles sculptures[76] ! » note Duguay. Par son enthousiasme, nous pouvons deviner celui de Poirier. Ils se sont arrêtés devant des paysagistes comme Daubigny, Corot, Millet, et devant « de fameuses toiles de Chardin[77] » – que Poirier, enfin, voit en vrai –, sans oublier un autre maître de la nature morte : Fantin-Latour.

Après s'être informés à l'École des beaux-arts, où on leur dit qu'il faut d'abord passer le concours – qui n'aura lieu qu'en mai prochain –, les deux amis, qui veulent commencer tout de suite leur nouvel apprentissage, optent pour l'Académie Julian (**9.19**), rue du Dragon. « Superbe atelier dans lequel il y a deux classes de peinture et une de modelage », écrit Duguay, qui ajoute : « Ce n'est pas au Monument-National ; il y a un peu plus d'enthou-siasme[78] ! » Un de leurs professeurs réguliers sera Henri Royer (1869-1938), paysagiste et portraitiste dont Poirier se réclamera[79]. Après le cours du matin, Poirier va peindre avec Duguay sur les bords de la Seine – ou plutôt Poirier peint, Duguay dessine[80]. Poirier pousse ses explorations un peu plus à l'ouest, jusqu'au pont Alexandre-III et au palais du Trocadéro[81] (**9.20**).

Poirier, depuis quelques années, est dans le sillage de son ami Duguay et voit tous les bénéfices qu'il en retire – dont la fréquentation du maître Suzor-Coté et ce séjour qu'il entame à Paris. Il a huit ans de plus que Duguay et ne se sent plus tellement l'âme d'un rapin. En effet, l'enthousiasme pour les ateliers remplis de jeunes gens n'est plus de saison pour lui, pas plus que les dessins des modèles vivants qu'il a beaucoup pratiqués au CAM et à

l'AAM ni les devoirs hebdomadaires de compositions dictées par le professeur : paysages d'imagination, scènes de genre et sujets mythologiques imposés par les professeurs de Julian et qui lui sont étrangers. Il ne prépare guère, ou même pas du tout ces cours[82]… À ce régime, Duguay a encore tout à gagner, Poirier non. Bientôt, ce dernier se tourne plutôt vers l'enseignement privé, parce que ce qu'il veut peindre, bien sûr, c'est Paris, mais ce sont aussi des natures mortes.

Connaissait-il déjà les frères Paul Louis (1874-1941) et René Louis Chrétien (1867-1945), l'un paysagiste et qui peint de nombreux coins de Montmartre, et l'autre peintre de natures mortes et parfois portraitiste, qui ont un atelier commun, ou les a-t-il découverts sur place au cours de son exploration de la Butte avec Duguay ? Poirier semble avoir pris des leçons des deux frères[83]. Le premier l'a sans doute aiguillé vers deux sites célèbres de Montmartre : la maison de Mimi Pinson (9.23) et la maison d'Henri IV (9.24). Le second l'a aidé à se perfectionner dans l'arrangement de ses natures mortes. La fréquentation de l'atelier des frères Chrétien se situe entre octobre 1920, date d'arrivée de Poirier à Paris, et février 1921, date de son départ pour l'Italie, période où Poirier, finalement peu intéressé par l'Académie Julian, se cherche une voie plus personnelle où parfaire un talent déjà mûri.

Sise rue du Mont-Cenis, à Montmartre, la très ancienne maison de pierre de Mimi Pinson qu'a peinte Narcisse Poirier sera démolie en 1925, avec la maison du compositeur Hector Berlioz (1803-1869) qui habita à quelques pas, à l'angle de la rue Saint-Vincent,

9.21 Rodolphe Duguay, *Notre chambre, 12 rue de Vaugirard*, *Paris*, 17 février 1921, mine de plomb sur papier.

À DROITE

9.22 Rodolphe Duguay, *Notre petite cuisine, 12 rue de Vaugirard, Paris*, 17 février 1921, mine de plomb sur papier. Duguay fait ces croquis avant d'emménager dans sa nouvelle chambre du 6, rue de Verneuil, où il habitera seul, Poirier ayant décidé de faire un voyage en Italie.

de 1834 à 1836 et y composa *Harold en Italie*, sa célèbre symphonie avec alto principal. Sur le tableau de Poirier, le long mur que l'on voit, un peu plus bas, qui borde la rue, est celui du jardin de la maison de Berlioz. Le surnom de « maison de Mimi Pinson » donné à cette maison tient à la fois de la légende et de l'histoire. La Mimi Pinson en question était d'abord un personnage d'une nouvelle d'Alfred de Musset (1810-1857), *Mademoiselle Mimi Pinson* (1845), qui chantait comme l'oiseau dont elle porte le nom. Elle fut aussi associée, dans l'imaginaire littéraire, au personnage de Mimi dans les *Scènes de la vie de bohème* (1851) de Murger. Dans son tableau – qui sera un de ses préférés –, Poirier fait appel à la technique veloutée qu'il a apprise de Georges Delfosse, mais qu'il utilise et délaisse tour à tour, l'adoptant surtout pour peindre les vieilles pierres comme son professeur le faisait pour ses tableaux du Vieux-Montréal auxquels il voulait donner cet air de recul légèrement brouillé dans un lointain passé. En 1923, 1927, 1928 et 1946, Poirier exposera différentes versions de ce tableau, lequel rendait lyrique le critique Albert Laberge : « Au cours d'un séjour qu'il a fait à Paris, M. Poirier a voulu peindre l'ancienne et pittoresque demeure où a vécu l'immortelle d'Henri [*sic*] Murger. Et arrêté devant ce tableau, l'on est tenté de fredonner : "Hier, en voyant une hirondelle / Qui nous ramenait le printemps, / Je me suis rappelé la belle / Qui m'aima quand elle eut le temps. / Et pendant toute la journée, / Pensif, je suis resté devant / Le vieil almanach de l'année / Où nous nous sommes aimés tant[84]" », associant à tort à la défunte Mimi la chanson que le peintre Marcel fredonne dans les *Scènes de la vie de bohème*. Dans son tableau, Poirier,

9.24 Narcisse Poirier, *Maison Henri IV, Montmartre*, 1920, huile sur toile.

pour rehausser le pittoresque et meubler le vide qui apparaissait au bout de la rue, a ajouté un clocher.

Poirier n'exposera qu'une seule fois la *Maison Henri IV, Montmartre*, au Salon du printemps de 1923[85]. Située rue Saint-Vincent, non loin de la maison de Mimi Pinson, il s'agit en réalité d'une maison au toit de chaume qui servait à la fois de rendez-vous de chasse au roi et de lieu de rencontre avec sa maîtresse et favorite, Gabrielle d'Estrées. Ce toit de chaume donnait sur l'étroite rue Saint-Vincent. Pour plus de pittoresque, pour plus de perspective et pour montrer une vue plus parisienne, Poirier semble avoir fait ici un arrangement en se plaçant rue Cortot, où se trouve la grille qui donne accès au jardin qui descend jusqu'à la rue Saint-Vincent.

Depuis ses débuts au Salon du printemps en 1912, la nature morte – qu'on n'enseigne pas à l'Académie Julian – est ce que Poirier a exposé le plus et c'est dans ce genre qu'il entend se perfectionner. Comme René Louis Chrétien est un fervent disciple de Chardin, c'est de lui que Poirier attend un renouvellement ou, du moins, un approfondissement de sa manière dans les natures mortes. Avec lui, il mettra au point le type de composition qu'on lui connaîtra : choix et disposition des fruits et légumes, des accessoires, dont assiettes, couteaux et fourchettes, louches et cuillères, tasses, verres, carafes, cafetières, cruches, chaudrons, corbeilles, de même que le cadrage de la table et de son rebord, l'usage du fond brouillé (venu de Chardin) – ainsi que l'art des variantes dans la reprise d'une même composition.

9.25 Narcisse Poirier, *Étude à Rome*, 1921, huile sur toile. En 1928, à sa quatrième exposition à la bibliothèque Saint-Sulpice, Poirier a présenté cinq tableaux portant le titre *Étude à Rome*, et tous du même format si l'on en juge par le prix unique (10 $).

Le voyage d'Italie

Si Poirier et Duguay acceptent, au nom de leur art, le sacrifice de la cohabitation dans une seule et même chambre, rue de Vaugirard (**9.21, 22**), en revanche, leur amitié va bientôt en souffrir. Quand ils se retrouvent le soir, Poirier a besoin de raconter ses journées dans Paris, alors que Duguay a besoin de se concentrer sur ses travaux. L'atmosphère devient tendue et une dispute éclate entre les deux amis[86], conséquence de deux visions opposées de la vie d'artiste à Paris. Duguay résout de louer une chambre pour lui seul, Poirier de prendre l'air. Après avoir « fréquenté les rapins qui tiennent feu et lieux sous les toits crevés[87] », après avoir « connu les bohèmes, ceux qui flânent sur les boulevards et qui ne travaillent pas[88] », et après avoir suivi des cours avec deux professeurs qui l'ont intéressé et avec qui il a travaillé comme il l'entendait, Poirier, tant qu'à se trouver sur le continent européen, veut voir du pays.

S'est-il souvenu des propos d'Edmond Dyonnet et de Joseph Saint-Charles, ses professeurs à l'école des Arts et Manufactures, qui avaient étudié en Italie[89] ? « [Poirier] savait que

9.26 Narcisse Poirier, *Grand Canal de Venise**, 1921, huile sur toile. Au crépuscule, les feux des réverbères allumés brûlent sur l'eau qui les reflète. À la bibliothèque Saint-Sulpice, Poirier a exposé un premier tableau de *Venise* en 1925, une *Rue de Venise* en 1926, deux *Étude à Venise* et une *Étude au Lido* en 1928.

l'Italie avait autrefois porté le flambeau qui a illuminé le monde des arts ; il savait qu'avant la Renaissance les Français furent obligés de s'exiler par-delà les Alpes, à Rome, à Milan, à Naples, à Turin afin de saisir la vision fugitive de l'art que leur pays, jeune encore en matière artistique, était impuissant à leur laisser entrevoir[90]. » Il fera donc, lui aussi, le voyage d'Italie. A-t-il quelques notions d'italien ? On ne sait. Peut-être désire-t-il en même temps fuir le gris hiver parisien ?

Le 22 février 1921, Poirier prend le train pour quitter Paris[91]. Le 25, il se trouve à Marseille où le soleil le retient quelques jours. Le 28, il s'embarque pour Palerme, capitale de la Sicile, où il arrive le 2 mars et où il restera jusqu'au 19[92] : « Il s'attarde dans les galeries de peintures et de sculpture de cette ville et surtout, parce qu'il était paysagiste né, il s'extasie devant les scènes uniques de cette partie de l'Italie heureuse[93]. » Il quitte alors la Sicile pour l'Italie continentale, où il se rend d'abord à Naples pour amorcer sa remontée vers le nord[94]. À la toute fin du mois, le 31, il arrive à Rome (**9.25**). Le 10 avril, il est à Florence, où il s'attarde plus de deux semaines, et le 28, il est à Venise (**9.26, 27**). Partout dans ces « villes qui regorgent de chefs-d'œuvre[95] », il va « à l'école des musées[96] ».

9.27 Narcisse Poirier, *Étude à Venise, Italie*, 1921, huile sur toile marouflée. Ce petit pont, recouvert de crépi et compressé entre deux rives, rappelle un des ponts du quartier de San Polo, à Venise, dit le pont des Tétons.

Le 9 mai, après un périple de dix semaines, Poirier est de retour à Paris[97]. Sa première visite est chez l'ami Duguay, à sa chambre de la rue de Verneuil. S'il y a eu dispute entre les deux hommes, il n'y a pas eu rupture. Avant de quitter Paris, en février, Poirier a aidé Duguay à emménager dans sa nouvelle chambre de la rue de Verneuil où celui-ci a bien voulu garder la valise de son compagnon pour le temps de son expédition italienne. À ce moment-là, Duguay notait : « Nous nous sommes laissés bons amis, il est très bon garçon[98] », et, lorsque Poirier rentre à Paris, en mai, Duguay consigne aussitôt : « Nos engueulades de l'hiver dernier sont oubliées », et les deux artistes se retrouvent « amis comme autrefois[99] ».

Poirier prend pension à l'hôtel Excelsior, rue Cujas, dans le 5ᵉ arrondissement. Là, il fait voir à Duguay les croquis et les pochades réalisées durant son séjour en Italie. Tant de belles choses donneront à l'artiste nicolétain l'idée de faire, lui aussi, le voyage d'Italie[100]. De ces croquis et ces pochades – faciles à transporter – Poirier tirera les tableaux de France et d'Italie qui feront connaître à ses compatriotes son passage en Europe[101].

Il a déjà arrêté la date à laquelle il doit s'embarquer pour son retour au Canada, soit le 1ᵉʳ juin. Dès le 18 mai, il est au Havre, car il désire passer une semaine à Londres, que, finalement, « il aime autant que Paris[102] ». Son bateau, le *Montreal*, en provenance d'Anvers, le prend au Havre et le dépose à Montréal le 13 juin[103]. Narcisse Poirier est resté huit mois en Europe.

Deuxième vie

Après son séjour européen, Poirier, à l'été 1921, reprend sa vie montréalaise, avec ses travaux alimentaires et encore et toujours et surtout la peinture. Et puis, le 12 juillet, un mois après son retour, il se marie avec Alice Dumais, en l'église Saint-Denis. Poirier était veuf depuis 1919 et ses enfants, encore jeunes, avaient besoin d'une mère et lui d'une épouse.

Désireux de faire connaître la production qu'il a rapportée de France et d'Italie, Poirier, en novembre 1921, alors que, depuis son retour, il n'a eu encore aucune occasion d'exposer un seul tableau, invite à son atelier de la rue Saint-Denis l'influent critique d'art de *La Presse*, Albert Laberge. Jusqu'ici, ce dernier n'a mentionné qu'en passant le nom de Poirier dans ses comptes rendus du Salon du printemps où l'artiste est pourtant présent depuis 1912[104]. Mais cette fois, dans l'intimité de l'atelier de la rue Saint-Denis, au contact de l'artiste qui lui parle de son séjour en Europe et qui lui montre les tableaux qu'il en a rapportés, les yeux de Laberge s'ouvrent. L'œuvre se transforme par l'artiste, qui lui est transformé par son séjour européen. Dans l'article qui résulte de cette rencontre, le critique relève « des coins de Montmartre, des vues de Notre-Dame de Paris, des ponts de la Seine, des esquisses du jardin du Luxembourg, des scènes de Venise, des impressions de la campagne romaine[105] » – et c'était là, pour Poirier, le but de l'exercice : annoncer son stage d'études en Europe et l'échelon supplémentaire que l'artiste en lui a gravi, bénéficier de l'aura particulière que conféraient alors à tout artiste des études et des voyages sur le Vieux Continent. Si Laberge utilise certaines de ses formules habituelles pour louanger « un artiste épris de coloris, tout vibrant de sentiment », il conclut son article en disant que Narcisse Poirier « s'affirme comme un travailleur enthousiaste[106] » – formule qui restera.

Au Salon du printemps 1922 où il réapparaît, Poirier, entre une *Petite grange* et une *Nature morte*, expose deux œuvres qui portent le même titre : *Étude à Paris, France, 1921*, confirmant son récent passage dans la capitale des arts[107]. Dans sa recension du Salon, Albert Laberge présente « Narcisse Poirier, l'un de nos bons artistes revenu depuis huit mois d'Europe où il a fait un séjour prolongé » et, outre les deux études qu'il expose, mentionne son « excellente nature morte » et son paysage « extrêmement pittoresque[108] ». Si Poirier est satisfait de voir qu'on attire l'attention sur ses qualités de peintre de natures mortes et de peintre paysagiste, l'essentiel pour lui reste que la critique souligne à nouveau qu'il s'est trempé à la grande école d'art du Vieux Continent, ce qui modifie la perception des confrères et des visiteurs du Salon. Ce séjour, il saura le faire valoir dans toutes ses expositions – vecteur d'un prestige qui rejaillit sur l'ensemble de sa production.

Dorénavant, Laberge ne manquera pas une seule fois de souligner avec éloge les œuvres qu'expose Narcisse Poirier à l'AAM et bientôt au Salon d'automne de l'ARAC, et publiera plusieurs articles exclusifs aux expositions personnelles que l'artiste saura multiplier. C'est dire l'importance que revêtait, pour un artiste et aux yeux de la critique, qui l'avait ignoré jusqu'ici, le fait d'avoir séjourné en Europe. Ce séjour constitue le complément essentiel de sa formation, surtout si celle-ci est assaisonnée de quelques noms illustres comme ceux de l'Académie Julian et de ses professeurs, tels Henri Royer et Paul Albert Laurens (1870-1934), ou d'un professeur privé comme Paul René Chrétien, et de lieux consacrés par des siècles d'art comme Paris et Rome.

En suivant Rodolphe Duguay à Paris, Narcisse Poirier, sans s'en douter, non seulement signait l'acte de renouvellement de sa carrière, mais allait lui donner son véritable essor. Et Albert Laberge, dans son article de novembre 1921 et dans les quelques lignes qu'il lui consacre dans son article sur le Salon de 1922, confère à l'artiste une présence que celui-ci maintiendra et qu'il saura diligemment exploiter. Poirier a alors trente-neuf ans.

Jusqu'à cette date, il s'était débrouillé sans l'appui de la critique, sans le circuit des galeries d'art[109], par ses propres moyens, par son habileté, par sa détermination, avec pour vitrine le seul Salon du printemps. Tout au long de la réception critique que Laberge réservera à Poirier, il reviendra à maintes reprises sur ce « travailleur fort heureusement doué[110] » qu'il est, sur ce « travailleur dans toute la force du mot[111] » qu'est ce peintre, ce qui insiste sur ce côté volontaire, persévérant de sa personne, sur cette conquête ardue qu'il a faite de son talent. De son côté, Joseph Jutras rend hommage « à son énergie et à sa vaillance[112] », évoque « son courage et sa ténacité[113] » et parle de son confrère non seulement comme d'un « travailleur sérieux[114] », mais comme d'un « travailleur acharné[115] ». Multipliant les expositions, Poirier sera présenté comme « l'un de nos peintres les plus actifs[116] ». Cela est maintenant de notoriété publique, alors qu'autrefois tout se passait dans l'ombre.

Dès 1923, Poirier opte pour une visibilité plus grande que la courte fenêtre que lui offre le Salon du printemps en exposant, et ce, à quatre reprises, à la bibliothèque Saint-Sulpice qui, depuis 1916, propose aux peintres un espace gratuit. En 1923, 1924, 1926 et 1928, ce sont de vastes présentations qui comprennent 68, 60, 91 et 94 tableaux. Que nous sachions, Poirier n'expose jamais de dessins, uniquement des huiles et des pastels. Par ces expositions diversifiées dans leurs thématiques et avec une large fourchette de prix, l'artiste veut atteindre le plus vaste public possible. Poirier entremêle ces expositions personnelles à ses participations annuelles au Salon du printemps et au Salon d'automne qui se tiennent à l'AAM. Peu attiré par le monde des galeries d'art, il participe néanmoins à des expositions collectives chez Morency Frères en 1926 et en 1927, ainsi qu'à la nouvelle galerie d'art du grand magasin Eaton en 1927, 1929 et 1930 avec quelques-uns des confrères de la Montée Saint-Michel. Tout cela prend fin en 1937, alors que Poirier en est à sa vingt-quatrième apparition au Salon du printemps et à sa septième au Salon d'automne. Il a cinquante-quatre ans.

Toutefois, l'exposition collective des peintres de la Montée Saint-Michel en avril 1941 chez Morency Frères semble réveiller ses ardeurs. En décembre 1941, un peu plus de six mois après cet événement, on annonce que se tiendra dans cette même galerie une exposition de quatre-vingt-trois de ses tableaux, prévue pour janvier 1942. C'était déjà un des projets envisagés dès l'automne 1941 que celui d'expositions personnelles de chacun des peintres de la Montée afin de mieux les faire connaître[117]. Dans ce contexte, Poirier sera le premier du groupe à présenter une exposition individuelle chez Morency. Jean-Paul Pépin viendra beaucoup plus tard, en 1966. Bien sûr, les journaux ne manquent pas de souligner l'appartenance de Poirier aux peintres de la Montée Saint-Michel[118], au moment où l'étude d'Olivier Maurault sur ce groupe vient de paraître dans le *Cahier des Dix* de décembre 1941[119]. Après quoi, Poirier va miser sur une autre valeur sûre dans le monde des galeries avec L'Art Français, où il expose en avril 1942. Il se laisse tenter encore en 1946 par une exposition dans le salon privé d'un certain S. H. Douglas, rue Sherbrooke Ouest, dans le milieu anglophone, et enfin en 1950 par la nouvelle Galerie Impériale dans le quartier Rosemont[120].

Peintre du silence

Ironiquement, le nom fait quelquefois la destinée. En portant un prénom de fleur et un patronyme d'arbre fruitier, Narcisse Poirier n'était-il pas destiné à devenir un peintre de natures mortes ? Les cours de peinture que donnait Jobson Paradis à l'école des Arts et Manufactures et que Poirier a suivis de 1910 à 1912 ont possiblement contribué à éveiller la vocation de Poirier, sinon l'affermir, puisque Paradis enseignait surtout la nature morte.

Au moment de ses premières apparitions au Salon du printemps, en 1912 et en 1913, c'est une *Nature morte* que présente Narcisse Poirier. En 1914, c'est un *Paysage à l'île Sainte-Hélène*, et, en 1915, une *Vieille maison à Varennes*. Voilà établis en trois étapes les thèmes que l'artiste cultivera tout au long de sa vie : la nature morte, le paysage, les vieilles maisons. D'où lui vient cet intérêt pour la nature morte ? De son enfance paysanne et de sa proximité avec les produits de la terre ? « M. Poirier est un campagnard. On devine chez lui le terrien. Il a mordu au fruit délicieux de la terre, à ce fruit qui s'appelle nature[121] », écrivait-on. Pour

9.28 Narcisse Poirier à la veille de ses 100 ans, photographie, 1983. Le peintre pose devant son tableau *Maison, 85 rue Saint-Vincent*, qui représente la cour arrière de ces maisons dont la façade donnait sur la rue Saint-Vincent, dans le Vieux-Montréal. La visière, qui caractérise Poirier dans la seconde moitié de sa vie, lui a peut-être été suggérée par le *Portrait de Chardin à l'abat-jour*, un pastel de 1775, qu'il a pu admirer au cours de ses visites au Louvre.

9.29 Jeanne Poirier dans l'atelier de son père, photographie, 1983. Une partie de la collection d'« antiquités » de son père (en cuivre pour la plupart) lui appartenait, l'autre partie revenant à sa sœur Hélène, qui s'est exilée aux États-Unis après son mariage.

9.30 Narcisse Poirier, *Nature morte*, 1919, huile sur toile. Peut-être s'agit-il de la nature morte que Poirier a exposée au Salon du printemps de 1919 ? C'est le plus ancien tableau de ce genre que nous connaissions de lui. Outre le pichet en cuivre, le plateau, la louche et les raisins, le plat rond à gâteau, en porcelaine, reviendra dans plusieurs autres natures mortes du peintre.

Albert Laberge, dès la première exposition personnelle de Poirier à la bibliothèque Saint-Sulpice, en 1923, la chose est claire : « Nous croyons que les natures mortes sont le domaine dans lequel il est le plus lui-même, celui dans lequel son talent et sa personnalité s'affirment avec le plus de force[122] », et il le dit « maître dans ce genre[123] ».

Homme de silence, Poirier peint les objets silencieux, les choses immobiles, qu'il dispose selon des arrangements qui varient ou se répètent. Ces êtres muets, beaux par eux-mêmes, parlent le langage d'un quotidien familier, routinier, pratique, confortant. Le choix et la disposition des fruits, des légumes, des fleurs, et parfois des animaux et des crustacés, s'adressent à la mémoire des sens : la vue, l'odorat, le toucher, le goûter. Les accessoires qui les accompagnent nous sont proches et évoquent la vie de tous les jours. La nature morte est une porte ouverte sur l'intimité du peintre qui la reproduit, une fenêtre sur un monde rassurant où ne règne aucune inquiétude, d'où ne surgit aucun trouble. C'est un univers connu où l'on évolue avec sûreté. La vie silencieuse des objets correspond à son propre silence intérieur.

Homme de peu de mots – « Il ne parle pas beaucoup[124] », constate un journaliste –, Poirier préfère laisser parler ses tableaux à sa place – puisque c'est pour eux qu'on vient le voir. Des tableaux qui parlent le langage du silence. Voilà son mode d'expression préféré, celui auquel il s'est livré le plus souvent. Pourtant, dans les journaux et les revues, on ne reproduit une de ses natures mortes – qui faisaient pourtant sa renommée – qu'en 1925 et on leur préférera toujours les paysages qui flattent davantage le goût du public.

En tant que meuble, la table est l'attribut le plus courant de la nature morte, et il n'y en aura pas d'autres – ni chaises ni armoires – dans les natures mortes de Poirier. Sur cette table, le peintre dispose ses objets : chaudrons, couteaux, cuillères, louche, vases, bocaux, cruches, carafes, assiettes, plats, qu'il s'est procurés tout au long de son existence, dont un certain nombre qu'il a rapportés d'Europe[125]. Le secret des objets inanimés est la lumière qu'ils reflètent. Elle est comme une émanation de leur âme, elle révèle la vie secrète de leur texture, de leur coloris, de leur forme, et c'est cette âme, ce secret, que le peintre doit saisir.

Autant Narcisse Poirier peut se déplacer, voyager, partir à la recherche d'un motif paysager, autant il sait refermer la porte derrière lui – l'alternance de la belle saison et de la saison froide aidant – et faire cesser toute rumeur, toute agitation au profit

9.31 Narcisse Poirier, *Poires**, 1933, huile sur toile.

de l'immobilité attentive. Le paysage pour le voyageur, la nature morte pour le sédentaire. Et, quoi qu'il en soit, en parts égales, l'un « travaillera dans le silence des bois », et l'autre dans « la quiétude qui règne dans la vaste pièce » qu'est son atelier.

Contrairement au site naturel qui se présente comme il est, les composantes de la nature morte doivent être choisies, rassemblées et arrangées par l'artiste, qui se fait le créateur du

9.32 Narcisse Poirier, *Étude de fraises*,
1965, huile sur toile.

9.33 Narcisse Poirier, *Étude de framboises*,
1962, huile sur toile.

paysage domestique qu'il va fixer sur la toile. Alors que l'arbre au coin de la rue sera encore là demain ou la semaine prochaine ou dans un an, tout fruit, tout légume, toute fleur est soumis à la marche rapide du temps. Éphémère par son contenu, œuvre fermée sur elle-même, la nature morte arrête le passage du temps. C'est pourquoi, parmi les fleurs[126] (**9.4**), les robustes chrysanthèmes auront sa préférence[127] (**9.37, 53**).

La nature morte vise au réalisme poétique, à savoir, outre le rendu des objets représentés, l'effet appétissant des fruits et légumes. «De belles fraises rouges, toutes fraîches, qui semblent avoir été cueillies il y a un moment dans le jardin[128]!» (**9.32**), s'exclamait Albert Laberge. Un autre critique a étudié en gourmet les framboises de Poirier[129] (**9.33**): «Elles sont là, juteuses et appétissantes, attendant presque d'être écrasées par une bouche gourmande[130].» Joseph Jutras rapporte ce mot d'un chef cuisinier devant les choux de son ami Poirier: «On les croirait encore sur le champ[131]!» Mais le réalisme poétique peut se lire dans le reflet de la lumière sur le cuivre d'une cafetière ou d'un plat, dans la transparence d'un verre qui attend d'être rempli, subtilités auxquelles l'artiste nous éveille.

À l'huile et au pastel, le peintre a fait de nombreuses répliques de ces deux compositions qui, de la plus ancienne à la plus récente, ont toutes gardé la fraîcheur de leurs fruits. Compositions identiques et pourtant non moins séduisantes pour l'œil et l'imagination gustative. L'appétit de Poirier pour les natures mortes est resté le même.

Par ailleurs, Poirier varie ses accessoires en allant de la rudesse quelque peu prolétarienne de la cafetière en cuivre, de la poêle et du plat à anses (**9.34**), à la préciosité aristocratique de cette cafetière de porcelaine, avec le duveté de ces fruits, la fragilité raffinée de ce verre et le distingué des serviettes de table (**9.35**). De quoi satisfaire tous les goûts.

Dans l'intimité, Narcisse Poirier était un homme du silence qui préférait laisser la parole aux objets et aux choses qu'il aimait: une cruche et divers instruments de cuivre ou de porcelaine, des fruits et un verre de vin – régal à la fois pour les yeux et le palais, le tout disposé sur un coin de table. Avec ses natures mortes, Poirier procédait souvent comme avec ses scènes d'extérieur: il en arrangeait différemment les mêmes éléments, tout en y apportant des variantes. Narcisse Poirier et Élisée Martel (**7.36-39**) ont été les deux plus fervents adeptes de ce genre.

Dans ces arrangements, on trouve des constantes et des variantes, et parfois un renouvellement complet. La cafetière, la carafe, la bouteille, le pot sont placés au milieu du tableau. Ils en sont le pivot autour duquel gravitent, dansent, dorment, évoluent les autres éléments d'ordre utilitaire, potager ou fruitier. Dans un des rares dessins de Poirier qui nous est parvenu (**9.37**), le plat à anses en cuivre, placé debout derrière le pichet en porcelaine bien centré, auréole celui-ci de ses chauds reflets, tandis que de charnus chrysanthèmes roses, blancs et jaunes sont déposés à leurs pieds tels un hommage. Ce plat à anse revient souvent dans les compositions de Poirier. Très pratique pour le service sur table, il servait aussi à la cuisson des œufs et, d'après Jean-Paul Pépin, Poirier était, quand il recevait les peintres de la Montée, un spécialiste dans l'art de préparer ce mets[132].

Outre la proverbiale grappe de raisins qui n'a de rival, dans les natures mortes de Poirier, que le chou, la poire est un de ses fruits préférés[133]. On trouve même, dans la production de l'artiste, un tableau exclusivement dédié au fruit de l'arbre dont il porte le nom (**9.31**). Tous les fruits, d'ailleurs, ne sont pas encore tout à fait mûrs et on a commencé à en peler

9.34 Narcisse Poirier, *Nature morte à la cruche en cuivre**, s.d., huile sur toile.

un pour en examiner la chair qui répand son frais parfum. Tous vont retourner dans le chaudron d'où ils ont déboulé pour finir en compote... Si Poirier a peint le fruit de son patronyme, en revanche – que nous sachions –, il n'a jamais peint la fleur de son prénom...

Peut-être est-ce Chardin, qui s'y est livré lui-même, qui a donné l'idée à Poirier de faire des répliques de certains de ses tableaux les plus vendeurs. Comme Jean-Paul Pépin, Poirier est un peintre qui répète ses sujets, fait plusieurs versions d'une même œuvre et même une copie identique. On n'y voit pas d'objection tant que l'inspiration est au rendez-vous. Mais le plaisir de peindre et l'habitude de se répéter lui joueront de vilains tours lorsque la souplesse du pinceau n'y sera plus. Toutefois, cette période dut être bien tardive, car les tableaux

9.35 Narcisse Poirier, *Cafetière bleue avec fruits*,
s.d., pastel sur papier. Ce tableau a été présenté à
la galerie Morency en janvier 1942 et reproduit
en noir et blanc dans *Le Petit Journal*,
le 25 du même mois, p. 12.

des années 1960, alors que l'artiste atteint ses quatre-vingts ans, comptent parmi ses plus éclatantes réussites. À un âge où la vieillesse et la maladie font poser le pinceau à certains artistes, Narcisse Poirier, lui, persiste et, par un effet de renouvellement étonnant, sa peinture passe de l'éclat à la rutilance (**9.38, 39**). On dirait que la vie, au lieu de se retirer lentement de lui, y afflue avec un surcroît de vigueur. La joie de peindre se lit dans la pleine maîtrise qu'il a de ses sujets et de sa technique. La touche n'est plus fondue ni balayée comme elle l'était si souvent, mais couvre la surface comme un amas de pierreries. De plus ses tableaux, de presque carrés qu'ils étaient, s'agrandissent dans le sens de la largeur et deviennent des panneaux. Plutôt que de se recroqueviller, Poirier prend de l'expansion. C'est l'époque où il ne fait plus d'exposition personnelle depuis longtemps, mais où son nom circule toujours et où plusieurs galeries prennent ses tableaux en consignation. Et puis, il y a les acheteurs qu'il reçoit dans son atelier. Sa réputation n'est plus à faire ni à refaire.

Le temps passe, les révolutions esthétiques ont eu lieu, Narcisse Poirier, dans son grand atelier de la rue Saint-Denis, ne s'écarte pas du chemin qu'il a toujours suivi, ne déroge en rien à son art poétique et place son chevalet devant le somptueux arrangement qu'il a disposé devant lui et qui parle encore de son appétit de vivre et de peindre, qui témoigne

9.36 Narcisse Poirier, *Nature morte au chou**, s.d., huile sur toile. Les natures mortes au chou ont compté parmi les plus prisées de Poirier et il en a produit de multiples répliques. Ici, le légume est accompagné de poivrons rouges, d'un poireau et d'un oignon parmi lesquels se dresse une sorte de carafe.

9.37 Narcisse Poirier, *Antiquités et chrysanthèmes**, 1965, fusain et crayon de couleur sur papier. Tardif, ce dessin – l'un des rares que l'on ait de Poirier – révèle qu'à quatre-vingts ans passés, le peintre n'avait rien perdu de sa dextérité. Au Salon d'automne de 1929, Poirier a présenté « des chrysanthèmes roses, jaunes, blancs, [...] à côté d'un vase vert et d'une assiette de cuivre[134] ». Le dessin ci-dessus en est peut-être inspiré.

de son amour des choses de la vie domestique qui est la sienne désormais. Octogénaire, il voit la vie comme un festin et, pinceau à la main, il le prouve touche par touche – afin que ce qui passe dure.

Sur la route

« Il ne choisit pas la saison quand partir, puisqu'il voyage presque tout l'été, allant à St-Michel-des-Saints, dans les Laurentides ou ailleurs à la recherche de scènes neuves et originales[135]. » C'est après son retour d'Europe, en 1921, que Poirier, qui a parcouru la France, la Sicile, l'Italie et l'Angleterre, élargit son territoire d'excursions paysagères au Québec et devient un « peintre sur la route[136] ». Après les régions des Laurentides, de Lanaudière et de la Montérégie auxquelles il s'était tenu jusqu'ici – et qu'il explorera encore d'ailleurs –, le peintre voyageur va pousser désormais beaucoup plus sur la rive nord du Saint-Laurent, jusque dans Charlevoix[137], et sur la rive sud jusqu'en Gaspésie. « Ce ne fut pas un casernier [sic], nous prévient Joseph Jutras ; au contraire, il avait la bougeotte[138]. » Autant Poirier s'enferme chez lui pour explorer l'univers des objets courants dont il compose ses natures mortes, autant il repousse les horizons de ses expéditions de peinture pour se renouveler. Aubin avec sa bicyclette ou sa moto, Jutras avec son automobile, Joseph-Octave Proulx avec tous les moyens de transport terrestre à sa disposition forment, avec

9.38 Narcisse Poirier, *Antiquités et fruits*, 1965, huile sur toile. C'est un festin que le peintre étale sous nos yeux. Avec l'âge, on dirait que la gourmandise de Poirier grandit dans ses natures mortes dont les dimensions prennent de l'expansion et où les objets et les fruits se multiplient.

9.39 Narcisse Poirier, *Antiquités et fruits (bis)*, 1965, huile sur toile.

PAGE SUIVANTE

9.40 Narcisse Poirier, *Lever de lune*, s.d., huile sur bois. Albert Laberge semble parler de ce tableau quand il décrit un *Lever de lune* que Poirier expose en 1926 : « Très simple et absolument séduisant, ce tableau nous fait voir une maison au bord de la route et une lune blanche et poétique qui éclaire la campagne[139]. »

Narcisse Poirier, qui utilisait la bicyclette, le train et l'automobile, le quatuor des peintres voyageurs du groupe de la Montée Saint-Michel.

Résumant un peu sommairement la méthode de Narcisse Poirier, Paul Dumas écrivait au sujet de ses paysages : « Il les fait tout simples : un ciel gris ou bleu tiède, un coin de campagne ou une échappée sur l'eau, des arbres jetés au hasard, et ma foi c'est fait[140]. » Laberge, qui s'accorde avec cette idée de simplicité, le disait autrement : « Chez lui, il n'y a qu'une seule méthode : représenter les choses telles qu'il les voit. [...] Jamais M. Poirier ne cherche à étonner[141]. » Commençons néanmoins par de l'inattendu : un *Lever de lune* (**9.40**).

Spécialisé dans ce thème (3.39-45), Ernest Aubin a peut-être influencé Poirier pour peindre ce nocturne – le seul qui nous soit parvenu de lui jusqu'à présent. Vue de côté, une vieille maison de pierre, avec une cheminée et peut-être une lucarne, flanquée, à faible distance, d'une petite cabane. Dans le ciel, une source lumineuse : la pleine lune. Aux fenêtres des deux habitats : la faible lumière des chandelles. De hauts peupliers, dont le faîte effilé répond au toit pointu de la maison, montent la garde. La lumière de la lune ne rend pas liquide le bleu de la nuit, mais semble être atténuée par un fin brouillard. Les reflets de sa lumière sont soulignés au sol par de brefs coups de pinceau. La petitesse humaine est suggérée par la faible lueur des lumières aux fenêtres, retenues entre les murs, tandis que la lune se tient haut dans le ciel et règne sur la nuit. La solitude se trouve accentuée par cette petite cabane détachée de la grande maison où vacille une seule lueur. Poirier affectionnait ce genre de paysage contemplatif, car il a peint à diverses époques plusieurs tableaux invariablement titrés *Lever de lune*[142].

En dehors de ce que les rues, ruelles et fonds de cour lui offraient de pittoresque autour de chez lui, à Montréal, Poirier avait aussi à sa portée le mont Royal où il pouvait se rendre en une vingtaine de minutes, à pied ou à bicyclette, les jours de grisaille boueuse de l'hiver comme les jours de luminosité dorée de l'automne[143]. Le tableau titré *Couvent des sœurs de Marie-Réparatrice* (9.41) représente la maison mère de cette communauté religieuse, située au 1025, avenue du Mont-Royal et datant de 1912, immeuble qui a été converti en condominium. Cette perspective est familière à tout promeneur du mont Royal quand, revenant par le chemin Olmsted, il arrive au tournant où, en contrebas, se présente l'ensemble conventuel fait de briques jaunes. Le petit pont qui enjambait un ruisseau a été remplacé

9.41 Narcisse Poirier, *Couvent des sœurs de Marie-Réparatrice*, 1940, huile sur toile marouflée.

9.42 Narcisse Poirier, *Petite grange*, 1922, huile sur toile. Une version très proche de ce tableau a figuré dans l'exposition de 1941 à la galerie Morency, sous le titre *Petite grange dans le Nord* et a été reproduite dans *Le Petit Journal*, 13 avril 1941, p. 12.

par une canalisation. Poirier a représenté cette scène en automne, au moment où les feuillages plus rares dans les arbres laissent mieux voir le couvent.

Pas très loin de chez lui non plus, il y a la Montée Saint-Michel, et particulièrement le Sault-au-Récollet qu'il aime fréquenter. Il y trouve des sujets isolés, comme cette petite grange en pierre sur laquelle s'appuie une échelle[144] (**9.42**), un peu de travers, entourée d'arbrisseaux, flanquée d'une charrette désœuvrée et entourée de volailles affairées à picorer – lumineux souvenir d'enfance du petit Narcisse sur la ferme de son parrain.

Poussant ses explorations jusqu'à Tadoussac[145], Poirier traverse inévitablement la région de Québec et, s'il ne semble pas s'arrêter alors à l'île d'Orléans, il y reviendra pour un séjour estival en 1926. À l'automne, à la bibliothèque Saint-Sulpice, pour sa troisième exposition en ce lieu, il présente dix-huit tableaux illustrant particulièrement les villages de Saint-François et de Sainte-Famille[146] (**9.43**). Ces dix-huit tableaux représentent peut-être la totalité de sa production orléanaise de cet été-là. Et il fera de même au retour de son exploration de la Gaspésie, à l'été 1928, péninsule qu'il avait parcourue une première fois l'année précédente (**9.44**) : en décembre, il présente une douzaine de tableaux à la bibliothèque Saint-Sulpice, où ce sera sa quatrième et dernière exposition à cet endroit[147].

Comme pour Onésime-Aimé Léger (**6.4, 5, 48**), le pastel a été un des matériaux préférés de Poirier, et l'érablière, scène typique de la peinture québécoise, revient à maintes reprises

9.43 Narcisse Poirier, *Sainte-Famille de l'île d'Orléans**, 1965, huile sur toile. Ce tableau est vraisemblablement une réplique d'un des tableaux de l'île d'Orléans qu'expose Poirier en 1926 à la bibliothèque Saint-Sulpice. Il s'agit peut-être de *Bateau de pêcheur à Sainte-Famille*, puisque ce village de l'île d'Orléans regarde la rive nord du Saint-Laurent, vers le mont Sainte-Anne, que nous reconnaissons ici.

dans sa production. Bien qu'il en ait repéré à Sainte-Famille, sur l'île d'Orléans, et à Saint-Hippolyte, dans les Laurentides, c'est Piedmont, dans cette même région, qui a la faveur de Poirier pour les cabanes à sucre[148].

D'une même scène, l'artiste peut tirer plusieurs tableaux, en en redistribuant les éléments, ajoutant ou retranchant des personnages, modulant l'arrière-plan, donnant plus d'importance tantôt au bâtiment, tantôt au paysage. Quoi qu'il en soit, la cabane à sucre demeure toujours chez Poirier une scène d'hiver – contrairement à Élisée Martel, qui a su en peindre une en automne (7.17). Même si l'on n'y voit que deux ou trois personnages, les cabanes à sucre sont les tableaux les plus peuplés de Poirier. Il s'intéresse en général très peu aux personnages, lui qui, pourtant, a tant pratiqué la figure humaine au CAM et à l'AAM. Quand elle se hasarde dans ses paysages, la présence humaine y apparaît sommai-

rement esquissée, tout juste définie, la plupart du temps accessoire. Dans ses érablières, Poirier y met un peu plus d'application, l'activité humaine y étant essentielle. Y figure aussi l'inévitable bœuf (ou cheval) qui tire le tonneau rempli d'eau d'érable (**9.45**).

À une dizaine de kilomètres de Saint-Hippolyte et fusionné aujourd'hui avec Sainte-Adèle, Mont-Rolland (**9.46**) apparaît pour la première fois dans la peinture de Poirier en 1928[149]. Ce sont les années où Joseph-Octave Proulx fréquente beaucoup ce secteur et multiplie les compositions qui adoptent la même perspective de la rivière du Nord au premier plan avec les montagnes tout au fond (**10.27**). Il se peut que lui et Poirier aient travaillé de concert sur ce motif – ou que l'un ait indiqué à l'autre ce coin à découvrir.

9.44 Narcisse Poirier, *Étude à Gaspé*, août 1927, huile sur carton. Ce tableau a été exposé pour la première fois en décembre 1928, à la bibliothèque Saint-Sulpice.

9.45 Narcisse Poirier, *Cabane à sucre*, s.d., pastel sur papier collé sur carton. Aucun critique, que nous sachions, n'a attiré l'attention sur ce type de matériau employé par Poirier : le pastel, et qu'il maîtrisait particulièrement bien.

Le lac Mercier (**9.48**), à Mont-Tremblant, dans les Laurentides, semble une découverte récente de Poirier qui, en 1941, chez Morency, expose quatre tableaux se rapportant à ce lac[150]. L'église regarde le lac et devant elle passe le train du Nord, que Poirier empruntait pour explorer ce secteur des Laurentides.

9.46 Narcisse Poirier, *Rivière à Mont-Rolland*, s.d., huile sur toile.

Réception critique

On l'a vu, la peinture a été pour Narcisse Poirier une longue école qui s'est étendue de ses premiers pas dans l'apprentissage du dessin en 1899 jusqu'au milieu des années 1920, après son retour d'Europe, alors que la critique, enfin attentive à sa production, constatait que l'artiste « va sans cesse s'améliorant ». C'est dire que Poirier est sur une voie où il continue encore et toujours de progresser. Il a alors dépassé la quarantaine. Mais qu'importe, il ne veut qu'une chose et ne vit que pour une chose : peindre, et peindre de mieux en mieux. Et cela, il le peut. Si, en 1921, Laberge le considère comme « doué d'un talent remarquable[151] », deux ans plus tard, au moment de sa première exposition personnelle à la bibliothèque Saint-Sulpice, il le qualifie de « maître[152] ».

Au cours des rencontres avec Laurent Hardy, qui prépare sur lui une étude biographique, Narcisse Poirier déclarait : « J'ai toujours travaillé d'après nature, tout en faisant de la poésie avec la nature[153]. » On ne sait si Poirier connaissait la phrase de Plutarque qui dit que « la peinture est une poésie silencieuse[154] », mais ce climat de poésie qui imprègne ses tableaux, paysages et natures mortes, c'est le critique Albert Laberge qui le lui a révélé.

9.47 Narcisse Poirier, *Église du Cap-de-la-Madeleine*, huile sur toile marouflée. Dans l'exposition de novembre 1926 à la bibliothèque Saint-Sulpice, deux tableaux figuraient sous les titres *Ancienne église du Cap-de-la-Madeleine* et *Vieille église, Cap-de-la-Madeleine*.

9.48 Narcisse Poirier, *Église du lac Mercier*, s.d., huile sur bois. Ce tableau a figuré dans l'exposition à la galerie Morency en janvier 1942 et a été reproduit sous le titre *Chapelle du lac Mercier* dans *Le Petit Journal*, le 25 janvier 1942, p. 12.

9.49 Narcisse Poirier, *Paysage à Sainte-Martine*, s.d., huile sur bois. Sainte-Martine est une des villes de la Montérégie que Poirier a peut-être explorée avec Rodolphe Duguay. Il s'agit ici d'un autre de ces levers de lune que le peintre affectionnait. Ce tableau a été exposé pour la première fois à la galerie Morency en 1942.

9.50 Narcisse Poirier, *L'Arc-en-ciel*, s.d., huile sur toile marouflée. Exposé chez Morency en janvier 1942, ce tableau était classé sous une section du catalogue titrée « Études ».

"Paysage d'automne à Piedmont" par N. Poirier.

9.51 Initiative du critique Albert Laberge, la série « Chefs-d'œuvre canadiens » reproduit en couleur et avec commentaires des œuvres d'artistes québécois et canadiens, à la page 24 du « Magazine illustré » de *La Presse* à partir du 22 mars 1930. Ici, le numéro 6 de la série avec Narcisse Poirier, *Paysage d'automne à Piedmont*, *La Presse*, 23 août 1930, p. 24.

Dès l'automne 1921, alors que le critique de *La Presse* prend connaissance de la production du peintre dans son propre atelier, c'est le pouvoir poétique de l'œuvre qui le frappe. Il définit les tableaux de l'artiste comme « d'harmonieux poèmes de couleurs[155] ». Et c'est ce « charme subtil et prenant[156] » de maintes œuvres que Laberge ne cessera de rappeler dans ses articles ultérieurs. Les tableaux propageant la rêverie comme les levers de lune (**9.40, 49**) et les scènes d'automne (**9.41, 48**) se voient gratifiés du terme de « séduisants poèmes de couleurs[157] », chargés de « grisante poésie » ou d'un « vif sentiment poétique[158] » (**9.51**). Un *Lever de lune* qu'il expose en 1928 à la bibliothèque Saint-Sulpice est ainsi décrit : « Il y a là-dedans une extraordinaire impression de calme et l'on reste séduit, charmé, par la beauté de cette nuit si poétique[159]. » Mais ce sont les paysages d'automne qui remportent la palme pour le don de poésie. On y rencontre à la fois une « fantasmagorie de couleurs[160] » et la « mélancolie des choses qui vont finir[161] ». Laberge s'arrête à ces scènes automnales que l'artiste a su multiplier : « Non seulement l'œil est fasciné par ces tons éclatants, mais l'âme et l'esprit sont charmés par la douceur, la poésie qui se dégagent de ces toiles[162]. » L'automne est tellement la saison la plus inspirante de Poirier que même celle qui aura sa préférence parmi les fleurs qu'il peindra le plus sera une fleur d'automne : le chrysanthème (**9.37, 53**).

Paul Dumas préfère les natures mortes de Poirier à ses paysages, en ceci que les premières « témoignent de beaucoup de travail[163] », tandis que le peintre, qui « a une extrême facilité pour croquer les paysages[164] », n'y met pas, selon lui, le même soin. Marqués par

« plus de spontanéité[165] », ils ne dégagent pas « l'impression du fini et du poli[166] » qu'il relève dans les natures mortes. Contrairement à Ernest Aubin, le chef de file des peintres de la Montée Saint-Michel, Poirier n'a pas le don de faire se rencontrer sur la toile la spontanéité et le définitif. « Travailleur dans toute la force du mot », insiste Laberge, il doit y mettre du sien, du temps, pour ne pas dire du labeur. Comme le disait un autre critique en visitant l'exposition de 1942 chez Morency, « l'auteur ne semble jamais signer une œuvre sans y avoir longuement travaillé[167] ». Ce que Narcisse Poirier a déployé de meilleur dans ses tableaux, c'est à force de ténacité, de persévérance dans l'application, dans le désir de dépasser ses limites, même à un âge où l'on croit que cette progression, ces avancées ne sont guère possibles. Tout au long de la réception critique qu'il accorde à ce peintre, Laberge insiste sur le « travailleur » qu'est Narcisse Poirier, tant dans la qualité que dans la quantité, et qui est l'ombre de « l'artiste probe et sincère[168] » qu'il est. Le résultat est qu'au terme d'une progression que Laberge n'a cessé d'observer, en 1928, pour un tableau (**9.52**) « qui nous montre des pêches blondes, veloutées, des pêches roses, rouges, rendues avec une incroyable habileté, un art extraordinaire », le critique francophone le plus influent de la métropole conclut que « M. Poirier a atteint là une perfection qui le proclame un maître accompli[169] ».

Très présent sur la scène des arts visuels à Montréal, Narcisse Poirier a eu certes quelques détracteurs ou plutôt, disons, des critiques qui avaient certaines réserves. Arthur Lemay relève une « peinture grasse, [du] genre terne et léché[170] », non sans exagération quand il réduit l'œuvre de Poirier à des « tâtonnements d'artiste consciencieux[171] », à « quelques petites choses remarquables[172] ». Mais on peut lui donner raison quand il dit qu'il « espère de lui plus de vigueur et plus d'intellectualisme », avec une réserve cependant pour cette dernière exigence, car, en ce qui regarde Poirier – Laberge a vu juste –, « pour lui, la peinture comme la littérature et la musique, doit avoir pour but de plaire, de charmer[173] ». Tenons-nous-en à cela. Ernest Bilodeau se montre agacé par « des études de fabrique », « un ciel sur commande[174] », la hâte, la répétition amenant le peintre dans ces dérives occasionnelles. Pour Paul Dumas (qui se contredit d'une phrase à l'autre), « il peint petit et simple et fait un tableau de peu de choses[175] » – ce qui n'est pas loin d'être un compliment. Pierre Daniel contredit tout ce qu'a pu dire Albert Laberge quand il écrit que « Narcisse Poirier n'est pas un coloriste : ses tons sont souvent trop crus ou, comme dans ses natures mortes, trop imprécis[176] », alors que Lucien Desbiens le trouve « trop conventionnel dans bon nombre de paysages[177] », la surproduction amenant Poirier à ce résultat encore une fois.

Mais dans l'ensemble, de 1921 à 1932, Narcisse Poirier a bénéficié d'une critique positive et juste. À partir de 1933, alors qu'Albert Laberge cède la place à Éphrem-Réginald Bertrand, qui signera du nom de Reynald, Poirier perd à *La Presse* son meilleur allié. Reynald a une vision critique plus large que Laberge, plus moderne, très frottée à l'art contemporain et aux nouvelles tendances. Reynald ne signalera pas les deux dernières expositions que présentera Poirier, en 1942 et 1946, chez Morency et dans le salon privé de S. H. Douglas. En fait, le nouveau critique de *La Presse* ignore presque systématiquement Narcisse Poirier. Au Salon du printemps de 1933, il le classe, avec d'autres, parmi les « sujets intéressants à plus d'un titre[178] ». Au Salon d'automne de la même année, pas un mot, de même qu'au Salon du printemps suivant. Au Salon du printemps de 1935, il se hasarde à parler « des œuvres de Mabel May, Fleurimond Constantineau, etc., Narcisse Poirier[179] », sans plus, et au Salon

9.53 Narcisse Poirier, *Antiquités et fleurs,* 1964, huile sur carton.

d'automne, nulle mention de son nom. Au Salon du printemps de 1936, où Poirier est présent pour la vingt-troisième fois, Reynald signale tout à coup « *Le Vieux moulin* de Narcisse Poirier, d'une tonalité délicate avec une neige douce[180] ». Peu après, au moment de l'exposition *Montréal dans l'art* à la galerie du magasin Eaton où Poirier est présent avec deux confrères de la Montée Saint-Michel, Aubin et Jutras, le critique souligne « la calme poésie des *Ruines* décrites par Narcisse Poirier[181] ». Mais au Salon du printemps de 1937, le critique y va d'un coup de griffe, que le peintre n'encaissera pas, quand il écrit au sujet d'un tableau de grand format : « Narcisse Poirier, je le regrette, n'a rien de bien convaincant dans sa froide description des *Sucres dans le nord*[182]. » C'est terminé. Devant cette rebuffade, Poirier n'exposera plus au Salon du printemps – ni au Salon d'automne.

Toutefois, lors de l'exposition collective des peintres de la Montée Saint-Michel en 1941, Reynald, qui passe en revue chaque peintre, est bien obligé d'en arriver à Narcisse Poirier. Il ramène sa manière à celle de son ancien maître Georges Delfosse, Maurault ayant affirmé dans sa conférence sur le groupe de la Montée Saint-Michel, au sujet de Poirier, que « Georges Delfosse […] le considérait comme son meilleur élève[183] ». Cette assertion pourrait sembler, aux yeux de plusieurs, une défaveur plutôt qu'un compliment, quand on sait combien Georges Delfosse deviendra un peintre discuté. Mais Narcisse Poirier, à qui il arrivait d'emprunter ce « faire velouté », savait s'en éloigner et revenir à une technique plus personnelle. Reynald, qui a assisté à la conférence de Maurault, saute sur l'occasion, mais en même temps fait un petit effort critique : « Poirier, le plus connu, le plus pratique et, partant, presque rentier, a gardé des leçons de Delfosse cette prédilection pour le faire velouté. Il excelle à décrire les vieilles maisons et réussit dans les natures mortes. Dans un genre un peu différent, je note de lui un *Avant l'orage,* plein d'espace et d'allant et un petit

Débouché de la rue McGill sur le port, aux jolis effets de brume[184]. »

Chargé d'ans

« Il en a fallu du courage pour ne pas changer de métier[185] ! » dira l'artiste qui ne s'est jamais répandu sur les vicissitudes de sa profession. « Tout en lui respirait la santé, la plus grande sérénité (peut-être était-ce plutôt de la sagesse ?) et la satisfaction que semblent ressentir ceux et celles dont la carrière est pleinement réussie[186]. » Tel nous le décrivent ceux qui lui ont rendu visite dans les dernières années de sa très longue vie. « Serein et surtout silencieux comme on sait l'être à cent ans[187] », soulignait un journaliste venu rencontrer le « survivant du groupe des Huit de la Montée Saint-Michel ». En effet, le peintre des natures mortes mourra à cent un ans, le 3 avril 1984. Ses deux filles, Jeanne et Hélène, organiseront des expositions posthumes, en 1986[188] et en 1991[189].

9.54 Gérald Olivier, *Narcisse Poirier dans son atelier*, photographie, 1960. À gauche, Odilon Morency, fondateur de la maison Morency Frères, et à droite Hélène Mercure, directrice de la galerie Morency.

Poirier n'a posé le pinceau que vers 1975. Il aurait probablement dû le faire un peu plus tôt. « C'est un peintre que seul l'âge a arraché à son art. Encore, à 95 ans, il lui arrivait de s'enfermer dans son atelier pour peindre. "Évidemment, c'était moins bon que tout ce qu'il avait fait avant", précise sa fille Jeanne[190]. » L'artiste ne peignait pas de nouveaux tableaux, mais refaisait ses anciennes compositions – l'inspiration en moins. « Il a travaillé abondamment et on lui a reproché, à un certain moment, d'avoir exécuté des peintures dont le contenu avait quelque ressemblance avec celui de toiles qu'il avait peintes antérieurement[191] », rapporte-t-on. On était loin des répliques réussies qu'il produisait jusqu'au milieu des années 1960 (**9.32, 33, 38, 39**), où il trouvait même le moyen de renouveler sa palette, d'aviver sa touche. Mais trop de tableaux tardifs, exécutés après ses quatre-vingt-dix ans, se sont répandus dans le public et ne donnent pas la vraie mesure des dons de Narcisse Poirier.

« M. Poirier n'est pas un révolutionnaire, un novateur », disait son ami Albert Laberge, qui le désignait plutôt comme « un artiste vibrant de sentiment[192] ». Devant sa peinture, ayons la simplicité du regardeur que pouvait avoir l'artiste devant une fraise, une carafe ou une fleur. Si, dans ses paysages, Narcisse Poirier vise à « perpétuer le Québec de jadis[193] », fixé dans un temps reculé, ses natures mortes, elles, nous parlent de la vie de tous les jours, de notre rapport personnel avec les fruits de la terre dont notre regard et notre corps se nourrissent, les objets usuels de notre quotidien dont il sait nous faire réaliser la beauté. Les uns comme les autres, paysages et natures mortes, nous invitent à nous abandonner à la tranquille séduction des tableaux de Narcisse Poirier, à cette « œuvre charmante, agréable, douce, poétique[194] ».

CHAPITRE 10

JOSEPH-OCTAVE PROULX (1888-1970) L'AMÉRICAIN

L'histoire de la vie et de l'œuvre de Joseph-Octave Proulx (**10.3**) est celle de ses déplacements entre son pays natal, les États-Unis, et son pays d'adoption, le Québec, d'où ses parents sont originaires. Ce nomadisme, qui ne prendra vraiment fin qu'après la Seconde Guerre mondiale, semble hérité de son père. Né en 1842, Octave Proulx (**10.1**), naturalisé Américain dans les années 1860[1], pendant la guerre de Sécession, était briquetier et travaillait surtout au pavage des routes[2], ce qui l'amenait à changer fréquemment d'endroit. Il a quarante-six ans lorsque naît son dernier enfant, Joseph-Octave, à Suncook, au New Hampshire, le 10 février 1888, dans la paroisse Saint-Jean-Baptiste[3].

Trois jours après sa naissance, sa mère meurt. Peut-être parce qu'il ne pouvait s'occuper de ce nouveau-né – ayant déjà d'autres enfants à sa charge –, Octave Proulx emmène son petit dernier au Québec, chez un de ses beaux-frères[4], à Kingsey Falls, dans les Cantons-de-l'Est[5]. Il ne revient le chercher que deux ans plus tard, alors qu'il s'est remarié. L'enfant suit dès lors son père et ses autres frères et sœurs dans les pérégrinations du père dans les États de la Nouvelle-Angleterre où l'appelle son travail. Lorsque Joseph-Octave a six ans, son père revient à Kingsey Falls, où il acquiert une ferme, comme l'avaient fait ses quatre frères qui se sont groupés autour d'une montagne qui, depuis, a gardé le nom de mont Proulx[6]. Cela n'empêchera pas, pendant les dix prochaines années, les incessants allers-retours d'Octave Proulx entre les Cantons-de-l'Est et la Nouvelle-Angleterre, le jeune Joseph-Octave fréquentant tantôt l'école française au Québec, tantôt l'école anglaise aux États-Unis.

Alors qu'il se trouve à Kingsey Falls en 1904 et qu'il a seize ans, Joseph-Octave décide non pas de partir à nouveau sur les routes avec son père, mais de s'enfuir. Cette fois, c'est lui qui choisit sa destination : Montréal. Dans quel but ? Entrer en religion chez les Clercs de Saint-Viateur ! Ce voyage des Cantons-de-l'Est jusqu'à la métropole, il l'a préparé de longue

10.1 J.-O. Proulx, *Portrait présumé d'Octave Proulx, père**, s.d., fusain et craie sur papier.

10.2 Juvénat des Saints-Anges, dirigé par les Clercs de Saint-Viateur, à Outremont, au début du 20ᵉ siècle, photographie. Joseph-Octave Proulx y fit une partie de ses études, s'initiant entre autres à l'art du dessin.

main en amassant secrètement de l'argent pour mettre son plan à exécution. Les bons pères, quand ils voient arriver à leur juvénat des Saints-Anges dans le quartier Outremont (10.2) ce jeune échappé qui leur déclare vouloir entrer dans leur ordre, ne l'entendent pas ainsi et écrivent au père de l'adolescent. Sincère ou feinte, cette vocation ? Prétexte à fuir la vie à la ferme et celle d'apprenti briquetier pour accéder à une instruction supérieure dans une grande ville comme Montréal[7] ? Joseph-Octave Proulx passera trois ans chez les Clercs de Saint-Viateur – trois ans au bout desquels il constate n'avoir pas la vocation religieuse. Et en 1907, il retourne à la ferme familiale des Cantons-de-l'Est. Mais il n'y restera pas longtemps.

Chez les bons pères d'Outremont, il s'est découvert une vocation tout autre que celle qu'il croyait avoir au départ : la vocation d'artiste. Les cours de dessin faisaient partie de la formation donnée aux novices[8] et le jeune Joseph-Octave rapporte à Kingsey Falls cette nouvelle passion. Toutefois, son père ne veut pas entendre parler d'études d'art, pas plus qu'il n'avait voulu entendre parler d'instruction supérieure[9]. Mais Joseph-Octave, qui a déjà prouvé sa détermination, revient à Montréal et s'inscrit dès l'automne 1908 au Conseil des Arts et Manufactures (CAM) en classe de dessin à main levée. Il a vingt ans. Dans cette classe se trouvent des élèves du nom d'Ernest Aubin, Jean-Onésime Legault, Élisée Martel, Narcisse Poirier, tous futurs membres du groupe qui prendra le nom de « peintres de la Montée Saint-Michel » et dont Joseph-Octave Proulx fera partie. Tous ces jeunes gens ont pour professeurs Joseph Saint-Charles et Edmond Dyonnet, l'un en charge des débutants, l'autre des élèves avancés.

10.3 Joseph-Octave Proulx, rue de Bordeaux, photographie vers 1915. Il pose devant la première maison qu'il a fait construire. D'autres suivront, dans la même rue.

Dessinateur

Les années de formation de Joseph-Octave Proulx au CAM, qui s'étendent de 1908 à 1918, ne feront pas nécessairement de lui un sédentaire de Montréal. À l'été 1909, il séjourne en Nouvelle-Angleterre, à Manchester (N.H.), où il a de la famille et où il trouve aussi sans doute du travail – on ne sait trop lequel, mais il est possible qu'il mette à contribution ses talents de dessinateur (10.6). Peintre d'enseignes publicitaires toute sa vie – en plus d'être peintre en bâtiments et décorateur[10] –, Proulx a pu, dès son entrée à l'école des Arts et Manufactures, s'inscrire au cours de « peinture d'enseignes et lettrage » donné depuis 1902 (10.4). « Un grand nombre de peintres en bâtiments, peintres de voitures, décorateurs doubleraient leurs gages s'ils connaissaient cette partie importante du métier de peintre[11] », expliquait le règlement du CAM en faisant référence à l'art du lettrage et de la décoration. Un journaliste qui visitait l'exposition de fin d'année au CAM en 1904 constatait : « Avec le degré de perfection atteint par la

10.4 « Classe de peinture d'enseignes » du CAM 1905-1906[13]. La partie centrale, en français, est de la main d'Arthur Denis, titulaire de la classe de 1902 à 1905. Il est ensuite remplacé par Thomas Lapointe, qui, à partir de 1916, vu le nombre grandissant d'élèves, sera assisté par Zotique Houlé.

réclame commerciale de nos jours, le cours d'enseignes a une grande importance. Nous avons vu des modèles d'enseignes qui sont de véritables attractions[12]. »

Le talent pour le dessin, l'habileté du lettreur et la créativité du décorateur se conjuguent dans cet art publicitaire où l'artiste peut trouver satisfaction et rémunération. Ernest Aubin, Joseph Jutras, Jean-Onésime Legault, confrères de la Montée Saint-Michel, ont eux aussi suivi ce cours qui leur a souvent servi par la suite.

Pour Joseph-Octave Proulx, les escapades états-uniennes, qu'il fera presque chaque été, ne visent pas seulement à maintenir les liens avec la famille et les amis et à décrocher des contrats publicitaires. Il en profite pour acquérir un supplément de formation artistique, et cela, de deux manières : par la visite des musées grands et petits qu'il rencontre sur sa route et par les leçons qu'il prend dans certaines écoles d'art, dont, à Manchester, celle du

New Hampshire Institute of Art[14], et, à Boston, celle du Musée des beaux-arts[15]. C'est dans cette ville, où il a de la parenté[16], qu'il passe une partie de 1911 et de 1912.

Les trois prochaines années, soit de l'automne 1912 à l'été 1915, sont exclusivement montréalaises. Proulx poursuit ses études au CAM, entouré de ses compagnons de la Montée Saint-Michel : Aubin, Martel, Poirier et Pépin, et parallèlement à ses cours du soir au CAM, il s'inscrit à l'école de l'Art Association of Montreal (AAM, auj. Musée des beaux-arts de Montréal), que dirige William Brymner, dont la réputation est grande et auprès duquel il retrouve Aubin, Legault et Poirier[17]. En 1913, au terme de sa quatrième année

d'études au CAM, il décroche le deuxième prix de dessin à main levée (**10.5**). Mais cela ne suffit pas. Il refait cette quatrième année, comme la coutume au CAM l'y autorise, et, cette fois, au printemps 1914, il remporte le premier prix (**10.8**).

C'est probablement à l'intérieur de cette période 1912-1915 que Joseph-Octave Proulx, désireux comme il l'est de rencontrer des maîtres et d'en tirer profit, se rend à l'atelier du grand Suzor-Coté, au 22, rue Berri[18], à moins que ce ne fût à celui du 26A, rue Victoria, où il emménage en 1915. Marc-Aurèle de Foy Suzor-Coté – de son nom complet – ne prenait pas officiellement d'élèves, mais recevait les jeunes peintres admiratifs de son travail en

quête de conseils et avides d'en apprendre un peu plus en entrant en contact avec les œuvres du maître dans son atelier[19]. De son côté, Suzor-Coté, curieux des talents en herbe, faisait des visites surprises dans les classes du CAM[20]. Dans ses quelques rencontres avec le maître, Proulx a-t-il osé lui montrer son travail ? Il a pu ainsi obtenir quelques précieux conseils et une appréciation franche de son travail et observer la technique impressionniste que Suzor-Coté a adaptée à sa production[21]. De plus, le hasard fait que Proulx rencontre, dans ce même atelier, un autre peintre, qui a le même âge que lui et qui, comme lui, a étudié aux États-Unis, à l'Art Institute de Chicago plus précisément : Marc-Aurèle Fortin[22] (6.22). Comme Proulx, ce dernier se cherche encore et explore pour le moment une voie poétique où des arbres aux vastes frondaisons se perdent dans des effets de crépuscule[23], qui sortiront de plus en plus de l'ombre pour atteindre les dimensions de ces grands arbres noyés de lumière diurne qui feront la renommée de l'artiste de Sainte-Rose.

De 1915 à 1918, Proulx poursuit sa formation au CAM (et peut-être aussi à l'AAM). Il figure hors concours aux expositions de fin d'année, comme ce fut le cas, avant lui, de Legault et de Léger, et comme c'est encore le cas de Poirier et d'Aubin. Durant la pause estivale de 1915, le peintre d'enseignes itinérant fait la tournée de quelques grandes villes américaines, comme Buffalo, où il visite certainement la récente Albright Art Gallery, ainsi que Rochester, Détroit et Chicago, qui, chacune, possèdent un important Art Institute, et Cleveland, qui achève la construction de son Museum of Art. Mais peut-être parce que les commandes d'enseignes et autres travaux l'accaparent, il ne peint pas. Il forme son œil par la visite des musées.

Un nouveau bloc de trois années montréalaises suit cette tournée de la Nouvelle-Angleterre. Joseph-Octave Proulx s'enracine davantage dans sa ville d'adoption puisqu'il vient de faire construire une maison de plain-pied, au 2721, rue de Bordeaux, à l'angle de la rue Saint-Zotique[24]. Octave père avait donné sa ferme laitière des Cantons-de-l'Est à son fils Joseph-Octave qui, après l'avoir exploitée pendant quelques années, venait de la vendre. C'est avec le produit de cette vente qu'il a pu faire construire cette maison de la rue de Bordeaux, où il vivra avec son père et avec la sœur de celui-ci, Marie-Anne[25].

La Montée Saint-Michel

Immédiatement, lorsqu'en 1908 Joseph-Octave Proulx met les pieds dans la classe de dessin du CAM, Ernest Aubin remarque ce nouveau venu et, ayant flairé son talent, l'entraîne au domaine Saint-Sulpice,

PAGE PRÉCÉDENTE

10.7 J.-O. Proulx, *Jeune femme aux yeux baissés**, s.d., fusain, pastel et craie sur papier. Comme dans sa *Tête d'homme* de 1913, Proulx présente son modèle féminin les yeux baissés ou clos, la tête légèrement inclinée vers l'avant, pour plus d'intériorisation, attitudes qui parlent de réserve, de silence.

10.8 J.-O. Proulx, *Jeune fille à la boucle d'oreille**, 1913-1914, fusain et craie sur papier. C'est au terme de l'année scolaire 1913-1914 que J.-O. Proulx a remporté le premier prix de dessin.

10.9 J.-O. Proulx, *Dame au grand chapeau**, s.d., fusain sur papier. Des dames distinguées venaient poser au CAM, dont les atours, manteau de vison, chapeau stylé, ornements, offraient à l'élève autant d'occasions d'exercer sa dextérité.

À DROITE

10.10 J.-O. Proulx, *Montée Saint-Michel, Montréal*, 1930, huile sur carton. Les couleurs de l'automne contaminent jusqu'aux rochers.

centre vital de ce qui deviendra la Montée Saint-Michel. Élisée Martel est sûrement déjà élève au CAM puisqu'il va former avec Proulx et Aubin « le noyau primitif du groupe[26] » à venir. Ainsi commence pour ce trio une amitié qui perdurera à travers les années et une aventure artistique marquée par les mêmes territoires exploratoires – à l'exception des États-Unis qu'Aubin et Martel laisseront à l'Américain. De ce fait, Proulx se trouvant à Boston dans la seconde moitié de l'année 1911, on ne saurait garantir qu'il était présent le 25 octobre de cette année-là lorsque le groupe de la Montée Saint-Michel a officiellement pris ce nom.

Proulx a pu s'initier à la peinture à l'huile au contact de l'un ou l'autre de ses professeurs du CAM, comme Jobson Paradis, qui, jusqu'en 1913, donnait le cours de peinture de jour, où il a pu côtoyer Aubin, Jutras et Poirier, ou encore avec Charles Gill, successeur de Paradis jusqu'en 1918, auprès de qui il a pu alors côtoyer Élisée Martel. Peut-être aussi, comme Aubin, a-t-il fréquenté l'atelier de Joseph Saint-Charles, qui, apparemment, recevait chez lui pour des séances de pose ou des cours privés. Ces études avec l'un ou l'autre de ses professeurs et son compagnonnage avec divers confrères ont été autant d'occasions pour Joseph-Octave Proulx de s'exercer à la peinture, que ce soit à la Montée Saint-Michel (**10.10**), ou rue des Carrières (**2.44**; **5.21, 22**), à proximité de la Montée, ou encore dans le Vieux-Montréal (**10.23, 32**).

De plus, la formation artistique croisée que Proulx s'est offerte entre le Québec et les États-Unis, par ses visites dans les musées où les collections européennes sont déjà importantes, et comme élève dans certaines écoles d'art comme celles de Manchester, de Chicago

10.11 J.-O. Proulx, *Ferme Robin, Montée Saint-Michel*, 1928, huile sur isorel.

et de Boston, lui a ouvert des horizons sur les mouvements les plus importants de la peinture des cinquante dernières années, dont l'impressionnisme et le postimpressionnisme – avec un détour par le cloisonnisme. Même si ces « ismes » ressemblent à des formules toutes faites, ils reflètent cependant les expériences picturales auxquelles Joseph-Octave Proulx s'est intéressé et qui l'ont poussé vers une modernité qui serait peut-être restée en veilleuse s'il s'en était tenu à sa seule formation montréalaise. Du moment où Proulx se rapproche de la touche divisée et du pointillisme, la couleur devient sa préoccupation première, ce en quoi il rejoint Ernest Aubin (**3.11, 12 ; 10.43**). À partir de ces préceptes, Proulx développe une touche vivante, remuante, solide, riche en pâte et forte en couleur, hachurée (**10.11, 12**) ou se propageant en une multitude de points effervescents (**10.30, 31, 39**).

Seul nous est parvenu un nombre limité de tableaux témoignant de l'activité de Joseph-Octave Proulx à la Montée Saint-Michel. À la différence de son ami Aubin, Proulx n'est pas homme à multiplier les pochades[27], même si, quand il se rend au domaine Saint-Sulpice, il a à ses côtés un virtuose du genre. Là où lui et Aubin se rencontrent parmi les peintres de la Montée, c'est dans le goût de la couleur. Mais il appert que le petit format, qui appelle l'esquisse, l'ébauche, et exige la rapidité, était contraire au tempérament de Proulx, qui est un peintre de tableaux au sens strict du terme. Peut-être apportait-il, à la Montée, des panneaux, toiles, cartons, approximativement du format 30 x 40,6 cm (12 x 16 po) qui lui est familier et qui est facile à transporter ? Toujours est-il que le tableautin et le croquis ne sont pas son affaire.

Proulx, peintre, est l'homme du tableau fini. Il se rend toujours jusqu'à la touche finale. Il couvre toute la surface à peindre, c'est-à-dire que son pinceau ne laisse apparaître nulle part le support sur lequel il applique la matière. Non seulement il sature sa toile de peinture, mais ses paysages eux-mêmes sont saturés par les éléments nombreux qui les composent. Tout ce qu'il y a à peindre dans le cadrage qu'il a déterminé est peint. Parfois, que ce soit au pinceau ou au couteau, Proulx réalise son tableau comme si tous les plans n'en faisaient qu'un seul. Les valeurs peuvent ainsi être sacrifiées, mais non pas la beauté de l'exécution qui donne à l'ensemble de sa production une unité particulière. En se rapprochant du postimpressionnisme, la touche vigoureuse et d'une couleur pure qu'adopte Proulx contribue à cette impression de plénitude que donnent ses tableaux.

Comme les autres membres du groupe de la Montée Saint-Michel, Proulx a peint la petite ferme Laurin (**10.12**), mais sans le grand orme et la croix de chemin[28], adoptant un autre point de vue en s'intéressant davantage aux bâtiments, et particulièrement aux grandes meules de la fenaison, comme aimaient les peindre Ernest Aubin (**2.30 ; 3.35, 36 ; 8.13**), Jean-Paul Pépin (**8.12, 24**) et Narcisse Poirier (**9.9**). Proulx s'est aussi intéressé aux fermes avoisinantes : Robin (**10.11**), Corbeil, et a poussé, en compagnie de ses confrères, jusqu'à Saint-Léonard-de-Port-Maurice (**7.26**).

Entre la *Ferme Robin* et la *Ferme Laurin*, les similitudes des meules ont retenu le peintre par leur hauteur quasi équivalente et par l'échelle qui s'y appuie. Avec *Ferme Robin*, nous sommes en plein champ où les gerbes viennent d'être liées, avec *Ferme Laurin*, nous nous trouvons sur un chemin bordé d'une clôture de piquets et de fil de fer comme celle que l'on voit sur la photographie d'Ernest Aubin prise par Jean-Paul Pépin à la ferme Robin en 1927 (**3.10**). Avec application et constance, et avec un sentiment jouissif de l'acte de peindre qui

10.12 J.-O. Proulx, *Ferme Laurin*, s.d.,
huile sur carton.

se lit partout, Proulx répand sur toute la surface de ses deux toiles les touches en bâtonnets ou hachurées et les touches plus grasses par lesquelles il crée les nuances de la matière et la forme des choses.

Même si, d'après leurs titres, nous ne sommes pas à la même ferme, ces deux tableaux se recoupent par bien des aspects. La meule blonde que l'on aperçoit en partie sur la gauche de *Ferme Laurin* pourrait être la même que celle de *Ferme Robin*. L'arbre qui se dresse derrière la grange de *Ferme Laurin* répond à celui que l'on aperçoit au milieu du champ

10.13 J.-O. Proulx, *Montée Saint-Michel, ferme Landry, boulevard Crémazie*, s.d., huile sur toile. Dans le *Lovell's Montreal Directory*, nous n'avons trouvé aucune ferme de ce nom sur le boulevard Crémazie dans les années 1920 et 1930.

dans *Ferme Robin*, et la grange du premier tableau ressemble à celle que l'on voit à gauche dans *Ferme Robin*. Ces recoupements laissent à penser qu'il pourrait s'agir de deux points de vue différents de la même ferme, le peintre s'étant tout simplement quelque peu déplacé. Quoi qu'il en soit, les deux tableaux n'ont pas été peints la même journée, le ciel de l'un et de l'autre se distinguant par un ennuagement différent. Dans *Ferme Robin,* le soleil de septembre est vif et répand une large traînée de lumière entre la meule et les bâtiments, tandis que *Ferme Laurin* se présente sous un éclairage plus neutre.

Ferme Landry, boulevard Crémazie (**10.13**) n'est pas non plus sans rappeler, par ses bâtiments, les deux fermes précédentes, mais on trouve dans ce tableau une plus grande concentration d'arbres. Dans une lumière d'après-midi, une silhouette d'homme en bleu qui nous tourne le dos s'avance sur un chemin, tandis qu'une silhouette féminine en rouge s'apprête à s'engager entre deux bâtiments. Ni leurs vêtements tout juste esquissés ni leur attitude ne permettent de les associer à un état quelconque. Ils vont et viennent. À gauche, au fond, apparaît un grand orme, et à droite, ce qui doit être un érable à Giguère qui flanque ce qu'on suppose être le bâtiment principal avec deux cheminées – comme celui qui apparaît sur le portrait à deux d'Ernest Aubin et Jean-Paul Pépin à la ferme Robin (**1.15**). Plus loin, au bout du chemin, on devine, d'un côté, un bâtiment au toit en pente et, de l'autre, une partie d'une meule bleutée dans l'ombre des arbres. Tout à droite se profile ce qui semble être un hangar avec sa forme rectangulaire et son toit légèrement incliné comme celui que l'on voit encore une fois sur cette même photo de la ferme Robin prise par Jean-Paul Pépin. La plupart des bâtiments sont plutôt de travers. Peut-être est-ce un choix du peintre pour plus de pittoresque…

10.14 J.-O. Proulx, *Carrière de l'ancienne ferme Robin*, s.d., huile sur carton. Les grandes carrières de pierre jouxtaient le domaine Saint-Sulpice à l'est, et quelques-unes, plus petites, se trouvaient sur le domaine lui-même (1.3). Certaines cavités, au printemps, à la fonte des neiges, se remplissaient d'eau. Dans ces quatre tableaux (10.11, 12, 13, 14), Proulx semble s'être souvenu des leçons expressionnistes de Van Gogh qu'il admirait beaucoup.

10.15 J.-O. Proulx, *Maison mère des frères de Saint-Gabriel, Rivière-des-Prairies, Ahuntsic*, 1928, huile sur isorel.

PAGE SUIVANTE

10.16 J.-O. Proulx, *Petit chemin sur le mont Royal*, 1925, huile sur carton.

Plus grouillant, plus remuant est *Carrière de l'ancienne ferme Robin* (**10.14**) qui apporte l'élément supplémentaire de l'étendue d'eau – que Proulx affectionne, que ce soit sous forme de ruisseau, de rivière ou de lac. On sait qu'au printemps, à la fonte des neiges, le domaine Saint-Sulpice se couvrait de ruisseaux et d'étangs qui demeuraient jusque tard dans la belle saison. Certaines cavités des carrières avoisinantes n'étaient pas exemptes

10.17 J.-O. Proulx, *Pommiers en fleur**, s.d., huile sur toile. Offert en cadeau par l'artiste à Olivier Maurault, qui, à son tour, en a fait cadeau à Gérard Malchelosse, fondateur des *Cahiers des Dix* auxquels Maurault collaborait.

de ces accumulations d'eau. Les étranges constructions qui se tiennent au second plan de ce tableau, sur une pointe de terrain, sont peut-être des concasseurs. Pour Joseph-Octave Proulx, l'étendue d'eau est un élément idéal pour faire courir les touches de couleur et les travailler selon les reflets des arbres, des bâtiments ou selon la tonalité du ciel. S'élançant au-dessus d'une touffe d'herbes hautes, un arbre de forme étrange semble rempli de vibrations et, tout agité, se dévore lui-même de l'abondance extravagante des touches de verdure qui le composent. Un fort vent le fait pencher et ride la surface de l'eau où nagent des tons de bleu et de vert, de blanc et de rose. Le ciel gris aux mèches échevelées plaide en faveur d'une journée venteuse.

Certaines compositions sont gorgées de couleurs automnales comme *Petit chemin sur le mont Royal* (10.16), où le peintre était allé se promener un après-midi avec sa femme, qu'il a croquée sur le vif. La chaude lumière d'octobre glisse sur le flanc du mont que longe un petit sentier sous de longs arbres dont l'ombre mince des troncs strie le sol couvert de feuilles tombées. Le personnage qui nous tourne le dos comme dans *Ferme Landry* (10.13) avance dans cet éblouissement de couleurs. Le format vertical de ce tableau, rare chez Proulx, épouse les arbres du pied au faîte.

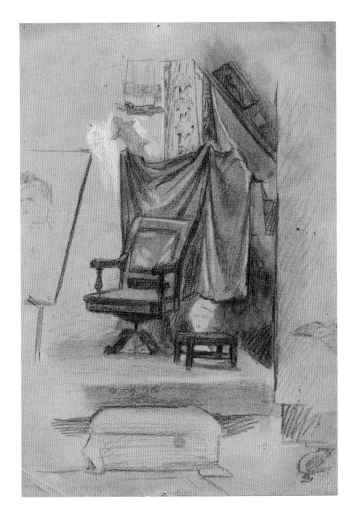

10.18 Ernest Aubin, *Plateau de pose à L'Arche**, entre 1922 et 1929, fusain et craie sur carton.

À DROITE
10.19 Ernest Aubin, *Modèle à L'Arche*, photographie, entre 1922 et 1929. Il s'agit peut-être de Gabrielle Montbriand, la femme de J.-O. Proulx.

Non seulement Proulx accompagne Aubin au domaine Saint-Sulpice, à Saint-Léonard-de-Port-Maurice, à Rivière-des-Prairies et dans leurs environs (10.17), mais il le retrouve aussi dans son atelier du 49, rue Saint-Jean-Baptiste, qu'il s'est aménagé dans l'entrepôt appartenant au marchand d'articles religieux Desmarais & Robitaille, sis rue Notre-Dame Ouest. Tout en y travaillant pour ce marchand, Aubin jouit de ce local à sa guise et il y reçoit d'abord Proulx et Élisée Martel, le toujours solide « noyau primitif du groupe[29] » de la Montée, puis le jeune Jean-Paul Pépin, avec qui Aubin s'est lié au CAM en classe de lithographie. Proulx collabore avec Aubin, car c'est probablement dans le contexte de cet atelier qu'il aurait peint et restauré des statues de plâtre[30].

Lorsqu'en 1922 Aubin s'installe à L'Arche (10.18, 19, 20), ce vaste grenier-atelier du 22, rue Notre-Dame Est, Proulx et sa femme, Gabrielle (10.21) – car Proulx vient tout juste de se marier –, comptent parmi les premiers à y être reçus. Viendra l'incontournable Élisée Martel, et c'est à nouveau le même noyau dur de la Montée qui se retrouve.

Le 27 avril 1922, à trente-quatre ans, Proulx a épousé Gabrielle Montbriand, qui en a dix-huit. Ils se sont connus alors qu'il peignait une enseigne extérieure pour un commerce. Une jeune fille s'arrête sur le trottoir pour admirer son travail, la conversation s'engage… Gabrielle est musicienne, elle joue du piano et – chose plus rare – du violon[31], et Joseph-Octave est grand amateur de musique vocale. Ténor lui-même, il voue un culte au grand

10.20 Ernest Aubin, *Un coin de L'Arche avec palette au mur*, photographie, entre 1922 et 1929.

Enrico Caruso qui le fait pleurer d'émotion[32]. Puis la naissance de ses enfants, les obligations que cela entraîne, le gagne-pain plus urgent que jamais font que Proulx range palette et pinceaux pour quelques années[33].

Durant cette période où il ne peint plus, Proulx ne cesse pas pour autant toute relation avec ses amis de la Montée Saint-Michel. Il voit Aubin et Martel régulièrement, pour des questions d'ordre pratique et peut-être artistique aussi, sans pour autant reprendre le pinceau[34].

Au milieu des années 1920, quand Aubin s'inscrit aux cours de modèle vivant de l'Académie royale des arts du Canada (ARAC), donnés par leur ancien professeur Edmond Dyonnet dans les locaux de l'AAM, Proulx le rejoindra (**10.22**), imité ensuite par Legault, Pépin et Poirier, pour faire du modèle nu (**2.54, 55 ; 5.70-72, 74**). Lorsque, après son mariage au début des années 1940, Aubin se sera retiré dans les Laurentides, à Sainte-Adèle, Proulx, qui y vient pour des contrats d'enseignes pour la farine Robin Hood, ne manquera pas de s'arrêter chez son ancien guide de la Montée Saint-Michel[35].

10.21 Ernest Aubin, *Portrait de Gabrielle Montbriand**, 1922, fusain et pastel sur papier. Billet d'Ernest Aubin en préparant l'envoi de ce portrait (non envoyé finalement) à J.-O. Proulx : « Avec le bon souvenir attaché à ce dessin, fait dans notre vieux grenier (22 Notre-Dame), de longtemps perdu dans mes paperasses, je te l'envoie aujourd'hui en gage de notre vieille amitié. Ton vieil ami (branche) E. Aubin. / À madame O. Proulx, avec mes bons souvenirs, je veux présenter mes respectueux hommages. E. Aubin. Juillet 1922. »

Proulx a également suivi Aubin à la nouvelle École des beaux-arts de Montréal qui a ouvert ses portes à Montréal à l'automne 1923. Ils s'y sont tous deux inscrits en modelage auprès de leur ancien professeur Alfred Laliberté, qui enseigne désormais dans cet établissement. Et c'est là un aspect inconnu de la pratique artistique de Joseph-Octave Proulx que le modelage, car rien n'indique, que nous sachions, qu'il s'y soit adonné au cours de ses études au CAM et rien en ce domaine ne nous est parvenu portant sa signature. Au printemps 1924, au moment de la première exposition publique des travaux d'élèves de l'École des beaux-arts, Aubin récolte la première mention honorable en modelage statuaire, dans

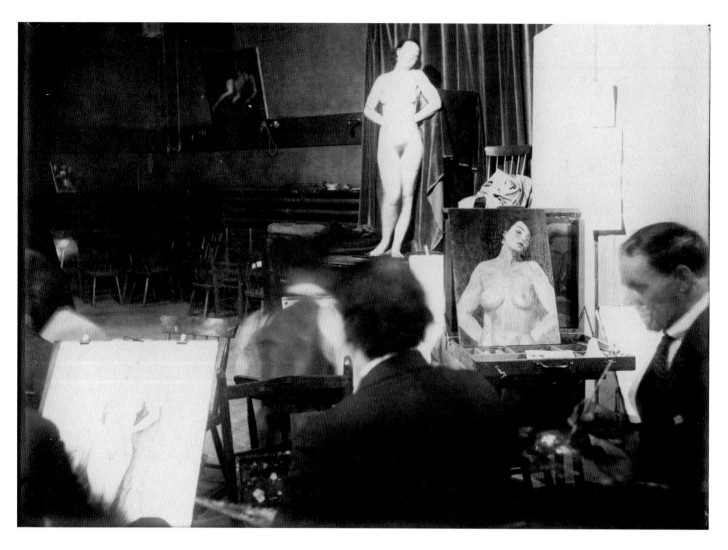

10.22 Classe de modèle vivant de l'ARAC, donnée à l'AAM entre 1925 et 1940, photographie. À droite, J.-O. Proulx, et au centre, peut-être Ernest Aubin.

la première division du cours supérieur pour le modèle vivant, tandis que Proulx récolte la première mention honorable dans la deuxième division du cours supérieur, réservée à l'antique[36]. Nos connaissances sur Joseph-Octave Proulx modeleur s'arrêtent là.

Peintre

En 1917, Joseph-Octave Proulx expose pour la première fois au Salon du printemps à l'AAM. Il a vingt-neuf ans. Aubin y a fait son entrée en 1915, mais Onésime-Aimé Léger et Narcisse Poirier, collègues de la Montée, en sont des habitués, depuis 1908 pour l'un, depuis 1912 pour l'autre. Même s'il fait déjà de la peinture (**10.24**), Proulx n'expose jusqu'en 1922 que des dessins, comme il le fera lors de son unique participation au Salon d'automne de l'ARAC en 1920. À l'intérieur de cette période, les deux seules exceptions sont ses deux huiles de dimensions moyennes, prudemment intitulées *Études*, qui figurent au Salon de l'AAM en 1919.

Lorsqu'il revient au Salon du printemps, en 1926, après une pause de quatre ans, et lorsqu'il y reviendra une dernière fois en 1929, après une pause de trois ans, ce sera d'abord avec deux scènes de la Montée Saint-Michel, peintes sans doute en compagnie d'Ernest

10.23 J.-O. Proulx, *Vieux-Montréal en hiver*, vers 1922, huile sur carton. On reconnaît ce tableau sur une photographie de l'intérieur de L'Ache prise par Ernest Aubin en 1922 (2.49).

À DROITE

10.24 J.-O. Proulx, *Paysage californien*, *Palm Island*, 1917, huile sur toile marouflée.

Aubin : *Tempête de neige* et *Effet de soleil*[37]. Puis, pour sa dernière apparition au Salon, c'est à nouveau une scène de la Montée : *The Ogilvie Home on Crémazie Road*, dit aussi *Ferme Ogilvie*[38].

Proulx ne datait pas ses tableaux. Il n'y apposait que sa signature. Et il n'a titré que ceux qu'il a exposés les deux dernières fois où il a participé au Salon du printemps, en 1926 et en 1929, et ceux qu'il a exposés en 1941 à la galerie Morency. Outre les quelques fusains produits au CAM, qui portent obligatoirement la date de leur exécution, nous n'avons, pour jalonner sa production, que deux listes de tableaux et de dessins dressées par Jean-Paul Pépin, l'une non datée et recensant soixante-dix œuvres, l'autre datée du 17 avril 1970 et contenant quarante-neuf œuvres[39]. Ces tableaux, Pépin les a acquis directement de l'artiste dans les années 1960[40], alors qu'il commençait à vendre des séries dites complètes des huit peintres de la Montée Saint-Michel. De sa main, et sans doute sous la dictée de Proulx, Pépin a inscrit au dos des tableaux les titres et, selon le cas, les dates.

En 1917, c'est-à-dire l'année même où il participe pour la première fois au Salon du printemps (alors qu'on l'exempte du service militaire obligatoire à cause d'un problème de dos[41]), Proulx fait, selon ses dires, « le tour des provinces du Canada[42] ». Il ne s'agissait certainement pas là que d'un simple voyage d'agrément. Peut-être que les demandes croissantes du gouvernement canadien pour les publicités de guerre ont rendu possible ce long périple pour le peintre d'enseignes itinérant que sait être Joseph-Octave Proulx. Et l'on peut supposer aussi qu'une fois rendu sur la côte ouest, en Colombie-Britannique, il n'ait pu résister à l'envie de voir un coin inconnu de son pays natal et qu'il soit descendu jusqu'en Californie. Il en reste le témoignage d'un tableau représentant Palm Island[43] (10.24). Jusqu'ici, c'est la plus ancienne œuvre à l'huile datée que nous connaissions de Proulx. Il en existe quelques-unes, antérieures (10.23), si l'on en juge par la facture plus étale, qui date d'avant le coup de pinceau incisif qui commence à le caractériser dans ce tableau de la Californie. Proulx ne choisit pas de représenter ce qui définit le mieux cette île et que son nom indique : les palmiers. Sa recherche se situe tant sur le plan du sujet que sur le plan de la technique. Cet arbre tordu au bord de l'eau a retenu son attention à cause de sa position et à cause de ces intrigants filaments qui pendent de ses branches et qui font penser à la plante parasite appelée mousse espagnole, que l'on voit surtout dans les États du Sud américain. La touche de Proulx est déjà vigoureuse, la matière picturale riche, nuancée.

Puis, en 1919, Proulx passe un long été, à la fois de travail, de vacances, d'explorations muséales et de peinture, dans sa Nouvelle-Angleterre natale. Il vient d'exposer pour la deuxième fois au Salon du printemps et, l'année d'avant, il a figuré pour la dernière fois, hors concours, à l'exposition du CAM où il a conclu sa neuvième année d'études. Donc, en ce premier été de l'après-guerre, Proulx entreprend dans divers États américains une tournée d'affaires qui se double – comme il le fait en général – d'une tournée artistique. Pas moins de quatorze villes sont sur son itinéraire, dans le Rhode Island, le Connecticut et le Massachusetts. « Au lieu de travailler sur les grandes routes d'automobiles, je travaille dans les villes qui ne manquent pas d'intérêt[44] », écrit-il à son ami Ernest Aubin.

Le 20 juillet, il est à Lowell, son point d'arrivée et où il bouclera la boucle. Il se rend à Boston pour prendre au passage son ami Joseph Sher, qu'il a connu au CAM[45]. La présence de ce compagnon stimule Proulx, qui affirme : « Je fais beaucoup de peintures[46] », alors que l'un et l'autre soumettent leurs tableaux à leur appréciation réciproque[47]. Et, stimulant supplémentaire, Proulx, lorsqu'il arrive dans une ville, n'eut-il qu'une heure devant lui, se dirige vers le musée local. Celui de Bridgeport, au Connecticut, par exemple, possède « une collection de sculptures, toutes antiques, presque toutes des maquettes très petites mais très intéressantes, un peu d'art chinois et quelques peintures de la vieille école[48] ». À Hartford, dans le même état, « la galerie des Beaux-Arts est un bijou », et ce, grâce notamment au généreux don de John Pierpont Morgan (1837-1913), natif de cette ville : « J'y ai passé trois heures à visiter les sculptures, peintures, et le musée d'histoire naturelle. Ce n'était pas encore assez de temps, il m'aurait fallu une semaine[49]. » À Springfield, dans le Massachusetts, il peut voir « des tableaux et sculptures des artistes français, italiens, anglais, espagnols et hollandais les plus célèbres. Comme on ne peut pas tout voir le dimanche, [il] ne peu[t] pas dire s'il y a de la peinture moderne[50] ». S'il ne livre que des impressions générales sans s'attarder à une œuvre qui l'aurait frappé en particulier, Proulx n'en montre pas moins son esprit de curiosité et son appétit d'apprendre.

Après son retour à Montréal, en septembre 1919, suit, pour Joseph-Octave Proulx, une période de sédentarité qui va durer quatorze ans, à l'intérieur de laquelle il se marie et a ses trois premiers enfants[51].

Impressions canadiennes

Quand il présente trente-trois tableaux, au moment de la première exposition des peintres de la Montée Saint-Michel à la galerie Morency en 1941, Proulx divise le tout en six sections. Si la première, qui est la plus importante avec quatorze pièces, est consacrée à la Montée Saint-Michel, les deux suivantes, qui contiennent neuf et cinq pièces, sont titrées

10.25 J.-O. Proulx, *Pont couvert rouge**, s.d., huile sur carton. Proulx a peint plusieurs ponts couverts, dont *Pont couvert à Saint-Colomban* et *Pont couvert, Ferme-Neuve* (d'après les listes d'œuvres de J.-O. Proulx par Jean-Paul Pépin).

10.26 J.-O. Proulx, *Ruisseau en hiver**, s.d., huile sur carton. Ce ruisseau fait penser aux ruisseaux de la Montée Saint-Michel tels que les a photographiés Jean-Onésime Legault en hiver (1.16).

« Impressions canadiennes » et « Impressions de la Nouvelle-Angleterre », appuyant ainsi sur la double appartenance territoriale du peintre. Ce mot « impression » que Proulx emploie ici le relie à ce mouvement, passé, certes, de la peinture, soit l'impressionnisme et qui, par ses mutations, continue à trouver des adeptes chez bien des peintres que le cubisme ou l'abstraction n'attirent pas. La critique de l'époque ne s'y est pas trompée en reconnaissant que Proulx a eu l'occasion, grâce « à ses voyages nombreux et à sa visite des grands musées de s'initier à une technique plus moderne[52] ».

Proulx change volontiers de manière, de style, sans que la qualité de l'exécution en souffre, comme si le genre du paysage admettait en lui-même cette liberté, ce plaisir de

10.27 J.-O. Proulx, *Mont-Rolland, Rivière du Nord*, s.d., huile sur isorel. Comme pour Élisée Martel avec ses dégels (7.42-44), J.-O. Proulx peint des hivers enluminés, faisant éclater les couleurs que le soleil ne fait qu'affleurer à la surface des choses.

10.28 J.-O. Proulx, *Pont de fer, Rivière des Prairies*, 1939, huile sur isorel.

10.29 J.-O. Proulx, *Peupliers au bord de la rivière*, n.s., s.d., huile sur isorel. Une technique frémissante, où se mêle cette touche grumeleuse qu'a développée l'artiste, préside à la réalisation de ce probable paysage des Laurentides.

peindre autrement autre chose et ce plaisir aussi d'exercer ses dons. Proulx procède parfois par touches brèves et multiples, d'autres fois, il étale davantage sa pâte ou, à certains moments, il mouchette la surface de sa toile par un pointillisme festif (**10.29, 30, 31**).

Paysagiste, Joseph-Octave Proulx l'est surtout du Québec rural, qu'il parcourt pour ses contrats d'enseignes publicitaires. Apporte-t-il son matériel de peinture ? Fait-il des croquis, des esquisses, qu'il transpose ensuite en atelier ? La profusion du nombre d'éléments représentés et la prodigalité de la matière picturale définissent les paysages de Proulx. Dans plusieurs de ses tableaux, Proulx fait état de son admiration pour Marc-Aurèle Fortin, qu'il a rencontré dans l'atelier de Suzor-Coté au début des années 1910 et qu'il a pu fréquenter davantage vers la fin des années 1920 ou au début des années 1930, alors que, entraîné à la Montée Saint-Michel par Jean-Paul Pépin, Fortin est le peintre « [d]es ormes projetant leurs

10.30 J.-O. Proulx, *Moulin à eau*, 1924, huile sur canevas. Peindre prend une allure festive sous le pinceau de l'artiste.

ombres langoureuses sur le bord des routes[53] » – qui lui viennent droit de son enfance à Sainte-Rose. Proulx a pu admirer aussi, à maintes reprises, les tableaux de Fortin au Salon du printemps.

Selon un schéma bien établi, Proulx, dans sa composition, plante son arbre à droite, là où il peut déployer son panache dans la partie supérieure du tableau, en laissant dégagée la perspective où le peintre dispose les éléments de son paysage, avec ses bâtiments, ses ruisseaux, ses ponts, ses collines, ses églises. Mais parfois, aussi, il songe à le placer à gauche (10.25). Ici, l'orme arbore son feuillage ébouriffé avec luxuriance ; la forte veinure de ses branches saille dans la masse de la frondaison. Le géant projette son ombre sur la structure du pont couvert, tandis que la carriole et son cheval s'y engagent.

Proulx emprunte aussi à Fortin ses nuages gonflés à bloc, supraterrestres boules d'ouate qu'il fait rouler dans un ciel d'après l'orage et qui répondent aux grands ormes gorgés de sève. Dans cet hommage appuyé qu'il rend au peintre de Sainte-Rose, Proulx s'en tient à ces deux principaux éléments, l'un végétal, l'autre atmosphérique, si caractéristiques de sa manière, et se réserve toutes les autres parties du tableau où respire sa propre touche vivante et variée.

Proulx affectionne la présence de l'eau : ruisseaux, rivières, fleuves, mares, étangs. Ce sont des chemins qui ouvrent un passage dans le paysage, qui contournent les obstacles terrestres qui freinent les désirs d'évasion – que Joseph-Octave Proulx connaît si bien. Ils voyagent – comme lui – ou se fixent – comme lui parfois. Ils transforment ce qui se mire en eux en un double frémissant, changeant, fugitif, et le peintre s'est souvent livré à cet exercice consistant à capter ce jeu des reflets, cette projection du réel solide en une fragile

10.31 J.-O. Proulx, *Coin de rue, la nuit, en hiver**, s.d., huile sur isorel. Une des rares scènes de nuit de Joseph-Octave Proulx. Ce tableau est peut-être une version agrandie de *Rue de Bordeaux*, tableau de moyen format (25,3 x 35,6 cm) exposé en 1941 à la galerie Morency et « qui recompose habilement un coin de la rue [de] Bordeaux[53] ». Proulx a habité rue de Bordeaux de 1915 jusqu'à sa mort en 1970.

réalité qui peut changer à tout moment, au gré de cet élément capricieux qu'est l'eau en son milieu naturel. Cette multiplication des touches pour représenter la surface liquide permet, chez Proulx, de se livrer à la peinture pour la peinture, l'artiste s'abandonnant au seul plaisir de peindre, sans souci de représenter quoi que ce soit. Mais cet effet de la peinture pour la peinture, on peut le retrouver aussi bien dans les frondaisons des arbres que dans les herbes au bord d'une route. Quelquefois aussi, mais plus rarement, ces voies d'eau adoptent la surface étale du miroir glacé (**10.26**). À la différence de l'impressionnisme pur, ce n'est pas l'air qui vibre dans les tableaux de Joseph-Octave Proulx, mais la couleur. Elle ne tient pas en place – comme lui.

Parmi ses «Impressions canadiennes», Proulx, dans l'exposition de 1941, inclut des tableaux représentant des coins de Montréal, dont la rue de Bordeaux où il habite (**10.31**), la rue Amherst (auj. Atateken) et la rue des Carrières[55], associée à la Montée Saint-Michel, ainsi que le mont Royal et une ferme qu'il a repérée à Côte-des-Neiges.

Il peint d'autres coins de la métropole, dont ceux qui incluent un cours d'eau, comme le canal de Lachine (**10.33**), et un coin très fréquenté du Vieux-Montréal à cause du marché qui s'y tient tout au long de l'année : la place Jacques-Cartier (**10.32**), non pas en plein été, alors que l'activité est à son maximum, mais par un temps froid et sec de janvier, où les acheteurs se groupent autour de quelques camionnettes chargées de marchandises. Dans sa scène de nuit hivernale (**10.31**), où l'achalandage des rues est à son plus bas, Proulx laisse la place au traîneau tiré par un cheval au trot. Dans *Place Jacques-Cartier*, au contraire, il choisit de ne laisser apparaître, sur la gauche, que la moitié du cheval qui attend avec son berlot, et, sur la droite, que l'arrière d'un autre berlot qui semble en route, pour donner l'espace du premier plan aux camionnettes des marchands qui ont choisi la vitesse et un plus gros volume de denrées à transporter. Dans cette toile, le peintre – comme les marchands – opte ainsi pour la modernité. De plus, dans quelques-unes de ses scènes urbaines, Proulx multiplie les personnages et, exception faite d'Onésime-Aimé Léger, qui, lui, présente plutôt et symboliquement des figures solitaires, il est celui des peintres de la Montée Saint-Michel qui peuple le plus ses tableaux de la présence humaine. Ce sont des personnages vus à l'extérieur, représentés dans leurs activités de tous les jours : débardeurs sur les quais, simples promeneurs, acheteurs autour d'un étalage de marchandises.

Nus en liberté

Contrairement à Ernest Aubin, qui n'a produit presque exclusivement que des nus d'atelier, Joseph-Octave Proulx, qui en a dessiné aussi – et qui a même posé (**10.34**) –, s'est par ailleurs intéressé au nu dans un paysage, comme le pratiquaient dans les années 1930 des peintres tels Edwin Holgate[56] et certains membres du Groupe de Beaver Hall[57], et comme l'ont beaucoup pratiqué aussi les néo-impressionnistes français. Non pas captifs d'un atelier de pose ni enfermés dans l'univers privé d'une chambre, les nus de Joseph-Octave Proulx parlent le même langage de liberté que la nature dans laquelle ils évoluent.

Sur cinq tableaux de ce genre que nous connaissons de Proulx, le nu apparaît trois fois en duo, une fois en trio et une fois en quatuor, et toujours en présence d'un cours d'eau. Ce sont des nus de baignade et c'est cette activité qui justifie la nudité. On ne sait où Proulx a pris ses modèles – sur des photographies ? en s'inspirant d'autres tableaux ? – ni si sa femme, à l'occasion, a posé pour lui ou s'il a puisé dans ses propres dessins de l'école de l'AAM ou des séances de l'ARAC.

Les nus de Proulx évoluent dans le cadre naturel où ils se trouvent ; leurs attitudes, leurs gestes sont le reflet de ce cours d'eau où ils se trempent, d'où ils viennent de sortir, où ils s'apprêtent à entrer, protégés par cet environnement de verdure qui les retire du monde. Dans chacun de ces tableaux, un modèle s'éponge avec un linge. Dans *Deux baigneuses* (**10.35**), la baignade est terminée. Le décor d'une végétation robuste, surréelle

10.32 J.-O. Proulx, *Place Jacques-Cartier*, 1930, huile sur isorel.
Peu nombreux sont les tableaux de Proulx exécutés à la spatule.
Cette composition, une des rares qui nous soit parvenue de J.-O. Proulx
sur le Vieux-Montréal, représente l'angle de la place Jacques-Cartier
et de la rue Saint-Paul.

et techniquement marquée par un certain cloisonnisme, sert de fond à deux jeunes femmes nues. De cette manière, Proulx immobilise sa peinture d'ordinaire si remuante. La surface cesse de bouger, de crépiter. Après l'abondance des pigments, la multiplication des touches, c'est l'austérité des à-plats, le choix d'une palette plus sage et une simplification du décor. Le calme après l'exubérance. Du coup, le peintre sort de la représentation conventionnelle de la nature où les arbres ont des branches et des feuilles reconnaissables, identifiables. Il opte plutôt pour des arbres d'une luxuriance étrange, dont l'essence nous échappe, qui nous conduit dans un monde où le végétal a changé de nature, mais où l'humain, lui, n'a pas muté – si ce n'est qu'il est en liberté de nudité dans ce qui pourrait être l'image d'un certain paradis terrestre un peu froid peut-être – la chaleur n'émanant que des corps nus.

Dans cette même toile, les deux jeunes femmes viennent de sortir de l'étang que l'on voit au second plan et dans lequel se reflète un arbre aux énormes feuilles. L'une, assise sur un grand linge rose, essuie avec ce linge ses jambes allongées; l'autre, debout, semble plutôt examiner ce qui est sans doute un vêtement avant de l'enfiler. Le cadrage serré qui rapproche les deux baigneuses peut suggérer entre elles une assez grande familiarité. Chacune penche la tête sur l'action qu'elle est en train d'accomplir. La lumière qui vient de droite donne à ces corps des reflets de marbre rose. Tout autant que dans les formes harmonieuses de ces corps en liberté, la sensualité s'exprime activement dans ces draps de bain que les jeunes femmes promènent sur elles.

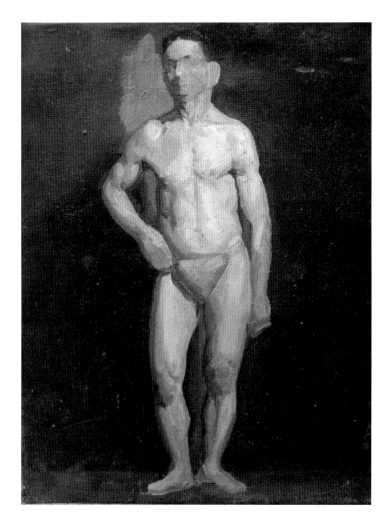

Dans *Deux baigneuses sous les arbres* (**10.36**), la baigneuse debout qui s'apprête à sortir de l'eau tient déjà le linge blanc avec lequel elle va s'éponger la peau, tandis que sa compagne, dans la même attitude que la jeune femme assise de *Deux baigneuses*, a enveloppé ses pieds d'un autre linge blanc pour les sécher. Les ondulations des branches qui s'avancent au-dessus des baigneuses déploient une arabesque caressante et proposent un dais de verdure protecteur et ombreux ; l'arrière-plan de verdure où joue le soleil crée un enclos protégeant l'intimité des deux amies. La lumière éclaire de tout son long le dos de la baigneuse debout, tandis que la baigneuse assise reçoit, sur le pourtour de son corps, un liquide doré.

Dans *Deux baigneuses au bord d'une rivière* (**10.37**), les jeunes femmes ont laissé un édredon rouge, avec quelques vêtements, au pied d'un arbre. Le tronc de cet arbre penche légèrement du côté des baigneuses et il avance son panache qui remplit le ciel pâle de son généreux feuillage. Les deux modèles sont vus de dos. La première des baigneuses est assise par terre, l'autre s'approche avec un linge à la main, peut-être pour sécher sa compagne. Deux coussins posés sur l'édredon au pied de l'arbre indiquent peut-être une intention de sieste et soulignent les liens de proximité entre les deux amies.

10.34 Ernest Aubin, *Proulx*, 1920, huile sur toile[58].

À DROITE

10.35 J.-O. Proulx, *Deux baigneuses**, d'après une photographie de l'œuvre (non localisée), s.d.

10.36 J.-O. Proulx, *Deux baigneuses sous les arbres**, s.d., huile sur toile.

Dans *Quatre baigneuses sous un arbre* (**10.38**), la luxuriance du feuillage de l'arbre occupe la moitié supérieure du tableau. Tout autant que ces baigneuses éparses dans l'herbe et qu'il couve de son ombre, cet arbre au tronc puissant qui soutient ce dôme de verdure est le sujet central de la composition. Sous l'effet d'une activité intense, l'épaisse tignasse de cette frondaison constitue peut-être le symbole du désir ardent qu'inspirent ces beaux corps nus qui s'offrent à l'air libre. À la générosité des formes répond l'amplification du feuillage qui se densifie en lui-même – et qui ne descendra jamais jusqu'aux femmes qui s'étalent insolemment sous sa bienveillante protection.

Enfin, dans *Trois baigneuses* (**10.39**), tableau presque carré, la touche de Joseph-Octave Proulx éclate en un pointillisme trop longtemps contenu, semble-t-il, qui appelle une grande surface pour enfin se satisfaire. Le peintre met en scène trois femmes plutôt que les deux habituelles. Tout ici est clair, frais, léger. Coin de paradis ? Projection édénique ? Les couleurs vibrantes de Proulx se propagent dans tout le décor environnant,

10.37 J.-O. Proulx, *Deux baigneuses au bord d'une rivière**, s.d., huile sur toile.

10.38 J.-O. Proulx, *Quatre baigneuses sous un arbre**, s.d., huile sur isorel.

10.39 J.-O. Proulx, *Trois baigneuses**, n.s., s.d., huile sur toile. Le nu, chez Proulx, a toujours des vêtements, des linges, à portée de main. Il est en liberté provisoire.

10.40 J.-O. Proulx, *Nature morte à l'alocasia et au bol de fruits**, 1938, huile sur toile.

mais avec plus de retenue sur les chairs dont le peintre veut préserver l'aspect lisse. Les corps sont traités par de petites touches hachurées où se mêlent le rose et le vert qui font chatoyer la peau. La luxuriance lumineuse de cette scène pétille de bulles colorées. L'édredon rose de *Deux baigneuses*, doublé ici d'un édredon safran, se retrouve sur les genoux de la jeune fille assise sur un rocher et occupée à s'éponger, tandis que l'édredon rouge de *Deux baigneuses au bord d'une rivière*, doublé cette fois d'un édredon orangé, réapparaît sous les pieds du personnage central que l'on voit de dos, debout, et qui sèche sa chevelure rousse avec un linge blanc. La jeune fille de gauche pose les pieds sur les édredons qui sont sous les pieds de la jeune fille debout, signe de la proximité de ces deux amies. Proulx semblait affectionner particulièrement ce tissu rouge, qu'il utilise ailleurs dans ses natures mortes (**10.40**). Dans le coin inférieur gauche du tableau, un bouquet de narcisses rappelle le personnage mythologique épris de son reflet dans l'eau… Dans le coin inférieur droit se devinent des vêtements entassés, jetés là comme des accessoires dont on n'a plus besoin.

Réception critique

De 1917 à 1929, alors qu'il expose à six reprises au Salon du printemps et une fois au Salon d'automne, la production de Joseph-Octave Proulx passe presque inaperçue. Il a droit à des bouts de phrases du genre: «Mentionnons encore les envois de […] E. Aubin, […] Narcisse Poirier, J.O. Proulx[59]», ou «Signalons […] un dessin par J.O. Proulx[60]». Tout à coup, au Salon du printemps de 1926, Albert Laberge remarque «un très bel effet de soleil d'hiver par J.-O. Proulx[61]» et qui se rapporte à une scène de la Montée Saint-Michel[62]. En 1929, dernière année où il expose au Salon du printemps, Proulx et son ami Aubin ont droit à une remarque cocasse du critique d'art Jean Chauvin, qui vient de publier son fameux ouvrage *Ateliers*[63]: «Deux nouveaux venus: J. O. Proulx et Ernest Aubin, qui arriveront certainement à quelque chose au prix de beaucoup de travail[64].» À cette date, ni Aubin ni Proulx ne sont des «nouveaux venus» au Salon du printemps puisqu'Aubin y expose depuis 1915 et Proulx depuis 1917 et qu'ils ont apporté à leur peinture plus de travail que n'en perçoit le directeur de *La Revue populaire*.

Le seul regard vraiment critique dont a bénéficié Joseph-Octave Proulx lui est venu de Reynald, qui a succédé à Albert Laberge à *La Presse*, au moment de la première exposition des peintres de la Montée Saint-Michel en 1941 chez Morency. Le peintre retient le regard du critique, qui apprécie chez lui «une technique plus moderne» que chez ses confrères: «[…] il a recours à un pointillisme de bon aloi qui le détache nettement de ses confrères et en fait, à mon avis et sans conteste, le plus franchement peintre d'eux tous[65].» De son côté, Robert de Roquebrune écrivait: «Il saute aux yeux que le maître du groupe, le seul à notre sens qui possède un talent réel, c'est Arsène [*sic*] Aubin[66].» Ainsi, les deux amis que sont Proulx et Aubin se retrouvent, de part et d'autre de ces deux critiques, sur un pied d'égalité… Au passage, Reynald accorde à Proulx portraitiste «une superbe tête de vieille femme» (**10.41**), mais, en 1944, lorsqu'a lieu au collège André-Grasset l'*Exposition d'art canadien*, un critique perspicace note: «Parmi les peintres de la montée Saint-Michel, Proulx ressort par ses bruns et ses jaunes plus vifs[67].»

10.41 J.-O. Proulx, *Tête de vieille femme*, s.d, fusain et craie sur papier.

À DROITE
10.42 J.-O. Proulx, *Les Sucres à Sainte-Adèle*, s.d., huile sur isorel.

Et puis, un bon mot de la part de Robert de Roquebrune : « De Proulx, nous conservons un excellent souvenir de sa *Ferme Ogilvie* (**C.8**) et d'une petite toile très juste qui recompose habilement un coin de la rue [de] Bordeaux[68]. »

En dernier ressort…

Après sa dernière tournée de travail et de peinture, en 1919, dans la Nouvelle-Angleterre, Proulx trouve ses contrats d'enseignes publicitaires sur place, à Montréal et dans les environs. La *Neon Electric Signs*, qui produit des enseignes peintes et des enseignes électriques, l'envoie dans les Provinces maritimes[69], [70]. C'est dans la foulée de cet important contrat qu'il passe par la Gaspésie d'où il ramènera plusieurs tableaux.

Comme artiste, il a continué d'exposer au Salon du printemps jusqu'en 1929 et de fréquenter ses amis Ernest Aubin et Joseph Sher. Il suit Aubin lorsque celui-ci s'inscrit au cours de modèle nu que l'ARAC institue à l'AAM en 1925, et où ils retrouvent leur ancien professeur du CAM, Edmond Dyonnet, qui dirige cette classe. Entre-temps, Proulx a fait la connaissance d'un nouveau venu au sein du groupe de la Montée Saint-Michel : le jeune Jean-Paul Pépin, qui s'inscrira aussi à quelques séances des classes de nu de l'ARAC. Au domaine Saint-Sulpice comme ailleurs, Pépin s'inscrit à la même école qu'Ernest Aubin de qui il veut apprendre la peinture. Lorsque ce dernier n'est pas disponible, il suivra Joseph-

Octave Proulx « pas à pas[71] » à la Montée Saint-Michel, où « ils firent ensemble de magnifiques séances de nuit et de lever du jour[72] » – expériences que Pépin a déjà vécues avec Aubin, qui en a l'habitude, et qu'il a aussi partagées avec Élisée Martel. En ces années 1920, L'Arche, dont Aubin est locataire jusqu'en 1929, accueille tous ces peintres, pour y travailler et y festoyer à l'occasion.

Au début des années 1930, après une pause de presque quinze ans, Joseph-Octave Proulx reprend son mode vie nomade, cette fois imposé par la crise économique qui frappe tout l'Occident. Proulx, qui a maintenant trois enfants, doit faire vivre sa famille. À cette fin, sa seule ressource est de faire jouer ses contacts américains. Il repart en tournée de travail : Détroit, Chicago, Cleveland, trois villes qu'il a visitées en 1915, et Cincinnati[73], où il semble mettre les pieds pour la première fois. Qu'ont à lui offrir ces villes ? Leurs musées, certes, qu'il ne manque pas de visiter. Mais, après un détour par New York, il choisit de se fixer à Boston, qu'il connaît bien, où il a de la famille et où, certainement, il trouve du travail, et cela, pour deux ans. Nous sommes en 1934.

Quand il revient à Montréal, Proulx a d'abord la surprise d'apprendre qu'un de ses locataires a pris les portes de son logement pour s'en faire du bois de chauffage[74]… Les temps sont difficiles. Sitôt de retour, donc, Proulx trouve un emploi à la compagnie d'enseignes publicitaires *Asch Signs Inc.*, en activité depuis une quinzaine d'années[75]. « Quand notre ami Proulx ne fait pas de tableau, c'est qu'il a obtenu une entreprise de peinture industrielle[76] », dira-t-on. Surtout après la naissance de son quatrième et dernier enfant, Pierre, en 1938 – Proulx a cinquante ans –, il peint beaucoup moins. Quelques natures mortes, quelques paysages pris dans les environs de Laval-des-Rapides, de Lesage, de Saint-Jérôme, et même l'oratoire Saint-Joseph qu'il peint en 1938, un an après la mort de son fondateur, saint frère André (né Alfred Bessette).

Puis, une fois encore, après un intervalle de six ans, la conjoncture force Joseph-Octave Proulx à la migration. En 1942, en pleine Seconde Guerre mondiale, il part pour Portland (Maine) où un chantier naval a besoin de main-d'œuvre. Il participera à la peinture des bateaux dits « Liberty Ships[77] ». Proulx emmène sa fille Gabrielle, qui a dix-neuf ans. François et Pierre les rejoignent avec leur mère et vont à l'école chez les religieuses, qui ne parlent qu'anglais[78].

Discrètement, Proulx s'est aménagé un coin à l'abri des regards pour peindre à temps perdu, tout en restant sur le chantier où il travaille. Un des employés découvre la cachette et en avise ses supérieurs, lesquels, après avoir inspecté le lieu clandestin et regardé les tableaux de l'artiste… lui en commandent pour eux-mêmes[79]!

Proulx est de retour à Montréal en 1945, mais sans sa fille Gabrielle, qui, tombée amoureuse d'un militaire du nom de Gordon Van Camp, originaire de l'Alberta, reste à Portland et se marie l'année suivante à Washington D.C. Le couple s'établira à Arlington, en Virginie.

Ses maisons de la rue de Bordeaux ayant été toutes louées pendant les trois années qu'il a passées aux États-Unis, Proulx ne récupérera un de ses logements pour lui-même qu'en 1947. La suite des ans à venir, jusqu'en 1970, année de sa mort, n'est

10.44 J.-O. Proulx, *Autoportrait*, n.s., s.d., huile sur carton. Le regard qui scrute.

pour Proulx que le déroulement des événements que connaît toute famille : mariage des enfants et naissance des petits-enfants. Proulx peint encore quelques tableaux, dont un *Autoportrait* (**10.44**) où il scrute cette tête d'artiste échevelée que lui ont faite les ans. Seul Jean-Paul Pépin, qui se rend chez lui au milieu des années 1960 pour acheter un assez grand nombre de pièces, fera connaître à sa manière l'œuvre de Proulx en vendant de ses tableaux à ses nombreux acheteurs collectionneurs.

En 1970, le 12 décembre, à l'âge de quatre-vingt-deux ans, Joseph-Octave Proulx meurt d'une maladie de cœur. Il est le cinquième du groupe de la Montée Saint-Michel à disparaître, quarante-six ans après Onésime-Aimé Léger, vingt-six ans après Legault, sept ans après Ernest Aubin et Élisée Martel.

Les

PEINTRES
DE LA
MONTÉE
ST-MICHEL

Conclusion

« Quelque chose d'unique »

Sans Jean-Paul Pépin, le cadet du groupe, les peintres de la Montée Saint-Michel ne seraient jamais sortis de l'ombre, n'auraient jamais quitté cet anonymat dans lequel les aléas de la vie, contrariant sans doute leurs ambitions, les avaient poussés. C'est lui, Jean-Paul Pépin, le dernier à s'être joint à cette confrérie, qui va servir de courroie de transmission pour la soustraire de l'oubli. Plutôt que de laisser à la postérité le soin de les repêcher un à un – ce qui ne risquait pas de se produire, étant donné la posture de retrait qu'ils avaient adoptée –, d'un seul coup de filet, Pépin sauvait les huit peintres du groupe.

Depuis 1933, Jean-Paul Pépin fait partie des artistes que la galerie Morency Frères (**C.3, 4**), accroche à ses cimaises et qu'elle expose dans sa vitrine. Il n'a encore à son curriculum aucune exposition personnelle. Depuis 1936, il vit dans l'île Jésus avec sa nombreuse famille et peint les divers coins de l'île comme Saint-Elzéar (**8.27, 28**), L'Abord-à-Plouffe, Sainte-Dorothée (**8.19, 24**), qu'il habite successivement. Jusqu'à ce déménagement à l'extérieur de Montréal, il avait suivi Ernest Aubin dans les sentiers de la Montée Saint-Michel, où il avait appris l'art de la peinture – une formation buissonnière et non scolaire. Pépin connaissait l'appellation qui avait cours entre les membres du groupe. En 1932, Joseph Jutras, dans son journal *Le Rigolo,* avait gentiment caricaturé son confrère en le désignant comme « un peintre de la Montée Saint-Michel » (**8.59**), tant celui-ci, déjà, se réclamait de cette appartenance.

Les Messieurs de Saint-Sulpice

Il se peut que les frères Morency aient mis Jean-Paul Pépin en relation avec le sulpicien Olivier Maurault (1886-1968) (**C.5**), un habitué de leur galerie, qui va jouer un rôle capital dans l'accession des peintres de la Montée Saint-Michel à quelque chose qui ressemble à une forme de reconnaissance historique. Autrefois directeur des expositions à la bibliothèque Saint-Sulpice, curé de la paroisse Saint-Jacques où est implantée la galerie Morency depuis 1906, maintenant recteur de l'Université de Montréal ainsi que vice-président de la Société historique de Montréal, et portant désormais le titre de « monseigneur[1] », Olivier Maurault est depuis toujours un ami des artistes[2], un collectionneur, en plus d'être l'auteur de plusieurs ouvrages touchant à l'art[3]. Ainsi, Jean-Paul Pépin va approcher le prêtre historien et le mettre au fait de l'existence de ce groupe d'artistes auquel lui, Pépin, appartient et dont il faudrait enfin parler, car son histoire n'est pas banale et les œuvres de ses membres par trop méconnues. Maurault n'est pas sans connaître déjà quelques-uns de ces peintres : Narcisse Poirier a exposé quatre fois à la bibliothèque Saint-Sulpice entre 1923 et 1928 et Jean-Onésime Legault lui a dédicacé un grand dessin (**C.2**). Jutras et Maurault se sont croisés à l'école Olier du temps de leurs études primaires[4], et, d'une manière plus éloignée,

C.2 Jean-Onésime Legault, *La Reine du Carnaval*, 1938, mine de plomb sur papier. Inscription de la main de Legault au verso de l'encadrement : « Petit fusain fait / de mémoire par / J. O. Legault / artiste-peintre / Humble souvenir à / Mgr Olivier Maurault. »

l'oncle d'Élisée Martel, le violoniste Oscar Martel (1848-1924), fameux en son temps, a enseigné au collège de Montréal et a reçu l'aide financière des Messieurs de Saint-Sulpice pour poursuivre ses études à Paris[5].

Du fait de son appartenance à la communauté des Sulpiciens, Maurault possède plus d'un lien avec la Montée Saint-Michel. Tout d'abord, il ne pouvait qu'être sensible au fait que, pendant plus de trente ans, le domaine Saint-Sulpice ait inspiré, de jour comme de nuit et en toutes saisons, un groupe de peintres qui y est resté fidèle et qui avait adopté le nom de la grande voie de circulation qui se trouve un peu plus à l'est, la montée Saint-Michel (avec un petit *m*), et qui est comme l'axe autour duquel gravitent les différents territoires que ces peintres ont fixés sur leurs toiles. Ce groupe, n'est-ce pas un peu leur création à eux, les Sulpiciens ? Ne sont-ils pas ceux dont le domaine abritait la petite ferme Laurin, lieu de rendez-vous de ces peintres – sujet qu'ils ont si souvent représenté dans leurs œuvres ? Et puis, Maurault ne se sent-il pas quelque lien supplémentaire avec ce groupe puisqu'il a été, de 1929 à 1934, directeur du collège André-Grasset, érigé sur le terrain même du domaine Saint-Sulpice, dont les peintres de la Montée exploraient toujours, à l'époque, coins et recoins ? Pourquoi ne pas en tirer quelque fierté ? Et puis, porter à la connaissance du public l'existence de ce groupe pratiquement inconnu et riche de ses huit membres peut avoir quelque chose d'un peu grisant pour quelqu'un qui, comme Maurault, a toujours eu à cœur l'histoire de l'art dans son pays. Jean-Paul Pépin – qui pouvait le mettre en relation avec tous les peintres du groupe – a dû servir des arguments semblables au prêtre historien pour le convaincre de commencer son enquête et l'amener à en parler publiquement – la tribune de la Société historique de Montréal paraissant tout indiquée pour cette action d'art patriotique[6].

D'autre part, Jean-Paul Pépin a des liens d'affaires avec un autre sulpicien, qui, lui aussi, va jouer un rôle déterminant dans la mise en lumière des peintres de la Montée Saint-Michel : Émile Filion (1892-1974) (**C.9**), collectionneur[7], professeur de philosophie et d'histoire de l'art au collège André-Grasset, ami d'Olivier Maurault, client de la galerie Morency. Agent, comme on le sait, pour plusieurs artistes, Pépin alimente la collection d'Émile Filion depuis au moins 1938[8]. Dans la foulée, ce dernier acquiert des œuvres de certains peintres de la Montée : Legault, Martel, Poirier, Jutras[9], Léger[10] – sans oublier Pépin lui-même. Celui-ci ne manque certainement pas d'expliquer au sulpicien qui sont ces peintres et à quel groupe ils appartiennent, tout comme lui. Si Léger, Martel, Pépin et Poirier apparaissent aux cimaises de la galerie Morency et de la galerie d'art du grand magasin Eaton, la plupart des peintres du groupe ont aussi exposé aux salons de l'Art Association of Montreal (AAM, auj. Musée des beaux-arts de Montréal) – tous lieux visités par les sulpiciens Maurault et Filion. Aiguillés par Jean-Paul Pépin, les deux collectionneurs ont pu s'entendre pour converger vers un même but chacun selon ses compétences : soit faire connaître ce groupe de peintres par une communication devant la Société historique de Montréal et par une exposition collective à la galerie Morency.

C.3 Gérald Olivier, *Façade de la galerie Morency Frères*, photographie, vers 1945.
Le 458, rue Sainte-Catherine Est, à Montréal, était situé entre la rue Berri et la chapelle Notre-Dame-de-Lourdes. Aujourd'hui démoli.

C.4 Les frères Louis-Alfred et Odilon Morency dans leur galerie, imprimé, 1948.

En sa qualité de « père de la Montée Saint-Michel », Ernest Aubin est le premier à recevoir la visite d'Olivier Maurault. « Les murs de sa maison sont couverts de ses œuvres qui révèlent un excellent dessinateur[11] », constate ce dernier, qui note : « Il doit avoir un millier de pochades[12]. » Des rencontres ont lieu avec les autres membres du groupe, qui sont probablement allés rendre visite au sulpicien, munis sans doute de quelques tableaux. Maurault prend des notes sur chacun d'eux – notes biographiques, notes sur leur formation et notes sur leurs activités à la Montée Saint-Michel. Joseph Jutras qui, comme les autres, a rencontré l'historien, mais qui aime à coucher ses réflexions sur papier, rédige un récit où il condense l'histoire du lieu, du groupe et de ses membres et qui servira de feuille de

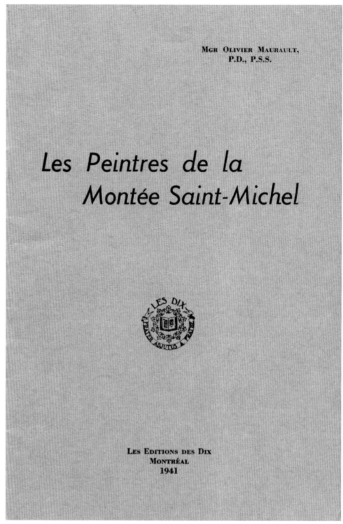

Mgr Olivier Maurault,
P.D., P.S.S.

Les Peintres de la
Montée Saint-Michel

LES ÉDITIONS DES DIX
MONTRÉAL
1941

C.5 Garcia, *Olivier Maurault, p.s.s.*, photographie, s.d. Le généreux conférencier des peintres de la Montée Saint-Michel.

À DROITE

C.6 Couverture du tiré à part de la conférence d'Olivier Maurault, publiée d'abord dans *Les Cahiers des Dix*, en décembre 1941.

route à Maurault pour la communication qu'il prépare. Proulx, qui se trouve aux États-Unis à ce moment-là, envoie à Maurault une lettre dans laquelle il décrit son parcours[13].

Mais c'est surtout auprès d'Émile Filion que les peintres déposent leurs œuvres, puisqu'il s'engage à organiser une exposition. Filion entre alors en pourparlers avec les frères Louis et Odilon Morency **(C.4)**, qu'il fait venir chez lui pour les mettre au courant de la future communication d'Olivier Maurault devant la Société historique et leur proposer de faire suivre cet événement par une exposition de groupe que lui-même, Filion, désire patronner. Il montre aux deux galeristes les tableaux des peintres de la Montée et les interroge sur les chances de succès d'une exposition. Il conclut avec eux une entente pour que les peintres n'aient rien à débourser dans cette affaire. Il se charge du coût des encadrements pour les tableaux qui ne sont pas encore encadrés – encadrements que fournira la galerie – et il fera imprimer le catalogue à ses frais[14] **(C.10)**. De plus, il informe les Morency qu'il est lui-même intéressé à acquérir un certain nombre de pièces parmi celles qui seront exposées[15].

Le 26 mars 1941, à la bibliothèque municipale de Montréal[16], sous les auspices de la Société historique, les peintres de la Montée Saint-Michel, en présence d'un auditoire nombreux[17], pour la première fois de leur vie entendent raconter leur histoire par la bouche

C.7 Tayot. *Les sept membres encore vivants sur les huit de la Montée Saint-Michel*, photographie, 26 mars 1941. Jean-Paul Pépin, Élisée Martel, Joseph-Octave Proulx, Ernest Aubin, Jean-Onésime Legault, Narcisse Poirier, Joseph Jutras. Manque Onésime-Aimé Léger, mort en 1924.

À DROITE
C.8 Le tableau devant lequel posent les peintres de la Montée et que le flash du photographe a ébloui est celui de Joseph-Octave Proulx, *La Ferme Ogilvie*, qui figurera dans l'exposition de la galerie Morency en avril 1941 et qui avait été exposé au Salon du printemps de 1929, imprimé.

d'une personne qui a mis en récit les bribes de vie qu'ils lui ont confiées. Trente ans après le premier baptême qu'ils se sont donné en 1911, en adoptant le nom de groupe qui est le leur, ils en reçoivent un second, officiel cette fois et public, de la main d'un historien et religieux dont la voix fait autorité. Au fur et à mesure qu'avance le récit du conférencier, Émile Filion présente tour à tour, sur un chevalet, les œuvres de l'artiste dont il est question. À la fin de la soirée, les peintres répondent volontiers aux questions que leur pose l'assistance[18]. On prend une photographie du groupe (C.7). Des comptes rendus paraissent dans les journaux. La conférence d'Olivier Maurault signe l'acte de naissance du groupe de la Montée Saint-Michel à un moment où – ironie du sort – le groupe n'est plus que le souvenir de lui-même.

Dans les comptes rendus de la soirée, on souligne la présence d'« un auditoire plus nombreux que jamais[19] », attiré là par le sujet inédit du conférencier. D'entrée de jeu, Maurault précise qu'il a rassemblé « des esquisses et des matériaux épars » qu'il espère bien, un jour, pouvoir compléter grâce aux renseignements supplémentaires que lui fourniront les peintres de la Montée ou tout autre témoin de l'activité des artistes au domaine Saint-Sulpice. On évoque donc ces peintres qui accomplissaient « une sorte de pèlerinage quotidien au petit Barbizon de la Montée Saint-Michel[20] », et le rôle central d'Ernest Aubin qui a entraîné ses camarades au domaine Saint-Sulpice est bien mis en évidence. On attire aussi l'attention sur les deux « vocations contrariées » du groupe : Jutras et Pépin. En faisant le compte des artistes que nomme le conférencier et qui ont été actifs à la Montée Saint-Michel, on relève qu'ils « sont environ une douzaine », les noms de Roméo Vincelette[21], Maurice Le Bel[22] et Eugénie Gervais[23] ayant été ajoutés par Maurault à ceux des huit membres du groupe originel. Mais seuls les sept survivants du groupe sont présents ce soir-là à la bibliothèque municipale et seuls leurs tableaux – avec ceux d'Onésime-Aimé Léger – défilent sur le chevalet bien en évidence, de même qu'ils seront les seuls – incluant encore Léger – à constituer l'exposition à venir à la galerie Morency. On conclut en attirant l'attention sur le fait qu'« ils ont réussi, tout en travaillant ensemble, tout en fraternisant, à ne pas s'imiter[24] ». « Le groupe ne les a pas absorbés », précise-t-on.

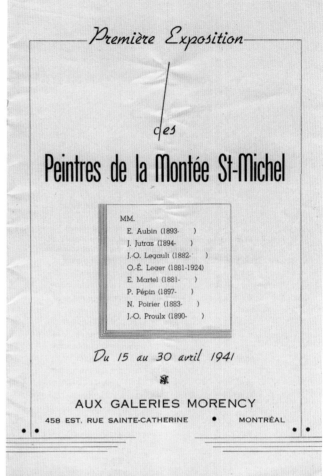

C.9 Émile Filion, p.s.s., photographie, s.d. Le dévoué coordonnateur et mécène de l'exposition des peintres de la Montée Saint-Michel à la galerie Morency en 1941. Sur l'emplacement actuel de l'ancien domaine Saint-Sulpice, on trouve une avenue Olivier-Maurault et une rue Émile-Filion.

À DROITE

C.10 Couverture du catalogue de l'exposition présentée du 15 au 30 avril 1941 « aux Galeries Morency », Montréal. L'exposition a été prolongée jusqu'au 15 mai. Comme pour l'affiche de l'exposition (C.1), le lettrage de la couverture du catalogue est de J.-O. Legault.

En filigrane de cet accueil, on comprend bien, aussi, que les peintres de la Montée Saint-Michel appartiennent au passé, qu'on porte à la connaissance du public une histoire qui est terminée – ou du moins qui en a l'air. Du lieu même de leur rendez-vous ne subsiste plus que la croix de chemin – la petite ferme ayant été démolie en 1930. La grande ferme, cependant, s'y trouve toujours, ainsi que des sentiers, des étangs, de grands ormes, des ruisseaux… À la fin de son exposé, Maurault en profite pour annoncer l'exposition à venir chez Morency Frères.

L'exposition

Pour les besoins de l'exposition, Jean-Onésime Legault, à partir d'une photographie qu'il a prise voilà presque trente ans (**1.8**), dessine une affiche qui ressuscite la petite ferme Laurin, flanquée de sa croix de chemin et du grand orme vénérable, emblème, talisman, porte-bonheur des peintres de la Montée, seuil sacré de leur « sanctuaire[25] » (**C.1**). Encadrée, cette affiche est placée dans la vitrine de la galerie Morency pour annoncer l'événement. Du 15 au 30 avril 1941, deux cent onze œuvres vont figurer à cette première exposition collective des peintres de la Montée Saint-Michel.

Si « le grand reportage[26] » d'Olivier Maurault a été accueilli avec sympathie, l'exposition – véritable épreuve du feu pour les artistes – ne remporte pas le succès espéré, ni d'estime ni de vente[27]. L'effet « révélation » n'est pas au rendez-vous. En 1941, en pleine Seconde Guerre mondiale, si le climat social au Québec est perturbé comme partout ailleurs, le monde de l'art, lui, ici, se tourne vers des mutations de plus en plus radicales. Un groupe du nom des Indépendants, piloté par le dominicain français Marie-Alain Couturier (1897-1954), qui réunit toutes les tendances de l'avant-garde, avec des peintres comme Paul-Émile Borduas (1905-1960), Alfred Pellan (1906-1988), Philip Surrey (1910-1990) et John Lyman (1886-1967) – pour ne nommer que ceux-là –, tous membres de « la jeune et ardente Société d'art contemporain[28] », présente au Palais Montcalm, à Québec, du 26 avril au 3 mai 1941, une exposition qui aura des échos jusqu'à Montréal. Marqué par le croisement de l'abstraction et du surréalisme qui aboutira au mouvement automatiste, l'art au Québec change de visage, suscite des discussions passionnées[29] et va prendre à rebours à peu près tout ce qui relève de la tradition et de la figuration.

Dans ce contexte, avec leur bagage académique, et en dépit de leurs mérites dans le domaine du paysage, du portrait, du nu, de la nature morte, et de leur apport au mouvement symboliste, les peintres de la Montée Saint-Michel arrivent d'hier dans un Québec de demain. Leur exposition chez Morency sera prolongée jusqu'au 15 mai – et c'est dès le lendemain que s'ouvre à Montréal, à la galerie du grand magasin Morgan, l'exposition des Indépendants maintenant présentée dans la métropole et qui durera jusqu'au 28 mai[30]. Elle donne lieu à des débats qui captivent l'attention des critiques et balaie le souvenir des peintres de la Montée Saint-Michel[31].

Ces deux « premières » à Montréal, l'exposition des peintres de la Montée et celle des Indépendants, qui viennent l'une après l'autre, un abîme les sépare. En 1948, Paul-Émile Borduas publiera son retentissant pamphlet *Refus global*, qui marque la ligne du partage des eaux dans l'histoire de l'art au Québec[32].

Mais surtout, mal présentée, surchargée – les murs de la galerie Morency ne sont pas si vastes (C.4) –, l'exposition rate son but, car on a voulu trop en montrer. Ernest Aubin, à lui seul, présente soixante-deux œuvres, ce qui, dans le cadre d'une exposition personnelle, aurait constitué un ensemble raisonnable… La critique le souligne : « La qualité est enterrée sous la quantité des ébauches[33] », « L'impression première en est une de confusion[34] », « L'ensemble des œuvres exposées est un peu disparate[35] ». Sur les deux cent onze œuvres présentées, il n'y a qu'une dizaine de grands tableaux ; le reste tourne autour des moyens et petits formats, et un tiers de l'ensemble est composé de pochades. L'œil a dû se perdre dans cette multitude bigarrée tapissant les murs et encombrant les comptoirs de la modeste galerie.

Réception critique

Reynald, qui a succédé à Albert Laberge à *La Presse* (C.11), se situe loin de la peinture des années 1920, car il a l'œil plus contemporain. Robert de Roquebrune, qui est un littérateur et demeure un ami du peintre Ozias Leduc (1864-1955), signe un article dans *Le Canada*. Si, aux coqs de Martel, Reynald accorde du « panache à la Rostand », pour Roquebrune, ils sont, certes, « d'une bonne observation, mais qui n'échappe pas à la monotonie », tandis

que Lucien Desbiens, rédacteur au *Devoir*, leur préfère « son *Vieux fort*, son *Magasin du coin* et sa *Vieille maison de brique* ». Si, pour le premier, Legault est « portraitiste surtout », pour le deuxième, il reste « un élève appliqué qui manque un peu de tempérament », et, quant au troisième, il l'oublie complètement. Jutras, d'un côté, « ne fait que des canevas », mais de l'autre « [il] peint de belles scènes paisibles et lumineuses » et, enfin, « fait voir sous des traits émouvants » les vieilles maisons. Aux yeux de Reynald, Léger est « d'un tout autre siècle » – entendons le XIXe –, tandis que Roquebrune, qui ne s'intéresse qu'aux vivants, le passe sous silence et que Desbiens trouve « qu'il traite [le portrait] avec probité mais sans la moindre fantaisie ». Pépin, avec ses « tableautins [est] le plus féminin du groupe », mais on souligne qu'« il ne maîtrise pas toujours ses couleurs », cependant qu'« il aime surtout les effets de lumière et d'ombre qu'il capte avec bonheur ». Poirier « excelle à décrire les vieilles maisons et réussit dans les natures mortes », alors qu'on trouve ces dernières d'une « méticulosité enfantine », même si elles « témoignent de l'esprit d'observation de ce peintre ». Si Reynald déclare que Proulx est « le plus franchement peintre d'eux tous », Roquebrune affirme quant à lui que « le seul à notre sens qui possède un talent réel, c'est Arsène [sic] Aubin », ce que corrobore Desbiens qui le désigne comme « le chef incontesté du groupe ». Les appréciations restent partagées entre ces trois critiques qui ne semblent pas tomber d'accord sur les mérites respectifs de ces peintres.

À l'appréciation des œuvres se mêle la perception – plus délicate – de la personnalité des artistes. Desbiens a justement souligné que la conférence de Maurault a surtout voulu « attirer l'attention sur la valeur strictement humaine de quelques êtres d'élite ». C'est un autre éclairage que Reynald va présenter. Martel : « un peintre éleveur de volailles » ; Poirier : « presque rentier » ; Jutras : « bon père de famille, ex-parfumeur, jardinier émérite » – pour montrer, peut-être, qu'ils ne sont pas peintres à part entière tant que ça... Particulièrement, l'approche d'Ernest Aubin par Reynald dénote un mélange d'admiration et d'irritation : « Quelle damnée timidité le restreint donc aux petits sujets et aux esquisses, lui que la maturité des dons de peintre devrait inciter aujourd'hui à faire plus grand et plus hardi ? » Cette timidité, réelle, cette modestie, maladive, attachée à la personne d'un des meilleurs peintres, dessinateurs, sculpteurs du groupe de la Montée et, de surcroît, son chef de file, même son confrère et ami Joseph Jutras la lui reprochera, « toi-même, lui écrira-t-il, grand artiste, non confiant en toi malheureusement... caché derrière une trop grande modestie[36] ».

Ce trait de caractère d'Aubin, Reynald l'étend à l'ensemble du groupe de la Montée, dont la mentalité le laisse perplexe : « Ils ont même gardé une timidité qui les empêche de se rendre justice là où justice est due. » Roquebrune se trouve lui aussi devant « un groupe de peintres modestes », reprenant ce mot qu'Olivier Maurault a utilisé dans sa conférence[37] et que certains comptes rendus reprennent aussi[38]. Mais les peintres eux-mêmes en rajoutent : « nous n'avons pas pu recevoir la formation qui fait les grands artistes, notre amour de l'art est sans espoir[39] », auraient-ils déclaré à Émile Filion. Reniement de tout un passé d'études et de travail ? Voilà qui donne des munitions à Reynald, qui, dans ces circonstances, forge sa propre légende des peintres de la Montée Saint-Michel en les désignant comme des « vocations tardives », des artistes formés par des « leçons reçues sur le tard ». Pourtant, Aubin est entré aux Arts et Manufactures à quinze ans, Poirier à seize, Jutras à dix-sept, Léger à dix-huit, Legault à dix-neuf, Proulx à vingt. Martel reste le plus tardif, avec le début de ses études vers vingt-trois ans. Le cas de Jean-Paul Pépin, radicalement empêché de faire son apprentissage, est à part. Alors, dans ce contexte, qu'est-ce donc qu'une « vocation tardive » ? Que sont donc des « leçons reçues sur le tard » ? Ces affabulations auront la vie dure quant à la perception qu'auront le public et les historiens de l'art qui croiseront ces peintres sur leur route.

Mais bien décidé à en finir une fois pour toutes, le critique de *La Presse* va plus loin et lâche le couperet : « Parler de postérité, je tiens pour moi que c'est fantaisie d'archiviste. Aucun de nos huit peintres ne s'y rendra si loin ; c'est déjà mauvais signe que les archivistes s'occupent d'eux plus que la critique. Ils appartiennent trop à la petite histoire de leur vivant pour appartenir à la grande après leur mort. » Cette déclaration écorche Olivier Maurault, tout autant que les peintres dont il s'est occupé.

Cependant – et heureusement –, d'autres voix se font entendre. Pour Hervé de Saint-Georges, journaliste à *La Patrie* (**C.12**), « ces peintres connaissent un peu de la gloire qui leur revient[40] ». Le critique, un peu gauchement peut-être, tente de faire valoir les peintres de la Montée en les opposant aux « innovateurs de la nouvelle génération », arguant que

7 peintres canadiens se font enfin connaître aux Galeries Morency

(Par Hervé de SAINT-GEORGES)

Sept peintres canadiens-français se révèlent enfin au public. Ce sont des artistes très modestes qui, après avoir fui la publicité tapageuse, se sont unis pour présenter quelques-unes de leurs oeuvres, exposées depuis hier aux Galeries Morency, 458 est, rue Ste-Catherine, jusqu'au 30 de ce mois, sous le nom des "Peintres de la Montée St-Michel."

M. NARCISSE POIRIER, l'un des peintres de la "Montée St-Michel." M. Poirier demeure à 4908 St-Denis.

Après avoir fréquenté les mêmes cours d'art, au Monument National, à la Art Gallery ou ailleurs ces amis sont demeurés, pendant plus de 35 ans, fidèles à la poursuite du beau malgré les difficultés qui entravaient leur carrière de paysagistes ou de portraitistes. Des circonstances les empêchèrent, pour la plupart, de faire connaître le produit de leur travail, mais voici que, grâce à l'initiative de M. l'abbé

M. J.-OCTAVE PROULX, membre du groupement de peintres de "La Montée St-Michel" qui expose chez Morency. M. Proulx demeure à 6611 Bordeaux.

Emile Fillion, professeur de dessin au collège Grasset, ces peintres connaissent enfin un peu de la gloire qui leur revient.

Ce nom de "Montée St-Michel" a pour origine le chemin du même nom devenu la rue Papineau et qui, de l'avenue Mont-Royal, conduisait vers cet autre chemin maintenant appelé boulevard Crémazie. Ce fut dans les recoins pittoresques et enchanteurs de cette montée St-Michel que ces peintres trouvèrent leurs plus beaux

M. ELISEE MARTEL, peintre canadien-français faisant partie du groupe de "La Montée St-Michel".
(Photo la "Patrie")

sujets d'inspiration. Pendant plus de trente ans, ils s'y donnèrent rendez-vous. Mais ils ne se contentèrent pas de ces études en plein air. Ils avaient aussi un atelier, celui d'Aubin, d'abord dans un entrepôt de la maison Desmarais et Robitaille, puis au numéro 22 de la rue Notre-Dame. Ces réunions avaient habituellement lieu le dimanche. Ce fut au cours de l'une de ces assemblées qu'ils choisirent le nom de leur association.

Deux choses frappent le visiteur qui se rend aux Galeries Morency pour y admirer les quelque 211 oeuvres de ces sept artistes: (ils étaient jadis huit, mais l'un d'eux, M. O.-E. Léger, mourut en 1924): ces toiles, dont plusieurs sont vraiment remarquables, sont exécutées selon la méthode de la vieille école que critiquent tant les innovateurs de la nouvelle génération. C'est-à-dire que ces paysages, pochades ou autres, représentent les choses telles qu'elles sont et non pas telles qu'un subconscient en délire se plaît à les caricaturer, selon les principes baroques des futuristes,

cubistes ou autres farceurs de même acabit.

Ce sont des oeuvres absolu-

M. JEAN-PAUL PEPIN, de Ste-Rose, dont les toiles sont exposées chez Morency avec celles des autres membres du groupement de peintres de "La Montée St-Michel".

ment sans prétention: elles ne cherchent pas à étonner, à hurler des teintes criardes, à offrir des formes grotesques, mais à séduire, à faire rêver, à nous montrer les plus beaux paysages canadiens sous leurs couleurs véritables. Le coloris est riche ou finement nuancé. Le coup d'oeil d'ensemble frappe l'oeil et retient l'attention. Rien de fignolé, de barbouillé à la hâte ou d'invraisemblable: ce sont des études, des esquisses, des interprétations pleines de réalisme. Chacun de ces paysagistes a rendu par ses pinceaux ce que ses yeux ont vu, ce que son coeur a compris, et ce que son talent a su traduire.

La seconde chose qui étonne le visiteur, celle-ci d'ordre tout matériel, est le bas prix de ces toiles. Certains snobs s'imagineront peut-être qu'elles sont sans valeur, puisque leur achat peut se faire moyennant cinq, dix ou vingt dollars, mais c'est là une erreur grossière. Nous avons vu, dans des Salons annoncés à grand fracas de publicité, des croûtes à peine dignes de primaires, offertes pour quatre, cinq ou six cents dollars, mais qui n'avaient qu'un seul mérite, celui

---

C.12 Hervé de Saint-Georges, « 7 peintres canadiens se font enfin connaître aux galeries Morency », *La Patrie*, 19 avril 1941, p. 20. L'article de Saint-Georges se poursuit avec, sur la même page, à droite mais tronquée, la photographie de J.-O. Legault (un autoportrait), et en page 22 la photographie d'Ernest Aubin.

« ces paysages, ces pochades ou autres, représentent les choses telles qu'elles sont et non pas telles qu'un subconscient en délire se plaît à les caricaturer ». Plus loin, il résume : « Chacun de ces paysagistes a rendu par ses pinceaux ce que ses yeux ont vu, ce que son coeur a compris, et ce que son talent a su traduire. » Pour Lucien Desbiens, critique au *Devoir*, ce qui frappe d'abord, chez le groupe des peintres de la Montée, c'est « cette splendide persévérance […], cette constance de tous dans l'effort artistique[41] », ce dont Roquebrune s'est fait l'écho : « Il est digne de mention que des artistes aussi liés et travaillant le plus souvent sur une même matière n'aient pas perdu leurs caractéristiques individuelles ». Après avoir passé en revue chacun des peintres et souligné leurs thèmes et leurs qualités propres, Lucien Desbiens livre une réflexion qui désempêtre les membres de la Montée des mailles d'une actualité artistique qui leur est hostile et d'une critique à la vision restrictive : « Il faut voir cette exposition, qui est sans doute quelque chose d'unique chez nous, par suite de la personnalité des peintres qui y contribuent et par leur histoire qui a tous les charmes de la légende mais qui est – les toiles exposées en témoignent – plus qu'une légende. »

La publication de la conférence d'Olivier Maurault dans le *Cahier des Dix* de décembre 1941 relance la réception des peintres de la Montée, plus tranchée que jamais en deux camps opposés. Alors que, d'un côté, on estime qu'« ils font marque dans l'histoire artistique de notre pays[42] », de l'autre, on avertit de « ne pas attribuer une importance exagérée à des artistes sans prétention[43] ». Le débat reste ouvert.

Le groupe figure dans la vaste *Exposition d'art canadien* (C.12) que présente Émile Filion au collège André-Grasset du 29 octobre au 7 novembre 1944[44]. Composée à partir de la collection personnelle du sulpicien et de celles des autres professeurs du collège, et totalisant deux cent cinquante-trois pièces, l'exposition comprend une section réservée aux peintres de la Montée Saint-Michel, avec vingt-deux œuvres, dont beaucoup font partie de la collection de Filion. En dix jours, et mis à part les quatre cents élèves du collège, six mille cinq cents personnes défilent devant les tableaux et les sculptures répartis dans plusieurs salles[45]. Une soirée, le 4 novembre, est réservée aux exposants et à leurs invités. À cette soirée, les peintres de la Montée ne sont plus que six, Jean-Onésime Legault étant mort subitement le 6 juin précédent. Après Onésime-Aimé Léger, il est le deuxième du groupe à disparaître.

Dans le numéro d'octobre 1944 d'*Amérique française,* alors que se prépare au collège André-Grasset l'*Exposition d'art canadien* (C.13), Maurice Gagnon, qui est un fervent du groupe des Indépendants[46], publie un extrait d'un ouvrage en préparation et qui paraîtra en janvier suivant – extrait où il parle des peintres de la Montée Saint-Michel : « Ces peintres, on les voudrait plus sensibles. Ici et là, dans leurs tableaux, jouent quelques centimètres de peinture réelle. Ces richesses, conjuguées en un seul homme et en une seule œuvre, offriraient quelque joie à nos yeux. Aucun d'eux ne dépasse l'autre, mais je verrais bien Georges Delfosse comme leur mage à tous. Dominant mieux la matière peinte – seul coloriste de sa génération, croit mon ami Marcel Parizeau – Delfosse leur ressemble[47]. »

Non seulement Gagnon se place en porte-à-faux par rapport à Reynald et Roquebrune, qui avaient marqué leurs préférences parmi les peintres du groupe, qui en avaient désigné quelques-uns nettement au-dessus des autres et qui, aussi, avaient nommé leurs maîtres dont Edmond Dyonnet et Joseph Saint-Charles, mais il étale le nom de Georges Delfosse qu'il reprend de Reynald qui avait rapproché la manière de Poirier de celle de ce prolifique décorateur d'églises. L'occasion était trop belle pour Gagnon pour manquer d'enfoncer les peintres de la Montée en faisant de cet artiste si discuté « leur mage à tous ». Une affabulation de plus. Quant à des « centimètres de peinture réelle », les peintres de la Montée Saint-

C.13 Couverture du catalogue de l'*Exposition d'art canadien : œuvres conservées au collège André-Grasset*, mise sur pied par Émile Filion en 1944.

Michel auraient pu en fournir à Maurice Gagnon des dizaines de milliers s'il s'était donné la peine de se faire véritablement sa propre opinion en regardant d'un œil clair les œuvres des peintres – à la galerie Morency, au collège André-Grasset ou chez eux, à leur domicile. Ces lignes de Maurice Gagnon vont asseoir pendant longtemps, et par le truchement d'un ouvrage qui fait date, les préjugés dont souffriront les peintres de la Montée Saint-Michel.

Le double événement de la conférence et de l'exposition de 1941 et l'insertion des peintres de la Montée dans l'exposition de 1944 au collège André-Grasset ont donné à ceux-ci cette existence officielle à laquelle ils avaient aspiré dans leurs commencements et ils leur ont offert cette campagne de publicité dont ils avaient rêvée autrefois avec leur projet d'ateliers dans les environs du Jardin botanique.

Un journaliste notait, au moment de la conférence de Maurault, qu'«il est regrettable […] que la manifestation qu'on leur a faite mercredi soir, n'ait pas eu lieu il y a une douzaine d'années, à l'époque glorieuse de la Montée Saint-Michel et à l'époque de la prospérité[48]» – c'est-à-dire avant la crise économique de 1929. Plus que de l'histoire ancienne, plus qu'un document d'archives, plus qu'un groupe qui a vécu, ce que certains des peintres de la Montée voient dans le bruit qui s'est fait autour d'eux, c'est un gage d'avenir. Ainsi, au moment de la publication de son texte dans *Les Cahiers des Dix*, Olivier Maurault fait imprimer – à ses frais – un tiré à part (**C.6**) dont il envoie un exemplaire à chacun des peintres. Joseph Jutras prend alors la plume : «Savez-vous, Monseigneur, que tant de publicité autour des peintres de la Montée Saint-Michel nous rend orgueilleux, mais rassurez-vous, c'est un légitime orgueil qui fouette notre amour-propre et nous donne un je ne sais quoi d'élan et d'ambition de mieux faire, car maintenant il ne faut plus reculer[49].»

Munis de ce tiré à part imprimé avec soin, contenant, à l'intérieur, la photographie officielle du groupe, et signé d'un nom qui est une référence, Jutras, Martel, Pépin et Poirier profiteront de chaque occasion pour se réclamer de leur appellation de «peintres de la Montée Saint-Michel», qui a maintenant cours légal. Ce nom, ils l'intègrent à leur en-tête de lettres et l'inscrivent sur leurs cartes de visite ; il suit leur signature dans des lettres privées ou des lettres ouvertes aux journaux et apparaît dans leurs catalogues d'exposition. Ils s'en servent pour se présenter aux journalistes, aux critiques, à quiconque s'intéresse à eux. Au fil des années, l'appellation se maintiendra, avec des moments d'éclipse et de résurgence, et surnagera jusqu'à Narcisse Poirier qui, au moment où l'on fêtait ses cent ans, en 1983, est rattaché à cette vivace appartenance[50].

À la fin de sa conférence, Olivier Maurault avait cru bon d'adresser cet avertissement au groupe : «Si les artistes qui le forment continuent à rester cachés et à garder dans leur atelier leurs études, je crains que le silence ne se fasse de nouveau autour d'eux et peut-être pour longtemps[51].» L'appel semble avoir été entendu, car, dans une note ajoutée au moment de la publication de sa conférence dans le *Cahier des Dix*, Maurault annonçait que «les Peintres de la Montée Saint-Michel sont bien décidés à affronter de nouveau le public. Ils s'y préparent[52]». En effet, les frères Morency avaient informé Émile Filion que les peintres «demeur[aient] tous disposés, individuellement cette fois, à refaire une exposition lorsque le temps sera propice[53]». Pour Jutras, il s'agit d'abord de procéder à un coup de publicité et en août 1941, quatre mois après l'exposition chez Morency, il est à la une du quotidien *La Patrie* avec une grande photo (**4.37**) où on le voit qui expose ses tableaux en plein air, sur les pelouses du palais de justice, les offrants aux passants. Le caractère inusité de cette pratique – dont Jutras a l'habitude – a arrêté le photographe de *La Patrie*, qui titre : « Un peintre de la Montée St-Michel expose[54] ».

Dès janvier 1942, Narcisse Poirier, battant le fer tandis qu'il est chaud, présente une exposition chez Morency, puis une autre en avril à la galerie L'Art Français. Jutras attend le printemps 1944 avant de reprendre ses expositions privées à son domicile – expérience concluante qu'il renouvellera en décembre, avant quoi le groupe de la Montée aura fait une apparition, comme on l'a dit, à l'*Exposition d'art canadien* du collège André-Grasset. La Seconde Guerre mondiale enfin terminée, Jean-Paul Pépin entame une série d'expositions personnelles, dont la première a lieu à la librairie Déom en septembre 1945. En avril 1946, il présente une deuxième exposition, cette fois à la galerie Morency, où il répète l'exercice en octobre suivant. Les expositions se succèdent jusqu'en 1948, et toute occasion est bonne pour mettre en avant son appartenance au groupe de la Montée Saint-Michel – il n'oublie pas d'inclure parmi ses œuvres, ainsi que le font Jutras et Poirier, des tableaux qui représentent ce coin. Quant à Ernest Aubin, maintenant établi à Sainte-Adèle quasi en permanence, sa présence de peintre actif dans la région ne passe pas inaperçue et une journaliste attire l'attention sur cet artiste « autrefois chef du groupe de la Montée Saint-Michel[55] ».

Mais l'idée d'une nouvelle exposition collective fait son chemin. Dès la fin de 1947, la société des Amis de l'Art, très active, propose à Joseph Jutras, qui en est membre, de présenter une exposition du groupe auquel il appartient. Enthousiaste, Jutras écrit à Aubin, à Sainte-Adèle, et le relance au début de 1948 : « Du nouveau ! Les peintres de la Montée Saint-Michel, sans distinction de races, sont invités à se préparer pour une exposition chez les Amis de l'Art pour le printemps. Nous aurons besoin d'environ 6 à 8 toiles chacun[56]. » Mais ni Aubin ni les autres ne bougent… Jutras se console en tenant une nouvelle exposition privée à son domicile et en prenant sous son patronage l'exposition qu'Élisée Martel – sa seule exposition personnelle – présente à l'École des arts et métiers en avril 1949 et dont il profite pour mettre en avant le titre de « doyen » – c'est-à-dire le plus âgé et non le plus ancien – des peintres de la Montée Saint-Michel. Quant à Jean-Paul Pépin, il est celui qui va porter avec le plus de constance la cause des peintres de la Montée Saint-Michel, qu'il ne manque jamais de mentionner dans ses interviews journalistiques, télévisuelles ou radiophoniques.

Le fidèle Joseph Jutras est le dernier d'entre eux à fouler les sentiers de la Montée Saint Michel. Peignant encore et toujours, en 1945, nostalgique, il écrit à son ami Aubin : « Je parcours des sentiers déjà battus par nos gros sabots, mais il me manque un compagnon, un ami. Souvent, je me sens seul et je n'ose pas m'aventurer aussi loin que nous allions ; on dirait que le cœur me manque. […] La Montée Saint-Michel est de plus en plus déserte, car elle ne sent plus les peintres fouler ses prés. À cette pensée, une larme furtive veut se frayer un chemin sur ma joue[57]. » Puis, en décembre 1946, dans une autre lettre au chef de file du groupe qui les a tous unis, une dernière évocation surgit sous sa plume quand il parle de « la Montée Saint-Michel dont [il] reste le seul à parcourir les sentiers[58] ».

Une vache qu'un jeune apprenti peintre de quinze ans voulait peindre (2.56), une vieille ferme flanquée de sa croix de chemin et de son orme vénérable (1.8) ont fait la destinée de huit peintres, qui ont tissé entre eux un réseau dont ils n'ont pu s'échapper. Formés de

C.14 Palette d'Ernest Aubin.

surcroît par les mêmes maîtres et dans les mêmes classes, ils se sont rassemblés, croisés, en un même lieu qu'ils ont rendu mythique : le domaine Saint-Sulpice, devenu la Montée Saint-Michel dont ils ont pris le nom. Obéissant jusqu'au bout à leur vocation d'artiste, exposant individuellement ou par équipes de deux, trois ou quatre, mais méconnus et incompris en tant que groupe, ils ont créé sans jamais savoir si leur œuvre serait un jour peu ou prou reconnue, s'en souciant quelque peu ou nullement.

Certains critiques ont cru les enterrer définitivement et collectivement, mais la beauté est plus forte que la mort, l'art plus fort que l'oubli. Et si la destinée a uni ces peintres par un lien indissoluble, elle leur gardait aussi en réserve une personne à l'esprit curieux, digne émule d'Olivier Maurault, qui allait raviver le souvenir de ce groupe, rallumer la mémoire de ses membres et qui avait nom Estelle Piquette-Gareau.

Tels furent, tels sont les peintres de la Montée Saint-Michel, dont chacun, à sa manière, raconte sa propre histoire de l'art, apportant sa pierre à l'édifice de la vie artistique au Québec dans la première moitié du XXᵉ siècle, qui n'en rutile que davantage. Ni grande ni petite, mais authentique, l'histoire à laquelle ils appartiennent est avant tout la leur propre, individuelle et collective, inscrite dans la mouvance artistique de leur époque. Maintenant que la poussière des révolutions esthétiques est retombée, que les avant-gardes reculent dans le passé, que l'histoire retrouve peu à peu la mémoire, nous pouvons regarder ces peintres d'un œil clair et mesurer la richesse de leur aventure.

Notes

INTRODUCTION

1. *Résidence de la ferme Saint-Gabriel,* de Joseph Jutras, a été exposé au Salon du printemps de 1923, et reproduit dans l'article « Un peintre-touriste canadien-français », consacré à Jutras par Le Juif errant (pseud.), dans la revue *L'Hôtellerie,* le 31 janvier 1929, p. 9.

2. Voir le collectif *Les Casoars : en souvenir des dîners du Casoar-Club,* réédition de l'album hors commerce de 1928, présentation et notes par Richard Foisy, Montréal, Les Éditions Varia, 2004, 76 p.

3. Onze numéros de notre bulletin de liaison, *Le Piscatoritule,* ont été consacrés aux peintres de la Montée Saint-Michel, soit les numéros 4, 14, 24, 25, 27, 28, 33, 38, 56, 57 et 70.

4. Voir le site Internet https://atelierlarchemontreal.ca

5. Olivier Maurault, *Les peintres de la Montée Saint-Michel, cent ans après : 1911-2011,* Montréal, Fides, 2011, 155 p., réédition de la conférence de Maurault, « Les peintres de la Montée Saint-Michel » (*Les Cahiers des Dix,* n° 6, Montréal, 1941, p. 49-65), présentée et annotée par Richard Foisy. Nos références renvoient à cette réédition.

6. Gilles Normand, « Narcisse Poirier, peintre centenaire… », *La Presse,* 5 février 1983, p. D 13.

7. Édith Prégent, *Un bohème dans la ville : vie et œuvre d'Onésime-Aimé Léger,* catalogue d'exposition, Musée régional de Vaudreuil-Soulanges, 2007, 40 p.

8. Richard Foisy, *L'Arche : un atelier d'artistes dans le Vieux-Montréal,* Montréal, VLB éditeur, 2009, 208 p.

9. Voir note 4.

10. Olivier Maurault, *Les peintres…, op. cit.,* p. 87.

11. Lettre de Joseph Jutras à Jean-René Ostiguy, 23 janvier 1972, dactylographie, copie carbone, archives privées.

12. Lettre de Joseph Jutras au président de la Société historique de Montréal (Adrien-Dalvini Archambault), 20 octobre 1961, copie manuscrite, archives privées.

13. Proposé une première fois en 1956 par Joseph Jutras, un parc des Peintres-de-la-Montée-Saint-Michel a été inauguré en avril 1997 dans l'arrondissement Ahuntsic-Cartierville, à l'ouest de l'avenue André-Grasset. En mai 2022, de grands panneaux explicatifs se rapportant au domaine Saint-Sulpice et aux peintres de la Montée ont été érigés près de la croix de chemin (toujours subsistante), par la Société d'histoire du Domaine-de-Saint-Sulpice.

14. Lettre de Joseph Jutras à Ernest Aubin, 2 octobre 1943, archives privées .

CHAPITRE 1

1. Anonyme, « Projet d'un bois de Boulogne dans la banlieue de Montréal », *La Patrie,* 30 novembre 1906, p. 1.

2. Olivier Maurault, *Les peintres de la Montée Saint-Michel, cent ans après : 1911-2011,* Montréal, Fides, 2011, réédition de la conférence de Maurault, « Les peintres de la Montée Saint-Michel » (*Les Cahiers des Dix,* n° 6, Montréal, 1941), présentée et annotée par Richard Foisy, p. 45. Nos références renvoient à cette réédition.

3. Anonyme, « L'emplacement précis du Plateau Bon-Air » [publicité], *Le Nationaliste,* 23 avril 1911, p. 4.

4. Charles P. Dubuc, *Propriété appartenant aux Messieurs de Saint-Sulpice et portant le n° 332 du Sault-au-Récollet* [document cartographique], mai 1912, encre et lavis sur papier monté sur toile, Les Prêtres de Saint-Sulpice de Montréal, Fonds Compagnie des Prêtres de Saint-Sulpice de Montréal, P1 : E.23/32.

5. Joseph Jutras, *Les peintres de la Montée Saint-Michel,* six pages manuscrites, non paginées, archives privées.

6. Lettre de Joseph Jutras au président de la Société historique de Montréal [Adrien-Dalvini Archambault], 20 octobre 1961, copie manuscrite, archives privées.

7. Joseph Jutras, « Réponse à M. Émile Falardeau par J. Jutras, artiste paysagiste », lors de son exposition privée, tenue le 28 mai 1944, [p. 28], texte manuscrit, archives privées.

8. Jean-Paul Pépin, propos tenus lors de son interview dans la série télévisée *Images,* diffusée le 23 septembre 1957, à Radio-Canada.

9. Anonyme, « Youville et boulevard Crémazie », *La Presse,* 7 décembre 1923, « Revue illustrée », p. 8.

10. Olivier Maurault, *Les peintres…, op. cit.,* p. 51.

11. Lettre de Joseph Jutras à Olivier Maurault, 12 janvier 1941, fonds Olivier Maurault, archives des Prêtres de Saint-Sulpice.

12. Jean-Paul Pépin, Journal, 27 février 1966, archives Estelle Piquette-Gareau (AEPG).

13. Anonyme, « Youville et boulevard Crémazie », *op. cit.*

14. Olivier Maurault, *Les peintres…, op. cit.,* p. 51.

15. Diane Archambault-Malouin, « "Je me souviens" d'un domaine seigneurial à Ahuntsic », *Société d'histoire d'Ahuntsic-Cartierville,* bulletin n° 4, novembre 2018, p. 9.

16. Olivier Maurault, *Les peintres…, op. cit.,* p. 51.

17. Anonyme, « Projet d'un bois de Boulogne dans la banlieue de Montréal », *op. cit.*

18. Jean-Paul Pépin, cité dans Michel Bigué, « Jean-Paul Pépin : une vie consacrée au patrimoine québécois », *Secrets d'artistes,* 30 mars 1974, p. 25.

19. Thérèse Contant, *Souvenirs et notes* [sur son oncle Ernest Aubin], seize pages manuscrites non paginées, [p. 8], AEPG. Thérèse Contant était la nièce et filleule d'Ernest Aubin, étant la fille de Maria Aubin, sœur d'Ernest, et de son mari, Ernest Contant.

20. Ernest Aubin, Lettre à sa sœur, Maria Aubin, 11 août 1943, AEPG.

21. Lettre d'Ernest Aubin à Joseph Jutras, 6 octobre 1945, archives privées.

22. [Émile Filion], *Première exposition des peintres de la Montée Saint-Michel,* galerie Morency, catalogue, 1941, p. 18.

23. Thérèse Contant, *Souvenirs et notes, op. cit.,* [p. 2].

CHAPITRE 2

1. Créé en 1869 par le gouvernement du Québec, le Conseil des arts et manufactures a pour mission d'établir des écoles francophones d'arts et de métiers partout dans la province, en vue de former une main-d'œuvre spécialisée. Ces écoles dispensent des cours gratuits de jour et de soir. L'établissement sera aboli en 1928.

2. Olivier Maurault, « Les peintres de la Montée Saint-Michel », *Les Cahiers des Dix,* n° 6, Montréal, 1941, p. 49-65. Réédité et annoté par Richard Foisy sous le titre, *Les peintres de la Montée Saint-Michel, cent ans après: 1911-2011,* Montréal, Fides, 2011, 155 p. Nos références renvoient à cette réédition. Sous le titre *Vache au repos,* cette pochade figurait dans l'exposition du groupe, en 1941, à la galerie Morency (**C.10**). Elle figura aussi dans l'*Exposition d'art canadien* présentée au collège André-Grasset en 1944, sous le titre *Vache couchée.* Joseph Jutras a peint aussi une vache au repos dans un champ (**4.18**), scène fréquente sur les fermes de la Montée Saint-Michel.

3. Une montée est un chemin commun qui relie entre eux les rangs concédés à partir de la rivière des Prairies, au nord de Montréal, rangs qui se succèdent « côte à côte », d'où le nom de « côte » donné aux chemins qui les séparent et qui, tous, aboutissent à une montée, laquelle permet la circulation de l'un à l'autre et du haut au bas de l'île. Voir Diane Archambault-Malouin, « D'Alexandre de Bretonvilliers à Berthe Charès-Louard: du xviiᵉ au xixᵉ siècle », *Le Domaine,* vol. 1, Société d'histoire du Domaine de Saint-Sulpice, mai 2002, p. 3; Suzanne Thibault (dir.), *La petite histoire de Saint-Michel: de la campagne à la ville, 1699-1968,* Montréal, Villeray–Saint-Michel–Parc-Extension, 2008, p. 7.

4. Diane Archambault-Malouin, *op. cit.,* p. 3.

5. Joseph Jutras, *Ernest Aubin, le père de la Montée Saint-Michel,* dix feuillets dactylographiés avec additions manuscrites, paginés de 1 à 10, p. 10, archives privées.

6. Olivier Maurault, *Les peintres…, op. cit.,* p. 51.

7. Une douzaine de dessins de J.-O. Proulx ont été retrouvés dans les papiers d'Ernest Aubin.

8. « Il [Aubin] entraîna à sa suite Proulx, puis Martel, qui formèrent le noyau primitif du groupe » (O. Maurault, *Les peintres…, op. cit.,* p. 50).

9. Anonyme, « Instruction publique », *La Presse,* 12 novembre 1892, p. 4, signale qu'Edmond Dyonnet est professeur de dessin à main levée pour les cours « avancés » et « commençants » du Conseil des arts et manufactures, assisté d'Albéric Rapin pour le second cours.

10. D'après son confrère Alfred Laliberté, Dyonnet n'hésitait pas à y aller d'une « petite conférence à chaque élève pour lui faire comprendre son art » (Alfred Laliberté, *Les artistes de mon temps,* texte établi et annoté par Odette Legendre, Montréal, Le Boréal, 1986, p. 70).

11. À l'AAM, Brymner se charge du cours de peinture, tandis que Dyonnet s'occupe du cours de dessin avancé. Le cours de dessin élémentaire est donné par Alberta Cleland (Anonyme, « L'Association des arts: les cours donnés au square Phillips », *La Patrie,* 13 septembre 1901, p. 5).

12. En 1891-1892, le nombre d'élèves en classe élémentaire était de 29 et de 15 en classe avancée. En 1892-1893, il est de 22 pour l'une et de 48 pour l'autre. En 1893-1894, il est de 58 et de 30, et en 1895-1896 de 97 et de 40.

13. Franchère et Saint-Charles sont de vieux amis. Non seulement ils ont étudié ensemble sous François-Édouard Meloche (1855-1914) en 1886, mais, au printemps 1888, ils ont pris le même bateau pour se rendre en Europe. Après être passés par les académies Julian et Colarrossi, tous deux ont été admis à l'École des beaux-arts de Paris, l'un en 1890, l'autre en 1891.

14. En remplacement de François-Édouard Meloche, démissionnaire. La peinture décorative était destinée aux chapelles, églises, édifices publics et résidences privées.

15. Dyonnet connaît bien la famille Carli puisqu'en 1890 il a fait le portrait de Thomas Carli, que l'AAM a acquis deux ans plus tard. Il connaît bien aussi Saint-Charles et Franchère, car tous les trois ont débuté en même temps au Salon du printemps, en 1891.

16. « Attiré par le mouvement intellectuel qui semble plus que jamais se développer au Canada et par le besoin d'être de son pays et de son temps, M. Paradis quitte les États-Unis et nous arrive à Montréal frais et dispos, déterminé à entreprendre avec ses confrères et camarades peintres la conquête des indifférents en matière d'art » (Anonyme, « Un portrait par jour: M. Jobson Paradis, professeur de dessin », *La Patrie,* 13 novembre 1902, p. 5).

17. À partir de la rentrée de 1913, Carli s'étant retiré, Laliberté devient premier professeur de modelage, secondé par Elzéar Soucy (1876-1970).

18. Anonyme, « Conseil des arts », *La Patrie,* 14 octobre 1901, p. 7.

19. Anonyme, « Pour développer le goût du beau », *La Patrie,* 25 novembre 1914, p. 9.

20. Edmond Dyonnet, *Mémoires d'un artiste canadien,* Ottawa, Éditions de l'Université d'Ottawa, 1968, p. 31-33. Sur ces coutumes bien établies et parfois dangereuses, voir Anne Martin-Fugier, *La vie d'artiste au XIXᵉ siècle,* Paris, Hachette littératures, coll. « Pluriel », 2007, p. 33-34 et 48.

21. Anonyme, « Arts et manufactures », *La Patrie,* 7 juin 1901, p. 6.

22. Joseph Jutras, *Les peintres de la Montée Saint-Michel,* trois feuillets manuscrits paginés de 1 à 6, p. 5 (archives privées).

23. Anonyme, « Conseil des arts », *La Patrie,* 24 septembre 1901, p. 3.

24. Alicia Boutilier et Paul Maréchal (dir.), *William Brymner: peintre, professeur et confrère,* catalogue d'exposition, Kingston, Agnes Etherington Art Centre, Queen's University, 2010, p. 50.

25. Anonyme, « Conseil des arts », *La Patrie,* 24 octobre 1901, p. 1.

26. Anonyme, « Conseil des arts et manufactures », *La Patrie,* 7 janvier 1905, p. 21. La Société des arts du Canada, sise au 1666, rue Notre-Dame, a été fondée en 1893. Edmond Dyonnet y enseigne, ainsi que Charles Gill, à partir de 1894, et Joseph Saint-Charles, à partir de 1898, d'après les recherches d'Odette Legendre (*op. cit.,* p. 114, n. 3).

27. Le cours avait peut-être été interrompu à la suite d'une mauvaise critique parue dans la presse au moment de l'exposition des travaux d'élèves, alors qu'aucun prix n'était attribué à la peinture cette année-là: « La plupart des travaux en couleur […] ne sont pas réussis. On voit chez leurs auteurs un manque de la notion des formes qui doit être la base essentielle du dessin et de la peinture. Ces élèves ayant voulu faire trop beau ont probablement perdu un temps qu'ils auraient pu employer avec profit en travaillant au crayon ou à la plume » (Anonyme, « L'exposition du Conseil des arts et manufactures », *La Patrie,* 13 juin 1903, p. 20).

28. Cité dans Olga Hazan, *La culture artistique au Québec au seuil de la modernité: Jean-Baptiste Lagacé, fondateur de l'histoire de l'art au Canada,* Québec, Septentrion, 2010, p. 160, n. 35.

29. Maurice Desjardins, « Avant que de peindre: apprendre à dessiner! », [interview d'Edmond Dyonnet], *La Patrie,* 1ᵉʳ mai 1946, p. 9.

30. Edmond Dyonnet dans « L'avenir des Canadiens français: les artistes », *Le Nationaliste,* 22 octobre 1905, p. 4. Il s'agit d'une vaste enquête lancée

par Olivar Asselin, directeur du *Nationaliste*, annoncée le 25 juin 1905, p. 1, et commençant le 2 juillet suivant jusqu'au 22 octobre, et qui recueille les opinions des hommes politiques, des journalistes, des hommes et des femmes de lettres, des éducateurs, des économistes et mutualistes et enfin des artistes. Les peintres Henri Beau, Edmond Dyonnet, Joseph Saint-Charles et Jobson Paradis répondent à cette partie de l'enquête sur les artistes, ainsi que les musiciens Alfred De Sève, Alexis Contant et Albert Jeannotte. Sur le microfilm du *Nationaliste* mis en ligne par la Grande Bibliothèque, la page 4 n'est pas celle que nous avons consultée jadis sur le microfilm de ce journal à la Grande Bibliothèque même, mais une autre page où se trouvent des articles sans rapport avec l'enquête précitée. Pourtant, sur la première page de cette édition du 22 octobre 1905, où se trouve la réponse du peintre Henri Beau et celle aussi de Jobson Paradis, on lit dans la colonne de droite où se poursuit la réponse de Beau « à suivre sur la 4ᵉ page ». Cette page existe bel et bien puisque nous l'avons photocopiée à partir du microfilm consulté à la Grande Bibliothèque. Le microfilm de ce numéro du *Nationaliste* mis en ligne semble donc défectueux.

31. Joseph Saint-Charles dans « L'avenir des Canadiens français : les artistes », *op. cit.*, p. 4.

32. Jobson Paradis dans « L'avenir des Canadiens français : les artistes », *op. cit.*, p. 1.

33. Charles Gill, « Les artistes canadiens » *Le Canada*, 27 mars 1905, p. 4. Repris sous le titre « Le Salon de 1905 », dans Réginald Hamel, *Charles Gill : contes, chroniques, critiques*, prose réunie et annotée par Réginald Hamel, Montréal, Guérin, 2000, p. 178.

34. Anonyme, « L'École des arts », *La Presse*, 13 juin 1903, p. 9. L'article fait allusion à Louis-Philippe Hébert (1850-1917), sculpteur qui produira de nombreux monuments commémoratifs ; Henri Julien (1852-1908), peintre et illustrateur pour le *Montreal Star*, dont il est devenu le directeur artistique ; Albert-Samuel Brodeur (1862-1933) et Joseph-Arthur-Pierre Labelle (1857-1939), dessinateurs à *La Presse* et à *La Patrie*, ainsi que dans diverses revues et dans quelques ouvrages imprimés ; Henri Fabien (1878-1935), un protégé de Dyonnet ; Edmond-Joseph Massicotte (1875-1929), illustrateur, qui va devenir l'auteur fameux de la série des *Canadiens d'autrefois*.

35. Anonyme, « Conseil des arts et manufactures », *La Patrie*, 31 mai 1901, p. 1.

36. Anonyme, « La distribution des prix aux élèves des cours du Conseil des arts et manufactures », *La Patrie*, 9 juin 1911, p. 11.

37. Anonyme, « Conseil des Arts et Manufactures de la province de Québec », *La Patrie*, 14 septembre 1901, p. 4. Outre ceux qui ont été nommés dans la note ci-dessus, parmi les artistes professionnels qui sont sortis du CAM, on peut mentionner Georges Delfosse (1869-1939), spécialiste des décorations d'église et peintre du Vieux-Montréal ; Napoléon Savard (1870-1962) et Georges Latour (1877-1946), dessinateurs à *La Presse* et à *La Patrie*, pour divers autres périodiques et pour des ouvrages imprimés ; Albert Ferland (1872-1942), poète, photographe et dessinateur qui illustre ses propres recueils ; Albéric Bourgeois (1876-1962) qui deviendra célèbre grâce à son personnage de Ladébauche dans *La Presse* ; Elzéar Soucy (1876-1970), qui suivra le sculpteur Alfred Laliberté (1878-1953) au CAM, et les deux fils de Louis-Philippe Hébert, Henri (1884-1950), sculpteur, et Adrien (1890-1967), peintre.

38. Anonyme, « Le rapport du Conseil des arts et manufactures est soumis à la Législature », *La Patrie*, 6 février 1912, p. 1.

39. Anonyme, « L'œuvre du Conseil des arts et manufactures », *La Patrie*, 5 novembre 1913, p. 2.

40. Anonyme, « Pour développer le goût du beau », *op. cit.*

41. Par ordre chronologique d'apparition dans les palmarès de fin d'année du CAM, citons : A. Y. Jackson, Dalbé Viau, Octave Bélanger, Georges Latour, Adrien Hébert, Henri Hébert, Ethel Seath, Emily Coonan, Elzéar Soucy, Henri Fabien, Berthe Lemoine, Edgard Gariépy, Charles Maillard, Émile Lemieux, Ernest Cormier, Émile Brunet, Marguerite Lemieux, Agnès Lefort, Maurice Le Bel, Judith Sainte-Marie, Rodolphe Duguay, Cécile Chabot, Alice Nolin, Regina Seiden, Louise De Montigny-Giguère, Sylvia Daoust, Wilfrid Corbeil. Ces élèves des Arts et Manufactures ont, à des degrés divers, laissé leur trace dans l'histoire de l'art au Québec.

42. Dans l'*Information Form* de la Galerie nationale du Canada, formulaire qu'il n'a pas retourné à l'expéditeur, Aubin écrit avoir étudié à l'« *Art Association with Brymner and to École des beaux-arts* », sans précision de dates (archives du Centre de recherche sur l'atelier de L'Arche et son époque 1900-1925 [CRALA]).

43. Olivier Maurault, notes dactylographiées sur les peintres de la Montée Saint-Michel, huit feuillets non paginés, [p. 4] (fonds Olivier Maurault, archives des prêtres de Saint-Sulpice).

44. Olivier Maurault, *Les peintres…*, *op. cit.*, p. 69, 97.

45. « Après de premières études à Montréal, au Monument-National, où tout le monde est passé, et à la Art Association, sous William Brymner et Maurice Cullen… » (Emmanuel Desrosiers, « M. Narcisse Poirier, artiste peintre », *Mon magazine*, novembre 1931, p. 4).

46. Anonyme, *École des beaux-arts de Montréal : première exposition publique, première proclamation des récompenses*, brochure, 23 mai 1924, p. 27.

47. À partir de 1910, le Salon de l'ARAC, quand il est présenté à Montréal, a lieu à l'automne.

48. Anonyme, « Le dernier Salon : l'art national existe-t-il ? », *La Patrie*, 16 avril 1904, p. 9.

49. Anonyme, « Le Salon de 1902 », *La Patrie*, 21 mars 1902, p. 8.

50. [Albert Laberge], « Exposition de tableaux à la Galerie des arts », *La Presse*, 2 avril 1907, p. 1.

51. « Au-delà de mille invitations à des personnages influents : ministres, députés, sénateurs, membres du clergé, journalistes, artistes, conseillers législatifs, principaux d'académies, maîtres d'école, etc., ont déjà été lancées » (Anonyme, « Conseil des arts et manufactures », *La Patrie*, 14 mai 1901, p. 5) ; « Des personnages importants, dignitaires ecclésiastiques, ministres et députés de la législature provinciale, le consul général de France, échevins et représentants de la Chambre de Commerce, rehaussaient de leur présence cette séance de fin d'année » (Anonyme, « Instruction technique », *La Patrie*, 14 juin 1905, p. 9).

52. Entre autres : la marche de *Tannhäuser*, de Richard Wagner, en 1901, l'oratorio *La Rédemption*, de Gounod, en 1905, *La Résurrection de Lazare*, de Raoul Pugno, en 1915.

53. M. E. S., « Honneur au mérite : les élèves médaillés du Monument-National par le Conseil des Arts et Manufactures », *La Presse*, 17 juin 1899, p. 18.

54. « Un millier d'exhibits [*sic*] ont été installés et offrent un coup d'œil d'ensemble très important » (Anonyme, « L'exposition des Arts et manufactures », *La Patrie*, 6 juin 1906, p. 7) ; « L'exposition de 1912 est regardée

comme la plus considérable de celles qui l'ont précédée. Près de deux mille travaux ornent les quatre murs et le milieu d'une immense salle rectangulaire » (Anonyme, « L'exposition des travaux des élèves du Conseil des Arts », *La Patrie*, 10 juin 1912, p. 12).

55. Anonyme, « Législature provinciale », *La Patrie*, 6 mai 1910, p. 13.

56. Anonyme, « Lettre de Québec », *La Patrie*, 24 février 1911, p. 8.

57. *Ibid.*

58. Anonyme, « L'exposition de beaux-arts », *La Patrie*, 28 avril 1911, p. 12.

59. Anonyme, « L'exposition d'art au Club St-Denis », *La Patrie*, 24 avril 1911, p. 11.

60. « Déjà six ventes enregistrées » (Anonyme, « Une visite au Salon du Club Saint-Denis », *La Patrie*, 26 avril 1911, p. 12) ; [Albert Laberge], « Généreux encouragement aux artistes canadiens », *La Presse*, 28 avril 1911, p. 1.

61. Anonyme, « Le goût des arts », *Le Canada*, 19 juillet 1911, p. 8. L'édifice de l'AAM sera inauguré le 9 décembre 1912.

62. « Il est des événements, dans la vie, qui passent sans bruit. Le 25 du mois courant, il y aura 50 ans qu'un groupe de jeunes artistes s'unissaient sous le vocable connu alors : Les Peintres de la Montée Saint-Michel » (Lettre de Joseph Jutras au président de la Société historique de Montréal [Adrien-Dalvini Archambault], 20 octobre 1961, copie manuscrite, archives privées).

63. « Vers 1914, des paysagistes comme lui [Narcisse Poirier] s'organisent en groupe ; ils choisirent le nom typique de "Peintres de la montée Saint-Michel". La raison du choix de ce nom : c'est dans cette route sinueuse et ombragée du nord de la ville qu'ils commencèrent leurs activités. Par la suite, cette route fut considérée comme leur fief » (Émile Falardeau, « Un maître de la nature morte : Narcisse Poirier », *Le Petit Journal*, 15 août 1965, p. 33-34).

64. Olivier Maurault, *Les peintres…, op. cit.*, p. 54.

65. [Émile Filion], « Les peintres de la Montée Saint-Michel », dans *Première exposition des peintres de la Montée Saint-Michel, du 15 au 30 avril 1941*, catalogue d'exposition, Montréal, aux Galeries Morency, 1941, p. 15.

66. À partir de 1894, alors qu'il établit son studio de photographie à Saint-Henri, Benjamin Aubin s'inscrit aux cours de dessin du CAM. De manière sporadique, il suivra ces cours ainsi que ceux de modelage jusqu'en 1905, puis les reprendra de 1907 à 1910.

67. Olivier Maurault, *Les peintres…, op. cit.*, p. 58. « C'est son père qui au commencement empêche qu'il soit plus fidèle à aller à la Montée toujours avec les mêmes […] et en prenant leurs manières » (O. Maurault, notes dactylographiées…, *op. cit.*, [p. 2]).

68. Diane Archambault-Malouin, *op. cit.*, p. 3.

69. Ces trois bâtiments sont bien visibles sur l'affiche réalisée par J.-O. Legault pour la première exposition des peintres de la Montée Saint-Michel en 1941 (**C.1**), ainsi que sur une photographie (**1.8**).

70. Diane Archambault-Malouin, *op. cit.*, p. 3. Quoique déplacée et remplacée au moins trois reprises, cette croix a été restaurée grâce à la Société d'histoire du Domaine de Saint-Sulpice et remise en place le 15 mai 2019.

71. Pierre Puvis de Chavannes (1824-1898), *Le bois sacré cher aux arts et aux muses* (1884), peinture murale pour l'escalier du Musée des beaux-arts de Lyon (Collectif, *Puvis de Chavannes au Musée des Beaux-Arts de Lyon*, Réunion des musées nationaux, 1998, p. 24, 25). Cette formule, Jean-Paul Pépin s'en servira sous la forme abrégée *Le bois sacré des arts* pour titrer

une série de tableaux représentant la Montée Saint-Michel à diverses heures du jour.

72. Diane Archambault-Malouin, *op. cit.*, p. 3.

73. Olivier Maurault, *Les peintres…, op. cit.*, p. 46.

74. Anonyme, « L'annexion est consommée », *La Presse*, 26 novembre 1906, p. 14.

75. Anonyme, « Les annexions », *La Presse*, 6 avril 1906, p. 2.

76. Anonyme, « Ce bois de Boulogne », *La Presse*, 15 décembre 1906, p. 46.

77. Anonyme, « Projet d'un bois de Boulogne dans la banlieue de Montréal », *La Patrie*, 30 novembre 1906, p. 11.

78. *Ibid.*

79. Anonyme, « Le Séminaire », *La Patrie*, 6 décembre 1906, p. 16.

80. Pour la description pittoresque du peintre et de son équipement, voir O. Maurault, *Les peintres…, op. cit.*, p. 48.

81. Joseph Jutras, *Ernest Aubin, le père de la Montée Saint-Michel, op. cit.*, p. 9.

82. Joseph Jutras, « Lettre à Olivier Maurault », 12 janvier 1941, dans O. Maurault, *Les peintres…, op. cit.*, p. 93.

83. *Ibid.*, p. 91. Dans le brouillon de sa lettre, Jutras mentionne aussi « les vieilles clôtures de pierre ornementées par les vignes sauvages » (feuille volante paginée 4, archives privées).

84. André Comeau, *Institutions artistiques du Québec de l'entre-deux-guerres (1919-1939)*, thèse de doctorat, Université de Paris I, Panthéon-Sorbonne, 1983, p. 177-178. En 1911, Maurice Cullen remplacera Edmond Dyonnet à la direction des cours d'été en plein air. Voir Sylvia Antoniou, *Maurice Cullen 1866-1934*, catalogue d'exposition, Kingston (Ont.), Agnes Etherington Art Center, Queen's University, 1982, p. 20.

85. Un des tableaux de Joseph Jutras à l'exposition de 1941 chez Morency Frères s'intitulait *À la ferme avec MM. Aubin, Proulx et Pépin, peignant le même sujet* (non localisé). Jutras le mentionne dans sa lettre à Olivier Maurault (*op. cit.*, p. 94) : « Je possède un tableau représentant Proulx, Pépin, Aubin, au travail à la Montée. » À l'*Exposition d'art canadien*, présentée au collège André-Grasset du 29 octobre au 7 novembre 1944, ce tableau apparaît sous le titre *Peintres de la Montée à pied d'œuvre*.

86. Une œuvre de Léger intitulée *Reflets* a figuré à l'exposition des peintres de la Montée Saint-Michel, en 1941, à la galerie Morency.

87. Aujourd'hui arrondissement de Saint-Léonard.

88. Joseph Jutras, *Biographie de Narcisse Poirier*, onze feuillets dactylographiés, avec additions manuscrites, paginés de 1 à 11, p. 5, archives privées.

89. Qui deviendront la carrière Miron dans les années 1940. Voir Suzanne Thibault (dir.), *op. cit.*, p. 11-12.

90. Joseph Jutras, *Ernest Aubin, compagnon de voyage* [I], trois feuillets manuscrits paginés de 1 à 5, p. 2, archives privées.

91. Joseph Jutras, *Ernest Aubin, compagnon de voyage* [II], quatre feuillets manuscrits paginés de 1 à 8, p. 1, 2, archives privées.

92. Richard Foisy, *Maurice Le Bel, graveur et peintre : du terroir à l'abstraction*, Montréal, Fides, 2013, p. 25-27.

93. Outre les artistes mentionnés dans notre texte, les noms suivants sont cités par Joseph Jutras dans sa lettre à Olivier Maurault du 12 janvier 1941 (*op. cit.*, p. 89-94) : Maurice Cullen (1866-1934), Robert Pilot (1898-1967), Alfred Beaupré (1884-1957), Albert-Samuel Brodeur (1862-1933), Émile Vézina (1876-1942), Napoléon Savard (1870-1962), René-Charles Béliveau (1872-1914).

94. Rodolphe Duguay, *Journal 1907-1927*, texte établi, présenté et annoté par Jean-Guy Dagenais, Claire Duguay et Richard Foisy, Montréal, Éditions Varia, 2002, p. 31.

95. Richard Foisy, « Portrait d'une vie », dans Michèle Grandbois (dir.), *Marc-Aurèle Fortin : l'expérience de la couleur*, catalogue d'exposition, Québec, Musée national des beaux-arts du Québec, 2011, p. 27.

96. En 1920, Bernard Mayman récolte une mention pour le dessin à main levée en deuxième année, tandis qu'en modelage il est hors concours.

97. Non localisé. Il s'agissait d'une sanguine, numéro 95 du catalogue *Première exposition des peintres de la Montée Saint-Michel*, p. 7.

98. « Johnstone y donnait [rue des Carrières] un cours de paysage, l'été, et ce coin était son favori où il conduisait ses élèves par les beaux après-midis » (Joseph Jutras, *Le coin des pieds-noirs*, deux feuillets manuscrits, paginés de 1 à 4, p. 1, archives privées).

99. « Au Monument-National, elle était considérée comme la maman des étudiants, et sa jovialité en fit l'amie de tous. [...] Ce fut une assidue de la Montée » (Joseph Jutras, « Lettre à Olivier Maurault », *op. cit.*, p. 94). « Ma mère se montre maternelle au milieu des artistes. Voyant des jeunes sans le sou, elle s'occupe d'eux et les secoure [*sic*] discrètement. C'est sans doute pour cette raison, ajoutée à la considération de son âge avancé, qu'on lui donne le titre affectueux de "Mère des artistes" » (Émile Gervais, s.j., *Artiste et mère de famille : Eugénie Boudreau [Mme Ernest Gervais 1863-1943]*, dix feuillets dactylographiés, paginés de 1 à 10, p. 8, archives Estelle Piquette-Gareau [AEPG]). Eugénie Gervais a aussi étudié à l'école de l'Art Association, avec Brymner, on ne sait à quel moment, mais son nom figure sur le certificat d'appréciation présenté à Brymner par ses anciens élèves en reconnaissance de ses trente-cinq ans de professorat, le 26 avril 1921. Voir Alicia Boutilier et Paul Maréchal (dir.), *op. cit.*, p. 129.

100. Joseph Jutras, « Lettre à Olivier Maurault », *op. cit.*, p. 90.

101. Voir Rodolphe Duguay, *op. cit.*, p. 696-699.

102. Joseph Jutras, *Ernest Aubin : le père...*, *op. cit.*, p. 2.

103. Joseph Jutras, *Les peintres de la Montée Saint-Michel*, *op. cit.*, p. 6.

104. Anonyme, « Une visite au Salon du Club Saint-Denis », *La Patrie*, 26 avril 1911, p. 12.

105. Pierre Bourcier, « Le Salon de 1920 », *La Revue nationale*, mai 1920, p. 23.

106. Albert Laberge, « Série de paysages et de superbes tableaux de fleurs », *La Presse*, 23 novembre 1926, p. 15.

107. Albert Laberge, « Remarquable exposition par le peintre N. Poirier », *La Presse*, 17 décembre 1923, p. 5.

108. Albert Laberge, « Série de paysages et de superbes tableaux de fleurs », *loc. cit.*

109. J[acques] D[elisle], « J.-P. Pépin expose chez Morency Frères », *Le Devoir*, 24 octobre 1946, p. 9.

110. Jacques Delisle, « M. Paul Pépin expose », *Le Devoir*, 8 avril 1946, p. 4.

111. Anonyme, « Quatre expositions pour l'ouverture de la saison artistique », *Le Canada*, 3 octobre 1945, p. 5.

112. Le Boulevardier [pseud. de Roger Parent], « Rumeurs et potins », *Photo-Journal*, 7 octobre 1948, p. 38.

113. Albert Laberge, « Ouverture du Salon des artistes canadiens à la Art Association », *La Presse*, 22 mars 1930, p. 49.

114. Albert Laberge, « L'art et les artistes : pour encourager et faire connaître nos artistes », *La Presse*, 13 mai 1930, p. 25.

115. [Albert Laberge], « Travaux de sculpture au Salon du printemps », *La Presse*, 31 mars 1924, p. 22.

116. [Albert Laberge], « Une visite à l'exposition de peintures », *La Presse*, 22 mars 1922, p. 3.

117. [Albert Laberge], « Exposition de tableaux par le peintre J. Jutras », *La Presse*, 9 mars 1925, p. 19.

118. Roméo Boivin, « Le Salon du printemps : la montée vers un art autonome », *La Patrie*, 21 avril 1934, p. 44.

119. Ubald Paquin, « Ce qu'est notre Quartier latin et ce que sont ses poètes », *Le Canada*, 27 avril 1917, p. 5.

120. Voir Richard Foisy, *L'Arche : un atelier d'artistes dans le Vieux-Montréal*, Montréal, VLB éditeur, 2009, p. 38-67.

121. Alfred Miro a exposé au Salon du printemps de 1916 à 1918. On ne sait où il a reçu sa formation.

122. En 1917, Serge Lefebvre s'inscrit aux Arts et Manufactures, où il fait la connaissance d'Ernest Aubin. Le 11 juin 1919, il récolte une mention pour le dessin à main levée, en deuxième année d'études, et le 11 juin 1920, il obtient une autre mention en dessin à main levée.

123. Joseph Jutras, *La vie à L'Arche*, deux feuillets manuscrits, paginés de 1 à 4, p. 2, archives privées.

124. *Ibid.*

125. Olivier Maurault, *Les peintres...*, *op. cit.*, p. 52-53.

126. « M. É. Lemieux, artiste dessinateur qui est de retour d'Europe depuis un mois, [...] ouvrira une exposition de ses œuvres le 30 septembre » (Anonyme, *La Patrie*, 30 septembre 1911, p. 7).

127. [Albert Laberge], « Toiles remarquables par les peintres de Toronto », *La Presse*, 23 novembre 1925, p. 5.

128. [Albert Laberge], « Une visite à l'exposition de peintures », *La Presse*, 22 mars 1922, p. 3.

129. « On nous a dit que nombre de ces toiles sont des essais de quelques élèves de l'école de peinture de l'Association des Arts. Il serait bon que le public le sût [...] si ces essais sont là comme spécimens du genre d'enseignement qui se donne à l'école de peinture de l'Association des Arts, cet enseignement se recommande peu par lui-même », écrit Paul Dupré (« Au Salon du printemps », *Le Devoir*, 27 mars 1922, p. 1).

130. Voir Jacques Des Rochers, « Circonscrire aujourd'hui le Groupe de Beaver Hall », dans *Une modernité des années 1920 à Montréal : le Groupe de Beaver Hall*, catalogue d'exposition, Montréal, Musée des beaux-arts de Montréal, 2015, p. 70-88.

131. [Albert Laberge], « Une visite à l'exposition de peintures », *La Presse*, 22 mars 1922, p. 3.

132. Voir Amor [pseud.], « Jazz », *Le Quartier latin*, 26 février 1920, p. 2, où cette musique est assimilée à une maladie vénérienne dont la bactérie est appelée « jazzocoque ». Dès 1919, cependant, Montréal possédait son Jazz Band au Jardin de danse (Anonyme, « On prépare une belle soirée aux militaires », *La Patrie*, 5 avril 1919, p. 7).

133. [Albert Laberge], « Au fil de l'heure / Le Groupe Beaver Hall », *La Presse*, 20 janvier 1921, p. 2.

134. *Ibid.*

135. *Ibid.*

136. Même dans les années 1950, Aubin écrira à Jutras : « Il te faut continuer de peindre, te renouveler » (Lettre d'Ernest Aubin à Joseph Jutras, 30 avril 1951, AEPG).

137. Diane Archambault-Malouin, *op. cit.*, p. 6. Voir aussi Jacques Bannon, *Le collège André-Grasset : 75 ans d'histoire*, Montréal, Fides, 2003, p. 49-74.

138. Joseph Jutras, « Lettre à Olivier Maurault », *op. cit.*, p. 89.

139. *Ibid.*, p. 90.

140. [Albert Laberge], « Exposition de peintures canadiennes : M. Ivan Jobin groupera les œuvres de nos principaux artistes… », *La Presse*, 16 mai 1930, p. 20.

141. Jean-René Lassonde, *La Bibliothèque Saint-Sulpice, 1910-1931*, 3ᵉ éd., Montréal, Bibliothèque nationale du Québec, 2001, p. 281.

142. Joseph Jutras, « La peinture », *La Presse*, 5 mai 1931, p. 31.

143. Frédéric Pelletier, « La vie musicale : l'Union des musiciens veut faire parler d'elle – L'homme d'affaires américain – Un dernier concert d'orgue – Les Peintres de la Montée Saint-Michel », *Le Devoir*, 9 mai 1931, p. 6.

CHAPITRE 3

1. Originaire de Coaticook, dans les Cantons-de-l'Est, Benjamin Aubin arrive à Montréal en 1882, à l'âge de vingt ans (Carnet personnel de Benjamin Aubin, coll. part.) En 1887, il épouse Delphine Bayard. Il aurait commencé l'étude du dessin à l'Institution nationale des beaux-arts, dirigée par l'abbé Joseph Chabert. Au CAM, en 1895, il récolte un deuxième prix de dessin (5 $) en classe des débutants (*Rapport annuel du Conseil des arts et manufactures, 1894-1895*, n.p, fonds du Conseil des arts et manufactures, BAnQ). En 1902, il reçoit une mention en troisième année d'études, ce qui indique qu'il se serait réinscrit au CAM en 1899. On trouve, dans des collections privées, quelques plâtres et fusains de Benjamin Aubin.

2. Olivier Maurault, « Les peintres de la Montée Saint-Michel », *Les Cahiers des Dix*, nᵒ 6, décembre 1941, p. 65. Réédition présentée et annotée par Richard Foisy sous le titre *Les peintres de la Montée Saint-Michel, cent ans après : 1911-2011*, Montréal, Fides, 2011, p. 56. Nos références renvoient à cette réédition.

3. « L'art tenait la première place dans ce foyer un peu bohème », écrira Joseph Jutras (*Ernest Aubin, le père de la Montée Saint-Michel*, dix feuillets dactylographiés avec additions manuscrites, paginés de 1 à 10, p. 1, archives privées).

4. Dans le *Lovell's Montreal Directory* (LMD), on trouve, en 1900 : « Aubin, Benjamin, *printer*, 82 St-Dominique » ; en 1903 : « Aubin B., *photographer*, 542 Lagauchetière » ; en 1904 : « Aubin B., *photographer*, mgr. Solar printing Co., 542 Lagauchetière ».

5. Thérèse Contant, *Souvenirs et notes*, 16 pages manuscrites sur Ernest Aubin, non paginées, [p. 2], archives Estelle Piquette-Gareau (AEPG).

6. Olivier Maurault, notes dactylographiées sur les peintres de la Montée Saint-Michel, huit feuillets non paginés, [p. 1] (fonds Olivier Maurault, archives des prêtres de Saint-Sulpice).

7. Maurice Desjardins, « Avant que de peindre : apprendre à dessiner ! », entrevue avec Edmond Dyonnet, *La Patrie*, 1ᵉʳ mai 1946, p. 9.

8. Entre 1910 et 1918, Maria Aubin fera six années d'études au CAM. En 1911, 1914, 1916 et 1917, elle récolte des mentions ; en 1918, elle remporte le deuxième prix.

9. « Cours de peinture donnés l'après-midi par Jobson Paradis, consistant surtout en natures mortes et un peu de modèle vivant » (Joseph Jutras, *Biographie de Narcisse Poirier*, onze feuillets dactylographiés, paginés de 1 à 11, p. 4, archives privées).

10. En 1914, 1915 et 1916, Aubin remporte le premier prix, puis est classé hors concours en 1917 et 1918 et de 1920 à 1923. Le modelage est la dernière formation qu'il aura suivie au CAM.

11. Alfred Laliberté, *Les artistes de mon temps*, texte établi, présenté et annoté par Odette Legendre, Montréal, Boréal, 1986, p. 237.

12. Voir Anonyme, « Les élèves des cours gratuits du Conseil des arts et manufactures sont couronnés pour leurs travaux », *La Patrie*, 6 juin 1913, p. 2, où l'on rapporte que Benjamin Aubin récolte une mention honorable en troisième année d'études.

13. « Ernest voyageait en ville avec son père, il avait autour de douze ans, il continuait d'aller à l'école, mais il travaillait avec son père le matin et après la classe. Il me disait : "Je me levais à 4 h du matin pour finir les agrandissements, il s'agissait de les laver à l'eau courante, et l'eau était très très froide." Après la classe, il aidait à prendre les photos. […] Le soir, il allait avec son père, qui suivait des cours de sculpture au Monument-National. Ernest étudiait le dessin » (Thérèse Contant, *Souvenirs et notes*, *op. cit.*, [p. 2]).

14. « C'est son père qui au commencement empêche qu'il soit plus fidèle à aller à la Montée toujours avec les mêmes ; son père ne veut pas qu'il perde sa personnalité en allant toujours avec les mêmes et en prenant leurs manières » (O. Maurault, notes dactylographiées…, *op. cit.*, [p. 2].) Dans son texte de 1941, Maurault adoucit quelque peu : « Mais son père continue à veiller sur lui ; il ne veut pas qu'il sorte trop souvent avec les mêmes artistes, afin de ne pas perdre sa personnalité » (O. Maurault, *Les peintres…*, *op. cit.*, p. 58.)

15. Thérèse Contant, *Souvenirs et notes*, *op. cit.*, [p. 3].

16. Emmanuel Desrosiers, « M. Narcisse Poirier, artiste peintre », *Mon Magazine*, novembre 1931, p. 4.

17. « Art Gall[ery] / dessin (jeudi soir) nu / 1908-09 », écrit Olivier Maurault dans ses notes manuscrites sur les peintres de la Montée Saint-Michel (neuf feuillets épars, fonds Olivier Maurault, archives des prêtres de Saint-Sulpice).

18. Joseph Jutras donne cette version des faits, qui confirme qu'Aubin a étudié sous Brymner, mais dont tous les détails ne sont pas vérifiables : « Après quatre années d'études [donc en 1911], son professeur, M. Edmond Dyonnet, le considéra comme suffisamment avancé pour être présenté aux cours qui se donnaient à la Galerie des beaux-arts de Montréal, alors située au carré Phillips. […] Son admission à la Galerie était une exception, car à cette date on n'acceptait les élèves qu'à l'âge de vingt ans […] Il avait quatorze ans [*sic*] » (Joseph Jutras, *Ernest Aubin, le père…*, *op. cit.*, p. 5). Les souvenirs de Jutras semblent se rapporter plutôt aux années 1908-1909, comme l'indique Olivier Maurault dans le passage cité à la note 17.

19. Certains nus masculins de Jean-Onésime Legault, dont quelques-uns sont datés de 1907-1909 (5.6, 7), n'ont pu être exécutés qu'à l'école de l'Art Association, le CAM ne proposant que des modèles drapés. Dans le cas d'Ernest Aubin, si nous n'avons retrouvé aucun nu masculin – ni féminin d'ailleurs – portant les dates de 1908-1909, mais certains nus masculins, de facture encore hésitante, pourraient avoir été exécutés à l'AAM (coll. Mario et Richard Contant). Pour les modèles nus à l'AAM, voir Alicia Boutilier et Paul Maréchal (dir.), *William Brymner : peintre, professeur et confrère*, Kingston (Ont.), Agnes Etherington Art Centre, Queen's University, 2010, p. 50.

20. « Pendant un an et demi, il [Aubin] fréquente les cours de Brymner à la Art Gallery : cela dépasse bientôt ses moyens » (O. Maurault, notes dactylographiées…, *op. cit.*, [p. 2]).

21. Voir Anonyme, « L'impressionnisme : conférence par M. William Brymner », *La Presse*, 14 avril 1897, p. 1 (avec croquis de l'événement), qui précise que « la conférence était illustrée de vues à la lanterne magique ». Voir Alicia Boutilier et Paul Maréchal (dir.), *op. cit.*, p. 132-149.

22. Coll. famille Gareau.

23. « Son premier atelier est situé rue Notre-Dame [rue Saint-Jean-Baptiste], dans un storage [*sic*] de Desmarais & Robitaille : il y travaille avec Proulx, Élisée Martel, un nommé Bourgeault y vient aussi quelques fois » (O. Maurault, notes dactylographiées…, *op. cit.* ; voir aussi O. Maurault, *Les peintres…, op. cit.*, p. 52-53). Walter Bourgeault a fait ses études au CAM.

24. Anonyme, « Au Salon », *La Patrie*, 24 mars 1908, p. 10.

25. « Il avait des centaines de pochades 5 x 8 [po] ou à peu près. […] Plusieurs pensent que ces pièces ne sont pas finies ; au contraire, elles sont finies, il les voulait comme ça, et regardez-les bien de loin, il n'y manque rien » (Thérèse Contant, *Souvenirs et notes, op. cit.*, [p. 10]). « Il [Aubin] doit avoir un millier de pochades » (O. Maurault, notes manuscrites…, *loc. cit.*).

26. Jean-Aubert Loranger, *Poëmes*, Montréal, L[ouis-]Ad[olphe] Morissette (imprimeur), 1922, 112 p.

27. Emily Dickinson, *Quatrains et autres poèmes brefs,* Paris, Gallimard, 2000, 312 p.

28. Ernest Aubin avait couvert les murs d'une des pièces de sa maison de Sainte-Adèle avec de nombreuses et très petites pochades qui faisaient ressembler cette pièce à un ciel étoilé. (Propos de Thérèse Contant à Estelle Piquette-Gareau, que celle-ci nous a rapportés.)

29. Stéphane Mallarmé, « Plusieurs sonnets », *Poésies*, Gallimard, coll. de la Pléiade, 1998, p. 36.

30. Jean-Paul Pépin, Journal, 1923-1931, carnet 1, p. 28, AEPG. À la suite de cette phrase, Boudin ajoutait : « Trois coups de pinceau d'après nature valent mieux que deux jours de chevalet. » Voir Vivien Hamilton, *Boudin at Trouville*, catalogue d'exposition, Glasgow Museums and John Murray, 1992.

31. Jean-Paul Pépin, Journal 1, *op. cit.*, entrée 93, p. 46-47. La citation se termine ainsi : « Et plus loin : "L'esquisse ne nous attache peut-être si fort que parce qu'étant indéterminée elle laisse plus de liberté à notre imagination qui y voit tout ce qui lui plaît. C'est l'histoire de l'enfant qui regarde des nuées, et nous sommes presque tous des enfants" », avec la référence suivante : « (P.S. voir *Art Vivant*, n° 148, mai 1931, p. 144) ».

32. Dans le Journal de Jean-Paul Pépin (*op. cit.*), on trouve une suite de neuf alexandrins, datés de 1927 : « Vers dédiés à mon ami E. A. », transcrits par Pépin, mais non signés, avec la mention « Ici, en plein Noël, le soleil s'éternise » ; dans la marge, une annotation gribouillée par Pépin, qui semble être : « Los Angeles ». Cela laisse à penser qu'il s'agit peut-être d'Alfred Beaupré (1884-1957), compagnon du CAM qui habite en Californie depuis au moins 1924. Les quatre premiers vers se lisent ainsi : « Crois-moi, Ernest, l'hiver est une chose exquise / Et la neige et le gel sont autant de bienfaits. / Aimes-le [*sic*] bien, ce vieux janvier à barbe grise / Qui te fait bougonner en levant ton collet. »

33. Voir l'intérêt que le peintre Adrien Hébert a porté à ce silo dans Pierre L'Allier (dir.), *Adrien Hébert,* catalogue d'exposition, Musée du Québec, 1993, p. 90-97, 124-131, 138-147.

34. Voir Michèle Grandbois (dir.), *Marc-Aurèle Fortin : l'expérience de la couleur,* catalogue d'exposition, Musée national des beaux-arts du Québec, 2011, p. 136-146.

35. Thérèse Contant, *Notes et souvenirs, op. cit.*, [p. 6].

36. En 1917, Lefebvre s'est inscrit au CAM où il a fait la connaissance d'Ernest Aubin. Le 11 juin 1919, il récolte une mention pour le dessin à main levée, un cours du soir en deuxième année d'études, et le 11 juin 1920, il obtient une autre mention toujours en dessin à main levée, encore un cours du soir, en troisième année d'études. Il pratiquera le dessin, la peinture, la sculpture, la gravure et se spécialisera dans les illustrations à caractère légèrement grivois.

37. Sur Alfred Miro, voir [Albert Laberge], « L'exposition de peinture », *La Presse*, 28 mars 1916, p. 7.

38. « Deux ou trois soirs par semaine, il allait à la Galerie [des Arts], faire des "Modèles vivants". Rien ne le retenait ces soirs-là, il "allait étudier" » (Thérèse Contant, *Souvenirs et notes, op. cit.*, [p. 6].)

39. Aubin travaillera avec eux à *La Presse* dans les années 1930.

40. Voir chapitre 1, « Un groupe dans le siècle », p. xx.

41. D'après Estelle Piquette-Gareau, qui le tient d'Irène Lussier elle-même. Jusqu'à la mort d'Aubin et même après, elle continuera d'habiter un des logements à l'étage de l'immeuble de l'avenue Papineau.

42. « Plusieurs gardes-malades ont posé pour notre artiste, car le blanc des uniformes le hantait ; il y trouvait un jeu de blancs, tant dans la lumière que dans les ombres. Agrémenté d'un joli minois, [cela] faisait un tableau des plus reposants » (Joseph Jutras, *Ernest Aubin, père de la Montée Saint-Michel, op. cit.*, p. 7).

43. Joseph Jutras, « Laurette Bélisle », deux feuillets, p. 1 (archives privées).

44. En 1941, un journaliste rapporte l'anecdote suivante : « M. E. Aubin, […] nous confiait qu'il n'avait jamais pu se rendre dans les Laurentides, faute d'argent, mais, ajoutait-il, Montréal offrait assez de beautés », Anonyme, « Première exposition des peintres de la Montée Saint-Michel », *Le Canada*, 16 avril 1941, p. 3.

45. « Après un an [*sic*] à Montréal, ma tante décide qu'elle en avait assez de vivre dans toutes ces vieilleries, toiles, dessins, sculptures, qui s'accumulent dans toute la maison. / Elle l'amène donc passer des vacances à Sainte-Adèle » (Thérèse Contant, *Souvenirs et notes, op. cit.*, [p. 10-11].)

46. Lettre à sa sœur, Maria Aubin, 11 août 1943, photocopie, AEPG.

47. « Parmi eux [les artistes], le peintre Ernest Aubin, autrefois chef du groupe de La Montée Saint-Michel, dans sa coquette maison en bois rond, s'adonne à son art consommé de paysagiste. Il occupe ses loisirs à du modelage, des dessins, de même qu'à des photographies d'art. Les dilettantes qui voyagent à travers nos Laurentides devraient "faire escale" au studio d'Ernest Aubin, dans leur "croisière laurentienne", car il demeure à Sainte-Adèle-en-Bas, sur la route de Sainte-Marguerite » (Cécile P. Lamarre, « À Sainte-Adèle : propos de vacances », *L'Avenir du Nord*, 28 septembre 1945, p. 1).

48. « Depuis quelques années, Sainte-Adèle est devenu un sanctuaire artistique à ce que nous apprennent les grands journaux ; l'on finit par croire que les artistes de là-haut sont devenus l'école canadienne même. / Avant tout le tintamarre, il a passé des artistes à Sainte-Adèle qui ont su admirer les majestueux paysages et même un qui s'est établi [depuis] près de 10 ans et je nomme Ernest Aubin, artiste peintre, sculpteur et graveur » (Joseph Jutras, « Lettre ouverte », *L'Avenir du Nord*, 10 septembre 1953, p. 4.)

49. Lettre de Laurette Bélisle à Joseph Jutras, 7 juin 1947, AEPG.

50. « Sauf les travaux de maçonnerie, tout fut fait de ses mains » (Joseph Jutras, *Ernest Aubin, père de la Montée Saint-Michel, op. cit.*, p. 9).

51. Registre des visiteurs au salon funéraire (archives privées).

52. Voir Alfred Ayotte, « Georgette s'en va-t-au moulin… », *L'Œil* (Montréal), décembre 1950, p. 13-14.

53. En 1915, le Salon du printemps a lieu du 26 mars au 17 avril.

54. Si, en 1917, il expose un *Sketch*, la fois suivante, en 1919, il expose deux tableaux intitulés *Étude*.

55. « Signalons encore deux plâtres d'une valeur artistique exceptionnelle par O.-A. Léger » ([Albert Laberge], « Ouverture de l'exposition de peintures et de sculptures », *La Presse*, 27 mars 1915, p. 30).

56. Poirier est mentionné « parmi les nombreux Canadiens français qui ont exposé » (Anonyme, « L'exposition des peintures », *Le Canada*, 26 mars 1915, p. 7).

57. Boutique de draperies et de décoration située au 4159, rue Sainte-Catherine Ouest. Une seule exposition aura lieu en août 1930. Voir Jean Chauvin, « Chronique d'art / Un musée d'art canadien », *La Revue populaire*, août 1930, p. 11.

58. [Albert Laberge], « Exposition de peintures par nos artistes », *La Presse*, 2 avril 1921, p. 7.

59. Albert Laberge, « Ouverture du Salon des artistes canadiens à la Art Association », *La Presse*, 22 mars, 1930, p. 49.

60. Albert Laberge, « L'art et les artistes : pour encourager et faire connaître nos artistes », *La Presse*, 13 mai 1930, p. 25.

61. Jean Chauvin, *op. cit.* À la page 12, sous la rubrique « Peinture Canadienne », *Nos Vieilles Maisons* est reproduit sans titre, mais avec le nom de l'artiste. Dans « Chronique d'art / Deux jeunes peintres canadiens », *La Revue populaire*, septembre 1930, p. 15, on reproduit une photographie d'un coin de l'exposition.

62. [Albert Laberge], « Chefs-d'œuvre canadiens (nᵒ 17) », *La Presse*, « Magazine illustré », 21 novembre 1931, p. 24.

63. Frère Gilles, o.f.m., « La neige dans l'art canadien », *La Presse*, 26 décembre 1936, p. 24.

64. Donat Coste, « Ernest Aubin est un grand peintre canadien », *Le Rayon*, novembre 1947, p. 18.

65. Reynald (pseud. d'Éphrem-Réginald Bertrand), « L'activité artistique : les Peintres de la Montée Saint-Michel », *La Presse*, 19 avril 1941, p. 33.

66. Robert de Roquebrune, « Choses du temps : à la montée Saint-Michel », *Le Canada*, 24 avril 1941, p. 2.

67. Jean-Paul Pépin, Journal 1, 1923-1931, *op. cit.*, p. 18, AEPG.

68. La citation est celle-ci : « La facilité : il faut en user en la méprisant, mais, malgré cela, quand on en a pour cent mille francs, il faut encore s'en donner pour deux sous » (Henri Delaborde, « Notes et pensées de J. Λ. D. Ingres », dans *Ingres, sa vie, ses travaux, sa doctrine*, Paris, Henri Plon, 1870, p.125).

69. Lettre d'ErnestAubin à Joseph Jutras, 27 avril 1947 (archives privées). C'est nous qui soulignons.

70. Lettre de Joseph Jutras à Ernest Aubin, 2 avril 1943 (archives CRALA).

71. « […] nous essayons de stimuler sa timidité et sa modestie », écrira Olivier Maurault, *Les peintres…*, *op. cit.*, p. 58 ; « Quelle damnée timidité le restreint donc aux petits sujets et aux esquisses, lui que la maturité des dons de peintre devrait inciter aujourd'hui à faire plus grand et plus hardi ? » (Reynald, *op. cit.*, p. 33) ; Alfred Laliberté (*op. cit.*, p. 237) évoque « une timidité, une soumission ». Toutefois, dans ses divers écrits biographiques sur Ernest Aubin, Joseph Jutras n'évoque nulle part cette timidité,

non plus que sa nièce Thérèse Contant dans ses *Souvenirs et notes* (*op. cit.*) sur son oncle.

72. Reynald, *op. cit.*

73. Après son mariage, en 1918, avec Ernest Contant, de la Salaison Contant, Maria habitera non loin de son frère, avenue Papineau, et les visites de ce dernier à sa sœur seront presque quotidiennes. « Il était le chevalier servant de cette sœur, qui l'aimait beaucoup en retour » (Thérèse Contant, *Souvenirs et notes*, *op. cit.*, [p. 1]).

74. « 8.00 [p.m.]. Aller au Monument National. Vu M. Laliberté + M. Soucy + proposer la place de 2ᵉ professeur de modelage […] » (Ernest Aubin, Temps comptabilisé, 2 octobre 1923, AEPG.)

75. « Composé application p[our] place de professeur Monument Nat[ional] (modelage + dessin) 50 [minutes] » (Ernest Aubin, Temps comptabilisé, 11 octobre 1923, AEPG). John Young Johnstone succédera à Dyonnet et Henri Hébert à Alfred Laliberté.

76. Ces circonstances semblent déclencher entre Ernest Aubin et sa mère une sorte de crise dont son Temps comptabilisé garde la trace, avec des formulations parfois obscures : « 11 octobre 1923. Découragé à cause de certaine remarque de maman (surtout manœuvre) et après repas et réflexion, je décider [sic] d'être complètement ferme pour que mes actions soient plus rapides et pour qu'il y ait moins de critiques sur ces derniers [sic]. Et j'ai décidé de ne plus me laisser conduire par les préjugés et insinuations, meilleure santé pour continuer la… Et une énergie d'acier pour contrôler autant que possible les événements. […] – Jeté en travers sur le lit demi conscient mal dormi relevé avec grand mal aux reins, beaucoup de difficulté de marcher. »

77. « Plusieurs fois, des capitaines de bateaux lui ont offert la traversée gratuite pour l'Europe, il a refusé, il ne pouvait laisser sa mère sans aide, il s'en sentait responsable » (Thérèse Contant, *Souvenirs et notes*, *op. cit.*, [p. 4]).

78. *Ibid.*

79. *Ibid.* Le Canadian National Railway payait le coût du transport de l'équipe. Voir Rosalind Pepall et Brian Foss (dir.), *Edwin Holgate*, catalogue d'exposition, Musée des beaux-arts de Montréal, 2005, p. 55, 167.

80. Frères maristes, *Cours de lecture, Troisième livre, 3ᵉ et 4ᵉ année*, Montréal, Librairie Granger Frères, 1925, avec des illustrations d'Onésime-Aimé Léger, James McIsaac, Ernest Aubin et Jean-Baptiste Lagacé. La contribution d'Aubin se trouve aux pages 30, 37, 50, 61, 62, 75, 97, 103, 108, 116, 118, 128, 132, 177, 190, 213, 241, 259, 287.

81. Entre autres pour la Salaison Contant, sa sœur Maria ayant épousé un des fils de cet important commerçant.

CHAPITRE 4

1. D'après le *Lovell's Montreal Directory* (LMD) et les catalogues des expositions de l'Art Association of Montreal (AAM), de 1905 à 1909, Joseph Saint-Charles a eu son atelier au 15 A, rue de Bleury, à côté ou au rez-de-chaussée de l'ancien studio du photographe Notman, qui se trouvait au numéro 17. De 1905 à 1907, le peintre avait son domicile au 473, rue Saint-Hubert, un peu au nord de la rue Cherrier, non loin de l'école Olier, mais assez loin de son atelier. De 1909 à 1911, son atelier est au 182, rue Saint-Denis, local 11, dans l'édifice Le Gaspé, en face de l'Université Laval, adresse où le peintre René-Charles Béliveau (1872-1914) a son propre atelier, son père étant propriétaire du Gaspé.

2. Joseph Jutras, *Souvenirs*, neuf feuillets autographes, paginés de 13 à 21, p. 16-17, archives privées.

3. *Ibid.*

4. *Ibid.*

5. Joseph Jutras, [*Autobiographie 1*], dix feuillets autographes, sans titre, paginés de 6 à 15, p. 13, archives privées. Témoignant de sa culture générale, il existe dans les archives de Joseph Jutras de nombreuses partitions musicales pour piano et voix, un spicilège rempli de poèmes découpés provenant de journaux et de revues, une collection de reproductions d'œuvres d'art sous divers formats, une collection de cartes postales anciennes et un inventaire de sa bibliothèque.

6. « Comme courtier d'immeuble il était reconnu comme une autorité et à maintes reprises, ses services furent requis comme arbitre dans des questions immobilières très épineuses. Ses connaissances en droit commercial lui ont valu ses succès en affaires » (Anonyme, « Mort d'un agent d'immeubles des mieux connus », *Le Canada*, 12 août 1929, p. 8).

7. Voir *Le Canada héroïque : tableaux de la cathédrale de Montréal peints par Georges Delfosse 1908-1909*, lettre-préface de Paul Bruchési, archevêque de Montréal, commentaires bilingues de l'abbé Élie-J. Auclair et Albert Ferland, Montréal, Imprimerie L[ouis]-Ad[olphe] Morissette, [1910], Montréal, n.p.

8. Joseph Jutras, [*Autobiographie 1*], p. 7, archives privées.

9. Joseph Jutras, *Émile Vézina*, biographie inédite, 1945, 1957, p. 12-15, archives privées.

10. Joseph Jutras, *Quelques notes et impressions*, p. 1, archives privées.

11. Joseph-Jutras, *René-Charles Béliveau, un peintre de chez nous*, biographie inédite, 1940, p. 23, archives privées.

12. « Rien de plus intéressant, de plus passionnant même pour ceux qui ont le moindre souci d'art, que de visiter à l'automne les ateliers dans lesquels s'empilent ou sont accrochés les tableaux faits pendant les mois d'été », [Albert Laberge], « Visite à travers les ateliers de nos artistes », *La Presse*, 21 novembre 1908, p. 12.

13. Joseph Jutras, [*Autobiographie 2*], sept feuillets autographes, paginés de 3 à 15, p. 4-5 (archives privées). Mentionnons aussi que, de 1906 à 1917, Maurice Cullen habite au square du Beaver Hall ; de 1911 à 1913, John Young Johnstone donne pour adresse celle de l'AAM, rue Sherbrooke Ouest, mais à partir de 1915, il sera au 223, rue Ontario Ouest ; quant à Adam Sherriff Scott, il est au Schargput Studio, 2587A, rue Jeanne-Mance, en 1915, puis, en 1916, au 360, square du Beaver Hall, avec A. & W. S. Maxwell, Gertrude Des Clayes, G. Horne Russell. À ces noms, il convient d'ajouter, d'après un autre texte autobiographique, ceux de Alexander Young Jackson, William Henry Clapp et Ozias Leduc – mais plus tard pour ce dernier, en 1924. Jutras rendra aussi visite à René-Charles Béliveau dont l'atelier était situé dans l'immeuble Le Gaspé, au 182, rue Saint-Denis, devant l'Université Laval, où Joseph Saint-Charles aura son atelier de 1909 à 1911.

14. Joseph Jutras, *René-Charles Béliveau, un peintre de chez nous, op. cit.*, p. 20.

15. « Travail de sollicitation, de recherches au bureau d'enregistrement, un peu de surveillance sur certains chantiers de construction, et surtout transport ici et là, acheteurs probables, voir propriétaires, fermes, magasins, industries, etc. » (Joseph Jutras, *Souvenirs, op. cit.*, p. 21, archives privées).

16. Joseph Jutras, *Avant-propos, Narcisse Poirier, artiste peintre*, un feuillet dactylographié, archives privées.

17. Anonyme, « La distribution des prix aux élèves des cours du Conseil des arts et manufactures », *La Patrie*, 9 juin 1911, p. 1, 9.

18. Joseph Jutras, « Lettre à Olivier Maurault », 12 janvier 1941, dans Olivier Maurault, *Les peintres de la Montée Saint-Michel, cent ans après : 1911-2011*, textes présentés et annotés par Richard Foisy, Montréal, Fides, 2011, p. 93-94. Nos références renvoient à cette réédition. Joseph Jutras est le seul du groupe à disposer d'un cheval pour ses déplacements. Son père avait une écurie attenante à son logis du 1239, rue Saint-Hubert.

19. Joseph Jutras, *Biographie*, première version, p. 13-14, archives privées.

20. L'œuvre fut annoncée aussi dans les journaux et les revues. Voir David Karel, *Edmond-Joseph Massicotte, illustrateur*, Musée national des beaux-arts du Québec et Presses de l'Université Laval, 2005, p. 119.

21. Joseph Jutras, *Biographie*, première version, *op. cit.*, p. 11.

22. *Ibid.*, p. 8.

23. *Ibid.*

24. Anonyme, « Au Conseil des arts et manufactures », *La Patrie*, 8 juin 1916, p. 8.

25. De marque Reynolds's Bristol Board, fait en Angleterre.

26. Reproduit dans *Toil'etta*, 1er octobre 1922, dans *Le Passe-Temps*, 18 novembre 1922, dans *La Revue moderne*, mars 1926. Sous-titré *La Maison des Le Moyne à Longueuil, un des derniers vestiges du régime français*, dans *Toil'etta*, le dessin était accompagné d'un commentaire, probablement de la main de Jutras : « Dans ce petit croquis, notre artiste nous révèle toute une page d'histoire dans quelques coups de plume, car cette vieille relique a vu passer dans ses murs des générations entières, et a été le berceau d'une famille de braves entre tous, les Lemoyne d'Iberville. / Dans quelques jours, hélas ! elle passera dans l'oubli, car le pic des démolisseurs a décidé de son sort. C'est ainsi : continuons à coups de pic à démolir tout ce qui a une histoire, en détruisant petit à petit les souvenirs du berceau de notre race. »

27. J[oseph] Jutras, « Un peintre sur la route », *Le Foyer rural*, août 1948, p. 6.

28. [Albert Laberge], « Exposition de tableaux par J. Jutras au National », *La Presse*, 22 février 1926, p. 20.

29. Joseph Jutras, *Avant-propos, Narcisse Poirier..., op. cit.*

30. *Ibid.*

31. Joseph Jutras, *Biographie de Narcisse Poirier*, onze feuillets, p. 5, archives privées.

32. Nom donné par Jutras à Aubin dans ses textes biographiques.

33. Lettre d'Ernest Aubin à Joseph Jutras, 5 mars 1942, archives Estelle Piquette-Gareau.

34. Lettre de Joseph Jutras à Ernest Aubin, 19 décembre 1943 (coll. part.).

35. Joseph Jutras, [*Autobiographie 1*], *op. cit.*, p. 13-14. C'est Jutras qui souligne.

36. Harel meurt à huit mois, en décembre 1914, et Marcel à sept mois, en janvier 1916. Gérard, le premier enfant du couple, vivra jusqu'à un âge avancé.

37. Fondateur de l'association qui portait son nom, Joseph-Arsène Brassard (1889-1959) présenta son premier concert à la salle Saint-Sulpice le 20 novembre 1916. Il fut maître de chœur chez les pères du Saint-Sacrement de 1914 à 1928.

38. Joseph Jutras, [*Autobiographie 2*], *op. cit.*, p. 9.

39. *Ibid.*, p. 9-10.

40. Joseph Jutras, [*Autobiographie 1*], *op. cit.*, p. 12.

41. Joseph Jutras, *Neuf automnes*, [histoire de sa parfumerie], cinq feuillets dactylographiés, paginés de 2 à 6, p. 4, archives privées.

42. L'ouvrage de S. Piesse, *Chimie des parfums et fabrication des essences* (Paris, Librairie J.B. Baillière et Fils, 1917, 396 p.) faisait partie de la bibliothèque de Joseph Jutras (coll. part.).

43. Joseph Jutras, *Neuf automnes*, *op. cit.*, p. 4.

44. « M. Jutras est un artiste remarquable dans la fabrication de ses parfums », écrit-il à la troisième personne dans *Un Quatuor d'élégance*, dépliant publicitaire de La Parfumerie J. Jutras Limitée, s.d. (archives privées).

45. « Des centaines de noms figuraient sur nos feuillets [...] quand, tout à coup, la célèbre chanson *Fais-moi rêver* retentit à mon oreille. Mais, voulant faire une petite divergence, et comme le parfum devait être présenté aux dames, on ajouta un grain de galanterie en disant *Faites-moi rêver* » (Joseph Jutras, *Neuf automnes*, *op. cit.*, p. 4).

46. Joseph Jutras à Victor Di Giacomo, président de Givaudan-Delawana Inc., New York, 3 février 1965, copie carbone, archives privées.

47. Anonyme, « La parfumerie J. Jutras célèbre aujourd'hui le sixième anniversaire de sa fondation », *Le Devoir*, 22 octobre 1924, p. 6.

48. David Karel, *op. cit.*, p. 76-83.

49. Voir Rodolphe Duguay, *Journal 1907-1927*, texte établi et annoté par Jean-Guy Dagenais, Claire Duguay et Richard Foisy, Montréal, Éditions Varia, 2002, p. 92.

50. Parfumerie J. Jutras Limitée, *Un Quatuor d'élégance*, *op. cit.*

51. *Ibid.*

52. *Ibid.*

53. Joseph Jutras, *Neuf automnes, op. cit.*, p. 5. Jutras annonce dans la revue torontoise *Druggist's Weekly* et dans les périodiques montréalais *La Presse*, *La Patrie*, *Le Devoir*, *The Montreal Star*, *La Revue moderne* et *Le Passe-Temps*. De nombreux envois postaux d'échantillons sont effectués à de multiples commerces ainsi qu'à toute personne qui en fait la demande. Des affiches sont placées dans les tramways de Montréal, de Québec et de Sherbrooke. Les pharmacies comptent parmi les dépôts les plus nombreux de ses produits.

54. Dans une de ses publicités, il insère : « Agents recherchés dans tous les comtés » (*Le Passe-temps*, 19 avril 1919, p. 142).

55. Anonyme, « La parfumerie J. Jutras célèbre aujourd'hui le sixième anniversaire de sa fondation », *op. cit.*

56. [Encart publicitaire], « Guide d'information commerciale », *Le Devoir*, 9 septembre 1922, p. 6. À cet égard, Jutras, comme membre de la Chambre de commerce de Montréal, attirera l'attention sur certains concurrents peu scrupuleux quant à leur spécificité : « M. O. [J.] Jutras, parfumeur, a obtenu qu'un comité étudie la loi qui oblige les fabricants de parfums à mettre une étiquette sur leurs flacons et leurs boîtes de façon à bien indiquer le pays de fabrication. Actuellement certains parfumeurs canadiens qui indiquent honnêtement la provenance canadienne de leurs produits ont à lutter contre la concurrence d'autres fabricants, moins scrupuleux, qui s'arrangent pour que leurs produits semblent de provenance française, anglaise ou américaine » (Anonyme, « La Chambre de commerce », *Le Devoir*, 17 janvier 1924, p. 6).

57. *Le Passe-Temps*, avril 1928, p. 49, au moment du lancement de *Cœurs et fleurs*.

58. Anonyme, « La Chambre discute l'exode des nôtres », *La Patrie*, 27 septembre 1923, p. 13.

59. *Toil'etta*, 1er septembre 1922, p. 2.

60. J[oseph] Jutras, « M. N. Poirier », *Toil'etta*, 1er octobre 1922, p. 4. Reproduit dans *Le Passe-Temps*, 18 novembre 1922, p. 338.

61. Joseph Jutras, « À nos lectrices », *Toil'etta*, janvier 1923, p. 2.

62. Voir Richard Foisy, *Un poète et son double : Émile Coderre — Jean Narrache, 1893-1970*, Montréal, L'Hexagone, 2015.

63. « D'après les chiffres compilés pour les huit premiers mois de 1926, on a un total de 460,832 ventes à une moyenne de 35 centins chaque, ce qui donne un total de $ 161 291,20 de parfum vendu en grande partie dans la province de Québec » (Anonyme, « Une compagnie canadienne qui est prospère », *La Patrie*, s.d., [1926], archives privées).

64. *Le Passe-Temps*, 17 décembre 1921, p. 437, numéro de Noël, avec annonce de sa parfumerie p. 449.

65. *La Revue moderne*, juillet 1923, p. 2.

66. Anonyme, « La parfumerie J. Jutras célèbre aujourd'hui le sixième anniversaire de sa fondation », *op. cit.*

67. Joseph Jutras, [*Autobiographie 2*], *op. cit*, p. 10.

68. « Le vieux moulin aux Grondines est un site admirable à visiter, tout y est bien conservé, l'intérieur est d'un captivant intérêt. Un vrai musée de l'ancien temps », commente Jutras (Le Juif errant [pseud.], « Un peintre-touriste canadien-français », *L'Hôtellerie*, 31 janvier 1929, p. 9).

69. J[oseph] Jutras, « Un peintre sur la route », *loc. cit.*

70. [Albert Laberge], « Exposition de tableaux par le peintre J. Jutras », *La Presse*, 14 avril 1925, p. 5.

71. Le Juif errant [pseud.], « Un peintre-touriste canadien-français », *op. cit.*

72. *Ibid.*

73. Le Juif errant [pseud.], *op. cit.* Depuis 1924, Jutras est membre de la Société de numismatique et d'archéologie de Montréal et, en 1945, il adhère à la Société historique de Montréal.

74. J[oseph] Jutras, « Un peintre sur la route », *op. cit.* Jutras fait ici allusion à la chanson *Les vieilles de chez nous*, sur une poésie de Jules Lafforgue, musique de Charles Levadé, créée en 1900.

75. Donat Coste, « Ernest Aubin est un grand peintre canadien », *Le Rayon*, novembre 1947, p. 18-19.

76. « Réponse à M. Émile Falardeau par J. Jutras, artiste paysagiste », texte manuscrit transcrit dans un carnet à spirale réservé à son *Exposition privée des œuvres de J. Jutras, tenue le 28 mai 1944*, [p. 27-28], archives privées.

77. J[oseph] Jutras, « Un peintre sur la route », *loc. cit.*

78. Après son quatrain d'introduction, Jutras poursuit ainsi sa réflexion : « Elle est paralysée dans ses membres. Elle fut par les siens dédaignée – Oh comme elle souffre – pour aller chercher dans un autre asile plus spacieux le confort de la vie douce et paresseuse. À peine se tient-elle debout, si ne fut qu'un arbre bienfaisant qui lui donne son aide et son appui. La maison abandonnée est la vie personnifiée dans de vieux murs de pierre. Elle fut un jour pleine de gloire, remplie de petites têtes blondes, elle espérait le bonheur, mais hélas ! ces jours si beaux ne sont plus, on l'a méprisée, elle est triste, bientôt elle disparaîtra et seul le souvenir restera, et l'on dira en passant : c'est là qu'était la vieille maison abandonnée. »

79. *Ibid.*

80. « La grande enquête du *Petit Journal* sur les idées et les goûts de l'élite canadienne-française », *Le Petit Journal*, 2 février 1930, p. 5.

81. « L'Académie rejette systématiquement les tableaux des jeunes artistes montréalais » (Charles C. Hill, *Peinture canadienne des années trente*, Galerie nationale du Canada, Ottawa, 1975, p. 11).

82. [Albert Laberge], « Montréal aurait un Salon indépendant », *La Presse*, 20 novembre 1922, p. 3. Le Salon indépendant proposé par Jutras expose son ambition et aussi ses limites, en accord avec la frilosité de l'époque pour certaines représentations : « Le salon indépendant aura pour but de faire connaître les œuvres de nos artistes au public. Pour ne pas offusquer personne et afin que les enfants puissent visiter l'exposition, on n'acceptera pas de nus » (*ibid.*).

83. Albert Laberge, « L'art et les artistes », *La Presse*, 20 novembre 1922, p. 2.

84. Laberge nomme Henri Beau, Suzor-Coté, Charles Gill, Joseph-Charles Franchère, Ulric Lamarche, Joseph Saint-Charles, Jobson Paradis, René-Charles Béliveau, Ludger Larose et Joseph Saint-Hilaire. Laberge fait sans doute allusion au poste de professeur de dessin dans les écoles et au Conseil des arts et manufactures ou au poste d'illustrateur de journaux que certains d'entre eux (Gill, Franchère, Saint-Charles, Paradis, Larose, Léger) durent accepter pour survivre.

85. Anonyme, « Un salon des artistes indépendants, pour l'automne à Montréal », *La Patrie*, 17 mai 1923, p. 13.

86. [Albert Laberge], « Exposition de tableaux par le peintre J. Jutras », *loc. cit.*

87. Voir Jean-René Lassonde, *La Bibliothèque Saint-Sulpice, 1910-1931*, 3ᵉ éd., Québec, Bibliothèque nationale du Québec, 2001, p. 294-305.

88. J[oseph] Jutras, « Tribune libre. La Peinture », *La Presse*, 5 mai 1931, p. 31. Ironique, la réponse du critique musical du *Devoir*, Frédéric Pelletier, alors directeur du Conservatoire, arrive quelques jours plus tard : « Serait-ce que les Peintres de la Montée Saint-Michel sont au ban des peintres tout court et qu'ils demandent asile ? » (Frédéric Pelletier, « La vie musicale », *Le Devoir*, 9 mai 1931, p. 6).

89. « L'atelier aurait continué d'exister comme tel, si ce n'est qu'un beau jour (façon de parler), un puritain vendant alcool et autres liqueurs divertissantes, assaisonnées de "grues", posant à l'honnête citoyen et au père de famille scrupuleux, porta plainte sur plainte au proprio, prétextant scandale car des femmes jeunes et moins jeunes fréquentaient l'atelier. Alors, le propriétaire, frais émoulu dans ses fonctions d'administrateur, crut mordicus son honnête locataire et refusa de renouveler le bail à nos deux copains Aubin et Martel » (Joseph Jutras, *Émile Vézina*, biographie inédite, *op. cit.*, 12-15).

90. « Le grand problème : il n'y a pas d'ateliers disponibles pour nos artistes à Montréal, chacun travaille dans un coin quelconque. Alors, nous émettions l'idée de faire construire dans l'Est de la ville, près du Jardin Botanique, une série d'ateliers, avec une salle d'exposition où, pour un prix modique, nos artistes auraient trouvé un atelier propice. La vente des toiles et une aide pécuniaire en matériel et une campagne publicitaire pour arriver à nos fins. / C'était notre idéal, mais la crise nous empêcha de présenter notre projet aux autorités et nous remîmes à plus tard la tentative » (Joseph Jutras, « Lettre à Olivier Maurault », dans O. Maurault, *Les peintres…, op. cit.*, p. 89-90).

91. J[oseph] Jutras, « L'artiste et son atelier », *Le Devoir*, 19 mars 1948, p. 7.

92. *Maison Renaud* était exposé en 1923 sous le titre *Résidence de la ferme Saint-Gabriel*.

93. Xavier de Maistre, *Voyage autour de ma chambre*, Paris, Chez Dufart, imprimeur-libraire, 1796.

94. Joseph Jutras, « Au public visiteur », en-tête du catalogue d'exposition de 1926, archives privées.

95. Joseph Jutras, page d'introduction du carnet manuscrit à reliure spirale réservé à son *Exposition privée des œuvres de J. Jutras, tenue le 28 mai 1944*, [p. 20], archives privées. Mentionnons qu'Émile Falardeau avait assisté à la conférence d'Olivier Maurault sur les peintres de la Montée Saint-Michel, le 26 mars 1941, à la bibliothèque municipale de Montréal.

96. Dont la série de six monographies sous le titre *Artistes et artisans du Canada* (1907) et *Un maître de la peinture, Antoine-Sébastien Falardeau* (1936).

97. « Allocution de M. Émile Falardeau, généalogiste et organisateur de l'exposition », transcription manuscrite par Joseph Jutras dans un carnet à reliure spirale réservé à son *Exposition privée des œuvres de J. Jutras, tenue le 28 mai 1944*, [p. 20], archives privées. Jutras déclarera : « *The people must be more in touch with the artists* » [Traduction] Les gens doivent être plus en contact avec les artistes (Clayton Gray, « Artist Exhibits Wares on Streets », *Montreal Standard*, 8 octobre 1948, coupure, archives privées).

98. « Allocution de M. Émile Falardeau, généalogiste et organisateur de l'exposition », *op. cit.*

99. « Joseph Jutras a vendu à La Parfumerie J. Jutras Ltée, […] les bâtisses nᵒˢ 5264 à 5270, ave[nue] Papineau, pour $ 20,500 » (Anonyme, « La parfumerie J. Jutras achète des logements », *La Patrie*, 17 juin 1927, p. 14).

100. Anonyme, « M. A. Bellefontaine est élu président. L'Association des fabricants de parfum choisit son directeur pour l'année », *La Patrie*, 11 octobre 1928, p. 5 ; « L'historique de la parfumerie Albert Bellefontaine, Ltée », *La Patrie*, 14 janvier 1929, p. 8.

101. Province de Québec, District de Montréal, « Cour supérieure : en vertu de la Loi des liquidations, nᵒ 299 », *La Patrie*, 27 octobre 1927, p. 12.

102. Publicité, *Le Passe-Temps*, avril 1928, p. 49.

103. Publicité, *Le Passe-Temps*, juin 1929, p. 96. La couverture de ce numéro est illustrée de sympathiques caricatures signées Joseph Jutras et représentant le directeur de cette revue, Joseph-Émile Bélair.

104. « […] *he and his wife found themselves facing the world with 15 cents between them seven years ago following the crash of his $ 50,000 perfume business* » [Traduction] […] lui et sa femme se sont retrouvés face au monde avec 15 cents à eux deux à la suite du krach de son entreprise de parfums à 50 000 $ (Joseph E. Thompson, « Hobby Saves Couple from Going on Dole », *Montreal Star*, 11 août 1934, coupure, archives privées.)

105. Anonyme, « Un peintre de la Montée Saint-Michel expose », *La Patrie*, 27 août 1941, p. 1.

106. « *Jutras, whose business card reads "artiste paysagiste" (landscape artist) has been displaying his artistic wares on concrete since 1932. It was New Year's Eve that he set up his paintings at Phillips Square. It was a bitter cold day. The artist had only 22 cents when he started at 3 pm. It was 7 : 30 when his sale was over, and the 22 cents had become 22 $.* » [Traduction] Jutras, dont la carte de visite porte la mention "artiste paysagiste", expose ses œuvres artistiques sur le béton depuis 1932. C'est le soir du Nouvel An qu'il a installé ses tableaux au square Phillips. C'était une journée glaciale. L'artiste n'avait que vingt-deux cents quand il a commencé à trois heures

de l'après-midi. Il était sept heures et demie quand sa vente s'est terminée, et les vingt-deux cents étaient devenus vingt-deux dollars (Clayton Gray, *loc. cit.*).

107. Joseph Jutras, *Biographie*, deuxième version, *op. cit.*, p. 9.

108. « *His studio is wherever he plants his easel and opens his box of paints. His art gallery is the nearest spot on the grass, clay or pavement where he can display his works without disturbing anyone* » (Joseph E. Thompson, *loc. cit.*).

109. « *He whistles a gay tune softly while turning out one more canvas of some historic or ancient building or some beautiful scene of nature in old Montreal* » (*Ibid.*).

110. « *This is Jutras' 16th year in the open and he finds it pays* ». [Traduction] C'est la 16e année de Jutras à l'air libre et il trouve que cela paie (Clayton Gray, *loc. cit.*).

111. « *"I don't know why other Montreal artist don't do it," he says, "I guess they're just too proud." […] More artists should follow his example, he says. "The people must be more in touch with the artists."* » (*Ibid.*).

112. « À propos de cartes de Noël d'un mérite original, il y a celles de l'artiste bien connu J. Jutras, de Rosemont, conçues en lignes d'une grande simplicité et exécutées dans un coloris très léger. C'est un peu sobre mais de bon goût, et il faut remarquer, de plus, comment M. Jutras, dédaignant certains sentiers battus, se sert pour motifs de vieilles maisons et d'anciens moulins de chez nous, évoqués en quelques traits » (Reynald, « Émile Brunet, un des nôtres », *La Presse*, 12 décembre 1936, p. 31).

113. « Ces modèles sont faits à la main, le dessin imprimé sur la toile, il ne reste qu'à la broder avec de la laine en suivant les lignes préparées par l'artiste avec l'indication des couleurs appropriées, un schéma colorié réduit au point est joint à chaque toile » (Atala [Léonise Valois], « Page féminine. Nos arts ménagers », *La Terre de chez nous*, 22 juin 1932, coupure, archives privées). Voir, sur le même sujet, Hélène Sicotte, Michèle Grandbois, *Clarence Gagnon : rêver le paysage*, catalogue d'exposition, Musée national des beaux-arts du Québec et Éditions de l'Homme, 2006, p. 150-151. D'ailleurs, cette question artisanale préoccupera Jutras pendant longtemps puisqu'en 1946 il publiera une lettre ouverte sur la question de l'originalité spécifique de ces canevas (Joseph Jutras, « Couleur locale », *Le Devoir*, 26 avril 1946, p. 9).

114. Lettre à Ernest Aubin, 27 juillet 1952, archives Estelle Piquette-Gareau. Jutras s'amuse à employer la déformation du mot « pochade » en « pocharde », usuelle chez son confrère Jean-Paul Pépin, à l'écrit comme à l'oral.

115. Anonyme [Albert Laberge], « Peintre de quartier », *La Presse*, 16 décembre 1948, p. 20.

116. Dans un lavis de 1960, Jean-Paul Pépin avait erronément identifié comme L'Arche ces maisons jumelles de la rue Notre-Dame, et particulièrement celle de droite avec sa fenêtre zénithale, que flanque l'édifice de La Sauvegarde. Que Jutras ait pu commettre la même erreur est surprenant, autant à cause de la datation du tableau – 1920, qui serait à remettre en question –, qu'à cause de sa connaissance réelle du véritable atelier de L'Arche, au quatrième et dernier étage du 22 (actuel 26-28) de la rue Notre-Dame Est, où il a fréquemment retrouvé Aubin et Martel.

117. Voir *Old Houses, Montreal = Vieilles maisons à Montréal* (1909), dans Sylvia Antoniou, *Maurice Cullen, 1866-1934*, catalogue d'exposition, Kingston (Ont.), Agnes Etherington Art Center, Queen's University, 1982, p. 28.

118. Hugues Desrosiers et Louise Désy, *Edgard Gariépy photographe, 1881-1956*, Ville de Montréal, Service des activités culturelles, 1985, p. 13.

119. Joseph Jutras, « Lettre à Olivier Maurault », dans O. Maurault, *Les peintres…*, *op. cit.*, p. 91.

120. Lettre de Joseph Jutras à Ernest Aubin, 19 juin 1945, AEPG.

121. Lettre de Joseph Jutras à Ernest Aubin, 3 décembre 1946, AEPG.

122. [Albert Laberge], « Quelques héros de Louis Hémon en sculpture », *La Presse*, 24 mars 1922, p. 12.

123. Albert Laberge, « Causerie en marge du Salon du printemps », *La Presse*, 3 avril 1923, p. 3.

124. Reynald, « Les aquarelles d'A.-C. Leighton », *La Presse*, 4 avril 1936, p. 45.

125. Reynald, « Montréal, ville à l'aspect multiple », *La Presse*, 16 mai 1936, p. 9.

126. Henri Letondal, « Les œuvres de M. J. Jutras. Dans ses salons de la rue Papineau », *La Patrie*, 23 avril 1925, p. 22.

127. Clayton Gray, *op. cit.*

128. Albert Laberge, « Paysages par Joseph Jutras », *Le Devoir*, 14 décembre 1944, p. 2.

129. Albert Laberge, « Exposition de tableaux par J. Jutras au National », *loc. cit.*

130. Albert Laberge, « Exposition de tableaux et de sculptures à la maison Eaton », *La Presse*, 8 mai 1929, p. 35.

131. Albert Laberge, « Exposition de tableaux par J. Jutras au National », *op. cit.*

132. Joseph E. Thompson, *op. cit.*

133. [Albert Laberge], « Exposition de tableaux par le peintre J. Jutras », *loc. cit.* ; Le Juif errant [pseud.], *op. cit.*

134. [Albert Laberge], « Exposition de tableaux par le peintre J. Jutras », *op. cit.*

135. Sous la rubrique « Chez nos artistes », Albert Laberge publie dans *La Presse* une série d'articles sur les visites qu'il fait aux ateliers d'Alfred Laliberté (29 novembre, p. 11), de Suzor-Coté (30 novembre, p. 14), de Joseph Saint-Charles (2 décembre, p. 15), de Georges Delfosse (13 décembre, p. 17) et de Maurice Cullen (30 décembre, p. 18).

136. [Albert Laberge], « Exposition de tableaux par le peintre J. Jutras », *op. cit.*

137. [Albert Laberge], « Exposition de tableaux par J. Jutras au National », *op. cit.*

138. Henri Letondal, *op. cit.*

139. *Les vieilles de chez nous*, sur une poésie de Jules Lafforgue, musique de Charles Levadé, créée en 1900.

140. Lucien Desbiens, « Les Salons : celui des peintres de la montée St-Michel », *Le Devoir*, 16 avril 1941, p. 6.

141. [Albert Laberge], « Exposition de tableaux par J. Jutras au National », *loc. cit.*

142. Joseph Jutras, « Un peintre sur la route », *op. cit.*

143. [Albert Laberge], « Claires couleurs de maisons des champs », *La Presse*, 11 décembre 1944, p. 4.

144. « Réponse à M. Émile Falardeau par J. Jutras, artiste paysagiste », texte transcrit dans le carnet à spirale réservé à son *Exposition privée des œuvres de J. Jutras, tenue le 28 mai 1944*, [p. 28], archives privées.

145. Reynald, « Gravures chinoises des temps modernes », *La Presse*, 18 janvier 1934, p. 8.

146. Reynald, « Émile Brunet, un des nôtres », *La Presse*, 12 décembre 1936, p. 31.

147. Reynald, « L'activité artistique : les Peintres de la Montée », *La Presse*, 19 avril 1941, p. 33.

148. [Louis Le Marchand], « J. Jutras expose une série de paysages canadiens », *Photo-Journal*, 23 décembre 1948, p. 34.

149. Pour des suggestions de canevas, voir Joseph Jutras, « Couleur locale », *Le Devoir*, 26 avril 1946, p. 9.

150. Un de ces canevas est reproduit dans Atala [Léonise Valois], *loc. cit.* Les collections de la famille Jutras renferment quelques-uns de ces canevas.

151. Albert Laberge, « Paysages par Joseph Jutras », *Le Devoir*, 14 décembre 1944, p. 2. Si sa dernière critique sur Jutras est celle-ci, de 1944, Laberge continuera de soutenir Jutras jusqu'en 1948, année de sa dernière exposition privée, les entrefilets « Claires couleurs de maisons des champs », « Artiste attaché au nord-est de l'île » et « Peintre de quartier », parus dans *La Presse*, respectivement le 11 décembre 1944 (p. 4), le 26 avril 1947 (p. 29) et le 16 décembre 1948 (p. 20), étant selon nous de sa main.

152. Joseph Jutras, « Lettre ouverte », *L'Avenir du Nord*, 10 septembre 1953, p. 4, au sujet d'Ernest Aubin établi à Sainte-Adèle.

153. Michel Deschamps [Joseph Jutras], « Poirier expose », *Le Devoir*, 20 février 1946, p. 10.

154. « C'est à [l'église] Saint-Louis-de-France que j'eus le bonheur d'entendre pour la première fois [le ténor] Paul Dufault [1872-1930]. Quel enchantement musical pour de jeunes oreilles ! » (Joseph Jutras, *Souvenirs*, p. 13, archives privées).

155. Lettre de Joseph Jutras à Rolland Boulanger, 15 juin 1972, dactylographie, copie carbone, archives privées.

156. Lettre de Rolland Boulanger à Joseph Jutras, 23 juin 1972, dactylographie, archives privées.

157. Joseph Jutras, « Un peintre sur la route », *loc. cit.*

158. Joseph Jutras, *Quelques notes et impressions*, une feuille volante paginée 1, archives privées.

159. Lettre de Joseph Jutras à Jean-Paul Pépin, 28 août 1967, copie manuscrite, deux feuillets paginés de 1 à 3, archives privées.

160. Lettre de Joseph Jutras à Ernest Aubin, 2 octobre 1943, archives CRALA.

161. Lettre de Joseph Jutras à Ernest Aubin, 19 décembre 1943, archives CRALA.

CHAPITRE 5

1. La section « *Rejected Works* » apparaît dans les registres manuscrits des expositions de l'Art Association of Montreal (AAM) à partir de 1914 et jusqu'en 1925, après quoi elle cesse. Avant la création de cette section, les œuvres refusées figuraient dans la liste générale des tableaux soumis, avec la marque d'un R majuscule en rouge (archives Musée des beaux-arts de Montréal). Cumulant de très nombreux tableaux, cet ensemble, fort intéressant et révélateur, d'une part inconnue de la production des artistes, peut constituer une sorte de « Salon des refusés ».

2. « Il y a, paraît-il, un comité qui, procédant par élimination, n'accepte que les meilleurs envois. Quand on a fait le tour des deux grandes salles et de la petite, si l'on n'est pas trop fatigué et si l'on a quelque goût pour les phénomènes, on éprouve le désir malsain de voir les œuvres refusées. […] La bienveillance du comité, qui surcharge douze murs, est cause qu'on se fatigue avant la fin de la visite et que les yeux, pleins de mauvaise peinture, se refusent à en regarder encore » (Léon Lorrain, « Le Salon du printemps », *Le Devoir*, 19 mars 1912, p. 1).

3. [Albert Laberge], « Montréal aurait un salon indépendant », *La Presse*, 20 novembre 1922, p. 3.

4. Cité par Lydia Bouchard, dans Alicia Boutilier et Paul Maréchal (dir.), *William Brymner : peintre, professeur et confrère*, catalogue d'exposition, Kingston, Agnes Etherington Art Center, Queen's University, 2010, p. 31, note 22, d'après une entrevue de Brymner du 16 mars 1912, dans *The Gazette*. Le 28 mars 1913, Brymner ajoutait : « Ils [les critiques] semblent croire qu'on n'y présente que des chefs-d'œuvre. »

5. Une dédicace de Louis Lange, propriétaire de la galerie L'Art Français, « À notre bon ami Legault », sur une photographie du journaliste Louis Francœur (1895-1941), indique une proximité entre l'artiste et le galeriste et donne à penser que Legault faisait partie des artistes en consignation à L'Art Français (archives privées). D'ailleurs, Lange est allé aux funérailles de Legault car son nom apparaît dans le registre des visiteurs : L. A. Lange, 370 rue Laurier (archives privées).

6. Émile Falardeau, « J.-O. Legault, peintre oublié ? », *Le Petit Journal*, 13 octobre 1963, p. A -55.

7. D'après le *Lovell's Montreal Directory* (LMD).

8. Archives privées. D'après le LMD, en 1898, F.-X. Craig est domicilié au 378, rue Richmond, avec Joseph Pilon « *artist* », dans la même rue que l'école Saint-Joseph. Dans l'article « Mgr Bruchési à Saint-Joseph », paru dans *Le Monde illustré* (9 octobre 1897, p. 371), on décrit F.-X. Craig comme « homme de bien et de mérite de la paroisse » et « ancien marguillier ». Jusqu'au moins en 1911, il poursuit ses dons de prix sous forme de médailles de bronze et de livres d'art, toujours pour le dessin (Anonyme, « L'École Belmont, distribution des prix », *La Presse*, 4 juin 1911, p. 33).

9. Ce portrait présente une ressemblance avec Emily Coonan (1885-1971), qui étudia au CAM de 1903 à 1908 et qui posa aussi comme modèle à l'école de l'Art Association. On peut comparer ce dessin avec celui exécuté par Nina M. Owens, en 1909, dans Jacques Des Rochers et Brian Foss (dir.), *Une modernité des années 1920 à Montréal : le Groupe de Beaver Hall*, catalogue d'exposition, Montréal, Musée des beaux-arts de Montréal, 2015, p. 122.

10. « Mes premiers dessins », grande enveloppe contenant 24 dessins d'architecture, datés de 1901-1902, avec des notes du professeur, variant entre 80 et 100 pour cent (coll. part.).

11. Anonyme, « L'école des arts », *La Presse*, 13 juin 1903, p. 9.

12. Des devises accompagnaient parfois les vignettes que Legault préparait pour s'annoncer en tant que portraitiste, comme : « L'art seul est vrai » ou « L'art, le but de la vie » (coll. part.).

13. Anonyme, « Proclamation des prix », *La Patrie*, 8 juin 1904, p. 6.

14. Plusieurs trous de punaises aux angles des feuilles donnent à penser que l'élève reprenait son dessin plus d'une fois et que, par conséquent, certains modèles – sinon tous – venaient poser plusieurs soirs.

15. Anonyme, « Les cours gratuits », *La Patrie*, 14 juin 1905, p. 9. De plus, on trouve au nom de Legault une mention honorable en lithographie. Pour le premier prix de dessin, il est ex æquo avec un certain G. N. Brock.

16. Huit dessins portent au recto le tampon du Conseil des arts et manufactures, « Exposition de 1907-8 », huit autres le portent au verso.

17. Voir Alicia Boutilier, « Brymner étudiant et professeur : une base solide », dans Alicia Boutilier et Paul Maréchal (dir.), *op. cit.*, p. 50. L'auteure précise que « les modèles nus masculins posent partiellement couverts » devant les élèves féminines.

18. En 1903, Legault, qui en est à sa deuxième année d'études, ravit à Léger le premier prix de dessin, ce dernier récoltant alors le deuxième. L'année suivante, l'ordre s'inverse et Léger remporte le premier prix, tandis que Legault se contente du deuxième. Voir Anonyme, « L'école des arts. Exposition des travaux des élèves. L'ouverture aura lieu mercredi prochain », *La Presse*, 13 juin 1903, p. 9 ; Anonyme, « Proclamation des prix », *La Patrie*, 8 juin 1904, p. 6.

19. Rôle d'évaluation et de perception de Ville Saint-Louis, fonds de Ville Saint-Louis, archives de la Ville de Montréal. Jean-Onésime Legault est enregistré comme peintre, dessinateur ou artiste.

20. « Car la bouche parle de l'abondance du cœur » (Luc 6,45).

21. « Qui est trop occupé de lui-même ne saurait acquérir la sagesse. »

22. Victor Hugo, « Regard jeté dans une mansarde », dans *Les Rayons et les Ombres* (1840). La version de Legault rogne d'un pied l'alexandrin d'Hugo.

23. Longtemps après, ces toiles ont été découpées et se trouvent aujourd'hui dans une collection particulière.

24. « Que de photos en couleurs, plus grandes que nature, n'a-t-il pas faites pour mon père ! » (Francesco Iacurto, *Souvenirs,* récit recueilli par Maurice Lebel, préface de Robert Choquette, Montréal, Éditions Alain Stanké, 1976, p. 42.) Legault travaillera aussi pour d'autres photographes, dont J.-H. Thimineur et Photo Modèle, avenue du Mont-Royal.

25. « Legault, [mon] premier professeur artiste-peintre, élève de Brymner, peintre canadien de qualité, donnait des leçons de peinture dans sa maison. Et c'est chez lui que j'ai fait mon premier fusain. […] "Dessine d'après nature, ne fais pas de copie", me dit-il en me remettant mon travail » (Iacurto, *op. cit.*, p. 42). Précisons que Giuseppe Iacurto s'étant installé à proximité de l'atelier de Legault en 1921, son fils Francesco avait alors treize ans et non dix comme il le dit dans ses *Souvenirs*. Par ailleurs, nos recherches ne nous ont pas permis de confirmer que Legault donnait des leçons chez lui – mais c'est possible.

26. Lettre de J.-O. Legault à Ernest Aubin, 19 octobre 1943 (archives privées).

27. Legault a donné les renseignements suivants à Olivier Maurault qui a noté : « Va ensuite à la Art Gallery : une année le soir ; une année le jour et le soir ; trois autres années le soir : 1912 à 1917, il étudie avec Brymner la peinture » (O. Maurault, notes dactylographiées sur les peintres de la Montée Saint-Michel, huit feuillets non paginés, [p. 4], fonds Olivier Maurault, archives des prêtres de Saint-Sulpice).

28. Il a existé un autoportrait à l'huile, visible sur certaines photographies de l'appartement de Legault, rue Alma, mais non localisé.

29. En 1926, Legault s'associera avec son ami Jean-Évangéliste Ledoux, familièrement appelé Johnny, qu'il a connu à l'école des Arts et Manufactures, dans une entreprise de peintures d'enseignes, la *Ledoux Legault Ltd Signs*, au 11, rue Hermine, entre les rues Craig et De La Gauchetière. Il s'agissait d'un commerce de « Rédaction d'affiches et enseignes réclames » (LMD). Jusqu'en 1938, il est inscrit, dans le LMD, sous la rubrique « Peintres et fabricants d'enseignes ».

30. Note manuscrite de J.-O. Legault (archives privées).

31. Entretien de Jocelyne Dorion et Richard Foisy avec Madeleine et Françoise Bélisle, filles d'Aurore Legault et Albert Bélisle, le 24 février 2005.

32. Jean-Paul Pépin, notes manuscrites sur les peintres de la Montée Saint-Michel dans son journal personnel, sous le titre « Jean-Onésime Legault 1882-1944 », (fonds Jean-Paul Pépin, archives Estelle Piquette-Gareau).

33. Au verso de son croquis préparatoire, Legault a noté : « *Tintoretto 1518-1594*, croquis d'un tableau au chanoine Picotte, Lanoraie, Québec, 31 juillet 1932. Tableau livré en 1933 » (archives privées).

34. « Ajoutons que le corps agrandi attend un supplément d'âme, et que la mécanique exigerait une mystique » (Henri Bergson, *Les deux sources de la morale et de la religion*, Paris, Presses universitaires de France, coll. « Quadrige », 1984 [1932], p. 331).

35. « Objets inanimés, avez-vous donc une âme / Qui s'attache à notre âme et la force d'aimer ? » (Lamartine, « Milly ou La terre natale », dans *Harmonies poétiques et religieuses*, 1830).

36. On se reportera à Alicia Boutilier, Paul Maréchal (dir.), *William Brymner : peintre, professeur et confrère, op. cit.*, particulièrement aux numéros de catalogue 7, 8, 9,12 et aux figures 5, 10 et 18.

37. « C'était, dans la nuit brune, / Sur le clocher jauni, / La lune / Comme un point sur un i. […] T'aimera le vieux pâtre, / Seul, tandis qu'à ton front / D'albâtre / Ses dogues aboieront » (Alfred de Musset, « Ballade à la lune », *Les Contes d'Espagne et d'Italie*, 1829).

38. Dans ses notes de lecture, Legault avait transcrit ce passage d'un livre dont nous n'avons pas retrouvé la référence, mais qui traite du philosophe allemand Arthur Schopenhauer (1788-1860), auteur du *Monde comme volonté et représentation* : « Schopenhauer qui durant toute son existence a professé le plus pur pessimisme a écrit que "Notre vie peut être interprétée comme un épisode qui trouble inutilement la béatitude du néant ; c'est quelque chose qui ferait mieux de ne pas être du tout ; en somme, ce n'est qu'une énorme mystification." Cf. *Opinions : La Mort*, Cf. *Le Monde comme volonté*, Schopenhauer » (archives privées).

39. Ce clocher, monument patrimonial, est maintenant installé sur le terrain de l'église paroissiale, sous le nom « clocher de l'Ancien-Couvent ».

40. Ces longs arbres élagués qui ne sont feuillus qu'à leur sommet, Legault les a empruntés à *L'Allée de Middelharnis* (1689) du peintre hollandais Meindert Hobbema.

41. Il s'agit d'une citation mais au masculin de la *Muse à la lyre* d'Onésime-Aimé Léger (5.45), dans leur diptyque commun, à lui et à Legault, de 1906.

42. Ce personnage est une citation d'un tableau de Frederic Leighton (1830-1896), *Greek Girls Picking up Pebbles by the Sea* (1871).

43. Le personnage de la vieille femme est lui aussi une citation d'Onésime-Aimé Léger, provenant du *Crépuscule* (6.60), son dernier tableau connu. Pour la figure du vieillard, Legault a puisé dans son carnet de 1903-1908 et y a trouvé cette tête d'homme barbu titrée *Solomon* et qui était peut-être un modèle de l'école des Arts et Manufactures.

44. Outre deux autoportraits respectivement datés de 1902 et de 1910, on trouve dans les archives de J.-O. Legault plusieurs photographies datées de 1912 qui représentent des scènes montréalaises et régionales (archives privées).

45. Entretien de Jocelyne Dorion et Richard Foisy avec Françoise et Madeleine Bélisle, filles d'Aurore Legault-Bélisle, le 24 février 2005.

46. Inventaire d'Olivier Maurault, daté du 28 mai 1964, œuvre en dépôt au Grand Séminaire de Montréal.

47. Reynald, « L'activité artistique : les Peintres de la Montée », *La Presse*, 19 avril 1941, p. 33.

48. Robert de Roquebrune, « Choses du temps : à la montée Saint-Michel », *Le Canada*, 24 avril 1941, p. 2.

49. Le critique Reynald (pseud. d'Ephrem-Réginald Bertrand) fait l'éloge de l'illustration représentant la Sainte Famille (coll. part.), qui doit orner le calendrier de 1940 de l'oratoire Saint-Joseph, et dont il a eu la primeur : « M. J.-O. Legault a fait preuve de mesure et de bon goût, pour avoir stylisé et idéalisé les quelques éléments de provenance photographique mis à sa disposition de manière à en tirer, par la nuance délicate des demi-teintes, un véritable petit poème, une mélodie exquise » (« La Sainte Famille », *La Presse*, 29 juillet 1939, p. 15). L'image est reproduite pleine grandeur en page 16 du journal.

50. Entretien de Richard Foisy et Hugo Beaulieu avec Umberto Bruni, 5 mai 2006.

51. Entretien de Jocelyne Dorion et Richard Foisy avec Yolande Mayer-Barbe, fille de Maria Legault-Mayer, le 22 février 2005.

52. Entretien de Jocelyne Dorion et Richard Foisy avec Madeleine et Françoise Bélisle, filles d'Aurore Legault-Bélisle, le 24 février 2005.

CHAPITRE 6

1. Olivier Maurault, notes manuscrites sur les peintres de la Montée Saint-Michel, neuf feuillets épars, fonds Olivier Maurault, archives des prêtres de Saint-Sulpice.

2. Reynald, « L'activité artistique : les Peintres de la Montée », *La Presse*, 19 avril 1941, p. 33.

3. Frères maristes, *Cours de lecture, Troisième livre, 3ᵉ et 4ᵉ année*, Montréal, Librairie Granger Frères, 1925. Léger y a fait une trentaine d'illustrations, Aubin une vingtaine.

4. Lettre de Jean-Onésime Legault à Jean-Paul Pépin, 16 février 1942, archives privées.

5. « Où trouver des écrits de Léger ? Ça déménageait, on jetait. Un jour, il a dit à un déménageur "tu jetteras cela", il a jeté ce qu'il fallait garder et il a gardé ce qu'il devait jeter » (Estelle Piquette-Gareau, notes manuscrites sur un feuillet détaché d'un carnet, archives Estelle Piquette-Gareau [AEPG]). « Si l'on en croit l'anecdote racontée par Albert Laberge, un éboueur aurait, à l'occasion d'un des nombreux déménagements de Léger, emporté par mégarde un paquet contenant des toiles et tous les papiers de l'artiste ! » (Estelle Piquette-Gareau, « Mes peintres oubliés », entretien avec Odette Legendre, dans Laurier Lacroix [dir.], *Peindre à Montréal, 1915-1930 : les peintres de la Montée Saint-Michel et leurs contemporains*, catalogue d'exposition, Galerie de l'UQAM et Musée du Québec, 1996, p. 84.)

6. Gustave Comte, « Aimé Léger », *La Patrie*, 27 mai 1924, p. 14.

7. Estelle Piquette-Gareau, notes manuscrites à la suite d'un entretien avec Elzire Giroux, AEPG.

8. Albert Laberge, « Onésime-Aimé Léger », *Peintres et écrivains d'hier et d'aujourd'hui*, Montréal, édition privée, 1938, p. 93.

9. Alfred Laliberté, « Onésime-Aimé Léger », *Les artistes de mon temps*, texte établi, présenté et annoté par Odette Legendre, Montréal, Boréal, 1986, p. 181.

10. Joseph Jutras, « Aimé Léger », *Émile Vézina*, biographie inédite, 1945, 1957, p. 18, archives privées.

11. Gustave Comte, *loc. cit.*

12. « Je suis certain que vous êtes de mon avis et Blanc-Pic le serait aussi s'il était au courant », écrivait à Jean-Onésime Legault son ami Osias Charrette, compagnon du CAM, en lui envoyant, le 1ᵉʳ mars 1906, sous enveloppe, une carte postale représentant un détail de *Vénus et Adonis* de Prud'hon (archives privées).

13. Albert Laberge, « Onésime-Aimé Léger », *op. cit.*, p. 91.

14. Lettre de Joseph Jutras à Albert Laberge, 3 janvier 1944, fonds Albert Laberge, Centre de recherche en civilisation canadienne-française, Université d'Ottawa.

15. Gustave Comte, *loc. cit.*

16. Dans le *Lovell's Montreal Directory* (LMD) de juin 1896, on trouve, pour la première fois, « Léger Victor, *painter*, r 542 St Patrick », à Saint-Henri, à l'angle de la rue Charlevoix.

17. Dans le LMD de juin 1901, on trouve « Léger, Victor, *painter* », au 441, avenue d'Orléans, dans Maisonneuve.

18. « Monsieur O.-A. Léger, qui est élève du Monument-National depuis trois ans », écrit Joseph Saint-Charles dans une lettre datée de décembre 1902, ce qui nous amène à 1899 pour l'entrée de l'élève au CAM (Joseph Saint-Charles, cité dans [La rédaction], « M. Aimé Léger », *Album universel*, 10 janvier 1903, p. 866). Dans Anonyme, « École des arts », *La Presse* du 13 juin 1903, p. 9, on indique, au sujet de la distribution des prix : « Quatrième année – 2ᵉ prix, A. Léger », ce qui nous reporte aussi à 1899.

19. Joseph Saint-Charles, *op. cit.*, p. 866.

20. Anonyme, « École des arts », *loc. cit.*

21. Ex æquo avec Alfred Beaupré, qui, depuis son entrée au CAM, en 1900, remporte tous les premiers prix. Voir Anonyme, « Gloire aux vainqueurs », *La Presse*, 8 juin 1904, p. 1.

22. Précisions fournies par le carnet *Mémoire de famille*, tenu par Victoria Dupuis, la mère d'Onésime-Aimé Léger (archives Marguerite Chagnon).

23. « Les opinions diffèrent sur le pastel ; les uns le classent comme un genre absolument secondaire, d'autres prétendent au contraire que ce genre-là en vaut bien un autre, qu'on peut être maître pastelliste au même titre que dans tout autre domaine de l'art, que le pastel est considéré à tort comme un travail plus ou moins sérieux, peu digne d'un artiste qui se respecte », écrivait Vasari [pseud.] en commentant une œuvre d'Onésime-Aimé Léger, « L'Étincelle », pastel de O. Léger (Galéric Gaston Maillet), *L'Autorité*, 26 avril 1919, p. 1. Voir (6.48).

24. Collectif, *Émile Verhaeren : un musée imaginaire*, Paris, Les Dossiers du musée d'Orsay, 1997, p. 176.

25. Stéphane Mallarmé, « Crise de vers », dans *Œuvres complètes*, t. 2, édition présentée, établie et annotée par Bertrand Marchal, Paris, Gallimard, Bibliothèque de la Pléiade, 2003, p. 212.

26. Voir Jean-David Juneau-Lafond, « La Rose + Croix : une confrérie pour l'Idéal », dans *Alexandre Séon (1855-1917) : la Beauté idéale*, catalogue d'exposition, Milan, Silvana Editoriale, 2015, p. 154-159.

27. *Mémoire de famille*, carnet tenu par Victoria Dupuis, *op. cit.*

28. Gustave Comte, *loc. cit.*

29. Octave Maus, « Préface : L'évolution externe de l'impressionnisme », dans *La Libre Esthétique : la douzième exposition*, catalogue, Bruxelles, La Libre Esthétique, 1905, p. 3.

30. *Mémoire de famille*, carnet tenu par Victoria Dupuis, *op. cit*. Dans *La Presse* du lundi 8 mai 1905, p. 9, on lit, dans «Nouvelles maritimes»: «Le nouveau steamer de la Cie Dominion, l'*Ottawa*, est arrivé à 8 heures hier soir et s'est amarré au quai du C[anadian] P[acific] R[ailway].»

31. Victor Léger est mort le 18 août 1904, à l'âge de cinquante-deux ans.

32. Seuls sept dessins de modèles vivants signés J.-O. Legault attestent le travail de ce dernier en cette année scolaire 1905-1906 (coll. part.), et le nom de Léger n'apparaît pas dans la liste des prix de fin d'année, contrairement aux années qui suivront.

33. Voir Anne Pingeot et Robert Hoozee, «Symbolisme sculpté», dans Anne Pingeot et Robert Hoozee (dir.), *Paris-Bruxelles, Bruxelles-Paris: réalisme, impressionnisme, symbolisme, art nouveau*, catalogue d'exposition, Fonds Mercator, Réunion des musées nationaux, 1997, p. 356-366.

34. Alfred Laliberté, *Mes souvenirs*, Montréal, Boréal Express, 1978, p. 201.

35. *Ibid*. Voir Nicole Cloutier, «La sculpture symbolique et allégorique», dans *Laliberté*, catalogue d'exposition, Musée des beaux-arts de Montréal, 1990, p. 61-71.

36. Anonyme, «L'exposition Laliberté: des œuvres qu'il faut voir», *La Patrie*, 26 octobre 1907, p. 4.

37. F. J. Lamberet, «Alfred Laliberté», *La Patrie*, 16 novembre 1907, p. 11.

38. [Albert Laberge], «Visite à travers les ateliers de nos artistes», *La Presse*, 21 novembre 1908, p. 12.

39. «Les jeunes artistes de passage chez Zénon Juteau étaient Aimé Léger, Narcisse Poirier, [Wilfrid] Fréchette, A[drien] Viau, [Ernest] Bibeau» (Joseph Jutras, *Le coin des Pieds-Noirs*, deux feuillets manuscrits, archives privées).

40. Anonyme, «Pique-nique des photographes», *La Presse*, 23 août 1907, p. 11.

41. «Zénon Juteau, artiste-peintre, a le plaisir d'annoncer à ses clients, qu'il a transporté son atelier à la nouvelle bâtisse de la banque d'Épargne, rue Sainte-Catherine Est» («Annonces classées», *La Presse*, 13 mai 1905, p. 9).

42. Anonyme, «Les photographes ont leur fête annuelle», *La Presse*, 12 août 1909, p. 9.

43. Anonyme, «Nouveaux officiers», *La Presse*, 9 avril 1910, p. 8.

44. «M. E.-L. Giroux, le populaire photographe des artistes a ouvert depuis hier soir une salle de vues animées sur la rue Mont-Royal, coin St-Laurent. Le "Parigraphe" nous donnera des primeurs de M. Giroux et principalement des vues du grand incendie du Mile-End, l'an dernier. Tous ceux qui connaissent le talent artistique de Giroux ne douteront pas un seul instant, des agréables soirées qu'il nous fera passer» (Anonyme, «Nos théâtres», *Le Canard*, 26 janvier 1908, p. 3).

45. Dès 1905, on parle de lui comme du «photographe des théâtres» (Gustave Comte, «Le nouveau conservatoire», *La Presse*, 29 septembre 1905, p. 5).

46. Le 19 janvier 1904, *La Presse* reproduit, en page 5, la première photographie que nous ayons repérée dans les périodiques avec la signature «Giroux, rue Mont-Royal». Dès cette année-là, Giroux figure comme photographe dans le LMD.

47. Une photographie (archives privées) de l'intérieur de la maison de Lactance Giroux, à Coteau-du-Lac, montre ce tableau suspendu au-dessus d'une cheminée.

48. L'étendue d'eau est un élément récurrent du paysage symboliste. Voir Jean-David Jumeau-Lafond, *Les Peintres de l'âme: le Symbolisme idéaliste en France*, Anvers, Pandora, 1999, p. 114-119; Véronique Dumas, *Le peintre symboliste Alphonse Osbert (1857-1939)*, Paris, CNRS éditions, 2005, p. 168-169; Collectif, *Symbolisme: sortilèges de l'eau*, Favre, Fondation Pierre Arnaud, 2017.

49. Avec *Tête d'enfant* et *Paysage* (non localisés).

50. Voir Stanley G. Triggs, *Le studio de William Notman = William Notman's Studio*, Montréal, Musée McCord d'histoire canadienne, 1992.

51. En janvier 1910, quelqu'un (signature illisible) écrit de France à Legault, à l'atelier de Léger, rue de Bleury: «On vous attend en France quand est-ce qu'on se r'verra Bonne année» (archives privées).

52. Joseph Jutras, «Aimé Léger», *op. cit.*, p. 41-43. Quant à l'étudiant Doucet que mentionne Jutras, il s'agit d'Édouard A. Doucet. Son nom apparaît pour la première fois comme architecte dans le LMD en 1913, à son adresse personnelle du 906, rue de Bordeaux.

53. Dans le LMD de juin 1910, Émile Vézina habite au 17, rue Bleury, adresse d'Onésime-Aimé Léger.

54. Joseph Jutras, «Aimé Léger», *op. cit.*

55. *Ibid.*

56. *Ibid.* Massicotte s'était installé au troisième étage du 22, rue Notre-Dame en 1903. Émile Vézina prendra possession du grenier l'année suivante pour en faire son propre atelier, ce qui explique la présence de Massicotte à l'atelier de la rue de Bleury que Vézina partageait à cette époque avec Léger. Sur Seymour D. Parker, voir Renée Noiseux-Gurik, «Un pionnier de la décoration théâtrale: Octave Ritchot», *L'Annuaire théâtral*, n° 2, 1987, p. 78.

57. Joseph Jutras, «Aimé Léger», *op. cit.*

58. Paul Coutlée, «Un héros du 22ᵉ Régiment», *Le Samedi*, 16 août 1919, p. 8-9.

59. *Ibid.*

60. Ces six comédiens sont: Paul Coutlée, Albert Duquesne, Albert Fréreault, Paul-Émile Senay, Albert Savard et Wenceslas Tremblay.

61. Ces cinq artistes sont: Marc-Aurèle Fortin, Armand Leclaire, Paul Leclerc, Onésime-Aimé Léger et Alfred Miro. Paul Copson viendra s'ajouter, portant à six le nombre des artistes et faisant ainsi la parité avec les six comédiens.

62. Paul Coutlée, *loc. cit.*

63. *Ibid.*

64. Non localisé.

65. «En 1912, il prenait le paquebot qui devait l'amener à Montréal» (Paul Coutlée, *op. cit.*, p. 8). «Pendant quelque temps, Léger eut un atelier commun avec le peintre Marc-Aurèle Fortin et avec le malheureux Paul Copson, artiste plein de talent, tué à la guerre [...]» (Albert Laberge, «Onésime-Aimé Léger», *op. cit.*, p. 96).

66. Paul Coutlée, *op. cit.*, p. 8.

67. «Avant son départ, il avait confié à Léger une douzaine d'aquarelles, lui disant de les lui garder pendant la durée du conflit. "Si je meurs pendant le carnage, tu les garderas", lui avait-il dit» (Albert Laberge, demi-feuillet dactylographié sans titre, fonds Albert Laberge, Ottawa, Centre de recherche en civilisation canadienne-française [CRCCF].)

68. Anonyme, «Nouveaux officiers», *La Presse*, 9 avril 1910, p. 8.

69. [Gustave Comte], «Les artistes s'amusent», *La Patrie*, 28 novembre 1910, p. 12.

70. Fondée par le lieutenant-colonel et mécène Frank Stephen Meighen (1870-1946), cette troupe, composée d'artistes français, américains et canadiens, fut active de 1910 à 1913.

71. Voir David Karel, *Edmond-Joseph Massicotte, illustrateur*, Musée national des beaux-arts du Québec et Presses de l'Université Laval, 2005, p. 69-71.

72. [Gustave Comte], « Les artistes s'amusent », *op. cit.*, p. 12 ; Gustave Comte, « Un tour de force », *Le Passe-Temps*, 10 décembre 1910, p. 466.

73. [Gustave Comte], « Les artistes s'amusent », *op. cit.*, p. 12.

74. Jusqu'à ce jour, un corpus de plusieurs centaines d'illustrations a été recensé par nous, allant de 1910 à 1924. Grâce aux recherches de Stéphanie Danaux, on s'intéresse, depuis quelques années, à « la presse comme support de la création graphique ». Voir Stéphanie Danaux, « Émergence et évolution d'une profession artistique : les dessinateurs de presse entre 1880 et 1914 à Montréal », *Médias 19*, [en ligne], www.medias19.org/publications/la-recherche-sur-la-presse-nouveaux-bilans-nationaux-et-internationaux/emergence-et-evolution-dune-profession-artistique-les-dessinateurs-de-presse-entre-1880-et-1914-montreal.

75. Du 13 septembre 1910 au 6 avril 1912, Léger livre à *La Patrie* autour de 150 croquis (plusieurs croquis non signés, quoique proches de sa manière, ne peuvent lui être attribués avec certitude) et 18 pages en couleur. Du 20 juillet 1912 au 10 janvier 1914, il livre à *La Presse* autour de 110 croquis et 25 pages en couleur.

76. Par rapport à Léger, Laberge se définissait comme « son camarade à *La Presse* » (Albert Laberge, demi-feuillet dactylographié sans titre, au sujet du peintre Paul Copson et d'O.-A. Léger, fonds Albert Laberge, CRCCF).

77. Voir Stéphanie Danaux, *loc. cit.*

78. Sans qu'on sache s'il fait référence à *La Presse* ou à *La Patrie*, Joseph Jutras parle du « traitement chiche que l'on donnait à Aimé Léger, artiste distingué, plein de talent, illustrateur reconnu, une plume des plus fines, ami intime de Vézina, [qui] recevait quinze dollars pour une première page en couleur d'un de nos grands quotidiens de Montréal » (Joseph Jutras, « Aimé Léger », *op. cit.*, p. 18). Il faut multiplier au moins par 20 la rémunération versée à Léger si nous voulons avoir un équivalent d'aujourd'hui, soit 300 $.

79. Jean-Onésime Legault, ami de Léger, use de cette composition avec son tableau *Les Trois Âges* (5.51).

80. Voir Albert Laberge, « Gaston de Montigny [1870-1914] », *Peintres et écrivains d'hier et d'aujourd'hui, op. cit.*, p. 124 : « Mais l'œuvre capitale de l'écrivain, celle qui lui assurera un nom dans l'histoire de nos lettres, ce sont ses poèmes en prose : *Le fiancé de neige, La prière du passant, L'Ave du Moineau, L'Horloge* et une foule d'autres qui sont de purs chefs-d'œuvre. / *Le fiancé de neige*, le plus long de ses contes, (il couvre 24 grands feuillets de son manuscrit) œuvre inspirée par un épisode de l'Évangéline de Longfellow, suffirait à perpétuer son nom. »

81. Henry Wadsworth Longfellow, *Évangéline* [1847], nouvelle traduction, préface de Paul Morin, Montréal, Bibliothèque de L'Action française, 1924, partie II, chant IV, p. 67. (« [...] *the bridegroom of snow, who won and wedded a maiden / But, when the morning came, arose and passed from the wigwam, / Fading and melting away and dissolving into the sunshine, / Till she beheld him no more, though she followed far in the forest.* »)

82. Non localisée. [Albert Laberge], « Brillante ouverture du salon de peinture du Club Saint-Denis », *La Presse*, 25 avril 1911, p. 3. Dans le catalogue de l'exposition (archives privées), *Madame Chrysanthème* est attribuée par erreur à Georges Delfosse, ainsi qu'*Un Souffle*. Voir Georges Delfosse, « Tribune libre : un critique d'art du "Petit Salon" », *Le Devoir*, 27 avril 1911, p. 4, et la reproduction du catalogue par Albert Laberge, « L'exposition artistique du Club Saint-Denis », *La Presse*, 29 avril 1911, p. 16.

83. Publié en 1888, ce roman a inspiré, en 1893, sous son titre original, un opéra à André Messager, puis à Giacomo Puccini, en 1904, un autre opéra intitulé *Madame Butterfly*.

84. Mention qui accompagne le titre de ce tableau dans le catalogue de l'exposition.

85. [Albert Laberge], « Brillante ouverture du salon de peinture du Club Saint-Denis », *loc. cit.*

86. Anonyme [peut-être Gustave Comte], « L'exposition d'art au club Saint-Denis », *La Patrie*, 24 avril 1911, p. 11.

87. *Ibid.*

88. Alfred Laliberté, « Onésime-Aimé Léger », dans *Les artistes de mon temps, op. cit.*, p. 181-182.

89. Anonyme [peut-être Gustave Comte], « Une visite au Salon du Club Saint-Denis », *La Patrie*, 26 avril 1911, p. 12.

90. *Ibid.*

91. Exposé au Salon du printemps 1912. Non localisé.

92. Même si la maquette de Léger pour le concours du monument George-Étienne Cartier n'a pas été retenue par le jury, elle « a été l'objet d'appréciations flatteuses » (Anonyme, « Le jury du centenaire Cartier va limiter son choix à quatre maquettes », *La Presse*, 18 septembre 1912, p. 1). Charles Gill, qui avait beaucoup admiré le buste de Lactance Giroux au Club Saint-Denis en 1911, était membre du jury pour le monument Cartier. La photographie de la maquette de Léger est de Lactance Giroux.

93. Voir la reproduction de la sculpture dans [Albert Laberge], « Ouverture de l'exposition de peintures à la Galerie des Arts », *La Presse*, 26 mars 1913, p. 8.

94. Non localisé.

95. « Ce gladiateur que l'on croirait descendu des frises de quelque temple grec, est l'image de la force et de la puissance. Il respire une énergie indomptable. C'est là une œuvre vivante qui nous révèle sous un nouvel aspect le talent si souple et si alerte de M. Léger » ([Albert Laberge], « Statuette du champion Wil. Cabana », *La Presse*, 30 mars 1918, p. 23). Wilfrid Cabana était exécuteur de tours de force. La commande de cette sculpture a probablement été obtenue par l'intermédiaire d'Albert Laberge, qui est également chroniqueur sportif à *La Presse*.

96. « Un mécène, le colonel Meighen, qui habitait Cartierville et possédait une résidence secondaire à Métis-sur-Mer, a commandé son buste à O.-A. Léger » (Estelle Piquette-Gareau, notes manuscrites à la suite d'un entretien avec Elzire [Billie] Giroux, AEPG).

97. [Albert Laberge], « Brillante ouverture du salon de peinture du Club Saint-Denis », *loc. cit.*

98. Si l'on calcule les années de production sculpturale de Léger à partir de sa première année d'études en modelage, en 1906, jusqu'au dernier plâtre recensé, en 1918, c'est sur une période de douze ans que l'artiste se livre à la sculpture.

99. Voir L.-J.-N. Blanchet, « Lettres au *Devoir* / Une discussion sur Henri Bourassa », *Le Devoir*, 12 novembre 1952, p. 4. D'après son journal per-

sonnel, le curé Baillairgé se trouvait à Montréal le 16 juin 1911 (Comité de toponymie et d'histoire de Verchère, *Le monument Madeleine de Verchères, 1913-2013,* Verchères, Le Comité, 2013, p. 58).

100. *Ibid.*

101. Œuvre de Louis-Philippe Hébert, ce monument sera inauguré le 21 septembre 1913. Il est désigné lieu historique national en 1923.

102. Non localisées.

103. Une des plus célèbres représentations symbolistes de cette attitude est celle qui en porte le titre même : *Yeux clos,* d'Odilon Redon (Rodolphe Rapetti [dir.], *Odilon Redon, Prince du Rêve, 1840-1916,* catalogue d'exposition, Paris, RMN-Grand Palais, Musée d'Orsay, 2011, p. 228-229).

104. Dans l'œuvre d'Alfred Laliberté, des personnages aux yeux clos sont représentés, entre autres, dans *L'Emprise de la pensée, Muse* et *Le Réveil* (Odette Legendre, *Laliberté,* Montréal, Fides, 2001, p. 104, 105, 106-107).

105. « O.-A. Léger est représenté par un plâtre de la triste Ophélie » ([Albert Laberge], « Nos sculpteurs et nos peintres fraternisent », *La Presse,* 7 novembre 1913, p. 15).

106. Shakespeare, *Hamlet,* acte IV, scène VII.

107. Outre les nombreux peintres symbolistes qui se sont intéressés à ce personnage, deux des représentations les plus connues d'Ophélie sont celles d'Eugène Delacroix, en 1844, et de John Everett Millais, en 1852.

108. Odilon Redon a peint une *Ophélie* à la poitrine partiellement dénudée (Rodolphe Rapetti [dir.], *op. cit.,* p. 46), et Albert Ciamberlani (1864-1956) une *Ophélie* aux yeux clos (Musées royaux des beaux-arts de Bruxelles).

109. L'idée de cette œuvre a pu naître des conversations de Léger avec Émile Vézina, féru de Shakespeare qu'il lisait dans le texte et sur les traces de qui il venait de faire un pèlerinage à Stratford-upon-Avon, en Angleterre, en 1911. Il préparait sur lui une pièce de théâtre, d'abord intitulée *Le Sorcier,* puis *Le Magicien.*

110. [Albert Laberge], « Nos sculpteurs et nos peintres fraternisent », *loc. cit.*

111. Alfred Laliberté, « Onésime-Aimé Léger », dans *Les artistes de mon temps, op. cit.,* p. 182.

112. « Il venait tous les jours » (Estelle Piquette-Gareau, notes manuscrites à la suite d'un entretien avec Elzire [Billie] Giroux, AEPG).

113. [Albert Laberge], « *La Pensée* et *L'Adieu* par O. A. Léger : remarquables sculptures d'un jeune artiste montréalais au Salon de la Art Association », *La Presse,* 3 avril 1915, p. 30.

114. *Ibid.*

115. Paul Coutlée, « Un héros du 22ᵉ Régiment », *Le Samedi,* 23 août 1919, p. 9.

116. Cette photographie est tirée d'Albert Laberge, « Onésime-Aimé Léger », *Peintres et écrivains d'hier et d'aujourd'hui,* édition privée, 1938, insérée hors texte entre les pages 94 et 95, sous le titre *La mère et l'enfant.* En page 95, dans son texte, Laberge intitule l'œuvre *Maternité.* D'après ce qu'il écrit, ce plâtre se trouvait dans les collections de la Bibliothèque municipale de Montréal, à laquelle Lactance Giroux en avait fait don. Malgré nos recherches, l'œuvre n'a pu y être localisée.

117. « Le comité chargé de faire les achats des œuvres d'art pour le compte du Fédéral lui avait proposé d'en faire l'acquisition si Léger voulait la faire couler en bronze, et celui-ci ne trouvant pas moyen de le faire, je crois que l'offre est restée sans réponse » (Alfred Laliberté, « Onésime-Aimé Léger », *op. cit.,* p. 181-182).

118. Fra Angelico [pseud.], « La Galerie des Arts », *L'Autorité,* 20 novembre 1915, p. 4. De plus, le critique, dans son compte rendu écrivait ceci : « *Sunlight,* Nᵒ 183, par Robert Robinson, *Solitude,* Nᵒ 62, pastel par Maurice Cullen, et *Sisters,* Nᵒ 131, par Marion Long, sont les trois plus beaux tableaux de l'exposition. […] Si, à ces trois peintures, nous ajoutons le plâtre *L'Amour maternel,* par le sculpteur O. A. Léger, nous aurons nommé les quatre meilleures œuvres de 1915. »

119. Albert Laberge, « Onésime-Aimé Léger », *op. cit.,* p. 95.

120. « C'est aussi dans son œil la dernière étincelle de la vie qui va s'éteindre » (Charles Gill, « Le Salon de 1917 », *La Grande Revue,* 21 avril 1917, p. 19).

121. Gustave Comte, « Aimé Léger », *loc. cit.*

122. Lettre de Joseph Jutras à Albert Laberge, 3 janvier 1944, *loc. cit.*

123. « Legault fut le grand protecteur de Léger, il l'hébergea chez lui toute sa vie. Il eut soin de lui comme son père » (Jean-Paul Pépin, « Onésime-Aimé Léger 1881-1924 », notes manuscrites sur les peintres de la Montée Saint-Michel, AEPG).

124. Estelle Piquette Gareau, « Mes peintres oubliés », *op. cit.,* p. 84.

125. Estelle Piquette-Gareau, notes manuscrites à la suite d'un entretien avec Elzire (Billie) Giroux, AEPG.

126. *Gazette Officielle de Québec,* vol. 46, nᵒ 46, 14 novembre 1914, p. 2838.

127. Anonyme, « La Marquise, Ltd », *Le Pays,* 30 mai 1914, p. 5.

128. « M. Adrien Viau, tout comme M. Wilfrid Fréchette, étudia au Conseil des Arts et Manufactures puis alla se perfectionner lui aussi chez Zénon Juteau, le célèbre portraitiste canadien-français et à la Art Gallery » (Anonyme, « Captivant concours de portraits artistiques », *L'Autorité,* 19 juin 1937, p. 3).

129. Laberge, lui aussi, a été frappé par ces changements extérieurs survenus chez son ami et, un an après sa mort, il publiera dans *La Presse,* côte à côte, trois photographies d'époques différentes, prises par Lactance Giroux, disposées par ordre décroissant, de la plus ancienne à la plus récente, qui frappent par leurs contrastes ([Albert Laberge], « Nos artistes disparus », *La Presse,* 11 avril 1925, « Revue illustrée », p. 4).

130. « Le sol sera maudit à cause de toi. […] Il te produira des épines et des ronces » (Genèse, 17-18). Sous le titre *Les Ronces,* une huile (non localisée) a été présentée du 20 novembre au 20 décembre 1919 au Salon de l'Académie royale des arts du Canada (pas de prix), ainsi que du 2 au 26 avril 1925 au Salon de l'AAM, nᵒ 156 (650 $) et du 15 avril au 15 mai 1941 à la galerie Morency, nᵒ 99, de format 86,3 x 45,6 cm. Elle appartenait alors à une collection particulière. Au premier Salon de peinture et de sculpture du Club Saint-Denis, en avril 1911, et à l'exposition de l'Arts Club, en novembre 1913, Henri Hébert avait présenté une sculpture allégorique intitulée *La vie est parsemée de ronces et d'épines.* Voir Janet M. Brooke, *Henri Hébert, 1884-1950 : un sculpteur moderne,* catalogue d'exposition, Québec, Musée du Québec, 2000, p. 91, 111-113.

131. Pierre Bourcier, « Le Salon de 1920 », *La Revue nationale,* mai 1920, p. 23.

132. P'tite mère [pseud.], « En grignotant : la Galerie des arts », *La Patrie,* 12 avril 1920, p. 4.

133. Édith Prégent, *Un bohème dans la ville : vie et œuvre d'Onésime-Aimé Léger,* catalogue d'exposition, Vaudreuil-Dorion, Musée régional de Vaudreuil-Soulanges, 2007, p. 19.

134. Selon Louis de Lavergne, « dans les onze années de son ministère, Ximénès fit condamner 52 855 personnes, dont 3 564 subirent la peine du feu » (« Le cardinal Ximénès », *Revue des deux mondes*, 1841 ; Wikisource). Dans l'aquarelle de Léger, on aperçoit un enfant mort, mais il n'est pas avéré que l'inquisiteur ait fait condamner des enfants pour hérésie !

135. Albert Laberge, « Onésime-Aimé Léger », *op. cit.*, p. 92.

136. Albert Laberge, « Onésime-Aimé Léger », *op. cit.*, p. 93.

137. Écrivain, poète et imprimeur français, Étienne Dolet (1509-1546), accusé d'athéisme, fut brûlé avec ses livres sur la place Maubert, à Paris. Ce pastel, *La mort d'Étienne Dolet* (non localisé), a été exposé au Salon du printemps de 1917.

138. Au XIIᵉ siècle, le professeur Abélard tombe amoureux de son élève Héloïse, de seize ans sa cadette. Lorsqu'elle est enceinte, ils s'enfuient et se marient illicitement. Le chanoine Fulbert fait arrêter Abélard, l'émascule et le fait entrer au monastère, tandis qu'Héloïse entre au couvent. S'ensuit, entre les deux amoureux, une correspondance des plus célèbres.

139. Grande niche munie d'une porte ouvragée qui indique la direction de La Mecque et que doit posséder toute mosquée. L'officiant se tient à l'intérieur du mihrab avec le Coran et appelle les fidèles à la prière.

140. Reconnue par Marguerite Chagnon, nièce d'O.-A. Léger, dans un album sur Cordoue, et visitée ensuite lors d'un voyage en Espagne. Son ornementation est faite d'or et de mosaïque de verre sur du marbre. Dans son tableau, Léger, cependant, modifie certains détails de l'architecture de cette porte.

141. Ce nu masculin est une citation du tableau *Les Porteurs de mauvaises nouvelles* de Lecomte du Nouÿ, mais inversée. Autrefois au musée du Luxembourg, à Paris, ce tableau est aujourd'hui non localisé.

142. [Albert Laberge], « Visite au salon des artistes canadiens », *La Presse*, 3 avril 1925, p. 13.

143. Albert Laberge, « L'exposition de peinture », *La Presse*, 23 mars 1912, p. 20.

144. [Albert Laberge], « Ouverture de l'exposition de peintures et de sculptures », *La Presse*, 27 mars 1915, p. 30.

145. [Albert Laberge], « *La Pensée* et *L'Adieu* par O. A. Léger… », *op. cit.*, p. 30.

146. Fra Angelico [pseud.], *op. cit.*, p. 4.

147. Pierre Bourcier, *op. cit.*, p. 23.

148. [Albert Laberge], « Tableaux fort intéressants au salon des artistes canadiens », *La Presse*, 25 mars 1916, p. 17. Un autre critique ajoute que « les fronts et jusqu'aux plis des tuniques sont chargés de pensées » (P'tite mère [pseud.], « Pour ces dames : le Salon de peinture », *La Presse*, 15 avril 1916, p. 30).

149. Vasari [pseud.], *op. cit.*, p. 1.

150. *Ibid.*

151. Reynald, *loc. cit.*

152. Ce procédé se retrouve dans plusieurs autres photographies de groupe prises par Legault (5.65, 66).

153. Le portrait de Léger est l'œuvre de Giuseppe Iacurto, photographe voisin de Legault, avec qui ce dernier échangeait divers travaux.

154. « Car d'un trop plein du cœur parle la bouche » (Luc 6,45).

155. Albert Laberge, « Onésime-Aimé Léger », *op. cit.*, p. 95.

156. *Ibid.*

157. [Albert Laberge], « *La Pensée* et *L'Adieu* par O. A. Léger », *op. cit.*, p. 30.

158. Voir Michel Draguet (dir.), *Splendeurs de l'Idéal : Rops, Khnopff, Delville et leur temps*, Liège, SDZ, Pandora, ULB, 1997 ; Jean-David Jumeau-Lafond, *Les Peintres de l'âme : le Symbolisme idéaliste en France*, Anvers, Pandora, 1999.

159. Gustave Comte, « Aimé Léger », *loc. cit.*

160. Albert Laberge, « Onésime-Aimé Léger », *op. cit.*, p. 93.

161. *Ibid.*

162. Gustave Comte, « Aimé Léger », *loc. cit.*

CHAPITRE 7

1. Voir Léon Trépanier, « Le violoniste Oscar Martel, de L'Assomption, révélé par de vieux papiers de famille », *La Patrie*, 2 avril 1950, p. 30, 37, 42-43, 46-47.

2. Le nom d'Élisée Martel n'apparaît pas dans les palmarès de fin d'année du Conseil des arts et manufactures (CAM), comme c'est le cas de plusieurs autres élèves qui, pourtant, y étudiaient, comme Marc-Aurèle Fortin et les frères Adrien et Henri Hébert.

3. Olivier Maurault, *Les peintres de la Montée Saint-Michel, cent ans après : 1911-2011*, textes présentés et annotés par Richard Foisy, Montréal, Fides, 2011, p. 59. Réédition de Olivier Maurault, « Les peintres de la Montée Saint-Michel », *Les Cahiers des Dix*, nᵒ 6, décembre 1941. Nos références renvoient à cette réédition.

4. Olivier Maurault, *Les peintres…*, *op. cit.*, p. 50.

5. [Albert Laberge], « Claires couleurs de maisons des champs », *La Presse*, 11 décembre 1944, p. 4.

6. Joseph Jutras, « Un peintre sur la route », *Le Foyer rural*, août 1948, p. 6.

7. Léon Trépanier, *op. cit.*, p. 36.

8. Aubin se mariera en 1940. Martel aura une compagne.

9. Ernest Aubin, lettre conjointe à sa mère et à sa sœur Maria, 6 août 1923, quatre feuillets photocopiés, archives Estelle Piquette-Gareau (AEPG).

10. « Très petite, nerveuse, parlant très vite et très fort » (Hubert Van Gijseghem, collectionneur des œuvres d'Élisée Martel, réponse à un questionnaire de Richard Foisy, le 1ᵉʳ février 2005, archives du Centre de recherche sur l'atelier de L'Arche et son époque [CRALA]).

11. Les principaux éléments de l'histoire d'Élisée Martel avec sa compagne Marie-Anna se trouvent dans Hubert Van Gijseghem, *Élisée Martel et les peintres de la Montée Saint-Michel*, conférence donnée le 29 septembre 2001, à L'Assomption, dans le cadre des Journées de la culture. M. Van Gijseghem tient ces renseignements du peintre Jean-Paul Pépin.

12. Olivier Maurault, notes dactylographiées sur les peintres de la Montée Saint-Michel, huit feuillets non paginés, [p. 1] (fonds Olivier Maurault, archives des prêtres de Saint-Sulpice).

13. Thérèse Contant, *Souvenirs et notes*, seize pages manuscrites sur Ernest Aubin, non paginées, [p. 7] AEPG.

14. Jean-Paul Pépin, « A. E. Martel, 1881-1963 », notes manuscrites sur les peintres de la Montée Saint-Michel, AEPG.

15. *Ibid.*

16. « Depuis 1930 [Martel] fréquente surtout les environs de Saint-Léonard, plutôt vers l'est. Vers cette époque [il] commence à élever des volailles et commence à faire poser des coqs, des poules et des poussins, des canards et des oies » (O. Maurault, notes dactylographiées…, *op. cit.*, [p. 8]).

17. Anonyme, « À la montée Saint-Michel », *Le Petit Journal*, 12 septembre 1948, p. 46.

18. Le titre du tableau, écrit au dos de la toile, est de la main de Jean-Paul Pépin qui y est peut-être allé de mémoire et a pu se tromper de date.

19. [Albert Laberge], «Peintre de la banlieue», *La Presse*, 10 septembre 1948, p. 14.

20. Fonds galerie Morency Frères, CRALA.

21. [Albert Laberge], «Peintre de la banlieue», *loc. cit.*

22. Joseph Jutras, lettre manuscrite avec l'en-tête «Un des peintres de la Montée St-Michel», en date du 7 février 1949, à laquelle est joint le formulaire de la Cour supérieure de la province de Québec, district de Montréal, à la même date, portant le timbre de loi et le sceau de la Cour supérieure (archives privées). Jutras, dans sa lettre, orthographie «l'Entre-Aide Artistique» le nom de son association, et tel il apparaît dans le document de loi.

23. Joseph Jutras, feuillet manuscrit isolé, sans titre, archives privées.

24. Anonyme, «À la montée Saint-Michel», *loc. cit.*

25. [Albert Laberge], «Peintre de la banlieue», *loc. cit.*

26. «37th Spring Exhibition 1920 / Rejected Works», registres manuscrits des expositions de l'Art Association of Montreal, 1920, p. 265 (archives du Musée des beaux-arts de Montréal). Le prix du tableau était établi à 25 $.

27. Roméo Boivin, «Le Salon du printemps: la montée vers un art autonome…», *La Patrie*, 21 avril 1934, p. 44. Sur la peintre animalière Rosa Bonheur, voir Sandra Buratti-Hasan et Leïla Jarbouai (dir.), *Rosa Bonheur (1822-1899)*, catalogue d'exposition, Paris, Flammarion, 2022.

28. Reynald, «L'activité artistique: les Peintres de la Montée», *La Presse*, 19 avril 1941, p. 33.

29. Pièce en vers d'Edmond Rostand, *Chantecler* (1910) met en scène des animaux, parmi lesquels le personnage principal est un coq.

30. Robert de Roquebrune, «Choses du temps: à la montée Saint-Michel», *Le Canada*, 24 avril 1941, p. 2.

31. Reynald, *loc. cit.*

32. Nous attribuons l'articulet anonyme sur Élisée Martel «Peintre de la banlieue», paru dans *La Presse* le 10 septembre 1948, à Albert Laberge par recoupement avec celui titré «Peintre de quartier», qui paraîtra dans *La Presse*, le 16 décembre 1948, que nous attribuons aussi à Albert Laberge et qui concerne l'exposition que Joseph Jutras tient chez lui, à son domicile, les deux titres usant d'une formulation semblable et les visites des ateliers d'artistes étant dans les habitudes de celui qui fut le critique d'art attitré de *La Presse* durant des décennies.

33. [Albert Laberge], «Peintre de la banlieue», *loc. cit.*

34. Olivier Maurault, notes dactylographiées…, [p. 8] *loc. cit.* Dans sa conférence de 1941, il parle de «quinze ans et plus» (O. Maurault, *Les peintres…, op cit.*, p. 60).

35. Olivier Maurault, *Les peintres…, op. cit.*, p. 59.

36. Voir François-Marc Gagnon, *Chronique du mouvement automatiste québécois, 1941-1954*, Montréal, Lanctôt éditeur, 1998, p. 485-556.

37. Maurice Huot, «La peinture: A. Elyse [sic] Martel», *La Patrie*, 2 avril 1949, p. 59.

38. L[ouis] Le M[archand], «Deux expositions», *Photo-Journal*, 14 avril 1949, p. 38.

39. Le 8 mai 1961, de Miami, il envoie une carte postale à Joseph Jutras: «Cher ami / je suis toujour en flan de mer je m'attend de retourné a Montreal vers le 20 Mai / Élysée Martel» [transcription intégrale] archives privées.

40. «Martel (Arsème [sic] Élisée) – À Montréal, le 22 novembre 1963, à l'âge de 82 ans, 7 mois, est décédé M. Arsème [sic] Élisée Martel, demeurant 3762 Colonial. Les funérailles auront lieu jeudi le 28 courant. Le convoi funèbre partira des Salons Georges Godin, 518 rue Rachel Est, pour se rendre à l'église St-Louis-de-France, où le service sera célébré, et de là au cimetière de la Côte-des-Neiges, lieu de la sépulture. Parents et amis sont priés d'y assister sans autre invitation» («Avis de décès», *La Presse*, 27 novembre 1963, p. 92). L'année de la mort d'Élisée Martel est bien 1963 et non 1965, comme on trouve un peu partout, notamment à la Commission de toponymie et dans le *Dictionnaire des artistes de langue française en Amérique du Nord*, de David Karel. Sous le nom d'Élise Martel, Élisée Martel repose au cimetière Notre-Dame-des-Neiges aux côtés de ses parents, de ses sœurs et de son frère, numéro d'emplacement R02503. Sa dépouille a été reçue le 28 novembre 1963.

41. Hubert Van Gijseghem, *Élysée Martel et les peintres de la Montée Saint-Michel, op. cit.* La rupture entre Martel et sa compagne a dû survenir après l'exposition personnelle du peintre à l'École des arts et métiers, en 1949, où il a présenté quarante-sept tableaux.

42. *Ibid.*

CHAPITRE 8

1. [Ernest Loiselle], «Exposition de P. Pépin chez Déom», *La Patrie*, 29 septembre 1945, p. 35. «Ensuite, durant 15 ans, on le vit en la compagnie d'Ernest Aubin peindre les sites les plus pittoresques de l'île de Montréal et des environs» (Roger Parent, «Un peintre local étudie depuis vingt ans l'art de conserver les tableaux», *Photo-Journal*, 18 octobre 1945, p. 5).

2. J.-P. Pépin, «Liste des peintures et pochades peintes à la Montée Saint-Michel, Montréal, de 1927 [sic] à 1936», Journal, vol. 5, p. 291-309, fonds Jean-Paul Pépin, archives Estelle Piquette-Gareau, désormais JPP-AEPG.

3. J.-P. Pépin, Journal, vol. 3, 24 novembre 1959, p. 84-85.

4. Au printemps 1913, au terme de sa première année d'études, Jean-Paul Pépin obtient une mention honorable en lithographie (Anonyme, «Les élèves des cours gratuits du Conseil des arts et manufactures sont couronnés pour leurs travaux», *La Patrie*, 6 juin 1913, p. 2). Il obtient une autre mention honorable au printemps 1914, au terme de sa deuxième année d'études (Anonyme, «Pour instruire dans les arts», *La Patrie*, 17 juin 1914, p. 8).

5. Lagacé enseigne à l'école Le Plateau de 1910 à 1928. Pépin écrit: «Dès l'âge de 10 ans [sic], je pris ma première leçon importante avec mon oncle J.-B. Lagacé, professeur de dessin à la Comm[ission] scolaire [de Montréal], [école du] Plateau» (Jean-Paul Pépin, Curriculum vitæ, s.d., JPP-AEPG). Pépin a eu dix ans en 1907, il n'a donc pu suivre à cette date l'enseignement de son oncle puisque ce dernier n'entre au Plateau qu'en 1910. Nombre de dates avancées par Jean-Paul Pépin dans ses curriculum vitæ et autres textes autobiographiques, et parfois même certaines dates de ses œuvres, doivent être reçues avec précaution, Pépin négligeant parfois l'exactitude chronologique. Nous essayons, en ce qui le concerne, de nous appuyer sur les dates les plus sûres ou les plus plausibles.

6. Voir Olga Hazan, *La culture artistique au Québec au seuil de la modernité: Jean-Baptiste Lagacé, fondateur de l'histoire de l'art au Canada*, Québec, Septentrion, coll. «Cahiers des Amériques», 2010.

7. «En 1909, alors qu'il a douze ans, le professeur de dessin à l'école Montcalm, Jobson Paradis, lui révèle ses talents d'artiste» (Olivier

Maurault, « Les peintres de la Montée Saint-Michel », *Les Cahiers des Dix*, n° 6, décembre 1941, p. 65. Réédition présentée et annotée par Richard Foisy sous le titre *Les peintres de la Montée Saint-Michel, cent ans après : 1911-2011*, Montréal, Fides, 2011, p. 77. C'est à cette réédition que nous ferons référence désormais). Paradis a enseigné à l'école Montcalm et dans d'autres écoles de la Commission scolaire de Montréal de 1903 à 1913. La famille Pépin habitait au 695, rue Berri (entre les rues Duluth et Roy, où est né Jean-Paul), puis, à partir de 1905, au 205, rue Saint-Christophe, à proximité de la rue Mignonne (auj. boulevard De Maisonneuve) où se trouvait l'école Montcalm, à l'angle de la rue Saint-Hubert. En 1912, la famille s'installe au 462, rue Saint-Christophe.

8. Jean-Paul Pépin, « Écrit à Ste-Dorothée le 26 oct. 1949 », feuillet arraché à un cahier, paginé 125, JPP-AEPG.

9. Plus précisément, Eugène Pépin a acheté, en 1912, la librairie J.-G. Gratton, qui conserve ce nom jusqu'en 1920, où elle prend alors le nom de librairie Pépin. Le 8 juin 1912, les patrons et les employés de la librairie Beauchemin ont offert à Eugène Pépin un ensemble de couverts, en remerciement pour ses services.

10. Jean-Paul Pépin, entretien avec l'animateur Pierre Paquette, à l'émission *Feu vert,* diffusée sur les ondes de Radio-Canada, le 12 avril 1976.

11. À la distribution des prix de fin d'année au CAM, Blanche (Castonguay) Pépin remporte le premier prix de solfège en deuxième année d'études (Anonyme, « Distribution des prix au Conseil des arts », *La Patrie*, 12 juin 1912, p. 2).

12. J.-P. Pépin, Curriculum vitæ, s.d., JPP-AEPG.

13. « Peint chez Aubin dans l'atelier derrière chez Desmarais et Robitaille, et aussi à l'Arche » (Olivier Maurault, notes dactylographiées sur les peintres de la Montée Saint-Michel, huit feuillets non paginés, [p. 6], fonds Olivier Maurault, archives des prêtres de Saint-Sulpice). Ce sont là deux périodes distinctes pour Aubin : la période Desmarais & Robitaille débute en 1915 et prend fin en 1921, la période de L'Arche s'étend de 1922 et à 1929.

14. « En 1915 dit à son père qu'il veut faire un artiste ; ce dernier veut en faire un libraire et s'oppose à sa vocation d'artiste jusqu'à sa mort [en 1929] » (*ibid.*, [p. 5]) ; voir aussi O. Maurault, *Les peintres…*, (*op. cit.*, p. 79).

15. Propos de Jean-Paul Pépin recueillis par Pierre Perrault, dans la série radiophonique *J'habite une ville*, diffusée sur les ondes de Radio-Canada de janvier à septembre 1965. Deux émissions, soit les deux dernières, qui passent les 18 et 25 septembre 1965, donnent la parole à J.-P. Pépin. Transcription partielle sur le site de François Lareau, *Pépin, Jean-Paul, 1897-1983, artiste peintre*, que l'on consultera avec profit à l'adresse www.lareau-law.ca/Peintres--Pepin.html. Pour d'autres propos de Jean-Paul Pépin, voir Pierre Perrault, *J'habite une ville*, textes choisis et mis en forme par Daniel Laforest, Montréal, L'Hexagone, 2009, p. 200-205.

16. Propos de Jean-Paul Pépin, recueillis par Pierre Perrault, série radiophonique *J'habite une ville, op. cit.*

17. *Ibid.*

18. Anonyme, « Artist Preserves Many of City's Vanishing Landmarks : Jean Pepin's Life Devoted To Depicting on Canvas The Montreal of Old », *The Gazette*, 11 juin 1955, p. 21 ; traduction libre.

19. « Delfosse a été mon professeur privé. J'ai peint avec lui du Vieux-Montréal. J'avais à cette époque 12 à 14 ans. Mes vacances se passaient à peindre avec lui » (J.-P. Pépin, Journal, vol. 3, 11 janvier 1958, p. 11, JPP-AEPG).

20. Entretien de Richard Foisy et Hugo Beaulieu avec Pierre Pépin, fils de Jean-Paul, le 26 septembre 2006.

21. « Hélas ! son père qui, déjà en 1915, lui avait marqué sa réprobation, intervient de nouveau en 1918, et lui interdit toute étude d'art. Jusqu'à sa mort en 1929, il sera irréductible » (O. Maurault, *Les peintres…*, *op. cit.*, p. 79).

22. J[oseph] Jutras, « Un peintre sur la route », *Le Foyer rural*, août 1948, p. 6.

23. « De 1911 à 1943, il fait des voyages dans toute la province de Québec d'où il rapporte de précieuses études et d'importants renseignements sur l'art » ([Ernest Loiselle], *op. cit.*, p. 35, 44).

24. « De 1924 à 1932, [il] reçoit tous ces peintres chez lui » (O. Maurault, notes dactylographiées…, *op. cit.*, [p. 6]). Ailleurs, Pépin notera : « Ils venaient chez moi, à 8383, [rue] Saint-Denis, dans les années 1927 à 1935 », ajoutant : « Il n'y avait pas de femmes, tous mettaient la main à la popote. Je peux vous dire que le souper durait jusqu'au matin » (Journal, vol. 7, 29 septembre 1973, p. 959, JPP-AEPG.) En 1927, Pépin emménage au 8162, rue Saint-Denis, près du boulevard Crémazie, et l'année d'après au 8383.

25. Entretien téléphonique de Richard Foisy avec Marthe Pépin, le 8 mai 2006.

26. O. Maurault, *Les peintres…*, *op. cit.*, p. 53-54. On ignore si la demande d'enregistrement a été déposée.

27. Au cours de cette période naissent les cinq premiers enfants de Jean-Paul Pépin : Claude en 1924, Jacques en 1925, Marthe en 1927, Monique en 1929, Gisèle en 1930.

28. Michel Bigué, « Jean-Paul Pépin : une vie consacrée au patrimoine québécois », *Secrets d'artistes*, 30 mars 1974, p. 25.

29. « Commence à peindre à la Montée Saint-Michel de 1922 à 1935 : avec Ernest Aubin… et il rencontre dans ces excursions Proulx, Jutras, Martel, Legault, Vincelette » (O. Maurault, notes dactylographiées…, *op. cit.*, [p. 6]).

30. Michel Bigué, *loc. cit.*

31. J.-P. Pépin, Journal, vol. 3, 11 novembre 1961, p. 283, JPP-AEPG. Pépin puise cette mention de Barbizon dans un compte rendu de la conférence d'Olivier Maurault en 1941 : « Peu de gens savaient ou savent que depuis plus d'une trentaine d'années, une douzaine de peintres accomplissaient, jusqu'à 1936 encore, une sorte de pèlerinage quotidien au petit Barbizon de la Montée Saint-Michel » (Anonyme, « Mgr Maurault révèle l'existence des Peintres de la Montée Saint-Michel », *Le Devoir*, 28 mars 1941, p. 2).

32. Joseph Jutras étend la Montée Saint-Michel à l'est jusqu'à l'actuel boulevard Lacordaire (Joseph Jutras, *Biographie de Narcisse Poirier*, onze feuillets, p. 5).

33. J.-P. Pépin, Journal, vol. 3, 11 novembre 1961, p. 282, JPP-AEPG.

34. Anonyme, « Pleins feux sur Jean-Paul Pépin, artiste peintre de Laval », *Le Propriétaire de Laval*, décembre 1970, p. 15.

35. Gabriel Fauré, *Automne*, op. 18, n° 3, 1878, sur un poème d'Armand Silvestre. Gabriel Fauré (1845-1924) est un pianiste, organiste et compositeur français. Il sera directeur du Conservatoire de Paris de 1905 à 1920.

36. Armand Silvestre, « Chanson d'automne », dans *Les Ailes d'or : poésies nouvelles, 1878-1880*, Paris, G. Charpentier, éditeur, 1880, p. 117. Armand Silvestre (1837-1901) est un écrivain, poète et romancier français.

37. Joseph Varin était propriétaire d'une des carrières actives autour du domaine Saint-Sulpice. Celle-ci se trouvait tout au bout de la rue Saint-Denis, au-delà de la rue Villeray.

38. J.-P. Pépin, *Journal*, vol. 3, s.d., 1958, p. 33, JPP-AEPG.

39. La liquidation aura lieu deux ans plus tard. Voir Joseph-G. Duhamel, « Loi de faillite / Avis aux créanciers de la première assemblée sur cession / Dans l'affaire de la faillite de : PAUL PÉPIN, voyageur de commerce, demeurant à L'Abord-à-Plouffe, Province de Québec, Canada, débiteur » (*Le Devoir*, 14 octobre 1938, p. 8).

40. « Elle a été construite en 1812 par des Français du nom de Landegrave. Les habitants du coin (entendez par là les paysans) ne prisaient guère ce nom compliqué. Un jour ils ont demandé aux Landegrave de quelle région de France ils venaient "de la Champagne" répondirent les autres. Alors, à compter d'aujourd'hui, vous vous appellerez Champagne » (Propos de J.-P. Pépin cités dans Odette Michel, « Le patrimoine lavallois à la Place des Arts », *Laval*, 31 août 1976).

41. Entretien téléphonique de Richard Foisy avec Marthe Pépin, le 8 mai 2006.

42. Entretien de Richard Foisy et Jocelyne Dorion avec Pierre Proulx, fils de Joseph-Octave Proulx, le 3 novembre 2007 chez lui, à Ottawa.

43. Anecdote fournie par Gérald Olivier, monteur chez Morency Frères de 1944 à 1992.

44. J.-P. Pépin, *Journal*, vol. 3, janvier 1959, 11 novembre 1961, p. 156 à 255, 282 à 321, JPP-AEPG.

45. Voici sous quelle formulation est rapporté cet événement : « À 19 ans, il exposa 30 petits tableaux lors d'une fête du Bien-être de la Jeunesse à l'Assistance Publique, rue Dorchester Est. C'était en 1925 » ([Ernest Loiselle], *op. cit.*, p. 35). Il y a contradiction entre l'âge de l'artiste et l'année de l'exposition, puisqu'en 1925 Pépin avait vingt-huit ans. L'âge de dix-neuf ans nous ramène à 1916, à l'époque où Eugène Pépin s'oppose plus farouchement que jamais aux ambitions artistiques de son fils. Nous penchons davantage vers l'année 1925 pour cet événement dont nous n'avons cependant pas trouvé trace. L'exposition en question devait être plus probablement un accrochage. Les dames patronnesses de l'Association du Bien-Être de la Jeunesse organisaient annuellement des kermesses et autres fêtes de charité dans les locaux de l'Assistance publique et ailleurs, où l'on recueillait des dons de toutes sortes.

46. En 1933, Odilon Morency et Jean-Paul Pépin se connaissent déjà suffisamment pour que le premier assiste aux funérailles de François Pépin, frère cadet du second, mort à vingt-sept ans (Anonyme, « Les funérailles de M. François Pépin », *Le Devoir*, 27 janvier 1933, p. 2). Cette marque de proximité indique que les rapports de Pépin avec la galerie Morency sont déjà bien établis au début des années 1930.

47. J.-P. Pépin, *Curriculum vitæ*, 1964 (photocopie d'un document dont l'original n'a pas été retrouvé, AEPG). Nous n'avons trouvé aucune trace de ces premières expositions de Jean-Paul Pépin.

48. Renseignements fournis par Gérald Olivier, monteur chez Morency Frères de 1944 à 1992.

49. Reynald, « L'activité artistique : les Peintres de la Montée », *La Presse*, 19 avril 1941, p. 33.

50. [Éloi de Grandmont], « Quatre expositions pour l'ouverture de la saison artistique », *Le Canada*, 3 octobre 1945, p. 5.

51. J[acques] D[elisle], « M. J.-P. Pépin expose chez Morency Frères », *Le Devoir*, 24 octobre 1946, p. 9.

52. « Ses endroits préférés demeurent les Laurentides, le bas de Québec, la Gaspésie et l'île Jésus » (Roger Parent, « Un peintre local étudie depuis vingt ans… », *loc. cit.*).

53. Anonyme, « 8e exposition du peintre J.-P. Pépin », *Le Petit Journal*, 26 septembre 1948, p. 46.

54. « Un des membres du groupe fameux de la Montée Saint-Michel […] » (Anonyme, « Jean-Paul Pépin exposera ses toiles au Salon », *Le Nouvelliste*, 25 mars 1948, p. 11). Si un journaliste écrit : « Il fait partie du groupe des peintres de la Montée Saint-Michel », il nous surprend en ajoutant que ces peintres « connurent il y a quelques années une célébrité comparable à celle des Sept » [Hervé Biron, « Le premier Salon de peinture des Trois-Rivières », *Le Nouvelliste*, 27 mars 1948, p. 15].

55. Le Boulevardier [pseud. de Roger Parent], « Rumeurs et potins », *Photo-Journal*, 13 janvier 1949, p. 38.

56. Le Boulevardier, « Rumeurs et potins », *Photo-Journal*, 1er septembre 1949, p. 42.

57. « L'artiste-peintre J.-P. Pépin est parti pour Québec, ces jours derniers, où il tiendra au Palais Montcalm une exposition de ses dernières œuvres » (Le Boulevardier, « Rumeurs et potins », *Photo-Journal*, 20 février 1947, p. 32). L'état actuel de la recherche ne permet pas de dire si cette exposition a eu lieu.

58. « Il est question que l'artiste-peintre J.-P. Pépin tienne une exposition de ses œuvres à Ottawa, vers la fin de mai ou au début de juin » (Le Boulevardier, « Rumeurs et potins », *Photo-Journal*, 10 avril 1947, p. 34). L'état actuel de la recherche ne permet pas de dire si cette exposition a eu lieu. Deux ans plus tard, même annonce : « Le peintre J.-P. Pépin tiendra au moins trois expositions de ses plus récentes œuvres, avant les Fêtes, à Montréal, Québec et Ottawa » (Le Boulevardier, « Rumeurs et potins », *Photo-Journal*, 26 août 1949, p. 38).

59. « L'artiste-peintre J.-P. Pépin tiendra une exposition de ses œuvres dans une galerie newyorkaise, au cours de la saison prochaine. Depuis quelques mois, les tableaux de ce traditionaliste du Québec ont acquis une nouvelle faveur auprès des collectionneurs canadiens et étrangers » (Le Boulevardier, « Rumeurs et potins », *Photo-Journal*, 1er mai 1947, p. 34). L'état actuel de la recherche ne permet pas de dire si cette exposition a eu lieu. Deux ans plus tard, annonce semblable : « On sait que cet artiste a été invité pour une exposition particulière dans une grande galerie de New York, au printemps prochain » (Le Boulevardier, « Rumeurs et potins », *Photo-Journal*, 26 août 1949, p. 38).

60. Anonyme, « Pêle-mêle », *Le Petit Journal*, 5 décembre 1954, p. 67.

61. On écrit, en 1945, que « cet artiste peint depuis vingt-cinq ans pour les collectionneurs » ([Ernest Loiselle], *op. cit.*, p. 35).

62. Le Boulevardier, « Rumeurs et potins », *Photo-Journal*, 6 janvier 1949, p. 38.

63. Le Boulevardier, « Rumeurs et potins », *Photo-Journal*, 4 août 1949, p. 42.

64. « J'ai travaillé en temps partiel pendant 10 ans de juin à octobre 4 hrs par jour, et c'est là que j'ai fait connaître aux [touristes] le Vieux Faubourg, le Vieux-Montréal » (Note de Jean-Paul Pépin au bas d'une lettre du Service du tourisme de l'Office provincial de publicité qui lui a été adressée

le 3 mai 1956, ce que confirme une lettre du même organisme adressée à Jean-Paul Pépin le 7 janvier 1957, JPP-AEPG).

65. Jacques Delisle, « M. Paul Pépin expose », *Le Devoir*, 8 avril 1946, p. 4.

66. Anonyme, « M. J.-P. Pépin expose chez Morency », *Le Devoir*, 14 mars 1947, p. 12.

67. [Marcel Hamel] « Vernissage de J.-P. Pépin : l'universel au service du terroir », *La Patrie*, 22 février 1948, p. 91.

68. J.-P. Pépin à Raymond Morissette, sous-ministre des Affaires culturelles, 4 février 1969, JPP-AEPG.

69. J.-P. Pépin, Journal, vol. 7, 11 septembre 1970, p. 884, JPP-AEPG.

70. J.-P. Pépin, « Jean-Paul Pépin, 1897-19… », notes manuscrites sur les peintres de la Montée Saint-Michel, photocopies de huit feuillets manuscrits sur papier quadrillé dont les originaux n'ont pas été retrouvés, JPP-AEPG.

71. [Marcel Hamel], *loc. cit.*

72. J.-P. Pépin, « Jean-Paul Pépin, 1897-19… », *loc. cit.*

73. Dans son Journal, vol. 7, 29 juin 1972, p. 938, Pépin écrit : « J'ai découvert cette peinture le 19 mars 1948, lors d'une tempête de neige du printemps, qui tombait en diagonale, à Sainte-Dorothée » (JPP-AEPG). Puis, dans des notes autobiographiques, datant d'à peu près la même période, il écrit : « Jean-Paul Pépin fut le peintre de la Tradition Québécoise, et c'est le 19 mars 1945 qu'il la découvrit lors d'une tempête de neige qui tombait en diagonale » (Jean-Paul Pépin, « Jean-Paul Pépin, 1897-19… », notes manuscrites sur les peintres de la Montée Saint-Michel, AEPG).Une première reproduction d'un tableau marqué de diagonales, *Paysage d'hiver* (non localisé), se situe entre ces deux dates et se voit dans *Le Petit Journal* du 2 novembre 1947, p. 53, au moment de l'exposition de Pépin à la galerie Robert Oliver. Ce tableau est à nouveau reproduit dans *Radiomonde*, le 14 février 1948, p. 14, sous le titre *Après-midi d'hiver à Sainte-Dorothée*, au moment de l'exposition de l'artiste à l'École des arts et métiers.

74. Anonyme, « Artistes de chez nous : Jean-Paul Pépin, le peintre de la tradition québécoise et montréalaise », *Almanach du peuple*, Montréal, Librairie Beauchemin, 1981, p. 60.

75. J.-P. Pépin, Journal, vol. 7, 11 septembre 1970, p. 880, JPP-AEPG.

76. *Ibid.*, p. 883.

77. *Ibid.*

78. Albert Ladouceur, « Laval, le refuge d'un des plus grands peintres canadiens », *Courrier Laval*, 12 février 1973.

79. Lise Bissonnette, « Jean-Paul Pépin, artiste-peintre », *Le Devoir*, 27 avril 1983, p. 14.

80. J.-P. Pépin, « Jean-Paul Pépin, 1897-19… », *loc. cit.*

81. Jacques Delisle, « Tradition et modernisme chez le peintre J.-P. Pépin », *Montréal-Matin*, 1er mars 1948, p. 8.

82. [Marcel Hamel], *loc. cit.*

83. « Ma peinture est de la peinture au couteau (spatule ou truelle). Je me sers seulement du pinceau pour signer et contourner le dessin » (J.-P. Pépin, Journal, vol. 3, 27 septembre 1959, p. 78, JPP-AEPG).

84. F[rançois] G[agnon], « Maisons et feuillages », *La Presse*, 26 octobre 1946, p. 49.

85. « Dans les coins en haut de chaque peinture, ce sont des rideaux de théâtre de scène » (J.-P. Pépin, Journal, vol. 6, 13 août 1966, p. 594, JPP-AEPG).

86. « Les terrains qui représentent les catalognes » (J.-P. Pépin, Journal, vol. 7, 11 septembre 1970, p. 884, JPP-AEPG).

87. J.-P. Pépin, Journal, vol. 3, 2 juin 1960, p. 110-111, JPP-AEPG.

88. J[ean]-G[odefroy] Demombynes, « En conclusion de "Prisme d'Yeux" / Exposition J.-P. Pépin », *Le Devoir*, 26 février 1948, p. 11.

89. « Les arbres qui font des révérences à la vieille maison » (J.-P. Pépin, Journal, vol. 7, 11 septembre 1970, p. 884, JJP-AEPG).

90. J[ean]-G[odefroy] Demombynes, *loc. cit.*

91. Anonyme, « M. J.-P. Pépin expose », *La Patrie*, 24 octobre 1947, p. 18.

92. « J'aurais beaucoup aimé faire des portraits, dira-t-il, mais le portrait demandait tellement de travail » (Extrait d'un film tourné à la galerie Morency Frères au moment de l'exposition qu'y présente Pépin, en octobre 1966. Transcription sur le site de François Lareau, *Pépin, Jean-Paul, 1897-1983, artiste peintre*, www.lareau-law.ca/Peintres--Pepin.html).

93. Pourtant, au cours de l'exposition de 1947, lorsque le tableau est reproduit dans un journal, on lui donne le titre de *Tante Élodie* (Anonyme, « Tante Élodie », *La Patrie*, 4 novembre 1947, p. 11).

94. « Elle [cette peinture] représente le portrait d'une vieille canadienne québécoise de mon village, que tout le monde appelait "ma tante Élodie" » (Lettre de J.-P. Pépin à Raymond Morissette, sous-ministre des Affaires culturelles, 4 février 1969, JPP-AEPG).

95. « "Ma tante Élodie", qui n'est autre que Madame Élodie Pesant-Nadon, de Sainte-Dorothée, a posé exactement 267 heures, avant que le peintre Jean-Paul Pépin donne le dernier coup de spatule à cette toile » (Anonyme, « Tante Élodie », *La Patrie*, 4 novembre 1947, p. 11).

96. « Là, il fouille les plis du visage, et s'efforce de donner l'impression du mouvement » (Anonyme, « Exposition Pépin », *La Presse*, 31 octobre 1947, p. 65).

97. *Ibid.*

98. Lettre de J.-P. Pépin à Arthur Dansereau, 9 octobre 1967, JPP-AEPG.

99. Non localisé.

100. Jacques Delisle, « Tradition et modernisme chez le peintre J.-P. Pépin », *loc. cit.*

101. Jean-Paul Pépin reprend, en la modifiant, l'expression attribuée à l'humoriste américain Mark Twain (1835-1910), lors d'un séjour qu'il fit à l'hôtel Windsor et où il déclara Montréal être « la ville aux cent clochers ».

102. Anonyme, « Exposition de peintures », *Le Devoir*, 27 octobre 1947, p. 5.

103. Transcription partielle du segment du 25 septembre 1965 de la série radiophonique *J'habite une ville*, de Pierre Perrault, diffusée sur les ondes de Radio-Canada, à lire sur le site de François Lareau, *Pépin, Jean-Paul, 1897-1983, artiste-peintre*, www.lareau-law.ca/Peintres--Pepin.html.

104. Anonyme, « Artist Preserves Many of City's Vanishing Landmarks… », *op. cit.*, p. 20 ; traduction libre.

105. *Ibid.* ; traduction libre. La rue Dorchester deviendra officiellement boulevard en 1955. Voir Anonyme, « Dernier tronçon du boulevard Dorchester bientôt ouvert », *La Presse*, 29 août 1955, p. 3.

106. *Ibid.*

107. Le premier de ces carnets est daté de l'été 1956 et le dernier de 1976-1977. Dispersés dans des collections particulières, moins de la moitié de ces carnets ont été retrouvés, tous incomplets et certains dont les feuillets ont été mélangés avec d'autres.

108. Anonyme, « Artist Preserves Many of City's Vanishing Landmarks… », *loc. cit.* ; traduction libre.

109. J.-P. Pépin, Journal, vol. 3, 12 juillet 1958, p. 49, JPP-AEPG.

110. Roger Duhamel, « Un projet contre les taudis », *La Patrie*, 26 juillet 1954, p. 8. Une note de Jean-Paul Pépin, inscrite au bas d'une reproduction du plan se lit comme ceci : « J'ai peint dans le plan Dozois en 1957 plus de 180 dessins de vieilles maisons, rues et ruelles, etc., du 1er avril au 1er octobre 1957 » (JPP-AEPG).

111. Pierre Pelletier, « Plan Dozois : si tout va bien, les travaux commenceront à l'automne », *La Patrie*, 11 mars 1956, p. 92. Dans cet article, Jean-Paul Pépin a entouré de rouge le paragraphe suivant : « Rues abandonnées / On conçoit que pour obtenir le plus de latitude possible dans la préparation du plan d'aménagement du projet, certaines rues du secteur devront être abandonnées. Ces rues sont les suivantes : Leduc, Grubert, de Bullion, Hôtel-de-Ville, Brunet, Sainte-Élisabeth, Grothé et Gagnon. »

112. *Ibid.*

113. J.-P. Pépin, Journal, vol. 3, 7 juillet 1958, p. 53, JPP-AEPG ; c'est Pépin qui souligne.

114. Léon Trépanier, « Vieilles maisons qui s'en vont mais qui rappellent des noms », *La Patrie*, 6 mai 1956, p. 70.

115. J.-P. Pépin, Journal, vol. 3, 24 novembre 1959, p. 82, JPP-AEPG.

116. Lettre de Robert Séguin, réalisateur à Radio-Canada, à Jean-Paul Pépin, 19 septembre 1957, JPP-AEPG.

117. Je remercie Daniel Pépin, petit-fils de Jean-Paul Pépin, de m'avoir transmis un enregistrement de cette émission.

118. J.-P. Pépin, Journal, vol. 3, 1er janvier 1958, p. 1, JPP-AEPG ; c'est Pépin qui souligne.

119. J.-P. Pépin, Journal, vol. 6, 14 juin 1965, p. 506, JPP-AEPG. Voir Jean Paré, « Le Vieux-Montréal croule sous les coups des vandales », *La Patrie*, 17 octobre 1963, p. 6-7.

120. J.-P. Pépin, Journal, vol. 6, 25 mars 1965, p. 482 bis, JPP-AEPG.

121. *Ibid.*, 25 décembre 1965, p. 537, JPP-AEPG.

122. *Ibid.*, 29 juillet 1964, p. 411, JPP-AEPG.

123. J.-P. Pépin, Journal, vol. 3, 12 octobre 1958, p. 59-60, JPP-AEPG ; c'est Pépin qui souligne.

124. Cinq points sont exposés, entre autres « qu'un règlement soit adopté pour permettre aux propriétaires des vieilles maisons d'être exemptés d'une partie de la taxe foncière en vue de leur permettre de procéder aux réparations et restaurations qui s'imposent sans augmentation de taxes » ; « de redonner à ces vieux quartiers un visage français sans changer l'aspect de ces demeures et de garder le pittoresque actuel de ces maisons » (J.-P. Pépin à Monsieur R. Mondello, chef du département de l'urbanisme, Ville de Montréal, 1er décembre 1959, copie carbone, JPP-AEPG).

125. J.-P. Pépin, Journal, vol. 3, 13 septembre 1960, p. 118, JPP-AEPG.

126. *Ibid.*, 5 janvier 1960, p. 91, JPP-AEPG.

127. *Ibid.*, 13 septembre 1960, p. 118, JPP-AEPG.

128. *Ibid.*, 15 septembre 1960, p. 118-119, JPP-AEPG.

129. Jean Desraspes, « L'agonie du Vieux-Montréal a trop duré », *La Patrie*, section Magazine, 27 juin 1963, p. 1.

130. Pierre Perrault, *op. cit.*, p. 198. Sur la couverture du livre, une photographie de Jean-Louis Frund montre Pierre Perrault interviewant Jean-Paul Pépin sur la place d'Armes. Dans son Journal, Jean-Paul Pépin écrit toujours « la Ville aux Cent Visages », avec des majuscules.

131. *Ibid.*, p. 201-202.

132. Pierre Perrault, émission radiophonique *J'habite une ville*, Radio-Canada, transcription sur le site de François Lareau, *Pépin, Jean-Paul, 1897-1983, artiste peintre*, www.lareau-law.ca/Peintres--Pepin.html.

133. Léon Trépanier, « La citadelle de Montréal et son histoire : Montréal progresse et se transforme. / On démolit et on reconstruit. / De plus en plus le souvenir de ce que fut notre ville se perd dans le recul du temps », *La Patrie*, 13 octobre 1957, p. 29.

134. J.-P. Pépin, Journal, vol. 7, 6 juillet 1968, p. 749, JPP-AEPG.

135. Michel Bigué, *loc. cit.*

136. J[acques] D[elisle], « M. J.-P. Pépin expose chez Morency Frères », *loc. cit.*

137. [Éloi de Grandmont], « Quatre expositions… », *loc. cit.*

138. *Ibid.*

139. Anonyme, « Maisons anciennes de Jean-Paul Pépin », *La Presse*, 18 mars 1947, p. 4.

140. Ernest Pallascio-Morin, « Peindre, c'est vivre deux fois », *La Patrie*, 19 mars 1947, p. 4.

141. J[acques] D[elisle], « M. J.-P. Pépin expose chez Morency Frères », *loc. cit.*

142. *Ibid.*

143. [Éloi de Grandmont], « Quatre expositions… », *loc. cit.*

144. J[acques] D[elisle], « M. J.-P. Pépin expose chez Morency Frères », *loc. cit.* ; Anonyme, « Les Amis de l'Art », *Le Devoir*, 12 octobre 1946, p. 6.

145. Jacques Delisle, « Tradition et modernisme chez le peintre J.-P. Pépin », *loc. cit.*

146. *Ibid.*

147. *Ibid.*

148. *Ibid.*

149. Anonyme, « Exposition des toiles de Pépin », *Le Petit Journal*, 15 février 1948, p. 34.

150. Seul Louis Le Marchand souligne « le parti pris [du peintre] qui lui fait aussi répéter les toiles zébrées par la pluie » (L. Le Marchand, « J.-P. Pépin, à l'école des Arts et Métiers », *Photo-Journal*, 14 octobre 1948, p. 34).

151. [Marcel Hamel], *loc. cit.*

152. *Ibid.*

153. J[ean]-G[odefroy] Demombynes, *loc. cit.*

154. Rolland Boulanger, « M. J.-P. Pépin, "artiste traditionaliste réputé" », *Montréal-Matin*, 5 octobre 1948, p. 15, 18.

155. Jacques Delisle, « Tradition et modernisme chez le peintre J.-P. Pépin », *loc. cit.*

156. Maurice Huot, « La peinture : J.-P. Pépin », *La Patrie*, 6 octobre 1948, p. 16.

157. Le Boulevardier, « Rumeurs et potins », *Photo-Journal*, 7 octobre 1948, p. 38.

158. J.-P. Pépin, Journal, vol. 6, 31 décembre 1964, p. 468, JPP-AEPG.

159. Œuvre non localisée.

160. J.-P. Pépin, Journal, vol. 3, 30 décembre 1960, p. 130, JPP-AEPG.

161. J.-P. Pépin, Journal, vol. 6, 9 octobre 1964, p. 448, JPP-AEPG.

162. J.-P. Pépin, Journal, vol. 3, 25 septembre 1960, p. 120, JPP-AEPG.

163. [Marcel Hamel] « Vernissage de J.-P. Pépin : l'universel au service du terroir », *loc. cit.*

164. Le Boulevardier, « Rumeurs et potins », *Photo-Journal*, 6 janvier 1949, p. 38.

165. J.-P. Pépin, Journal, vol. 3, 26 janvier 1958, p. 26, JPP-AEPG.

166. *Ibid.*, 1er octobre 1958, p. 58, JPP-AEPG.

167. *Ibid.*, 2 janvier 1961, p. 133, JPP-AEPG. En 1960, commentant la mort récente de Borduas, il note : « J'ai rencontré Borduas il y a près de vingt-cinq ans, lorsqu'il résidait à la rue Bonaparte [rue Napoléon, en fait], Montréal. Ses pochades étaient des travaux ordinaires. Il n'annonçait pas devenir un artiste traditionaliste. Preuve, qui allait étudier à Paris l'abstrait. […] Pourquoi n'être pas resté peintre du Québec ? Parce qu'il ne pouvait pas l'être. Tous nos peintres Canadiens français qui font de l'abstrait ne sont qu'un petit reflet des peintres Français (automatistes) » (J.-P. Pépin, Journal, vol. 3, 27 février 1960, p. 98-99, JPP-AEPG). Borduas s'est installé rue Napoléon en 1935. Il est alors professeur de dessin au collège Grasset, situé sur l'emplacement de la Montée Saint-Michel.

168. J.-P. Pépin, Journal, vol. 3, 6 janvier 1961, p. 134-135, JPP-AEPG.

169. Interview de Jean-Paul Pépin et de Julien Pépin par Andréanne Lafond, diffusée à la télévision de Radio-Canada le 13 juin 1963, dans le cadre de l'exposition collective *Ville-Marie, panorama de l'art*, à l'édifice de la Place Ville-Marie, qui réunit artistes figuratifs et non figuratifs. Merci à Daniel Pépin de m'avoir transmis un enregistrement de cette interview.

170. *Ibid.*

171. Émission *Femmes d'aujourd'hui*, diffusée le 6 mai 1974 à la télévision de Radio-Canada. Mes remerciements à Daniel Pépin de m'avoir transmis un enregistrement de cette émission.

172. Témoignage de Lucie De Oliveira, petite-fille de Jean-Paul Pépin.

173. J.-P. Pépin, Journal, vol. 7, 20 août 1976, p. 1003, JPP-AEPG.

174. Maurice Huot, « J.-P. Pépin, peintre sincère », *La Patrie*, 10 octobre 1948, p. 99. Reprise de l'article du 6 octobre, avec quelques variantes.

CHAPITRE 9

1. Joseph Jutras, « Chez nos artistes : Narcisse Poirier », *La Revue moderne*, octobre 1923, p. 4.

2. Emmanuel Desrosiers, « M. Narcisse Poirier, artiste peintre : la nature morte, le paysage », *Mon magazine*, novembre 1931, p. 4.

3. J[oseph] Jutras, « M. N. Poirier », *Toil'etta*, octobre 1922, p. 4.

4. Lise Bissonnette, « Jean-Paul Pépin, artiste-peintre », *Le Devoir*, 27 avril 1983, p. 14.

5. Laurent Hardy, *N. Poirier*, La Prairie, Éditions Marcel Broquet, coll. « Signatures », 1982, 104 p. ; Pierre-Antoine Tremblay, *Narcisse Poirier : 25 ans déjà = 25 years already*, Montréal, Éditions P.-A. Tremblay, 2010, 342 p.

6. Alfred Laliberté raconte que « Poirier a gagné son pain une partie de sa vie à finir au "air brush" des portraits agrandis pour *La Presse*, tout ça à bon marché, à la portée des moyens du peuple » (Alfred Laliberté, *Les artistes de mon temps*, texte établi, présenté et annoté par Odette Legendre, Montréal, Boréal, 1986, p. 184).

7. Narcisse Poirier a eu cinq enfants, tous du premier lit.

8. C'est ce qui ressort du *Journal* de Rodolphe Duguay (Rodolphe Duguay, *Journal 1907-1927*, texte intégral établi, présenté et annoté par Jean-Guy Dagenais, Claire Duguay et Richard Foisy, Montréal, Éditions Varia, 2002, p. 81).

9. Olivier Maurault, « Les peintres de la Montée Saint-Michel », *Les Cahiers des Dix*, no 6, décembre 1941, p. 55. Réédition présentée et annotée par Richard Foisy sous le titre *Les peintres de la Montée Saint-Michel*, cent ans après : 1911-2011, Montréal, Fides, 2011, p. 66. Nos références renvoient à cette réédition.

10. Emmanuel Desrosiers, *op. cit.*, p. 5.

11. [Albert Laberge], « Études d'art et peintures par N. Poirier », *La Presse*, 12 novembre 1921, p. 34.

12. Albert Saint-Jean, « Narcisse Poirier se raconte », dans *Rétrospective de Narcisse Poirier, sous la présidence d'honneur de l'Honorable Denis Hardy : ministre des Affaires culturelles du Québec, au Centre culturel de Verdun, du 2 au 30 avril 1975*, catalogue d'exposition, Verdun, 1975, p. 8.

13. « Pourquoi j'ai peint de vieux moulins ? Mon père était meunier ; j'ai sans doute gardé un excellent souvenir de "notre moulin" » (Narcisse Poirier, cité sur le rabat de l'ouvrage de Laurent Hardy, *N. Poirier*, *op. cit.*

14. Joseph Jutras, *Biographie de Narcisse Poirier*, onze feuillets dactylographiés avec additions manuscrites, paginés de 1 à 11, p. 1, archives privées.

15. Edmond Dyonnet raconte une expérience semblable : « Un jour étant encore à Crest [sa ville natale, en France] j'entrai dans un couvent de capucins qui se trouvait un peu en dehors de la ville. J'y vis un moine en train de peindre l'intérieur d'une chapelle. Je restai là à le regarder et je crois que c'est de ce moment-là que date ma vocation » (Edmond Dyonnet, *Mémoires d'un artiste canadien*, Ottawa, Éditions de l'Université d'Ottawa, 1968, p. 30).

16. Laurent Hardy, « Narcisse Poirier », notes, un feuillet dactylographié, archives Estelle Piquette-Gareau (AEPG).

17. Joseph Jutras, *Biographie de Narcisse Poirier, op. cit.*, p. 2.

18. « Travail d'atelier, retouches de portraits au crayon, au pastel, aquarelle, et même à l'huile, afin de gagner la partie substantielle de la vie » (*Ibid.*, p. 5).

19. Anonyme, « La fête des arts au Monument-National », *La Patrie*, 25 mai 1900, p. 1.

20. Anonyme, « Instruction technique », *La Patrie*, 14 juin 1905, p. 9.

21. Anonyme, « Les cours gratuits », *La Patrie*, 14 juin 1906, p. 9.

22. Anonyme, « Le soir des récompenses », *La Presse*, 12 juin 1908, p. 11.

23. Anonyme, « Brillante distribution des prix au Conseil des Arts et Manufactures », *La Patrie*, 10 juin 1910, p. 9.

24. Curieusement, le nom de Narcisse Poirier n'apparaît pas dans le palmarès de fin d'année du CAM en 1907, bien qu'il participe à l'exposition des élèves ainsi que l'atteste le tampon sur sa *Napolitaine* (9.3).

25. La production des dessins de Narcisse Poirier durant ses études au CAM n'ayant pas encore été retrouvée, nous ne pouvons juger de son degré d'excellence lors des expositions de fin d'année auxquelles il a participé.

26. Anonyme, « Le soir des récompenses », *loc. cit.*

27. Laurent Hardy, « Curriculum vitæ de Narcisse Poirier », neuf feuillets dactylographiés, paginés de 1 à 9, p. 2, Archives nationales à Montréal, collection Maurice Hardy (MSS190).

28. Anonyme, « Brillante distribution des prix au Conseil des Arts et Manufactures », *loc. cit.*

29. Joseph Jutras, *Narcisse Poirier, artiste peintre*, trois feuillets paginés [1]-3, p. 3, archives privées.

30. Joseph Jutras, *Biographie de Narcisse Poirier, op. cit.*, p. 5.

31. Anonyme, « Conseil des arts et manufactures », *La Patrie*, 2 novembre 1906, p. 5.

32. « Il prit aussi des leçons de Georges Delfosse qui le considérait comme son meilleur élève » (Olivier Maurault, *Les peintres…*, *op. cit.*, p. 66). Pourtant, en 1918, son ami Rodolphe Duguay, qui a eu Delfosse pour pro-

fesseur et cela sur les conseils mêmes de Poirier, écrit dans son *Journal*: « Je suis allé me faire corriger par mon ami Poirier. Je lui devrai de perdre cette mauvaise manière de peindre, *apprise chez Delfosse* » (Rodolphe Duguay, *op. cit.*, 2 mars 1918, p. 65; c'est Duguay qui souligne). Plus tard, toutefois, la critique notera: « Dans certains d'entre eux [les paysages], M. Poirier se ressent évidemment de l'influence de son camarade M. Georges Delfosse » (Albert Laberge, « Remarquable exposition par le peintre N. Poirier », *La Presse*, 17 décembre 1923, p. 5), ce qui tend à prouver que Poirier revenait de temps en temps à cette technique dans le style adouci, typique de Delfosse, et qui pouvait plaire. Delfosse donnait volontiers des cours de peinture et se faisait souvent aider par ses élèves ou par d'autres peintres pour ses grands travaux de décoration d'églises. Voir Rodolphe Duguay, *op. cit.*, p. 35-37, 45-47, 51-53, 61-62.

33. Émile Falardeau, « Un maître de la nature morte: Narcisse Poirier », *Le Petit Journal*, 15 août 1965, p. 33-34.

34. « [Son] atelier était situé dans la salle des chantres de la cathédrale, côté ouest » (Joseph Jutras, feuille volante autographe, paginée 4, détachée d'une des versions de sa *Biographie*, archives privées). « Poirier a travaillé pendant un certain temps chez Delfosse, l'aidant à l'exécution de ses tableaux religieux et historiques » (Joseph Jutras, deux feuilles volantes manuscrites, paginées 8 et 14, p. 14, archives privées).

35. Anonyme, « La distribution des prix aux élèves des cours du Conseil des Arts et Manufactures », *La Patrie*, 9 juin 1911, p. 9.

36. Anonyme, « La distribution des prix au Conseil des Arts », *La Patrie*, 12 juin 1912, p. 2.

37. Emmanuel Desrosiers, *op. cit.*, p. 4.

38. « Cours de paysages donnés l'été par Maurice Cullen, à Sweetsburg (Qué.) et à Saint-Joachim (Qué.) [Beaupré] » (Joseph Jutras, *Biographie de Narcisse Poirier*, *op. cit.*, p. 4). « Pendant deux étés, Poirier suivit des cours du paysagiste Maurice Cullen. Il passa un été à la Côte de Beaupré et le suivant à Sweetsburg » (Émile Falardeau, *op. cit.*, p. 34).

39. Cullen a donné ses cours en plein air à Beaupré du 29 mai au 12 juin 1911, et à Sweetsburg, dans les Cantons-de-l'Est, du 3 au 18 juin 1912 (Rapports annuels de l'Art Association of Montreal, 1911, p. 8, et 1912, p. 20, cités par Rosalind Pepall, « Un art de vigueur et de mesure », dans Rosalind Pepall et Brian Foss [dir.], *Edwin Holgate*, catalogue d'exposition, Montréal, Musée des beaux-arts de Montréal, 2005, p. 26, note 5). C'est le premier de ces cours qu'a suivi Poirier. Du 31 mai au 4 juin 1915, et du 29 mai au 12 juin 1916, Maurice Cullen a donné ses cours d'été à Sweetsburg. C'est l'un ou l'autre qu'a suivi Poirier.

40. « Cours de modèle vivant à la Galerie des Arts, alors au Carré Phillips et [rue] Sainte-Catherine, sous la direction de M. Brymner » (Joseph Jutras, *Biographie de Narcisse Poirier*, *op. cit.*, p. 4).

41. Nous n'avons retrouvé jusqu'à présent aucune de ces études.

42. « De ce jour, il entra comme compagnon auprès de Aimé Léger, jeune artiste plein de talents » (Joseph Jutras, feuille volante, sans titre, dactylographiée d'un seul côté et paginée 2, archives privées).

43. Albert Laberge, « Série de paysages et de superbes tableaux de fleurs », *La Presse*, 23 novembre 1926, p. 15.

44. Joseph Jutras, *Biographie de Narcisse Poirier*, *op. cit.*, p. 4. L'actuelle rue Gilford épouse, en effet, l'ancien tracé de la rue des Carrières.

45. « Vers l'âge de 13 ans, [Jutras] commence à vouloir voir des tableaux, s'informe dans les magasins de l'adresse des artistes, se présente à leur atelier comme futur élève. C'est ainsi qu'il connaît Vézina […] et aussi Poirier… » (Olivier Maurault, notes dactylographiées sur les peintres de la Montée Saint-Michel, huit feuillets non paginés, [p. 7], fonds Olivier Maurault, archives des prêtres de Saint-Sulpice.)

46. En 1911, Poirier est curieusement inscrit à la fois au 119 et au 120, rue Pontiac (*Lovell's Montreal Directory*).

47. « Ce soir je commence à suivre mes cours de dessin au Monument-National » (Rodolphe Duguay, *op. cit.*, 1er février 1911, p. 31).

48. Aujourd'hui dans la région dite Centre-du-Québec, créée vers 1997 avec la séparation de Mauricie–Bois-Francs.

49. Rodolphe Duguay, *op. cit.*, 23 avril 1917, p. 58.

50. « Cet a.m. je me présentai à l'atelier de notre grand peintre Maurice Cullen. Il fut très aimable, me donna de bons conseils et aura égard à ma pauvreté si je prends des cours de lui » (*ibid.*, 25 juin 1917, p. 60). Voir aussi 10 et 24 novembre de la même année, p. 61, 62.

51. *Ibid.*, 30 juillet 1916, p. 53.

52. En 1908, Arthur Hamel remporte le deuxième prix en peinture d'enseignes, en deuxième année d'études à l'école des Arts et Manufactures (Anonyme, « Le soir des récompenses », *La Presse*, 12 juin 1908, p. 11).

53. « Nos trois artistes se sont transportés là-bas par le train du Canadian Northern and Quebec & Lakes St. John Railways qui faisait le trajet quotidien de la gare Moreau de Montréal au village de Rawdon en deux heures et demie. Ils y séjournèrent une semaine, selon les dates des pochades faites par Duguay » (Rodolphe Duguay, *op. cit.*, 3 juin 1917, p. 59, note 10.)

54. *Ibid.*, 14 juillet 1918, p. 67.

55. « M. Poirier me disait cependant ce matin qu'il aime à travailler avec vous, ça le console de ses malheurs » (Suzor-Coté à Rodolphe Duguay, carte postale, 9 octobre 1919. Archives du Séminaire de Nicolet, fonds Rodolphe Duguay, Correspondance [F371/B6/1]).

56. Rodolphe Duguay, *op. cit.*, 24 et 30 août 1918, p. 72.

57. « Pendant que les heureux, les riches et les grands, / Reposent dans la soie ou dans les fines toiles, / Nous autres les parias, nous autres les errants, / Nous écoutons chanter la berceuse aux étoiles » (*La berceuse aux étoiles*, paroles Henri Darsay et Disle, musique Jules Vercolier, vers 1909). Voir Rodolphe Duguay, *op. cit.*, 13 juillet 1923, p. 354.

58. Narcisse Poirier connaissait la musique: « Il promenait ses doigts sur le clavier et chantait » (Propos de Jeanne, sa fille, dans Louise-Marie Bédard, « Narcisse Poirier: les 100 ans d'un peintre », *La Semaine* [Repentigny], 10 décembre 1983, p. 14).

59. Le 11 juin 1917, au CAM, Poirier, qui s'est inscrit en modelage auprès d'Alfred Laliberté, est cité hors concours, et Duguay reçoit une mention dans la catégorie modelage avec moulages.

60. Suzor-Coté à Rodolphe Duguay, carte postale, 9 octobre 1919, *loc. cit.*

61. Voir Laurier Lacroix, « Rodolphe Duguay et Suzor-Coté », *Liberté*, vol. 39, n° 3, juin 1997, p. 103-119.

62. Suzor-Coté à Rodolphe Duguay, carte postale, 9 octobre 1919, *loc. cit.*

63. « Allé faire voir à Suzor-Coté, mon Salon du Printemps, *Chenal La Ferme à Nicolet* » (Rodolphe Duguay, *op. cit.*, 4 mars 1920, p. 77).

64. *Ibid.*, 11 mai 1920, p. 80. Duguay cite ici Suzor-Coté.

65. *Ibid.*, 23 mai 1920, p. 81.

66. Olivier Maurault, *Les peintres…*, *op. cit.*, p. 67.

67. « Un atelier comme ceux qu'aiment les peintres européens, chaud et éclairé, avec un plafond haut, logé à vingt pieds du plancher, à la suite

de travaux qu'a fait entreprendre l'artiste à une époque où il a peint des tableaux destinés à des églises : Saint-Félix-de-Valois, Saint-Eustache, Rivière-du-Loup » (Gilles Normand, « Narcisse Poirier, peintre centenaire : survivant du *Groupe des Huit* de la Montée Saint-Michel », *La Presse*, 5 février 1983, p. D-13).

68. Marc Renaud, *Toussaint-Xénophon Renaud : décorateur d'églises et artiste peintre*, Montréal, Éditions Carte blanche, 2006, p. 155. Voir reproduction du tableau, p. 179.

69. Louise-Marie Bédard, *loc. cit.*

70. Rodolphe Duguay, *op. cit.*, 20 juin 1920, p. 88.

71. Suzor-Coté à Rodolphe Duguay, carte postale, 22 septembre 1920. Archives du Séminaire de Nicolet, fonds Rodolphe Duguay, Correspondance (F371/B6/1).

72. Rodolphe Duguay, *op. cit.*, 8 octobre 1920, p. 122.

73. *Ibid.*, 7 octobre 1920, p. 121.

74. *Ibid.*, 8 octobre 1920, p. 121.

75. *Ibid.*, 10 octobre 1920, p. 122.

76. *Ibid.*, 8 octobre 1920, p. 121.

77. *Ibid.*, 31 octobre 1920, p. 129.

78. Rodolphe Duguay à Florette et Armand L'Archevêque, 14 novembre 1920, cité dans Rodolphe Duguay, *op. cit.*, p. 126, note 109.

79. Emmanuel Desrosiers, *op. cit.*, p. 4.

80. Rodolphe Duguay, *op. cit.*, 17 octobre 1920, p. 125.

81. Notes manuscrites d'Estelle Piquette-Gareau, AEPG.

82. Rodolphe Duguay, *op. cit.*, 29 décembre 1920, p. 142.

83. Joseph Jutras nomme les deux frères Chrétien comme ayant été les professeurs de Poirier (Joseph Jutras, « M. N. Poirier », *Toil'etta*, octobre 1922, p. 4), tandis qu'Emmanuel Desrosiers (*op. cit.*, p. 4) et un auteur anonyme nomment seulement Paul Chrétien (Anonyme, « Le peintre Narcisse Poirier en vedette à la Galerie Impériale », *Le Canada*, 1ᵉʳ avril 1950, p. 5). De son côté, Laurent Hardy rapporte, en parlant de Poirier : « Mais, lors de nos rencontres, c'est plutôt de Paul Chrétien, peintre "spécialisé dans les aspects montmartrois" et de René Chrétien, "le spécialiste des natures mortes", qu'il m'a parlé » (Laurent Hardy, *N. Poirier, op. cit.*, p. 12).

84. Albert Laberge, « Des œuvres remarquables au Salon de nos peintres », *La Presse*, 25 mars 1927, p. 26.

85. Jusqu'aujourd'hui, une sorte de légende a accompagné ce tableau, qu'on disait avoir été acquis par le Musée de la province de Québec (auj. Musée national des beaux-arts du Québec). L'œuvre est reproduite sous le titre « Tableau pour le Musée national », dans *La Presse* du 11 avril 1923, p. 1 (probablement par les soins d'Albert Laberge), avec cette légende : « *Maison Henri IV, Montmartre, Paris*, tableau par M. Narcisse Poirier, l'un de nos bons artistes, qui vient d'être acheté par le gouvernement. » Or il s'agissait de la Galerie nationale du Canada, mais, après un certain débat, le tableau a été retourné à l'artiste : « *It is with extreme regret I have to report that the Trustees of the National Gallery have returned your picture* Maison Henri IV. / *It seems from the general report I have received that there was some discussion over the picture, and that the number in favour of returning it was by no means unanimous, but I cannot say who were in favour of returning it.* / *As I told you in my letter, I considered the sending of your picture to Ottawa for confirmation of purchase a mere matter of form. In this, I appear to have been mistaken, as all the pictures were reconsidered and their qualities discussed over*

again by the whole Board in a very particular manner. / *In asking you to receive back your picture, I can only wish that you may have better luck in any forthcoming exhibition to which you have may contribute.* / *Yours very truly,* / *JBA/LP* / *Secretary* » ([Traduction] « C'est avec un immense regret que je dois vous annoncer que les administrateurs de la National Gallery vous ont retourné votre tableau *Maison Henri 4*. / Il semble, d'après le rapport général que j'ai reçu, qu'il y ait eu des discussions sur le tableau et que le nombre de personnes favorables à sa restitution n'était nullement unanime, mais je ne peux pas dire qui était favorable à sa restitution. / Comme je vous l'ai dit dans ma lettre, je considérais l'envoi de votre tableau à Ottawa pour confirmation d'achat comme une simple question de forme. En cela, il me semble m'être trompé, car tous les tableaux ont été revus et leurs qualités rediscutées par l'ensemble du Conseil d'une manière très particulière. / En vous demandant de récupérer votre tableau, je ne peux que souhaiter que vous ayez plus de chance dans toute exposition à venir à laquelle vous pourriez contribuer. / Bien à vous, / JBA/LP / Secrétaire »). Poirier n'a plus jamais exposé ce tableau, qui ne réapparaîtra que sous une version seconde dans la *Rétrospective Narcisse Poirier*, en 1975.

86. Rodolphe Duguay, *op. cit.*, 9 janvier 1921, p. 147.

87. Emmanuel Desrosiers, *op. cit.*, p. 5.

88. *Ibid.*

89. Dyonnet a reçu sa principale formation en Italie de 1881 à 1890, et Saint-Charles y a étudié en 1896-1897.

90. Emmanuel Desrosiers, *op. cit.*, p. 4.

91. « Paris, 20 février 1921. Cher ami, Je suis bien et enchanté de mon voyage ici il n'a pas tombé de neige de l'hiver et aujourd'hui c'est comme une journée de juin je dois partir [le] 22 février pour Palerme en Sicile pour revenir par les principales villes d'Italie et voyagé [*sic*] tout le temps j'ai plusieurs pays à voir avant de retourné [*sic*]. Ton ami N. Poirier » (Carte postale de Narcisse Poirier adressée à Wilfrid Fréchette (1894-1975), représentant le restaurant du Pré-Catelan, au bois de Boulogne, coll. part.). Condisciple de Poirier à l'école des Arts et Manufactures et collègue dans l'atelier du photographe Zénon Juteau, Wilfrid Fréchette fut peintre d'enseignes et retoucheur de photographies et resta en amitié toute sa vie avec Narcisse Poirier

92. Notes d'Estelle Piquette-Gareau, qui a eu accès aux archives de Narcisse Poirier, AEPG.

93. Emmanuel Desrosiers, *op. cit.*, p. 4.

94. « Enfin, il se décide à remonter vers le nord ; il laisse avec regrets le sol enchanteur de la Sicile et vient communier à la beauté insoupçonnée que lui cachait la vieille École italienne » (*Ibid.*).

95. *Ibid.*

96. *Ibid.*

97. « Lundi matin, le 9, reçu une bonne lettre de chez Armand. Le soir, j'étais à écrire à Maurice Brévannes quand Narcisse Poirier arriva. Il était très content de son voyage à travers l'Italie » (Rodolphe Duguay, *op. cit.*, 11 mai 1921, p. 173). Le journal de voyage de Narcisse Poirier était conservé par sa fille Jeanne, mais nous n'avons pu y avoir accès et ignorons aujourd'hui où il se trouve.

98. Rodolphe Duguay, *op. cit.*, 21 février 1921, p. 155.

99. *Ibid.*, 17 et 18 mai 1921, p. 174.

100. Ce voyage sera effectué du 26 avril au 27 juin 1925. Voir Rodolphe Duguay, *op. cit.*, p. 522-554.

101. D'après Albert Laberge, les toiles se rapportant à Venise, Naples, Palerme et Paris «ont été exécutées lors du séjour de l'artiste en Italie et en France ou ont été faites d'après des études rapportées de ces voyages» (*La Presse*, 11 avril 1925, p. 55). Emmanuel Desrosiers signale, lui aussi que le tableau *Maison de Mimi Pinson* a été «commencé à Paris et terminé ici» (*Mon magazine*, novembre 1931, p. 4).

102. Rodolphe Duguay, *op. cit.*, p. 177.

103. «L'on attend entre 8 et 9 heures, ce soir, à Montréal, le steamer *Montreal*, de la compagnie du Pacifique Canadien. Ce navire vient du Havre et d'Anvers, où il a pris 155 passagers de cabine et 886 passagers de troisième classe. Ces derniers passagers sont descendus du navire à Québec, ce matin» (Anonyme, «Profits pour la marine du gouvernement», *La Presse*, 13 juin 1921, p. 5).

104. En 1915 et en 1919, Laberge mentionne, sans autre commentaire, le nom de Poirier.

105. [Albert Laberge], «Études d'art et peintures par N. Poirier», *loc. cit.*

106. *Ibid.*

107. D'après les descriptions ultérieures que l'on donnera de ces «études», on sait que l'une d'elles représentait la Seine, le pont Neuf et l'Institut de France, par temps brumeux. Voir Albert Laberge, «Remarquable exposition par le peintre N. Poirier», *La Presse*, 17 décembre 1923, p. 15, et J.-A[rthur] L[emay], «M. Napoléon [*sic*] Poirier a exposé à Saint-Sulpice», *La Patrie*, 2 février 1924, p. 30.

108. [Albert Laberge], «Une visite à l'exposition de peinture», *La Presse*, 22 mars 1922, p. 3.

109. «Il n'a jamais non plus confié ses toiles à une galerie d'art pour les faire vendre» (Anonyme, «Narcisse Poirider [*sic*] expose à Washington, D.C.», *L'Action populaire*, *L'Horizon*, Joliette, 2 décembre 1970, Le Cahier six/8, p. 11A).

110. Albert Laberge, «Remarquable exposition par le peintre N. Poirier», *loc. cit.*

111. Albert Laberge, «Ouverture officielle du Salon des artistes canadiens», *La Presse*, 22 mars 1929, p. 12.

112. Joseph Jutras, «Chez nos artistes: Narcisse Poirier», *loc. cit.*

113. *Ibid.*

114. Joseph Jutras, «M. N. Poirier», *loc. cit.*

115. Joseph Jutras, «Chez nos artistes: Narcisse Poirier», *loc. cit.*

116. Lucien Desbiens, «Le salon Poirier», *Le Devoir*, 29 janvier 1942, p. 2.

117. Après consultation, les deux frères Morency avaient informé Émile Filion, l'organisateur de l'exposition collective, que les peintres de la Montée «demeurent tous disposés, individuellement cette fois, à refaire une exposition lorsque le temps sera propice» (Morency Frères à Émile Filion, 21 octobre 1941, fonds galerie Morency Frères, Centre de recherche sur l'atelier de L'Arche et son époque, 1900-1925).

118. Anonyme, «Tableaux de Narcisse Poirier», *Le Devoir*, 2 décembre 1941, p. 3.

119. Alfred Ayotte, «Les richesses du sixième "Cahier des Dix"», *Le Devoir*, 27 décembre 1941, p. 7 (Entrefilet sur l'étude d'Olivier Maurault et où il est fait mention de «ces peintres qui ont fréquenté la Montée Saint-Michel au cours des quelques [*sic*] trente-cinq dernières années»).

120. Anonyme, «Le peintre Narcisse Poirier en vedette à la Galerie Impériale», *loc. cit.*

121. Emmanuel Desrosiers, *op. cit.*, p. 4.

122. Albert Laberge, «Remarquable exposition par le peintre N. Poirier», *loc. cit.*

123. [Albert Laberge], «Exposition de tableaux par M. Narcisse Poirier», *La Presse*, 11 avril 1925, p. 55.

124. Emmanuel Desrosiers, *op. cit.*, p. 5.

125. «Il rapporta de ses voyages une série de vases et de plats anciens dont il se servit pour la reproduction de ses natures mortes» (Émile Falardeau, «Un maître de la nature morte: Narcisse Poirier», *Le Petit Journal*, 15 août 1965, p. 33). «De ses voyages, il a rapporté des dizaines de brocs de cuivre et d'étain, dont il s'est servi pour ses natures mortes» (Gilles Normand, «Narcisse Poirier, peintre centenaire: survivant du *Groupe des Huit* de la Montée Saint-Michel», *La Presse*, 5 février 1983, p. D-13). «Après sa mort [de Louis Saint-Hilaire, en1922], Madame Saint-Hilaire vint m'offrir du matériel d'artiste, tels que palettes, toiles et chevalets. J'ai acheté son grand chevalet d'atelier, deux palettes et divers autres articles. Mon copain Narcisse Poirier a acheté la balance, tels que lanternes et autres nécessités» (Joseph Jutras, *René-Charles Béliveau*, biographie, p. 12, archives privées).

126. Poirier a exposé *Bouquet de fleurs* pour la première fois au Salon du printemps de 1920. En novembre 1926, à sa troisième exposition à la bibliothèque Saint-Sulpice, il présente *Étude de fleurs*, *Fleurs et fruits* et deux pièces portant le même titre: *Arrosoir et fleurs*, qui montrent pour la première fois des chrysanthèmes. En 1942, chez Morency, Poirier expose six tableaux de fleurs: *Chrysanthèmes*, *Bouquet de fleurs*, *Fleurs rouges*, *Étude de fleurs*, *Étude de fleurs*, *Fleurs*. En 1946, chez S. H. Douglas, il présente une *Étude de roses*. Enfin, en 1975, dans la rétrospective de son œuvre faite à partir de la collection Gérard Shanks, on trouve un *Bouquet de géraniums*, six fois un *Bouquet de fleurs* et deux fois une *Étude de fleurs*.

127. En décembre 1928, à la bibliothèque Saint-Sulpice, il expose un grand tableau titré *Chrysanthèmes* et, pour le Salon d'automne de l'ARAC, en 1929, la critique décrit des fleurs roses, jaunes et blanches comme dans le dessin de 1965 (9.37) et l'huile non datée (9.53). Un pastel portant le titre de *Chrysanthèmes*, mais de petit format, apparaît en 1941 chez Morency.

128. Albert Laberge, «Remarquable exposition par le peintre N. Poirier», *loc. cit.* Une «cafetière avec de belles fraises rouges» apparaît dans la première exposition de Poirier à la bibliothèque Saint-Sulpice en 1923 (*Ibid.*) et une *Étude de fraises* y revient pour sa deuxième exposition en 1925. L'année d'après, à la même bibliothèque, on trouve un *Tableau avec fraises* de format respectable si l'on en juge par le prix (40 $). Au Salon du printemps de 1928, une *Étude de fraises* (75 $) de grand format est exposée. La même année, à la bibliothèque Saint-Sulpice, on retrouve *Étude de fraises* (65 $). En 1942, chez Morency, on rencontre *Fraises* (75 $) et une plus petite *Étude de fraises* (15 $). Enfin, en 1946, chez S. H. Douglas, Poirier présente une *Étude de fraises* de format moyen (25 $).

129. Poirier a exposé une *Étude de framboises* au Salon du printemps de 1937, mais il en a peint de multiples répliques.

130. Frank Getlein [critique d'art au *Washington Star*], «Une critique de Narcisse Poirier», traduction par Claire Chevrette-Robichaud, *L'Action populaire*, *L'Horizon*, Joliette, 2 décembre 1970, Le Cahier six/8, p. 11A.

131. Michel Deschamps [Joseph Jutras], «Poirier expose», *Le Devoir*, 20 février 1946, p. 10.

132. «Il était un gourmet averti et c'était un amateur d'œufs et il savait les préparer avec art» (Jean-Paul Pépin, notes manuscrites sur les peintres de la Montée Saint-Michel, fonds Jean-Paul Pépin, AEPG).

133. Des poires apparaissant dans une nature morte de Narcisse Poirier sont mentionnées pour la première fois lors de sa troisième exposition à la bibliothèque Saint-Sulpice, en 1926 (E[rnest] B[ilodeau], «À Saint-Sulpice : les peintures de M. Poirier», *Le Devoir,* 24 novembre 1926, p. 2), et l'année d'après, à l'occasion de la première participation de l'artiste à l'exposition annuelle de la galerie du grand magasin Eaton (Albert Laberge, «Exposition de peinture par les artistes de la province», *La Presse,* 12 octobre 1927, p. 9), puis, quatre ans plus tard, au Salon du printemps (Albert Laberge, «Ouverture de l'exposition de peintures et sculptures», *La Presse,* 21 mars 1931, p. 70). Un tableau portant simplement le titre de *Poires,* qui a fait partie de l'exposition collective des peintres de la Montée Saint-Michel en 1941 à la galerie Morency, était de même format que celui reproduit plus haut (9.31).

134. Albert Laberge, «Ouverture de l'Exposition Canadienne», *La Presse,* 22 novembre 1929, p. 15.

135. Emmanuel Desrosiers, *op. cit.,* p. 5.

136. J[oseph] Jutras, «Un peintre sur la route», *Le Foyer rural,* août 1948, p. 6. Voir aussi Le Juif errant [pseud.], «Un peintre-touriste canadien-français», *L'Hôtellerie,* 31 janvier 1929, p. 9.

137. «Rentré au pays, on le vit souvent en compagnie de Suzor-Coté et de Clarence Gagnon dans les sentiers pittoresques de Charlevoix. Peignant à leur côté, il pouvait avec eux discourir de ses souvenirs d'Europe, des musées qu'il y avait visités, de ses vieux maîtres, y compris Paul Chrétien qu'il avait choisi comme professeur privé à Paris» (Anonyme, «Le peintre Narcisse Poirier en vedette à la Galerie Impériale», *loc. cit.*).

138. Joseph Jutras, *Biographie de Narcisse Poirier, op. cit.,* p. 8-9.

139. Albert Laberge, «Série de paysages et de superbes tableaux de fleurs», *La Presse,* 23 novembre 1926, p. 15.

140. P[aul] Dumas, «Exposition d'œuvres de M. Narcisse Poirier», *Le Quartier Latin,* 13 décembre 1928, p. 6.

141. Albert Laberge, «Remarquable exposition par le peintre N. Poirier», *loc. cit.*

142. À son exposition à la bibliothèque Saint-Sulpice en avril 1925, Poirier présentait un *Lever de lune,* qu'on retrouvera en 1926 et en 1928 à la même bibliothèque, l'un de format moyen, si l'on en juge par le prix (12 $), l'autre de plus grand format (20 $). Le même sujet revient en 1942, chez Morency, en deux formats (12 $ et 10 $), et on trouve une *Étude de lune à Sainte-Famille,* de format 20,2 x 25,3 cm dans la *Rétrospective de Narcisse Poirier,* présentée en avril 1975, au Centre culturel de Verdun.

143. Dans son exposition de décembre 1928 à la bibliothèque Saint-Sulpice, Poirier avait inclus une *Étude dans la montagne* et un autre tableau intitulé *Dans le Mont-Royal.* Dans son exposition de 1946, on trouve deux tableaux au titre identique : *Dans la montagne.*

144. Poirier avait exposé cette toile, *Petite grange,* au Salon du printemps de 1922. À son exposition à la bibliothèque Saint-Sulpice en décembre 1923, on retrouvait le même tableau sous le titre *Petite grange au Sault* – le territoire exploratoire de la Montée Saint-Michel s'étendant jusqu'au village du Sault-au-Récollet, sur les bords de la rivière des Prairies. Ce tableau, ou une réplique, a figuré dans l'exposition collective des peintres de la Montée Saint-Michel à la galerie Morency en 1941 sous le titre *Petite grange dans le nord.*

145. *Vieille église de Tadoussac* apparaît dans la première exposition de Poirier à la bibliothèque Saint-Sulpice en décembre 1923. On y trouvait aussi *Goélette à Tadoussac.* Au Salon du printemps de 1924, le peintre présente *Vieille église de Tadoussac.*

146. *Bateau à Saint-François, Bateau à Sainte-Famille, Vieille maison à Sainte-Famille, île d'Orléans* (cinq fois), *À Sainte-Famille, île d'Orléans, À Saint-François, bateau, À Saint-François, petite boutique, Bateau de pêcheur à Saint-François* (deux fois), *Bateau de pêcheur à Sainte-Famille, Vieux moulin à Sainte-Famille, Île aux Ruaux près de Saint-François, Église Saint-François, Cabane à sucre à Sainte-Famille, Ancien moulin à Sainte-Famille, île d'Orléans.*

147. *Étude à Gaspé* (12 $, deux fois, 15 $ une fois, 20 $ deux fois), *Étude à Percé* (12 $), *Lever de soleil à Percé* (12 $), *Lever de soleil à Gaspé* (25 $), *Groupe de maisons à Gaspé* (25 $), *Un coin à Percé* (20 $), *Bateau à Percé* (20 $), *Maison de pêcheur à Gaspé* (30 $), *Rocher Percé* (15 $, 30 $), *Les Trois Sœurs à Percé* (30 $).

148. Dans l'exposition de novembre et décembre 1926 à la bibliothèque Saint-Sulpice figurent trois *Cabane à sucre à Piedmont* (deux à 20 $, une à 35 $), une *Cabane à sucre à Saint-Hippolyte* (30 $) et une *Cabane à sucre à Sainte-Famille* (50 $). En décembre 1927, à la même bibliothèque, on retrouve deux fois *Cabane à sucre à Piedmont* (20 $ et 30 $). En 1932 et en 1937, au Salon du printemps, il expose *Le temps des sucres* et *Les sucres dans le nord.* Il faut attendre l'exposition chez Morency en janvier 1942 pour rencontrer trois *Cabane à sucre* (une à 25 $ et deux à 10 $) et au moins une *Cabane à sucre* à l'exposition à L'Art Français en avril suivant. Enfin, en 1946, chez S. H. Douglas, il expose une *Cabane à sucre* (15 $) et une *Cabane à sucre, bas de Québec* de grand format (150 $).

149. *Paysage d'hiver à Mont-Rolland* (un à 15 $, cinq à 20 $), *Rivière du Nord* (20 $), *Fonte de neige dans le nord* (25 $), *Maison sous la neige à Mont-Rolland* (25 $), *Rivière à Mont-Rolland* (25 $), *Rivière du Nord* (40 $) figurent dans l'exposition de décembre 1928 à la bibliothèque Saint-Sulpice. Chez Morency, en 1942, Poirier présente un grand tableau, *Fin d'hiver à Mont-Rolland* (150 $), ainsi que *Paysage, Mont-Rolland* (25 $), *Paysage d'été, Mont-Rolland* (20 $) et *Rivière à Mont-Rolland* (20 $).

150. *Lac Mercier : Lecture et rêve,* 30,5 x 40,6 cm (15 $), *Lac Mercier : Chêne en automne,* 22,8 x 33 cm (12 $), *Lac Mercier : Érable en automne,* 23,5 x 33 cm (12 $), *Lac Mercier : Chapelle,* 20,3 x 22,8 cm (8 $).

151. [Albert Laberge], «Études d'art et peintures par N. Poirier», *loc. cit.*

152. Albert Laberge, «Remarquable exposition par le peintre N. Poirier», *loc. cit.*

153. Laurent Hardy, *N. Poirier, op. cit.,* p. 5. Propos repris, légèrement modifiés, dans l'émission *Partage du jour,* où Henri Bergeron s'entretient avec Narcisse Poirier, diffusée les 25 et 26 mars 1965, à la radio de Radio-Canada, et cités dans Laurent Hardy, p. 30.

154. Plutarque, «La gloire des Athéniens», dans *Moralia,* 346 f- 347 a. Plutarque (46-vers 125) rapporte ici un propos du poète Simonide (556 av. J.-C.-467 av. J.-C.).

155. [Albert Laberge], «Études d'art et peintures par N. Poirier», *loc. cit.*

156. [Albert Laberge], «Exposition de tableaux par M. Narcisse Poirier», *loc. cit.*

157. Albert Laberge, «Remarquable exposition par le peintre N. Poirier», *loc. cit.*

158. [Albert Laberge], «Chefs-d'œuvre canadiens» (n° 6), *La Presse,* «Magazine illustré», 23 août 1930, p. 24, avec une reproduction de *Paysage d'automne à Piedmont.*

159. Albert Laberge, « Exposition de tableaux par le peintre Narcisse Poirier », *La Presse*, 7 décembre 1928, p. 71.

160. Albert Laberge, « Exposition de peintures par M. Narcisse Poirier », *La Presse*, 3 mai 1932, p. 8. Laberge écrit aussi : « Quelques critiques déclareront peut-être que ce genre est vieux jeu, mais nous dirons qu'il en est des natures mortes de M. Poirier comme de ces partitions d'opéras de *Faust, Carmen, Les Contes d'Hoffmann*, que l'on entend toujours avec plaisir, tandis que les horribles jazzs d'aujourd'hui nous agacent, nous irritent, nous mettent en fureur. » Au sujet du jazz, Laberge tenait des propos bien différents, dix ans plus tôt, au moment de la première exposition du Groupe de Beaver Hall : « L'impression que donnent ces couleurs est celle d'un jazz qui, avec emportement, avec furie, éparpillerait ses notes les plus sonores, les plus bruyantes, les plus aigües » ([Albert Laberge], « Une visite à l'exposition de peintures », *La Presse*, 22 mars 1922, p. 3).

161. [Albert Laberge], « Exposition de tableaux par M. Narcisse Poirier », *loc. cit.*

162. Albert Laberge, « Exposition de peintures par M. Narcisse Poirier », *loc. cit.* Comme il l'a fait pour *La maison de Mimi Pinson* (9.23) en citant le premier couplet de la chanson de Murger, Laberge cite ici la première strophe de « Chanson d'automne » de Verlaine : « Les sanglots longs / Des violons / De l'automne / Blessent mon cœur / D'une langueur / Monotone » (*Poème saturniens*, 1866).

163. P[aul] Dumas, *loc. cit.*

164. *Ibid.*

165. *Ibid.*

166. *Ibid.*

167. Pierre Daniel, « Toiles de N. Poirier », *La Presse*, 24 janvier 1942, p. 50.

168. Albert Laberge, « Exposition de tableaux par le peintre Narcisse Poirier », *loc. cit.*

169. *Ibid.*

170. J.-A[rthur] L[emay], *loc. cit.*

171. *Ibid.*

172. *Ibid.*

173. Albert Laberge, « Remarquable exposition par le peintre N. Poirier », *loc. cit.*

174. E[rnest] B[ilodeau], *loc. cit.*

175. P[aul] Dumas, *loc. cit.*

176. Pierre Daniel, *loc. cit.*

177. Lucien Desbiens, *loc. cit.*

178. Reynald, « Le 50e Salon du printemps », *La Presse*, 17 mars 1933, p. 8.

179. Reynald, « Le 52e Salon du Printemps », *La Presse*, 22 mars 1935, p. 2.

180. Reynald, « Les aquarelles d'A.-C. Leighton », *La Presse*, 4 avril 1936, p. 45.

181. Reynald, « Montréal, ville à l'aspect multiple », *La Presse*, 16 mai 1936, p. 9.

182. Reynald, « Le 54e Salon du Printemps », *La Presse*, 20 mars 1937, p. 49.

183. Olivier Maurault, *Les peintres...*, *op. cit.*, p. 66.

184. Reynald, « L'Activité artistique : les Peintres de la Montée », *loc. cit.*

185. Narcisse Poirier, cité par Laurent Hardy dans le « Curriculum vitæ de Narcisse Poirier », neuf feuillets dactylographiés, paginés de 1 à 9, p. 6. Archives nationales à Montréal, collection Maurice Hardy (MSS190).

186. Laurent Hardy, *N. Poirier, op. cit.*, p. 34-35.

187. Gilles Normand, *loc. cit.*

188. Anonyme, « Hommage à Narcisse Poirier, du groupe des huit de la Montée Saint-Michel », *La Presse*, 6 décembre 1986, p. F3.

189. Anonyme, « IIIe Festival de peinture : mouvement et innovation », *La Revue*, Terrebonne, 2 avril 1991, p. 1 ; Gilles Bordonado, « Un 3ième festival de peinture à Mascouche : Narcisse Poirier à l'honneur », *La Revue*, Terrebonne, 2 avril 1991, p. 5. Le journaliste mentionne l'appartenance de Poirier au groupe des peintres de la Montée Saint-Michel.

190. Gilles Normand, *loc. cit.*

191. « Plus particulièrement après 1945 ou 46 », ajoute Laurent Hardy, *op. cit.* p. 26. Poirier a pu, certes, faire des répliques de qualité inférieure à cette époque du milieu des années 1940, mais, quant à nous, nous plaçons ses plus faibles copies après les années 1960.

192. Albert Laberge, « Exposition de tableaux par le peintre Narcisse Poirier », *loc. cit.*

193. Narcisse Poirier, cité par Laurent Hardy dans le « Curriculum vitæ de Narcisse Poirier » (*loc. cit.*) et dans *N. Poirier, op. cit.*, p. 5-6.

194. Albert Laberge, « Exposition de tableaux par le peintre Narcisse Poirier », *loc. cit.*

CHAPITRE 10

1. Lors de sa naturalisation, Octave Proulx a dû certifier qu'il était « de race blanche et un homme libre », termes qui étaient des équivalents (rencontre de Jocelyne Dorion et Richard Foisy avec Pierre Proulx, fils de Joseph-Octave Proulx, le 3 novembre 2007 chez lui, à Ottawa ; entretien de Richard Foisy avec Pierre Proulx, à Ottawa, le 8 décembre 2009, noté désormais simplement Pierre Proulx, 2007, 2009).

2. Pierre Proulx, 2007, 2009.

3. On ne sait comment ni pourquoi, mais J.-O. Proulx a toujours cru – ou fait croire – qu'il était né en 1890 à Boston (N.H.), date qui apparaît dans les diverses sources le concernant. Son acte de naissance, obtenu par sa fille Gabrielle (1923-2020), dément cette affirmation.

4. « Quelques mois après ma naissance, on me transporta au Canada chez un oncle du nom de Bourbeau qui demeurait à Kingsey Falls dans les Cantons-de-l'Est » (Joseph-Octave Proulx, « Lettre à Olivier Maurault », s.d., [1941], dans Olivier Maurault, *Les peintres de la Montée Saint-Michel, cent ans après : 1911-2011*, textes présentés et annotés par Richard Foisy, Montréal, Fides, 2011, p. 95. Nos références renvoient à cette édition.

5. Soulignons qu'à la suite d'un redécoupage des régions par le gouvernement du Québec, Kingsey Falls appartient maintenant à la région Centre-du-Québec. Néanmoins, nous emploierons Cantons-de-l'Est tout au long du texte.

6. Situé entre Kingsey Falls et Saint-Félix-de-Kingsey, à environ une heure de Sherbrooke, le mont Proulx culmine à quelque 290 mètres (Commission de toponymie du Québec). Au début des années 1960, il accueillait une petite station de ski (*Ski and Bike Magazine*, https://skiandbikemag.com/mont-proulx-st-felix-de-kingsey-qc).

7. « Il voulait s'instruire mais n'était guère encouragé par les siens » (Olivier Maurault, *op. cit.*, p. 69).

8. Témoignage de Gabrielle Proulx-Van Camp, fille de Joseph-Octave Proulx, en visite chez son frère Pierre, à Ottawa, en présence de Normand Proulx, fils de Pierre, et de Richard Foisy, le 30 juillet 2011 (noté désormais Gabrielle Proulx-Van-Camp, 2011). Gabrielle affirme que c'est chez les Clercs de Saint-Viateur que son père a pris le goût du dessin.

9. « Son père ne voulait pas qu'il peigne – Et lui est jaloux de son indépendance », phrase inscrite par Olivier Maurault au bas du deuxième feuillet de la lettre de Proulx de 1941. « Son père ne comprenait pas », dira aussi sa fille Gabrielle (2011).

10. Parmi les travaux d'art commercial auxquels s'est adonné Joseph-Octave Proulx, il y a l'imitation du bois de chêne dans des voitures de train et des décorations murales dans des boîtes de nuit (Pierre Proulx, 2007, 2009 ; Gabrielle Proulx-Van Camp, 2011).

11. Anonyme, « Conseil des Arts et manufactures », *La Patrie*, 14 octobre 1905, p. 5.

12. Anonyme, « L'art et l'industrie : l'exposition du Conseil des Arts et Manufactures, au Monument-National », *La Patrie*, 3 juin 1904, p. 1. Sur l'importance, à l'époque, des enseignes commerciales exécutées par des artistes et artisans pour « [les] hôtels, auberges, restaurants et autres établissements », on consultera Collectif, *Concours d'enseignes*, Trois-Rivières, Syndicat d'initiative de la Mauricie, 1937, p. 1. Ce concours fut annoncé dans divers périodiques, dont *L'Avenir du Nord* (Terrebonne), le 15 janvier 1937, p. 5.

13. *Règlements des cours gratuits de dessin et des cours industriels 1914-15*, brochure, p. 10.

14. D'après Olivier Maurault, *op. cit.*, p. 69, et la lettre de Joseph-Octave Proulx à Olivier Maurault en 1941 (*op. cit.*, p. 96), il a étudié avec William Burbank (1866-1922). Celui-ci enseignait au New Hampshire Institute of Art, fondé en 1898, à Manchester.

15. Proulx dit avoir étudié en 1911 à l'École des arts de Boston (*Ibid.*, p. 97). Le Museum of Fine Arts de Boston, ouvert en 1876, avait emménagé en 1909 dans son nouvel édifice de l'avenue Huntington.

16. « M. et Mme Cyprien Proulx et Mlle Costello, de Boston, sont à Montréal pour huit jours, les invités de M. Octave Proulx, rue Bordeaux. / M. et Mme Georges Trudel, des États-Unis, étaient à Montréal la semaine dernière, chez M. Octave Proulx, rue Bordeaux » (Anonyme, « Échos mondains », *La Presse*, 23 juillet 1921, p. 25).

17. « En 1912, Montréal – au Monument-National – gallerie [*sic*] des arts. Étudie avec M. Dyonnet, St-Charles, Brymner » (J.-O. Proulx, *op. cit.*, p. 97). Sur les études d'Ernest Aubin, de Jean-Onésime Legault et de Narcisse Poirier sous Brymner, voir chapitre 3, p. 85-86, chapitre 5, p. 188, 197, et chapitre 8, p. 398, 399.

18. « En 1912, il revient pour trois ans à Montréal […] et fréquente l'atelier de Suzor-Côté » (Olivier Maurault, *op. cit.*, p. 69-70). Il ne s'agit donc pas que d'une simple visite à l'atelier du maître. Sur la lettre manuscrite de Proulx à Maurault, ce dernier a inscrit : « (Suzor-Côté dans son atelier) ». Séjournant en France, Suzor-Coté est absent du Canada d'avril 1911 à février 1912. De 1912 à 1915, son adresse à Montréal est le 22, rue Berri, un peu au sud de la rue Sainte-Catherine, puis le 26A, rue Victoria en 1915.

19. Sur l'apprentissage et la collaboration d'un élève auprès de Suzor-Coté, voir Rodolphe Duguay, *Journal 1907-1927*, texte établi et annoté par Jean-Guy Dagenais, avec la collaboration de Claire Duguay et Richard Foisy, Montréal, Éditions Varia, 2002, p. 63-106, et Laurier Lacroix, « Rodolphe Duguay et Suzor-Coté », *Liberté*, juin 1997, p. 103-119.

20. Voir le chapitre 4, « Joseph Jutras : peintre et parfumeur », p. 150-154.

21. Voir Laurier Lacroix, *Suzor-Coté, lumière et matière*, catalogue d'exposition, Québec, Musée du Québec ; Montréal, Éditions de l'Homme ; Ottawa, Musée des beaux-arts du Canada, 2002, p. 161-221.

22. Pierre Proulx, fils de J.-O. Proulx, rapporte que son père lui a confié avoir fréquenté à quelques reprises l'atelier de Suzor-Côté et y avoir rencontré Marc-Aurèle Fortin (Pierre Proulx, 2007).

23. Voir Sarah Mainguy, « Aux sources de l'art de Fortin : les années 1910 », dans Michèle Grandbois (dir.), *Marc-Aurèle Fortin : l'expérience de la couleur*, catalogue d'exposition, Québec, Musée national des beaux-arts du Québec, 2011, p. 61-83.

24. Au début des années 1930, il y ajoutera un étage, avec escalier extérieur. Pour les trois autres maisons qu'il construira rue de Bordeaux, entre les rues Beaubien et Saint-Zotique, l'escalier sera aussi à l'intérieur (Pierre Proulx, 2007, 2009).

25. *Ibid.*

26. « Il [Aubin] entraîna à sa suite Proulx, puis Martel, qui formèrent le noyau primitif du groupe » (Maurault, *op. cit.*, p. 50).

27. L'exposition du groupe en 1941 à la galerie Morency ne contient que six pochades sur trente-trois tableaux de Proulx. Sur deux listes de tableaux de Proulx dressées par Jean-Paul Pépin, l'une non datée et contenant soixante-dix œuvres, l'autre datée du 17 avril 1970 et contenant quarante-neuf œuvres, on ne compte que dix pochades (fonds Jean-Paul Pépin, archives Estelle Piquette-Gareau [AEPG]).

28. Du moins, aucune des œuvres que nous connaissons de lui ne représente cet emblème de la Montée Saint-Michel.

29. Olivier Maurault, *op. cit.*, p. 50.

30. Pierre Proulx, 2007, 2009. Aubin était un spécialiste dans ce genre de finition et de restauration.

31. Pierre Proulx, 2007, 2009.

32. Gabrielle Proulx-Van Camp, 2011.

33. J.-O. Proulx, *op. cit.*, p. 97.

34. Temps comptabilisé d'Aubin pour l'année 1923 : « - 8 juillet, dimanche : Voyage chez Proulx – Aider à changer chambre avec Martel + Proulx – Attendre Proulx (leur lecturer Hugo, *Les 4 vents de l'esprit* – Aller sur ferme des Sulpiciens faire du feux [*sic*] pour chasser les maringouins – Peindre grande étude – Retour – Aller boire chez Proulx – Retour […] – Commencer pochade […] – 22 juillet, dimanche : Téléphone (Proulx) – […] – App. p. paysage – […] Voy. Tram. St. Denis [un mot illisible] – débarque coin chemin Crémazie - Lajeunesse fait tour sur rue Entré par Papineau Aller dans le bois (aucun compagnon) Fais pochade visiter bois Voy. retour (St Denis) » (Ernest Aubin, Temps comptabilisé, AEPG).

35. Lettre de Laurette Bélisle-Aubin à Joseph Jutras, 11 juin 1946, AEPG.

36. Province de Québec, Département du Secrétaire de la province, *École des beaux-arts de Montréal : première exposition publique, première proclamation des récompenses*, brochure, 1924, p. 27.

37. Œuvres non localisées.

38. Non localisé.

39. Fonds Jean-Paul Pépin, AEPG. Sur la première liste, Pépin a noté : « 10 autres n'ont pas été rentrés. »

40. Pierre Proulx, 2007, 2009.

41. *Ibid.*

42. J.-O. Proulx, *op. cit.*, p. 97.

43. À Fountain Valley, l'île se trouve aujourd'hui dans le Mile Square Park.

44. Lettre de J.-O. Proulx à Ernest Aubin, 8 août 1919, AEPG.

45. Il s'agit probablement du « J. Sher » qui, entré au CAM en 1914, obtient en 1918 le premier prix de dessin en quatrième année d'études (Anonyme,

«Conseil des Arts et Manufactures», *La Patrie*, 4 juin 1918, p. 5). D'après une note d'Olivier Maurault inscrite sur la lettre de Proulx de 1941, il s'agit d'un «Juif russe» (J.-O. Proulx, *op. cit.*, p. 97). Sher et Proulx restèrent amis toute leur vie (Pierre Proulx, 2007, 2009).

46. J.-O. Proulx, *op. cit.*, p. 97.

47. Gabrielle Proulx-Van Camp, 2011.

48. Lettre de J.-O. Proulx à Ernest Aubin, 8 août 1919, AEPG.

49. *Ibid.* Proulx parle du Wadsworth Atheneum, ouvert en 1844.

50. *Ibid.*

51. Gabrielle naît en 1923, Normand en 1927, François en 1932 et Pierre en 1938.

52. Reynald, «L'activité artistique: les Peintres de la Montée», *La Presse*, 19 avril 1941, p. 33.

53. Feuillet manuscrit de la main de M.-A. Fortin, fonds Albert Laberge, Centre de recherche en civilisation canadienne-française, Université d'Ottawa.

54. Robert de Roquebrune, «Choses du temps. À la Montée Saint-Michel», *Le Canada*, 24 avril 1941, p. 2.

55. À la galerie Morency, en 1941, il expose *Rue des Carrières: vieilles maisons, n⁰ 1*, et *Rue des Carrières: vieilles maisons, n⁰ 2*.

56. Voir Edwin Holgate, *Les Baigneuses*, 1937, huile sur toile, 81,3 x 81,3 cm (coll. Musée des beaux-arts de Montréal), dans Rosalind Pepall et Brian Foss (dir.), *Edwin Holgate*, catalogue d'exposition, Musée des beaux-arts de Montréal, 2005, p. 151.

57. Voir Prudence Heward, *Jeune femme sous un arbre*, 1931, huile sur toile, 122,5 x 193,7 cm (coll. Art Gallery of Hamilton), dans Jacques Des Rochers et Brian Foss (dir.), *Une modernité des années 1920 à Montréal: le Groupe de Beaver Hall*, catalogue d'exposition, Musée des beaux-arts de Montréal et Black Dog Publishing, 2015, p. 288-289.

58. Le nom de Proulx est écrit en grosses lettres au verso de la toile. Le tableau a pu être exécuté à l'école de l'AAM où Proulx et Aubin ont étudié en même temps, et alors qu'un ou une des élèves de la classe acceptait de poser, comme ce semble être ici le cas avec Proulx, et comme le firent – mais drapés – John Young Johnstone et Emily Coonan à cette même école (voir Jacques Des Rochers et Brian Foss [dir.], *Une modernité des années 1920 à Montréal: le Groupe de Beaver Hall*, catalogue d'exposition, Musée des beaux-arts de Montréal et Black Dog Publishing, 2015, p. 122) et, selon nous, comme le fit peut-être Emily Coonan du temps où elle étudiait à l'école des Arts et Manufactures alors qu'elle semble avoir été dessinée par Jean-Onésime Legault (5.3).

59. [Albert Laberge], «Exposition artistique à Montréal», *La Presse*, 21 mars 1919, p. 21.

60. [Albert Laberge], «Exposition de peintures par nos artistes», *La Presse*, 2 avril 1921, p. 7.

61. Albert Laberge, «Le Salon du printemps est le moins important jamais vu ici», *La Presse*, 29 mars 1926, p. 21.

62. Précisément intitulé *Effet de soleil*, et qui figurera dans l'exposition de 1941.

63. Jean Chauvin, *Ateliers: études sur vingt-deux peintres et sculpteurs canadiens*, Montréal, Louis Carrier, 1928.

64. Jean Chauvin, «Chronique d'art», *La Revue populaire*, juin 1929, p. 8.

65. Reynald, *loc. cit.*

66. Robert de Roquebrune, «Choses du temps. À la Montée Saint-Michel», *Le Canada*, 24 avril 1941, p. 2.

67. François Gagnon, «Les peintres si divers de la province de Québec», *La Presse*, 28 octobre 1944, p. 34.

68. *Ibid.*

69. Pierre Proulx, 2007, 2009.

70. Pierre Proulx, 2007, 2009.

71. Joseph Jutras, «Lettre à Olivier Maurault», dans Olivier Maurault, *op. cit.*, p. 93.

72. *Ibid.*, p. 94.

73. J.-O. Proulx, *op. cit.*, p. 97.

74. Pierre Proulx, 2007, 2009.

75. Dès 1921, l'entreprise faisait paraître une annonce: «Peintres d'enseignes d'expérience demandés, plus haut salaire payé. Boutique ouverte, meilleures conditions de travail. Asch Inc., 1560 St-Laurent» (*La Presse*, 12 janvier 1921, p. 12).

76. Olivier Maurault, *op. cit.*, p. 71.

77. De 1941 à 1945, le chantier naval de South Portland construira 236 cargos Liberty.

78. Pierre Proulx, 2007, 2009.

79. *Ibid.*

CONCLUSION

1. Titre honorifique conféré par Rome en 1937.

2. Sur l'action artistique d'Olivier Maurault, voir Richard Foisy, «Présentation», dans O. Maurault, *Les peintres de la Montée Saint-Michel, cent ans après: 1911-2011*, Montréal, Fides, 2011, p. 16-39, réédition de la conférence «Les peintres de la Montée Saint-Michel», *Les Cahiers des Dix*, n⁰ 6, 1941, p. 49-65. Nos références renvoient à cette réédition.

3. Voir entre autres: *Brièvetés*, 1929, *Marges d'histoire I: l'art au Canada*, 1929; *La Paroisse: histoire de l'église Notre-Dame de Montréal*, 1929, *Charles de Belle et Georges Delfosse*, 1940; *Notes d'art*, 1941.

4. Située rue Roy, entre les rues Drolet et Henri-Julien, cette école (auj. démolie) portait le nom de Jean-Jacques Olier (1608-1657), fondateur du séminaire Saint-Sulpice à Paris en 1645.

5. Voir Léon Trépanier, «Le violoniste Oscar Martel, de l'Assomption, révélé par de vieux papiers de famille», *La Patrie du dimanche*, 2 avril 1950, p. 30.

6. À la page 8 de l'original polycopié de sa conférence, Olivier Maurault a ajouté cette phrase manuscrite: «M. Jean-Paul Pépin m'en a récemment révélé l'existence» (fonds Olivier Maurault, archives des prêtres de Saint-Sulpice).

7. Émile Filion a commencé à monter sa collection en 1927, achetant principalement chez les artistes (Lettre au Dʳ Jean-Claude Bourque, 17 février 1971, PSS, fonds Émile Filion). «À un moment, M. Filion eut une collection de plus de 275 tableaux» (J[ean]-P[ierre] B[onneville], «Marc-Aurèle Fortin et le Père Émile Filion», *La Frontière*, 11 novembre 1970, p. 59). Les tableaux de sa collection étaient suspendus «dans les classes, les corridors, les salles d'étude» du collège André-Grasset (Tek [pseud.], «Carrefour», *Montréal-Matin*, 30 octobre 1970, p. 35). Sa collection comptera plus de 300 tableaux et sculptures. Émile Filion fut un des grands mécènes de Marc-Aurèle Fortin.

8. Le plus ancien reçu signé par Jean-Paul Pépin attestant le paiement d'un tableau vendu par lui à Émile Filion est daté du 28 juillet 1938 pour une œuvre de Marc-Aurèle Fortin (PSS, fonds Émile Filion).

9. Reçus signés par Jean-Paul Pépin les 15 février et 3 mai 1939 pour des œuvres de Legault et Martel, les 1er février et 22 novembre 1940 pour des œuvres de Poirier et Jutras. Pour Aubin, Poirier et Proulx et pour un dessin au plomb de Legault, Filion a acheté directement aux artistes (PSS, fonds Émile Filion). Pépin lui fait don de quelques pièces, et Filion lui en achète quelques-unes.

10. *Sur les toits* (**6.58**) et *L'Orme,* dit aussi *L'Arbre* (**2.45**), ont fait partie de la collection Émile Filion.

11. Olivier Maurault, *Les peintres…, op. cit.,* p. 58.

12. Olivier Maurault, notes manuscrites sur les peintres de la Montée Saint-Michel, neuf feuillets épars (PSS, fonds Olivier Maurault).

13. Lettre de Joseph-Octave Proulx à Olivier Maurault, 1941, reproduite dans O. Maurault, *Les peintres…, op. cit.,* p. 95-97.

14. Lettre d'Émile Filion à Morency Frères, 19 octobre 1941, fonds Morency Frères (archives du Centre de recherche sur l'atelier de L'Arche et son époque, 1900-1025 [CRALA]). Le catalogue de l'exposition est reproduit dans O. Maurault, *Les peintres…, op. cit.,* p. 93-108.

15. Plusieurs des œuvres de l'exposition de 1941 à la galerie Morency, marquées « collection particulière », appartenaient à Émile Filion. Elles figureront, avec d'autres, dans l'*Exposition d'art canadien* que le sulpicien présentera au collège André-Grasset du 29 octobre au 7 novembre 1944.

16. Ceci corrige mon erreur dans la « Présentation » à Olivier Maurault, *Les peintres…, op. cit.,* où, à la page 36, je situe cette soirée au Cercle universitaire.

17. « […] si nombreux qu'il a fallu emprunter des chaises dans les salles voisines » (Anonyme, « Mgr Maurault révèle l'existence des Peintres de la Montée St-Michel », *Le Devoir,* 28 mars 1941, p. 2).

18. Anonyme, « Les peintres de la Montée Saint-Michel », *La Presse,* 27 mars 1941, p. 22.

19. *Ibid.*

20. Anonyme, « Mgr Maurault révèle l'existence… », *loc. cit.*

21. Roméo Vincelette (1902-1979) s'inscrit à l'École des beaux-arts de Montréal en 1928. Il fréquente alors quelque peu la Montée Saint-Michel.

22. Maurice Le Bel (1898-1963) s'est inscrit à l'école des Arts et Manufactures en 1912. Il a fréquenté le groupe de la Montée autour de 1915. Voir le chapitre 2, p. 55, 57, 58, et le chapitre 4, p. 138.

23. Eugénie Gervais, née Boudreau (1863-1943), est entrée à l'école des Arts et Manufactures en 1910. Elle a fréquenté la Montée surtout avec Mme B. A. Bastien, inscrite au Conseil des arts et manufactures (CAM) en 1909, et Mme Juliette Villeneuve, inscrite au CAM en 1916. Voir le chapitre 2, « Un groupe dans le siècle », p. 59.

24. Anonyme, « Mgr Maurault révèle l'existence… », *loc. cit.*

25. Lettre de Joseph Jutras à Olivier Maurault, reproduite dans O. Maurault, *Les peintres…, op. cit.,* p. 91.

26. Anonyme, « Mgr Maurault révèle l'existence… », *loc. cit.*

27. « Les ventes ont à peine dépassé la vingtaine » (Olivier Maurault, Journaux, à la date du 6 mai 1941, fonds Olivier Maurault, archives des prêtres de Saint-Sulpice).

28. Reynald], « Montréal, foyer de l'art contemporain », *La Presse,* 3 juin 1939, p. 37.

29. François-Marc Gagnon, *Paul-Émile Borduas (1905-1960), biographie critique et analyse de l'œuvre,* Montréal, Fides, 1978, p. 104-111.

30. Anonyme, « À l'exposition des Indépendants », *Le Canada,* 19 mai 1941, p. 6.

31. Dans la note qu'il ajoute à la fin du texte de sa conférence publié dans *Les Cahiers des Dix,* en décembre 1941, Olivier Maurault se dit conscient du malencontreux croisement de ces deux expositions : « Nos peintres, traditionalistes dans leur inspiration et leur métier, se sont heurtés à un mouvement d'art moderne qui fait grand bruit en ce moment, dans la province. Nous n'avons aucun désir de le déprécier. Nous voulons seulement expliquer l'échec relatif de notre exposition » (O. Maurault, *Les peintres…, op. cit.,* p. 87).

32. Paul-Émile Borduas a été un protégé d'Olivier Maurault. Sur le mécénat du sulpicien auprès de Borduas, voir François-Marc Gagnon, *op. cit.,* p. 29-41, et Paul-Émile Borduas, *Écrits II,* Tome I : *1923-1953,* Montréal, Presses de l'Université de Montréal, Bibliothèque du Nouveau Monde, 1997, p. 41-46, 77-80, 82, 87, 95, 108-135.

33. Reynald, « L'activité artistique : les Peintres de la Montée », *La Presse,* 19 avril 1941, p. 33.

34. Robert de Roquebrune, « Choses du temps : à la montée Saint-Michel », *Le Canada,* 24 avril 1941, p. 2.

35. Lucien Desbiens, « Les Salons : celui des "peintres de la Montée St-Michel" », *Le Devoir,* 16 avril 1941, p. 6.

36. Lettre de Joseph Jutras à Ernest Aubin, 2 avril 1943 (archives Estelle Piquette-Gareau [AEPG]).

37. « Si ces dix ou douze peintres eussent été moins modestes […] », dit Maurault en parlant des huit de la Montée et de quelques autres qui les ont suivis épisodiquement (O. Maurault, *Les peintres…, op. cit.,* p. 55).

38. Anonyme, « Mgr Maurault révèle l'existence… », *loc. cit. ;* Hervé de Saint-Georges, « 7 peintres canadiens se font enfin connaître aux Galeries Morency », *La Patrie,* 19 avril 1941, p. 20.

39. Cités dans [Émile Filion, p.s.s.], « Les peintres de la Montée Saint-Michel », dans O. Maurault, *Les peintres…, op. cit.,* [p. 145].

40. Hervé de Saint-Georges, *loc. cit.*

41. Lucien Desbiens, *loc. cit.*

42. Alfred Ayotte, « Les richesses du sixième "Cahier des Dix" », *Le Devoir,* 27 décembre 1941, p. 7.

43. Roger Duhamel, « Le Cahier des Dix, numéro six », *Le Canada,* 26 février 1942, p. 2. Voir aussi G. Doutremont, « Les Dix », *La Revue populaire,* février 1943, p. 15.

44. L'exposition est présentée « dans le but de promouvoir la formation générale et artistique de la jeunesse et de promouvoir les arts au Canada » (Anonyme, « Exposition au collège Grasset », *Le Devoir,* 27 octobre 1944, p. 8). Voir François Gagnon, « Les peintres si divers de la province de Québec », *La Presse,* 28 octobre 1944, p. 34 ; Paul Rochon, « Exposition artistique au collège André-Grasset », *La Patrie,* 30 octobre 1944, p. 6 ; Jacques Delisle, « Le salon du Collège André-Grasset », *Le Devoir,* 2 novembre 1944, p. 3.

45. Le Secrétaire [pseud.], « Échos de l'exposition », *Saint-Sulpice* [journal des étudiants du collège André-Grasset], décembre 1944, p. 7.

46. Après avoir parlé des « "petits maîtres" qui furent l'adoration de nos pères », Gagnon écrit : « Émergent au-dessus des mauvais peintres de notre pays les Indépendants… » (Maurice Gagnon, « Exposition des Indépendants chez Morgan », *Le Devoir,* 26 mai 1941, p. 2).

47. Maurice Gagnon, «Une tradition picturale au Canada», *Amérique française*, octobre 1944, p. 51. Dans son ouvrage *Sur un état actuel de la peinture canadienne*, Montréal, Société des éditions Pascal, 1945, ces mêmes paragraphes figurent avec quelques variantes, p. 75.

48. Anonyme, «Mgr Maurault révèle l'existence…», *loc. cit.*

49. Lettre de Joseph Jutras à Olivier Maurault, 7 janvier 1942 (PSS, fonds Olivier Maurault). À la mort de leur mentor, en 1968, Jutras exprimera publiquement sa reconnaissance au nom de tous les membres du groupe : «Nous les Peintres de la Montée Saint-Michel, nous perdons non seulement un ami mais aussi un père. Tout jeune prêtre, il s'intéressa à notre petit groupe d'artistes à peine sortis des académies. Il nous a présentés au public; dans ses conférences, et partout où l'on parlait de l'art chez nous, il ne nous a jamais oubliés. […] Nous, Peintres de la Montée Saint-Michel, aurions-nous survécu sans son appui moral?» (Joseph Jutras, «Mgr Maurault, un protecteur des arts», *Le Petit Journal*, 8 septembre 1968, p. 21.)

50. Gilles Normand, «Narcisse Poirier, peintre centenaire : survivant du *Groupe des Huit de la Montée Saint-Michel*», *La Presse*, 5 février 1983, p. D 13.

51. Olivier Maurault, *Les peintres…*, *op. cit.*, p. 84-85.

52. C'est ce qu'avaient annoncés les frères Morency à Émile Filion : «[…] les artistes en question […] demeurent tous disposés, individuellement cette fois, à refaire une exposition lorsque le temps sera propice» (Lettre de Morency Frères à Émile Filion, 21 octobre 1941, fonds galerie Morency Frères, CRALA).

53. Lettre de Morency Frères à Émile Filion, 21 octobre 1941, *ibid.*

54. Anonyme, «Un peintre de la Montée St-Michel expose», *La Patrie*, 27 août 1941, p. 1.

55. Cécile, P. Lamarre, «À Sainte-Adèle : propos de vacances», *L'Avenir du Nord*, 28 septembre 1945, p. 1.

56. Lettres de Joseph Jutras à Ernest Aubin, 10 décembre 1947 et 9 janvier 1948, AEPG.

57. Lettre de Joseph Jutras à Ernest Aubin, 19 juin 1945, AEPG.

58. Lettre de Joseph Jutras à Ernest Aubin, 3 décembre 1946, AEPG.

Chronologie

Sigles : C, *Le Canada* ; D, *Le Devoir* ; Pa, *La Patrie* ; Pe, *Le Petit Journal* ; Ph, *Photo-Journal* ; Pr, *La Presse*. Dans le texte, chaque sigle est suivi du jour, du mois, de l'année et du numéro de page.

1881
— 10 juin : Naissance à Montréal (Pointe-aux-Trembles) d'Élisée Martel, fils d'Odilon Martel, peintre de voitures, et de Célina Lacroix.
— 14 novembre : Naissance à Saint-Isidore de Prescott (Ontario) d'Onésime-Aimé Léger, fils de Victor Léger, peintre en bâtiment, et de Victoria Dupuis.

1882
— 2 octobre : Naissance à Sainte-Justine-de-Newton (comté de Vaudreuil-Soulanges) de Jean-Onésime Legault, fils d'Onésime Legault, alors cultivateur, plus tard menuisier, et d'Obéline Brouillard.

1883
— 19 mars : Naissance à Saint-Félix-de-Valois (Lanaudière) de Narcisse Poirier, fils de Théophile Poirier, meunier, et de Mérélise Roy.

1888
— 10 février : Naissance à Suncook (New Hampshire) de Joseph-Octave Proulx, fils d'Octave Proulx, naturalisé américain, briquetier, et d'Azeline Rivet.

1892
— Octobre : Edmond Dyonnet (1859-1954) entre au Conseil des arts et manufactures (CAM) comme professeur de dessin à main levée, et y lance la réforme de cet enseignement. Il y restera jusqu'en 1923.
— 10 novembre : Naissance à Montréal, dans le quartier Saint-Henri, d'Ernest Aubin, fils de Benjamin Aubin, photographe, et de Delphine Bayard.

1893
— 24 juin : Inauguration du Monument-National, boulevard Saint-Laurent, propriété de la Société Saint-Jean-Baptiste de Montréal.

1894
— 18 février : Naissance à Montréal de Joseph Jutras, fils adoptif d'Olier Jutras, marchand épicier, puis agent d'immeubles, et de Victoria Gougeon.
— Octobre : Le CAM quitte les locaux de l'ancienne église Saint-Gabriel et s'installe au quatrième et dernier étage du Monument-National.

1897
— 24 septembre : Naissance à Montréal, dans le quartier Plateau Mont-Royal, de Jean-Paul Pépin, fils d'Eugène Pépin, à l'emploi de la librairie Beauchemin, plus tard libraire propriétaire, et de Blanche Castonguay.

1898
— 17 octobre : Après un séjour d'études en France et en Italie, Joseph Saint-Charles (1868-1956) revient à Montréal et entre au CAM comme professeur de dessin à main levée, cours élémentaire.

Chr.1 Cet autoportrait photographique peut avoir été pris par Dyonnet dans son atelier, vers le milieu des années 1890, alors qu'il prenait la direction de l'enseignement du dessin au Conseil des arts et manufactures.

Chr.2 Parmi ce groupe d'étudiants à Paris, en 1893, est assis, le deuxième en partant du bas, Joseph-Charles Franchère et, debout, au milieu dans la dernière rangée, Joseph Saint-Charles. Avec Dyonnet, ils furent parmi les principaux professeurs des peintres de la Montée Saint-Michel.

1899

— 17 juin : Palmarès du CAM, suivi de l'exposition annuelle des travaux d'élèves. A. Y. Jackson (1882-1974), futur membre fondateur du Groupe des Sept en 1920, récolte le premier prix du cours de lithographie ; Albéric Bourgeois (1876-1962), futur caricaturiste à *La Presse*, récolte le premier prix en peinture décorative (Pa, 15/6/99/1).

— 9 octobre : Début des classes au CAM. Après un séjour d'études en France, Joseph-Charles Franchère (1866-1921) revient à Montréal et entre au CAM comme professeur de dessin à main levée, cours élémentaire, auprès de Saint-Charles, et comme professeur de peinture décorative, en remplacement de François-Édouard Meloche (1855-1914).

— Alexandre Carli (1861-1937) est nommé professeur de modelage, en remplacement d'Olindo Gratton (1855-1941).

— À 18 ans, Onésime-Aimé Léger s'inscrit en classe de dessin à main levée, qui se donne le soir, auprès de Joseph Saint-Charles, qui sera son professeur tout le long de ses études.

— Inscription probable dans la même classe de Narcisse Poirier (1883-1984), qui a 16 ans.

— 10 octobre : En vue de l'Exposition universelle qui aura lieu en 1900, le CAM, dont le sculpteur Louis-Philippe Hébert (1850-1917) est président, a résolu d'envoyer à Paris une collection des travaux d'élèves exécutés l'année précédente (Pr, 10/10/99/8).

Chr.3 Le Conseil des arts et manufactures jouissait d'une bonne couverture médiatique, surtout au moment de la distribution solennelle des prix de fin d'année où plusieurs articles accompagnés d'illustrations et de photographies lui étaient dédiés.

1900

— 24 mai : Palmarès du CAM. Narcisse Poirier récolte une mention honorable en première année d'études.

— Automne : En provenance de Cap-Saint-Ignace, Émile Vézina (1876-1942) arrive à Montréal, où il veut faire une carrière d'artiste. Il devient dessinateur de presse. En 1904, il aménage dans le grenier du 1630, rue Notre-Dame Est (bientôt le 22, auj. le 26-28) pour en faire son atelier, lequel, en 1913, prendra le nom de L'Arche et sera connu pour ses activités artistiques, littéraires et musicales.

1901

— 30 janvier : On annonce que les membres du conseil d'administration du CAM visitent les écoles d'art de New York, Boston, Washington et autres grandes villes américaines (Pa, 30/1/01/7).

— 8 au 23 mars : Au Salon du printemps de l'Art Association of Montreal (AAM, auj. Musée des beaux-arts de Montréal), Edmond Dyonnet expose son *Portrait de Charles Gill*, peintre et poète.

— 7 juin : Exposition des travaux d'élèves au CAM.

— 7 août : Exposition panaméricaine de Buffalo (N. Y.) : médaille d'or, William Brymner ; médaille d'argent, Edmond Dyonnet ; médaille de bronze, Joseph Saint-Charles (Pa, 7/8/01/6).

— 8 octobre : À 19 ans, Jean-Onésime Legault s'inscrit au cours de dessin d'architecture du CAM.

— 29 octobre : Les élèves ayant fait pression en ce sens, le CAM ouvre une nouvelle classe de dessin avec modèle vivant (drapé) sous la direction d'Edmond Dyonnet.

1902

— 20 mars : Ouverture du Salon de l'Académie royale des arts du Canada (ARAC) dans les locaux de l'AAM au square Phillips. « On remarque surtout des œuvres plus sérieuses que d'habitude, des poèmes au lieu de bluettes, des tableaux de peintres plutôt que des essais d'amateurs » (Pa, 21/3/02/8). Brymner (directeur de l'école d'art de l'AAM), Dyonnet, Franchère, Saint-Charles, Suzor-Coté, Charles Gill y exposent.

— 13 octobre : J.-O. Legault entre en classe de dessin à main levée. Dyonnet est son professeur. Après un séjour d'études en France, Jobson Paradis (1871-1926) entre au CAM comme professeur de dessin à main levée, cours élémentaire, auprès de Saint-Charles et Franchère. En architecture, Alphonse Venne (1875-1934) se joint aux deux autres professeurs, MM. Peters et C. A. Monette.

— 28 octobre : On annonce l'ouverture d'un nouveau cours de peinture d'enseignes et lettrage sous la direction d'Arthur Denis, qui invite « tout spécialement les peintres en général et ceux qui se livrent au lettrage en particulier » (Pa, 28/10/02/6). Par ailleurs, le public est invité à visiter les classes du soir – excepté le jeudi, car il n'y a pas de cours.

1903

— 10 janvier : L'*Album universel* reproduit un pastel d'O.-A. Léger, *La Fête des Rois à la campagne*, accompagné d'une photographie de l'artiste et d'une lettre de son professeur Joseph Saint-Charles qui se déclare « confiant dans son avenir ».

— 13 juin : Palmarès du CAM et exposition des travaux d'élèves. J.-O. Legault remporte le premier prix de dessin en deuxième année d'études et, dans la même catégorie, son ami Onésime-Aimé Léger remporte le deuxième prix en quatrième année d'études.

— 29 juin : À l'AAM, ouverture de l'exposition des artistes illustrateurs de journaux. Émile Vézina y participe, ainsi qu'Edmond-Joseph Massicotte (1875-1929) et Louis-Adolphe Morissette (1873-1938), ses confrères du dessous dans l'immeuble du 22, rue Notre-Dame Est, de même que Jobson Paradis, professeur au CAM.

Chr.4 Ernest Aubin a conçu ce projet d'enseigne publicitaire pour Serge Lefebvre, qu'il a connu au CAM et qui occupait l'atelier de L'Arche au début des années 1920, quand Aubin en devint le principal locataire.

— Octobre : Marc-Aurèle Fortin (1888-1970), qui fréquentera le groupe de la Montée Saint-Michel, commence son apprentissage au CAM.

1904
— 16 avril : Ouverture du Salon de l'ARAC. La critique constate que « les œuvres y sont plus choisies et font voir à quel degré de perfection la peinture canadienne commence à atteindre » (Pa, 16/4/04/9).
— 9 mai : O.-A. Léger part pour New York d'où il s'embarquera le 11 juin pour l'Europe. Le 22 juin, il arrive à Bruxelles pour y étudier pendant un an.
— 7 juin : Palmarès du CAM et exposition. Legault remporte le deuxième prix de dessin, en troisième année d'études ; Léger remporte le premier prix en quatrième année (qu'il a faite une deuxième fois ainsi que la coutume au CAM le permet).
— 10 juin : Vu la trop grande affluence des visiteurs à l'exposition des travaux d'élèves, celle-ci sera ouverte le dimanche.
— 1ᵉʳ juillet : Édric-Lactance Giroux (1869-1842), ami et mentor de Léger, apparaît pour la première fois dans le *Lovell's Montreal Directory* (LMD) comme photographe, au 749, avenue du Mont-Royal. De ses trois filles, Elzire (dite Billie [1897-2000]), Antoinette (1898-1978) et Germaine (1902-1975), les deux dernières deviendront des comédiennes connues.
— 9 août : Assemblée des photographes professionnels de Montréal dans le but de fonder une association, laquelle est incorporée le 6 décembre sous le nom d'Association des photographes professionnels de la province de Québec (APPPQ). Les assemblées mensuelles se tiennent au Monument-National.
— Octobre : À l'Université Laval de Montréal, sise à l'angle des rues Sainte-Catherine et Saint-Denis, Jean-Baptiste Lagacé (1868-1946), oncle de Jean-Paul Pépin, fonde la première chaire d'histoire de l'art au Canada.
— 11 novembre : Inauguration de la Bibliothèque civique (qu'on appellera dans un premier temps Bibliothèque municipale), située au quatrième étage du Monument-National, surtout de nature technique et à l'usage des élèves du CAM.
— Dans le cours de l'année : De Kingsey Falls, dans les Cantons-de-l'Est, où il vit avec ses parents sur une ferme, Joseph-Octave Proulx, 16 ans, fait une fugue et se rend à Montréal où il se présente chez les Clercs de Saint-Viateur. Il y restera trois ans et y apprendra le dessin.

1905
— 23 janvier : Devant le nombre grandissant des élèves, ouverture au CAM des cours de dessin de jour, donnés deux après-midi par semaine par Jobson Paradis.
— 24 janvier (à partir du) : À l'AAM, exposition de 38 tableaux représentant les écoles française, anglaise et hollandaise, prêtés par des collectionneurs montréalais.
— 17 mars au 8 avril : Au Salon du printemps de l'AAM, on adopte un nouveau système qui consiste à grouper ensemble les toiles d'un même artiste.
— 7 mai : Retour à Montréal d'O.-A. Léger à bord du *Ottawa*, de la Dominion Line Company.
— 13 juin : Au CAM, J.-O. Legault remporte le premier prix de dessin en quatrième année d'études ; Narcisse Poirier (qui a repris ses études) obtient une mention honorable en dessin.
— 17 juin : On rapporte que des milliers de personnes sont venues visiter les travaux des élèves.
— Automne (probablement) : Legault prend possession d'un plain-pied qu'il a construit avec son père, rue Alma, et qui porte le numéro 744 (auj. 6726), dans ce qui est maintenant la Petite Italie. Il ajoutera un étage en 1913, qui prendra le numéro 746, où vivront ses parents. Au rez-de-chaussée, il installe son atelier.
— 10 octobre : Lactance Giroux, dont la pratique photographique se rapproche de plus en plus du pictorialisme, part pour un voyage d'une semaine à New York où il sera reçu par le Camera Club.
— 16 octobre : Ouverture des cours du CAM. Ayant terminé sa quatrième année d'études, Legault se réinscrit, mais produit très peu. Depuis le printemps, il a un studio au 58, rue Saint-Gabriel, chambre 14. Il y reçoit de la correspondance d'affaires et privée sur cartes postales d'art.
— Dans le cours de l'année : La famille Aubin (Ernest a une sœur, Maria) s'installe à L'Assomption, d'où elle reviendra en 1907. Ernest rêve déjà de devenir peintre.

1906
— 13 février : Ouverture à l'AAM d'une exposition impressionniste du marchand d'art Durand-Ruel de New York, exposition « d'un rare mérite » et qui « renferme plusieurs chefs-d'œuvre » (Pr, 13/2/06/10).
— 13 juin : Au CAM, Narcisse Poirier reçoit une mention pour le dessin, en quatrième année (deuxième fois).
— 16 septembre : Les frères Louis-Alfred et Odilon Morency ouvrent, au 346 (plus tard, le 458), rue Sainte-Catherine Est, un commerce d'encadrement, de dorure, de tableaux et de restauration de tableaux, ainsi que d'objets d'art, sous le nom de Morency Frères. Leur magasin évoluera peu à peu vers la fonction de galerie d'art. Passé aux mains d'Hélène Mercure en 1958, l'établissement fermera ses portes en 1992.
— 15 octobre : Legault et Léger s'inscrivent au CAM en classe de modelage. Alexandre Carli est leur professeur. Le CAM institue les cours de jour pour la peinture, donnés par Jobson Paradis deux après-midi par semaine.
— Dans le cours de l'année : Legault et Léger peignent un diptyque, *Pâtre à la houlette* pour l'un et *Muse à la lyre* pour l'autre, qui sera marouflé sur les murs du vestibule du 744 de la rue Alma.
— Sur les conseils de Jobson Paradis, professeur de dessin à l'école Montcalm, Élisée Martel, futur membre du groupe de la Montée Saint-Michel, s'inscrit au CAM.

1907
— 4 avril : Joseph-Napoléon Laprés, président de l'Association des artistes-photographes de la province de Québec, songe à « établir un salon de photographies artistiques » (Pr, 4/4/07/8).

— 11 juin : Au CAM, Legault et Léger obtiennent une mention honorable en première année de modelage

— Été : Legault a un nouveau studio au 37, rue Notre-Dame Est, chambre 17.

— 10 août : Joseph-Napoléon Laprés donne une conférence sur l'invention de la photographie en couleur : « C'est ni plus ni moins qu'une révolution dans notre art » (Pr, 4/8/07/20).

— 14 octobre : Ernest Aubin, qui va avoir 15 ans, s'inscrit aux cours du soir du CAM, où il étudiera jusqu'en 1923. Il est dans la classe de dessin avancé sous la direction d'Edmond Dyonnet. Il vient de découvrir le domaine Saint-Sulpice, qu'il baptisera bientôt Montée Saint-Michel, au nord de Montréal, et y entraîne plusieurs de ses condisciples, dont J.-O. Legault, lequel y entraîne O.-A. Léger. Élisée Martel suivra bientôt. Depuis son enfance, Ernest assiste son père dans son atelier de photographie.

— Pendant deux ans, Legault étudie à l'école de l'AAM sous William Brymner (1855-1925). Il y revient en 1912. Au CAM, il se réinscrit en classe de dessin, tandis que Léger, qui s'inscrit aussi en classe de dessin, entreprend une deuxième année en modelage, cette fois sous la direction d'Alfred Laliberté (1878-1953), récemment rentré de Paris où il a parfait sa formation, et qui est deuxième professeur de modelage auprès d'Alexandre Carli.

— 21 octobre : Au Monument-National s'ouvre une exposition des œuvres d'Alfred Laliberté.

— Dans le cours de l'année : Joseph Jutras, qui a 13 ans, est invité par Joseph Saint-Charles, son professeur de dessin à l'école Olier, à visiter son atelier, ce qui décide de la vocation de l'adolescent.

1908

— 24 mars au 11 avril : Léger expose pour la première fois au Salon du printemps de l'AAM, où il présente un pastel, *Printemps*, qui trouve acquéreur. « La note caractéristique de la manière employée cette année, qu'on se soit servi du pinceau ou qu'on ait peint à la spatule ou de toute autre manière, c'est l'abondance et l'éclat des couleurs. L'arc-en-ciel en pâlit. Les tableaux sont tout rutilants des teintes les plus diverses et les plus vives. C'est un véritable feu d'artifice » (Pa, 23/3/08/8).

— 8 juin : Mariage de Narcisse Poirier avec Marie-Louise Gamache, première de ses trois femmes.

— 11 juin : Au CAM, Poirier remporte le premier prix de dessin, en quatrième année (troisième fois). Léger remporte le premier prix en modelage d'après nature, en deuxième année. Ernest Aubin, qui termine sa première année d'études, obtient une mention pour le dessin. À l'exposition des travaux d'élèves, Legault et Léger, qui ont terminé leurs quatre années de formation réglementaires, sont classés hors concours pour le dessin.

— Septembre : Par l'intermédiaire d'Émile Vézina, Jutras visite le chantier de Georges Delfosse à la cathédrale de Montréal, où celui-ci peint de grands tableaux historiques. Durant cette année 1908-1909, Jutras prend quelques leçons de dessin dans l'atelier de Vézina, au 22, rue Notre-Dame Est.

— 12 octobre : Legault se réinscrit au CAM en dessin, mais ne terminera pas son année.

— J.-O. Proulx est revenu à Kingsey Falls, mais comme il a pris goût au dessin chez les Clercs de Saint-Viateur, il aspire à devenir artiste et revient à Montréal pour s'inscrire aux cours du soir du CAM. Dès l'automne, il fréquente la Montée Saint-Michel avec Ernest Aubin.

— 13 octobre : « Il y a douze ans, le Conseil des Arts et Manufactures n'avait que 170 élèves. L'année dernière le nombre total s'élevait à 2 502. S'il faut en juger par le nombre d'applications, la classe de dessin est la plus populaire au Monument-National » (Pa, 13/10/09/5).

— À l'invitation d'Edmond Dyonnet, Ernest Aubin fait un stage d'un an en dessin à l'école de l'AAM, dirigée par Brymner et où Dyonnet seconde parfois celui-ci.

— Dans le cours de l'année : Élisée Martel est engagé à titre de commis au rayon de la peinture chez le quincaillier Omer DeSerres. Gaspard DeSerres (1855-1928), père, siège au conseil d'administration du CAM.

1909

— 2 au 24 avril : Léger expose pour la deuxième fois au Salon du printemps, une tête d'enfant et un paysage.

— 15 juin : Au CAM, Aubin remporte le deuxième prix en dessin. Il a 16 ans. Jutras, qui a 15 ans et qui veut voir les artistes dans leur milieu de création, entreprend une tournée des ateliers de Montréal.

— Été : J.-O. Proulx suit les cours de William Edwin Burbank (1866-1922) au Manchester Institute of Art and Sciences, dans le New Hampshire.

— Été ou automne : Léger prend possession de son premier atelier, au troisième étage du 17, rue de Bleury, qu'il partage avec Émile Vézina et aussi probablement avec Legault qui y reçoit du courrier. Jutras fréquente

Chr.5 Cette page promotionnelle a peut-être donné au jeune Joseph Jutras l'idée de faire, lui aussi, ses visites d'ateliers. Le critique Albert Laberge, auteur de cette page-ci, faisait beaucoup à *La Presse* pour donner le plus de visibilité possible aux artistes montréalais.

l'atelier et participe aux réunions du dimanche où il y a porte ouverte avec séance de modèle vivant.

— Automne: Jean-Paul Pépin, 11 ans, fait ses études primaires à l'école Montcalm, située rue Mignonne (auj. boulevard de Maisonneuve), à l'angle de la rue Saint-Hubert, et où Jobson Paradis, qui y enseigne le dessin, lui dit qu'il a des talents d'artiste.

1910

— 4 au 23 avril: Léger expose pour la troisième fois au Salon du printemps, une *Gardeuse d'oies*, peut-être inspirée du conte des frères Grimm (1815).

— 6 avril: L'Association des photographes professionnels qui tient son assemblée au Monument-National compte maintenant dans ses rangs Lactance Giroux et Zénon Juteau, amis d'O.-A. Léger.

— Printemps: Dans l'atelier du 22, rue Notre-Dame Est qu'Émile Vézina a délaissé, création de la Société des Faiseux, composée de 13 membres, artistes et comédiens. O.-A. Léger en fait partie, ainsi que M.-A. Fortin.

— 9 juin: Au CAM, Ernest Aubin récolte le deuxième prix de dessin.

— 13 septembre: Léger entre comme dessinateur de presse à *La Patrie*, où il multipliera les croquis d'actualité et produira 18 pages en couleur pour l'édition du samedi.

— 17 octobre: Parution du pamphlet *Souvenirs de prison*, de Jules Fournier (1884-1918), illustré par Émile Vézina et O.-A. Léger.

— Octobre: Maria Aubin, sœur d'Ernest, qui a 15 ans, s'inscrit au CAM en même temps que leur père Benjamin qui reprend ses études en modelage.

Chr.6 Le comédien Paul Coutlée (1886-1959) était un des membres de la Société des Faiseux qui, entre 1910 et 1913, occupait l'ancien atelier d'Émile Vézina, au 22 rue Notre-Dame Est. Onésime-Aimé Léger et Marc-Aurèle Fortin en faisaient également partie. Au mur, des tableaux de Fortin et de d'autres artistes. Les annotations sur le pourtour de la photographie et qui désignent le personnage ici représenté comme étant Ernest Aubin, sont erronées.

1911

— 28 janvier: Les membres de la Commission royale sur l'enseignement technique ont visité les cours du soir du CAM. «Ils ignoraient aussi à quel point de développement les cours de dessin, de peinture ont atteint» (Pa, 28/11/11/30).

— 1er février: Rodolphe Duguay (1891-1973), originaire de Nicolet, s'inscrit au CAM en classe de dessin. En même temps, il commence son apprentissage chez le photographe L. J. A. Péloquin, comme agrandisseur au crayon de portraits photographiques. Il y fait la connaissance de Narcisse Poirier.

— 24 au 29 avril: Premier Salon de peinture et de sculpture du Club Saint-Denis, consacré aux artistes canadiens-français, qui remporte un grand succès. Onésime-Aimé Léger y est remarqué pour son tableau *Un Souffle* (acheté par le Club) et pour son *Buste de Lactance Giroux*, plâtre qui «fait

l'admiration des connaisseurs» (Pa, 26/4/11/12). Edmond Dyonnet, Joseph-Charles Franchère, Jobson Paradis et Joseph Saint-Charles participent à ce salon.

— 29 mai au 12 juin: Narcisse Poirier s'inscrit au premier cours en plein air donné par Maurice Cullen (1866-1934) à Beaupré, près de Québec.

— 6 juin: Joseph Jutras, 17 ans, épouse Victoria Beauchamp.

— 8 juin: Au CAM, Aubin remporte le premier prix de dessin et le deuxième prix de peinture, tandis que Poirier remporte le premier prix de peinture.

— Juin: Eugène Pépin est maintenant propriétaire d'une librairie, au 500, rue Sainte-Catherine Est, près de la rue Saint-André, et deviendra, en 1917, libraire importateur.

— Été: J.-O. Proulx est à Boston, où il suit les cours de dessin à l'école du Museum of Fine Arts.

— 9 octobre: Grâce à son mariage, Jutras, dégagé de l'autorité de son père qui s'opposait à ses études en art, s'inscrit au CAM. Son ancien maître Joseph Saint-Charles l'y accueille. Il ne fera qu'une année, avant de se réinscrire en 1914. Il travaille aussi chez le photographe L. J. A. Péloquin et lie amitié avec Narcisse Poirier et Rodolphe Duguay. Poirier fait le portrait du jeune homme. Aubin s'inscrit en classe de lithographie.

— Automne: Poirier s'inscrit à l'école de l'AAM pour étudier avec William Brymner.

— 25 octobre: Quelques-uns des condisciples entraînés par Aubin depuis quatre ans au domaine Saint-Sulpice, étant réunis autour de lui, le groupe prend le nom de «Peintres de la Montée Saint-Michel», en raison de ce chemin de proximité qui les a conduits si souvent à leur lieu de rendez-vous. Aubin va avoir 19 ans.

1912

— 14 mars au 6 avril: Narcisse Poirier expose pour la première fois au Salon du printemps, où il présente une nature morte, genre qui fera sa renommée. Léger y expose pour la quatrième fois, un buste en plâtre de son ami Zénon Juteau. C'est le dernier salon dans la salle du square Phillips, l'AAM s'apprêtant à emménager dans son nouvel édifice, rue Sherbrooke Ouest.

Chr.7 Mme M. Burns, signataire de cette toile représentant la petite ferme Laurin, à l'entrée du domaine Saint-Sulpice, est une de ces «dames anglaises», étudiantes au Conseil des arts et manufactures, qui fréquentaient la Montée Saint-Michel, aux dires de Joseph Jutras.

À ce même Salon, le Montréalais de naissance John Lyman (1886-1967), élève de Matisse et vivant à Paris, présente quatre œuvres qui provoquent une vive réaction dans la presse : « Le Canada possède un *cubiste*, à moins que ce ne soit un *futuriste*. Ses envois se composent de quatre paysages, portant respectivement les titres suggestifs de 1, 2, 3, 4, et d'un portrait. C'est tout simplement merveilleux ! Les murs du Salon des Indépendants de Paris, qui en ont vu de toutes les couleurs, n'ont jamais rien arboré de plus avancé en fait de composition, ou plutôt de décomposition » (D, 19/3/12/1).

— Mars : Exposition de cinquante tableaux de Suzor-Coté à la galerie Watson Scott & Sons.

— 25 mai : Retour d'Émile Vézina, qui a voyagé en Angleterre sur les traces de Shakespeare, en France sur les traces de Flaubert et de Lamartine, en Italie, en Grèce, en Tunisie et en Égypte. Il a visité Tunis, Carthage, Le Caire, Delphes, Athènes, Olympie, Rome, Naples, Florence, fait de nombreux croquis et écrit de nombreux poèmes.

— 11 juin : Au CAM, Aubin, qui termine sa quatrième année d'études en dessin, est mis hors concours pour l'exposition des travaux d'élèves de fin d'année, tandis que Poirier est hors concours pour la peinture. En lithographie, Aubin remporte le premier prix.

— 18 septembre : On reproduit dans *La Presse* une photographie de la maquette soumise par O.-A. Léger pour le monument à George-Étienne Cartier.

— 24 septembre : Jean-Paul Pépin, 15 ans, entre à l'Académie commerciale catholique, dite école du Plateau, où son oncle J.-B. Lagacé enseigne le dessin depuis 1910. À cette époque, sa mère, qui, contrairement à son père, encourage les goûts artistiques de son fils, visite avec lui les galeries d'art et l'AAM.

— 7 octobre : Pépin s'inscrit au cours de lithographie du CAM, où il fait la connaissance d'Ernest Aubin, qui l'invite à se joindre au groupe de la Montée Saint-Michel, ce que le garçon ne peut faire à cause de l'opposition de son père. Aubin entame sa formation en modelage sous Alfred Laliberté.

— J.-O. Proulx reprend ses cours au CAM et s'inscrit aussi à l'école de l'AAM sous William Brymner, où il retrouve J.-O. Legault. Il visitera l'atelier de Suzor-Coté, où il croisera M.-A. Fortin.

— 14 novembre : Exposition de Franchère, professeur au CAM, chez Johnson & Copping. « L'exposition des tableaux de M. J. C. Franchère ne sera pas du goût des outranciers et des novateurs névrosés » (Pa, 14/11/12/3).

— 8 décembre : Émile Vézina publie *L'Éclat de rire*, recueil de dessins et de caricatures se rapportant à son voyage en Europe et à l'actualité montréalaise. L'album est dédié au journaliste Jules Fournier et au peintre Ulric Lamarche (1867-1921).

— 9 décembre : Inauguration du nouvel édifice de l'AAM, rue Sherbrooke Ouest.

— Dans le cours de l'année : Legault fait une tournée au Québec et à Terre-Neuve et prend des photographies dans le but d'en faire des stéréogrammes et de les commercialiser. Il a déjà photographié plusieurs coins de la Montée Saint-Michel et pratique la photographie pictorialiste de plein air et de studio.

1913

— 26 mars au 6 avril : Poirier expose pour la deuxième fois au Salon du printemps que l'AAM tient désormais dans son nouvel édifice de la rue Sherbrooke Ouest. Il en sera de même pour le Salon d'automne. Albert Laberge écrit : « Les œuvres des peintres dits coloristes, [...] sont des plus remarquables et forment le point saillant du Salon de cette année » (Pr, 26/3/13/8).

Chr.8 Au cours de son voyage en Europe et en Afrique, en 1912, Émile Vézina entendit parler de l'exposition des futuristes italiens qui venait d'avoir lieu à la galerie Bernheim-Jeune, ainsi que des deuxième et troisième manifestes que Marinetti (1876-1944), le fondateur du mouvement, venait de lancer.

— 18 avril : « Des démarches vont être faites pour exposer ici [à l'AAM] les œuvres des futuristes, cubistes et impressionnistes ; en faisant ceci, l'Association n'exprime pas son admiration pour ce nouveau genre, mais veut tout simplement laisser aux gens la facilité de juger ce que valent ces tableaux, dans leur opinion » (Pa, 18/4/13/8).

— 21 au 31 mai : Lyman présente à l'AAM une exposition personnelle groupant 42 œuvres. La polémique reprend de plus belle et dénonce « le futurisme » de l'artiste. Albert Laberge, dans *La Presse*, réserve cependant un accueil positif et lucide à l'artiste : « Les œuvres de M. Lyman sont en effet parmi les plus hardies jamais exposées à Montréal. Elles dénotent un esprit original, un artiste qui méprise les sentiers battus et qui aspire à produire des œuvres personnelles » (Pr, 21/5/13/13).

— 5 juin : Au CAM, Ernest Aubin figure hors concours pour le dessin à main levée et la peinture ; il remporte le premier prix en lithographie (deuxième année) ; J.-O. Proulx, remporte le deuxième prix en dessin en quatrième année d'études ; Jean-Paul Pépin obtient une mention honorable en lithographie.

— Juillet : Léger passe au journal *La Presse* comme dessinateur. Il y multipliera les croquis d'actualité, illustrera les romans-feuilletons et produira 25 pages en couleur pour la livraison du samedi. Son studio est alors au 37, rue Notre-Dame Est, là où était son ami Legault de 1908 à 1910.

— 6 octobre : Charles Gill (1871-1918), peintre et poète, entre au CAM comme professeur de dessin et de peinture, en remplacement de Jobson Paradis, démissionnaire.

— Aubin revient à l'école de l'AAM pour l'année 1913-1914. Il étudie la peinture avec Brymner.

— Alfred Laliberté devient premier professeur de modelage, avec Elzéar Soucy comme second.

— Un groupe d'étudiants de l'Université Laval de Montréal, sise à l'angle des rues Saint-Denis et Sainte-Catherine, investit l'atelier du 22, rue Notre-Dame Est, délaissé par la Société des Faiseux, et l'un d'eux, Roger Maillet (1896-1960), poète et futur fondateur du *Petit Journal*, le baptise L'Arche. Parmi les membres du groupe, Victor Barbeau (1896-1994), Jean Chauvin (1895-1958), Ubald Paquin (1894-1962), ainsi que Roger Maillet, créent l'hebdomadaire *L'Escholier*, « gazette du Quartier latin » dont Philippe La Ferrière (1891-1971) est l'illustrateur. Isaïe Nantais (1888-1975), membre du même groupe, a été le prolifique illustrateur de *L'Étudiant*, prédécesseur de *L'Escholier*. Sous le nom de Tribu des Casoars, qui compte onze membres portant des surnoms symboliques, ils organiseront sept galas artistiques, dont le dernier aura lieu le 14 juin 1917.

1914

— 16 juin : Au CAM, Ernest Aubin figure hors concours pour le dessin à main levée, et remporte le premier prix en modelage d'après nature en deuxième année. Jean-Paul Pépin, pour sa deuxième et dernière année en cette discipline, obtient à nouveau une mention en lithographie. J.-O. Proulx remporte le premier prix de dessin en quatrième année d'études (deuxième fois).

— 28 juillet : Déclenchement de la Première Guerre mondiale en Europe.

— 13 octobre : Poirier s'inscrit en classe de modelage, sous la direction d'Alfred Laliberté ; Joseph Jutras se réinscrit en classe de dessin pour deux ans. Il fera du modelage avec Elzéar Soucy.

1915

— 26 mars au 17 avril : Aubin expose pour la première fois au Salon de l'AAM, une *Étude*, Narcisse Poirier pour la quatrième fois avec *Vieille maison à Varennes* et Léger pour la sixième fois avec *L'Adieu* et *La Pensée*.

— 31 mai au 14 juin : Cinquième cours en plein air de Cullen, à Sweetsburg, en Estrie. C'est ce cours-là (ou celui de l'année suivante au même endroit) que suit Poirier.

— 8 juin : Au CAM, Ernest Aubin et J.-O. Proulx figurent hors concours en dessin ; pour le modelage d'après modèle vivant, Aubin remporte le premier prix et Narcisse Poirier obtient une mention.

— 17 juin : Mort de la femme de Joseph Jutras, à 22 ans et 11 mois, qui lui laisse deux enfants, dont le second mourra l'année suivante.

— Été : Proulx prend possession d'un plain-pied au 2721, rue de Bordeaux, à l'angle de la rue Saint-Zotique, qu'il a construit avec son père. Il y vit avec ce dernier. Il y ajoutera un étage vers 1932.

— Octobre : Jean-Paul Pépin tente de s'inscrire aux cours de dessin du CAM, mais son père, qui s'oppose à toute étude artistique, lui fait abandonner ces cours.

— 18 novembre au 18 décembre : Léger participe pour la première fois au Salon de l'Académie royale des arts du Canada (ARAC), dit Salon d'automne, avec *Amour maternel*, un plâtre. Ayant délaissé son atelier de la rue de Bleury, il habite chez le photographe Zénon Juteau, au 681, rue Ontario Est.

— Dans le cours de l'année : Narcisse Poirier devient propriétaire d'un immeuble à logements situé au 1354 (auj. 4902-4906), rue Saint-Denis, un peu au sud du boulevard Saint-Joseph. Il y passera le reste de sa vie. Au troisième étage, il installe son atelier et y fera percer un puits de lumière.

— Au 49, rue Saint-Jean-Baptiste, à proximité de L'Arche, Ernest Aubin s'installe un atelier dans l'entrepôt de la firme Desmarais & Robitaille, marchand d'articles religieux, pour qui il travaille. Il y reçoit principalement Martel et Proulx.

Chr.9 De 1916 à 1929, le hall d'entrée et les salles attenantes de la bibliothèque Saint-Sulpice, dans le Quartier latin, furent un lieu d'exposition privilégié pour les peintres montréalais. Olivier Maurault, l'instigateur de cette série d'expositions, offrait gratuitement l'espace aux peintres.

1916

— 20 février : Avec Ozias Leduc (1864-1955), première d'une série d'expositions à la bibliothèque Saint-Sulpice, organisées par le sulpicien Olivier Maurault.

— 8 juin : Au CAM, Ernest Aubin et J.-O. Proulx figurent hors concours en dessin à main levée ; Ernest Aubin remporte le premier prix en modelage d'après nature ; Jutras obtient une mention honorable en dessin en deuxième année d'études. Futur peintre et graveur, Maurice Le Bel (1898-1963), qui vient de remporter le premier prix de dessin, fréquente les peintres de la Montée Saint-Michel et lie amitié avec Jutras.

— 23 octobre au 25 novembre : Exposition de « peinture au pastel » d'Ivan Jobin (1885-vers 1975) à la bibliothèque Saint-Sulpice. Pour l'occasion, J.-B. Lagacé y anime une causerie sur cette technique.

1917

— 22 mars au 14 avril : Léger expose pour la septième fois au Salon de l'AAM, Poirier pour la sixième et J.-O. Proulx pour la première. « Sur 132 artistes exposants, plusieurs ne sont encore que des élèves et quarante sont des femmes » (Pa, 7/4/17/21).

— 23 avril : Poirier entraîne son ami Duguay à la Montée Saint-Michel.

— 14 juin : Dernier des sept galas artistiques organisés par la Tribu des Casoars, à L'Arche. Émile Vézina, ainsi que les frères Morency et le peintre Charles Maillard (1887-1973), sont présents.

— Juillet : Adoption de la *Loi sur le service militaire*. Plusieurs des membres de la Tribu des Casoars s'étant déjà engagés volontairement, le groupe est dissous. L'Arche sera occupée par le poète Édouard Chauvin (1894-1962), l'un des membres de la Tribu et frère de Jean Chauvin, jusqu'à l'automne 1918, alors qu'Émile Vézina réintègre son ancien atelier.

1918

— Janvier : *Le Nigog*, revue exclusivement consacrée à l'art, paraît tout au long de l'année, à raison d'une livraison par mois, et tient des salons où ont lieu concerts et conférences. Les positions favorables de la revue face à l'art moderne suscitent des polémiques.

— 4 au 27 avril : Léger expose à l'AAM pour la neuvième fois et Poirier pour la septième.

— 3 juin : Au CAM, Ernest Aubin et J.-O. Proulx figurent hors concours pour le dessin à main levée ; pour le modelage d'après modèle vivant, Aubin et Narcisse Poirier figurent hors concours.

— 22 juin : Joseph Jutras, 24 ans, est enregistré «pour fins nationales» à cause de la guerre.

— Juillet : La Société des arts, sciences et lettres de Québec fonde de la revue *Le Terroir*, à tendance régionaliste, pour faire contrepoids au *Nigog*, plus internationaliste.

— Septembre : Parution de *Figurines*, recueil de «gazettes rimées» d'Édouard Chauvin, qui ressuscite l'époque de L'Arche et des Casoars et l'atmosphère estudiantine du Quartier latin. Sur la couverture, un dessin de Lucien Parent (1893-1956) qui représente un coin de L'Arche. Grand succès.

— 16 octobre : Charles Gill meurt de la grippe espagnole. John Young Johnstone (1887-1930) lui succède comme professeur de dessin et de peinture au CAM. Élisée Martel avait suivi des cours de peinture privés dans l'atelier de Gill ainsi que dans l'atelier de Jobson Paradis, ses deux professeurs au CAM.

— 22 octobre : Création de la Parfumerie Joseph Jutras. Son premier parfum est *Faites-moi rêver*. Suivront *Boule de neige* et *Parfait bonheur*. Outre des parfums, Jutras met sur le marché des poudres parfumées et des houppettes, le tout présenté dans des coffrets de luxe qu'il conçoit lui-même. Pour ses étiquettes et affiches, il fait appel à Edmond-Joseph Massicotte, Ernest Aubin et Rodolphe Duguay.

— 11 novembre : Fin de la Première Guerre mondiale.

1919

— 25 janvier (à partir du) : Exposition consacrée à Émile Vézina à la bibliothèque Saint-Sulpice.

— Janvier : Léger devient illustrateur pour *La Revue nationale* et pour la série des *Contes historiques* de la Société Saint-Jean-Baptiste.

— 2 mars : À l'âge de 32 ans, décès de la femme de Narcisse Poirier. Ouverture à la bibliothèque Saint-Sulpice de l'exposition en hommage à Charles Gill.

— 20 mars au 12 avril : Poirier expose pour la huitième fois au Salon de l'AAM, Proulx et Aubin pour la deuxième fois et Léger pour la dixième fois.

— 1er au 26 avril : Exposition de Jean-Baptiste Lagacé à la bibliothèque Saint-Sulpice, œuvres sur papier uniquement : aquarelles et pastels.

— 8 mai : Conférence d'Olivier Maurault à la bibliothèque Saint-Sulpice sur la vie et l'œuvre de Charles Gill.

— Printemps : John Young Johnstone, du CAM, innove en donnant des cours à l'extérieur, notamment dans la pittoresque rue des Carrières, fréquentée par les peintres de la Montée Saint-Michel et plusieurs autres artistes.

— 6 juin : Poirier accompagne Duguay chez Suzor-Coté, lequel depuis quelque temps prend ce dernier comme élève et collaborateur.

— 11 juin : Au CAM, Ernest Aubin est toujours hors concours pour le dessin.

Chr.10 Féru d'horticulture et ayant un «nez», Joseph Jutras fut un pionnier de la parfumerie de luxe au Québec. Présentation de son premier parfum, *Faites-moi rêver*, illustré par sa plume de dessinateur.

— 8 août : De Hardford (Connecticut), Joseph-Octave Proulx écrit à Aubin une longue lettre lui décrivant les musées qu'il a visités dans diverses villes américaines.

— 28 octobre : Ouverture de l'exposition de Marc-Aurèle Fortin à la bibliothèque Saint-Sulpice.

— Octobre : Narcisse Poirier entreprend sa treizième et dernière année d'études au CAM.

— 20 novembre au 20 décembre : Au Salon de l'ARAC, Léger expose pour la deuxième et dernière fois.

1920

— 25 mars au 17 avril : Sa santé se détériorant, Léger participe pour la onzième et dernière fois au Salon de l'AAM, Narcisse Poirier pour la neuvième fois, Aubin pour la troisième.

— 7 au 27 mai : Première exposition du Groupe des Sept à l'Art Gallery de Toronto.

— 10 juin : Au CAM, Aubin est toujours hors concours pour le dessin, Poirier et lui sont hors concours pour le modelage.

— 5 juillet : Jutras épouse en secondes noces Juliette Trottier, musicienne et professeure.

— 24 septembre : Narcisse Poirier et Rodolphe Duguay s'embarquent sur le *Scotian* pour la France. Deux jours avant, Suzor-Coté écrit à Rodolphe Duguay : « Suivez, je vous prie, mes conseils. Ainsi que votre ami Poirier… Vous n'êtes plus trop jeunes pour les études, donc il vous faut redoubler d'efforts » (Archives du Séminaire de Nicolet, fonds Rodolphe Duguay, Correspondance [F371/B6/1]).

— 5 octobre : Arrivée à Paris de Poirier et Duguay. Ils visitent le Louvre, où Poirier peut admirer pour la première fois, en vrai, des natures mortes de Chardin qu'il admire. Tous deux s'inscrivent à l'Académie Julian. Poirier suivra des cours privés des frères Paul Louis (1874-1941) et René Louis Chrétien (1867-1945), l'un paysagiste, l'autre peintre de natures mortes, qui ont leur atelier à Montmartre.

— 2 novembre : « La Maison Morency Frères, encadreurs et doreurs, a inauguré mardi une nouvelle salle attenante à l'atelier qu'elle occupait déjà au 346, rue Sainte-Catherine est ; elle se propose de faire connaître davantage les œuvres de nos artistes et sculpteurs canadiens » (D, 4/11/20/2).

— 18 novembre (à partir du) : Proulx expose au Salon d'automne de l'ARAC pour la première et unique fois.

1921

— 17 au 29 janvier : Exposition du Groupe de Beaver Hall dans son atelier du 305, Côte du Beaver Hall. Le groupe compte alors 20 membres, dont 15 sont des femmes. « Ce club se compose, comme on sait, des peintres les plus personnels, les plus enthousiastes et les mieux doués de la jeune génération » (Pr, 21/1/22/3).

— 22 février au 9 mai : Poirier voyage en Italie : Palerme, Naples, Rome, Venise, Florence.

— 1er au 23 avril : Aubin participe pour la quatrième fois au Salon de l'AAM avec Le *Rêve*, plâtre.

— 26 avril : Après trente-cinq ans, William Brymner quitte la direction de l'école d'art de l'AAM. Randolph Stanley Hewton (1888-1960) lui succède.

— 12 mai : Mort de Joseph-Charles Franchère à 55 ans.

— 21 au 26 mai : Narcisse Poirier séjourne à Londres.

— 1er juin : Au CAM, Aubin est hors concours pour le dessin et pour le modelage.

— 13 juin : Retour de Narcisse Poirier à Montréal.

— Juin : Aubin perd son atelier de la rue Saint-Jean-Baptiste, le local étant devenu un entrepôt de la nouvelle Commission des liqueurs du Québec (auj. Société des alcools du Québec).

— Un photographe du nom de Giuseppe Iacurto installe son studio au 42, rue Dante (rue Suzanne jusqu'en 1922), presque à l'angle de la rue Alma, à proximité de chez Legault. Les deux artistes photographes échangeront de nombreux services.

— 12 juillet : Poirier se marie en secondes noces avec Alice Dumais (1881-1955).

— 23 juillet : On désigne les frères Morency comme « les véritables promoteurs de la galerie des arts canadienne-française » (Pa, 23/7/21/16).

— 12 novembre : Albert Laberge souligne le retour de Poirier au Canada et sa nouvelle production européenne. « Il arrive à son heure pour remplacer les aînés, les peintres de la génération d'il y a vingt et vingt-cinq ans qui disparaissent depuis quelques années » (Pr, 12/11/21/34).

1922

— 21 janvier : Nouvelle exposition du Groupe de Beaver Hall dans ses locaux.

— 21 mars au 15 avril : Poirier expose pour la dixième fois à l'AAM, Aubin pour la cinquième et Proulx pour la quatrième, tandis que Jutras y expose pour la première fois avec *Scène d'hiver*. Plusieurs membres du groupe de Beaver Hall participent à ce Salon. « L'impression que donnent ces couleurs est celle d'un jazz qui, avec emportement, avec furie, éparpillerait ses notes les plus sonores, les plus bruyantes, les plus aiguës » (Pr, 22/3/22/3).

— 2 juin : Au CAM, Aubin est hors concours en modelage.

— 14 juillet : Mort de Benjamin Aubin, père d'Ernest.

— Juillet : Ernest Aubin s'installe à L'Arche, qu'il partage surtout avec Élisée Martel, ainsi qu'avec J.-O. Proulx et Joseph Jutras. Les autres peintres du groupe s'y réuniront les dimanches, soit pour faire du modèle vivant, soit pour décider de l'horaire et du lieu de leur prochaine expédition de peinture.

— 1er septembre : Joseph Jutras lance sa « revuette » *Toil'etta*, destinée à sa clientèle en parfumerie. La couverture est illustrée par E.-J. Massicotte. Jutras se servira de sa revue pour promouvoir sa peinture et celle des autres, dont Narcisse Poirier, de même que les œuvres littéraires de certains de ses amis, notamment Émile Coderre (1893-1970), le futur Jean Narrache.

— Octobre : Aubin entreprend sa seizième et dernière année d'études au CAM.

— 20 novembre : Ses œuvres – comme celles de beaucoup d'autres – ayant été refusées par l'Académie royale des arts du Canada, Jutras songe à créer un Salon indépendant qui aura pour but « de faire connaître nos artistes de la grande masse du public » (Pr, 20/11/22/3).

— 1er octobre : Le deuxième numéro de *Toil'etta* contient un article de Jutras sur Narcisse Poirier.

— 26 novembre : À Québec, au terme de la conférence qu'il donne à l'occasion de la clôture de l'exposition posthume sur Edmond Lemoine (1877-1922), le journaliste et historien Hormisdas Magnan (1861-1935) nomme, parmi « les artistes, peintres et sculpteurs qui brillent actuellement dans la province de Québec », dont Ernest Aubin, Joseph Jutras, Narcisse Poirier et Joseph-Octave Proulx (*Le Terroir*, janvier 1923, p. 422).

1923

— 16 mars au 14 avril : Jutras expose pour la deuxième fois au Salon de l'AAM, Poirier pour la onzième fois. Plusieurs membres du Groupe de Beaver Hall figurant à nouveau au Salon, un critique écrit : « Quelle tempête des cuivres ! Quelle fanfare ahurissante de trompettes ! Que de dissonances fauves ! […] Des montagnes maculées par un dégobillage de vert, de bleu, de rouge » (D, 24/3/23/1).

— 17 mai : L'idée du Salon indépendant de Jutras ressurgit : « Il y a actuellement une certaine excitation dans les milieux où l'on parle Beaux-Arts et il ne serait pas impossible que dès l'automne, Montréal, à l'instar de Paris et autres grandes capitales, ait son salon des Indépendants » (Pa, 17/5/23/13).

— 31 mai : Au CAM, Aubin est hors concours en modelage.

— 6 août : Lettre d'Aubin à sa mère et à sa sœur Maria, alors qu'il se trouve à Sainte-Thérèse, au nord de Montréal, où il fait une expédition de peinture avec Élisée Martel.

— 24 septembre : En ce jour de son vingt-sixième anniversaire de naissance, Jean-Paul Pépin épouse Irène Hamelin. À partir de ce moment, ne vivant plus chez ses parents, Pépin renoue avec les peintres de la Montée Saint-Michel, qu'il reçoit chez lui chaque semaine selon les disponibilités de chacun. Il instaure la tradition de réception à tour de rôle. Même s'il continue d'être voyageur de commerce pour la librairie de son père, il est plus affranchi de sa tutelle directe.

— Septembre : Dans l'église de Saint-Félix-de-Valois, installation de deux tableaux de Narcisse Poirier de chaque côté du maître-autel : l'un représente Jésus arrivant à Emmaüs, l'autre nous fait voir Jésus entouré de petits enfants.

— Automne : J.-O. Legault fait la connaissance d'Yvonne Cadieux, 17 ans. Il en a 41.

— 2 octobre : Avant le début du semestre au CAM, Aubin rencontre Alfred Laliberté et Elzéar Soucy, qui lui proposent le poste de deuxième professeur de modelage, en prévision de la mutation de Laliberté à la nouvelle École des beaux-arts, Soucy prenant le poste de premier professeur. Pendant quelques soirs, Aubin va corriger les élèves en classe de modelage, puis rédige sa demande pour le poste qui, finalement, sera accordé à Henri Hébert.

— 16 octobre : Ouverture de l'École des beaux-arts de Montréal. Edmond Dyonnet et Alfred Laliberté y deviennent professeurs. Joseph Saint-Charles demeure au CAM jusqu'en 1925, et Adrien Hébert s'adjoint à lui. Aubin et Proulx quittent le CAM et suivent leur professeur Laliberté à l'École des beaux-arts pour une année.

— 14 novembre : Chez lui, rue Alma, Legault fête l'anniversaire de naissance d'O.-A. Léger avec un groupe d'amis.

— 15 décembre 1923 au 15 janvier 1924 : Première des quatre expositions personnelles que Narcisse Poirier tiendra à la bibliothèque Saint-Sulpice.

1924

— 27 mars au 20 avril : Narcisse Poirier expose pour la douzième fois au Salon de l'AAM, Aubin pour la sixième.

— 23 mai : À la première exposition publique des travaux d'élèves de l'École des beaux-arts, Aubin récolte la première mention honorable en modelage statuaire, cours supérieur, première division, modèle vivant, et Proulx récolte la première mention honorable dans la deuxième division du même cours, réservée à l'antique, tous deux ayant pour professeur Alfred Laliberté.

— 25 mai : Onésime-Aimé Léger meurt à l'âge de 42 ans. C'est le premier membre du groupe de la Montée Saint-Michel à disparaître.

— Juin : Avec son ami Jean Ledoux (dit Johnny), ancien condisciple du CAM, J.-O. Legault ouvre la Ledoux Legault Ltd Signs, au 11, rue Hermine, commerce de « Rédaction d'affiches et enseignes réclames ».

— 22 octobre : Sixième anniversaire de la fondation de la parfumerie Jutras. Long article dans *Le Devoir*. L'article rappelle aussi que Jutras est peintre.

— 23 décembre : Yvonne Cadieux, compagne de J.-O. Legault, donne naissance à une fille, Jeannine.

1925

— 9 avril au 9 mai : Poirier présente sa deuxième exposition personnelle à la bibliothèque Saint-Sulpice.

— 13 au 25 avril : Dans une publicité pour sa parfumerie publiée dans *Le Devoir*, Jutras annonce sa première exposition privée à son domicile : 75 tableaux et croquis.

— 18 juin : Mort de William Brymner à Wallasey, en Angleterre, où il était en voyage.

— Juin : Aubin devient propriétaire du 2116, avenue Papineau, un peu au nord de la rue Laurier, un immeuble à logements où il vit avec sa mère.

— 5 septembre : Après deux années d'enseignement à l'École des beaux-arts, Edmond Dyonnet envoie sa lettre de démission à Athanase David, secrétaire de la province. Dyonnet espérait succéder à Emmanuel Fougerat

(1869-1958) à la direction de l'établissement, alors qu'on lui préfère Charles Maillard, gendre de David. Dyonnet conclut alors une entente avec l'ARAC (dont il est secrétaire) pour ouvrir une classe de modèle vivant à l'AAM. L'entente durera jusqu'en 1940. Aubin, Poirier, Legault, Proulx et Pépin s'y retrouveront.

— 19 novembre au 20 décembre : Narcisse Poirier expose pour la première fois au Salon d'automne de l'ARAC.

— C'est cette année-là que Pépin commence à suivre Ernest Aubin à la Montée Saint-Michel dans le but d'apprendre avec lui l'art du paysage. Ce compagnonnage durera jusqu'au milieu des années 1930.

1926

— Janvier : Ernest Aubin s'inscrit dans la classe de modèle vivant que dirige son ancien professeur Edmond Dyonnet à l'AAM, sous les auspices de l'ARAC, et qui a lieu deux soirs par semaine. Il s'agit de modèles nus, masculins et féminins.

— 20 au 27 février : Exposition des œuvres de Joseph Jutras dans la salle de réception de la Palestre nationale : 60 tableaux et 12 croquis.

— 1er au 15 mars : Exposition d'art français et canadien chez Morency Frères, où Poirier présente trois tableaux.

— 26 mars au 18 avril : Aubin expose pour la septième fois au Salon de l'AAM, Proulx pour la cinquième, Jutras pour la troisième. La réaction de certains critiques contre l'usage de la couleur refait surface et l'on désigne les artistes Ernest Aubin, Emily Coonan, Paul B. Earle, Marc-Aurèle Fortin, Joseph Jutras, Kathleen Morris, Sarah M. Robertson, Annie D. Savage, Regina Seiden, qui « tous montrent des œuvres gâchées par la crudité de la coloration, les tons durs et la négligence du dessin » (*Montreal Star*, 7/4/26 ; trad. libre).

— 6 avril : Nouvelle exposition des œuvres de Marc-Aurèle Fortin à la bibliothèque Saint-Sulpice.

— 11 mai : Mort, à 55 ans, de Jobson Paradis, à Guelph (Ontario).

— 15 mai : Ernest Aubin remporte le premier prix dans la classe de modèle vivant de l'AAM.

— 20 novembre au 20 décembre : Troisième exposition personnelle de Narcisse Poirier à la bibliothèque Saint-Sulpice, 91 tableaux.

1927

— 21 février : Aux côtés d'Henri Charpentier, professeur d'arts décoratifs, d'Ernest Cormier, architecte, d'Henri Hébert, sculpteur, d'Edwin Holgate, peintre et graveur, de Charles Maillard, directeur de l'École des beaux-arts et de Fernand Préfontaine, critique d'art, Joseph Jutras, « artiste et industriel », fait partie du jury du Salon de l'affiche, dont l'ouverture aura lieu le 7 mars à la Chambre de commerce dont il est membre (D, 21/2/27/5).

— 9 avril : Jean-Paul Pépin assiste à une conférence donnée par son oncle Jean-Baptiste Lagacé au Cercle universitaire, intitulée *La bataille des palettes : peinture impressionniste et peinture cubiste*, où, après avoir déclaré qu'on a fini par « se lasser des feux d'artifice des toiles impressionnistes », Lagacé souligne que le cubisme vient d'une « fureur d'émancipation » qui tient à une « rage de destruction et de nouveauté » (C, 11/4/27/8).

— 14 avril : Inauguration d'une succursale de Morency Frères, au 1253, avenue McGill College, par une exposition d'artistes canadiens et européens. « Disons que c'est l'intention de MM. Morency d'inviter nos artistes à donner là, chaque mois, à tour de rôle, une exposition individuelle, ce qui aiderait fort à les faire connaître » (Pr, 14/4/27/37). Mais cette succursale fermera au bout d'un an.

— 4 octobre : Début de ce qui sera la dernière année d'activité du Conseil des arts et manufactures, lequel sera aboli en 1928 pour devenir l'École des arts et métiers, d'abord logée au Monument-National, puis dans l'ancienne Université Laval, rue Saint-Denis.

— 10 au 22 octobre: Première exposition à la galerie d'art du magasin Eaton. Joseph Jutras, Jean-Paul Pépin et Narcisse Poirier y participent.

— Octobre: À la suite d'une transaction immobilière malheureuse, la parfumerie Joseph Jutras est mise en faillite. Elle passe aux mains d'Albert Bellefontaine, président de l'Association des fabricants de parfum, qui tient boutique au 1676, rue Saint-Denis.

— 24 novembre 1927 au 2 janvier 1928: Poirier participe pour la deuxième fois au Salon de l'ARAC.

1928

— Avril: Jutras, qui conserve la gérance de sa parfumerie, annonce dans *Le Passe-Temps* un nouveau parfum: *Cœurs et Fleurs*, dont Ernest Aubin a conçu l'étiquette.

— 15 mai: Narcisse Poirier remporte le second prix en classe de modèle vivant à l'AAM.

— Mai: Pépin emménage au 8383, rue Saint-Denis, non loin de la Montée Saint-Michel, jusqu'en 1936. Outre les soupers qui ont lieu tour à tour chez l'un et l'autre membre du groupe de la Montée, il instaure la tradition de fêter, le 29 septembre, la Saint-Michel Archange, patron du groupe. C'est durant cette période que son amitié avec Marc-Aurèle Fortin se resserre et qu'il entraîne celui-ci à la Montée Saint-Michel.

— Juin: Le 22, rue Notre-Dame Est, devient le 26-28.

— Octobre: Parution d'*Ateliers: études sur vingt-deux peintres et sculpteurs canadiens* de Jean Chauvin où figurent entre autres, Edmond Dyonnet, Marc-Aurèle Fortin, Alfred Laliberté, Joseph Saint-Charles. Dans son livre, Chauvin évoque L'Arche des années 1913-1918, du temps de la Tribu des Casoars.

— 7 au 20 décembre: Quatrième et dernière exposition personnelle de Narcisse Poirier à la bibliothèque Saint-Sulpice: 94 tableaux.

1929

— Janvier: Joseph Jutras est redevenu voyageur de commerce, cette fois au service de l'hôtellerie et peut-être aussi de son patron, Albert Bellefontaine.

— 21 mars au 14 avril: Narcisse Poirier expose pour la seizième fois au Salon de l'AAM, Aubin pour la huitième fois et Proulx pour la sixième et dernière fois.

— 1ᵉʳ mars: Décès d'Edmond-Joseph Massicotte à 54 ans.

— 4 avril: Mort du père de Jean-Paul Pépin, à 60 ans. Jean-Paul et son frère Raymond héritent de la librairie.

— 6 au 18 mai: Deuxième exposition à la galerie d'art du magasin Eaton: Aubin, Jutras, Martel et Poirier y participent, aux côtés de Georges Delfosse, Marc-Aurèle Fortin, Adrien Hébert et autres.

— Mai: Début de la construction de l'externat classique de Saint-Sulpice (collège André-Grasset), à proximité de la petite ferme. La famille Laurin ira habiter la grande ferme jusqu'en 1951. Le visage de la Montée Saint-Michel commence à se modifier.

— Prenant acte des ragots du voisinage relativement aux modèles féminins qui fréquentent l'atelier du 26-28, rue Notre-Dame, la Librairie Beauchemin, nouveau propriétaire de l'immeuble, refuse à Aubin le renouvellement de son bail.

— 31 août au 7 septembre: Dans le cadre de l'Exposition provinciale de Québec, Narcisse Poirier expose, avec M.-A. Fortin, Octave Bélanger, Georges Delfosse, Adrien Hébert et plusieurs autres, dans la section «Salon des œuvres d'art».

— 29 octobre: Krach boursier de Wall Street, à New York.

1930

— 13 février: Décès, à La Havane, de John Young Johnstone, à 42 ans.

Chr.11 Sur la couverture de cet ouvrage, dessinée par Robert Pilot (1898-1967), le vase contenant des pinceaux semble être le sujet même de la toile devant laquelle il est posé.

— 22 mars au 21 avril: Narcisse Poirier expose pour la dix-septième fois au Salon de l'AAM, et Aubin pour la neuvième fois, avec *Old Candy Store*. Son tableau est reproduit dans *La Presse*.

— 12 au 23 mai: Troisième exposition à la galerie d'art du magasin Eaton: Aubin, Jutras, Martel et Poirier y participent, aux côtés, entre autres, de Georges Delfosse, Claire Fauteux, Marc-Aurèle Fortin, Adrien Hébert et André Morency.

— Fin mai-début juin: Un peu avant l'inauguration officielle de l'externat classique Saint-Sulpice, Joseph Laurin, à la demande des Sulpiciens, démolit la petite ferme. On conserve toutefois la croix de chemin.

— 1ᵉʳ juin: Inauguration de l'Exposition permanente d'art canadien, initiative du peintre et graveur Ivan Jobin en collaboration avec les Interior Decorating Galleries, situées au 4159, rue Sainte-Catherine Ouest, qui prêtent leur salle. Aubin et Poirier sont au nombre des exposants.

— Juillet: Aubin et Poirier participent à la *First Annual Exhibition of Canadian Arts*, présentée au Manoir Richelieu de Murray Bay (La Malbaie), sous l'égide de la Canada Steamship Lines.

— 23 août: Dans le nᵒ 6 de sa série «Chefs-d'œuvre canadiens» dans *La Presse*, Albert Laberge reproduit *Paysage d'automne à Piedmont*, de Narcisse Poirier, accompagné d'un commentaire.

— Dans le cours de l'année: Ernest Aubin entre au service de *La Presse* comme illustrateur.

1931

— 5 mai : Dans *La Presse*, Joseph Jutras publie une lettre ouverte en réaction à la décision de la bibliothèque Saint-Sulpice de céder les pièces de son vestibule – autrefois dévolues aux expositions de peintures – au Conservatoire national de musique : « Les peintres de la Montée Saint-Michel demandent une salle pour leurs expositions. » Première mention publique du nom du groupe.

— Juillet : Séjour de Martel et Aubin au Bic, près de Rimouski. Martel y fait la connaissance de sa nouvelle compagne.

— 21 novembre : Dans le nᵒ 17 de la série « Chefs-d'œuvre canadiens » dans *La Presse*, Albert Laberge reproduit *Nos Vieilles Maisons* d'Ernest Aubin, accompagné d'un commentaire.

— 19 décembre : Dans *La Presse*, six illustrations d'Ernest Aubin pour « Nos Légendes de Noël », sur un texte d'Édouard-Zotique Massicotte

— 26 décembre : Aubin réalise, sur deux pages en couleur, l'illustration du calendrier 1932 de *La Presse*.

1932

— 30 avril (environ) : Poirier expose, à la mezzanine du cinéma Impérial, 23 peintures « qui représentent les principales étapes de sa carrière d'artiste depuis 1918 » (Pr, 2/5/32/12).

— Été : Jean-Onésime Legault se remet à peindre et à dessiner. Il fait le portrait de sa fille Jeannine, huit ans.

— 1ᵉʳ septembre : Jutras publie l'unique numéro de son journal *Le Rigolo*, où l'on trouve une sympathique caricature de Jean-Paul Pépin, titrée « La pépinière de l'art chez les jeunes à Montréal » et sous-titrée « Un peintre de la Montée St-Michel ».

— 9 décembre : Poirier fait partie des 118 artistes qui signent une pétition pour protester contre le « favoritisme injustifié » d'Eric Brown, directeur de la Galerie nationale du Canada (auj. Musée des beaux-arts du Canada), « envers la minorité ultra-moderne contre la majorité des autres » (Pr, 9/12/32/14).

— Décembre : Jutras commence à fabriquer des cartes de Noël à l'aide de pochoirs qu'il colore à l'aquarelle. La première qu'il produit est titrée *À la Montée Saint-Michel*.

— 31 décembre : Pour survivre à la crise économique, Jutras a l'idée d'exposer ses tableaux en plein air. Il fait une première tentative au square Phillips – avec succès.

1933

— 31 mai : Décès d'Odilon Martel, père d'Élisée, à l'âge de 79 ans. Le jour même, Aubin exécute un plâtre du défunt. Tout en conservant l'immeuble à logements où il habitait avec son père, rue des Érables, et que celui-ci lui a légué, Martel achète un lopin de terre à Saint-Léonard et, avec son jeune frère René, entreprend la construction d'une maison. En plus d'un jardin potager qu'il cultive, Élisée commence l'élevage des animaux de basse-cour, dont des coqs, des poules, des canards et des oies. Il en fait le sujet de ses peintures. À 50 ans passés, il découvre sa vocation de peintre animalier.

1934

— 18 janvier : Un tableau de Jutras, *Angle des rues Craig et Saint-Gabriel*, est reproduit dans *La Presse*, avec une appréciation de Reynald, le nouveau critique du journal.

— Hiver-printemps : Aubin et Martel préparent chacun un tableau pour le prochain Salon du printemps : un coq pour Martel et un nu grandeur nature pour Aubin. Les séances de peinture ont lieu chez Martel. Un incident mal éclairci provoque un conflit entre les deux artistes et qui est peut-être relié au modèle d'Aubin, Irène Lussier, sa compagne d'alors, et à la compagne de Martel, Marie-Anna. En cachette, Martel tue son coq que son ami Aubin s'empresse d'empailler pour que son confrère puisse finir son tableau – alors qu'Aubin, lui, ne peut terminer le sien et le présenter au salon. Quand Aubin apprendra que c'est Martel qui a tué intentionnellement son coq, il y aura rupture entre les vieux amis.

— 19 avril au 13 mai : Pour la première et unique fois, Élisée Martel expose à l'AAM son tableau *Vieux coq*.

— Dans le cours de l'année : Proulx, touché par la crise économique, repart aux États-Unis pour chercher du travail. Après avoir prospecté dans plusieurs villes, dont New York, il se fixe à Boston. Comme à son habitude, il visite les musées et il peint, liant connaissance avec des peintres locaux.

— Aubin a quitté *La Presse*. Un jour que le directeur de la photogravure était confronté à un problème qu'il ne pouvait résoudre, Aubin, expert dans les questions de photographie, lui en propose la solution. Imbu de sa fonction, le directeur en est si visiblement piqué qu'Aubin claque la porte.

1935

— 21 mars au 14 avril : Narcisse Poirier expose pour la vingt-deuxième fois au Salon de l'AAM, Aubin pour la dixième fois, un nu en plâtre – revanche sur le tableau qu'il n'a pu exposer l'année précédente et qui est resté inachevé.

— 21 novembre au 22 décembre : Narcisse Poirier expose pour la sixième fois au Salon de l'ARAC.

— Automne : J.-O. Legault s'inscrit dans la classe de modèle vivant de l'AAM, le soir, sous la direction de son ancien professeur Edmond Dyonnet. Les nombreux dessins qu'il produit alors n'excèdent pas l'année 1937.

— Legault peint une pochade représentant J.-O. Proulx, Narcisse Poirier et Jean-Paul Pépin aux cours de modèle vivant de l'AAM.

1936

— 19 mars au 12 avril : Narcisse Poirier est présent pour la vingt-troisième fois au Salon de l'AAM, Aubin pour la onzième et dernière fois (avec un dessin qui s'intitule *Le Rêve*) et Jutras pour quatrième et dernière fois (avec un pastel).

— 10 mai (à peu près à partir du) : À la galerie d'art Eaton, Ernest Aubin participe à l'exposition *Montréal dans l'art*, aux côtés de Narcisse Poirier, de Joseph Jutras et d'autres peintres.

— Octobre : Jean-Paul Pépin est déménagé à Saint-Elzéar (auj. quartier Vimont, sur l'île Jésus). Dans le cours de l'année, la librairie a fait faillite. « La crise de 1929 ferma plus de 500 commerces canadiens-français » (*Journal*, 5 janvier 1974). La liquidation des biens se fera le 14 octobre 1938 (D, 14/10/38/8).

— 26 décembre : Dans un article titré « La neige dans l'art canadien », le frère Gilles, o.f.m., fait, entre autres, l'éloge du tableau *Nos Vieilles Maisons* d'Ernest Aubin, exposé à l'AAM en 1926 et reproduit dans *La Presse* le 21 novembre 1931.

— J.-O. Proulx rentre des États-Unis, après deux années d'exil, et cesse de peindre (du moins jusqu'en 1941). Poirier cesse ses pèlerinages à la Montée. Legault y retournera, ainsi qu'Aubin, Jutras et, à l'occasion, Pépin.

1937

— 18 mars au 11 avril : Narcisse Poirier figure pour la vingt-quatrième et dernière fois au Salon de l'AAM.

— 18 novembre au 17 décembre : Il figure pour la septième et dernière fois au Salon de l'ARAC.

— Dans le cours de l'année : Poirier travaille aux côtés de Toussaint-Xénophon Renaud pour la décoration de l'église Notre-Dame-du-Très-Saint-Sacrement, à Montréal, où il peint 16 médaillons aux plafonds des bas-côtés. T.-X. Renaud est un peintre fort admiratif de Poirier dont il imite à maintes reprises les tableaux.

— Dans le cours de l'année : Legault dédicace à Olivier Maurault, recteur de l'Université de Montréal depuis 1935, un dessin, *La Reine du carnaval*.

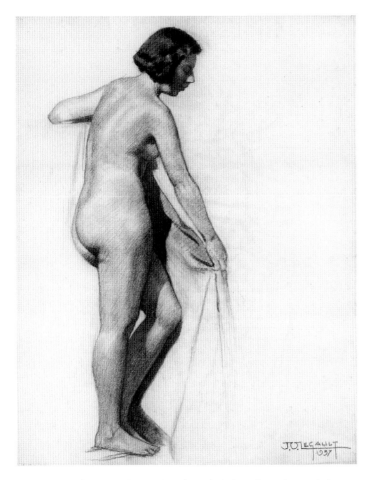

Chr.12 Ernest Aubin et Jean-Onésime Legault ont dessiné ce même sujet – et plusieurs autres – dans la classe de modèle vivant de l'ARAC qu'ils fréquentaient avec Narcisse Poirier et Jean-Paul Pépin.

1939

— Janvier : Édition de la première illustration de Legault pour le calendrier de l'oratoire Saint-Joseph, représentant la Sainte Famille, louangée par la critique (Pr, 29/7/39/15).

— 15 février : Fondation de la Société d'art contemporain de Montréal (SAC), par John Lyman, revenu d'Europe en 1931, société active jusqu'au 18 novembre 1948.

— Printemps : Jean-Paul Pépin emménage à Sainte-Dorothée, rue de la Manufacture (plus tard rue Renaud), maison entourée de champs.

— 1er septembre : La Seconde Guerre mondiale éclate en Europe.

— 30 septembre : Aubin fait paraître une annonce : « Pour portraits à l'huile, pastel, sanguine, d'après nature, ou dessins commerciaux, Ernest Aubin, artiste, Amherst 8017 » (D, 30/9/39/15).

— 15 au 30 décembre : Première exposition des membres de la SAC à la galerie Frank Stevens de Montréal.

1940

— Janvier : Édition de la deuxième illustration de Legault pour un calendrier, cette fois pour la Banque Canadienne Nationale, avec adaptation picturale de deux bronzes de Suzor-Coté, *Le Vieux pionnier canadien* (1912) et *La Compagne du vieux pionnier* (1918).

— 25 mars : Mariage d'Ernest Aubin avec Laurette Bélisle, infirmière, de 22 ans sa cadette. Il cesse de fréquenter la classe de modèle vivant de l'ARAC.

— Été : Jutras fréquente toujours la Montée avec Aubin.

— 22 octobre : Mort de la mère d'Ernest Aubin.

1941

— 26 mars : « Mgr Olivier Maurault révèle l'existence des peintres de la Montée Saint-Michel », titre *Le Devoir*. À la bibliothèque municipale, devant la Société historique de Montréal dont il est vice-président, conférence d'Olivier Maurault sur les peintres de la Montée, à laquelle assistent les sept survivants du groupe. Émile Filion, sulpicien, collectionneur, professeur de philosophie et d'histoire de l'art au collège André-Grasset, présente sur un chevalet les principales toiles des peintres.

— 15 au 30 avril : La *Première exposition des peintres de la Montée Saint-Michel* a lieu à la galerie Morency, organisée par Émile Filion, qui prend les frais à sa charge. J.-O. Legault a dessiné l'affiche. Aubin expose 62 pièces, Jutras 19, Legault 17, Martel 24, Pépin 24, Poirier 21, Proulx 33, et Léger est représenté par 10 pièces. La surabondance des œuvres dans un espace trop exigu pour en accueillir autant produit une fâcheuse impression de confusion et la critique le souligne. L'exposition sera prolongée jusqu'au 15 mai.

— 26 avril au 3 mai : La *Première exposition des Indépendants* est présentée au Palais Montcalm à Québec, organisée par le dominicain français Marie-Alain Couturier (1897-1954). Elle réunit les tendances de l'avant-garde, avec des peintres comme Paul-Émile Borduas (1905-1960), Alfred Pellan (1906-1988), Philip Surrey (1910-1990) et John Lyman (1886-1967), tous membres de la SAC.

— 16 au 28 mai : La même exposition est présentée à Montréal chez Morgan, sous le titre *Peinture moderne*.

— 27 août : « M. Joseph Jutras, artiste paysagiste renommé et l'un des peintres de la Montée Saint-Michel, expose actuellement en face du vieux Palais de Justice de Montréal », titre *La Patrie* avec photo à la une où l'on voit Jutras offrir, comme il a coutume de le faire depuis des années, ses tableaux en plein air.

— Décembre : Maurault, qui appartient à la Société des Dix, formée d'archivistes, de bibliographes, d'érudits et d'historiens, publie sa conférence dans l'annuel *Cahier des Dix*. Il fait faire aussi des tirés à part qu'il envoie aux peintres. À cette occasion un journaliste écrit : « Tous ces peintres sont restés eux-mêmes tout en travaillant ensemble et devant les mêmes paysages de la rue Papineau à la hauteur du boulevard Crémazie. Ils font marque dans l'histoire artistique de notre pays » (D, 27/12/41/7).

1942

— 11-14 janvier : Le père Wilfrid Corbeil présente, au Séminaire de Joliette, l'*Exposition des maîtres de la peinture moderne*, où Marc-Aurèle Fortin côtoie Paul-Émile Borduas et Alfred Pellan.

— 15 janvier au 7 février : Exposition de Poirier à la galerie Morency.

— 11 avril (à partir du) : Exposition de Poirier à la galerie L'Art Français.

— 13 juillet : À 66 ans, mort d'Émile Vézina à Montréal.

— 28 novembre : Jean-Paul Pépin participe à une exposition collective à la galerie Morency avec un tableau : *Saint-Elzéar*.

— Cette année-là, Proulx part à nouveau pour les États-Unis. Il travaillera à Portland (Maine), où il y a une fabrique de bateaux dits Liberty Ship, pour la guerre. Il emmène d'abord avec lui sa fille Gabrielle, qui a 19 ans, et qui travaille comme soudeur.

1943

— Été : Aubin et sa femme, Laurette, louent un chalet à Sainte-Adèle. Ils prendront l'habitude d'y séjourner du printemps à l'automne. Sur les lieux, Aubin reçoit des commandes de tableaux, de lettrages, d'enseignes publicitaires, de retouches de photographies.

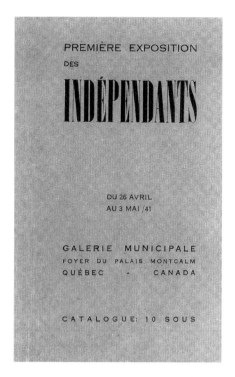

— 19 octobre : Dans une lettre à Ernest Aubin, Legault dit peindre plus que par les années passées et être à réaliser un grand tableau pour le calendrier de 1945 de l'Oratoire. Il raconte que Francesco Iacurto, (1908-2001), qui fut son élève pendant quelque temps, est parrainé par Edmond Dyonnet, appuyé par Adrien Hébert et F.-S. Coburn, pour son élection à l'ARAC. « Veinard », de conclure Legault.

— 16 novembre : L'Institut de la Nouvelle-France, dont Jutras est membre, rend visite à Adrien Hébert dans son atelier de la Place Christin. Le sculpteur Elzéar Soucy et le critique d'art Henri Girard sont présents.

1944

— 14 mars : Les membres de l'Institut de la Nouvelle-France se réunissent à l'atelier du sculpteur Alfred Laliberté pour lui rendre hommage. Outre le critique d'art Albert Laberge, parmi les personnes qui prennent la parole, il y a Joseph Jutras.

— 28 mai : Jutras présente sa deuxième exposition privée, chez lui, pour le groupe du généalogiste, historien et collectionneur Émile Falardeau.

— 6 juin : Jean-Onésime Legault meurt subitement à Montréal, à l'âge de 61 ans. Après son ami O.-A. Léger, c'est le deuxième du groupe à disparaître. Aubin et sa femme se rendent au salon funéraire, ainsi que Jutras et Francesco Iacurto, Louis Lange de la galerie L'Art Français, le vieil ami Jean (Johnny) Ledoux, le peintre Bernard Mayman, la sculptrice Alice Nolin, le photographe J. H. Thimineur.

— 29 octobre au 7 novembre : Émile Fillion présente *Exposition d'art canadien / Œuvres conservées au collège André-Grasset*, réunissant 253 pièces. L'exposition contient deux sections à part : « Rétrospective Fortin » et « Les peintres de la Montée Saint-Michel ». Legault, Léger, Martel et Proulx sont présents avec deux pièces chacun, Poirier, Jutras et Pépin avec trois, Aubin avec six. Mais, curieusement, la liste se poursuit

avec les noms de Clarence Gagnon (1881-1942), A. Y. Jackson, Edgard Contant (1882-1944), Yvan Jobin, D[imitry] Licushine (1884-?), Octave Bélanger (1886-1972), Émile Vézina, Lauréat Vallières (1888-1973) – qui ont peut-être fréquenté les lieux.

— Octobre : Dans la revue *Amérique française*, sous le titre « Une tradition picturale au Canada », Maurice Gagnon (1904-1956) dénigre les peintres de la Montée Saint-Michel : « Aucun d'eux ne dépasse l'autre, mais je verrais bien Georges Delfosse comme leur mage à tous » (p. 50 et 51). Reprises dans son ouvrage *Sur un état actuel de la peinture canadienne*, qui paraîtra en janvier 1945, ces lignes témoignent de la méconnaissance des artistes auxquels elles font allusion. Il faut dire que l'entêtement des peintres de la Montée Saint-Michel à rester dans l'ombre est pour quelque chose dans cette méconnaissance.

— 10 au 17 décembre : Jutras présente une nouvelle exposition privée chez lui, à nouveau pour le groupe d'Émile Falardeau.

1945

— 14 mars : Joseph Jutras donne une conférence sur le ténor Paul Dufault devant la Société historique de Montréal.

— 19 juin : Jutras écrit à Aubin qui est à Sainte-Adèle : « La Montée Saint-Michel est de plus en plus déserte, car elle ne sent plus les peintres fouler ses prés. »

— 2 septembre : Fin de la Seconde Guerre mondiale.

— 27 septembre au 10 octobre : À 48 ans, Jean-Paul Pépin présente la première des 8 expositions personnelles qu'il produira dans les 3 prochaines années, exposant d'abord 21 tableaux à la librairie Déom, rue Sainte-Catherine Est.

1946

— 4 février (à partir du) : Exposition de 36 tableaux de Narcisse Poirier à Westmount, au 4490, rue Sherbrooke Ouest, dans le salon privé d'un de ses amis nommé S. H. Douglas. C'est sa dernière véritable exposition personnelle. Il a 63 ans. Sa prochaine exposition aura lieu en 1975 et proviendra de collections privées.

— 19 au 31 mars : Exposition Jean-Paul Pépin au deuxième étage du magasin de meubles N.-G. Valiquette, 915, rue Sainte-Catherine Est.

— 8 avril, à partir du : Exposition Pépin à la galerie Morency.

— 4 juillet : À la suite de la visite de Paul Rainville, conservateur au Musée de la province de Québec (auj. Musée national des beaux-arts du Québec), à l'exposition chez Morency, acquisition du *Manoir Dénéchaud à Berthier-en-Bas*. Pépin est le premier peintre de la Montée Saint-Michel à entrer dans la collection nationale.

— 15 octobre au 1er novembre : Nouvelle exposition de Pépin à la galerie Morency.

— 3 décembre : Dans une lettre à Aubin, Jutras évoque « les chemins de la Montée Saint-Michel dont [il] reste le seul à parcourir les sentiers ». C'est la dernière mention connue du passage d'un des peintres du groupe à la Montée Saint-Michel. Par la suite, les tableaux que Jutras ou Pépin peindront et qui représentent la Montée Saint-Michel seront faits à partir de pochades ou de croquis antérieurs.

1947

— 15 mars au 1er avril : Nouvelle exposition de Jean-Paul Pépin à la galerie Morency, qui comprend, pour la première fois, des lavis couleur.

— 26 et 27 avril : Exposition privée de Joseph Jutras à son domicile.

— 16 mai : Jutras écrit à Aubin : « Je barbouille à Saint-Lambert, à Montréal sud, et à Longueuil. »

— 7 octobre : À la suite de la visite que le conservateur Paul Rainville fait à l'atelier de Jutras, le Musée de la province de Québec acquiert deux huiles, *Vers la côte Visitation* et *Vieille grange à Sainte-Dorothée*.

— 9 octobre : On annonce que « les Messieurs de Saint-Sulpice ont gracieusement permis l'érection d'une plaque commémorative près de la croix du collège André-Grasset, boulevard Crémazie, pour commémorer les réunions des peintres de la montée Saint-Michel. Cette plaque sera installée au cours d'octobre » (Ph, 9/10/47/34). Puis, on annonce au début de l'année 1948 que ce sera « dès le printemps » (Ph, 22/1/48/34). On ne sait si la chose se fit. Notons qu'en décembre 2021, de grands panneaux explicatifs se rapportant au domaine Saint-Sulpice et aux peintres de la Montée Saint-Michel ont été installés près de la croix de chemin, par la Société d'histoire du Domaine-de-Saint-Sulpice. D'autre part, en juin 2015, une plaque commémorative avait été apposée sur l'immeuble du 26-28, rue Notre-Dame Est (ancien 22), par le Centre de recherche sur l'atelier de L'Arche et son époque (1900-1925), plaque où, avec les noms des divers occupants des lieux, figurent ceux des peintres de la Montée Saint-Michel puisqu'ils y ont eu leur atelier commun de 1922 à 1929.

— 29 octobre au 8 novembre : Exposition Jean-Paul Pépin à la galerie Robert Oliver, 1486, rue Sherbrooke Ouest, près de la rue Guy, à Montréal. Outre des scènes du Québec et du Vieux-Montréal, il présente un portrait à l'huile, *Tante Élodie*. Pépin considérera ce tableau comme le plus important de sa production.

— 2 novembre : Dans *Le Petit Journal*, sous le titre *Paysage d'hiver*, reproduction du premier tableau connu de Jean-Paul Pépin arborant des zébrures en diagonale qui seront sa marque distinctive. L'année d'après, le 14 février, le même tableau est reproduit dans *Radiomonde*, sous le titre *Après-midi d'hiver à Sainte-Dorothée*.

— 10 décembre : Jutras écrit à Aubin. « Madame H[ector] Perrier vient de m'apprendre que nous sommes sur la liste pour une exposition de groupe à la fin de la saison [printemps 1948] ou au premier septembre [1948]. Nous serons les invités des Amis de l'Art. »

Chr.14 Maurice Le Bel (à droite) et sa femme Cécile (à gauche) présidant un accrochage aux Amis de l'Art, en 1951. L'association avait ses locaux au Centre Calixa-Lavallée du parc La Fontaine, appelé alors Chalet des Sports.

1948
— 9 janvier : Jutras écrit à Aubin pour la seconde fois : « Les peintres de la Montée Saint-Michel, sans distinction de races, sont invités à se préparer pour une exposition chez les Amis de l'Art pour le printemps. […] Nous aurons besoin d'environ 6 à 8 toiles chacun. » Et il ajoute : « Mets-toi donc en communication immédiate avec M. Paul Rainville du Musée de Québec afin qu'il t'achète une ou plusieurs toiles. » Mais Aubin ne donnera pas suite

à l'invitation, ni auprès du Musée ni auprès des Amis de l'Art – tout comme les autres peintres du groupe.

— 16 au 29 février : Sous le patronage d'Omer Côté, secrétaire de la province, exposition Jean-Paul Pépin dans le hall de l'École des arts et métiers, installée dans l'ancienne Université Laval, rue Saint-Denis.

— 19 mars : Sous le titre « L'artiste et son atelier », Jutras fait paraître, dans *Le Devoir*, une réflexion sur la rareté des ateliers d'artistes à Montréal, 25 en tout, estime-t-il, qu'il signe « J. Jutras / Un des peintres de la Montée Saint-Michel ».

— 27 mars au 3 avril : Avec Alfred Pellan, Fritz Brandtner, Louis Muhlstock, Albert Dumouchel (1916-1971), Jean Benoît (1922-2010), Mimi Parent (1924-2005), Jean-Paul Pépin expose cinq tableaux au premier Salon de peinture de Trois-Rivières, organisé par l'artiste local Philippe Matteau, en collaboration avec le directeur de l'École technique, H.-J. Alain, qui prête ses locaux.

— 9 août : À la librairie Tranquille, lancement du manifeste *Refus global* de Paul-Émile Borduas, cosigné par 15 autres artistes (8 hommes, 7 femmes), qui confirme le mouvement automatiste et constitue la ligne du partage des eaux dans l'histoire de la peinture au Québec.

— Août : Jutras publie « Un peintre sur la route », accompagné de la reproduction d'un de ses tableaux, qui reprend et développe sur un ton personnel ce que le « Juif errant » avait amorcé presque 20 ans plus tôt sur le « peintre-touriste » qu'il voyait en lui (*Le Foyer rural*, 9/8/48/6).

— Été : Ernest Aubin commence à se construire une maison à Sainte-Adèle.

— Septembre : Élisée Martel a quitté son coin de Saint-Léonard pour s'installer à Pointe-aux-Trembles, ville de sa prime enfance. Se qualifiant de « doyen des peintres de la Montée Saint-Michel », il annonce qu'il tient porte ouverte tous les samedis et dimanches, à son atelier, au 3875, boulevard Saint-Jean-Baptiste. Il y présente des paysages, des natures mortes et des animaux.

— 3 au 17 octobre : Jean-Paul Pépin expose des huiles et des lavis couleur à l'École des arts et métiers, à nouveau sous le patronage d'Omer Côté, secrétaire de la province. Désignée comme la huitième exposition de l'artiste qui s'affiche pour la deuxième fois sous le sigle « P.D.M.S.M. » (peintre de la Montée Saint-Michel).

Chr.15 Jean-Paul Pépin aurait fait un excellent illustrateur pour *Les Campagnes hallucinées* d'Émile Verhaeren (1855-1916), poète belge symboliste très lu à l'époque au Québec.

— Octobre : Alors qu'en expédition de peinture, lui et Aubin logent pour la nuit chez l'habitant, Jean-Paul Pépin, au matin, découvre le métier à tisser de la paysanne qui les accueille, ainsi que ses catalognes et ses tapis crochetés dont les couleurs l'éblouissent. En réponse à ses questions, la femme lui dit s'inspirer des couleurs de la nature qu'elle voit autour d'elle. Jean-Paul Pépin vient de « découvrir la peinture canadienne artisanale » et il change alors radicalement sa palette pour des couleurs pures. En y mêlant ses diagonales, il se crée un style reconnaissable entre tous et les fameuses catalognes s'inviteront désormais dans ses tableaux, auxquels elles donneront un sens symbolique.

— 16 au 23 décembre : Exposition privée de Joseph Jutras chez lui.

1949

— 28 janvier au 8 février : Exposition privée de Jutras chez lui, avec 39 tableaux.

— 7 février : Jutras fait enregistrer la raison sociale L'Entr'Aide Artistique, qui s'adresse « aux artistes peintres, sculpteurs, céramistes, littérateurs, poètes, historiens, musiciens, chanteurs et artisans canadiens » (Joseph Jutras, lettre manuscrite, 7/2/49).

— 1er au 14 avril : Élisée Martel, qui va avoir 68 ans, expose 47 tableaux à l'École des arts et métiers. Le catalogue de l'exposition est imprimé par les soins de L'Entr'aide artistique et les journaux annoncent que c'est sous ce patronage que l'exposition de Martel a lieu.

— Juin : Aubin et sa femme s'installent dans leur maison de Sainte-Adèle.

1950

— 2 avril : Dans un article sur le violoniste Oscar Martel, oncle d'Élisée Martel, Léon Trépanier rappelle l'existence de « ce groupe de bohèmes de la palette » qu'ont été les peintres de la Montée Saint-Michel (Pa, 2/4/50/37).

1951

— 31 avril : Lettre d'Aubin à Jutras : « Il te faut continuer de peindre, te renouveler ».

— Été : Proulx et Poirier vont dans la région de Sainte-Adèle, l'un pour des contrats d'enseignes publicitaires, l'autre pour peindre.

1952

— 21 mai : Achat du domaine Saint-Sulpice par la Ville de Montréal. « L'emplacement acquis par la ville comprend tout le domaine, à l'exception du terrain et de ses environs occupé par l'externat classique S.-Sulpice » (Pr, 20/5/52/3).

— Juin à octobre : Sur la recommandation d'Omer Barrière, député de l'Union nationale, et avec l'autorisation du premier ministre, Maurice Duplessis, pour la période des vacances d'été, Jean-Paul Pépin entre au service du Bureau de renseignements touristiques de Montréal, place Dominion, comme commis à l'information. Il en sera ainsi pendant 10 ans.

— Été : Jutras est engagé comme enquêteur au gouvernement provincial pour les pensions de la Sécurité de la vieillesse et nommé juge de paix. Jutras à Aubin : « Mon travail me laisse des loisirs et je continue à peindre des "pochardes", mal incurable mais plus doux que le cancer... »

1953

— 10 septembre : Joseph Jutras publie une lettre ouverte dans *L'Avenir du Nord* signalant la présence d'Ernest Aubin, « artiste peintre, sculpteur et graveur », à Sainte-Adèle, devenue depuis quelques années « un sanctuaire artistique ».

— Élargissement de la rue Dorchester, qui deviendra boulevard, et démolition de nombreuses maisons et de nombreux édifices. Ce bouleversement est à l'origine de l'œuvre urbaine de Jean-Paul Pépin, qui vise à assurer la mémoire du passé architectural montréalais.

1954

— Avril : Dans *Amérique française*, Philippe La Ferrière (1891-1971), anciennement de L'Arche, évoque la collection d'Armand Besner qui compte plusieurs œuvres des peintres de la Montée Saint-Michel.

— 8 juillet : À l'âge de 95 ans, Edmond Dyonnet meurt à Montréal.

— Juillet-août : Aubin et sa femme font le tour de la Gaspésie, avec des amis.

1955

— 11 juin : L'initiative de Jean-Paul Pépin pour la préservation du Vieux-Montréal, menacé par des vagues de démolitions, lui vaut un article dans *The Gazette*, accompagné de la reproduction de six lavis sépia.

1956

— 27 avril : Jutras écrit au Comité de toponymie de Montréal au sujet du concours lancé aux élèves du collège André-Grasset dans le but de « trouver des noms originaux historiques ou autres qui pourraient être utilisés pour baptiser les rues nouvelles qui seront taillées dans le domaine de Saint-Sulpice » (D, 11/6/56/10). Rappelant les activités du groupe de la Montée en ce lieu « pendant près de quarante ans », il écrit : « Je suggérerais que l'on désigne une place, un parc "Place des peintres de la Montée Saint-Michel" ». Jutras ne reçoit pas de réponse favorable à sa proposition. Beaucoup plus tard, le 30 avril 1997, un parc des Peintres-de-la-Montée-Saint-Michel sera inauguré dans ce qui est aujourd'hui l'arrondissement d'Ahuntsic-Cartierville, entre les rues René-Labelle et Joseph Quintal, à l'ouest de l'avenue André-Grasset. En même temps, on inaugure les parcs de la Petite-Ferme et de la Grande-Ferme.

Chr.16 Panneau du parc des Peintres-de-la-Montée-Saint-Michel. La mention de l'avenue Papineau, ici assimilée à la Montée Saint-Michel, s'explique par le fait que cette avenue longeait le domaine Saint-Sulpice sur toute sa longueur et en constituait la limite du côté est.

— Été : Pépin commence son premier carnet de dessins à l'encre du Vieux-Montréal. Il en remplira 31, contenant chacun environ 25 dessins.
— 26 octobre : Mort, à 86 ans, de Joseph Saint-Charles.

1957
— 23 septembre : Pépin participe à la série télévisée « Le Vieux Montréal », diffusée le 23 septembre dans le cadre de l'émission *Images* à Radio-Canada.

1958
— 3 mai : Mort, à 44 ans, de la femme d'Ernest Aubin, frappée à la poitrine alors qu'elle soignait un malade déséquilibré.
— 7 mai : Inhumation de sa femme. La santé physique et psychologique d'Ernest Aubin décline. Bientôt, il s'installe à Val-David, chez Georgette Du Perré, une amie qui vit dans une maison en forme de moulin à vent.
— Juillet : Pépin fait le tour de la Gaspésie, avec sa fille Gisèle.
— 29 octobre : À la réunion mensuelle de la Société historique de Montréal, Joseph Jutras donne une conférence sur Émile Vézina.

1961
— 20 octobre : Jutras écrit à Adrien Dalvini Archambault, président de la Société historique de Montréal, pour souligner le cinquantième anniversaire de la fondation du groupe des peintres de la Montée Saint-Michel, le 25 octobre 1911. Depuis le printemps, il est déménagé à Pont-Viau, sur l'île Jésus.
— 28 octobre : Après que la chroniqueuse Marie-Madeleine, de *Montréal-Matin* (27/10/61/20), eut évoqué « le groupe des "Peintres de la Montée St-Michel", formés par les maîtres incontestés du Monument-National, [et qui] cherchaient leur inspiration dans les somptueux paysages des Laurentides ou du Bas-du-Fleuve », Jutras lui envoie un tableau et en profite pour souligner le cinquantième anniversaire de la fondation du groupe.

1962
— 24 avril : Narcisse Poirier convole en troisièmes noces avec Yvonne Généreux (1904-1980).
— 13 août : À la télé de Radio-Canada, l'animatrice Michelle Tisseyre consacre un segment de son émission *Rendez-vous avec Michelle*, aux peintres de la Montée Saint-Michel.

1963
— Mars : La maison d'Ernest Aubin, à Sainte-Adèle, qu'il n'habitait plus, est la proie des flammes et presque toutes les œuvres qu'elle contenait partent en fumée. Cette perte lui porte un coup fatal.
— 30 mai : À l'hôpital Royal Victoria, à Montréal, Aubin meurt à l'âge de 70 ans. Il est le troisième du groupe à disparaître. La veille, à l'hôpital, il avait reçu la visite de Jutras qui l'avait vu en train de dessiner dans un carnet son voisin de lit.
— 3 juin : Inhumation d'Aubin au cimetière Notre-Dame-des-Neiges, Jean-Paul Pépin prononce l'éloge de son confrère.
— 13 au 24 juin : Jean-Paul Pépin participe à l'exposition collective *Ville-Marie, panorama de l'art*, à la Place-Ville-Marie, qui réunit artistes figuratifs et non figuratifs.
— 25 novembre : Mort d'Élisée Martel, à 82 ans. Il est le quatrième du groupe à disparaître.

1964
— Le cinéaste et poète Pierre Perrault (1927-1999), qui est aussi homme de radio, interviewe Jean-Paul Pépin pour sa série radiophonique *J'habite une ville*.

1965
— 25 et 26 mars : Narcisse Poirier est interviewé par Henri Bergeron pour l'émission *Partage du jour*, diffusée à la radio de Radio-Canada.
— 18 et 25 septembre : À la radio de Radio-Canada, à 10 h 30 avec reprise à 19 h, *J'habite une ville* donne la parole à Jean-Paul Pépin, qui parle du Vieux-Montréal.

1966
— Mai : Jutras déménage à Sainte-Dorothée, se rapprochant ainsi de Jean-Paul Pépin.
— 8 juillet : Pépin reçoit la visite de Pierre Théberge, conservateur adjoint de l'art canadien à la Galerie nationale du Canada. « Croyez que je ne manquerai pas de faire appel à votre collaboration à l'avenir pour poursuivre mes recherches sur les peintres de la Montée Saint-Michel », lui écrit celui-ci après sa visite.
— 26 octobre au 7 novembre : À la galerie Morency, *Exposition Jean-Paul Pépin : peintre de la Montée Saint-Michel et du Vieux-Montréal* – ultime rétrospective de l'artiste.
— 28 octobre : La Galerie nationale du Canada acquiert le tableau *Paysage* (1946), dit aussi *Le Printemps, Montée Saint-Michel*, ou *Le Printemps*, par l'entremise de Jean-René Ostiguy, conservateur de l'art canadien, et à la suite de la visite de Pierre Théberge, le 8 juillet précédent.
— 28 novembre : Pépin est interviewé à l'émission *Aujourd'hui*, à la télévision de Radio-Canada.

1968
— 8 septembre : À la suite de la mort d'Olivier Maurault, survenue le 14 août, Jutras lui rend hommage : « Nous, Peintres de la Montée Saint-Michel, aurions-nous survécu sans son appui moral ? » (Pe, 8/9/68/21).

1969
— 24 juillet : Lettre de Michel Champagne, agent au ministère des Affaires culturelles, à Jean-Paul Pépin : « Ici, au Centre de documentation, l'on nous demande très souvent de la documentation sur les peintres de la Montée Saint-Michel ». Pépin lui envoie la plaquette d'Olivier Maurault et le catalogue de l'exposition à la galerie Morency.

Chr.17 Estelle Piquette-Gareau recevant chez elle Jean-Paul Pépin. Début de la grande aventure de la redécouverte des peintres de la Montée Saint-Michel.

1970

— 2 mars : Mort, à 82 ans, de Marc-Aurèle Fortin, au sanatorium de Macamic (Rouyn-Noranda).

— 28 septembre au 2 octobre : À l'ambassade du Canada, à Washington, exposition de Narcisse Poirier, œuvres de la collection de sa fille Hélène et son gendre, Louis Dupret.

— 12 décembre : Mort, à 82 ans, à Montréal, de Joseph-Octave Proulx. Il est le cinquième du groupe à disparaître.

1971

— 7 au 11 juin : Dans le cadre de l'exposition *Rappel historique de la peinture au Québec*, tenue à la bibliothèque de Sainte-Foy (Québec), se trouvent réunies des œuvres des huit peintres de la Montée Saint-Michel.

— 23 décembre : En réponse à Jean-René Ostiguy qui lui a écrit, lui demandant des renseignements sur les peintres de la Montée Saint-Michel, Jutras répond : « Depuis notre première réunion, nous nous sommes tenus amis inséparables depuis 1909. »

1972

— 23 juin : Rolland Boulanger, directeur du Service des arts plastiques au ministère des Affaires culturelles, écrit à Jutras : « N'hésitez pas à nous transmettre tout document que vous jugeriez utile pour nous permettre de préparer un petit ouvrage sur les Peintres de la Montée Saint-Michel, par exemple. »

— 7 juillet : Réponse de Jutras. « Au point de vue des Peintres de la Montée Saint-Michel, Mgr Olivier Maurault en a tracé les grandes lignes dans une conférence à la Société historique de Montréal. Mais établir une véritable histoire des Peintres de la Montée St-Michel, est tout autre. »

— 12 août : Joseph Jutras meurt à Montréal à l'âge de 78 ans. Il est le sixième du groupe à disparaître.

1974

— 6 mai : À l'émission de télévision *Femmes d'aujourd'hui*, interview d'une heure de Jean-Paul Pépin et de sa femme, Irène Hamelin, par Françoise Faucher.

— 10 octobre : Deux étudiants du collège André-Grasset, Louis Bastien et Claude-Albert Thériault, viennent interviewer Jean-Paul Pépin sur les peintres de la Montée Saint-Michel.

1975

— 2 au 30 avril : *Rétrospective de Narcisse Poirier*, au Centre culturel de Verdun, tableaux de la collection Gérard Shanks. Un livret de 44 pages est publié pour l'occasion.

1976

— 12 avril : Pépin est interviewé par l'animateur Pierre Paquette à l'émission *Feu vert*, diffusée à la radio de Radio-Canada. Long échange sur les peintres de la Montée.

1978

— 13 janvier : Estelle Piquette-Gareau rend visite à Jean-Paul Pépin pour en apprendre davantage sur les peintres de la Montée Saint-Michel. Début d'une vaste recherche sur chacun des membres du groupe, qui aboutira en 1996 à l'exposition *Peindre à Montréal, 1915-1930 : les peintres de la Montée Saint-Michel et leurs contemporains,* sous la direction de Laurier Lacroix.

1983

— 22 avril : Jean-Paul Pépin meurt à Montréal à l'âge de 85 ans. Il est le septième du groupe à disparaître.

1984

— 3 avril : Narcisse Poirier meurt à Montréal à l'âge de 101 ans. Il est le huitième et dernier du groupe de la Montée Saint-Michel à disparaître.

Liste des expositions

ERNEST AUBIN

1915
Art Association of Montreal (AAM), *32th Spring Exhibition*.
26 mars-17 avril 1915
Source : catalogue.
11. *Étude* [pas de prix].

1919
AAM, *36th Spring Exhibition*.
20 mars-12 avril 1919
Source : catalogue.
5. *Un jour d'éclipse, étude*, 20 $.

1920
AAM, *37th Spring Exhibition*.
25 mars-17 avril 1920
Source : catalogue.
3. *La Croix du chemin*, 75 $.
4. *Vieille maison*, pochade, 25 $.
294. *Tête de bébé*, plâtre [pas de prix].

1921
AAM, *38th Spring Exhibition*.
1er-23 avril 1921
Source : catalogue.
288. *Le Rêve*, plâtre [pas de prix].

1922
AAM, *39th Spring Exhibition*.
21 mars-15 avril 1922
Source : catalogue.
12. *Étude*, noir et blanc, 10 $.
331. *Étude*, plâtre [pas de prix].
332. *Étude*, plâtre [pas de prix].

1924
AAM, *41th Spring Exhibition*.
27 mars-20 avril 1924
Source : catalogue.
305. *Retour des champs*, plâtre [pas de prix].

1926
AAM, *43th Spring Exhibition*.
26 mars-18 avril 1926
Source : catalogue.
5. *Nos Vieilles Maisons*, 200 $.

1927
AAM, *44th Spring Exhibition*.
24 mars-18 avril 1927
Source : catalogue.
305. *Retour des champs*, plâtre [pas de prix].

1929 / 1
AAM, *46th Spring Exhibition*.
21 mars-14 avril 1929
Source : catalogue.
4. *Lever de soleil*, 125 $.
299. *Ancien magasin, Marché Bonsecours*, crayon et encre, 15 $.
300. *Ancien restaurant*, crayon et encre, 15 $.

1929 / 2
T. Eaton Co., Fine Art Galleries, *Second Exhibition of Work by Quebec Artists in the Special Galleries on the Fifth Floor*.
6-18 mai 1929
Source : catalogue.
4. *Pochade*, 25 $.

1930 / 1
AAM, *47th Spring Exhibition*.
21 mars-21 avril 1930
Source : catalogue.
3. *Old Candy Store*, $ 50.

1930 / 2
T. Eaton Co., Fine Art Galleries, *Third Exhibition of Works by Province of Quebec Artists in the Galleries on the Fifth Floor*.
12-23 mai 1930
Source : catalogue.
4. *Vieille maison (Faubourg Québec)*, 20 $.
5. *La Croix du chemin*, 50 $.
6. *Vieille maison* [*Nos vieilles maisons*], 150 $.

1930 / 3
Murray Bay, Manoir Richelieu, *First Annual Exhibition of Canadian Arts*.
Juillet 1930
Source : catalogue.
733. *Old Store, Faubourg Québec, Montréal* [pas de prix].
734. *Old Flour Mill, Natal Place of Sir George-Étienne Cartier* [pas de prix].

1930 / 4
Interior Decorating Galleries, 4159, rue Sainte-Catherine Ouest.
Août-septembre 1930
Source : Jean Chauvin, « Chronique d'art / Un musée d'art canadien », *La Revue populaire*, août 1930, p. 11.
Nos Vieilles Maisons.

1935
AAM, *52th Spring Exhibition*.
21 mars-14 avril 1935
Source : catalogue.
445. *Nu*, plâtre [pas de prix].

1936 / 1
AAM, *53th Spring Exhibition*.
19 mars-12 avril 1936
Source : catalogue.
508. *Le Rêve*, dessin [pas de prix].

1936 / 2

T. Eaton Co., Fine Art Galleries, *Montréal dans l'art*.
À partir du 10 mai 1936
Source : Reynald, « Montréal, ville à l'aspect multiple », *La Presse*, 16 mai 1936, p. 9.
[Tableau de neige].

1941

Galerie Morency (Montréal), *Première exposition des peintres de la Montée Saint-Michel* ; commissaire : Émile Filion, p.s.s.
15-30 avril 1941
Source : catalogue.

1. Peinture

A. Montée Saint-Michel

1. *Mirage*, pochade, 5 ½ x 8 ½ po, 7 $.
2. *Mirage*, tableau, 22 x 32 po, collection particulière.
3. *La Croix dans la nuit*, 8 x 12 po, 15 $.
4. *La ferme Robin*, 22 x 26 po, collection particulière.
5. *La grange ensoleillée*, 9 ½ x 11 ¾ po, 15 $.
6. *Choux gras*, 9 ½ x 12 po, 12 $.
7. *Terrain perdu*, 9 ½ x 12 po, 12 $.
8. *La barrière*, 7 ½ x 9, collection particulière.
9. *Le pont sur le ruisseau : fin d'hiver*, 3 ¾ x 5 ¾ po, 10 $.
10. *Jour nuageux*, 5 x 8 po, 12 $.
11. *Jour de pluie*, 5 ½ x 8 ½ po, 10 $.
12. *Les foins*, 8 x 9 po, 10 $.
13. *Le printemps à la carrière*, 5 x 8 po, 10 $.
14. *Couleurs dans les bois*, 8 ½ x 8 ¼ po, 10 $.
15. *Études de roches n° 1*, 5 ¼ x 7 ¾ po, 6 $.
16. *Études de roches n° 2*, 5 ½ x 7 ¾ po, 10 $.
17. *Études de roches n° 3*, 9 ½ x 12 po, 15 $.
18. *Vers Saint-Léonard*, 5 ½ x 8 po, 8 $.
19. *Sortie du bois*, 5 ½ x 8 po, 8 $.
20. *Le dégel du ruisseau*, 6 ½ x 8 ½ po, 7 $.
21. *Horizons*, 5 ½ x 8, 6 $.
22. *Matin de mai à la ferme Robin*, 5 ¼ x 6 ½ po, 5 $.

B. Portraits

23. *Femme au repos*, fusain, 28 x 78 po, collection de l'artiste.
24. *Madame E. Aubin*, sanguine, 22 x 28 po, collection de l'artiste.
25. *Madame B. Aubin*, sanguine, 8 x 13 po, collection de l'artiste.
26. *Petite fille en jaune*, huile, 21 x 49 po, collection de l'artiste.

C. Port de Montréal

27. *Dans le canal Lachine*, 8 x 11 3/4 po, 15 $.
28. *Chargement*, 8 x 13 po, 15 $.
29. *Corvette*, 6 ¾ x 5 ½ po, 10 $.
30. *Passivité*, 5½ x 8 po, 10 $.
31. *Transport de grain*, 5 x 8½ po, collection de l'artiste.
32. *À travers la fumée*, 5 x 8¼ po, collection de l'artiste.
33. *Au quai*, 5½ x 8 po, 10 $.
34. *Au service des géants*, 5½ x 8 po, 10 $.
35. *Écluses*, 5½ x 8 po, 10 $.
36. *Affirmation*, 5¾ x 9 po, 10 $.
37. *Charbonnier*, 6¾ x 9½ po, collection particulière.
38. *La brume tombe*, 5 x 8½ po, 5 $.
39. *Matin ensoleillé*, 5^{1/8} x 7¼ po, 5 $.

D. Vieilles maisons

40. *Le vieux four*, 9¾ x 12 po, 17 $.
41. *Rue Amherst près Dorchester*, 5 x 6 po, 10 $.
42. *La ruine dans la verdure*, 5¼ x 7¾ po, 10 $.

43. *Dans la lumière de la ville*, 5¼ x 8¼ po, 10 $.
44. *Rue Lagauchetière*, 5^{1/8} x 8¼ po, 10 $.
45. *La vieille ferme*, 5 x 8 po, 10 $.
46. *Rue Saint-Pierre*, 5¼ x 9¾ po, collection particulière.

E. Natures mortes

47. *Légumes et pot*, 13 x 17 po, 25 $.
48. *Religion*, 14 x 18 po, 25 $.
49. *Intellectualité*, 14 x 18 po, 25 $.
50. *Oignons et patates*, 4 x 6½ po, 3 $.

F. Campagne et bois

52. *Iberville*, 5 x 8¼ po, 10 $.
53. *Bouleaux en automne*, 5^{1/8} x 8½ po, 8 $.
54. *Sur le Mont-Royal*, 5¼ x 7½ po, 8 $.
55. *Moissons*, 5 x 7¾ po, 8 $.

G. Divers

56. *Intérieur*, 5½ x 8 po, 7 $.
57. *Vache au repos*, 3¾ x 6 po, collection particulière.
58. *Feu de camps de scout*, 5½ x 8 po, 6 $.

2. Plâtres originaux

59. *Retour des champs*, collection particulière.
60. *Tête de vieillard*, 25 $.
61. *Tête de jeune garçon*, 25 $.
62. *Anonymat*, 75 $.

1944

Collège André-Grasset (Montréal), *Exposition d'art canadien / Œuvres conservées au collège André-Grasset*, « Les peintres de la Montée Saint-Michel » ; commissaire : Émile Filion, p.s.s.
29 octobre-7 novembre 1944
Source : catalogue.

64. *Vache couchée*, 6 x 3¼ po.
65. *Ombres et lumières dans une rue de Montréal*, 5 x 9½ po.
66. *La barrière*, 9 x 7½ po.
67. *Sous-bois enneigé*, 12 x 9 po.
68. *La ferme de la Montée Saint-Michel*, 28 x 22 po.
69. *M. Roland Filion*, 9 x 12 po.

1948

Port-Alfred, collège Saint-Édouard, Baie des Ha ! Ha !, *Soixante ans d'art canadien* ; commissaire : René Bergeron.
11-18 janvier 1948
Source : catalogue.

5. *Cèdres-à-Laval-des-Rapides*.

1986

Musée Marc-Aurèle Fortin (Montréal), *Les artistes de mon temps* ; commissaire : Odette Legendre. Exposition organisée à l'occasion de la publication de l'ouvrage *Les artistes de mon temps* d'Alfred Laliberté, préparé par Odette Legendre.
26 février-30 mars 1986
Source : liste des œuvres, archives Estelle Piquette-Gareau.
Pochades.

1996

Musée du Québec, 24 janvier-5 mai 1996 ; Centre d'artistes de l'Université Bishop's (Lennoxville), 6 juin-12 juillet 1996 ; Galerie de l'UQAM, 16 août-5 octobre 1996 ; Musée de Charlevoix (La Malbaie), 20 octobre 1996-15 janvier 1997 ; McMichael Art Collection (Kleinburg, Ontario), 1er février-18 mai 1997, *Peindre à Montréal, 1915-1930 : les peintres de la Montée Saint-Michel et leurs contemporains* ; commissaire : Laurier Lacroix.

Source : Laurier Lacroix (dir.), *Peindre à Montréal, 1915-1930 : les peintres de la Montée Saint-Michel et leurs contemporains*, catalogue d'exposition, Montréal, Galerie de l'UQAM ; Québec, Musée du Québec, 1996, p. 121-141.
1. *Tête de femme*, 24,9 x 16,4 cm.
2. *Port de Montréal, canal Lachine*, 14 x 20 cm.
3. *Fenêtre rouge*, 23 x 13,4 cm.
4. *Paquebot au quai*, 20,5 x 15,2 cm.
5. *Église Notre-Dame*, 21,8 x 13,1 cm.
6. *Église Notre-Dame*, 21,8 x 13 cm.
7. *Le Vieux magasin*, 14,1 x 18 cm.
8. *Panneau-réclame*, 29,1 x 20,7 cm.
9. *Croix de chemin de la Montée Saint-Michel*, 22,4 x 14,8 cm.
10. *Tête de femme au foulard rouge*, 29,9 x 20,4 cm.
11. *Cale sèche*, 22 x 13 cm.
12. *Nuages*, 13,8 x 21,1 cm.
13. *Panneau-réclame*, 20,9 x 12,9 cm.
14. *Panneau-réclame*, 19,8 x 23,3 cm.
15. *Rue des Commissaires*, 19,3 x 14 cm.
16. *Sur le toit de la Salaison S.L. Contant*, 13,4 x 22,5 cm.
17. *Nu*, 20,6 x 9,7 cm.
18. *Nu féminin assis*, 22,8 x 21,1 cm.
19. *Old Candy Store (Faubourg Québec) Montréal*, 29 x 42,2 cm.
20. *Coucher de soleil*, 7,5 x 15,5 cm.
21. *Église du Sault*, 14,2 x 18,7 cm.

2001 / 1

Musée Marc-Aurèle Fortin (Montréal), *Paysages du Québec, 1900-1948* ; commissaire : inconnu.
Juin 2001
Source : catalogue.
Lever du soleil, s.d., huile sur toile, 12,6 x 21,5 cm.

2001 / 2

Théâtre Hector-Charland (L'Assomption), *Peintres de la Montée Saint-Michel, 1915-1930* ; commissaire : Hubert Van Gijseghem ; « Les Journées de la culture ».
28-30 septembre 2001
Source : liste des œuvres, archives Hubert Van Gijseghem.
Portrait de jeune fille.
Coucher de soleil.
Lac Saint-Louis.

2011

Hall d'honneur de l'hôtel de ville de Montréal, *Les peintres de la Montée Saint-Michel, cent ans après : 1911-2011* ; commissaire : Richard Foisy.
25 octobre-11 novembre 2011
Source : « Catalogue des œuvres exposées », dans Olivier Maurault, p.s.s., *Les peintres de la Montée Saint-Michel, cent ans après : 1911-2011*, textes présentés et annotés par Richard Foisy, Montréal, Fides, 2011, p. 99-127.
1. *La croix du chemin*, 51 x 41 cm.
2. *Rue des Carrières*, 31 x 38 cm.
3. *Femme au chapeau rouge*, 25,6 x 15,4 cm.
4. *Lueurs au crépuscule*, 10,6 x 21 cm.

2017

Maison de la culture Ahuntsic-Cartierville (Montréal), *Les peintres de la Montée Saint-Michel* ; commissaire : Richard Foisy.
21 septembre-28 octobre 2017
Source : liste des œuvres, archives du Centre de recherche sur l'atelier de L'Arche et son époque, 1900-1925.

Meules et ormes, 15 x 31 cm.
Champ de blé et bâtiment de ferme, 12,7 x 20,5 cm.
La Croix du chemin, 51 x 41 cm.
Les Saules ou *Lever de soleil*, 50,7 x 61 cm.
Coin du Vieux-Montréal, 24 x 32,5 cm.
Église Notre-Dame, 15 x 20 cm.
Port de Montréal, 26 x 33 cm.
Fumées dans le port, 13,2 x 19,5 cm.
Effet de lumière au mont Royal, 35,5 x 26,6 cm.
Rochers et bouleaux au mont Royal, 19,5 x 23,5 cm.
Du haut du mont Royal, 20,5 x 14 cm.
Nu multiple, 58,5 x 37 cm.
Autoportrait [jeune], fusain, 48 x 32 cm.
La Mandarine, 10,2 x 15,7 cm.

2019

Musée des beaux-arts de Montréal, *Le modèle dans l'atelier, Montréal 1880-1950 : nouvelles acquisitions* ; commissaire : Jacques Des Rochers.
26 janvier-26 mai 2019
Source : liste des œuvres, Musée des beaux-arts de Montréal.
Modèle masculin assis, 20,6 x 13,7 cm.
Nu au miroir, 27,3 x 12,9 cm.
Mosaïque de nus féminins, 58,6 x 36,9 cm.
Nus féminins penchés, 31,7 x 47,9 cm.
Mosaïque de nus féminins, 61,8 x 49,2 cm.
Modèle masculin assis, vu de face, 61,6 x 48,4 cm.
Vue de l'atelier de modèle vivant de la Galerie des Arts, Montréal, 10 x 15,5 cm.

JOSEPH JUTRAS

1922

Art Association of Montreal (AAM), *39th Spring Exhibition*.
21 mars-15 avril 1922
Source : catalogue.
153. *Scène d'hiver*, 125 $.

1923

AAM, *40th Spring Exhibition*.
16 mars-14 avril 1923
Source : catalogue.
128. *Coin de la Seigneurie Lussier*, 35 $.
129. *Résidence de la ferme Saint-Gabriel*, 250 $.

1925

À son domicile, 2204, avenue Papineau, *Exposition de peintures*.
13-25 avril 1925
Source : catalogue édité par l'artiste.
1. *Étude*, 35 $.
2. *Ferme Logan*, 75 $.
3. *Moulin à farine à Repentigny*, 300 $.
4. *À Laval-des-Rapides*, 100 $.
5. *Vieille tour du collège de Montréal*, 150 $.
6. *Maison Renaud* (exposé à la Galerie des Arts), 250 $.
7. *Seigneurie Lussier (Saint-Vincent-de-Paul)* (exposé à la Galerie des Arts), 75 $.
8. *Sur le lac à Sainte-Adèle*, 12 $.
9. *À l'Abord-à-Plouffe*, 25 $.
10. *Coucher de soleil*, 15 $.
11. *Côte-des-Neiges*, 25 $.
12. *À Mont-Rolland*, 12 $.

13. *Au parc La Fontaine*, 10 $.
14. *Vieille boulangerie à la Côte-des-Neiges*, 20 $.
15. *Sur le vieux canal de Lachine*, 10 $.
16. *Scène d'hiver*, 20 $.
17. *Étude (en haut de la rue Papineau)*, 10 $.
18. *À la montagne*, 20 $.
19. *Vieux caveau des familles McDougall*, 35 $.
20. *À la Villa Saint-Martin*, 15 $.
21. *Sur le Chemin de Liesse*, 15 $.
22. *Au bout de l'Isle*, 25 $.
23. *À Dorval*, 25 $.
24. *Près de l'observatoire*, 15 $.
25. *Étude*, 25 $.
26. *Érablière à Sainte-Adèle*, 50 $.
27. *En chemin faisant*, 15 $.
28. *Sur le Chemin de La Salle*, 150 $.
29. *Ruine à la Pointe-aux-Trembles*, 40 $.
30. *À Sainte-Adèle*, 20 $.
31. *À Berthier-en-Haut*, 25 $.
32. *Automne*, 75 $.
33. *Maison Lacroix, rue Saint-Jean-Baptiste*, 35 $.
34. *Coucher de soleil*, 20 $.
35. *Feuillage jauni*, 50 $.
36. *Feuillage cuivré d'automne*, 50 $.
37. *Scène d'hiver*, 15 $.
38. *À la Pointe-Claire*, 15 $.
39. *Étude de fleurs*, 15 $.
40. *Sur la montagne*, 10 $.
41. *À la Villa Saint-Martin*, 10 $.
42. *Neige et soleil*, 12 $.
43. *Chrysanthèmes*, 35 $.
44. *Étude de fleurs*, 25 $.
45. *Des fleurs*, 150 $.
46. *Orangeade*, 25 $.
47. *Étude de fleurs (va de pair avec le nº 43)*, 35 $.
48. *Brûleur d'encens*, 10 $.
49. *Étude de fleurs*, 20 $.
50. *Le pont blanc*, 25 $.
51. *Sur le chemin Crémazie*, 25 $.
52. *Étude de neige et eau*, 15 $.
53. *La caillette*, 10 $.
54. *La laiterie rouge*, 15 $.
55. *À Saint-Paul-l'Ermite (ayant oublié mes pinceaux j'ai été forcé de peindre avec ma spatule)*, 40 $.
56. *Les volets verts*, 15 $.
57. *Montreal Hunt Club*, 75 $.
58. *Lilas (petite aquarelle)*, 5 $.
59. *Sur le canal de Lachine (réservée)*.
60. *Parc Bellerive*, 40 $.
61. *À Sainte-Adèle*, 15 $.
62. *Étude*, 10 $.

Croquis
63. *Vieux four à Yamachiche*, 10 $.
64. *À Sainte-Geneviève de Pierrefonds*, 10 $.
65. *Vieille église du Cap-de-la-Madeleine*, 25 $.
66. *À Longueuil*, 15 $.
67. *Vieille église à Longue-Pointe (1726-1923). L'original pas à vendre*.
68. *La fontaine*, 12 $.

69. *À Longueuil*, original. J'ai fait tirer 200 copies avec ma signature sur chacune que je vends à 1 $ la copie en vente ici.
70. *Sucrerie à Sainte-Geneviève de Pierrefonds*, 10 $.
71. *Sur le chemin de Lachine*, 12 $.
72. *Église de Caughnawaga*, 12 $.
73. *Vieux mendiant*, 10 $.
74. *École de Sainte-Dorothée* (maintenant démolie), 15 $.
75. *Vieux four*, 10 $.

1926 / 1
Palestre nationale, *Exposition de peintures de J. Jutras*.
20-27 février 1926
Source : catalogue édité par l'artiste.
1. *Ferme Logan*, 75 $.
2. *Moulin à farine à Repentigny*, 300 $.
3. *À Laval-des-Rapides*, 100 $.
4. *Vieille tour au collège*, 150 $.
5. [manquant].
6. *Maison Renaud (exposé à la Galerie des Arts)*, 250 $.
7. *Seigneurie Lussier (Saint-Vincent-de-Paul)*, 75 $.
8. *Sur le lac à Sainte-Adèle*, 15 $.
9. *Coucher de soleil*, 15 $.
10. *Côte-des-Neiges*, 25 $.
11. *À Mont-Rolland*, 12 $.
12. *Au parc La Fontaine*, 10 $.
13. *Vieille boulangerie à la Côte-des-Neiges*, 20 $.
14. *Sur le vieux canal de Lachine*, 10 $.
15. *Scène d'hiver*, 20 $.
16. *À la montagne*, 20 $.
17. *Vieux caveau des familles McDougall*, 35 $.
18. *À la Villa Saint-Martin (retraites fermées)*, 15 $.
19. *Sur le Chemin de Liesse*, 15 $.
20. *À Dorval*, 25 $.
21. *Près de l'Observatoire*, 15 $.
22. *Érablière à Sainte-Adèle*, 50 $.
23. *En chemin faisant*, 15 $.
24. *Sur le Chemin La Salle*, 150 $.
25. *À Sainte-Adèle*, 20 $.
26. *À Berthierville*, 25 $.
27. *Automne*, 75 $.
28. *Maison Lacroix, rue Saint-Jean-Baptiste*, 35 $.
29. *Coucher de soleil*, 20 $.
30. *Feuillage jauni*, 50 $.
31. *Feuillage cuivré*, 50 $.
32. *Scène d'hiver*, 15 $.
33. *Étude de fleurs*, 15 $.
34. *Sur la montagne*, 10 $.
35. *Le pont blanc*, 25 $.
36. *Sur le chemin Crémazie*, 25 $.
37. *Les volets verts*, 15 $.
38. *À Sainte-Adèle*, 15 $.
39. *Sur la route du Bois-Franc*, 25 $.
40. *Maison Cardinal à Sainte-Geneviève de Pierrefonds*, 50 $.
41. *Sur le bord du fleuve*, 15 $.
42. *En route*, 12 $.
43. *À la ferme Saint-Sulpice*, 75 $.
44. *Rue Sherbrooke Ouest*, 100 $.
45. *À Nicolet*, 100 $.
46. *Rue Papineau (étude d'arbres)*, 60 $.

47. *Étude d'arbres à la chapelle de la Réparation*, 15 $.
48. *À la ferme Saint-Sulpice*, 100 $.
49. *Vieux four à Yamachiche*, 60 $.
50. *Maison à Verchères*, 35 $.
51. *La vieille barque à Berthier-en-Haut*, 25 $.
52. *Les veilloches*, 10 $.
53. *Étude (vieille maison à Longue-Pointe)*, 15 $.
54. *Vieille maison à Saint-Laurent*, 15 $.
55. *Sur le chemin de la Rivière-des-Prairies*, 65 $.
56. *Étude*, 25 $.
57. *À la Rivière-des-Prairies*, 15 $.
58. *Au bout de l'Isle*, 25 $.
59. *Dépendance à la Seigneurie Lussier*, 75 $.
60. *À Saint-Eustache*, 12 $.

Croquis
61. *Vieux four à Yamachiche*, 10 $.
62. *À Sainte-Geneviève de Pierrefonds*, 10 $.
63. *Vieille église du Cap-de-la-Madeleine*, 25 $.
64. *À Longueuil*, 15 $.
65. *La fontaine*, 12 $.
66. *À Longueuil (original)*. J'ai fait tirer 200 copies avec ma signature sur chacune que je vends à 1 $ la copie.
67. *Sucrerie à Sainte-Geneviève de Pierrefonds*, 10 $.
68. *Sur le chemin de Lachine*, 12 $.
69. *Église de Caughnawaga*, 12 $.
70. *Vieux mendiant de Sainte-Élisabeth*, 10 $.
71. *École de Sainte-Dorothée (maintenant démolie)*, 15 $.
75. *Vieux four (sculpture) la copie*, 10 $.

1926 / 2
AAM, *43th Spring Exhibition*.
26 mars au 18 avril 1926
Source : catalogue.
72. *On Sherbrooke Street West*, 75 $.

1927
T. Eaton Co., Fine Art Galleries, *Exhibition of Work by Canadian Artists in the Special Galleries on the Fifth Floor*.
10-22 octobre 1927
Source : catalogue.
Vieille tour, 150 $.

1929
T. Eaton Co., Fine Art Galleries, *Second Exhibition of Work by Quebec Artists in the Special Galleries on the Fifth Floor*.
6-18 mai 1929
Source : catalogue.
98. *La cabane à sucre, à Sainte-Adèle*, 15 $.
99. *Maison Martineau*, 20 $.
100. *Rue des Carrières*, 20 $.

1930
T. Eaton Co., Fine Art Galleries, *Third Exhibition of Works by Province of Quebec Artists in the Galleries on the Fifth Floor*.
12-23 mai 1930
Source : catalogue.
88. *Sur le Boulevard Gouin*, 50 $.
89. *Old Drummond House*, 35 $.

1936 / 1
AAM, *53th Spring Exhibition*.
19 mars-12 avril 1936
Source : catalogue.
222. *Ferme McAvoy*, pastel, 10 $.

1936 / 2
T. Eaton Co., Fine Art Galleries, *Montréal dans l'art*.
À partir du 10 mai 1936
Source : Reynald, « Montréal, ville à l'aspect multiple », *La Presse*, 16 mai 1936, p. 9.
[Paysage].

1941
Galerie Morency (Montréal), *Première exposition des peintres de la Montée Saint-Michel* ; commissaire : Émile Filion, p.s.s.
15-30 avril 1941
Source : catalogue.

A. Montée Saint-Michel
63. *La croix et la vieille ferme*, 19½ x 24½ po, 35 $.
64. *Vieille maison d'Écossais*, 20 x 24 po, collection particulière.
65. *Printemps*, 12 x 16 po, 15 $.
66. *Le chemin*, 7 x 9 po, 10 $.
67. *Coucher de soleil*, 7 x 9 po, 10 $.
68. *Lumière dans le bois*, 7 x 9 po, 10 $.
69. *Vieille maison de bois*, 6¾ x 9 po, 10 $.
70. *Les foins*, 7 x 9 po, 10 $.
71. *Vieille maison de pierre*, 7 x 9 po, 6 $.
72. *Moissons*, 6 x 8¼ po, 5 $.
73. *Soleil*, 3 x 5¾, po, 2,50 $.
74. *À la ferme avec MM. Aubin, Proulx et Pépin, peignant le même sujet*, 12 x 16 po, collection particulière.

B. Annonces touristiques
Conditions de vente à débattre avec l'artiste.
75. *Nos vieux fours*, 9 x 14 po.
76. *Vers Québec*, 10 x 17 po.
77. *Lévis at sunrise*, 9 x 14 po.
78. *En route*, 6½ x 16 po.
79. *Visitez votre province*, 6½ x 16 po.
80. *Le manoir Bleury*, 6½ x 16 po.
81. *Nos vieux moulins : Repentigny*, 9 x 14 po.

1944 / 1
À son domicile, 2633, rue Masson, *Exposition privée des œuvres de J. Jutras*.
À partir du 28 mai 1944
Source : liste des œuvres dans le carnet à spirale de l'artiste réservé à cette exposition.
Jutras n'a pas indiqué les dimensions pour tous les tableaux.

Salon
1. *Soleil doré*, 4 x 6 po, 5 $.
2. *Maison McTavish*, 8 x 10 po, réservé.
3. *Étude d'arbre rue Van Horne*, 12 x 16 po, 25 $.
4. *Château en Espagne*, 14 x 18 po, 50 $.
5. *Vieilles forges, rue Saint-Louis*, 7 x 9 po, 10 $.
6. *Entre Saint-Vincent et Jacques-Cartier*, 15 $.
7. *Au séminaire, clôture rue Guy*, réservé.
8. *À Laval-des-Rapides*, réservé.
9. *Rue des Carrières*, réservé.
10. *Chemin La Salle, Verdun*, 12 x 16 po, 40 $.
11. *La fontaine lumineuse, parc La Fontaine*, 10 $.

12. *Effet de neige*, 12 $.
13. *À la Montée Saint-Michel, maison Laurin*, 75 $.
14. *Contraste (au* [couvent du] *Sacré-Cœur)*, 75 $.
15. *Tour du séminaire*, réservé.
16. *Vieux cadran au vieux séminaire*, 15 $.
17. *Ferme Nesbitt*, 75 $.

Passage
18. *Matin, rue Sherbrooke*, 14 x 18 po, 25 $.
19. *Chrysanthèmes*, 16 x 20 po, 25 $.
20. *Portrait des peintres à la Montée Saint-Michel* (prêt de M. Falardeau).
21. *Ferme Drummond*, 10 x 14 po, 35 $.
22. *Coin Aylmer et Sherbrooke*, 12 x 18 po, 50 $.
23. *Coucher de soleil*, 4 x 6 po, 5 $.
24. *À la Côte de Liesse*, 6 x 8 po, 12 $.

Atelier
25. *Côte de Liesse*, 16 x 20 po, 50 $.
26. *À la Montée Saint-Michel*, 7 x 9 po, 8 $.
27. *Sous le* [mot illisible], 9 x 12 po, 12 $.
28. *Les veilloches*, 7 x 9 po, 10 $.
29. *Étude d'arbre à la Montée Saint-Michel*, 6 x 8 po, 5 $.
30. *Saules bizarres et peupliers*, 10 x 14 po, 15 $.
31. *Maison, ferme Saint-Gabriel*, 16 x 20 po, 75 $.
32. *Chez Nesbitt*, 9 x 12 po, 15 $.
33. *À Saint-Léonard-de-Port-Maurice*, 7 x 9 po, 10 $.
34. *Grange* [mot illisible]*, rue Notre-Dame Est*, 10 x 14 po, 20 $.
35. *Étude d'arbre à la Côte Saint-Luc*, 7 x 9 po, 7 $.
36. *Lévis vu de Québec*, 14 x 18 po, 25 $.
37. *Église de Saint-Marc de Rosemont*, 7 x 9 po, 8 $.
38. *Peuplier et meules de foin*, 10 x 14 po, 15 $.
39. *Grange de la ferme Saint-Gabriel*, 3 x 5 po, 5 $.
40. *Hortensias*, 5 $.
41. *La chaloupe grise*, 7 x 9 po, 10 $.
42. *À la ferme Nesbitt*, 10 x 14 po, 15 $.
43. *Le bêchage près du bouleau*, 10 x 14 po, 5 $.
44. *Rue Notre-Dame Est, maison penchée*, 10 x 14 po, 25 $.
45. *Terroir*, 7 x 9 po, 8 $.
46. *À Montréal-Nord*, 10 x 14 po, réservé.
47. *Étable et meule de foin à la ferme Touchette*, 10 x 14 po, 25 $.
48. *Le vieux mur*, 10 $.
49. *Au golf municipal*, 7 x 9 po, 10 $.
50. *Au Sault-au-Récollet, maison Lescadre*, 12 x 16 po, 25 $.
51. *Premières feuilles*, 12 x 16, 25 $.
52. *Maison des pères jésuites, rue Notre-Dame Est*, 12 x 14 po, 25 $.
53. *Coucher de soleil, rue Sherbrooke Est*, 9 x 9 po, 12 $.
54. *Intérieur de cour, rue Amherst*, 9 x 12 po, 12 $.
55. *Pêcheur*, 6 x 8 po, 7,50 $.
56. *Récolte de carottes*, 5 x 7 po, 5 $.
57. *Intérieur de jardin*, 7 x 9 po [pas de prix].
58. *À pleine vapeur*, 5 x 7 po, 5 $.
59. *Dernière neige à Varennes*, 14 x 18 po, 35 $.
60. *À la ferme Laliberté, Montréal Ouest*, 9 x 10 po, 12 $.
61. *Meule de foin à Montréal Ouest*, 8 x 8 po, 12 $.
62. *Maison Drummond*, 10 x 14 po, 25 $.
63. *Canon Louisbourg, Château Ramezay*, 10 x 14 po, 15 $.
64. *Saule*, 5 $.
65. *L'Abandonnée*, 10 x 14 po, 15 $.
66. *Étude*, 5 x 7 po, 5 $.
67. *Crépuscule*, 4 x 6 po, 5 $.
68. *Vieux moulin à Varennes*, 14 x 18 po, réservé.

69. *À Saint-Léonard-de-Port-Maurice, grange*, 10 x 14 po, 15 $.
70. *La fontaine du parc Atwater*, 14 x 18 po, 25 $.
71. *Automne, maison Kidd*, 12 x 16 po, 20 $.
72. *Pommiers et meules de foin*, 10 x 14 po, 15 $.
73. *Ferme Saint-Gabriel*, 24 x 26 po, 100 $.
74. *Grange, boulevard Crémazie*, 7 x 9 po, 8 $.
75. *À la Montée Saint-Michel, soleil*, 8 $.
76. *Au parc La Fontaine*, 12 x 16 po, 20 $.
77. *Temps gris, maison Kidd*, 8 x 6 po, 10 $.
78. *À peine découverte*, 12 x 16 po, 25 $.
79. *Maison des Léonard, Rivière-des-Prairies*, 10 x 14 po, 15 $.
80. *Étude d'arbre à la Côte Saint-Luc*, 7 x 9 po, 7,50 $.
81. *Effet de neiges*, 10 x 14 po, 15 $.
82. *À la Montée Saint-Michel*, 7 x 9 po, 8 $.
83. *Étude d'arbres, rue Van Horne*, 7 x 9 po, 8 $.
84. *Maison Laurin, Laval-des-Rapides*, 16 x 20 po, 50 $.
85. *Vieilles granges chez McAvoy*, 14 x 18 po, 50 $.
86. *Chrysanthèmes à Juliette*, réservé.

1944 / 2
Collège André-Grasset (Montréal), *Exposition d'art canadien / Œuvres conservées au collège André-Grasset*, « Les peintres de la Montée Saint-Michel » ; commissaire : Émile Filion, p.s.s.
29 octobre-7 novembre 1944
Source : catalogue.
70. *Peintres de la Montée à pied d'œuvre*, 16 x 12 po.
71. *Vieille maison écossaise, Côte-de-Liesse*, 23½ x 20 po.
72. *Tours de l'ancien fort de la montagne*, 14 x 11 po.

1944 / 3
À son domicile, 2633, rue Masson, *Exposition privée des œuvres de J. Jutras*.
10-13 décembre 1944
Source : liste des œuvres dans le carnet relié de l'artiste réservé à cette exposition.
1. *Portrait des peintres de la Montée Saint-Michel (pris à l'occasion de la conférence de M*gr *Maurault)* [photographie].
2. *Les îles de Boucherville*, 8 x 10½ po, 15 $.
3. *Silhouette vers Montréal*, 7 x 9 po, 10 $.
4. *Maison Dagenais, Saint-Léonard-de-Port-Maurice*, 10 x 14 po, 35 $.
5. *La vieille étable, Saint-Vincent-de-Paul*, 10 x 12 po, 25 $.
6. *Maison Desmarteaux, Boucherville*, 10 x 14 po, 20 $.
7. *Sur le chemin de Lachine*, réservé [pas de dimensions, pas de prix].
8. *Meules de foin chez David*, 12 x 16 po, 35 $.
9. *Automne (maison Roy, Sault-au-Récollet)*, 12 x 16 po, 35 $.
10. *Maison de la mère d'Youville, Varennes*, 14 x 18 po, 60 $.
11. *Chez les Vincent, Varennes*, 14 x 18 po, 50 $.
12. *Les clochers* [de] *Saint-Marc*, 10 x 14 po, 15 $.
13. *Chez Nesbitt, Rosemont*, 10 x 14 po, 10 $.
14. *Une des premières maisons de la Cité Jardins*, 10 x 14 po, 15 $.
15. *À la fonte des neiges, Bordeaux*, 12 x 16 po, 25 $.
16. *Rue Saint-André, Longueuil*, 12 x 16 po, 25 $.
17. *La boutique de forge, Varennes*, 10 x 14 po, 15 $.
18. *Sous les rayons de soleil*, 12 x 16 po, 25 $.
19. *Maison Provost, Saint-Vincent-de-Paul*, [pas de dimensions], 25 $.
20. *Petite laiterie, rue des Carrières*, 6 x 8 po, 10 $.
21. *Vers la Picardie, Varennes*, 20 x 24 po, 100 $.
22. *Varennes*, 16 x 20 po, 50 $.
23. *Automne sur la rivière des Prairies*, 8 x 10 po, 10 $.
24. *Maison d'hier, rue des Carrières*, 20 x 24 po, 100 $.
25. *Neige et soleil, rue des Carrières*, 10 x 14 po, 15 $.

26. *Le vieux mur, séminaire de Montréal*, 6 x 8 po, 10 $.
27. *La branche brisée, boulevard Pie IX*, [pas de dimensions], 75 $.
28. *À la Montée Saint-Michel*, [rue] *Saint-Hubert*, 20 x 24 po, 100 $.
29. *Le toit rouge, Sault-au-Récollet*, 8 x 10 po, 10 $.
30. *Givre (verglas)*, 16 x 20 po, 75 $.
31. *Coucher de soleil, Rosemont*, 12 x 16 po, 50 $.
32. *Premier dégel, parc Laval*, 12 x 16 po, 35 $.
33. *Sous les neiges, Sault-au-Récollet*, 12 x 16 po, 35 $.
34. *Clair de lune, rue Panet*, 12 x 16 po, 35 $.
35. *Le saule meurtri, Longueuil*, 10 x 14 po, 20 $.
36. *À la rivière des Prairies*, 10 x 14 po, 15 $.
37. *Ferme Saint-Gabriel*, 16 x 20 po, 50 $.
38. *L'orage s'en vient*, 7 x 9 po, 10 $.
39. *Rue Notre-Dame, près* [de la rue] *Saint-Vincent*, 7 x 9 po, 15 $.
40. *Regain de vie*, 12 x 16 po, 25 $.
41. *À la Côte-de-Liesse*, 7 x 9 po, 12 $.
42. *Matin*, 14 x 18 po, 25 $.
43. *Meule de foin, Montréal Ouest*, 9 x 9 po, 15 $.
44. *Au tournant des heures*, 12 x 12 po, 15 $.
45. *À la Montée Saint-Michel*, 6 x 8 po, 8 $.
46. *Derniers vestiges des beaux jours (rue Notre-Dame Est)*, 10 x 14 po, 25 $.
47. *Les veilloches*, 7 x 9 po, 10 $.
48. *Derniers feux*, 7 x 9 po, 10 $.
49. *La dernière du rang*, 7 x 9 po, 10 $.
50. *Chez les Kidd, 42* [rue] *Beaubien*, 12 x 16 po, 25 $.
51. *Vieille forge, rue Saint-Louis*, 7 x 9 po, 15 $.
52. *Contraste (couvent du Sacré-Cœur)*, 16 x 20 po, 75 $.
53. *Ferme Drummond, boulevard Rosemont*, 10 x 14 po, 35 $.
54. *Canon de Louisbourg, Château Ramezay*, 10 x 14 po, 20 $.
55. *Chez McAvoy (neige)*, 14 x 18 po, 50 $.
56. *À Boucherville*, 12 x 16 po, réservé, 50 $.
57. *À la rivière des Prairies*, 12 x 16 po, réservé, 35 $.
58. *À la ferme Touchette*, 10 x 14 po, réservé, 40 $.
59. *Maison Laurin, Laval*, 16 x 20 po, 40 $.
60. *Les pêcheurs, île de la Visitation*, 6 x 8 po, 5 $.

1947
À son domicile, 2633, rue Masson.
26-27 avril 1947
Source : feuille volante sans titre, avec en-tête de lettre « J. Jutras / Artiste / Studio » Montréal, que nous assignons à cette exposition de 1947.
Côte Saint-Michel (rue Nicolet), 10 $.
Aylmer et Sherbrooke (sud-ouest), 25 $.
Saint-Laurent et boulevard Gouin (nord-ouest), 5 $.
Canon de Louisbourg (Château Ramezay), 15 $.
Coucher de soleil, 5 $.
Mont-Rolland, 5 $.
Côte-de-Liesse (ferme), 35 $.
Chemin La Salle (Verdun), 25 $.
Ruisseau à la chapelle de la Réparation, 10 $.
Côte-de-Liesse (ferme), 10 $.
Holt et Fullum, 15 $.
Ferme Nesbitt (Rosemont), 75 $.
Maison Drummond (Rosemont), 25 $.
Mont-Royal et Fabre (ferme Clarke), 50 $.
Côte-des-Neiges et Shakespeare, 10 $.
Maison Léonard (rue des Carrières), 10 $.
À Lotbinière (rive sud), 10 $.
Maplewood avenue, 10 $.

1948
À son domicile, 2633, rue Masson, *Exposition de peintures*.
28 janvier-8 février 1948
Source : liste des œuvres.
1. *Maison Renaud (Longue-Pointe) automne*, 14 x 17 po, 50 $.
2. *Manoir de Repentigny (Saint-Henri de Mascouche)*, 10 x 14 po, 25 $.
3. *Rue des Carrières, angle Saint-Grégoire*, 16 x 20 po, 75 $.
4. *Vieille grange (rue Notre-Dame Est)*, 10 x 14 po, 25 $.
5. *Le vieux saule (à Longueuil)*, 10 x 14 po, 25 $.
6. *L'Oubliée, rue de Normanville, près des Carrières*, 12 x 16 po, 35 $.
7. *Vers la Picardie (Varennes)*, 10 x 14 po, 100 $.
8. *Tour (ouest) du collège de Montréal*, 12 x 16 po, 35 $.
9. *Vieux moulin des Sulpiciens à Saint-François-de-Salle*, 14 x 18 po, 50 $.
10. *Ferme Nesbitt (Rosemont)*, 20 x 24 po, 100 $.
11. *L'Abandonnée à Saint-Vincent-de-Paul*, 6 x 9 po, 15 $.
12. *À la traverse de Saint-Vincent-de-Paul*, 14 x 18 po, 50 $.
13. *Ormes et peupliers (rue Notre-Dame, parc Dominion)*, 10 x 14 po, 15 $.
14. *À l'île de la Visitation*, 10 x 14 po, 15 $.
15. *Des Carrières et Berri*, 14 x 18 po, 50 $.
16. *À la Rivière-des-Prairies (boulevard Gouin)*, 12 x 14 po, 25 $.
17. *Boulevard Crémazie (Coup de vent)*, 12 x 14 po, 25 $.
18. *À la Montée Saint-Michel*, 7 x 9 po, 10 $.
19. *Veilloches dorées à la Montée Saint-Michel*, 7 x 9 po, 10 $.
20. *Matin à l'île Sainte-Hélène*, 14 x 18 po, 50 $.
21. *Mousseau et Bellerive*, 7 x 9 po, 10 $.
22. *Sur la rive sud*, 10 x 14 po, 20 $.
23. *Les cinq mulons, Rivière-des-Prairies*, 11 x 14 po, 25 $.
24. *Maison Descarries (Côte-Saint-Luc)*, 14 x 18 po, 50 $.
25. *Automne (sur le boulevard Pie IX)*, 7 x 9 po, 10 $.
26. *À la montée Saint-Michel*, 10 x 14 po, 25 $.
27. *Maison radoubée (boulevard Gouin et Émile)*, 12 x 16 po, 25 $.
28. *Église de la rivière des Prairies*, 7 x 9 po, 10 $.
29. *Débauche de couleurs*, 5 x 6 po, 5 $.
30. *Crépuscule (Dames du Sacré-Cœur, Sault-au-Récollet)*, 14 x 18 po, 50 $.
31. *Maison Renaud (rue Notre-Dame, Longue-Pointe)*, 14 x 17 po, 50 $.
32. *Saint-Jean-Berchmans pris de la rue Holt*, 10 x 14 po, 20 $.
33. *Vieille maison rue Notre-Dame Est (démolie récemment)*, 10 x 14 po, 20 $.
34. *Comme la grise (Saint-Léonard de Port-Maurice)*, 10 x 14 po, 20 $.
35. *À Saint-Vincent-de-Paul sur les escarpements*, 14 x 18 po, 50 $.
36. *Au Bout de l'Île Est*, 9 x 9 po, 10 $.
37. *Saule à la Pointe-aux-Trembles*, 10 x 12 po, 15 $.
38. *À l'orée du bois*, 7 x 9 po, 10 $.
39. *Vieille grange à la ferme McAvoy, Montée Saint-Michel*, 18 x 22 po, 100 $.

1948 / 2
À son domicile, 2633, rue Masson, *Exposition de peintures*.
16-23 décembre 1948
Sources : Anonyme [Albert Laberge], « Peintre de quartier », *La Presse*, 16 décembre 1948, p. 20 ; [Louis Le Marchand], « J. Jutras expose une série de paysages canadiens », *Photo-Journal*, 23 décembre 1948, p. 34.
Vieux moulin.
[Saint-Vincent-de-Paul].
[Varennes].
[Vieille maison de la rue Notre-Dame].
[Le bac de Lévis].
[Intérieur de couvent].
[Petits tableaux].
[Les autres titres manquent.]

1955

À son domicile, 2633, rue Masson, *Exposition de déménagement d'atelier*.
9 juillet 1955
Source : Un entrefilet annonce que « Joseph Jutras, "peintre de la montée
St-Michel", fait une exposition de "déménagement d'atelier" de ses œuvres,
au 2633 rue Masson » (Anonyme, « Les expositions », *La Presse*, 9 juillet
1955, p. 57). Nous ne savons rien sur ce "déménagement" ni sur cette
exposition à laquelle nous assignons la liste ci-dessous – incomplète, car
les 50 premiers titres manquent.
Source : feuillet tapuscrit paginé 2, archives privées.
51. *Reflets, rivière du Nord, Lesage*, 8 x 10 po.
52. *Lesage*, 8 x 10 po.
53. *Lac artificiel, Lesage*, 8 x 10 po.
54. *Sucrerie*, 8 x 10 po.
55. *Shawbridge*, 8 x 10 po.
56. *Île Sainte-Hélène*, 8 x 10 po.
57. *Coucher de soleil, Lesage*, 8 x 10 po.
58. *Sapin et canards*, 8 x 10 po.
59. *Au lac artificiel, Lesage*, 8 x 10 po.
60. *Ferme sur le versant nord, Lesage*, 8 x 10 po.
61. *Grange, Lesage*, 8 x 10 po.
62. *Ferme Armand Desjardins, Lesage*, 8 x 10 po.
63. *Coucher de Soleil, Lesage*, 8 x 10 po.
64. *Ferme sur le versant nord, Lesage*, 8 x 10 po.
65. *Coucher de soleil, Lesage*, 8 x 10 po.
66. *Coucher de soleil, Lesage*, 8 x 10 po.
67. *Au lac artificiel, Lesage*, 8 x 10 po.
68. *Grange de Joseph Monette, Lesage*, 8 x 10 po.
69. *Rivière-des-Prairies*, 8 x 10 po.
70. *Vieille maison, Pointe-aux-Trembles*, 8 x 10 po.
71. *Étude d'arbres, Montée Saint-Michel*, 8 x 10 po.
72. *Étude d'arbres, Montée Saint-Michel*, 8 x 10 po.
74. *Dans le port de Montréal (bateau)*, 8 x 10 po.
75. *Au pied de la rue McGill (bateau)*, 8 x 10 po.
76. *Église Saint-Jean-Berchmans, boulevard Rosemont*, 8 x 10 po.
77. *Pont de Montréal et île Sainte-Hélène*, 8 x 10 po.
78. *Île Sainte-Hélène*, 8 x 10 po.
79. *Vieille maison sur la route de Chertsey*, 8½ x 11½ po.
80. *Sainte-Adèle-en-Bas, rang 10*, 7 x 9 po.
81. *Reflets, Pont-Viau*, 8 x 10 po.
82. *Maison jaune, boulevard des Laurentides, Pont-Viau*, 8 x 10 po.
83. *Maison de bois, rue Saint-Dominique, près Mont-Royal (hiver)*, 8 x 10 po.
84. *Étude d'arbres, Lesage*, 8 x 12 po.
85. *Ferme Nesbitt, Rosemont*, 9 x 12 po.
86. *Ferme Paul Huss, île Sainte-Hélène*, 9 x 12 po.
87. *Étude d'arbres (hiver), Pointe-aux-Trembles*, 10 x 12 po.
88. *Église de Chertsey*, 10½ x 16 po.
89. *Fontaine, parc George-Étienne-Cartier, Saint-Henri*, 10 x 14 po.
90. *Vieille maison, rue des Carrières*, 10 x 14 po.
91. *Maison Pépin, boulevard Gouin Est, Rivière-des-Prairies*, 10 x 14 po.
92. *Étude d'arbres d'automne, Longueuil*, 10 x 14 po.
93. *Église Saint-Marc, Rosemont*, 10 x 14 po.
94. *À Saint-Lambert, angle Tiffin Road*, 10 x 14 po.
95. *Omnibus de Longueuil, traversier sur la place*, 10 x 14 po.
96. *Étude d'arbres, Rivière-des-Prairies*, 10 x 14 po.
97. *Vieille grange, ferme Pesant, Saint-Léonard-de-Port-Maurice*, 10 x 14 po.
98. *Vieux Canal de Lachine*, 10 x 14 po.
99. *Étude de fleurs en 1918*, 10 x 14 po.
100. *Église irlandaise St. Michael, rue Saint-Viateur*, 11 x 14 po.

1986

Musée Marc-Aurèle Fortin (Montréal), *Les artistes de mon temps* ; commissaire : Odette Legendre. Exposition organisée à l'occasion de la publication de l'ouvrage *Les artistes de mon temps* d'Alfred Laliberté, préparé par
Odette Legendre.
26 février-30 mars 1986
Source : liste des œuvres, archives Estelle Piquette-Gareau.
La maison Mgr Dubuc, Boucherville, 30 x 40 cm.

1996

Musée du Québec, 24 janvier-5 mai 1996 ; Centre d'artistes de l'Université
Bishop's (Lennoxville), 6 juin-12 juillet 1996 ; Galerie de l'UQAM,
16 août-5 octobre 1996 ; Musée de Charlevoix (La Malbaie),
20 octobre 1996-15 janvier 1997 ; McMichael Art Collection (Kleinburg,
Ontario), 1er février-18 mai 1997, *Peindre à Montréal, 1915-1930 : les
peintres de la Montée Saint-Michel et leurs contemporains* ; commissaire :
Laurier Lacroix.
Source : Laurier Lacroix (dir.), *Peindre à Montréal, 1915-1930 : les peintres
de la Montée Saint-Michel et leurs contemporains*, catalogue d'exposition,
Montréal, Galerie de l'UQAM ; Québec, Musée du Québec, 1996,
p. 121-141.
56. *L'Arche, rue Notre-Dame*, 17,8 x 23,1 cm.
57. *Meules de foin*, 15,2 x 20,4 cm.
58. *Arbre chez oncle Olier Décarie, à Notre-Dame-de-Grâce*, 30,4 x 40,5 cm.
59. *Maison de Joseph-Arcade Lucier, Saint-Jacques de Lotbinière*, 15 x 21,7 cm.
60. *Maison sur le boulevard Gouin*, 30,5 x 40,6 cm.
61. *Coucher de soleil*, 40,5 x 30,3 cm.
62. *Église de Lachenaie*, 13,2 x 16,7 cm.
63. *Montréal vu de Boucherville*, 15,2 x 22,8 cm.

2001 / 1

Musée Marc-Aurèle Fortin (Montréal), *Paysages du Québec, 1900-1948* ;
commissaire : inconnu.
Juin 2001
Source : catalogue.
Paysage [Coucher de soleil], s.d., [1931], huile sur carton, 40,5 x 30,3 cm.

2001 / 2

Théâtre Hector-Charland (L'Assomption), *Peintres de la Montée Saint-
Michel, 1915-1930* ; commissaire : Hubert Van Gijseghem ; « Les Journées
de la culture ».
28-30 septembre 2001
Source : liste des œuvres, archives Hubert Van Gijseghem.
Église Saint-Jean-Berchmans.
Paysage vert.

2011

Hall d'honneur de l'hôtel de ville de Montréal, *Les peintres de la Montée
Saint-Michel, cent ans après : 1911-2011* ; commissaire : Richard Foisy.
25 octobre-11 novembre 2011
Source : « Catalogue des œuvres exposées », dans Olivier Maurault, *Les
peintres de la Montée Saint-Michel, cent ans après : 1911-2011*, textes présentés et annotés par Richard Foisy, Montréal, Fides, 2011, p. 99-127.
5. *Chevaux et traîneaux dans la neige*, 6,5 x 9,5 cm.
6. *La Croix à la Montée Saint-Michel*, 30,5 x 40,7 cm.
7. *L'Arbre cassé*, 40,7 x 51 cm.
8. *Étude de crépuscule*, 12,5 x 15 cm.

2017

Maison de la culture Ahuntsic-Cartierville (Montréal), *Les peintres de la Montée Saint-Michel*; commissaire : Richard Foisy.
21 septembre-28 octobre 2017
Source : liste des œuvres, archives du Centre de recherche sur l'atelier de L'Arche et son époque, 1900-1925.
La croix de chemin à la Montée Saint-Michel, 30,5 x 40,7 cm.
Nicolet, 30 x 40,5 cm.
Tour du Grand Séminaire, 23 x 30 cm.
Tour du Grand Séminaire (bis), 22,3 x 24 cm.
À la montagne, petit pont de pierre, 12,7 x 15,2 cm.

JEAN-ONÉSIME LEGAULT

1941

Galerie Morency (Montréal), *Première exposition des peintres de la Montée Saint-Michel*; commissaire : Émile Filion, p.s.s.
15-30 avril 1941
Source : catalogue.

A. Montée Saint-Michel
82. *Le toit noir*, 10 x 14 ¼ po, 15 $.
83. *Maison de chômeur*, 10 x 14 po, collection particulière.
84. *Orage*, 6 ¼ x 9 po, 12 $.
85. *Coucher de soleil*, 6 x 9 po, 10 $.
86. *Vieille maison*, 3 ¾ x 5 po, 5 $.
87. *Vieille maison sur le bord du chemin*, 4 x 6 po, 5 $.

B. Nature morte
88. *Contraste*, 11 x 14 po, 25 $.

C. Paysages divers
89. *Brume matinale*, 20 x 24 po, collection particulière.
90. *L'orme*, 10 x 14 po, 30 $.
91. *Le ruisseau*, 10 x 14 po, collection de l'artiste.
92. *Jour d'été*, 10 x 14 po, 25 $.
93. *Après la pluie*, 10 x 14 po, 20 $.
94. *Le tremplin*, 10 x 14 ½ po, 15 $.

D. Portraits
95. *L'artiste Charles Tulley*, sanguine, 17 x 23 po, collection de l'artiste.
96. *M. C.-E. Legault*, fusain, 18 ½ x 24 po, collection de l'artiste.
97. *Portrait d'homme*, fusain, 19 x 24 po, collection de l'artiste.
98. *M. Édouard Labelle*, huile, 15 ¾ x 11 po, collection de l'artiste.

1944 / 1

Exposition personnelle que l'artiste avait préparée avec sa fille Jeannine pour juin 1944, mais qui n'a pas eu lieu.
Source : « Collection de tableaux de J.-O. Legault, né le 2 octobre 1882, décédé le 6 juin 1944 », liste manuscrite de la main de Jeannine Legault dans un cahier de 32,5 x 13 cm, archives privées.
1. *Saint-Elzéar, Qué.*, 50 $.
2. *Saint-Paul-de-Joliette, Qué.*, 50 $.
3. *Cap-Saint-Martin, Qué.*, 60 $.
4. *Cap-Saint-Martin, Qué.*, 60 $.
5. *Bordeaux, Qué.*, 75 $.
6. *Auberge des Deux-Lanternes, Cap-Saint-Martin, Qué.*, 50 $.
7. *À Saint-Gérard-de-Magella, Qué.*, 50 $.
8. *Le toit noir, Montée Saint-Michel*, 50 $.
9. *Le vieux saule, Saint-Elzéar, Co. Laval, Qué.*, 50 $.
10. *Montée Saint-Michel, Qué.*, 75 $.
11. *Soir d'automne, Laval-des-Rapides, Qué.*, 75 $.
12. *Le ruisseau de Pointe-aux-Trembles, Qué.*, 50 $.
13. *Jour d'orage, Saint-Elzéar, Qué.*, 50 $.

14. *Vieille école, Laval-des-Rapides, Qué.*, 60 $.
15. *Saint-Elzéar, Qué.*, 35 $.
16. *L'orme solitaire, Laval-des-Rapides, Qué.*, 50 $.
17. *Jour d'été, Laval des-Rapides, Qué.*, 75 $.
18. *Montée Saint-Michel, Qué.*, 25 $.
19. *Montée Saint-Michel, Qué.*, 35 $.
20. *Coucher de soleil, Saint-Michel, Qué.*, 20 $.
21. *Dernière pochade* [pas de prix].
22. *Le ruisseau Saint-Antoine, Longueuil, Qué.*, 75 $.
23. *Bout-de l'Île, Qué.*, 50 $.
24. *Terrebonne, Qué.*, 40 $.
25. *Somewhere in Canada, May 19-1918*, 25 $.
26. *Laval-des-Rapides, Qué.*, 40 $.
27. *Bordeaux, Qué.*, 50 $.
28. *Montée Saint-Michel, Qué.*, 20 $.
29. *Bout-de-l'Île, Qué.*, 25 $.
30. *Nature morte*, 50 $.
31. *Mille-Îles, près de Sainte-Thérèse, Qué.*, 50 $.
32. *Montée Saint-Michel, Qué.*, 50 $.
33. *Bordeaux, Qué.*, 75 $.
34. *Bout-de-l'Île, Qué.*, 45 $.
35. *Saint-Paul-de-Joliette, Qué.*, 40 $.
36. *Bordeaux, Qué.*, 45 $.
37. *Ma-Baie, Qué.*, 40 $.
38. *Ma-Baie, Qué.*, 35 $.
39. *Saint-Elzéar, Qué.*, 40 $.
40. *Le pont des Saules aux Bois-Francs, Cartierville, Qué.*, 40 $.
41. *Charlemagne, Qué.*, 50 $.
42. *Montée Saint-Michel, Qué.*, 50 $.
43. *Vue du fleuve Saint-Laurent prise de Longueuil, Qué.*, 40 $.
44. *Laval-des-Rapides, Qué.*, 40 $.
45. *Une maison blanche, Lanoraie, Qué., 13 août 1932*, 50 $.
46. *Nature morte*, 50 $.
47. *Rue des Carrières, Qué.*, 20 $.
48. *Bordeaux, Qué.*, 15 $.
49. *Cap-Saint-Martin, Qué.*, 150 $.
50. *Nature morte*, 75 $.
51. *Laval-des-Rapides, Qué.*, 38 $.
52. *Montée Saint-Michel, Qué.*, 50 $.
53. *Portrait de Mr. Gravel* [pas de prix].
54. *Montée Saint-Michel, Qué.* [pas de prix].
55. *Montée Saint-Michel*, 75 $.
56. *Terrebonne*, 15 $.
57. *Lanoraie*, 25 $.
58. *Saint-Vincent-de-Paul*, 25 $.
59. *Saint-Vincent-de-Paul*, 25 $.
60. *Nature morte*, 200 $.
61. *Le déclin*, 200 $.
62. *Nature morte*, 50 $.
63. *Saint-Gérard-de-Magella*, 50 $.
64. *Quand vient le printemps*, 250 $.
65. *Pastorale, Qué.*, 75 $.
66. *Les trois âges : Dans la vie : Au bonheur – Vers l'avenir – À la misère*, 500 $.
67. *Balade au clair de lune*, 1000 $.
68. *Printemps*, 500 $.
69. *Portrait d'homme*, 50 $.
70. *Contraste, nature morte*, 125 $.
71. *Le frère de l'artiste* [pas de prix].

72. *Portrait du peintre Charles Tulley*, 65 $.
73. *Le tremplin, Laval-des-Rapides*, 75 $.
74. *Portrait d'homme*, 200 $.
75. *Vue de Québec*, 10 $.
76. *Vieille maison, blvd Crémazie Ouest*, 10 $.
77. *Montée Saint-Michel*, 10 $.
78. *Saint-Eustache*, 10 $.
79. *Bois des Sulpiciens, Montée Saint-Michel*, 10 $.
80. *Montée Saint-Michel*, 10 $.
81. *Montée Saint-Michel*, 5 $.
82. *Montée Saint-Michel*, 10 $.
83. *Portrait d'homme (Édouard Labelle)*, 75 $.
84. *Early Spring, Saint-Denis-sur-Richelieu*, 75 $.
85. *Maternité*, 75 $.
86. *Longueuil*, 60 $.
87. *À-Ma-Baie*, 50 $.
88. *Portrait de Jeannine* [pas de prix].
89. *Tête de femme*, 75 $.
90. *Longueuil*, 50 $.
91. *Tête d'enfant*, 50 $.
92. *Saint-Mathias*, 50 $.
93. *Saint-Polycarpe*, 50 $.

1944 / 2

Collège André-Grasset (Montréal), *Exposition d'art canadien / Œuvres conservées au collège André-Grasset*, «Les peintres de la Montée Saint-Michel»; commissaire: Émile Filion, p.s.s.
29 octobre-7 novembre 1944
Source: catalogue.
58. *Matin sur le bord de la rivière des Prairies*, 25 x 20 po.

1948

Port-Alfred, collège Saint-Édouard, Baie des Ha! Ha!, *Soixante ans d'art canadien*; commissaire: René Bergeron.
11-18 janvier 1948
Source: catalogue.
68. *Nature morte*.

1986

Musée Marc-Aurèle Fortin (Montréal), *Les artistes de mon temps*; commissaire: Odette Legendre. Exposition organisée à l'occasion de la publication de l'ouvrage *Les artistes de mon temps* d'Alfred Laliberté, préparé par Odette Legendre.
26 février-30 mars 1986
Source: liste des œuvres, archives Estelle Piquette-Gareau.
Art Association of Montreal, cours Dyonnet, avec J.-O. Proulx, N. Poirier et J.-P. Pépin, 25 x 20,5 cm.

1996

Musée du Québec, 24 janvier-5 mai 1996; Centre d'artistes de l'Université Bishop's (Lennoxville), 6 juin-12 juillet 1996; Galerie de l'UQAM, 16 août-5 octobre 1996; Musée de Charlevoix (La Malbaie), 20 octobre 1996-15 janvier 1997; McMichael Art Collection (Kleinburg, Ontario), 1er février-18 mai 1997, *Peindre à Montréal, 1915-1930: les peintres de la Montée Saint-Michel et leurs contemporains*; commissaire: Laurier Lacroix.
Source: Laurier Lacroix (dir.), *Peindre à Montréal, 1915-1930: les peintres de la Montée Saint-Michel et leurs contemporains*, catalogue d'exposition, Montréal, Galerie de l'UQAM; Québec, Musée du Québec, 1996, p. 121-141.
64. *Montée Saint-Michel*, 25,7 x 36 cm.

65. *Montée Saint-Michel* [*bis*], 12,2 x 15,1 cm.
66. *Maison de ferme*, 25,3 x 35,8 cm.
67. *Early Spring, Saint-Denis-sur-Richelieu*, 25,5 x 35,4 cm.
68. *Saint-Mathias, Québec*, 22,3 x 15,9 cm.

2001

Musée Marc-Aurèle Fortin (Montréal), *Paysages du Québec, 1900-1948*; commissaire: inconnu.
Juin 2001
Source: catalogue.
Montée Saint-Michel, 1943, 16,5 x 21,8 cm.

2011

Hall d'honneur de l'hôtel de ville de Montréal, *Les peintres de la Montée Saint-Michel, cent ans après: 1911-2011*; commissaire: Richard Foisy.
25 octobre-11 novembre 2011
Source: «Catalogue des œuvres exposées», dans Olivier Maurault, *Les peintres de la Montée Saint-Michel, cent ans après: 1911-2011*, textes présentés et annotés par Richard Foisy, Montréal, Fides, 2011, p. 99-127.
9. *Montée Saint-Michel*, 9,1 x 15 cm.
10. *Lanoraie*, 16 x 22 cm.
11. *Le toit noir*, 31 x 38 cm.
12. *Les trois âges*, 61 x 96,5 cm.

2017

Maison de la culture Ahuntsic-Cartierville (Montréal), *Les peintres de la Montée Saint-Michel*; commissaire: Richard Foisy.
21 septembre-28 octobre 2017
Source: liste des œuvres, archives du Centre de recherche sur l'atelier de L'Arche et son époque, 1900-1925.
Montée Saint-Michel, 25, x 36 cm.
La croix du chemin, 49,2 x 40,6 cm.
Printemps, 50,6 x 40,6 cm.
Vue du fleuve, 25,7 x 36,4 cm.
Vie et mort, 48,2 x 38 cm.
Nu féminin au socle et à la draperie, 27,5 x 18,4 cm.
Nature morte aux pinceaux, 31 x 40,5 cm.

2019

Musée des beaux-arts de Montréal, *Le modèle dans l'atelier, Montréal 1880-1950: nouvelles acquisitions*; commissaire: Jacques Des Rochers.
26 janvier-26 mai 2019
Source: liste des œuvres, Musée des beaux-arts de Montréal.
Modèle masculin assis, vu de face, 63,7 x 48,1 cm.
Modèle masculin debout, vu de dos, tirant une corde, 63,8 x 48,5 cm.
Modèle masculin debout, vu de dos, tenant un panneau, 63,8 x 48,5 cm.

ONÉSIME-AIMÉ LÉGER

1908

Art Association of Montreal (AAM), *25th Spring Exhibition*.
24 mars-11 avril 1908
Source: catalogue.
220. *Printemps*, pastel, 15 $.

1909

AAM, *26th Spring Exhibition*.
2-24 avril 1909
Source: catalogue.
224. *Tête d'enfant*, 15 $.
225. *Paysage*, 25 $.

1910

AAM, *27th Spring Exhibition*.
4-23 avril 1910
Source : catalogue.
216. *Gardeuse d'oies*, 125 $.

1911

Club Saint-Denis, *Premier Salon de peinture et de sculpture*.
24-29 avril 1911
Source : catalogue édité par le Club Saint-Denis. Dans le catalogue, *Madame Chrysanthème* et *Un souffle* sont attribués par erreur à Georges Delfosse.
174. *Madame Chrysanthème*.
175. *Un souffle*.
204. *Paysage (Sainte-Rose)*, aquarelle, prêt de G[ustave] Comte).
242. *Buste* [E. L. Giroux], plâtre.

1912

AAM, *29th Spring Exhibition*.
14 mars-16 avril 1912
Source : catalogue.
409. *M. Z. Juteau*, plâtre [pas de prix].

1913 / 1

AAM, *30th Spring Exhibition*.
26 mars-19 avril 1913
Source : catalogue.
412. *Évangéline*, plâtre, 40 $.
413. *Pauvre cigale*, plâtre, 25 $.
414. *Lieutenant-colonel Burland*, plâtre [pas de prix].

1913 / 2

Arts Club.
Novembre 1913
Source : Albert Laberge, « Nos sculpteurs et nos peintres fraternisent », *La Presse*, 7 novembre 1913, p. 15.
La triste Ophélie, plâtre.

1915

AAM, *32th Spring Exhibition*.
26 mars-17 avril 1915
Source : catalogue.
377. *L'Adieu*, plâtre, 25 $.
378. *La Pensée*, plâtre, 25 $.

AAM, *37th Annual Exhibition of the Royal Canadian Academy of Arts* (RCAA).
18 novembre-18 décembre
Source : catalogue.
240. *Amour maternel*, plâtre [pas de prix].
279. *Miss B[lanche] L[éger]*, encre et aquarelle [pas de prix].

1916

AAM, *33th Spring Exhibition*.
24 mars-15 avril 1916
Source : catalogue.
183. *Le matin et le soir de la vie*, encre et aquarelle, 15 $.
184. *La mendiante*, pastel, 15 $.
185. *La lettre*, pastel, 25 $.

1917

AAM, *34th Spring Exhibition*.
22 mars-14 avril 1917
Source : catalogue.
203. *La Mort d'Étienne Dolet*, pastel [pas de prix].
204. *La Dernière étincelle*, pastel [pas de prix].
205. *L'Automne*, pastel [pas de prix].

1918

AAM, *35th Spring Exhibition*.
4-27 avril 1918
Source : catalogue.
206. *Sans asile*, pastel [pas de prix].
207. *Mme V[ictoria] L[éger]*, encre et aquarelle [pas de prix].

1919 / 1

AAM, *36th Spring Exhibition*.
20 mars-12 avril 1919
Source : catalogue.
184. *Le Repos*, huile, 200 $.
185. *Le Fagot*, huile, 150 $.

1919 / 2

AAM, *40th Annual Exhibition of the RCAA*.
20 novembre-20 décembre 1919
Source : catalogue.
96. *Les Ronces*, huile [pas de prix].

1920

AAM, *37th Spring Exhibition*.
25 mars-17 avril 1920
Source : catalogue.
153. *Le Crépuscule*, 200 $.
154. *Portrait de ma mère*, encre et crayon [pas de prix].

1925

AAM, *42th Spring Exhibition*.
2-26 avril 1925
Source : catalogue.
156. *Les Ronces*, 650 $.
157. *La Transition*, aquarelle, 1000 $.
158. *La Défense du foyer*, aquarelle, 800 $.
159. *Ximénès*, aquarelle, 1000 $.

1941

Galerie Morency (Montréal), *Première exposition des peintres de la Montée Saint-Michel* ; commissaire : Émile Filion, p.s.s.
15-30 avril 1941
Source : catalogue.
99. *Les ronces : allégorie*, 16 x 34 po, collection particulière.
100. *La flèche de l'église Saint-Jacques*, 7 x 9 po, collection particulière.
101. *L'orme*, 7 x 10 po, collection particulière.
102. *Étude de roches*, 7 x 10 po, 15 $.
103. *Paysage*, 6½ x 9 po, 15 $.
104. *Reflets*, 5½ x 7½ po, collection particulière.
208. *Tête de femme*, 10 x 12 po, 20 $.
209. *Le fagot*, 5 x 9 po, collection particulière.
210. *Les roses*, 5 x 9 po, collection particulière.
211. *Abélard et Héloïse*, 5 x 9 po, collection particulière.

1944

Collège André-Grasset (Montréal), *Exposition d'art canadien / Œuvres conservées au collège André-Grasset*, «Les peintres de la Montée Saint-Michel»; commissaire: Émile Filion, p.s.s.
29 octobre-7 novembre 1944
Source: catalogue.
54. *Sur les toits*, 7 x 9 po.
55. *L'Arbre*, 7 x 10, po.

1948

Port-Alfred, collège Saint-Édouard, Baie des Ha! Ha!, *Soixante ans d'art canadien*; commissaire: René Bergeron.
11-18 janvier 1948
Source: catalogue.
L'Automne, encre et aquarelle.

1986

Musée Marc-Aurèle Fortin (Montréal), *Les artistes de mon temps*; commissaire: Odette Legendre. Exposition organisée à l'occasion de la publication de l'ouvrage *Les artistes de mon temps* d'Alfred Laliberté, préparé par Odette Legendre.
26 février-30 mars 1986
Source: liste des œuvres, archives Estelle Piquette-Gareau.
La Faucheuse.

2001

Musée Marc-Aurèle Fortin (Montréal), *Paysages du Québec, 1900-1948*; commissaire: inconnu.
Juin 2001
Source: catalogue.
[Présence attestée dans le catalogue, mais nulle œuvre indiquée].

2007

Musée régional de Vaudreuil-Soulanges, *Un bohème dans la ville: vie et œuvre d'Onésime-Aimé Léger*; commissaire: Édith Prégent.
26 mai-16 décembre 2007
Source: Édith Prégent, *Un bohème dans la ville: vie et œuvre d'Onésime-Aimé Léger*, catalogue d'exposition, Musée régional de Vaudreuil-Soulanges, 2007.
Portrait de Victoria Dupuis-Léger (1857-1937), 56 x 41 cm.
Autoportrait de l'artiste (à 24 ans), 90 x 58,4 cm.
Portrait de Blanche Léger (1898-1975) (sœur de l'artiste), 25,5 x 30 cm.
Sans titre (Jeune femme vue de profil), 32 x 25,5 cm.
Portrait de ma mère (Victoria Dupuis-Léger), 56 x 41 cm.
Portrait d'Oscar Léger (1888-1951) (frère de l'artiste), 66 x 45,8 cm.
Buste de Victoria Léger, née Victoria Dupuis (1857-1937) (mère de l'artiste), 42 x 18 x 24 cm.
Portrait de Blanche Léger (1898-1975) (sœur de l'artiste à l'âge de 5 ans), 30 x 25,5 cm.
Portrait de Blanche Léger (1898-1975) (sœur de l'artiste), 56 x 41 cm.
Autoportrait de l'artiste (à 23 ans), 36,5 x 27 cm.
La Défense du foyer, 34,2 x 42,5 cm.
Sans titre (Femme tenant une cruche), 56 x 115,5 cm.
Sans titre (Femme à la poitrine dénudée), 29,4 x 22,1 x 9,8 cm.
Ximénès, 25,3 x 35,5 cm.
La Mendiante, 42,7 x 32,9 cm.
La Dernière étincelle, 49,3 x 32,7 cm.
Le Matin et le soir de la vie, 23 x 12,8 cm.
La Transition, 34,2 x 42,5 cm.
Trompe-la-Mort, 24 x 18 cm.
Aux heures de rêve, 10,5 x 11,5 cm.

Aux heures mauvaises, 10,5 x 11,5 cm.
Aux heures d'amour, 10,5 x 11,5 cm.
Aux heures sombres, 10,5 x 14,2 cm.
Sans titre (Portrait d'une jeune femme peinte à l'atelier de L'Arche), 1908, 47 x 30,5 cm.
Buste de Lactance Giroux (1869-1942), 38,3 x 31,8 x 30,2 cm.
Sans titre (Vieux château), [pas de dimensions].

2011

Hall d'honneur de l'hôtel de ville de Montréal, *Les peintres de la Montée Saint-Michel, cent ans après: 1911-2011*; commissaire: Richard Foisy.
25 octobre-11 novembre 2011
Source: «Catalogue des œuvres exposées», dans Olivier Maurault, *Les peintres de la Montée Saint-Michel, cent ans après: 1911-2011*, textes présentés et annotés par Richard Foisy, Montréal, Fides, 2011, p. 99-127.
13. *Un Souffle*, 53,5 x 61 cm.
14. *La vie est parsemée de ronces et d'épines*, 26,5 x 10,5 cm.
15. *Le Crépuscule*, 35,5 x 71,5 cm.

2017

Maison de la culture Ahuntsic-Cartierville (Montréal), *Les peintres de la Montée Saint-Michel*; commissaire: Richard Foisy.
21 septembre-28 octobre 2017
Source: liste des œuvres, archives du Centre de recherche sur l'atelier de L'Arche et son époque, 1900-1925.
La Transition, 34,2 x 42,5 cm.
Portrait de Blanche Léger (à l'âge de 5 ans), 30 x 25,5 cm.

ÉLISÉE MARTEL

1929

T. Eaton Co., Fine Art Galleries, Second Exhibition of Work by Quebec Artists in the Special Galleries on the Fifth Floor.
6-18 mai 1929
Source: catalogue.
136. *Autumn*, 10 $.
137. *Little Waterfall, Rawdon, P.Q.* 10 $.
138. *Flowers in the Fields*, 15 $.

1930

T. Eaton Co., Fine Art Galleries, Third Exhibition of Works by Province of Quebec Artists in the Galleries on the Fifth Floor.
12-23 mai 1930
Source: catalogue.
144. *Old House, Faubourg Québec*, 20 $.

1934

Art Association of Montreal, *51th Spring Exhibition*.
19 avril au 13 mai 1934
Source: catalogue.
205. *Vieux coq*, 50 $.

1941

Galerie Morency (Montréal), *Première exposition des peintres de la Montée Saint-Michel*; commissaire: Émile Filion, p.s.s.
15-30 avril 1941
Source: catalogue.
A. Montée Saint-Michel
105. *Le roi de la basse-cour*, 15½ x 18 po, 25 $.
106. *Automne n° 1*, 10½ x 12¼ po, 20 $.
107. *Automne n° 2*, 9¼ x 11¾ po, 15 $.
108. *Réflexions*, 10½ x 12½ po, collection particulière.

109. *Bois de corde*, 10½ x 13 po, 15 $.
110. *Coucher de soleil*, 10½ x 12 po, 10 $.
111. *Fonte des neiges*, 10 x 12 po, 10 $.
112. *Champs fleuris*, 6¾ x 9½ po, 10 $.
113. *Étude de roches*, 9 x 12 po, 8 $.
114. *Étude d'arbres*, 6 x 8 po, 5 $.
115. *Ferme pauvre*, 5 x 8½ po, 3 $.

B. Études de coqs
116. *Jeunesse*, 16 x 18 po, 25 $.
117. *Maturité*, 17 x 18½ po, 25 $.
118. *Digne vieillesse*, 16 x 19¾ po, collection de l'artiste.

C. Paysages divers
119. *Vieille maison à Saint-Léonard*, 16 x 18 po, 25 $.
120. *Le ruisseau*, 17½ x 12½ po, 25 $.
121. *Vieille ferme à Longue-Pointe*, 10½ x 12½ po, 20 $.
122. *Étude de roches*, 11 x 12 po, 15 $.
123. *Le vieux fort*, 10¾ x 13 po, 15 $.
124. *Lumière de neige*, 8 x 10 po, 12 $.
125. *Nocturne*, 11 x 12½ po, 12 $.
126. *Jour de lavage*, 5½ x 8 po, 6 $.

D. Visions de ville
127. *Le magasin du coin*, 15½ x 17½ po, 20 $.
128. *Vieille maison de brique*, 11 x 13 po, 15 $.

1944
Collège André-Grasset (Montréal), *Exposition d'art canadien / Œuvres conservées au collège André-Grasset*, « Les peintres de la Montée Saint-Michel »; commissaire: Émile Filion, p.s.s.
29 octobre-7 novembre 1944
Source: catalogue.
56. *Le lac du domaine des Messieurs*, 12 x 10 po.
57. *Neige sur le Mont-Royal*, 12¾ x 10½ po.

1949
École des arts et métiers (Montréal), *A. Elyse [sic] Martel, doyen des Peintres de la Montée Saint-Michel, expose des Peintures.*
1er au 14 avril 1949
Source: catalogue.
1. *Cabane à sucre*, 50 $.
2. *Canard Rouen*, 35 $.
3. *Reflet au ruisseau*, 30 $.
4. *Le Dégel*, 30 $.
5. *Vieux pont de bois*, 25 $.
6. *Le printemps*, 25 $.
7. *Remoue [sic] au ruisseau*, 25 $.
8. *Fin d'hiver*, 25 $.
9. *Le pommier*, 20 $.
10. *La cueillette de navets*, 20 $.
11. *Coq et poule*, 25 $.
12. *Canard au ruisseau*, 20 $.
13. *Vieille maison et canard*, 20 $.
14. *Automne dorée [sic]*, 20 $.
15. *Cheval au repos*, 20 $.
16. *Au ruisseau*, 20 $.
17. *Vignes au ruisseau*, 20 $.
18. *Effel bleue [sic]*, 25 $.
19. *Intérieur de cabane*, 20 $.
20. *Les grenouilles*, 20 $.
21. *Canard à l'étang*, 20 $.
22. *Vieille tour séminaire*, 20 $.

23. *Course des eaux*, 15 $.
24. *Nuage rose*, 10 $.
25. *Petite chute Rawdon*, 10 $.
26. *Les meules*, 15 $.
27. *Vieille maison*, 15 $.
28. *Les dindes*, 15 $.
29. *À l'aurore*, 15 $.
30. *Ruisseau*, 12 $.
31. *Canard au bain*, 8 $.
32. *Coucher de soleil*, 5 $.
33. *Camp de Rawdon*, 8 $.
34. *Vache*, 8 $.
35. *Vieille maison de brique*, 10 $.
36. *Cabane à sucre*, 8 $.
37. *Vieux moulin*, 5 $.
38. *Petit soucie [sic]*, 5 $.
39. *Grenouille*, 5 $.
40. *Canard*, 5 $.

Natures mortes
41. *Fruits*, 25 $.
42. *Marguerites*, 25 $.
43. *Cosmo*, 25 $.
44. *Lilas*, 25 $.
45. *Oignons*, 20 $.
46. *Pétunia*, 15 $.
47. *Harangs [sic]*, 15 $.

1986
Musée Marc-Aurèle Fortin (Montréal), *Les artistes de mon temps*; commissaire: Odette Legendre. Exposition organisée à l'occasion de la publication de l'ouvrage *Les artistes de mon temps* d'Alfred Laliberté, préparé par Odette Legendre.
26 février-30 mars 1986
Source: liste des œuvres, archives Estelle Piquette-Gareau.
Nature morte (1956), 60 x 51 cm.

1996
Musée du Québec, 24 janvier-5 mai 1996; Centre d'artistes de l'Université Bishop's (Lennoxville), 6 juin-12 juillet 1996; Galerie de l'UQAM, 16 août-5 octobre 1996; Musée de Charlevoix (La Malbaie), 20 octobre 1996-15 janvier 1997; McMichael Art Collection (Kleinburg, Ontario), 1er février-18 mai 1997, *Peindre à Montréal, 1915-1930: les peintres de la Montée Saint-Michel et leurs contemporains*; commissaire: Laurier Lacroix.
Source: Laurier Lacroix (dir.), *Peindre à Montréal, 1915-1930: les peintres de la Montée Saint-Michel et leurs contemporains*, catalogue d'exposition, Montréal, Galerie de l'UQAM; Québec, Musée du Québec, 1996, p. 121-141.
73 *Vieux pont de bois*, 46 x 61 cm.
74 *Dégel*, 40,6 x 51 cm.
75 *Nature morte aux poissons bleus*, 35,6 x 45,7 cm.
76 *Neige sur le mont Royal*, 24,2 x 30,7 cm.

2001 / 1
Musée Marc-Aurèle Fortin (Montréal), *Paysages du Québec, 1900-1948*; commissaire: inconnu.
Juin 2001
Source: catalogue.
Paysage [gerbe de blé], 1946, 28,2 x 33,2 cm.

2001 / 2

Théâtre Hector-Charland (L'Assomption), *Peintres de la Montée Saint-Michel, 1915-1930*; commissaire: Hubert Van Gijseghem; «Les Journées de la culture».

28-30 septembre 2001

Source: liste des œuvres, archives Hubert Van Gijseghem.

Le vieux coq.

Basse-cour.

Poule et coq.

Rivière Rawdon.

Rocher à Rawdon.

Automne avec jeune fille.

Feuilles d'automne.

Dégel à Rawdon.

2011

Hall d'honneur de l'hôtel de ville de Montréal, *Les peintres de la Montée Saint-Michel, cent ans après: 1911-2011*; commissaire: Richard Foisy.

25 octobre-11 novembre 2011

Source: «Catalogue des œuvres exposées», dans Olivier Maurault, *Les peintres de la Montée Saint-Michel, cent ans après: 1911-2011*, textes présentés et annotés par Richard Foisy, Montréal, Fides, 2011, p. 99-127.

16. *Montée Saint-Michel, ferme Robin, lever du jour*, 12 x 18,5 cm.

17. *Grand dégel, Montée Saint-Michel*, 61 x 76 cm.

18. *Coq et gerbes de blé*, 51 x 61 cm.

2017

Maison de la culture Ahuntsic-Cartierville (Montréal), *Les peintres de la Montée Saint-Michel*; commissaire: Richard Foisy

21 septembre-28 octobre 2017

Source: liste des œuvres, archives du Centre de recherche sur l'atelier de L'Arche et son époque, 1900-1925.

Grande ferme, 122 x 152,5 cm.

Nature morte au canard, 51 x 71 cm.

Nature morte aux oranges et au pamplemousse, 40,6 x 45,7 cm.

JEAN-PAUL PÉPIN

1927

T. Eaton Co., Fine Art Galleries, *Exhibition of Work by Canadian Artists in the Special Galleries on the Fifth Floor*.

10-22 octobre 1927

Source: catalogue.

123. *La débâcle, rivière des Prairies*, 40 $.

1941

Galerie Morency (Montréal), *Première exposition des peintres de la Montée Saint-Michel*; commissaire: Émile Filion, p.s.s.

15-30 avril 1941

Source: catalogue.

A. Montée Saint-Michel

129. *Chemin dans le bois n° 1*, 7 x 13¼ po, 15 $.

130. *Chemin dans le bois n° 2*, 9 x 12 po, 5 $.

131. *La nature est belle*, 10 x 12 po, 15 $.

132. *Jour de pluie*, 9½ x 12½ po, 15 $.

133. *Jour gris*, 7 x 12 Collection particulière.

134. *Le marais en hiver*, 10 x 12 po, 12 $.

135. *Fin du jour*, 9 x 12 po, 12 $.

136. *Moissons d'août*, 9 x 13 po, 12 $.

137. *Brume matinale*, 9 x 12 po, Collection particulière.

138. *Moissons*, 9 x 12 po, 10 $.

139. *Effet de brume*, 7½ x 9½ po, 10 $.

140. *Crépuscule*, 9½ x 10½ po, 8 $.

141. *Après-midi d'orage*, 7½ x 9½ po, 7 $.

142. *Après-midi de juillet*, 8 x 10½ po, 7 $.

143. *Ferme Corbeil*, 7½ x 9¼ po, 6,50 $.

144. *Ancien chemin*, 5¼ x 8¾ po, 5 $.

145. *Carrière Varin*, 5¾ x 8½ po, 5 $.

146. *La ferme*, 5¾ x 7 po, 3 $.

147. *Les foins*, 4 x 5½ po, 2,50 $.

B. Paysages divers

148. *Vision de Saint-Elzéar: À l'orée du bois*, 12 x 16 po, Collection particulière.

140. *Vision de Saint-Elzéar: Printemps*, 12 x 16 po, 15 $.

150. *Vision de Saint-Elzéar: Moissons*, 12 x 16 po, 15 $.

151. *Vision de Saint-Elzéar: Automne*, 12 x 16 po, 16 $.

152. *Saint-Jérôme: maison de colon*, 9½ x 11¼ po, 8 $.

1942

Galerie Morency (Montréal), *Exposition d'œuvres canadiennes chez Morency Frères*.

À compter du 28 novembre 1942

Source: Anonyme, «Courrier des arts», *La Presse*, 28 novembre 1942, p. 39.

Saint-Elzéar.

1944

Collège André-Grasset (Montréal), *Exposition d'art canadien / Œuvres conservées au collège André-Grasset*, «Les peintres de la Montée Saint-Michel».

29 octobre-7 novembre 1944

Source: catalogue.

73. *Sous-bois ensoleillé*, 12 x 16 po.

74. *Vieille maison*, 8 x 6 po.

75. *Vase à la mode indienne*, 6½ x 4½ po.

1945

Librairie Déom (Montréal), 1247, rue Saint-Denis.

29 septembre jusque vers le 18 octobre 1945

Source: liste des œuvres, fonds Jean-Paul Pépin, archives Estelle Piquette-Gareau.

1. *Saint-Elzéar, un soir d'octobre*, 90 $.

2. *Neuville, Qué., vieille maison. Hiver*, 60 $.

3. *Sainte-Dorothée*, 65 $.

4. *Beaumont, Qué., vieille maison*, 50 $.

5. *Sainte-Dorothée, moissons*, 45 $.

6. *Kamouraska, Qué., vieille maison*, 40 $.

7. *Cap Saint-Ignace, maison Gamache*, 30 $.

8. *Beaumont, Qué., maison*, 45 $.

9. *Saint-Elzéar, Qué., moissons*, 30 $.

10. *Sainte-Dorothée, automne*, 45 $.

11. *Laval-sur-le-Lac, soir*, 20 $.

12. *Île d'Orléans, chapelle et procession, hiver*, 50 $.

13. *Saint-Elzéar, Qué., la route (automne hâtif)*, 35 $.

14. *Saint-Vincent-de-Paul, le vent*, 20 $.

15. *Sainte-Dorothée, le ruisseau Papineau, été*, 40 $.

16. *Montée Saint-Michel, l'orme, été*, 35 $.

17. *Laval-sur-le-Lac, automne*, 20 $.

18. *Montée Saint-Michel, moissons*, 25 $.

19. *Montée Saint-Michel, lLa grange rouge*, 45 $.

20. *Saint-Elzéar, Qué., fin de jour, octobre*, 25 $.

21. *L'Abord-à-Plouffe, nuage, mois d'août*, 25 $.

1946 / 1
N.-G. Valiquette (Montréal), 915, rue Sainte-Catherine Est.
19-31 mars 1946
Source : liste des œuvres, fonds Jean-Paul Pépin, archives Estelle Piquette-Gareau.
1. *L'Été au Manoir Dénéchaud, Berthier, Qué.*, 250 $.
2. *Le Printemps au Manoir Dénéchaud, Berthier, Qué.*, 200 $.
3. *Bon vieux temps à l'île d'Orléans, Qué.*, 190 $.
4. *Automne hâtif à Sainte-Dorothée, Qué.*, 175 $.
5. *Automne hâtif à Giffard, Qué.*, 150 $.
6. *Fin de jour en novembre, Bois Galbrand, île Jésus, Qué.*, 100 $.
7. *Le Printemps à Saint-Elzéar, Qué.*, 75 $.
8. *Clair de lune à Saint-Elzéar, Qué.*, 75 $.
9. *Moissons à Saint-Elzéar, Qué.*, 75 $.
10. *À l'orée (Grand-Bois), Saint-Eustache, Qué.*, 75 $.
11. *Premier jour du printemps (vieille maison), île d'Orléans, Qué.*, 75 $.
12. *L'Été au Manoir Gamache, Cap-Santé, Qué.*, 75 $.
13. *Fin de jour en octobre, à Saint-Vincent-de-Paul, Qué.*, 75 $.
14. *Laval-sur-le-Lac*, 50 $.
15. *Saint-Elzéar*, 50 $.

1946 / 2
Galerie Morency (Montréal).
À partir du 8 avril 1946
Source : liste des œuvres, fonds Jean-Paul Pépin, archives Estelle Piquette-Gareau.
1. *L'Été au Manoir Dénéchaud, Berthier-en-Bas, Qué.*, 250 $.
2. *Le Printemps au Manoir Dénéchaud, Berthier-en-Bas, Qué.*, 200 $.
3. *Bon vieux temps à l'Île d'Orléans, Qué.*, 190 $.
4. *Automne hâtif à Sainte-Dorothée, Qué.*, 175 $.
5. *Automne hâtif à Giffard, Qué.*, 150 $.
6. *Fin de jour en novembre, Bois Galbrand, île Jésus, Qué.*, 100 $.
7. *Le Printemps à Saint-Elzéar, Qué.*, 75 $.
8. *Clair de lune à Saint-Elzéar, Qué.*, 75 $.
9. *Moissons à Saint-Elzéar, Qué.*, 75 $.
10. *À l'orée (Grand-Bois), Saint-Eustache, Qué.*, 75 $.
11. *Premier jour du printemps (vieille maison), île d'Orléans, Qué.*, 75 $.
12. *L'Été au Manoir Gamache, Cap-Santé, Qué.*, 75 $.
13. *Fin de jour en octobre, à Saint-Vincent-de-Paul, Qué.*, 75 $.

1946 / 3
Galerie Morency (Montréal).
15 octobre-1er novembre 1946.
Source : liste des œuvres, fonds Jean-Paul Pépin, archives Estelle Piquette-Gareau.
1. *Bois sacré des arts*, 27 x 36 po, 300 $.
2. *Manoir de Sales Laterrière*, 24 x 36 po, 250 $.
3. *Le temps des lilas, île Jésus*, 16 x 20 po, 60 $.
4. *Vieille maison à Neuville*, 14 x 18 po, 50 $.
5. *La crique à Papineau, Sainte-Dorothée*, 16 x 20 po, 60 $.
6. *Pommier en fleurs, île Jésus*, 16 x 20 po, 50 $.
7. *Beauport, Qué.*, 16 x 18 po, 50 $.
8. *Le vent, île Jésus*, 16 x 20 po, 50 $.
9. *Cerisiers en fleurs, Sainte-Dorothée*, [pas de dimensions], 50 $.
10. *Église de Sainte-Dorothée*, 15 x 15½ po, 40 $.
11. *Vieille maison, Boischatel*, 14 x 18 po, 45 $.
12. *Bois Galbrand au printemps*, [pas de dimensions], 50 $.
13. *Montée Saint-Michel*, 14 x 18 po, 35 $.
14. *Dans le bois au printemps*, 14¾ x 16 po, 25 $.
15. *Moissons à Laval*, 11½ x 16 po, 25 $.

16. *Maison Goldbrand, Sainte-Dorothée*, [pas de dimensions], 40 $.
17. *Île d'Orléans, vieille maison, dégel*, [pas de dimensions], 40 $.

1947 / 1
Galerie Morency (Montréal).
15 mars-1er avril 1947
Source : liste des œuvres, fonds Jean-Paul Pépin, archives Estelle Piquette-Gareau.
Tableaux
1. *Manoir Laterrière aux Éboulements, Qué.*, [pas de dimensions], 500 $.
2. *Vieux moulin, Sainte-Famille, île d'Orléans, Qué.*, [pas de dimensions], 350 $.
3. *Maison abandonnée, Cap-Santé, Qué., hiver*, [pas de dimensions], 300 $.
4. *Les Sucres*, [pas de dimensions], 300 $.
5. *La Moisson, Sainte-Dorothée*, [pas de dimensions], 150 $.
6. *Printemps 1946, Bois Sulpiciens, Montée Saint-Michel*, 22 x 26 po, 150 $.
7. *Bois au printemps 1946, Montée Saint-Michel*, 18 x 23 po, 125 $.
8. *Église Sainte-Dorothée*, 16 x 20 po, 70 $.
9. *Les foins, île Jésus*, 16 x 20 po, 70 $.
10. *Cerisiers en fleurs, Sainte-Dorothée*, 16 x 20 po, 70 $.
11. *Vieille maison à la Malbaie*, 16 x 20 po, 70 $.
12. *Bois Galbrand, île Jésus, automne*, 16 x 20 po, 70 $.
13. *Maison dans le feuillage, été, Sainte-Dorothée, été*, 16 x 20 po, 70 $.
14. *Pommier en fleurs, Saint-Elzéar*, 16 x 20 po, 70 $.
15. *Le moulin Saint-Laurent, l'Île-Verte, Qué., été*, 16 x 20 po, 70 $.
16. *Le moulin du Petit-Pré, Château-Richer, Qué.*, 15 x 18 po, 65 $.
17. *La maison de Montcalm, Qué.*, 16 x 18 po, 65 $.
18. *Vieille maison, Cap Saint-Martin*, 14 x 17½ po, 45 $.
19. *Laval-des-Rapides, couchant sur la Rivière des Prairies*, 11¾ x 16 po, 35 $.
20. *Vieille maison du Québec*, 12 x 13¾ po, 35 $.
Lavis couleurs 14 x 20 po, 25 $ chacun
1. *Église de Sainte-Dorothée, Qué.*
2. *Sur la route de Grondines, Qué.*
3. *La croix des chemins.*
4. *Les sucres au pays du Québec.*
5. *La maison blanche.*
6. *Le vieux four.*
7. *Octobre, Sainte-Dorothée.*
8. *Moisson, Sainte-Dorothée.*
9. *Moulin, île d'Orléans.*
10. *Moisson, Laval-des-Rapides.*
11. *Labour au printemps, Lavaltrie.*
12. *Moisson, île d'Orléans.*
13. *Village du Québec, hiver.*
14. *Rivière Terrebonne.*
15. *Vent d'automne, Gaspésie.*
16. *Souvenir de Gaspé.*
17. *Saint-Sauveur-des-Monts, Laurentides.*
18. *Petite côte Sainte-Rose.*
19. *Les pommiers, Saint-Elzéar.*
20. *Le charrieux de bois des Pays-d'en-Haut.*

1947 / 2
Édifice Confédération (Montréal).
À partir du 1er juillet 1947
Sources : liste des œuvres ; Le Boulevardier [Roger Parent], « Rumeurs et potins », *Photo-Journal*, 26 juin 1947, p. 34.
1. *Château de Ramezay, Montréal*, 24 x 30 po, 750 $.
2. *Vieilles maisons de la rue Saint-Vincent*, 20 x 24 po, 450 $.

3. *Vieille maison du Patriote, rue Saint-Paul*, 16 x 20 po, 250 $.

4. *Église Notre-Dame de Bonsecours*, 16 x 20 po, 200 $.

5. *Les tours des Messieurs de Saint-Sulpice*, 16 x 20 po, 200 $.

6. *L'Hôtel Rasco*, 16 x 16 po, 150 $.

1947 / 3
Galerie Robert Oliver (Montréal).
29 octobre-8 novembre 1947
Source : liste des œuvres, fonds Jean-Paul Pépin, archives Estelle Piquette-Gareau.

Tableaux

1. *Bois Sacré des Arts*, 450 $.

2. *Portrait d'une vieille canadienne*, [Tante Élodie], 450 $.

3. *Un après-midi d'hiver*, 285 $.

4. *Tempête d'hiver*, 285 $.

5. *Château de Ramezay, Montréal*, 450 $.

6. *Vieilles maisons, rue Saint-Vincent, Montréal*, 165 $.

7. *Maison du patriote, rue Saint-Paul*, 70 $.

8. *Troisième église Notre-Dame-de-Bonsecours*, 65 $.

9. *Les tours de Saint-Sulpice, Montréal*, 60 $.

10. *Le petit pont à Sainte-Dorothée*, 75 $.

11. *L'étang aux chevaux, Sainte-Dorothée*, 70 $.

12. *L'automne à Sainte-Dorothée*, 45 $.

13. *Église dans le bois, Sainte-Dorothée*, 45 $.

14. *Printemps, Saint-Elzéar*, 45 $.

15. *Les foins, Sainte-Dorothée*, 45 $.

16. *Château Mauvide-Genest, île d'Orléans*, 45 $.

17. *Deux petites filles, Sainte-Dorothée*, 50 $.

18. *Maison au toit bleu, Sainte-Dorothée*, 45 $.

19. *Vieux moulin de la Baie Saint-Paul, P.Q.*, 45 $.

20. *Noël canadien*, 45 $.

21. *Rasco, premier hôtel de Montréal*, 45 $.

Lavis couleurs, 25 $ chacun

22. *Nature morte*.

23. *La route d'hiver, Québec*.

24. *Vieille maison du Québec*.

25. *Vieux four à pain du Québec*.

26. *Le vendeur d'eau, Vieux-Montréal*.

27. *Près du bois, Sainte-Dorothée*.

28. *Seconde vieille église de Bonsecours*.

29. *Vieille maison de Sainte-Dorothée*.

30. *Le charroyeur de neige*.

31. *Le vendeur de bois, Québec*.

32. *Première église écossaise, Vieux-Montréal*, 15 $.

33. *La Compagnie du Nord-Ouest, Montréal*, 15 $.

1948 / 1
École des arts et métiers (Montréal).
16-29 février 1948
Source : catalogue.

Tableaux

1. *Ma tante Élodie, Sainte-Dorothée, Québec*.

2. *Le manoir La Terrière, Éboulements, Québec*.

3. *Le Bois sacré des Arts*.

4. *Le quêteux des routes (Conte Adjutor Rivard)*.

5. *Le manoir Presbytère Batiscan, Québec*.

6. *La tempête de neige, Sainte-Dorothée*.

7. *La forêt, bois Galbrand, Sainte-Dorothée, Québec*.

8. *Le moulin de Sainte-Famille de l'île d'Orléans, Québec*.

9. *Après-midi d'hiver, Sainte-Dorothée, Québec*.

10. *Maison à Sainte-Anne-de-la-Pérade, Québec*.

11. *Maison à Saint-Lin, Québec*.

12. *L'Automne (panneau décoratif)*.

13. *Pommiers en fleurs, Saint-Elzéar, Québec*.

14. *Moissons*.

15. *Sous-bois, Montée Saint-Michel, Montréal*.

16. *Maison Saint-Gédéon, Québec, le soir*.

17. *Maison Saint-Gédéon, Québec, le jour*.

18. *Notre-Dame-de-Bonsecours, Montréal*.

19. *Hôtel Rasco, Montréal*.

20. *Les sucres dans le Québec*.

21. *Maison à Neuville, Québec*.

22. *Toit de chaume, Saint-Esprit, Québec*.

23. *Maison de Sainte-Foy, Québec*.

24. *Les chevaux rouges, Sainte-Dorothée*.

25. *Nativité canadienne*.

Lavis couleurs

26. *Maison Château-Richer*.

27. *Vieux moulin à farine de l'Islet, Québec*.

28. *L'automne, Montée Saint-Michel*.

29. *La pluie au printemps, Montréal*.

30. *La maison de chez nous (Conte Adjutor Rivard)*.

31. *Fin du jour dans le bois*.

32. *Le cèdre, Montée Saint-Michel, Montréal*.

33. *Le pelteur [sic] de neige, Sainte-Dorothée*.

34. *Vieilles maisons à Saint-Simon*.

35. *Vieilles maisons à l'Ange-Gardien, Québec*.

36. *Le pain de sucre, Beloeil*.

37. *Ski à Shawbridge*.

1948 / 2
École Technique (Trois-Rivières), *Premier salon de peinture de Trois-Rivières*.
27 mars au 3 avril 1948
Source : liste des œuvres.

6. *Tempête de neige, Sainte-Dorothée, Laval, Qué.*, 1000 $.

7. *La forêt, bois Galbrand, Sainte-Dorothée, Co. Laval, Qué.*, 125 $.

10. *Maison à Sainte-Anne-de-la-Pérade*, 175 $.

18. *Notre-Dame de Bonsecours, Montréal*, 75 $.

24. *Les chevaux rouges, Sainte-Dorothée*, 125 $.

1948 / 3
École des Arts et Métiers, Montréal.
3-17 octobre 1948
Source : catalogue.

1. *Légendes du Québec, « Les feux follets »*, 200 $.

2. *Maisons dans le bois Galbrand au printemps à Sainte-Dorothée*, 200 $.

3. *Château de Ramezay, Montréal, coll. Dr Alphonse Morin*, [pas de prix].

4. *La mort de l'arbre, Montée Saint-Michel, Montréal*, 175 $.

5. *Un soleil resplendissant, extraordinaire de succès s'en vient sur la province de Québec*, 250 $.

6. *Maison du Québec, l'hiver à l'île d'Orléans, Qué.*, 75 $.

7. *Pommier en fleurs à Sainte-Dorothée*, 70 $.

8. *Maison du Québec à Boischatel, l'hiver, Qué.* [pas de prix].

9. *Champ de foin à Sainte-Dorothée, Qué.*, 70 $.

10. *Le petit chemin d'hiver à Sainte-Dorothée, Qué.*, 75 $.

11. *Moisson 1948 à Sainte-Dorothée, Qué.*, 70 $.

12. *L'église de Sainte-Dorothée, Qué.*, 70 $.

13. *Le printemps, domaine Sulpicien, Montée Saint-Michel*, 200 $.

14. *Novembre dans le bois Galbrand, Sainte-Dorothée, Qué.*, 70 $.

15. *Dernier rayons dans le bois Saint-Eustache, Qué.*, 70 $.
16. *Trois têtes de chevaux, Laval-sur-le-Lac, Qué.*, 70 $.
17. *Nuages, 1948, à Sainte-Dorothée, Qué.*, 70 $.
18. *Le voilier dans le golfe Saint-Laurent, Qué.*, 175 $.
19. *L'hiver à l'orée du bois, Montée Saint-Michel, Montréal*, 40 $.
20. *Maison type du Québec*, 35 $.
21. *Printemps dans le bois Galbrand, Qué.*, 70 $.
22. *Le moulin de la Pointe-aux-Trembles*, coll. C.M. Jeannotte, N.P. [pas de prix].
23. *Les sucres*, coll. Arthur Sarrasin [pas de prix].
24. *L'été à Sainte-Dorothée, Qué.*, 45 $.
25. *Soir d'hiver à Saint-Elzéar, Qué.*, 200 $.
26. *Brouillard du soir sur Lac Gagnon, Qué*., 45 $

1958
Hôtel de ville (Saint-Eustache), The Arts Guild, exposition collective.
24 et 25 mai 1958
Source : Jean-Paul Pépin, Journal, vol. 3, 1ᵉʳ mai 1958, p. 42, fonds Jean-Paul Pépin, archives Estelle Piquette-Gareau.
Vieux-Montréal.
La rivière du Nord, Shawbridge, Laurentides, 400 $.

1959
Hôtel de ville (Saint-Eustache), The Arts Guild, exposition collective.
18-21 mai 1959
Source : J.-P. Pépin, Journal, vol. 3, 18-21 mai 1959, p. 72, fonds Jean-Paul Pépin, archives Estelle Piquette-Gareau.
Le petit pont.
Les feux-follets.

1960
Hôtel de ville (Saint-Eustache), The Arts Guild, exposition collective.
28-29 mai 1960
Source : fonds Jean-Paul Pépin, archives Estelle Piquette-Gareau.
Ma tante Élodie, 1000 $.
Hiver, Sainte-Dorothée, 200 $.
Nature morte, 225 $.

1963
Place Ville-Marie (Montréal), *Panorama de l'art*, exposition collective.
13-24 juin 1963
Source : fonds Jean-Paul Pépin, archives Estelle Piquette-Gareau.
228. *Ma Tante Élodie.*

1965
Galerie de la Place [Jacques-Cartier] (Montréal).
À partir du 19 septembre 1965
Source : contrat entre les parties, fonds Jean-Paul Pépin, archives Estelle Piquette-Gareau.
Les Faubourgs du Vieux-Montréal, lithographies.

1966
Galerie Morency (Montréal), *Exposition Jean-Paul Pépin : peintre de la Montée Saint-Michel et du Vieux-Montréal.*
26 octobre-7 novembre 1966
Source : liste des œuvres, fonds Jean-Paul Pépin, archives Estelle Piquette-Gareau.
Pochades
La croix des chemins, 1927, 40 $.
Pommiers en fleurs, 1928, 65 $.
L'aurore en novembre, 1932, 40 $.

Brume matinale, 1929, 40 $.
Le soir, ferme Robin, 1927, 40 $.
Bois Sulpicien, 1928, 50 $.
Couchant, 1927, 50 $.
Ferme Corbeil, 1927, 50 $.
Crépuscule, 1929, 75 $.
Tableau
Le bois au printemps, 200 $
Pochades encadrées
L'aube, Montée Saint-Michel, 50 $.
Le petit ruisseau, ferme Laurin, 65 $.
Avant l'aube, ferme Corbeil, 80 $.
Matin, ferme sulpicienne, 85 $.
À l'orée du bois, le soir, octobre, 1936, 85 $.
Les foins, ferme Laurin, 85 $.
Automne, ferme Laurin, 85 $.
Tableaux
La Tempête, 700 $.
Tante Élodie, 2000 $.
Pochades
Printemps, ferme Laurin, 40 $.
Clair de lune, 1933, 40 $.
Fin du jour, ferme Robin, 40 $.
Couchant, ferme Laurin, 65 $.
Ferme Corbeil, 1934, 40 $.
Octobre 1934, Domaine des Sulpiciens, 1934, 40 $.
Étude de chevaux, ferme Laurin, 1930, 40 $.
Automne, (deux dans un même cadre), 100 $.
Petits tableaux
Champ de sarrasin, été, 1925, 75 $.
Ferme Corbeil, avril, 1929, 80 $.
Couchant, 70 $.
Ferme Pesant, 1931, 65 $.
Été, ferme Laurin, 1930, 70 $.
Lavis
Vieille grange, Sainte-Dorothée, 70 $.
Tableaux
Rivière du Nord, Shawbridge, 1956, 400 $.
Maison de Jacques Brosseau, Laprairie, 1966, 200 $.
Le ruisseau à Papineau, 1965, 200 $.
Maison à Saint-Ferréol, 1966, 400 $.
Faubourg à la mélasse, Vieux-Montréal, 1966, 400 $.
Lithographie originale
Vieux-Montréal, 20 $.
Autres
Rivière Rouge, 1963, 175 $.
Le petit pêcheur, 1957, 400 $.
La neige, 700 $.
Paysages (2 dans un même cadre), 110 $.
Carrière Varin, 1927, 75 $.
Faubourg Saint-Jacques, 1966, 200 $.

1967
Hôtel de ville (Ville Saint-Laurent). Exposition de peintures et de lavis prêtés par des collectionneurs.
10 au 12 juin 1967
Source : liste des œuvres, fonds Jean-Paul Pépin, archives Estelle Piquette-Gareau.

1. *Peinture du Vieux Saint-Laurent, 4656, Bois-Franc*, 18 x 24 po.
2. *Peinture du Vieux Saint-Laurent, 7225, Côte Vertu*, 24 x 20 po.
3. *Peinture du Vieux Saint-Laurent, 3880, Côte Vertu*, 24 x 30 po.
4. *Peinture du Vieux Saint-Laurent, 7225, Côte Saint-François*, 18 x 24 po.
5. *Peinture du Vieux Saint-Laurent, Côte Vertu*, 24 x 30 po.
6. *Peinture du Vieux Saint-Laurent, 4150, Bois Franc*, 16 x 20 po.
7. *Vieux Saint-Laurent, 3902, Bois-Franc*, 16 x 20 po.
8. *Vieux Saint-Laurent, 3495, Côte Vertu*, 16 x 20 po.
9. *Vieux Saint-Laurent, ancien presbytère de Saint-Laurent*, 16 x 20 po.
10. *Vieux Saint-Laurent, 6705, Côte Saint-François*, 16 x 20 po.
11. *Vieux Saint-Laurent, hôtel de ville*, 16 x 20 po.

1986
Musée Marc-Aurèle Fortin (Montréal), *Les artistes de mon temps*; commissaire : Odette Legendre. Exposition organisée à l'occasion de la publication de l'ouvrage *Les artistes de mon temps* d'Alfred Laliberté, préparé par Odette Legendre.
26 février-30 mars 1986
Source : liste des œuvres, archives Estelle Piquette-Gareau.
Automne au Québec, 66 x 76 cm.

1996-1997
Musée du Québec, 24 janvier-5 mai 1996 ; Centre d'artistes de l'Université Bishop's (Lennoxville), 6 juin-12 juillet 1996 ; Galerie de l'UQAM, 16 août-5 octobre 1996 ; Musée de Charlevoix (La Malbaie), 20 octobre 1996-15 janvier 1997 ; McMichael Art Collection (Kleinburg, Ontario), 1er février-18 mai 1997, *Peindre à Montréal, 1915-1930 : les peintres de la Montée Saint-Michel et leurs contemporains*; commissaire : Laurier Lacroix.
Source : Laurier Lacroix (dir.), *Peindre à Montréal, 1915-1930 : les peintres de la Montée Saint-Michel et leurs contemporains*, catalogue d'exposition, Montréal, Galerie de l'UQAM ; Québec, Musée du Québec, 1996, p. 121-141.
82. *Meulons, ferme Laurin*, 24,2 x 33,9 cm.
83. *Montée Saint-Michel, automne*, 228,5 x 36,2 cm.
84. *Intérieur de la ferme Robin*, 28 x 33 cm.
85. *Le printemps à Saint-Elzéar, île Jésus*, 30,5 x 40,5 cm.
86. *Automne, Saint-Elzéar, île Jésus*, 40,4 x 30,2 cm.
87. *La Mare*, 22,8 x 30,5 cm.
88. *Tante Élodie*, 87 x 66,5 cm.

2001 / 1
Musée Marc-Aurèle Fortin (Montréal), *Paysages du Québec, 1900-1948*; commissaire : inconnu.
Juin 2001
Source : catalogue.
Paysage, 23,2 x 30,5 cm.

2001 / 2
Théâtre Hector-Charland (L'Assomption), *Peintres de la Montée Saint-Michel, 1915-1930*; commissaire : Hubert Van Gijseghem ; « Les Journées de la culture ».
28-30 septembre 2001
Source : liste des œuvres, archives Hubert Van Gijseghem.
Ferme Robin.
Maison québécoise.

2011
Hall d'honneur de l'hôtel de ville de Montréal, *Les peintres de la Montée Saint-Michel, cent ans après : 1911-2011*; commissaire : Richard Foisy.
25 octobre-11 novembre 2011

Source : « Catalogue des œuvres exposées », dans Olivier Maurault, *Les peintres de la Montée Saint-Michel, cent ans après : 1911-2011*, textes présentés et annotés par Richard Foisy, Montréal, Fides, 2011, p. 99-127.
19. *Montée Saint-Michel, novembre*, 28 x 35,5 cm.
20. *Carrière Varin, Montée Saint-Michel*, 14,4 x 20,3 cm.
21. *Chemin de la Manufacture, Sainte-Dorothée*, 10 x 15 cm.
22. *Pommier sauvage, Sainte-Dorothée*, 47 x 50,3 cm.

2017
Maison de la culture Ahuntsic-Cartierville (Montréal), *Les peintres de la Montée Saint-Michel*; commissaire : Richard Foisy.
21 septembre-28 octobre 2017
Source : liste des œuvres, archives du Centre de recherche sur l'atelier de L'Arche et son époque, 1900-1925.
Carrière Varin, Montée Saint-Michel, 14,4 x 20,3 cm.
Pommier en fleur, Saint-Elzéar, 23 x 30 cm.
Tante Élodie, 86 x 66,5 cm.

NARCISSE POIRIER

1912
Art Association of Montreal (AAM), *29th Spring Exhibition*.
14 mars-6 avril 1912
Source : catalogue.
329. *Nature morte* [pas de prix].

1913
AAM, *30th Spring Exhibition*.
26 mars-16 avril 1913
Source : catalogue.
328. *Nature morte*, 25 $.

1914
AAM, *31th Spring Exhibition*.
27 mars-18 avril 1914
Source : catalogue.
338. *Paysage, île Sainte-Hélène*, 100 $.

1915
AAM, *32th Spring Exhibition*.
26 mars-17 avril 1915
Source : catalogue.
279. *Vieille maison, Varennes*, 30 $.

1916
AAM, *33th Spring Exhibition*.
24 mars-15 avril 1916
Source : catalogue.
242. *Étude*, 10 $.
243. *Grand-père* [pas de prix].
244. *Maison blanche*, 100 $.

1917
AAM, *34th Spring Exhibition*.
22 mars-14 avril 1917
Source : catalogue.
284. *Nature morte*, 50 $.
285. *Tête d'enfant* [pas de prix].

1918
AAM, *35th Spring Exhibition*.
4-27 avril 1918
Source : catalogue.
298. *Nature morte*, 75 $.

1919
AAM, *36ᵗʰ Spring Exhibition.*
20 mars-12 avril 1919
Source : catalogue.
266. *Nature morte*, 40 $.
267. *Étude*, 100 $.

1920
AAM, *37ᵗʰ Spring Exhibition.*
25 mars-17 avril 1920
Source : catalogue.
215. *Bouquet de fleurs*, 40 $.

1922
AAM, *39ᵗʰ Spring Exhibition.*
21 mars au 15 avril 1922
Source : catalogue.
244. *Petite grange*, 75 $.
245. *Étude à Paris, France, 1921*, 30 $.
246. *Étude à Paris, France, 1921*, 30 $.

1923
AAM, *40ᵗʰ Spring Exhibition.*
16 mars au 14 avril 1923
Source : catalogue.
177. *Maison Henri IV, Montmartre*, 200 $.

1923-1924
Bibliothèque Saint-Sulpice (Montréal).
15 décembre 1923-15 janvier 1923
Sources : Albert Laberge, « Remarquable exposition par le peintre N. Poirier », *La Presse*, 17 décembre 1923, p. 5 ; J.-A[rthur] L[emay], « M. Napoléon [*sic*] Poirier a exposé à Saint-Sulpice », *La Patrie*, 2 février 1924, p. 30.
[68 tableaux, plusieurs titres manquent].
2. *Le belvédère de Palerme.*
6. *Rivière Nicolet.*
13. *Maison hantée.*
15. *La Vieille église de Tadoussac.*
19. *Maison [Gédéon] de Catalogne.*
24. *Goélette à Tadoussac.*
27. [Cafetière avec pommes et prune].
29. [Étude à Paris].
35. *Vieille maison de Varennes.*
36. *Étude.*
41. [Impressions d'automne].
42. [Impressions d'automne].
45. [Cafetière avec pommes et raisins].
50. *Notre-Dame de Paris.*
57. *Maison de Mimi Pinson à Montmartre.*
60. [Cafetière avec fraises rouges].
62. *La Croix du chemin* [Montée Saint-Michel].
64. *Vieux caveau à Lachine.*
Petite grange au Sault.
[Portrait d'enfant].
[Type de vieux Canadien].
Petite barque, Palerme, Italie.
[Au Sault-au-Récollet].
[Un coin de l'île Sainte-Hélène].
[Le Chemin Lassalle].

1924
AAM, *41ᵗʰ Spring Exhibition.*
27 mars-20 avril 1924
Source : catalogue.
210. *Vieille église de Tadoussac*, 150 $.

1925 / 1
AAM, *42ᵗʰ Spring Exhibition.*
2-26 avril 1925
Source : catalogue.
219. *Nature morte*, 200 $.

1925 / 2
Bibliothèque Saint-Sulpice (Montréal).
9 avril-9 mai 1925
Source : Albert Laberge, « Exposition de tableaux par M. Narcisse Poirier », *La Presse*, 11 avril 1925, p. 55.
[Plusieurs titres manquent].
8. [Étude d'automne].
9. [Étude d'automne].
23. [Scène d'hiver].
33. *Vieille maison à Saint-Joachim.*
37. [Trois grands arbres].
39. *Lever de lune.*
57. *Étude de fraises.*
[Prunes].
[Baie Saint-Paul].
[Venise].
[Naples].
[Palerme].
[Paris].

1925 / 3
AAM, *47ᵗʰ Annual Exhibition of the Royal Canadian Academy of Arts* (RCAA).
19 novembre-20 décembre 1925
Source : catalogue.
182. *Nature morte* [pas de prix].

1926 / 1
Galerie Morency Frères (Montréal), *Exposition d'art français et canadien.*
1ᵉʳ au 15 mars 1926
Source : Anonyme, « Exposition d'art français et canadien chez Morency », *La Patrie*, 8 mars 1926, p. 11.
Baie-Saint-Paul.
Sous-bois.
Paysage à Caughnawaga.

1926 / 2
Bibliothèque Saint-Sulpice (Montréal), *Exposition des peintures de Narcisse Poirier.*
20 novembre-20 décembre 1926
Source : catalogue.
1. *Étude à Sainte-Agathe*, 10 $.
2. *Étude à Rawdon*, 10 $.
3. *Étude à Trois-Rivières*, 10 $.
4. *Étude de printemps*, 10 $.
5. *Bateau à Saint-François*, 10 $.
6. *Bateau dans le port*, 10 $.
7. *Étude à Saint-Eustache*, 12 $.
8. *Étude à Saint-Eustache*, 12 $.

9. *Étude à Saint-Eustache*, 12 $.
10. *Étude à Saint-Hippolyte*, 12 $.
11. *Étude à Piedmont*, 12 $.
12. *Lever de lune*, 12 $.
13. *Bateau à Sainte-Famille*, 12 $.
14. *Étude de neige à Joliette*, 15 $.
15. *Étude de neige à Joliette*, 15 $.
16. *Étude de neige à Joliette*, 15 $.
17. *Étude à Piedmont*, 15 $.
18. *Étude à Piedmont*, 15 $.
19. *Étude à Piedmont*, 15 $.
20. *Étude à Piedmont*, 15 $.
21. *Étude dans le nord*, 15 $.
22. *Étude d'été*, 15 $.
23. *Étude d'automne*, 15 $.
24. *Étude à Saint-Eustache*, 15 $.
25. *Étude à Saint-Eustache*, 15 $.
26. *Étude à Rawdon*, 15 $.
27. *Coucher de soleil à Rawdon*, 15 $.
28. *Vieille maison à Sainte-Famille, île d'Orléans*, 15 $.
29. *Vieille maison à Sainte-Famille, île d'Orléans*, 15 $.
30. *Près du Lac-Lachigan*, 15 $.
31. *Petit lac dans les Laurentides*, 15 $.
32. *Ancienne église du Cap-de-la-Madeleine*, 15 $
33. *Château de Ramezay*, 15 $
34. *Petit fort à l'île Sainte-Hélène*, 15 $
35. *Limonaux, près de Paris, France*, 15 $
36. *Étude de neige à Piedmont*, 20 $
37. *Étude de neige à Piedmont*, 20 $
38. *Étude de neige à Piedmont*, 20 $
39. *Étude de neige à Piedmont*, 20 $
40. *Cabane à sucre à Piedmont*, 20 $
41. *Cabane à sucre à Piedmont*, 20 $
42. *Village à Saint-Sauveur*, 20 $
43. *Automne à Saint-Hippolyte*, 20 $
44. *Près du Lac-L'Achigan*, 20 $
45. *Étude de neige*, 20 $
46. *Étude à Rawdon*, 20 $
47. *Étude de fleurs*, 20 $
48. *Rue à Venise*, 20 $
49. *Rivière du Chêne à Saint-Eustache*, 25 $
50. *Rivière du Chêne à Saint-Eustache*, 25 $
51. *Rivière du Chêne à Saint-Eustache*, 25 $
52. *Rivière du Chêne à Saint-Eustache*, 25 $
53. *Dans les Laurentides*, 25 $
54. *À Sainte-Famille, île d'Orléans*, 25 $
55. *À Saint-François, bateau*, 25 $
56. *À Saint-François, petite boutique*, 25 $
57. *Nature morte*, 30 $
58. *Nature morte*, 30 $
59. *Automne dans le nord*, 30 $
60. *Automne dans le nord*, 30 $
61. *Cabane à sucre à Saint-Hippolyte*, 30 $
62. *Lac l'Abime*, 30 $
63. *Village Saint-Hippolyte*, 30 $
64. *Vieille maison à Sainte-Famille, île d'Orléans*, 30
65. *Vieille maison à Sainte-Famille, île d'Orléans*, 30
66. *Bateau de pêcheur à Sainte-Famille*, 30 $
67. *Bateau de pêcheur à Saint-François*, 30 $

68. *Vieux moulin à Sainte-Famille*, 30 $
69. *Rivière à Piedmont*, 30 $
70. *Le matin à Rawdon*, 30 $
71. *Sous-bois*, 30 $
72. *Ferme Saint-Gabriel*, 30 $
73. *Île Ruaux près de Saint-François*, 30 $
74. *Vieille maison à Sainte-Famille, île d'Orléans*, 35 $
75. *Église Saint-François*, 35 $
76. *Rivière du nord, Piedmont*, 35 $
77. *La débâcle à Piedmont*, 35 $
78. *Cabane à sucre, Piedmont*, 35 $.
79. *Vieux pont à Rawdon*, 35 $.
80. *Rivière du nord, Piedmont*, 40 $.
81. *Rivière du nord, Piedmont*, 40 $.
82. *Rivière du nord, Piedmont*, 40 $.
83. *Tableau avec fraises*, 40 $.
84. *Cabane à sucre à Sainte-Famille*, 50 $.
85. *Ancien moulin à Sainte-Famille, île d'Orléans*, 50 $.
86. *Vieille église, Cap-de-la-Madeleine*, 50 $.
87. *Vieille église de la Longue-Pointe*, 50 $.
88. *Fleurs et fruits*, 75 $.
89. *Nature morte*, 100 $.
90. *Arrosoir et fleurs*, 125 $.
91. *Arrosoir et fleurs*, 150 $.

1927 / 1
AAM, *44th Spring Exhibition*.
24 mars-18 avril 1927
Source : catalogue.
144. *Maison de Mimi Pinson, Montmartre, Paris*, 250 $.

1927 / 2
Morency Frères, succursale, 1253, avenue McGill College.
À partir du 14 avril 1927
Source : Albert Laberge, « Exposition de peintures canadiennes et françaises », *La Presse*, 14 avril 1927, p. 27 (« une demi-douzaine de peintures »).
Nature morte.
Paysage de Rawdon.
Paysage de Saint-Eustache.
Paysage des Laurentides.
[Les autres titres manquent].

1927 / 3
T. Eaton Co., Fine Art Galleries, *Exhibition of Work by Canadian Artists in the Special Galleries on the Fifth Floor*.
10-22 octobre 1927
Source : catalogue.
131. *Nature morte*, 300 $.
132. *Paysage d'hiver*, 250 $.
133. *Nature morte*, 75 $.

1927-1928
AAM, *49th Annual Exhibition of the RCAA*.
24 novembre 1927-2 janvier 1928
Source : catalogue.
186. *Étude de pommes* [pas de prix].

1928 / 1
AAM, 45ᵗʰ *Spring Exhibition*.
22 mars-15 avril 1928
159. *Église Notre-Dame de Paris*, 350 $.
160. *Étude de fraises*, 75 $.
161. *Nature morte*, 50 $.

1928 / 2
Bibliothèque Saint-Sulpice (Montréal), *Exposition de peintures à la bibliothèque Saint-Sulpice, 1700, rue Saint-Denis, près Ontario, Montréal, par Narcisse Poirier*.
7-20 décembre 1928
Source : catalogue.
Peintures
1. *Petit moulin à Saint-Félix-de-Valois*, 10 $.
2. *Étude dans la montagne*, 12 $.
3. *Petite boutique à l'Île-aux-Coudre*, 12 $.
4. *Vieille ruine à Saint-Roch-de-l'Achigan*, 12 $.
5. *Paysage à Saint-Roch-de-l'Achigan*, 12 $.
6. *Étude à Gaspé*, 12 $.
7. *Étude à Gaspé*, 12 $.
8. *Étude à Percé*, 12 $.
9. *Lever de soleil à Percé*, 12 $.
10. *Chute à Rawdon*, 15 $.
11. *Étude à Lorette, Indienne*, 15 $.
12. *Les bouleaux*, 15 $.
13. *Étude à Saint-Jovite*, 15 $.
14. *Étude à Gaspé*, 15 $.
15. *Rocher Percé*, 15 $.
16. *Nature morte*, 15 $.
17. *Groupe de maisons à Piedmont*, 15 $.
18. *Paysage d'hiver à Piedmont*, 15 $.
19. *Paysage d'hiver à Piedmont*, 15 $.
20. *Paysage d'hiver à Piedmont*, 15 $.
21. *Paysage d'hiver à Mont-Rolland*, 15 $.
22. *Lever de lune*, 20 $.
23. *Dans le Mont-Royal*, 20 $.
24. *Cabane à sucre à Piedmont*, 20 $.
25. *À Sainte-Adèle*, 20 $.
26. *Rivière du Nord*, 20 $.
27. *Étude à Gaspé*, 20 $.
28. *Étude à Gaspé*, 20 $.
29. *Un matin*, 20 $.
30. *Un coin à Percé*, 20 $.
31. *Bateau à Percé*, 20 $.
32. *Rocher du Mont Sainte-Anne*, 20 $.
33. *Paysage d'hiver à Mont-Rolland*, 20 $.
34. *Paysage d'hiver à Mont-Rolland*, 20 $.
35. *Paysage d'hiver à Mont-Rolland*, 20 $.
36. *Paysage d'hiver à Mont-Rolland*, 20 $.
37. *Paysage d'hiver à Mont-Rolland*, 20 $.
38. *Vieux moulin à L'Ancienne-Lorette*, 25 $.
39. *Vieux moulin à L'Ancienne-Lorette*, 25 $.
40. *Rivière à l'Ancienne-Lorette*, 25 $.
41. *Lever de soleil à Gaspé*, 25 $.
42. *Groupe de maisons à Gaspé*, 25.
43. *Fonte de neige dans le nord*, 25 $.
44. *Paysage d'automne*, 25 $.
45. *Paysage d'automne*, 25 $.

46. *Paysage d'automne*, 25 $.
47. *Maison sous la neige à Mont-Rolland*, 25 $.
48. *Rivière à Mont-Rolland*, 25 $.
49. *Petit rapide à Saint-Canut*, 25 $.
50. *Petit pont à Saint-Canut*, 25 $.
51. *Paysage d'été à Saint-Canut*, 30 $.
52. *Paysage d'automne à Saint-Canut*, 30 $.
53. *Cabane à sucre à Piedmont*, 30 $.
54. *Rivière du Nord à Piedmont*, 30 $.
55. *Rivière du Nord à Piedmont*, 30 $.
56. *Maison du pêcheur à Gaspé*, 30 $.
57. *Rocher Percé*, 30 $.
58. *Le mont Sainte-Anne et l'Île Bonaventure*, 30 $.
59. *Les trois sœurs à Percé*, 30 $.
60. *Barque de pêcheur à l'Isle-aux-Coudres*, 35 $.
61. *Vieille maison canadienne*, 35 $.
62. *Coin de village à Conception*, 35 $.
63. *Paysage d'automne à Conception*, 35 $.
64. *Paysage d'automne à Saint-Jovite*, 35 $.
65. *Paysage d'automne à Saint-Jovite*, 35 $.
66. *Paysage d'automne à Saint-Jovite*, 35 $.
67. *Paysage d'automne à Saint-Jovite*, 35 $.
68. *Paysage d'automne à Saint-Jovite*, 35 $.
69. *Rivière du Nord*, 40 $.
70. *Nature morte*, 40 $.
71. *Paysage d'automne*, 45 $.
72. *Paysage d'hiver*, 45 $.
73. *Étude de pêches*, 50 $.
74. *Nature morte*, 50 $.
75. *Paysage d'automne à Piedmont*, 60 $.
76. *Paysage d'automne à Piedmont*, 50 $.
77. *Études de fraises*, 65 $.
78. *Études de pommes*, 75 $.
79. *Canard sauvage*, 100 $.
80. *Nature morte*, 150 $.
81. *Chrysanthèmes*, 200 $.
82. *Coin de village de Lorette, Indienne*, 200 $.
83. *Ancien moulin à l'Isle-aux-Coudres*, 200 $.
Série d'études en Europe
84. *Maison de Mimi Pinson*, 10 $.
85. *Étude à Paris*, 10 $.
86. *Étude à Venise*, 10 $.
87. *Étude à Venise*, 10 $.
88. *Étude au Lido*, 10 $.
89. *Étude à Rome*, 10 $.
90. *Étude à Rome*, 10 $.
91. *Étude à Rome*, 10 $.
92. *Étude à Rome*, 10 $.
93. *Étude à Rome*, 10 $.
94. *Étude à Palerme*, 10 $.

1929 / 1
AAM, 46ᵗʰ *Spring Exhibition*.
21 mars-14 avril 1929
Source : catalogue.
175. *Coin de village à Lorette, Indienne*, 150 $.
176. *Nature morte*, 125 $.

1929 / 2

T. Eaton Co., Fine Art Galleries, *Second Exhibition of Work by Quebec Artists in the Special Galleries on the Fifth Floor.*
6-18 mai 1929
Source : catalogue.
169. *Près du Moulin*, 75 $.
170. *Moulin à farine*, 60 $.
171. *Soleil couchant*, 35 $.
172. *Dans les Laurentides*, 35 $.

1929 / 3

Exposition provinciale de Québec, *Galerie des beaux-arts.*
31 août-7 septembre 1929
Source : Anonyme, « Les industries et le commerce du pays sont bien représentés à l'exposition », *Le Soleil*, 31 août 1929, p. 6.
[Les titres manquent.]

1929 / 4

AAM, *51ᵗʰ Annual Exhibition of the RCAA.*
21 novembre-22 décembre 1929
Source : catalogue.
183. *Chrysanthèmes*, 250 $.

1930 / 1

AAM, *47ᵗʰ Annual Exhibition.*
21 mars-21 avril 1930
Source : catalogue.
169. *Nature morte* [pas de prix].

1930 / 2

T. Eaton Co., Fine Art Galleries, *Third Exhibition of Works by Province of Quebec Artists in the Galleries on the Fifth Floor.*
12-23 mai 1930
Source : catalogue.
150. *Automne dans les Laurentides*, 75 $.
151. *Étude à Val-David*, 35 $.
152. *Val-David*, 35 $.

1930 / 3

Murray Bay, Manoir Richelieu, *First Annual Exhibition of Canadian Arts.*
Juillet 1930
Source : catalogue.
463. *Nature morte*, 73 $.
464. *Paysage laurentien*, 60 $.

1930 / 4

Interior Decorating Galleries, 4159, rue Sainte-Catherine Ouest.
Août-septembre 1930
Source : Jean Chauvin, « Chronique d'art. Un musée d'art canadien », *La Revue populaire*, août 1930, p. 11.
[Les titres manquent.]

1930 / 5

Interior Decorating Galleries, 4159, rue Sainte-Catherine Ouest.
À partir du 12 décembre 1930
Source : Anonyme, « A Small Exhibiton of Little Pictures by Montreal Artists », *Montreal Star*, 12 décembre 1930.
[Les titres manquent.]

1931 / 1

AAM, *48ᵗʰ Spring Exhibition.*
20 mars-19 avril 1931
Source : catalogue.
207. *Coin à Montmartre, Paris*, 400 $.
208. *Nature morte*, 100 $.

1931 / 2

Exposition provinciale (Québec), *Salon des beaux-arts.*
À partir du 6 septembre 1931
Sources : Anonyme, « L'Académie royale des beaux-arts », *Le Soleil*, 3 septembre 1931, p. 24 ; « Un nouveau succès à l'exposition », *Le Soleil*, 7 septembre 1931, p. 12.
[Les titres manquent.]

1931 / 3

AAM, *52ᵗʰ Annual Exhibition of the RCAA.*
19 novembre-30 décembre 1931
Source : catalogue.
242. *Dans le vieux Montmartre, Paris*, 400 $.

1932 / 1

AAM, *49ᵗʰ Annual Exhibition.*
17 mars au 17 avril 1932
Source : catalogue.
248. *Le Temps des sucres*, 300 $.

1932 / 2

Cinéma Impérial (Montréal), mezzanine.
À partir du 2 mai 1932
Source : Albert Laberge, « L'exposition N. Poirier à l'Impérial », *La Presse*, 2 mai 1932, p. 12 « 23 peintures »
[Scènes d'automne].
[Scènes d'hiver].
[Notre-Dame de Paris].
[Natures mortes].
[Fraises et carafe].
[Vase vert, cuivres et chrysanthèmes].

1933 / 1

AAM, *50ᵗʰ Annual Exhibition.*
16 mars-16 avril 1933
Source : catalogue.
149. *Ruine canadienne*, 100 $.

1933 / 2

AAM, *54ᵗʰ Annual Exhibition of RCAA.*
16 novembre-17 décembre 1933
Source : catalogue.
192. *Nature morte*, 100 $.

1934

AAM, *51ᵗʰ Annual Exhibition.*
19 avril-13 mai 1934
Source : catalogue.
270. *Premiers beaux jours*, 100 $.

1935 / 1

AAM, *52ᵗʰ Annual Exhibition.*
21 mars au 14 avril 1935
Source : catalogue.
262. *Coin de ferme*, 200 $.
263. *Nature morte*, 100 $.

1935 / 2
AAM, *57th Annual Exhibition of RCAA.*
21 novembre au 22 décembre 1935
Source : catalogue.
217. *Nature morte*, 125 $.

1936 / 1
AAM, *53th Annual Exhibition.*
19 mars au 12 avril 1936
Source : catalogue.
352. *Le Vieux moulin*, 250 $.

1936 / 2
T. Eaton Co., Fine Art Galleries, *Montréal dans l'art.*
À partir du 10 mai 1936
Source : Reynald, « Montréal, ville à l'aspect multiple », *La Presse*, 16 mai 1936, p. 9.
Ruines.

1937 / 1
AAM, *54th Annual Exhibition.*
18 mars-11 avril 1937
Source : catalogue.
238. *Les Sucres dans le nord*, 300 $.
239. *Étude de framboises*, 50 $.

1937 / 2
AAM, *59th Annual Exhibition of RCAA.*
18 novembre-17 décembre 1937
Source : catalogue.
181. *Paysage laurentien*, 300 $.

1941
Galerie Morency (Montréal), *Première exposition des peintres de la Montée Saint-Michel* ; commissaire : Émile Filion, p.s.s.
15-30 avril 1941
Source : catalogue.
A. Montée Saint-Michel
153. *Petite ruine*, 16¾ x 18 po, collection particulière.
154. *Coin de ferme*, 11½ x 13 po, 10 $.
155. *Vieille ferme*, 11 x 14 po, 10 $.
156. *La croix du chemin*, 12 x 15 po, 12 $.
B. Paysages divers
157. *Lac Mercier : Lecture et rêve*, 12 x 16 po, 15 $.
158. *Lac Mercier : Chêne en automne*, 9 x 13 po, 12 $.
159. *Lac Mercier : Érable en automne*, 9¼ x 13 po, 12 $.
160. *Lac Mercier : Chapelle*, 8 x 9 po, 8 $.
161. *Rivière des Prairies : Étude n° 1*, 8 x 11 po, 10 $.
162. *Rivière des Prairies : Étude n° 2*, 10½ x 14 po, 10 $.
163. *Saint-Alexis : Avant l'orage*, 11 x 13 po, 12 $.
164. *Val David : Rivière*, 11 x 14 po, 12 $.
165. *Sault au Récollet*, 12 x 15 po, 12 $.
166. *Petite grange dans le Nord*, 16 x 18 po, 35 $.
C. Natures mortes
167. *Pain, poissons et olives*, 16 x 18 po, 75 $.
168. *Poires*, 16 x 18 po, 75 $.
169. *Antiquité et fruits*, 11 x 14 po, 30 $.
170. *Framboises*, 9 x 11 po, Collection particulière
171. *Chrysanthèmes*, pastel, 13 x 16 po, 20 $.
172. *Oignons et poireaux*, 16 x 22 po, 35 $.
173. *Débouché de la rue McGill sur le port*, 10 x 12 po, 15 $.

1942 / 1
Galerie Morency (Montréal), *Exposition de peintures par Narcisse Poirier.*
15 janvier-7 février 1942
Source : catalogue.
1. Paysages
1. *Fin d'hiver, Mont-Rolland*, 150 $.
2. *Vieux moulin en hiver*, 100 $.
3. *Automne dans les Laurentides*, 100 $.
4. *Vieille maison, bas de Québec*, 90 $.
5. *Camp de bûcherons*, 90 $.
6. *Moulin, Les Éboulements* [pas de prix]
7. *Coin de l'île Sainte-Hélène en 1913*, 75 $.
8. *Maison abandonnée*, 50 $.
9. *Les bouleaux*, 50 $.
10. *Moulin sous la neige*, 40 $.
11. *Hiver, Morin-Heights*, 30 $.
12. *Hiver, les Laurentides*, 30 $.
13. *Vers le village*, 25 $.
14. *Église, Sault-au-Récollet*, 25 $.
15. *Automne*, 25 $.
16. *Près du village*, 25 $.
17. *Fonte des neiges*, 25 $.
18. *Paysage, Mont-Rolland*, 25 $.
19. *Cabane à sucre*, 25 $.
20. *Coin de village*, 25 $.
21. *Hiver, Val-David*, 20 $.
22. *Rivière, Piedmont*, 20 $.
23. *Au bord du lac*, 20 $.
24. *Automne, L'Annonciation*, 20 $.
25. *Rivière, Sainte-Martine*, 20 $.
26. *Paysage d'été, Mont-Rolland*, 20 $.
27. *Paysage, Saint-Côme*, 20 $.
28. *Chapelle du lac Mercier*, 20 $.
29. *Automne, lac Mercier*, 20 $.
30. *Automne, Piedmont*, 20 $.
31. *Le printemps*, 20 $.
32. *Fonte des neiges*, 20 $.
33. *Automne dans le nord*, 20 $.
34. *Automne, les Laurentides*, 20 $.
35. *Rivière à Mont-Rolland*, 20 $.
36. *Ferme Saint-Gabriel*, 20 $.
37. *Paysage laurentien*, 20 $.
38. *Rivière sous la neige*, 20 $.
39. *Le ruisseau*, 20 $.
40. *À la campagne*, 20 $.
41. *Le petit pont* (réservé).
42. *Rivière du Chêne*, 15 $.
43. *Étude, Rougemont*, 15 $.
44. *Automne*, 15 $.
45. *Automne*, 15 $.
46. *Coucher de soleil*, 12 $.
47. *Coucher de soleil*, 12 $.
48. *Lever de lune*, 12 $.
49. *Étude, Saint-Joachim*, 12 $.
50. *Vieille maison canadienne*, 12 $.
2. Études
51. *L'Arc-en-ciel*, 10 $.
52. *Automne*, 10 $.
52. *Automne*, 10 $.

52. *Automne*, 10 $.
52. *Automne*, 10 $.
56. *Coucher de soleil*, 10 $.
57. *Petit bateau*, 10 $.
58. *Cabane à sucre*, 10 $.
59. *Cabane à sucre*, 10 $.
60. *Petite chute*, 10 $.
61. *Près du lac*, 10 $.
62. *Lever de lune*, 10 $.
63. *Saint-Sauveur*, 10 $.

3. Fleurs
65. *Chrysanthèmes*, 100 $.
66. *Bouquet de fleurs*, 50 $.
67. *Fleurs rouges*, 15 $.
68. *Étude de fleurs*, 10 $.
69. *Étude de fleurs*, 10 $.
70. *Fleurs*, 12 $

4. Natures mortes
71. *Antiquité et fruits*, 100 $.
72. *Antiquité et fruits*, 100 $.
73. *Chou rouge et oignons*, 90 $.
74. *Antiquité et oignons*, 90 $.
75. *Cafetière bleue et fruits*, 75 $.
76. *Pommes*, 75 $.
77. *Fraises*, 75 $.
78. *Antiquités et raisins*, 75 $.
79. *Cafetière et fruits*, 75 $.
80. *Antiquités et fruits*, 60 $.
81. *Antiquités et fruits*, 50 $.
82. *Étude de fraises*, 15 $.
83. *Étude de prunes*, 15 $.

1942 / 2
Galerie L'Art français (Montréal).
À partir du 11 avril 1942
Source : J.-Arthur Lemay, « Petite chronique des beaux-arts : natures mortes de Narcisse Poirier », *La Patrie*, 3 mai 1942, p. 59. Une cinquantaine de toiles dont une dizaine de natures mortes. Plusieurs titres manquent.
3. *Automne dans les Laurentides.*
34. *Chrysanthèmes.*
36. *Cafetière bleue et fruits.*
46. *Fraises.*
[Une dizaine de natures mortes].
[Cabane à sucre].
[Paysage à L'Annonciation].

1944
Collège André-Grasset (Montréal), *Exposition d'art canadien / Œuvres conservées au collège André-Grasset*, « Les peintres de la Montée Saint-Michel » ; commissaire : Émile Filion, p.s.s.
29 octobre-7 novembre 1944
Source : catalogue.
59. *Vieux moulin*, 18 x 15½ po.
60. *Nature morte*, 27½ x 24 po.
61. *Framboises*, 10 x 9 po.

1946
Salon privé de S. H. Douglas (Westmount), 4490, rue Sherbrooke Ouest, *Exhibition of Paintings by the well-known Canadian artist Narcisse Poirier*.
À partir du 4 février 1946

Source : liste des œuvres, archives privées.
1. *Nature morte*, 75 $.
2. *Hiver à Saint-Hippolyte*, 35 $.
3. *Vieux moulin dans le Nord*, 100 $.
4. *Étude à Rome*, 25 $.
5. *Cafetière bleue et fruits*, 80 $.
6. *Près du lac*, 15 $.
7. *Antiquités et pêches*, 25 $.
8. *Petite chute*, 15 $.
9. *Maison de Mimi Pinson (Montmartre, Paris)*, 100 $.
10. *Hiver à Piedmont*, 25 $.
11. *Chaudron avec pêches*, 75 $.
12. *Lac Mercier*, 35 $.
13. *Trocadéro et Seine*, 25 $.
14. *Automne dans le Nord*, 15 $.
15. *Près du village*, 35 $.
16. *Cabane à sucre*, 15 $.
17. *Vieilles ruines, Sault-au-Récollet*, 70 $.
18. *Automne à Piedmont*, 30 $.
19. *Étude à Caughnawaga*, 20 $.
20. *Homard et antiquité*, 100 $.
21. *Étude de fraises*, 25 $.
22. *Coucher de soleil, Saint-Hilaire*, 20 $.
23. *Antiquité et fruits*, 70 $.
24. *Rivière Brulet, Saint-Faustin*, 30 $.
25. *Dans la montagne*, 15 $.
26. *Étude de prunes*, 20 $.
27. *Chou rouge*, 80 $.
28. *Étude de roses*, 25 $.
29. *Dans la montagne*, 15 $.
30. *Étude de framboises*, 20 $.
31. *Hiver à Val-David*, 20 $.
32. *Église du lac Mercier*, 20 $.
33. *Cabane à sucre, bas de Québec*, 150 $.
34. *Nature morte*, 25 $.
35. *Avant l'orage, Saint-Alexis-des-Monts*, 20 $.
36. *Lac Mercier*, 20 $.

1948
Port-Alfred, collège Saint-Édouard, Baie des Ha ! Ha !, *Soixante ans d'art canadien* ; commissaire : René Bergeron.
11-18 janvier 1948
Source : catalogue.
Nature morte.

1970
Ambassade du Canada, Washington, *Narcisse Poirier (Canada, 1883 -)* [collection de son gendre et de sa fille Hélène, Mme Louis Dupret].
28 septembre-2 octobre 1970
Source : feuillet de 4 pages imprimé pour l'occasion, archives privées.
[Les titres manquent.]

1975
Centre culturel de Verdun, *Rétrospective de Narcisse Poirier*, tableaux de la collection Gérard Shanks.
2-30 avril 1975
Source : catalogue.
Paysage, Sault-au-Récollet, 36 x 50 po.
Antiquités et légumes, 24 x 48 po.
Antiquités et fruits, 24 x 35 po.

Rivière et montagnes dans les Laurentides (La Conception), 30 x 40 po.
Vieille maison à Coteau-Rouge (près de Longueuil), 24 x 48 po.
Bouquets de géraniums, 28 x 24 po.
Maison Henri IV, Montmartre, Paris, France, 24 x 30 po.
Maison Mimi Pinson, Montmartre, Paris, France, 20 x 24 po.
Palerme, Italie (19 mars 1921), 20 x 26 po.
Paysage d'automne, Piedmont (1930), 20 x 26 po.
Moulin des Éboulements, 21 x 29 po.
Dalhousie, Baie-des-Chaleurs, 20 x 26 po.
Bouquet de fleurs (1967), 15½ x 31½ po.
Étude de fleurs, 20 x 24 po.
Antiquités et fruits, 20 x 24 po.
Antiquités et fruits (1973), 18 x 22 po.
Panier et fruits, 18 x 22 po.
Nature morte [I], 16 x 22 po.
Nature morte [II], 12 x 16 po.
Paysage à Mont-Laurier, 39 x 64 po.
Moulin, Île-aux-Coudres, 39 x 64 po.
Ferme canadienne à Saint-Laurent, 18 x 24 po.
Ruine du Sault, 20 x 21 po.
Bouquet de fleurs (1973), 20 x 16 po.
Bouquet de fleurs [I], 20 x 16 po.
Bouquet de fleurs [II], 18 x 16 po.
Antiquités et fraises, 16 x 20 po.
Chaudron de pommes, 16 x 18 po.
Étude de pigeons (1967), 12 x 16 po.
Étude avec des œufs, 12 x 16 po.
Chandelle et pot à tabac, 12 x 16 po.
Bouquet de fleurs [I], 12 x 16 po.
Bouquet de fleurs [II], 16 x 12 po.
Étude de fleurs, 14 x 10 po.
Un coin de l'île Sainte-Hélène, 15 x 19 po.
Rue, Baie-Saint-Paul, 12 x 16 po.
Petit moulin à Saint-Félix-de-Valois, 11 x 14 po.
Antiquités et fruits [I], 11 x 15 po.
Antiquités et fruits [II], 14 x 10 po.
Étude de légumes, 9 x 12 po.
Labours d'automne à Saint-Sauveur, 10 x 14 po.
L'hiver à la campagne, 9 x 12 po.
Paysage d'hiver à Saint-Jovite (mars 1931), 8 x 10 po.
Antiquités et fruits, 9 x 12 po.
Étude de fruits, 8 x 10 po.
Étude de cerises, 8 x 10 po.
Maison à Caughnawaga (1945), 8 x 10 po.
Étude de lune à Sainte-Famille, 8 x 10 po.
Automne dans les Laurentides, 8 x 10 po.

1976

Boutique Fleurs de Lys, hall d'entrée de l'Auberge des Seigneurs, en duo avec Léo Ayotte.
16-31 décembre 1976
Source : Anonyme, « Exposition de peintures à Saint-Hyacinthe », *Le Nouveau Clairon*, 15 décembre 1976, p. 10 ; *Le Courrier de Saint-Hyacinthe*, 15 décembre 1976, p. A 13.
[Les titres des œuvres manquent.]

1986

Musée Marc-Aurèle Fortin (Montréal), *Les artistes de mon temps* ; commissaire : Odette Legendre. Exposition organisée à l'occasion de la publi-

cation de l'ouvrage *Les artistes de mon temps* d'Alfred Laliberté, préparé par Odette Legendre.
26 février-30 mars 1986
Source : liste des œuvres, archives Estelle Piquette-Gareau.
Rivière du Nord à Mont-Rolland, 61 x 88 cm.

1991

Hôtel de ville (Mascouche), Festival de peinture de Mascouche, (collections de Jeanne Poirier et de Gérard Shanks, plus de 120 œuvres).
27-29 septembre 1991
Sources : dépliant de 6 pages publié pour l'occasion ; Gilles Bordonado, « Un 3ième festival de peinture à Mascouche : Narcisse Poirier à l'honneur », *La Revue*, Terrebonne, 2 avril 1991, p. 5.
[Les titres manquent.]

1996

Musée du Québec, 24 janvier-5 mai 1996 ; Centre d'artistes de l'Université Bishop's (Lennoxville), 6 juin-12 juillet 1996 ; Galerie de l'UQAM, 16 août-5 octobre 1996 ; Musée de Charlevoix (La Malbaie), 20 octobre 1996-15 janvier 1997 ; McMichael Art Collection (Kleinburg, Ontario), 1er février-18 mai 1997, *Peindre à Montréal, 1915-1930 : les peintres de la Montée Saint-Michel et leurs contemporains* ; commissaire : Laurier Lacroix.
Source : Laurier Lacroix (dir.), *Peindre à Montréal, 1915-1930 : les peintres de la Montée Saint-Michel et leurs contemporains*, catalogue d'exposition, Montréal, Galerie de l'UQAM ; Québec, Musée du Québec, 1996, p. 121-141.
90. *Nature morte*, 41 x 46 cm.
91. *Vieille église, Longue-Pointe*, 20,1 x 25,1 cm.
92. *Vieille église, Longue-Pointe*, 40,8 x 56 cm.
93. *Belvédère, Naples, Italie*, 30,4 x 37,2 cm.
94. *Ancien moulin, Sault-au-Récollet*, 25,6 x 33 cm.
95. *Rivière du Nord, Mont-Rolland*, 61,5 x 89 cm.

2001 / 1

Musée Marc-Aurèle Fortin (Montréal), *Paysages du Québec, 1900-1948* ; commissaire : inconnu.
Juin 2001
Source : catalogue.
Vieille église, Longue-Pointe, s.d., huile sur toile, 40 x 55,5 cm.

2001 / 2

Théâtre Hector-Charland (L'Assomption), *Peintres de la Montée Saint-Michel, 1915-1930* ; commissaire : Hubert Van Gijseghem ; « Les Journées de la culture ».
28-30 septembre 2001
Source : liste des œuvres, archives Hubert Van Gijseghem.
Feuilles d'automne.
Maison.

2011

Hall d'honneur de l'hôtel de ville de Montréal, *Les peintres de la Montée Saint-Michel, cent ans après : 1911-2011* ; commissaire : Richard Foisy.
25 octobre-11 novembre 2011
Source : « Catalogue des œuvres exposées », dans Olivier Maurault, *Les peintres de la Montée Saint-Michel, cent ans après : 1911-2011*, textes présentés et annotés par Richard Foisy, Montréal, Fides, 2011, p. 99-127.
23. *Étude à Rome*, 15 x 19,5 cm.
24. *Cabane à sucre*, 31 x 38 cm.
25. *Nature morte à la carafe*, 50 x 61 cm.

2017

Maison de la culture Ahuntsic-Cartierville (Montréal), *Les peintres de la Montée Saint-Michel* ; commissaire : Richard Foisy.

21 septembre-28 octobre 2017

Source : liste des œuvres, archives du Centre de recherche sur l'atelier de L'Arche et son époque, 1900-1925.

Côte Saint-Michel, 27 x 35 cm.

La ferme Laurin, 20 x 25,5 cm.

Cabane à sucre, 48,3 x 63,5 cm.

Château Ramezay, 40,5 x 51 cm.

Nature morte au vase de cuivre, 51 x 61 cm.

JOSEPH-OCTAVE PROULX

1917

AAM, *34ᵗʰ Spring Exhibition*.

22 mars-14 avril 1917

Source : catalogue.

289. *Sketch*, 5 $.

1919

AAM, *36ᵗʰ Spring Exhibition*.

20 mars-12 avril 1919

Source : catalogue.

269. *Étude*, 20 $.

270. *Étude*, 20 $.

1920

AAM, *41ᵗʰ Annual Exhibition of the RCAA*.

À partir du 18 novembre 1920

Source : catalogue.

335. *Drawing* [pas de prix].

1921

AAM, *38ᵗʰ Spring Exhibition*.

1ᵉʳ-23 avril 1921

Source : catalogue.

210. *Drawing, charc[oa]l* [pas de prix].

1922

AAM, *39ᵗʰ Spring Exhibition*.

21 mars au 15 avril 1922

Source : catalogue.

248. *Drawing, b & w* [black and white] [pas de prix].

249. *Drawing, b & w* [black and white] [pas de prix].

1926

AAM, *43ᵗʰ Spring Exhibition*.

26 mars-18 avril 1926

Source : catalogue.

100. *Tempête de neige*, 100 $.

101. *Effet de soleil*, 50 $.

226. *Portrait de jeune femme, drwg* [drawing] [pas de prix].

1929

AAM, *46ᵗʰ Spring Exhibition*.

21 mars-14 avril 1929

Source : catalogue.

178 *The Old Ogilvie home on Crémazie Road*, 175 $.

1941

Galerie Morency (Montréal), *Première exposition des peintres de la Montée Saint-Michel* ; commissaire : Émile Filion, p.s.s.

15-30 avril 1941

Source : catalogue.

A. Montée Saint-Michel

174. *Ferme Ogilvie*, 28 x 33 po, 150 $.

175. *Tempête de neige*, 12 x 18 po, 100 $.

176. *Effet de soleil*, 12 x 14 po, 50 $.

177. *Cèdres dans la neige*, 12 x 18 po, 30 $.

178. *Vieille maison*, 12 x 16 po, 25 $.

179. *Ferme Laurin : n° 1*, 12 x 16 po, collection particulière.

180. *Ferme Laurin : n° 2*, 10½ x 14 po, 15 $.

181. *Fin d'été : pochade*, 10 x 13¾ po, collection particulière.

182. *Fin d'été : tableau*, 15 x 17¾ po, 25 $.

183. *Automne à la Montée*, 13 x 17, 20 $.

184. *Carrière de l'ancienne ferme Robin*, 11 x 16 po, 15 $.

185. *Chemin de la ferme : été*, 5½ x 8 po, 5 $.

186. *Chemin de la ferme : automne*, 9 x 10¼ po, 12 $.

187. *La petite ferme*, 5¼ x 7½ po, 6 $.

B. Impressions canadiennes

188. *Rue Bordeaux*, 10 x 14 po, 20 $.

189. *Rue des Carrières : vieilles maisons : n° 1*, 5½ x 8¼ po, 8 $.

190. *Rue des Carrières : vieilles maisons : n° 2*, 6 x 8 po, 8 $.

191. *Rue Amherst*, 8¼ x 13 po, 12 $.

192. *Automne sur le Mont-Royal*, 13 x 17 po, 15 $.

193. *Dégel sur le Mont-Royal*, 23 x 27 po, 40 $.

194. *Ferme à la Côte des Neiges*, 12¾ x 17 po, 30 $.

195. *Poésie des Laurentides*, 15 x 18 po, 30 $.

196. *Rivière du Nord au printemps*, 12 x 14 po, 18 $.

C. Impressions de la Nouvelle-Angleterre

197. *Medford*, 13 x 16 po, 35 $.

198. *Boston*, 11½ x 16 po, 35 $.

199. *Wakefield*, 13 x 18 po, 30 $.

200. *Sous-bois d'automne*, 12 x 16 po, 25 $.

201. *Dégel*, 12 x 16 po, 25 $.

D. Natures mortes

202. *Fruits et porcelaines*, 13 x 19½ po, 25 $.

203. *Oranges*, 10 x 12 po, 12 $.

E. Divers

204. *Technique*, 14 x 16¼ po, 20 $.

F. Portraits

205 *Tête de vieille femme*, 14 x 18 po, 60 $.

206. *Tête de femme*, 9 x 13 po, 25 $.

207. *Tête de vieillard*, 11 x 13½ po, collection de l'artiste.

1944

Collège André-Grasset (Montréal), *Exposition d'art canadien / Œuvres conservées au collège André-Grasset*, « Les peintres de la Montée Saint-Michel » ; commissaire : Émile Filion, p.s.s.

29 octobre-7 novembre 1944

Source : catalogue.

62. *Cour de ferme*, 15 x 11 po.

63. *Rue de village canadien-français*, 13 x 9½ po.

Musée Marc-Aurèle Fortin (Montréal), *Les artistes de mon temps* ; commissaire : Odette Legendre. (Exposition organisée à l'occasion de la publication de l'ouvrage *Les artistes de mon temps* d'Alfred Laliberté, préparé par Odette Legendre).

Source: liste des œuvres, archives Estelle Piquette-Gareau.
26 février-30 mars 1986
Pochade.

1996
Musée du Québec, 24 janvier-5 mai 1996 ; Centre d'artistes de l'Université Bishop's (Lennoxville), 6 juin-12 juillet 1996 ; Galerie de l'UQAM, 16 août-5 octobre 1996 ; Musée de Charlevoix (La Malbaie), 20 octobre 1996-15 janvier 1997 ; McMichael Art Collection (Kleinburg, Ontario), 1er février-18 mai 1997, *Peindre à Montréal, 1915-1930 : les peintres de la Montée Saint-Michel et leurs contemporains* ; commissaire : Laurier Lacroix.
Source : Laurier Lacroix (dir.), *Peindre à Montréal, 1915-1930 : les peintres de la Montée Saint-Michel et leurs contemporains*, catalogue d'exposition, Montréal, Galerie de l'UQAM ; Québec, Musée du Québec, 1996, p. 121-141.
96. *Petit chemin sur le Mont-Royal*, 66,7 x 50,4 cm.
97. *Montée Saint-Michel, Saint-Léonard*, 51 x 71 cm.
98. *Chapelle de l'Hôtel-Dieu de Montréal*, 25 x 35,5 cm.
99. *Vieux-Montréal en 1890, Place Jacques-Cartier*, 52 x 68,3 cm.
100. *Maison sous les arbres*, 25,3 x 33,7 cm.
101. *Pont de fer, Rivière-des-Prairies*, 52 x 69,3 cm.

2001 / 1
Musée Marc-Aurèle Fortin (Montréal), *Paysages du Québec, 1900-1948* ; commissaire : inconnu.
Juin 2001
Source : catalogue.
Ferme Laurin, 30,4 x 20,7 cm.

2001 / 2
Théâtre Hector-Charland (L'Assomption), *Peintres de la Montée Saint-Michel, 1915-1930* ; commissaire : Hubert Van Gijseghem ; « Les Journées de la culture ».
28-30 septembre 2001
Source : liste des œuvres, archives Hubert Van Gijseghem.
Maison mère des frères de Saint-Gabriel.
Automne à Sainte-Adèle.
Fermière au puits.

2011
Hall d'honneur de l'hôtel de ville de Montréal, *Les peintres de la Montée Saint-Michel, cent ans après : 1911-2011* ; commissaire : Richard Foisy.
25 octobre-11 novembre 2011
Source : « Catalogue des œuvres exposées », dans Olivier Maurault, *Les peintres de la Montée Saint-Michel, cent ans après : 1911-2011*, textes présentés et annotés par Richard Foisy, Montréal, Fides, 2011, p. 99-127.
26. *Port de Montréal, canal de Lachine*, 40,5 x 51 cm.
27. *Les Trois baigneuses*, 84 x 94 cm.
28. *Parc Westmount*, 12 x 17 cm.

2017
Maison de la culture Ahuntsic-Cartierville (Montréal), *Les peintres de la Montée Saint-Michel* ; commissaire : Richard Foisy.
21 septembre-28 octobre 2017
Source : liste des œuvres, archives du Centre de recherche sur l'atelier de L'Arche et son époque, 1900-1925.
Montée Saint-Michel, ferme Landry, boulevard Crémazie, 30,5 x 40,6 cm.
Place Jacques-Cartier, 52 x 68,3 cm.
Parc Westmount, 12 x 17 cm.
Port de Montréal, canal de Lachine, 40,5 x 51 cm.

Bibliographie

ERNEST AUBIN

ANONYME, « L'ouverture du Salon », *Le Canada*, 22 mars 1919, p. 3.

— « Carnet social », *La Presse*, 21 mars 1922, p. 3.

— « Spring Exhibition at Art Gallery Is an Indifferent Show », *Montreal Star*, 7 avril 1926.

— « Chez Eaton : les artistes de chez nous », *Le Devoir*, 7 mai 1929, p. 4.

— « Les expositions : nos artistes canadiens », *La Patrie*, 12 mai 1930, p. 3.

— « Exposition de peintures canadiennes : M. Ivan Jobin groupera les œuvres de nos principaux artistes… », *La Presse*, 16 mai 1930, p. 20.

— « Coucher de soleil mutilé », *La Patrie*, 11 mai 1942, p. 2

CHAUVIN, Jean, « Chronique d'art », *La Revue populaire*, juin 1929, p. 8.

— « Chronique d'art / Un musée d'art canadien », *La Revue populaire*, août 1930, p. 11.

CLÉMENT, Éric, « Le nu artistique en contexte montréalais », *La Presse +*, 31 janvier 2019, section Arts, écran 8.

COSTE, Donat, « Ernest Aubin est un grand peintre canadien », *Le Rayon*, novembre 1947, p. 18-19.

DESBIENS, Lucien, « Les expositions : les artistes de la province de Québec », *Le Devoir*, 14 mai 1930, p. 2.

DES ROCHERS, Jacques, « Le modèle dans l'atelier, Montréal, 1880-1950 », revue *M*, du Musée des beaux-arts de Montréal, janvier-avril 2019, p. 12-13.

FOISY, Richard, « Ernest Aubin (1892-1963) : l'éternel étudiant », *Le Piscatoritule*, n° 56, novembre 2018, p. 1-4.

FRÈRE GILLES, o.f.m., « La neige dans l'art canadien », *La Presse*, 26 décembre 1936, p. 24.

GAGNON, Alexis, « Cours du Conseil des arts », *Le Devoir*, 28 mai 1921, p. 4.

JUTRAS, Joseph, « Lettre ouverte [sur Ernest Aubin] », *L'Avenir du Nord*, 10 septembre 1953, p. 4.

LABERGE, Albert, « Exposition artistique à Montréal », *La Presse*, 21 mars 1919, p. 21.

— « Exposition de peintures par nos artistes », *La Presse*, 2 avril 1921, p. 7.

— « Quelques héros de Louis Hémon en sculpture », *La Presse*, 24 mars 1922, p. 12.

— « Travaux de sculpture au Salon du printemps », *La Presse*, 31 mars 1924, p. 22.

— « Le Salon du printemps est le moins important jamais vu ici », *La Presse*, 29 mars 1926, p. 21.

— « Nouvelle visite au salon des peintres canadiens », *La Presse*, 28 mars 1929, p. 16.

— « Exposition de tableaux et de sculptures à la maison Eaton », *La Presse*, 8 mai 1929, p. 35.

— « Ouverture du Salon des artistes canadiens à la Art Association », *La Presse*, 22 mars, 1930, p. 49.

— « L'art et les artistes : pour encourager et faire connaître nos artistes », *La Presse*, 13 mai 1930, p. 25.

— « Chefs-d'œuvre canadiens (n° 17) », *La Presse*, « Magazine illustré », 21 novembre 1931, p. 24 [reproduction de *Nos Vieilles Maisons*].

LALIBERTÉ, Alfred, « Ernest Aubin », dans *Les artistes de mon temps*, texte établi, présenté et annoté par Odette Legendre, Montréal, Boréal, 1986, p. 237-238.

LAMARRE, Cécile, P., « À Sainte-Adèle : propos de vacances », *L'Avenir du Nord*, 28 septembre 1945, p. 1 et 5.

REYNALD [pseud. d'Éphrem-Réginald Bertrand], « Les aquarelles d'A.-C. Leighton », *La Presse*, 4 avril 1936, p. 45.

— « Montréal, ville à l'aspect multiple », *La Presse*, 16 mai 1936, p. 9.

JOSEPH JUTRAS

ANONYME, « Carnet social », *La Presse*, 21 mars 1922, p. 3.

— « La parfumerie J. Jutras célèbre aujourd'hui le sixième anniversaire de sa fondation », *Le Devoir*, 22 octobre 1924, p. 6.

— « Exposition de peintures de M. J. Jutras », *La Patrie*, 23 février 1926, p. 18.

— « Spring Exhibition at Art Gallery Is an Indifferent Show », *Montreal Star*, 7 avril 1926.

— « La parfumerie J. Jutras achète des logements », *La Patrie*, 17 juin 1927, p. 14.

— « La galerie Eaton : l'exposition des artistes de la province de Québec », *La Patrie*, 21 octobre 1927, p. 14.

— « La galerie Eaton : l'exposition des artistes de la province de Québec », *La Patrie*, 21 octobre 1927, p. 14.

— « La grande enquête du *Petit Journal* sur les idées et les goûts de l'élite canadienne-française », *Le Petit Journal*, 2 février 1930, p. 5.

— « Un peintre de la Montée Saint-Michel expose », *La Patrie*, 27 août 1941, p. 1.

— « Hommage du sculpteur Laliberté », *La Patrie*, 15 mars 1944, p. 12.

— « Le peintre Jutras expose à l'atelier », *La Presse*, 30 novembre 1944, p. 11.

— « L'exposition Jutras », *Le Devoir*, 13 décembre 1944, p. 4.

ATALA [pseud. de Léonise Valois], « Page féminine / Nos arts ménagers », *La Terre de chez nous*, 22 juin 1932.

DELISLE, Jacques, « Le salon du collège André-Grasset », *Le Devoir*, 2 novembre 1944, p. 3.

FALARDEAU, Émile, « Artiste de chez nous, Joseph Jutras », *La Liberté*, 2 juillet 1966, p. 8.

GRAY, Clayton, « Artist Exhibits Wares on Streets », *Montreal Standard*, 8 octobre 1948.

Jutras, Joseph (rédacteur sous plusieurs pseudonymes), *Le Rigolo*, 1er septembre 1932, p. 8.

— « Couleur locale », *Le Devoir*, 26 avril 1946, p. 9.

— « L'artiste et son atelier », *Le Devoir*, 19 mars 1948, p. 7.

— « M. Auger et les artistes », *Le Devoir*, 16 juin 1948, p. 5.

— « Un peintre sur la route », *Le Foyer rural*, août 1948, p. 6.

— « Lettre ouverte [sur Ernest Aubin] », *L'Avenir du Nord*, 10 septembre 1953, p. 4.

— « Mgr Maurault, un protecteur des arts », *Le Petit Journal*, 8 septembre 1968, p. 21.

— « Nous sommes à L'Arche… », *Le Piscatoritule*, no 44, février 2014, p. 4 ; no 45, juillet 2014, p. 1-3.

Laberge, Albert, « Quelques héros de Louis Hémon en sculpture », *La Presse*, 24 mars 1922, p. 12.

— « Montréal aurait un Salon indépendant », *La Presse*, 20 novembre 1922, p. 3.

— « Causerie en marge du Salon du printemps », *La Presse*, 3 avril 1923, p. 3.

— « Exposition de tableaux par le peintre J. Jutras », *La Presse*, 9 mars 1925, p. 19.

— « Exposition de tableaux par le peintre J. Jutras », *La Presse*, 14 avril 1925, p. 5.

— « Exposition de tableaux par J. Jutras au National », *La Presse*, 22 février 1926, p. 20.

— « Le Salon du printemps est le moins important jamais vu ici », *La Presse*, 29 mars 1926, p. 21.

— « Un salon de l'affiche », *Le Devoir*, 21 février 1927.

— « Exposition de peintures par les artistes de la province », *La Presse*, 12 octobre 1927, p. 9.

— « Exposition de tableaux et de sculptures à la maison Eaton », *La Presse*, 8 mai 1929, p. 35.

— « Exposition de tableaux et sculptures à la maison Eaton : pour encourager et faire connaître nos artistes », *La Presse*, 13 mai 1930, p. 25.

— « Claires couleurs de maisons des champs », *La Presse*, 11 décembre 1944, p. 4.

— « Paysages par Joseph Jutras », *Le Devoir*, 14 décembre 1944, p. 2.

— « Artiste attaché au nord-est de l'île », *La Presse*, 26 avril 1947, p. 29.

— « Peintre de quartier », *La Presse*, 16 décembre 1948, p. 20.

Laliberté, Alfred, « Joseph Jutras », dans *Les artistes de mon temps*, texte établi, présenté et annoté par Odette Legendre, Montréal, Boréal, 1986, p. 179-180.

L'Académicien [pseud.], « Coquetel et gousse d'ail », *Radiomonde*, 13 décembre 1948, p. 12.

Le Boulevardier [pseud. de Roger Parent], « Rumeurs et potins », de *Photo-Journal*, 16 décembre 1948, p. 38.

— « Rumeurs et potins », de *Photo-Journal*, 23 décembre 1948, p. 38.

Le Juif errant [pseud.], « Un peintre-touriste canadien-français », *L'Hôtellerie*, 31 janvier 1929, p. 9.

Le Marchand, Louis, « J. Jutras expose une série de paysages canadiens », *Photo-Journal*, 23 décembre 1948, p. 34.

Letondal, Henri, « Les petites expositions / Les œuvres de M. J. Jutras / Dans ses salons de la rue Papineau », *La Patrie*, 23 avril 1925, p. 22.

Pictor Sculpto [pseud. De Roger Maillet], « Au Salon du printemps », *Le Matin*, 7 avril 1923, p. 4.

Préfontaine, Fernand, « Le Salon du Printemps », *La Patrie*, 27 mars 1926, p. 30.

Reynald, « Gravures chinoises des temps modernes », *La Presse*, 18 janvier 1934, p. 8.

— « Les aquarelles d'A.-C. Leighton », *La Presse*, 4 avril 1936, p. 45.

— « Montréal, ville à l'aspect multiple », *La Presse*, 16 mai 1936, p. 9.

— « Émile Brunet, un des nôtres », *La Presse*, 12 décembre 1936, p. 31.

— « Gravures chinoises des temps modernes », *La Presse*, 18 janvier 1934, p. 8.

Thompson, Joseph E., « Hobby Saves Couple from Going on Dole », *Montreal Star*, 11 août 1934.

JEAN-ONÉSIME LEGAULT

Clément, Éric, « Le nu artistique en contexte montréalais », *La Presse +*, 31 janvier 2019, section Arts, écran 8.

Falardeau, Émile, « J.-O. Legault, peintre oublié ? », *Le Petit Journal*, 13 octobre 1963, p. A -55.

Foisy, Richard, « Jean-Onésime Legault (1882-1944) : l'art, le but de la vie », *Le Piscatoritule*, no 57, décembre 2018, p. 1-4.

Iacurto, Francesco, *Souvenirs*, récit recueilli par Maurice Lebel, préface de Robert Choquette, Montréal, Éditions Alain Stanké, 1976.

Reynald, « La Sainte Famille », *La Presse*, 29 juillet 1939, p. 15.

ONÉSIME-AIMÉ LÉGER

— Anonyme, avec une lettre de Joseph Saint-Charles, « M. Aimé Léger », *Album universel*, 10 janvier 1903, p. 866.

— « L'exposition d'art au club Saint-Denis », *La Patrie*, 24 avril 1911, p. 11.

— « Une visite au Salon du Club Saint-Denis », *La Patrie*, 26 avril 1911, p. 12

— « Le salon du printemps », *La Patrie*, 15 mars 1912, p. 2.

— « Mondanités », *La Patrie*, 23 mars 1917, p. 2.

Bourcier, Pierre, « Le Salon de 1920 », *La Revue nationale*, mai 1920, p. 23.

Comte, Gustave, « Les artistes s'amusent », *La Patrie*, 28 novembre 1910, p. 12.

— « Un tour de force », *Le Passe-Temps*, 10 décembre 1910, p. 466.

— « Aimé Léger », *La Patrie*, 27 mai 1924, p. 14.

Coutlée, Paul, « Un héros du 22e Régiment », *Le Samedi*, 16 août 1919, p. 8-9 ; 23 août 1919, p. 9.

Delfosse, Georges, « Tribune libre : un critique d'art du "Petit Salon" », *Le Devoir*, 27 avril 1911, p. 4.

Fabien, Henri, « Le Salon du printemps II », *Le Devoir*, 12 avril 1915, p. 1.

— « Le Salon d'automne à la galerie des Beaux-Arts », *Le Devoir*, 30 novembre 1915, p. 1.

Foisy, Richard, « Onésime-Aimé Léger (1881-1924) : un symboliste redécouvert, visite de l'exposition (début) », *Le Piscatoritule*, no 24, décembre 2007, p. 1-4.

— « Onésime-Aimé Léger (1881-1924) : un symboliste redécouvert, visite de l'exposition (suite et fin) », *Le Piscatoritule*, n° 25, janvier 2008, p. 1-4.

— « Onésime-Aimé Léger (1881-1924) par ceux qui l'ont connu (début) », *Le Piscatoritule*, n° 27, octobre 2008, p. 1-4.

— « Onésime-Aimé Léger (1881-1924) par ceux qui l'ont connu (suite et fin) », *Le Piscatoritule*, n° 28, décembre 2008, p. 1-4.

FOURNIER, Jules, *Souvenirs de prison, première série : la Cellule n° 14*, préface d'Olivar Asselin, [illustrations d'Émile Vézina (Vir), pour la couverture, et d'Onésime-Aimé Léger (OAL), pour le texte], Montréal, Librairie Déom, 1910.

FRA ANGELICO [pseud.], « La Galerie des Arts », *L'Autorité*, 20 novembre 1915, p. 4.

— « Au Salon des artistes », *L'Autorité*, 8 avril 1916, p. 4.

Gill, Charles, « Le Salon de 1917 », *La Grande Revue*, 21 avril 1917, p. 19.

LABERGE, Albert, « Brillante ouverture du salon de peinture du Club Saint-Denis », *La Presse*, 25 avril 1911, p. 3.

— « L'exposition artistique du Club Saint-Denis », *La Presse*, 29 avril 1911, p. 16.

— « L'exposition de peinture », *La Presse*, 18 mars 1912, p. 12.

— « L'exposition de peinture », *La Presse*, 23 mars 1912, p. 20.

— « Ouverture de l'exposition de peintures à la Galerie des Arts », *La Presse*, 26 mars 1913, p. 8.

— « Au Salon de peintures à la Galerie des arts », *La Presse*, 29 mars 1913, p. 16.

— « Nos sculpteurs et nos peintres fraternisent », *La Presse*, 7 novembre 1913, p. 15.

— « Ouverture de l'exposition de peintures et de sculptures », *La Presse*, 27 mars 1915, p. 30.

— « *La Pensée* et *L'Adieu* par O. A. Léger : remarquables sculptures d'un jeune artiste montréalais au Salon de la Art Association », *La Presse*, 3 avril 1915, p. 30

— « Une exposition d'art canadien », *La Presse*, 20 novembre 1915, p. 21.

— « Tableaux fort intéressants au salon des artistes canadiens », *La Presse*, 25 mars 1916, p. 17.

— « Visite au salon de peinture », *La Presse*, 27 mars 1917, p. 24.

— « Statuette du champion Wil[frid] Cabana / Une œuvre de beaucoup de caractère par le sculpteur O.-A. Léger », *La Presse*, 30 mars 1918, p. 23.

— « Exposition artistique à Montréal », *La Presse*, 21 mars 1919, p. 21.

— « Ouverture de l'exposition de peintures », *La Presse*, 26 mars 1920, p. 21.

— « Nombreux achats de peintures », *La Presse*, 10 avril 1920, p. 24.

— « Visite au salon des artistes canadiens », *La Presse*, 3 avril 1925, p. 13.

— « Nos artistes disparus », *La Presse*, 11 avril 1925, « Revue illustrée », p. 4.

— « Onésime-Aimé Léger », dans *Peintres et écrivains d'hier et d'aujourd'hui*, Montréal, édition privée, 1938, p. 93

LALIBERTÉ, Alfred, « Onésime-Aimé Léger », dans *Les artistes de mon temps*, texte établi, présenté et annoté par Odette Legendre, Montréal, Boréal, 1986, p. 181-182.

LEGENDRE, Odette, *Alfred Laliberté, sculpteur*, Montréal, Boréal / Société Radio-Canada, 1989, p. 150.

P'TITE MÈRE [pseud.], « Pour ces dames : le Salon de peinture », *La Presse*, 15 avril 1916, p. 30

— « La Galerie des arts », *La Patrie*, 12 avril 1920, p. 4.

PRÉGENT, Édith, *Un bohème dans la ville : vie et œuvre d'Onésime-Aimé Léger*, catalogue d'exposition, Musée régional de Vaudreuil-Soulanges, 2007.

ROUSSAN, Jacques de, *Le nu dans l'art au Québec*, Montréal, éditions Marcel Broquet, 1982, p. 51.

VASARI [pseud.], « *L'étincelle*, pastel de O. Léger (Galerie Gaston Maillet) », *L'Autorité*, 26 avril 1919, p. 1.

ÉLISÉE MARTEL

ANONYME, « À la montée Saint-Michel », *Le Petit Journal*, 12 septembre 1948, p. 46.

— « Exposition fort intéressante », *Le Petit Journal*, 10 avril 1949, p. 72.

— « Avis de décès », *La Presse*, 27 novembre 1963, p. 92.

BOIVIN, Roméo, « Le Salon du printemps : la montée vers un art autonome », *La Patrie*, 21 avril 1934, p. 44.

HUOT, Maurice, « La peinture : A. Elyse [sic] Martel », *La Patrie*, 2 avril 1949, p. 59.

[LABERGE, Albert], « Peintre de la banlieue », *La Presse*, 10 septembre 1948, p. 14.

LE M[ARCHAND], L[ouis], « Deux expositions », *Photo-Journal*, 14 avril 1949, p. 38.

TRÉPANIER, Léon, « Le violoniste Oscar Martel, de L'Assomption, révélé par de vieux papiers de famille », *La Patrie*, 2 avril 1950, p. 30, 37, 42-43, 46-47. Repris dans *Qui ? Art, Musique, Littérature : courtes biographies canadiennes*, Montréal, Les éditions Éoliennes, 1952, p. 47-56.

— « La partie est de Montréal verra-t-elle disparaître cette grande maison d'art, rendez-vous des maîtres en peinture ? », *La Patrie*, 2 mai 1948, p. 68, 74, 99.

JEAN-PAUL PÉPIN

ANONYME, « La galerie Eaton : l'exposition des artistes de la province de Québec », *La Patrie*, 21 octobre 1927, p. 14.

— « Les funérailles de M. François Pépin », *Le Devoir*, 27 janvier 1933, p. 2

— « Les Amis de l'Art », *Le Devoir*, 27 septembre 1945, p. 5.

— « Exposition de P. Pépin chez Déom », *La Patrie*, 29 septembre 1945, p. 35, 44.

— « Nos vieilles maisons », *La Patrie*, 19 mars 1946, p. 15.

— « J.-P. Pépin expose chez Morency », *Le Devoir*, 14 mars 1947, p. 12.

— « Maisons anciennes de Jean-Paul Pépin », *La Presse*, 18 mars 1947, p. 4.

— « M. J.-P. Pépin expose », *La Patrie*, 24 octobre 1947, p. 18.

— « Exposition de peintures », *Le Devoir*, 27 octobre 1947, p. 5.

— « Exposition Pépin », *La Presse*, 31 octobre 1947, p. 65.

— « Paysage d'hiver », *Le Petit Journal*, 2 novembre 1947, p. 53.

— « Tante Élodie », *La Patrie*, 4 novembre 1947, p. 11.

— « L'exposition Pépin », *Photo-Journal*, 13 novembre 1947, p. 30.

— « Après-midi à Sainte-Dorothée », *Radiomonde*, 14 février 1948, p. 14.

— « Exposition des toiles de Pépin », *Le Petit Journal*, 15 février 1948, p. 34.

— « Communiqué : exposition J.-P. Pépin », *Photo-Journal*, 19 février 1948, p. 36.

— « Le Quêteux des routes », *Le Petit Journal*, 22 février 1948, p. 44.

— « Exposition Pépin », *La Presse*, 2 mars 1948, p. 4.

— « Jean-Paul Pépin exposera ses toiles au Salon », *Le Nouvelliste*, 25 mars 1948, p. 11.

— « Salon de peinture aux Trois-Rivières », *Le Devoir*, 29 mars 1948, p. 5.

— « Exposition d'œuvres du peintre J. P. Pépin », *La Patrie*, 12 septembre 1948, p. 101.

— « 8ᵉ exposition du peintre J.-P. Pépin », *Le Petit Journal*, 26 septembre 1948, p. 46

— « Arbres et nuages de M. J. P. Pépin », *La Presse*, 5 octobre 1948, p. 12.

— « Grande exposition canadienne », *Le Petit Journal*, 10 octobre 1948, p. 44.

— « Pêle-mêle », *Le Petit Journal*, 5 décembre 1954, p. 67.

— « Artist Preserves Many of City's Vanishing Landmarks : Jean Pepin's Life Devoted To Depicting on Canvas The Montreal of Old », *The Gazette*, 11 juin 1955, p. 21.

— « Many Famous Paintings Will Be Shown in Exhibition Here on May 25-25 », *The Victory of Two-Mountains and Mille-Îles River*, 22 mai 1958, p. 3.

— « Après l'expo… la réception bien méritée », *La Victoire des Deux-Montagnes et de la région des Mille-Îles,* 28 mai 1958, p. 12.

— « Pleins feux sur Jean-Paul Pépin, artiste peintre de Laval », *Le Propriétaire de Laval*, décembre 1970, p. 15.

— « Artistes de chez nous : Jean-Paul Pépin, le peintre de la tradition québécoise et montréalaise », *Almanach du peuple*, Montréal, Librairie Beauchemin, 1981, p. 60.

Bigué, Michel, « Jean-Paul Pépin : une vie consacrée au patrimoine québécois », *Secrets d'artistes*, 30 mars 1974, p. 25.

Biron, Hervé, « Le premier Salon de peinture des Trois-Rivières », *Le Nouvelliste*, 27 mars 1948, p. 15.

Bissonnette, Lise, « Jean-Paul Pépin, artiste-peintre », *Le Devoir*, 27 avril 1983, p. 14.

Boulanger, Rolland, « M. J.-P. Pépin, "artiste traditionaliste réputé" », *Montréal-Matin*, 5 octobre 1948, p. 15, 18.

Boulizon, Guy, « Le Québec au fil des saisons », *Sélection du Reader's Digest*, mai 1986, p. 165.

Cron, Marie-Michèle, « Les collectionneurs à œil et à cœurs ouverts », *Le Devoir*, 7 novembre 1992, p. E4.

Delisle, Jacques, « M. Paul Pépin expose », *Le Devoir*, 8 avril 1946, p. 4.

D[elisle], J[acques], « M. J.-P. Pépin expose chez Morency Frères », *Le Devoir*, 24 octobre 1946, p. 9.

Delisle, Jacques, « Tradition et modernisme chez le peintre J.-P. Pépin », *Montréal-Matin*, 1ᵉʳ mars 1948, p. 8.

Demombynes, J[ean]-G[odefroy], « En conclusion de "Prisme d'Yeux" / Exposition J.-P. Pépin », *Le Devoir*, 26 février 1948, p. 11.

E.V., « Qui êtes-vous, Jean-Paul Pépin ? », *Le Trait, journal des loisirs de Sainte-Dorothée de Laval*, mars 1971.

G[agnon], F[rançois], « Les soirs en peinture », *La Presse*, 23 mars 1946, p. 38.

G[agnon], F[rançois], « Maisons et feuillages », *La Presse*, 26 octobre 1946, p. 49.

[Grandmont, Éloi de], « Quatre expositions pour l'ouverture de la saison artistique », *Le Canada*, 3 octobre 1945, p. 5.

[Hamel, Marcel], « Vernissage de J.-P. Pépin : l'universel au service du terroir », *La Patrie*, 22 février 1948, p. 91.

Huot, Maurice, « La peinture : J.-P. Pépin », *La Patrie*, 6 octobre 1948, p. 16.

— « J.-P. Pépin, peintre sincère », *La Patrie*, 10 octobre 1948, p. 99.

Le Marchand, L[ouis], « J.-P. Pépin, à l'école des Arts et Métiers », *Photo-Journal*, 14 octobre 1948, p. 34.

Ladouceur, Albert, « Laval, le refuge d'un des plus grands peintres canadiens », *Courrier Laval*, 12 février 1973.

L'Académicien [pseud.], « Coquetels, gousses d'ail / Pour les générations futures », *Radiomonde*, 22 janvier 1949, p. 12.

Le Boulevardier [Roger Parent], « Rumeurs et potins », *Photo-Journal*, 20 février 1947, p. 32 ; 27 mars 1947, p. 32 ; 10 avril 1947, p. 34 ; 1ᵉʳ mai 1947, p. 34 ; 16 octobre 1947, p. 34 ; 30 octobre 1947, p. 34 ; 13 novembre 1947, p. 34 ; 7 octobre 1948, p. 38 ; 6 janvier 1949, p. 38 ; 13 janvier 1949, p. 38 ; 3 mars 1949, p. 42 ; 4 août 1949, p. 42 ; 18 août 1949, p. 42 ; 26 août 1949, p. 38 ; 1ᵉʳ septembre 1949, p. 42.

[Loiselle, Ernest], « Exposition de P. Pépin chez Déom », *La Patrie*, 29 septembre 1945, p. 35.

Pallascio-Morin, Ernest, « Peindre, c'est vivre deux fois », *La Patrie*, 19 mars 1947, p. 4.

Parent, Roger, « Un peintre local étudie depuis vingt ans l'art de conserver les tableaux », *Photo-Journal*, 18 octobre 1945, p. 5.

Perrault, Pierre, *J'habite une ville*, textes choisis et mis en forme par Daniel Laforest, Montréal, L'Hexagone, 2009, p. 200-205.

St-Jean, Paul, « Radiotages », caricature, *Radiomonde*, 28 février 1948, p. 5.

NARCISSE POIRIER

Alceste [pseud. d'Ernest Schenck], « Impressions : au Salon », *Le Devoir*, 24 mars 1923, p. 1.

Anonyme, « L'exposition des peintures », *Le Canada*, 26 mars 1915, p. 7.

— « Au salon des artistes canadiens », *La Presse*, 8 avril 1925, p. 1.

— « Au salon du printemps 1927 », *Le Canada*, 2 avril 1927, p. 3.

— « Inauguration de la Galerie Morency », *La Patrie*, 22 avril 1927, p. 14.

— « La galerie Eaton : l'exposition des artistes de la province de Québec », *La Patrie*, 21 octobre 1927, p. 14.

— « A Small Exhibiton of Little Pictures by Montreal Artists », *Montreal Star*, 12 décembre 1930.

— « Tableaux de Narcisse Poirier », *Le Devoir*, 2 décembre 1941, p. 3.

— « Grande vente de peintures canadiennes par Narcisse Poirier », publicité, « Exposition de M. Narcisse Poirier à l'Art Français », *Le Devoir*, 11 avril 1942, p. 2, 10.

— « L'œuvre du peintre Narcisse Poirier », *Le Devoir*, 15 mai 1942, p. 2

— « Le peintre Narcisse Poirier en vedette à la Galerie Impériale », *Le Canada*, 1ᵉʳ avril 1950, p. 5

— « Narcisse Poirider [sic] expose à Washington, D.C. », *L'Action populaire, L'Horizon*, Joliette, 2 décembre 1970, Le Cahier 6/8, p. 11A.

— « Hommage à Narcisse Poirier, du groupe des huit de la Montée Saint-Michel », *La Presse*, 6 décembre 1986, p. F 3.

— « IIIᵉ Festival de peinture : mouvement et innovation », *La Revue*, Terrebonne, 2 avril 1991, p. 1 ;

Bédard, Louise-Marie, « Narcisse Poirier : les 100 ans d'un peintre », *La Semaine*, Repentigny, 10 décembre 1983, p. 14.

B[ilodeau], E[rnest], « À Saint-Sulpice : les peintures de M. Poirier », *Le Devoir*, 24 novembre 1926, p. 2.

Bordonado, Gilles, « Un 3ième festival de peinture à Mascouche : Narcisse Poirier à l'honneur », *La Revue*, Terrebonne, 2 avril 1991, p. 5.

Chauvin, Jean, « Chronique d'art » : le Salon d'automne », *La Revue populaire*, janvier 1930, p. 8.

Daniel, Pierre, « Toiles de N. Poirier », *La Presse*, 24 janvier 1942, p. 50.

D[enis], F[ernand], « Exposition de peintures de Narcisse Poirier », *Le Petit Journal*, 25 janvier 1942, p. 12.

Desbiens, Lucien, « Les artistes de la province de Québec », *Le Devoir*, 14 mai 1930, p. 2.

— « Le salon Poirier », *Le Devoir*, 29 janvier 1942, p. 2.

Deschamps, Michel, [pseud. de Joseph Jutras], « Poirier expose », *Le Devoir*, 20 février 1946, p. 10.

Desrosiers, Emmanuel, « M. Narcisse Poirier, artiste peintre », *Mon magazine*, novembre 1931, p. 4.

— « Quarante-neuvième exposition du printemps 1932 de la Art Association of Montreal », *Mon magazine*, p. 6.

Duguay, Rodolphe, *Carnets intimes*, présenté par Hervé Biron, Montréal, Boréal Express, 1978.

— *Journal 1907-1927*, texte établi et annoté par Jean-Guy Dagenais, avec la collaboration de Claire Duguay et Richard Foisy, Montréal, Éditions Varia, 2002.

Dumas, P[aul], « Exposition d'œuvres de M. Narcisse Poirier », *Le Quartier latin*, 13 décembre 1928, p. 6.

Falardeau, Émile, « Un maître de la nature morte : Narcisse Poirier », *Le Petit Journal*, 15 août 1965, p. 33-34.

Getlein, Frank, [critique d'art au *Washington Star*], « Une critique de Narcisse Poirier », traduction par Claire Chevrette-Robichaud, *L'Action populaire, L'Horizon*, Joliette, 2 décembre 1970, Le Cahier six/8, p. 11A.

Hardy, Laurent, *N. Poirier*, La Prairie, Éditions Marcel Broquet, collection Signatures, 1982.

Jutras, J[oseph], « M. N. Poirier », *Toil'etta*, 1er octobre 1922, p. 4. Repris dans *Le Passe-Temps*, 18 novembre 1922, p. 338.

— « Chez nos artistes : Narcisse Poirier », *La Revue moderne*, octobre 1923, p. 4.

Laberge, Albert, « Le Salon des arts », *La Presse*, 18 mars 1912, p. 4.

— « Exposition artistique à Montréal », *La Presse*, 21 mars 1919, p. 21.

— « Études d'art et peintures par N. Poirier », *La Presse*, 12 novembre 1921, p. 34.

— « Une visite à l'exposition de peinture », *La Presse*, 22 mars 1922, p. 3.

— « Causerie en marge du Salon du printemps », *La Presse*, 3 avril 1923, p. 3.

— « Tableau pour le musée national », reproduction de l'œuvre dans *La Presse*, 11 avril 1923, p. 1.

— « Remarquable exposition par le peintre N. Poirier », *La Presse*, 17 décembre 1923, p. 15.

— « Ouverture officielle du Salon du printemps », *La Presse*, 28 mars 1924, p. 19.

— « Visite au Salon des artistes canadiens », *La Presse*, 3 avril 1925, p. 13.

— « Exposition de tableaux par M. Narcisse Poirier », *La Presse*, 11 avril 1925, p. 55

— « Toiles remarquables par les peintres de Toronto », *La Presse*, 23 novembre 1925, p. 5.

— « Exposition de tableaux canadiens et français [chez Morency] », *La Presse*, 3 mars 1926, p. 24.

— « Série de paysages et de superbes tableaux de fleurs », *La Presse*, 23 novembre 1926, p. 15.

— « Des œuvres remarquables au Salon de nos peintres », *La Presse*, 25 mars 1927, p. 26.

— « Exposition de peintures canadiennes et françaises », *La Presse*, 14 avril 1927, p. 27.

— « Exposition de peinture par les artistes de la province », *La Presse*, 12 octobre 1927, p. 9.

— « Ouverture officielle du Salon des artistes canadiens », *La Presse*, 23 mars 1928, p. 15.

— « Exposition de tableaux par le peintre Narcisse Poirier », *La Presse*, 7 décembre 1928, p. 71.

— « Ouverture officielle du Salon des artistes canadiens », *La Presse*, 22 mars 1929, p. 12.

— « Exposition de tableaux et de sculptures à la maison Eaton », *La Presse*, 8 mai 1929, p. 35.

— « Ouverture de l'Exposition Canadienne », *La Presse*, 22 novembre 1929, p. 15.

— « Ouverture du Salon des artistes canadiens à la Art Association » *La Presse*, 22 mars 1930, p. 49.

— « Pour encourager et faire connaître nos artistes », *La Presse*, 13 mai 1930, p. 25.

— « Chefs-d'œuvre canadiens » (no 6), *La Presse*, « Magazine illustré », 23 août 1930, p. 24.

— « Ouverture de l'exposition de peintures et sculptures », *La Presse*, 21 mars 1931, p. 70.

— « Ouverture du Salon de l'Académie canadienne », *La Presse*, 18 novembre 1931, p. 16.

— « Ouverture de l'exposition des peintres canadiens », *La Presse*, 18 mars 1932, p. 10.

— « L'exposition N. Poirier à l'Impérial », *La Presse*, 2 mai 1932, p. 12.

— « Exposition de peintures par M. Narcisse Poirier », *La Presse*, 3 mai 1932, p. 8.

Lacroix, Laurier, « Rodolphe Duguay et Suzor-Coté », *Liberté*, vol. 39, no 3, juin 1997, p. 103-119.

Laliberté, Alfred, « Narcisse Poirier », dans *Les artistes de mon temps*, texte établi, présenté et annoté par Odette Legendre, Montréal, Boréal, 1986, p. 184-185.

L[emay], J.-A[rthur], « M. Napoléon [sic] Poirier a exposé à Saint-Sulpice », *La Patrie*, 2 février 1924, p. 30.

Lemay, J.-Arthur, « Petite chronique des beaux-arts : natures mortes de Narcisse Poirier », *La Patrie*, 3 mai 1942, p. 59.

Lemieux, Yves, « Le 50e Salon du printemps », *Le Devoir*, 8 avril 1933, p. 2.

Letondal, Henri, « Les petites expositions : peintres français et canadiens, chez Morency », *La Patrie*, 6 mars 1926, p. 41.

Morgan-Powell, Samuel, « Profuse Variety Marks Art Now : Third Exhibition of Works by Quebec Artists at Eaton Galleries », *Montreal Star*, 12 mai 1930.

Morin, Léo-Pol, « Le salon du printemps de la Art Association », *La Patrie*, 28 mars 1928, p. 6.

Normand, Gilles, « Narcisse Poirier, peintre centenaire : survivant du *Groupe des Huit* de la Montée Saint-Michel », *La Presse*, 5 février 1983, p. D-13.

Poirier, Paule, « Narcisse Poirier, artiste-peintre », *Le Soleil*, 10 avril 1984, p. A 15 ; *La Presse*, 25 avril 1984, p. A 7.

Renaud, Marc, *T.-X. Renaud : décorateur d'églises et artiste peintre*, Montréal, Éditions Carte blanche, 2006.

Reynald, « Le 50ᵉ Salon du printemps », *La Presse*, 17 mars 1933, p. 8.

— « Le 52ᵉ Salon du Printemps », *La Presse*, 22 mars 1935, p. 2.

— « Les aquarelles d'A.-C. Leighton », *La Presse*, 4 avril 1936, p. 45.

— « Montréal, ville à l'aspect multiple », *La Presse*, 16 mai 1936, p. 9.

— « Le 54ᵉ Salon du Printemps », *La Presse*, 20 mars 1937, p. 49.

Saint-Jean, Albert, « Narcisse Poirier se raconte », dans *Rétrospective de Narcisse Poirier*, sous la présidence d'honneur de l'Honorable Denis Hardy, ministre des Affaires culturelles du Québec, au Centre culturel de Verdun, du 2 au 30 avril 1975, catalogue d'exposition, Verdun, 1975, p. 8.

Saint-Yves, Paul, « Aux galeries Eaton », *Le Devoir*, 10 octobre 1927, p. 2.

Tremblay, Pierre-Antoine, *Narcisse Poirier : 25 ans déjà = 25 years already*, Montréal, Éditions P.-A. Tremblay, 2010.

JOSEPH-OCTAVE PROULX

Anonyme, « Échos mondains », *La Presse*, 23 juillet 1921, p. 25.

Gagnon, François, « Les peintres si divers de la province de Québec », *La Presse*, 28 octobre 1944, p. 34.

[Laberge, Albert], « Exposition artistique à Montréal », *La Presse*, 21 mars 1919, p. 21.

— « Exposition de peintures par nos artistes », *La Presse*, 2 avril 1921, p. 7.

— « Le Salon du printemps est le moins important jamais vu ici », *La Presse*, 29 mars 1926, p. 21.

LE GROUPE

Anonyme, « Gala des artistes à L'Arche », *Le Canada*, 11 juin 1917, p. 8.

— « Les réunions », *Le Canada*, 24 mars 1941, p. 7.

— « Les peintres de la Montée Saint-Michel », *La Presse*, 27 mars 1941, p. 22.

— « À la Société historique : Mgʳ Maurault révèle l'existence des Peintres de la Montée Saint-Michel », *Le Devoir*, 28 mars 1941, p. 2.

— « Première exposition des œuvres des "peintres de la montée Saint-Michel" », *L'Illustration nouvelle*, 12 avril 1941, p. 5.

— « Les peintres de la Montée Saint-Michel exposent plusieurs de leurs œuvres », *Le Petit Journal*, 13 avril 1941, p. 12.

— « Les Peintres de la Montée Saint-Michel », *L'Œil*, 15 avril 1941, p. 25.

— « Première exposition des peintres de la Montée Saint-Michel », *Le Canada*, 16 avril 1941, p. 3.

— « L'art canadien à l'honneur », *Photo-Journal*, 17 avril 1941, p. 9.

— « Feuilletons le "Cahier des Dix" / Les peintres de la Montée Saint-Michel par Mgʳ Olivier Maurault », *La Patrie*, 21 décembre 1941, p. 58.

— « Montreal shows its colors / Exhibit looks at a period of awakening », *The Lennoxville Journal*, 5 juin 1996, p. 12.

— « Galerie de l'UQAM : Peindre à Montréal, 1915-1930 », *L'UQAM*, 16 septembre 1996, p. 12.

— « Carnet artistique : Galerie de L'UQAM, Peindre à Montréal, 1915-1930 », *Réseau*, septembre 1996, p. 26.

— « Galerie de l'UQAM / Peindre à Montréal, 1915-1930 », *Réseau*, octobre 1996.

— « En bref – Les peintres de la Montée Saint-Michel, *Le Devoir*, 19 novembre 2011.

Archambault-Malouin, Diane, « D'Alexandre de Bretonvilliers à Berthe Charès-Louard », *Le Domaine*, vol. 1, Société d'histoire du Domaine de Saint-Sulpice, mai 2002, 8 p.

— « "Je me souviens" d'un domaine seigneurial à Ahuntsic », *SHAC, Société d'histoire d'Ahuntsic-Cartierville*, bulletin nᵒ 4, novembre 2018, p. 9-13.

Ayotte, Alfred, « Les richesses du sixième "Cahier des Dix" », *Le Devoir*, 27 décembre 1941, p. 7.

Ayre, Robert, « Art News and Review / To Morency Galleries », *Standard*, 26 avril 1941, p. 7.

Baillargeon, Stéphane, « Laurier Lacroix : chercheur d'art », *Le Devoir*, 30 septembre 1996, p. B1.

Bennett, Paul, « L'aventure intellectuelle audacieuse de L'Arche », *Le Devoir*, 14 novembre 2009, p. F 13.

— « Un Marc-Aurèle Fortin libéré de sa légende », *Le Devoir*, 26 février 2011, p. F 5.

Boivin, Aurélien et Karel, David (dir.) *À la rencontre des régionalismes artistiques et littéraires : le contexte québécois, 1830-1960*, Québec, Presses de l'université Laval, 2014.

Bernatchez, Raymond, « Les peintres oubliés de la Montée Saint-Michel », *La Presse*, 7 septembre 1996, p. D 11.

Bissonnette, Lise, « Comment séduire », *Le Devoir*, 14 février 1998, p. B3.

Charest, Rémy, « À Québec / Regards vers l'extérieur », *Le Devoir*, 24 février 1996, p. B 8.

Collectif, « Vernissage / Conférence à L'Arche et visite de l'exposition à l'hôtel de ville / Visite des membres de la Société d'histoire du Domaine de Saint-Sulpice », *Le Piscatoritule*, nᵒ 38, novembre 2011, 4 p.

Comeau, Robert, « Les peintres de la montée Saint-Michel », *Le Journal de Montréal*, 19 juillet 1992.

Comeau, André, *Institutions artistiques du Québec de l'entre-deux-guerres (1919-1939)*, thèse de doctorat en histoire de l'art, Université de Paris I – Panthéon-Sorbonne, 1983.

Couëlle, Jennifer, « Un mariage plus ou moins réussi », *Le Devoir*, 20 avril 1996, p. D8.

Danaux, Stéphanie, *L'Iconographie d'une littérature 1840-1940 : évolution et singularités du livre illustré francophone au Québec, 1840-1940*, Québec, Presses de l'Université Laval, 2013.

Delagrave, Marie, « La revanche des peintres méconnus », *Vie des arts*, nᵒ 163, été 1996, p. 68-70.

Desbiens, Lucien, « Les Salons / Celui des "peintres de la Montée St-Michel" », *Le Devoir*, 16 avril 1941, p. 6.

DELISLE, Jacques, « Le salon du Collège André-Grasset », *Le Devoir*, 2 novembre 1944, p. 3.

DORION, Jocelyne, « Les Peintres de la Montée Saint-Michel », *Se souvenir*, Bulletin de l'Association des descendants de Noël Legault dit Deslauriers, vol. 9, n° 1, mars 2008, p. 8-11.

DOUTREMONT, G., « Les Dix », *La Revue populaire*, février 1943, p. 15.

DUCHESNE, André, « Macédoine muséale », *La Presse*, 18 janvier 1996, p. D4.

— « Ces peintres oubliés : entre le Groupe des Sept et les Marc-Aurèle Fortin et Suzor-Coté, il y avait les "Peintres de la Montée Saint-Michel" », *La Presse*, 10 mars 1996, p. B 10.

DUHAMEL, Roger, « Le Cahier des Dix, numéro six », *Le Canada*, 26 février 1942, p. 2.

ESSEGHIR, André, « Saint-Sulpice : petit quartier, grande histoire », *Le Journal des Voisins*, 24 mai 2022, en ligne.

FOISY, Richard, « Le centenaire des peintres de la Montée Saint-Michel : 1911-2011 », *Le Piscatoritule*, n° 4, décembre 2001, p. 1-2.

— « Centenaire de L'Arche 1904-2004 / III / Les peintres de la Montée Saint-Michel, derniers occupants de L'Arche », *Le Piscatoritule*, n° 14, décembre 2004, 4 p.

— *Maurice Le Bel (1898-1963), graveur et peintre : du terroir à l'abstraction*, Montréal, Fides, 2013

— « In Memoriam [sur le décès d'Estelle Piquette-Gareau] », *Le Piscatoritule*, n° 54, décembre 2017, p. 1.

— « Portrait d'une vie », dans Grandbois, Michèle (dir.), *Marc-Aurèle Fortin : l'expérience de la couleur*, catalogue d'exposition, Musée national des beaux-arts du Québec, Les Éditions de l'Homme, 2011, p. 19-59.

— *L'Arche : un atelier d'artistes dans le Vieux-Montréal*, Montréal, VLB éditeur, 2009.

GAGNON, Maurice, « Une tradition picturale au Canada », *Amérique française*, octobre 1944, p. 50, 51.

GAGNON, Maurice, *Sur un état actuel de la peinture canadienne*, Montréal, Société des éditions Pascal, 1945, p. 72-73, 75.

JUTRAS, J[oseph], « Tribune libre / La Peinture », *La Presse*, 5 mai 1931, p. 31.

LA FERRIÈRE, Philippe, « Du côté de chez Besner », *Amérique Française*, avril 1954, p. 51-58.

LAGHCHA, Hassan, « Les peintres de la Montée St-Michel nous ont visités… », *Le Journal des Voisins*, 23 novembre 2017, en ligne.

LALONDE, Normand, « Les peintres de la Montée Saint-Michel », *Le Monde*, août 1996, p. 1, 3.

LEBLEU, Jacques, « Une belle surprise : un don anonyme inattendu », *SHAC, Société d'histoire d'Ahuntsic-Cartierville*, bulletin n° 4 / novembre 2018, p. 8.

LE BOULEVARDIER [Roger Parent], « Rumeurs et potins », *Photo-Journal*, 9 octobre 1947, p. 34 ; 16 octobre 1947, p. 34 ; 6 novembre 1947, p. 34 ; 13 novembre 1947, p. 34 ; 22 janvier 1948, p. 34.

MAURAULT, Olivier, « Les peintres de la Montée Saint-Michel », *Les Cahiers des Dix*, n° 6, décembre 1941, p. 49-65. Réédition présentée et annotée par Richard Foisy sous le titre *Les peintres de la Montée Saint-Michel, cent ans après : 1911-2011*, Montréal, Fides, 2011.

MENDELMAN, Bernard, « Best kept secret : Great art exhibition at Galerie de l'UQAM », *The Suburban*, 18 septembre 1996.

MERCIER, Kathly, « Exhibit looks at the urbanization of Montreal », *The Record*, 7-14 juin 1996, p. 16.

NADEAU, Jacynthe, « Montréal, 1920… / 30 artistes et 80 œuvres témoignent de l'effervescence artistique de l'après-guerre au Centre d'artistes de l'Université Bishop's », *La Tribune*, 15 juin 1996, p. p. 30-31.

NÉRON, Jean-François, « Les peintres de la Montée Saint-Michel au Musée de Charlevoix », *L'Hebdo Culturel*, vers le 20 octobre 1996.

NOREAU, Pierre-Paul, « Peindre à Montréal, 1915-1930 : les aventuriers de la couleur », *Le Soleil*, 24 février 1996, p. 12.

PELLETIER, Frédéric, « La vie musicale : l'Union des musiciens veut faire parler d'elle – L'homme d'affaires américain – Un dernier concert d'orgue – Les Peintres de la Montée Saint-Michel », *Le Devoir*, 9 mai 1931, p. 6.

REYNALD [pseud. d'Ephrem-Réginald Bertrand], « Les Peintres de la Montée », *La Presse*, 19 avril 1941, p. 33.

ROCHON, Paul, « Transformez-vous en critique d'art », *La Patrie*, 29 octobre 1944, p. 62.

ROQUEBRUNE, Robert de, « Choses du temps : À la montée Saint-Michel », *Le Canada*, 24 avril 1941, p. 2.

SAINT-GEORGES, Hervé de, « Sept peintres canadiens se font enfin connaître aux galeries Morency », *La Patrie*, 19 avril 1941, p. 20, 22.

SIGOUIN, Éric, « Rendez-vous à la Montée Saint-Michel », *Le Piscatoritule*, n° 33, mai 2010, 4 p.

TESSIER, Stéphane, « Les carrières au cœur de l'histoire de Saint-Michel », *Est Média Montréal*, 9 avril 2022, en ligne.

TRÉPANIER, Esther, *Peinture et modernité au Québec, 1919-1939*, Québec, Éditions Nota Bene, 1998, p. 326.

TRÉPANIER, Léon, « La partie est de Montréal verra-t-elle disparaître cette grande maison d'art, rendez-vous des maîtres en peinture ? », *La Patrie*, 2 mai 1948, p. 68, 74, 99.

GÉNÉRAL

ARTICLES

ANONYME, « L'impressionnisme : conférence par M. William Brymner », *La Presse*, 14 avril 1897, p. 1.

« Ouverture des classes sous le contrôle du Conseil des Arts et Manufactures », *La Presse*, 10 octobre 1899, p. 8.

— « Un portrait par jour : M. Jobson Paradis, professeur de dessin », *La Patrie*, 13 novembre 1902, p. 5.

— « Les artistes de journaux », *La Patrie*, 27 avril 1903, p. 1.

— « Le dernier Salon : l'art national existe-t-il ? », *La Patrie*, 16 avril 1904, p. 9.

— « L'avenir des Canadiens-français : les artistes », *Le Nationaliste*, 22 octobre 1905, p. 1, 4.

— « L'art au Canada », *La Patrie*, 16 août 1906, p. 4.

— « L'annexion est consommée », *La Presse*, 26 novembre 1906, p. 14.

— « Ce bois de Boulogne », *La Presse*, 15 décembre 1906, p. 46.

— « Projet d'un bois de Boulogne dans la banlieue de Montréal », *La Patrie*, 30 novembre 1906, p. 11.

— « Gala des artistes à L'Arche », *Le Canada*, 11 juin 1917, p. 8.

— « La préservation des souvenirs historiques dans le fort de Chambly », *La Presse*, 11 mai 1918, p. 29.

— « Une exposition », *Le Devoir*, 4 novembre 1920, p. 2.

— « Ceux à qui nous devons notre coup de chapeau », *La Patrie*, 23 juillet 1921, p. 16.

— « Un salon des artistes indépendants, pour l'automne à Montréal », *La Patrie*, 17 mai 1923, p. 13.

— *École des beaux-arts de Montréal : première exposition publique, première proclamation des récompenses*, brochure, 23 mai 1924, p. 27.

— « Le revolver qui aurait servi à tuer Boileau, caché dans une boîte », *La Patrie*, 3 octobre 1947, p. 3.

CHARBONNEAU, Sylvie, « Paysages de chez nous, les peintres de la Montée Saint-Michel », exposition Jean-Paul Pépin, *La Voix de Laval*, 21 février 1979, p. 16.

DESJARDINS, Maurice, « Avant que de peindre : apprendre à dessiner ! », entrevue avec Edmond Dyonnet, *La Patrie*, 1er mai 1946, p. 9.

DANAUX, Stéphanie, « Émergence et évolution d'une profession artistique : les dessinateurs de presse entre 1880 et 1914 à Montréal », *Médias 19*, [en ligne], www.medias19.org/publications/la-recherche-sur-la-presse-nouveaux-bilans-nationaux-et-internationaux/emergence-et-evolution-dune-profession-artistique-les-dessinateurs-de-presse-entre-1880-et-1914-montreal.

GILL, Charles, « Les artistes canadiens » *Le Canada*, 27 mars 1905, p. 4. Repris sous le titre « Le Salon de 1905 (I) », dans Réginald Hamel, *Charles Gill : contes, chroniques, critiques*, prose réunie et annotée par Réginald Hamel, Montréal, Guérin, 2000.

LABERGE, Albert, « Visite à travers les ateliers de nos artistes », *La Presse*, 21 novembre 1908, p. 12

— « Exposition de peinture qui fera du bruit », *La Presse*, 21 mai 1913, p. 13.

— « Exposition de peintures par nos artistes », *La Presse*, 1er avril 1921, p. 7.

— « Au fil de l'heure / Le Groupe Beaver Hall », *La Presse*, 20 janvier 1921, p. 2

— « Des artistes qui affirment de beaux dons », « L'art et les artistes », « En marge de quelques toiles » *La Presse*, 21 janvier 1922, p. 2.

— « Une visite à l'exposition de peintures », *La Presse*, 22 mars 1922, p. 3,

— « L'art et les artistes », *La Presse*, 20 novembre 1922, p. 2.

— « Remarquable exposition de tableaux par Émile Vézina », *La Presse*, 10 mars 1924, p. 8.

LORRAIN, Léon, « Le Salon du Printemps », *Le Devoir*, 19 mars 1912, p. 1

MADELEINE [pseud. d'Anne-Marie Gleason], « Chronique : au Salon », *La Patrie*, 24 mars 1902, p. 4.

PAQUIN, Ubald, « Ce qu'est notre Quartier latin et ce que sont ses poètes », *Le Canada*, 27 avril 1917, p. 5 ; 28 avril 1917, p. 3.

LIVRES

BANNON, Jacques, *Le collège André-Grasset : 75 ans d'histoire*, Montréal, Fides, 2003.

BORDUAS, Paul-Émile, *Écrits II, Tome I : 1923-1953*, Montréal, les Presses de l'Université de Montréal, Bibliothèque du Nouveau Monde, 1997.

BOUTILIER, Alicia et MARÉCHAL, Paul (dir.), *William Brymner : peintre, professeur et confrère*, Kingston (Ont.), Agnes Etherington Art Centre, Queen's University, 2010.

BUISSON, René, *Marc-Aurèle Fortin, un maître inconnu*, Montréal, Musée Marc-Aurèle Fortin, 1995.

BURATTI-HASAN et JARBOUAI, Leïla, *Rosa Bonheur (1822-1899)*, Paris, Flammarion, Musée d'Orsay, catalogue d'exposition, 2022.

CAMBRON, Micheline (dir.), *La vie culturelle à Montréal vers 1900*, Montréal, Fides, 2005.

CHAUVIN, Jean, *Ateliers*, Montréal, Les Éditions du Mercure, 1928.

CLOUTIER, Nicole, « La sculpture symbolique et allégorique », dans *Laliberté*, catalogue d'exposition, Musée des beaux-arts de Montréal, 1990, p. 61-71.

DESLANDRES, Dominique, DICKINSON, John A., Hubert, Ollivier (dir.), *Les Sulpiciens de Montréal : une histoire de pouvoir et de discrétion, 1657-2007*, Montréal, Fides, 2007.

DESERRES, Hélène, *Omer DeSerres : trois générations créatives*, Montréal, Les éditions de l'Homme, 2008.

DES ROCHERS, Jacques et Foss, Brian (dir.), *Une modernité des années 1920 à Montréal : le Groupe de Beaver Hall*, catalogue d'exposition, Montréal, Musée des beaux-arts de Montréal, 2015.

DESROSIERS, Hugues et DÉSY, Louise, *Edgard Gariépy photographe, 1881-1956*, Ville de Montréal, Service des activités culturelles, 1985.

Edmond Dyonnet, *Mémoires d'un artiste canadien*, Ottawa, Éditions de l'Université d'Ottawa, 1968.

DYONNET, Edmond, *Mémoires d'un artiste canadien*, Ottawa, Éditions de l'Université d'Ottawa, 1968.

DRAGUET, Michel (dir.), *Splendeurs de l'Idéal : Rops, Khnopff, Delville et leur temps*, Liège, SDZ, Pandora, ULB, 1997.

ÉTHIER-BLAIS, Jean, « Olivier Maurault », *Le Siècle de l'abbé Groulx*, Montréal, Leméac, 1993.

FONT-RÉAULX, Dominique de, *Peinture et photographie : les enjeux d'une rencontre, 1839-1914*, Paris, Flammarion, 2020.

FRÈCHES-THORY, Claire et PERUCCHI-PETRI, Ursula (dir.), *Nabis, 1888-1900*, Paris, éditions de la Réunion des musées nationaux, catalogue d'exposition, 1993.

GAGNON, François-Marc, *Chronique du mouvement automatiste québécois, 1941-1954*, Montréal, Lanctôt éditeur, 1998.

GEORGEL, Chantal, *La forêt de Fontainebleau : un atelier grandeur nature*, Paris, musée d'Orsay, catalogue d'exposition, 2007.

HILL, Charles C., *Peinture canadienne des années trente*, Ottawa, Galerie nationale du Canada, 1975.

— *Le Groupe des Sept : l'émergence d'un art canadien*, catalogue d'exposition, Ottawa, Musée des beaux-arts du Canada, 1995.

HARDY, Laurent, *Narcisse Poirier*, La Prairie, Éditions Marcel Broquet, 1982.

JUMEAU-LAFOND, Jean-David, *Les Peintres de l'âme : le Symbolisme idéaliste en France*, Anvers, Pandora, 1999.

KAREL, David, *Edmond-Joseph Massicotte, illustrateur*, Québec, Musée national des beaux-arts du Québec et Presses de l'Université Laval, 2005, p. 69-71.

LACROIX, Laurier (dir.), *Peindre à Montréal 1915-1930 : les peintres de la Montée Saint-Michel et leurs contemporains*, catalogue d'exposition, Galerie de l'UQAM, Musée du Québec, 1996.

LALIBERTÉ, Alfred, *Mes souvenirs*, Montréal, Boréal Express, 1978, p. 201.

— *Les artistes de mon temps*, texte établi et annoté par Odette Legendre, Montréal, Boréal, 1986, p. 223-225.

LALLIER, Pierre, et TRÉPANIER, Esther, *Adrien Hébert*, catalogue d'exposition, Québec, Musée du Québec, 1993.

LANDRY, Madeleine, *Beaupré, 1896-1904 : lieu d'inspiration d'une peinture identitaire*, Québec, Septentrion, 2014.

LASSONDE, Jean-René, *La Bibliothèque Saint-Sulpice, 1910-1931*, Montréal, Bibliothèque nationale du Québec, 3e édition, 2001.

LEMOINE, Serge (dir.), *Le Mystère et l'éclat, pastels du Musée d'Orsay*, catalogue d'exposition, Paris, Éditions de la Réunion des musées nationaux, 2008.

MARTIN, Lévis, *Rodolphe Duguay : pour une mystique du paysage*, Québec, les Presses de l'Université Laval, 2004.

MAURAULT, Olivier, *Brièvetés*, Montréal & New York, Louis Carrier & Cie, 1928.

– *Marges d'histoire I : l'art au Canada*, Montréal, Librairie d'Action canadienne-française, 1929.

OSTIGUY, Jean-René, *Ozias Leduc : peinture symboliste et religieuse*, catalogue d'exposition, Galerie nationale du Canada, Ottawa, 1974.

PALLASCIO-MORIN, Ernest, *Vincelette*, La Prairie, Éditions Marcel Broquet, 1983.

PEPALL, Rosalind et FOSS, Brian [dir.], *Edwin Holgate*, catalogue d'exposition, Montréal, Musée des beaux-arts de Montréal, 2005.

PINGEOT, Anne et HOOZEE, Robert, « Symbolisme sculpté », *Paris-Bruxelles, Bruxelles-Paris : réalisme, impressionnisme, symbolisme, art nouveau*, catalogue d'exposition, Fonds Mercator, Réunion des Musées nationaux, 1997, p. 356-366.

PRÉGENT, Édith, *Un bohème dans la ville : vie et œuvre d'Onésime-Aimé Léger*, catalogue d'exposition, Musée régional de Vaudreuil-Soulanges, 2007.

RAJOTTE, Pierre (dir.), *Lieux et réseaux de sociabilité littéraire au Québec*, Québec, Nota Bene, 2001.

RAPETTI, Rodolphe [dir.], *Odilon Redon, Prince du Rêve, 1840-1916*, catalogue d'exposition, Paris, RMN-Grand Palais, Musée d'Orsay, 2011.

TERRASSE, Antoine, *Pont-Aven, l'École buissonnière*, Paris, Gallimard, collection Découvertes, 1992.

THIBAULT, Suzanne (dir.), *La petite histoire de Saint-Michel : de la campagne à la ville, 1699-1968*, Montréal, Villeray–Saint-Michel–Parc-Extension, 2008, p. 7.

TRIGGS, Stanley G., *Le studio de William Notman = William Notman's Studio*, Montréal, Musée McCord d'histoire canadienne, 1992

VÉZINA, Émile, *L'Éclat de rire*, Montréal, L.-Ad. Morissette imprimeur, 1912, s.p.

Liste des illustrations

3.17 *Du haut du mont Royal**, 1920, huile sur bois, 20,2 x 14 cm (coll. Éric G. Sigouin).

3.18 *Bouleaux au mont Royal**, 1926, huile sur bois, 20,5 x 14 cm (coll. famille Gareau).

3.19 *Arbres et rochers**, 9 novembre 1921, fusain et pastel sur papier, 15 x 7 cm (coll. Monique et Roxanne Dehaut).

3.20 *Deux bouleaux**, n.s., s.d., [1921], fusain et pastel sur papier, 11 x 5,5 cm (coll. part.).

3.21 *Groupe de bouleaux**, n.s., s.d., huile sur bois, 21,5 x 12,2 cm (coll. famille Gareau).

3.22 *Trio de jeunes arbres**, 8 novembre 1921, fusain et pastel sur papier, 12,7 x 7,6 cm (coll. Odette Hamel).

3.23 *Bouleaux en hiver**, n.s., s.d., huile sur bois, 20 x 13,7 cm (coll. famille Gareau).

3.24 *Rochers et bouleaux au mont Royal**, s.d., huile sur bois, 19,5 x 23,5 (coll. Suzanne et Hubert Van Gijseghem).

3.25 *Sentier au mont Royal**, n.s., s.d. [1921], fusain et pastel sur papier, 10,7 x 7 cm (dessin seul) [coll. Odette Hamel].

3.26 *Effet de lumière au mont Royal**, n.s., s.d., huile sur toile marouflée, 35,5 x 26,5 cm (coll. Monique et Roxanne Dehaut).

3.27 *Port de Montréal, canal de Lachine*, 1916, huile sur carton, 14 x 20 cm (coll. Hugo Beaulieu).

3.28 *Port de Montréal**, 1920, huile sur carton, 13,3 x 19,6 cm (coll. part.).

3.29 *Port de Montréal, près de la cale sèche*, 1919, huile sur bois, 13,5 x 20 cm (coll. part.).

3.30 *Près de la cale sèche*, n.s., 27 juillet 1924, huile sur bois, 14 x 21,5 cm (coll. Jacques Lacaille).

3.31 *Le port de Montréal**, n.s., s.d., huile sur toile, 26 x 33 cm (coll. Mario Brodeur).

3.32 *Cargos amarrés**, n.s., s.d., huile sur bois, 21,5 x 10,6 cm (coll. Suzanne et Hubert Van Gijseghem).

3.34 *Travaux du soir à la Montée Saint-Michel**, n.s., s.d., huile sur bois, 14 x 20,2 cm (coll. Éric G. Sigouin).

3.35 *Gerbes**, n.s., s.d., huile sur toile, 24,7 x 31,2 cm (coll. Jacques Lacaille).

3.36 *Meules et ormes**, n.s., s.d., huile sur carton, 15 x 31 cm (coll. famille Gareau.).

3.37 *Montée Saint-Michel, ferme des Sulpiciens (coucher de soleil)*, 29 juin 1933, huile sur bois, 12,7 x 15,2 cm (coll. Jacques Lacaille). Inscription au dos : « Co[mpagnon] P[aul] P[épin]. »

3.38 *Montée Saint-Michel, coucher de soleil*, n.s., s.d. [1937], huile sur bois, 12,7 x 15,2 cm (coll. Jacques Lacaille).

3.39 *Croix de chemin de la Montée Saint-Michel*, s.d., huile sur bois, 22,4 x 14,8 cm (coll. part.).

3.40 *La Croix de chemin**, 1919, huile sur toile, 30,5 x 20,3 cm (coll. Jacques Lacaille).

3.41 *La Croix du chemin*, 1920, huile sur toile, 51 x 41 cm (coll. Éric G. Sigouin).

3.42 *Lueurs au crépuscule**, n.s., s.d., huile sur bois, 10,6 x 21 cm (coll. famille Gareau).

3.43 *Montée Saint-Michel, chemin Crémazie*, 10 juillet 1927, huile sur bois, 10,6 x 21 cm (coll. Éric G. Sigouin). Inscription au dos : « Montée Saint-Michel, chemin Crémazie vu de la ferme de M. Robin, dimanche 10 juillet 1927, 11 h 30. Compagnon Paul Pépin. »

3.44 *Ferme des Sulpiciens*, 19 juin 1931, huile sur bois, 11,6 x 11,6 cm (coll. Jacques Lacaille). Inscription au dos : « Co[mpagnon] P[aul] P[épin]. »

3.45 *Chemin Crémazie, nuit d'hiver*, 1924, huile sur toile, 35,5 x 46 cm (coll. Jacques Lacaille).

3.47 *Deux esquisses**, 1931, huile sur bois, 22 x 13 cm (coll. famille Gareau).

3.48 *Le Bic*, n.s., s.d. [1931], huile sur bois, 25,7 x 10,7 cm (coll. part.).

3.49 *Le Bic* [*bis*], n.s., s.d. [1931], huile sur bois, 25,7 x 10,7 cm (coll. Jacques Lacaille).

3.50 *Bateau tiré au rivage*, 1931, huile sur toile, 82,5 x 35 cm (coll. Jacques Lacaille).

3.53 *Jeune fille au turban bleu**, n.s., s.d., huile sur carton, 30 x 15 cm (coll. famille Gareau).

3.54 *Femme au chapeau rouge**, n.s., s.d., huile sur carton, 25,6 x 15,4 cm (coll. famille Gareau).

3.55 *Jeune homme à la pipe**, 1923, huile sur bois, 23 x 19 cm (coll. Mario et Richard Contant).

3.56 *Scène de marché**, n.s., s.d., huile sur bois, 13 x 21,7 cm (coll. Mario et Richard Contant).

3.57 *Marché couvert**, 1925, encre sur papier, 12,5 x 17 cm (coll. Jacques Lacaille).

3.58 *Rue Turgeon*, s.d., huile sur toile, 24 x 32,5 cm (coll. Jacques Lacaille).

3.59 *Le Vieux Magasin*, 1919, huile sur bois, 14,1 x 18 cm (coll. famille Gareau).

3.60 *Église Notre-Dame,* 1919, huile sur bois, 21,8 x 13,1 cm (coll. part.).

3.61 *Église Notre-Dame* [*bis*], n.s., s.d. [1919], huile sur bois, 21,8 x 13 cm (coll. part.).

3.63 *Modèle masculin à la perche et au tabouret**, avril 1928, fusain et craie sur papier, 63 x 48,2 cm (coll. Mario et Richard Contant).

3.64 *Mosaïque de nus féminins*, 1937, fusain, rehauts de gouache et de craie blanche, 61,5 x 49 cm (coll. Musée des beaux-arts de Montréal, don de Monique et Roxanne Dehaut).

3.65 *Mosaïque de nus féminins (recto)*, 11 et 13 janvier 1938, mine de plomb, sanguine, 61,5 x 49 cm (coll. Musée des beaux-arts de Montréal, achat, fonds Cecil et Marguerite Buller, et fonds Christiane et Félix J. Furst).

3.66 *Modèle masculin assis**, 10 février 1938, fusain sur papier, 42 x 31,5 cm (coll. part.).

3.67 *Modèle masculin au tabouret**, n.s., s.d., huile sur toile, 36 x 22 cm (coll. part.)

3.68 *Nu au miroir*, n.s., s.d. [vers 1930], huile sur bois, 27,3 x 12,9 cm (coll. Musée des beaux-arts de Montréal, don de Mario et Richard Contant).

3.69 *Portrait de Laurette Bélisle**, 15 juin 1935, fusain, mine de plomb et craie sur papier, 38 x 28 cm (coll. Jacques Lacaille).

3.71 *Sainte-Adèle*, 30 juin 1958, mine de plomb sur papier, 12,7 x 17,9 cm (coll. part.).

3.72 *Lever de soleil*, dit aussi *Les Saules*, n.s., 1929, huile sur toile, 50,7 x 61 cm (coll. Monique et Roxane Dehaut).

3.73 *Old Candy Store (Faubourg Québec), Montréal*, dit aussi *Vieux magasin de bonbons*, 1930, huile sur bois, 29 x 42,2 cm (coll. Jacques Lacaille).

3.75 *Nos Vieilles Maisons*, 1926, huile sur toile, 56 x 71 cm (coll. Jacques Lacaille).

3.79 *Nos Légendes de Noël*, 1931, huile sur carton, 7,5 x 10 cm (coll. Monique et Roxanne Dehaut).

4.

4.22 Projet d'étiquette pour le parfum *Cœur et fleur*, qui deviendra *Cœurs et fleurs,* de Joseph Jutras, 1928, encre et gouache sur papier, 7,2 x 10 cm (archives privées).

5.

5.18 *Arbre la nuit, à la Montée Saint-Michel**, 1922, huile sur bois, 20,5 x 12,5 cm (coll. part.).

5.20 *Grand orme**, 1930, huile sur bois, 17,7 x 12,7 cm (coll. part.).

5.22 *Rue des Carrières**, n.s., s.d., huile sur toile, 25,3 x 30 cm (coll. famille Gareau).

5.73 *Nu féminin au socle et à la draperie**, n.s., s.d. [1939], mine de plomb, craie et crayon de couleur sur papier, 23 x 30 cm (coll. Mario et Richard Contant).

7.

7.6 *Sports d'hiver*, n.s., 1926-1927, projet de publicité pour la quincaillerie Omer DeSerres, encre et gouache sur papier, 27,9 x 21,5 cm (coll. Monique et Roxanne Dehaut).

7.24 *Nu allongé sur le ventre**, 21 mai 1932, mine de plomb sur papier, 11,5 x 15 cm (coll. Mario et Richard Contant).

7.25 *Odilon Martel, père d'Élisée Martel*, 31 mai 1933, plâtre, 53 x 28 x 23 cm (coll. Suzanne et Hubert Van Gijseghem).

8.

8.10 *Chardons et clôture**, 1926, huile sur tolle, 24 x 30 cm (coll. Éric G. Sigouin).

8.13 *Meule de foin*, 1932, huile sur bois, 16 x 20 cm (coll. Jacques Lacaille).

10.

10.18 *Plateau de pose à L'Arche**, entre 1922 et 1929, fusain et craie sur carton, 42,5 x 25,3 cm (coll. Monique et Roxanne Dehaut).

10.21 *Portrait de Gabrielle Montbriand**, n.s., juillet 1922, fusain et pastel sur papier, 38 x 28,8 cm (coll. part.).

10.34 *Proulx*, 1920, huile sur toile, 50,8 x 40,6 cm (coll. part.).

10.43 *Montée Saint-Michel (carrière voisine de la ferme des Sulpiciens)*, 9 septembre 1928, huile sur bois, 13,3 x 22,2 cm (coll. Jacques Lacaille). Inscription au dos : « Co[mpagnon] J[oseph-]O[ctave] P[roulx]. »

Documents

2.

2.3 Ernest Aubin, photographie, auteur inconnu, 1917 (archives du Centre de recherche sur l'atelier de L'Arche et son époque, 1900-1925 [CRALA]).

2.31 Ernest Aubin peignant à la Montée Saint-Michel, en compagnie d'un artiste non identifié, photographie, auteur inconnu, vers 1915 (CRALA).

2.33 Jean-Paul Pépin, *Ernest Aubin s'avançant sur le chemin de la ferme Robin, à la Montée Saint-Michel*, photographie, 10 juillet 1927 (fonds Jean-Paul Pépin, archives Estelle Piquette-Gareau [JPP-AEPG]).

2.48 Ernest Aubin, *Séance de pose à L'Arche avec modèle féminin et peintre non identifiés*, photographie, entre 1922 et 1929 (CRALA).

2.49 Ernest Aubin, *Séance de pose à L'Arche, sous le puits de lumière, avec modèle féminin et quelques amis non identifiés* (sauf Joseph Jutras), photographie, entre 1922 et 1929 (CRALA).

3.

3.10 Jean-Paul Pépin, *Ernest Aubin à la Montée Saint-Michel*, photographie, 10 juillet 1927 (JPP-AEPG).

3.46 Élisée Martel [?], *Ernest Aubin peignant à l'abri de son parasol, au Bic*, photographie, 1931 (CRALA).

3.62 « Les cours de l'Académie royale des arts du Canada », imprimé (*La Presse*, 18 avril 1931, « Magazine illustré », p. 23, JPP-AEPG).

3.70 Maison d'Ernest Aubin à Sainte-Adèle, début des années 1950, après son achèvement, photographie, auteur inconnu (archives privées).

3.74 [Albert Laberge], « Chefs-d'œuvre canadiens (Nᵒ 17), *Nos Vieilles Maisons* par Ernest Aubin », imprimé (*La Presse*, « Magazine illustré », 21 novembre 1931, p. 24).

3.76 Ernest Aubin, *Arrière de la maison nᵒ 31A, 38, rue Saint-Vincent à Montréal*, 1925, imprimé (Donat Coste, « Ernest Aubin est un grand peintre canadien », *Le Rayon*, novembre 1947, p. 18).

3.77 Ernest Aubin peignant au bord de l'eau, photographie, auteur inconnu, vers 1915 (archives privées).

3.78 Ernest Aubin modelant la tête de sa filleule Thérèse, à Sainte-Adèle, photographie, auteur inconnu, vers 1950 (archives privées).

3.80 Ernest Aubin en tenue de modeleur, photographie, auteur inconnu, vers 1920 (coll. Éric G. Sigouin).

4.

4.4 Ernest Aubin, *Intérieur de L'Arche*, photographie, 1922 (CRALA).

7.

7.20 Élisée Martel [?], *Ernest Aubin avec son parasol au Bic*, photographie, 1931 (CRALA).

10.

10.19 Ernest Aubin, *Modèle non identifié à L'Arche*, photographie, entre 1922 et 1929 (CRALA).

10.20 Ernest Aubin, *Un coin de L'Arche avec palette au mur*, photographie, 1ᵉʳ juillet 1922 (CRALA).

JOSEPH JUTRAS

Œuvres

2.

2.37 *Effet de soleil couchant**, n.s., s.d., pastel sur papier teinté, 5 x 25,5 cm (coll. Huguette Jutras).

4.

4.6 *Buste de Dante*, 1915-1916, fusain sur papier, 54 x 45,5 cm (coll. Éric G. Sigouin).

4.7 *Longueuil*, 16 juin 1918, encre sur carton, 13,6 x 24 cm (coll. Yolande Jutras).

4.8 *Longueuil [bis]*, 16 juin 1918, mine de plomb sur papier, 20 x 25 cm (coll. Yolande Jutras).

4.9 *Saint-Laurent, Côte-de-Liesse*, 30 juin 1918, mine de plomb sur papier, 19 x 26 cm (coll. Yolande Jutras).

4.10 *Rue Saint-Vincent, intérieur de la cour*, 24 mai 1923, mine de plomb sur carton, 18 x 23 cm (coll. Yolande Jutras).

4.11 *La Croix du chemin*, 4 juin 1919, mine de plomb et encre sur carton, 25,4 x 20 cm (coll. Yolande Jutras).

4.12 *La Croix à la Montée Saint-Michel**, 1930, huile sur toile, 30,5 x 40,7 cm (coll. Éric G. Sigouin).

4.13 *Chemin Saint-Michel*, 8 novembre 1925, encre sur carton, 5,2 x 19 cm (coll. Huguette Jutras).

4.14 *Entrée de la Montée Saint-Michel, Saint-Hubert et boulevard Crémazie*, s.d., huile sur toile, 17,7 x 22,7 cm (récupéré sur le site des Enchères Champagne, vente du 19 juillet 2022, lot 62).

4.15 *Étude de crépuscule**, n.s., s.d., huile sur isorel, 12,5 x 15 cm (coll. part.).

4.16 *Couchant**, n.s., s.d., crayon de couleur et pastel sur papier, 17,7 x 22,7 cm (coll. Huguette Jutras).

4.17 *Récolte dans la Montée Saint-Michel*, 1920, huile sur isorel, 15 x 23 cm (coll. Éric G. Sigouin).

4.18 *La Caillette*, s.d., huile sur carton, 20,2 x 25,3 cm (coll. Éric G. Sigouin).

4.19 *La Branche brisée, boulevard Pie-IX*, dit aussi *L'Arbre cassé*, s.d., huile sur toile, 40,7 x 51 cm (coll. Éric G. Sigouin).

4.26 Illustration en vue du Nouvel An, première page du *Passe-Temps*, numéro de Noël, 17 décembre 1921, encre sur papier, 21,5 x 28 cm (archives privées).

4.27 *À Nicolet*, s.d., huile sur toile, 30 x 40,5 cm (coll. Éric G. Sigouin).

4.28 *Vieux moulin aux Grondines*, s.d., huile sur carton, 40 x 40 cm (coll. Musée de la civilisation, Québec, don de François Armand Mathieu).

4.29 *Scène d'hiver**, 1936, huile sur carton, 17,7 x 22,8 cm (coll. Hélène Désy-Lajeunesse).

4.30 *La maison de M*gr *Dubuc, Boucherville*, s.d., huile sur bois, 30 x 40 cm (coll. Richard Jutras).

4.31 *Berthier, Québec*, n.s., s.d. [1927], mine de plomb et crayon de couleur sur papier, 17,8 x 25,4 cm (coll. Huguette Jutras).

4. 32 *L'Acadie*, 20 mai 1924, mine de plomb sur papier, 25 x 17,5 cm (coll. Yolande Jutras).

4.33 *Paysage d'hiver*, dit aussi *Scène d'hiver*, 1922, huile sur carton, 50 x 40 cm (coll. Musée de la civilisation, Québec, don de François Armand Mathieu).

4.34 *Longue-Pointe*, 18 avril 1920, mine de plomb sur carton, 21 x 18 cm (coll. Yolande Jutras).

4.41 *À la Montée Saint-Michel*, 1932, mine de plomb et aquarelle sur papier, 10 x 13 cm (coll. part.).

4.42 *Arbre chez oncle Olier Décarie, à Notre-Dame-de-Grâce*, s.d., huile sur isorel, 30,4 x 40,5 cm (coll. Richard Jutras).

4.43 *Tour est du Grand Séminaire de Montréal**, 9 mai 1934, pastel sur papier, 22,3 x 24 cm (coll. Yves Blondin).

4.44 *Coucher de soleil*, 1931, huile sur carton, 40,5 x 30,3 cm (coll. part.).

4.45 *Vieilles maisons, rue Notre-Dame et Saint-Vincent*, dit aussi erronément *L'Arche, rue Notre-Dame*, 1920, huile sur bois, 17,8 x 23,1 cm (coll. part.).

4.47 *Maison sur le boulevard Gouin*, 1925, huile sur carton, 30,5 x 40,6 cm (coll. Jean-Pierre Lavigne).

4.48 *À la montagne, petit pont de pierre*, 1951, huile sur bois, 12,6 x 15,2 cm (coll. Huguette Jutras).

4.49 *Vieille grange à Sainte-Dorothée*, 1946, huile sur toile, 45,4 x 56 cm (coll. Musée national des beaux-arts du Québec).

4.50 *Boulevard Crémazie*, dit aussi *Vieille maison d'Écossais,* 1940, huile sur toile, 51 x 61 cm (coll. part.).

4.51 *Maison Léonard, boulevard Gouin Est*, 3 mars 1949, huile sur toile, 30,5 x 40,7 cm (coll. Robert Pépin).

4.52 *Sainte-Dorothée*, juin 1966, huile sur isorel, 16,5 x 18,4 cm (coll. Huguette Jutras).

DOCUMENTS

2.

2.4 Joseph Jutras, photographie, auteur inconnu, 1922 (archives privées).

2.32 Juliette Trottier-Jutras, *Joseph Jutras et Narcisse Poirier en expédition de peinture*, photographie, vers 1920 (archives privées).

4.

4.23 S. J. Hayward, *Flacons "Boule de Neige" et "Faites-moi rêver"*, photographie (archives privées).

4.24 Projet de publicité pour *Parfait bonheur* de Joseph Jutras, 22 décembre 1924, mine de plomb, gouache et imprimé sur carton, 23 x 23 cm (archives privées).

4.25 Couverture de *Toil'etta*, n° 9, juillet 1923, imprimé, avec un tableau de Joseph Jutras : *Un vieux coin rustique de Montréal* (non localisé), représentant la ferme Logan (archives privées).

4.35, 36 Couverture et première page intérieure du catalogue de la première exposition privée de Joseph Jutras, du 13 au 25 avril 1925, (archives privées).

4.37 Joseph Jutras exposant ses tableaux sur les pelouses du palais de justice de Montréal, imprimé (Anonyme, « Un peintre de la Montée Saint-Michel expose », *La Patrie*, 27 août 1941, p. 1).

4.38 Joseph Jutras exposant ses tableaux sur les pelouses du palais de justice de Montréal, photographie, auteur inconnu, archives privées

(Anonyme, «*Joseph Jutras defies convention to sell his paintings in downtown Montreal*» [Joseph Jutras défie les conventions pour vendre ses tableaux dans le centre-ville de Montréal], *Montreal Star*, 8 octobre 1948.

4.39, 40 Page couverture et page féminine signée Rigolette [p. 3] du *Rigolo*, 1er septembre 1932, journal unique de huit pages, entièrement conçu, illustré et rédigé par Joseph Jutras (archives privées).

4.53 Joseph Jutras, 1921, photographie, auteur inconnu (archives privées).

JEAN-ONÉSIME LEGAULT
ŒUVRES

2.

2.5 *Autoportrait à la palette et au violon*, photographie, s.d. (coll. part.).

2.22 *Soldat**, mars 1904, fusain sur papier, 60 x 40,5 cm (coll. part.).

2.23 *Nature morte aux pinceaux**, s.d., huile sur carton, 31 x 40,5 cm (coll. part.).

2.26 *Homme jouant de la bombarde**, 1908, fusain sur papier, 60 x 45 cm (coll. part.).

2.53 *Art Association of Montreal, cours Dyonnet, avec J.-O. Proulx, N. Poirier et J.-P. Pépin*, vers 1935, huile sur carton, 25 x 20,5 cm (coll. famille Gareau).

2.54 *Nu féminin assis, de trois quarts**, 1932, crayon et fusain sur papier, 20 x 18 cm (coll. part.).

3.

3.33 *Groupe de trois faucheurs à la Montée Saint-Michel*, photographie, s.d. (coll. part.).

5.

5.1 *Par moi-même devant ma glace*, 1917, mine de plomb et fusain sur papier, 18,5 x 11,2 cm (coll. part.).

5.2 *La Croix du chemin*, 1943, huile sur toile, 49,2 x 40,6 cm (coll. Gervais Tremblay).

5.3 *Jeune femme au chignon**, 1904, fusain sur papier, 60 x 40,5 cm (coll. part.).

5.4 *Garçon au gilet**, 1907-1908, fusain sur papier, 60 x 40,5 cm (coll. part.).

5.5 *Italienne lisant**, 1908, fusain et craie sur papier, 60 x 40,5 cm (coll. part.).

5.6 *Nu masculin debout**, 1908, fusain sur papier, 60 x 40,5 cm (coll. part.).

5.7 *Modèle masculin debout portant le caleçon, entouré de cinq croquis divers**, s.d., fusain sur papier, 60 x 40,5 cm (coll. part.).

5.9 *Onésime-Aimé Léger procédant à une séance de dégustation*, photographie, vers 1920 (coll. part.).

5.10 *Onésime-Aimé Léger procédant à une séance de dégustation*, photographie, vers 1920 (coll. part.).

5.11 *Peintre non identifié, assis sur son pliant et tenant sur ses genoux sa boîte à peinture*, photographie, 17 août 1919 (coll. part.).

5.12 *Deux peintres non identifiés, tenant leur palette*, photographie, 17 août 1919 (coll. part.).

5.13 *Francesco Iacurto et Jean-Onésime Legault dans l'atelier de ce dernier*, photographie, vers 1935 (coll. part.).

5.15 *Montée Saint-Michel*, 1907, huile sur carton, 9,1 x 15 cm (coll. part.).

5.16 *Montée Saint-Michel [bis]**, s.d. [1907], huile sur carton, 10 x 15 cm (coll. part.).

5.17 *Arbre en hiver**, photographie, s.d. (collée dans un album noir composé par J.-O. Legault, coll. part.).

5.19 *Grand orme**, s.d., mine de plomb sur papier, 12,7 x 8,7 cm (carnet à anneaux 1903-1908, coll. part.).

DOCUMENTS

5.

5.8 Plan du rez-de-chaussée du 6726, rue Alma, où J.-O. Legault a passé sa vie. Dessin fait de mémoire par Madeleine et Françoise Bélisle, nièces de l'artiste, 2005 (archives privées).

5.14 J.-O. Legault, Francesco Iacurto et le père Wilfrid Corbeil, c.s.v., peignant à Laval-des-Rapides, photographie, auteur inconnu, vers 1935 (coll. part.).

5.27 Enveloppe d'affaires, s.d. [1919], imprimé (coll. part.).

5.28 En-tête de lettre officiel, 1919, imprimé (coll. part.).

ONÉSIME-AIMÉ LÉGER
ŒUVRES

5.

5.45 *Muse à la lyre**, 1906, huile sur toile, dimensions inconnues (coll. part.).

6.

6.4 *Portrait de Blanche Léger*, 1903, pastel sur papier, 30 x 25,5 cm (coll. Marguerite Chagnon).

6.5 *D'après N. Sichel*, vers 1903, pastel sur papier, 54 x 37 cm (coll. part.).

6.7 *Jeune femme vue de profil*, vers 1905, pastel sur papier, 32 x 25,5 cm (coll. Musée des beaux-arts de Montréal, don à la mémoire d'Odette Legendre).

6.8 *Un Souffle*, 1910, huile sur toile, 61,8 x 54 cm (coll. Musée des beaux-arts de Montréal, don du Club Saint-Denis de Montréal).

6.11 *Autoportrait de l'artiste à vingt-trois ans*, 1904, huile sur toile, 36,5 x 27 cm (coll. Marguerite Chagnon).

6.12 *Autoportrait de l'artiste à vingt-quatre ans*, 1905, huile sur toile, 90 x 58,4 cm (coll. Marguerite Chagnon).

6.19 *Femme tenant une cruche*, 1909, huile sur toile, 56 x 115,5 cm (coll. Éric G. Sigouin).

6.29 *Le Canada agricole*, illustration, *La Patrie*, 20 janvier 1912, p. 1.

6.30 *Les Métiers de la rue*, illustration, *La Presse*, 20 juillet 1912, p. 1.

6.31 *Le Matin de Pâques*, illustration, *La Patrie*, 6 avril 1912, p. 1.

6.32 *Le soleil qui vivifie, la chaleur qui tue*, illustration, *La Presse*, 20 juillet 1912, p. 1.

6.33 *L'Hiver*, illustration, *La Patrie*, 10 décembre 1910, p. 1.

6.34 *Le Fiancé de neige*, illustration dans *La Presse*, 12 octobre 1912, p. 1.

6.35 *Buste de Lactance Giroux*, 1911, plâtre patiné, 38,3 x 31,8 x 30,2 cm (coll. Musée régional de Vaudreuil-Soulanges, don de Marie-Louise Giroux).

6.36 *Buste de Victoria Dupuis-Léger*, mère de l'artiste, 1915, plâtre patiné, 42 x 18 x 24 cm (coll. Musée régional de Vaudreuil-Soulanges, don de Marguerite Chagnon).

6.37 *François Jarret de Verchères, 1641-1700*, 1911, plâtre patiné, 70 x 33 x 26 cm (coll. Fabrique de la paroisse de Verchères).

6.38 *M^de J. de Verchères, née Marie Perrot, 1655-1728*, 1911, plâtre patiné, 63,5 x 33 x 25 cm (coll. Fabrique de la paroisse de Verchères).

6.39 *Femme à la poitrine dénudée*, 1912, plâtre, 29,4 x 22,1 x 9,8 cm (coll. Musée régional de Vaudreuil-Soulanges).

6.40 *Modèle féminin aux longs cheveux**, n.s., s.d., fusain et traces de pastel sur papier, 54 x 37 cm, tête-bêche au verso de *D'après N. Sichel* (6.5) (coll. part.).

6.43 *La Lettre**, 1910, encre et lavis sur papier, 17,8 x 21,9 cm (coll. famille Gareau).

6.44 *La Mariée**, 1910, encre et lavis sur papier, 27,5 x 16 cm (coll. famille Gareau).

6.46 *Le matin et le soir de la vie*, 1916, encre et aquarelle sur papier, 23 x 12,8 cm (coll. Musée des beaux-arts du Canada).

6.47 *Esquisse pour « Le matin et le soir de la vie**»*, s.d. [1916], mine de plomb sur carton, 14 x 9,5 cm (coll. part.).

6.48 *La Dernière étincelle*, 1916, pastel sur carton, 49,3 x 32,7 cm (coll. Musée régional de Vaudreuil-Soulanges, don du lieutenant-colonel Roger Maillet).

6.49 *Sur les toits*, dit aussi *La flèche de l'église Saint-Jacques*, s.d., encre et aquarelle sur papier, 22,8 x 17,8 cm (coll. Éric G. Sigouin).

6.52 *Mlle Blanche Léger* (détail), 1915, encre et aquarelle sur papier, 56 x 41 cm (coll. Marguerite Chagnon).

6.54 Illustration pour « La grande aventure du sieur de Savoisy », conte de Sylva Clapin (Auguste Panneton), dans *Fleurs de lys*, recueil du 3e Concours littéraire de la Société Saint-Jean-Baptiste de Montréal, 1918, entre les pages 68 et 69.

6.55 Illustration pour « Marie-Alice », conte d'Yvette O.-Gouin, dans *Au pays de l'érable*, recueil du 4e Concours littéraire de la Société Saint-Jean-Baptiste de Montréal, 1919, entre les pages 24 et 25.

6.56 Illustrations pour « Dollard des Ormeaux », huitième de la série des *Contes historiques* de la Société Saint-Jean-Baptiste de Montréal, sur un texte d'Édouard-Zotique Massicotte, 1919 (coll. Marguerite Chagnon).

6.57 « Noël / Le retour au village natal », *L'Oiseau Bleu*, décembre 1922, p. 1.

6.58 *La vie est parsemée de ronces et d'épines*, 1919, encre et aquarelle sur papier, 26,5 x 10,5 cm (coll. Marguerite Chagnon).

6.59 *Le Fagot*, s.d. [1919], encre et aquarelle sur papier avec traces de pastel, 27,8 x 17 cm (avant restauration) (coll. Lucie Tétreault).

6.60 *Le Crépuscule*, 1920, huile sur toile, 35,5 x 71,5 cm (coll. Musée des beaux-arts de Montréal).

6.61 *Ximénès*, 1922, encre et aquarelle sur papier, 25,3 x 35,5 cm (coll. part.).

6.62 *La Transition*, 1922, encre et aquarelle sur papier, 87 x 62 cm (coll. Marguerite Chagnon).

6.63 *La Défense du foyer*, 1922, encre et aquarelle sur papier, 34,2 x 42,5 cm (coll. part.).

6.64 *Étude de mains**, vers 1923, mine de plomb et encre sur carton, 7,5 x 7,5 cm (coll. part.).

6.65 *Jeune garçon et jeune fille de profil**, *Étude de bras**, vers 1923, encre sur carton, 7,5 x 14,7 cm (coll. part.).

6.67 *Trompe-la-Mort*, 1913, mine de plomb, encre et traces de gouache sur carton, 24 x 18 cm (coll. Éric G. Sigouin).

DOCUMENTS

2.

2.6 Lactance Giroux, *Onésime-Aimé Léger*, photographie, 1904 (coll. Marguerite Chagnon).

2.16 Photographie d'un portrait charge d'Edmond Dyonnet par son élève Onésime-Aimé Léger, s.d. (Centre de recherche en civilisation canadienne-française, Université d'Ottawa, fonds Edmond Dyonnet).

2.35 Photographie d'un tableau d'Onésime-Aimé Léger, *L'Orme*, dit aussi *L'Arbre*, 1919 (fonds Émile Filion, archives des prêtres de Saint-Sulpice).

6.

6.1 Onésime-Aimé Léger, photographie, auteur inconnu, vers 1910 (coll. Marguerite Chagnon).

6.2 Lettre de Joseph Saint-Charles, « M. Aimé Léger », *Album universel*, 10 janvier 1903, p. 866.

6.3 « La Fête des Rois à la campagne », *Album universel*, 10 janvier 1903, p. 874.

2.

2.7 Élisée Martel, imprimé (Hervé de Saint-Georges, « 7 peintres canadiens se font enfin connaître aux galeries Morency », *La Patrie*, 19 avril 1941, p. 20).

7.

7.1 Ernest Aubin, *Élisée Martel à L'Arche*, photographie, entre 1922 et 1929 (CRALA).

7.19 Ernest Aubin, *Élisée Martel sous la tente,* photographie, s.d. (CRALA).

7.45 Carte de visite d'Élisée Martel annonçant les portes ouvertes de son atelier, s.d. (archives Suzanne et Hubert Van Gijseghem).

7.46 Couverture du catalogue de l'unique exposition personnelle d'Élisée Martel, à l'École des arts et métiers en avril 1949 (archives Suzanne et Hubert Van Gijseghem).

JEAN-PAUL PÉPIN
ŒUVRES

8.

8.7 *Champ de sarrasin, ferme sulpicienne, rue Saint-Hubert*, été 1925, huile sur bois, 13,5 x 21 cm (coll. La Pulperie de Chicoutimi / Musée régional).

8.8 *Pommier au matin*, s.d., huile sur bois, 15,8 x 21,3 cm (coll. La Pulperie de Chicoutimi / Musée régional).

8.9 *Montée Saint-Michel, automne*, 16 septembre 1926, huile sur toile, 28,5 x 36,2 cm (coll. succession Pierre Pépin).

8.11 *Montée Saint-Michel, ferme sulpicienne*, 1931, encre et gouache sur papier, 12,7 x 16,5 cm (coll. Éric G. Sigouin).

8.12 *Meules, ferme Laurin*, 1926, huile sur carton, 24,2 x 33,9 cm (coll. Suzanne et Hubert Van Gijseghem).

8.14 *Les Bouleaux, Montée Saint-Michel*, 1927, huile sur carton, 25,2 x 20 cm (coll. Martine Jodoin).

8.15 *Montée Saint-Michel, octobre*, 1926, huile sur carton, 37,7 x 24 cm (coll. famille Gareau).

8.16 *Montée Saint-Michel, fin d'été*, 1934, huile sur bois, 13 x 12,5 cm (coll. Élisabeth et Lucie De Oliveira).

8.17 *Montée Saint-Michel, carrière Varin*, 15 juin 1927, huile sur bois, 14,4 x 20,3 cm (coll. Éric G. Sigouin).

8.19 *Chemin de la Manufacture, Sainte-Dorothée*, 1944, huile sur bois, 10 x 15 cm (coll. famille Gareau).

8.23 *Le Manoir Dénéchaud, à Berthier-en-Bas*, 1945, huile sur isorel, 49,5 x 59,4 cm (coll. Musée national des beaux-arts du Québec).

8.24 *Août à Sainte-Dorothée*, 1945, huile sur carton, 38 x 51 cm (coll. Musée d'art de Joliette, don des Clercs de Saint-Viateur du Canada).

8.25 *Manoir de Sales Laterrière, Les Éboulements*, 1946, huile sur toile, 73,7 x 99 cm (coll. Robert Pépin).

8.26 *Paysage (printemps)*, 1946, huile et émulsion sur toile, 56.8 x 68.6 cm (coll. Musée des beaux-arts du Canada).

8.27 *Saint-Elzéar*, 1945, huile sur isorel, 30 x 40,6 cm (coll. Monique Pépin-Galbran).

8.28 *Route de campagne*, 1948, encre et lavis sur papier, 38,9 x 56 cm (Musée des beaux-arts de Sherbrooke, don de Clothilde et Louis Painchaud).

8.29 *La Tempête, Sainte-Dorothée*, 1948, huile sur toile, 71 x 84 cm (coll. Jacqueline Jodoin).

8.30 *Maison canadienne à Saint-Vincent-de-Paul*, s.d., huile sur panneau, 45,7 x 61 cm (récupéré sur le site de Iegor, mis en vente le 7 août 2007).

8.31 *Tante Élodie*, 1947, huile sur toile, 87 x 66,5 cm (coll. Jean-René Charbonneau).

8.32 *Église Sainte-Dorothée*, 1947, lavis sur papier, 35,5 x 50,8 cm (coll. Suzie Goyer).

8.33 *Maison, toit breton, Baie-Saint-Paul*, 1949, lavis sur papier collé sur carton, 23 x 38 cm (coll. famille Gareau).

8.34 *Pommiers en fleur à la Montée Saint-Michel*, s.d., lavis sur carton, 16,5 x 13,2 cm (coll. part.).

8.35 *Faubourg à M'lasse, coin Panet et Dorchester Est, côté sud*, 1953, photographie d'un lavis sépia (JPP-AEPG).

8.36 *Faubourg à M'lasse, 1107 à 1097 rue Plessis*, 1953, photographie d'un lavis sépia (JPP-AEPG).

8.37 *Faubourg à M'lasse, rue Maisonneuve, côté Est, près de la rue Lagauchetière*, 1953, photographie d'un lavis sépia (JPP-AEPG).

8.38 *Faubourg à M'lasse, coin Cartier et Dorchester, côté Sud-est*, s.d., photographie d'un lavis sépia (JPP-AEPG).

8.39 *Faubourg à M'lasse, 1285-1288A, rue Plessis*, s.d., photographie d'un lavis sépia (JPP-AEPG).

8.40 *Faubourg à M'lasse, 1112-1110, rue Champlain*, s.d., photographie d'un lavis sépia (JPP-AEPG).

8.41 *Faubourg à M'lasse, rues Dorchester, Wolfe, Panet, côté Nord-est*, 1953, photographie d'un lavis sépia (JPP-AEPG).

8.42 *Faubourg à M'lasse, coin Sud-est, Dorchester et Visitation*, 1953, photographie d'un lavis sépia (JPP-AEPG).

8.45 *L'ancienne douane, Place Royale, rue Saint-Paul Ouest*, juillet 1957, encre sur papier, 12,7 x 17,8 cm (coll. part.).

8.46 *Vieux-Montréal, 1165 à 1169, rue Labelle, près du boulevard Dorchester Est*, 1958, encre sur papier, 12,7 x 17,8 cm (coll. part.).

8.49 *Vieux-Montréal, rue Lagauchetière Est, entre Sanguinet et Hôtel-de-Ville*, 1959, encre sur papier, 12,7 x 17,8 cm (coll. part.).

8.50 *320 à 314, rue du Champ-de-Mars* (recto), 1964, encre sur papier, 12,7 x 17,8 cm (coll. part.).

8.51 *320 à 314, rue du Champ-de-Mars* (verso), 12,7 x 17,8 cm (coll. part.).

8.52 *Vieux-Montréal, 1170 à 1168 rue Craig Est, coin Montcalm*, 1965, encre sur papier, 17,8 x 12,7 cm (coll. Martine Jodoin).

8.53 *Vieux-Montréal, église Saint-Jacques, côté rue Sainte-Catherine Est*, vers 1963, 17,8 x 12,7 cm (coll. Martine Jodoin).

8.54 *Vieux-Montréal, 1001 à 1003 rue Dorchester Est, épicerie Giroux*, 1951, huile sur carton, 18,5 x 24 cm (coll. famille Gareau).

8.55 *Le Petit Magasin*, 1957, encre sur papier, 12,7 x 17,8 cm (coll. Martine Jodoin).

8.56 *Le Petit Magasin (bis)*, 1957, lavis sur papier, 33 x 48,2 cm (coll. Philippe Julien).

8.57 *Vieux-Montréal, Faubourg à la Mélasse*, 1967, huile sur isorel, 61 x 91 cm (coll. Miville C. Mercier, galerie Symbole Art).

8.61 *L'Arbre mort, Montée Saint-Michel*, 1948, lavis sur carton, 25,5 x 40,5 cm (coll. Lucie et Élisabeth De Oliveira).

8.62 *Mars, dieu de la guerre*, 1976, huile sur toile, 90 x 151 cm (coll. Maison des arts de Laval, don de Pierre Pépin).

DOCUMENTS

2.

2.8 Jean-Paul Pépin, photographie, auteur inconnu, 1942 (coll. Monique Pépin-Galbrand).

8.

8.1 Eugène, *Jean-Paul Pépin*, photographie, 1931 (coll. Monique Pépin-Galbrand).

8.2 Jean-Baptiste Lagacé, imprimé, *Le Monde illustré*, 15 février 1902 p. 1.

8.3 Jean-Baptiste Lagacé, illustration pour l'édition de *La Corvée*, deuxième concours littéraire de la Société Saint-Jean-Baptiste de Montréal, 1917.

8.4 Intérieur de la librairie Pépin, photographie, auteur inconnu, vers 1920 (archives Élisabeth et Lucie De Oliveira).

8.5 Le 462, rue Saint-Christophe (auj. le 1710), photographie, auteur inconnu (JPP-AEPG).

8.6 Jean-Paul Pépin chez Ernest Aubin, en compagnie de deux femmes non identifiées, photographie, auteur inconnu, vers 1930 (JPP-AEPG).

8.18 Jean-Paul Pépin dans sa maison du 16, rue Renaud, autrefois chemin de la Manufacture, photographie, auteur inconnu, 1949 (JPP-AEPG).

8.20 Le 89, rue Principale, à Sainte-Dorothée, maison dite Champagne, photographie, auteur inconnu, après 1954 (JPP-AEPG).

8.21 Jean-Paul Pépin [?], *Marc-Aurèle Fortin dans le jardin de son ami Pépin, à Sainte-Dorothée,* photographie, vers 1940 (fonds Marc-Aurèle Fortin, Musée des beaux-arts de Montréal).

8.43 Démolition du Faubourg à M'lasse, imprimé, coupure de presse non référencée conservée par Jean-Paul Pépin (JPP-AEPG).

8.44 Jean-Paul Pépin dessinant dans le Vieux-Montréal (capture d'écran tirée de la série télévisée *Images,* diffusée à Radio-Canada le 23 septembre 1957).

8.47 Jean-Louis Frund, *Pierre Perrault interviewant Jean-Paul Pépin, place d'Armes, Vieux-Montréal,* photographie (détail), août 1964 (couverture de l'ouvrage de Pierre Perrault, *J'habite une ville,* Montréal, L'Hexagone, 2009).

8.48 Jean-Louis Frund, *Pierre Perrault interviewant Jean-Paul Pépin chez lui,* photographie, 1964 (Pierre Perrault, *J'habite une ville, op. cit.,* p. 172).

8.58 Paul St-Jean, « Radiotages », imprimé, *Radiomonde,* 28 février 1948, p. 5.

8.59 Zami [pseud. de Joseph Jutras], *Un peintre de la Montée Saint-Michel,* imprimé, portrait-charge de Jean-Paul Pépin (*Le Rigolo,* 1er septembre 1932, p. 2, coll. part.).

8.60 Façade de la galerie Morency, 1564, rue Saint-Denis, photographie, auteur inconnu, vers 1965 (fonds galerie Morency Frères, CRALA).

8.63 Roger Parent, *Jean-Paul Pépin signant "Le Quêteux des routes",* photographie, mars 1948 (JPP-AEPG).

NARCISSE POIRIER
Œuvres

9.

9.3 *Napolitaine,* 1907, fusain sur papier, 62 x 48 cm (coll. part.).

9.4 *Roses trémières*,* s.d., huile sur toile marouflée, 10 x 12,6 cm (coll. part.).

9.5 *Paysage d'hiver,* s.d., huile sur toile, 25 x 33,9 cm (coll. Musée d'art de Joliette, don de Béatrice Millman-Bazar).

9.6 *Ancien moulin, Sault-au-Récollet,* s.d., huile sur toile, 25,6 x 33 cm (coll. part.).

9.7 *Paysage, Sault-au-Récollet,* 1963, huile sur toile, 40,7 x 50,8 cm (récupéré sur le site des Enchères Champagne, vente du 14 décembre 2021, lot 48).

9.8 *À la Montée Saint-Michel, ferme Laurin,* s.d., huile sur bois, 20 x 25,5 cm (coll. Éric G. Sigouin). Au dos se lit la dédicace suivante : « À mon ami Jos. Jutras, Narcisse Poirier ». Le titre, également inscrit au dos, est de la main de Jutras, qui l'a prolongé : « … ainsi que la croix de chemin, angle Saint-Hubert et Montée Saint-Michel ».

9.9 *Côte Saint-Michel,* 1930, huile sur carton, 27 x 35 cm (coll. Pierre D. Ménard).

9.10 *Côte-de-Liesse,* 1936, huile sur carton, 40,6 x 50,8 cm (coll. part.).

9.11 *Rue des Carrières,* s.d., huile sur carton, 10,6 x 13,9 cm (récupéré sur le site de l'Hôtel des ventes universelles, 11 novembre 2010).

9.12 *Montréal en hiver, clair de lune, rue des Carrières, Montée Saint-Michel,* s.d., huile sur toile, 20 x 33 cm (coll. part.).

9.16, 17 « *Laissez venir à moi les petits enfants* »; *Les disciples d'Emmaüs,* 1923, huile sur toile marouflée, dimensions inconnues, église Saint-Félix-de-Valois (Laurent Hardy, *op. cit.* p. 25).

9.20 *Seine et Trocadéro,* 1920, huile sur toile, 46 x 89,3 cm (coll. Musée Louis-Hémon).

9.23 *Maison de Mimi Pinson, Montmartre,* 1920, huile sur toile, 50,8 x 61 cm (coll. part.).

9.24 *Maison Henri IV, Montmartre,* 1920, huile sur toile, 61 x 76,2 cm (coll. part.).

9.25 *Étude à Rome,* 1921, huile sur toile, 15 x 19,5 cm (coll. Gervais Tremblay).

9.26 *Grand Canal de Venise*,* 1921, huile sur toile, 58,4 x 73 cm (coll. Jon Dellandrea).

9.27 *Étude à Venise, Italie,* 1921, huile sur toile marouflée, 20 x 15 cm (coll. Éric Jean et Annie Tremblay).

9.30 *Nature morte,* 1919, huile sur toile, 41 x 46 cm (coll. part.).

9.31 *Poires*,* 1933, huile sur toile, 40,6 x 45,7 cm (coll. Suzanne et Hubert Van Gijseghem).

9.32 *Étude de fraises,* 1965, huile sur toile, 20,2 x 25,3 cm (coll. part.).

9.33 *Étude de framboises,* 1962, huile sur toile, 20,2 x 25,3 cm (coll. part.).

9.34 *Nature morte à la cruche en cuivre*,* s.d., huile sur toile, 51 x 61 cm (coll. Suzanne et Hubert Van Gijseghem).

9.35 *Cafetière bleue avec fruits,* s.d., pastel sur papier, 40,6 x 45,8 cm (coll. part.).

9.36 *Nature morte au chou*,* s.d., huile sur toile, 40,6 x 55,9 cm (coll. Éric Jean et Annie Tremblay).

9.37 *Antiquités et chrysanthèmes*,* 1965, fusain et crayon de couleur sur papier, 12,5 x 18 cm (coll. part.).

9.38 *Antiquités et fruits,* 1965, huile sur toile, 61 x 122 cm (récupéré sur le site de Iegor, mis en vente le 8 octobre 2019, lot 1053).

9.39 *Antiquités et fruits (bis),* 1965, huile sur toile, 61 x 89 cm (coll. Éric Jean et Annie Tremblay).

9.40 *Lever de lune,* s.d., huile sur bois, 26,5 x 18,5 cm (coll. Éric Jean et Annie Tremblay).

9.41 *Couvent des sœurs de Marie-Réparatrice,* 1940, huile sur toile marouflée, 20 x 25 cm (coll. Éric Jean et Annie Tremblay).

9.42 *Petite grange,* 1922, huile sur toile, 40,6 x 45,7 cm (coll. part.).

9.43 *Sainte-Famille de l'île d'Orléans*,* 1965, huile sur toile, 48,2 x 63,5 cm (coll. Suzanne Malchelosse).

9.44 *Étude à Gaspé,* août 1927, huile sur carton, 22,9 x 30 cm (coll. Gervais Tremblay).

9.45 *Cabane à sucre,* s.d., pastel sur papier collé sur carton, 31 x 38 cm (coll. part.).

9.46 *Rivière à Mont-Rolland,* s.d., huile sur toile, 64 x 87 cm (coll. part.).

9.47 *Église du Cap-de-la-Madeleine,* s.d., huile sur toile marouflée, 18,2 x 22,5 cm (coll. Musée d'art de Joliette, don des Clercs de Saint-Viateur du Canada).

9.48 *Église du lac Mercier,* s.d., huile sur bois, 27,7 x 33 cm (coll. Musée d'art de Joliette, don de Béatrice Millman-Bazar).

9.49 *Paysage à Sainte-Martine,* s.d., huile sur bois, 26,7 x 36,8 cm (coll. Musée Louis-Hémon).

9.50 *L'Arc-en-ciel,* s.d., huile sur toile marouflée, 17 x 20,5 cm (coll. Éric Jean et Annie Tremblay).

9.52 *Chaudron avec pêches,* s.d., huile sur toile, 41 x 46 cm (récupéré sur le site de Iegor, mis en vente le 13 décembre 2016, lot 120).

9.53 *Antiquités et fleurs,* 1964, huile sur toile, 51 x 61 cm (galerie Claude Belley).

DOCUMENTS

2.

2.9 Narcisse Poirier, imprimé (*Toil'etta*, 1ᵉʳ octobre 1922, p. 4).

9.

9.1 Narcisse Poirier et sa première femme, Marie-Louise Gamache, à leur mariage, en 1908, photographie, auteur inconnu (Laurent Hardy, *N. Poirier*, La Prairie, Éditions Marcel Broquet, coll. « Signatures », 1982, p. 8).

9.2 L'immeuble acquis par Narcisse Poirier en 1915, rue Saint-Denis, un peu au sud du boulevard Saint-Joseph, état actuel (photographie Richard Foisy).

9.13 Edgar Gariépy, *Vieille maison, rue Saint-Jean-Baptiste*, photographie, 9 juillet 1914 (coll. part.). Joseph Jutras et Narcisse Poirier peignent la maison Lacroix, dans le Vieux-Montréal.

9.15 Narcisse Poirier et Rodolphe Duguay peignant à Saint-David, près de Drummondville, photographie, auteur inconnu, 31 août 1919 (archives famille Duguay). Inscription de Rodolphe Duguay au dos de la photographie : « L'ami Poirier et moi. Souvenir de notre voyage à St-David. Photographie prise le 31 août 1919, dimanche a.p.m., dans la petite rivière desséchée de St-David 31 août 1919. »

9.18 Hôtel de l'Abbaye, 10, rue Cassette, Paris, ancien Hôtel de Bretagne (photographie Richard Foisy).

9.19 L'Académie Julian, photographie, auteur inconnu, vers 1920 (archives privées).

9.21 Rodolphe Duguay, *Notre chambre, 12 rue de Vaugirard, Paris*, 17 février 1921, mine de plomb sur papier, dimensions inconnues (Rodolphe Duguay, *Carnets intimes*, présentés par Hervé Biron, Montréal, Boréal Express, 1978, p. 113).

9.22 Rodolphe Duguay, *Notre petite cuisine, 12 rue de Vaugirard, Paris*, 17 février 1921, mine de plomb sur papier, dimensions inconnues (*Ibid.*, p. 111).

9.28 Narcisse Poirier en 1983, à la veille de ses 100 ans, posant devant son tableau *Maison, 85 rue Saint-Vincent*, photographie, auteur inconnu (Gilles Normand, « Narcisse Poirier, peintre centenaire : survivant du *Groupe des Huit* de la Montée Saint-Michel », *La Presse*, 5 février 1983, p. D-13).

9.29 Jeanne Poirier dans l'atelier de son père, photographie, auteur inconnu (*Ibid.*).

9.51 [Albert Laberge], « Chefs-d'œuvre canadiens », nᵒ 6, Narcisse Poirier, *Paysage d'automne à Piedmont*, section « Magazine illustré », *La Presse*, 23 août 1930, p. 24.

9.54 Gérald Olivier, *Narcisse Poirier dans son atelier*, photographie, 1960 (fonds galerie Morency Frères, CRALA).

JOSEPH-OCTAVE PROULX
ŒUVRES

7.

7.26 *Montée Saint-Michel, Saint-Léonard*, 1930, huile sur toile marouflée sur carton ondulé, 51 x 71 cm (coll. Suzanne et Hubert Van Gijseghem).

10.

10.1 *Portrait présumé d'Octave Proulx, père**, s.d., fusain et craie sur papier, 35,5 x 27,9 cm (coll. Pierre Proulx).

10.5 *Jeune femme à la jupe** (recto), 1913, fusain sur papier, 61 x 40,6 cm (coll. Normand Proulx).

10.6 *Portrait d'homme aux yeux clos** (verso), 1913, fusain, 30,4 x 25,4 cm (coll. Normand Proulx).

10.7 *Jeune femme aux yeux baissés**, s.d., fusain, pastel et craie sur papier, 35,5 x 27,9 cm (coll. Normand Proulx).

10.8 *Jeune fille à la boucle d'oreille**, 1913-1914, fusain et craie sur papier, 61 x 40,6 cm (coll. Normand Proulx).

10.9 *Dame au grand chapeau**, s.d., fusain sur papier, 61 x 40,6 cm (coll. Jacques Lacaille).

10.10 *Montée Saint-Michel, Montréal*, 1930, huile sur carton, 45,7 x 38 cm (coll. Normand Proulx).

10.11 *Ferme Robin, Montée Saint-Michel*, 1928, huile sur isorel, 60,8 x 66,5 cm (coll. Musée régional de Vaudreuil-Soulanges, don de M. Rosaire Roy).

10.12 *Ferme Laurin*, s.d., huile sur carton, 30,5 x 40,5 cm (coll. Éric G. Sigouin).

10.13 *Montée Saint-Michel, ferme Landry, boulevard Crémazie*, s.d., huile sur toile, 30,5 x 40,6 cm (coll. Éric G. Sigouin).

10.14 *Carrière de l'ancienne ferme Robin*, s.d., huile sur carton, 30,5 x 40,6 cm (coll. famille Gareau).

10.15 *Maison mère des frères de Saint-Gabriel, Rivière-des-Prairies, Ahuntsic*, 1928, huile sur isorel, 50,8 x 68,6 cm (coll. Suzanne et Hubert Van Gijseghem).

10.16 *Petit chemin sur le mont Royal*, 1925, huile sur carton, 66,7 x 50,4 cm (coll. Lucie et Robert Lavigne).

10.17 *Pommiers en fleur**, s.d., huile sur toile, 47 x 58,3 cm (coll. Suzanne Malchelosse).

10.23 *Vieux-Montréal en hiver**, vers 1922, huile sur bois, 33 x 21 cm (coll. Normand Proulx).

10.24 *Paysage californien, Palm Island*, 1917, huile sur toile marouflée, 25 x 19,7 cm (coll. Normand Proulx).

10.25 *Pont couvert rouge**, s.d., huile sur carton, 90 x 73,6 cm (coll. Pierre Proulx).

10.26 *Ruisseau en hiver**, s.d., huile sur carton, 36,8 x 52 cm (coll. Suzanne Malchelosse).

10.27 *Mont-Rolland, Rivière du Nord*, s.d., huile sur isorel, 60,9 x 81,2 cm (coll. Pierre Proulx).

10.28 *Pont de fer, Rivière des Prairies*, 1939, huile sur isorel, 52 x 69,3 cm (coll. Suzanne et Hubert Van Gijseghem).

10.29 *Peupliers au bord de la rivière**, s.d., huile sur isorel, 77,4 x 88,9 cm (coll. Pierre Proulx).

10.30 *Moulin à eau*, 1924, huile sur canevas, 35 x 45,7 cm (coll. Sylvie Proulx).

10.31 *Coin de rue, la nuit, en hiver**, s.d., huile sur isorel, 60,9 x 81,2 cm (coll. Pierre Proulx).

10.32 *Place Jacques-Cartier*, 1930, huile sur isorel, 52 x 68,3 cm (coll. part.).

10.33 *Port de Montréal, bassin de Lachine*, s.d., huile sur isorel, 40,5 x 51 cm (coll. Hugo Beaulieu).

10.35 *Deux baigneuses**, s.d., technique, support et dimensions inconnues (d'après une photographie, archives Pierre Proulx).

10.36 *Deux baigneuses sous les arbres**, s.d., huile sur toile, 44 x 56 cm (coll. Pierre Proulx).

10.37 *Deux baigneuses au bord d'une rivière**, n.s., s.d., huile sur toile, 56 x 46 cm (coll. Pierre Proulx).

10.38 *Quatre baigneuses sous un arbre*, s.d., huile sur isorel, 49,2 x 66 cm (coll. Élaine Proulx).

10.39 *Trois baigneuses**, n.s., s.d., huile sur toile, 84 x 94 cm (coll. Pierre Proulx).

10.40 *Nature morte à l'alocasia et au bol de fruits**, 1938, huile sur toile, 45,6 x 51 cm (coll. Pierre Proulx).

10.41 *Tête de vieille femme*, s.d., fusain et craie sur papier, 45,8 x 35,5 cm (coll. Pierre Proulx).

10.42 *Les Sucres à Sainte-Adèle*, s.d., huile sur isorel, 54 x 42,5 cm (coll. Lucie et Robert Lavigne).

10.44 *Autoportrait*, n.s., s.d., huile sur carton, 30,4 x 35,5 cm (coll. Élaine Proulx).

DOCUMENTS

2.

2.10 Joseph-Octave Proulx, photographie, auteur inconnu (archives Pierre Proulx).

10.

10.2 Juvénat des Saints-Anges, dirigé par les Clercs de Saint-Viateur à Outremont, au début du 20e siècle, photographie, auteur inconnu (archives des Clercs de Saint-Viateur).

10.3 Joseph-Octave Proulx, rue de Bordeaux, photographie, auteur inconnu, vers 1915 (archives Pierre Proulx).

10.4 « Classe de peinture d'enseignes » du CAM 1905-1906 (*Règlements des cours gratuits de dessin et des cours industriels 1914-15*, p. 10).

10.22 Classe de modèle vivant de l'ARAC, donnée à l'AAM entre 1925 et 1940, photographie, auteur inconnu (CRALA).

CONCLUSION : « QUELQUE CHOSE D'UNIQUE »

C.1 Jean-Onésime Legault, *Affiche de l'exposition des peintres de la Montée Saint-Michel*, 1941, encre et mine de plomb sur papier collé sur carton, 62 x 48 cm (coll. part.).

C.2 Jean-Onésime Legault, *La Reine du Carnaval*, 1938, mine de plomb sur papier 24,1 x 21,9 cm (coll. Univers culturel de Saint-Sulpice).

C.3 Gérald Olivier, *Façade de la galerie Morency Frères*, photographie, vers 1945 (CRALA).

C.4 Les frères Louis-Alfred et Odilon Morency dans leur galerie, imprimé (Léon Trépanier, « La partie est de Montréal verra-t-elle disparaître cette grande maison d'art, rendez-vous des maîtres en peinture ? », *La Patrie*, 2 mai 1948, p. 94).

C.5 Garcia, *Olivier Maurault, p.s.s.*, photographie (fonds de la Faculté de musique, Université de Montréal).

C.6 Couverture du tiré à part de la conférence d'Olivier Maurault, 1941 (coll. part.).

C.7 Tayot, *Les sept membres encore vivants sur les huit de la Montée Saint-Michel*, photographie, 26 mars 1941 (archives Huguette Jutras).

C.8 Joseph-Octave Proulx, *La Ferme Ogilvie*, imprimé (Anonyme, « Les peintres de la Montée St-Michel exposent plusieurs de leurs tableaux », *Le Petit Journal*, 13 avril 1941, p. 12).

C.9 Émile Filion, p.s.s., photographie, auteur inconnu (fonds René Marinier, les Prêtres de Saint Sulpice).

C.10 Couverture du catalogue de la *Première exposition des peintres de la Montée Saint-Michel*, présentée du 15 au 30 avril 1941 « aux Galeries Morency » (coll. part.).

C.11 Reynald, « L'activité artistique : les Peintres de la Montée », *La Presse*, 19 avril 1941, p. 33.

C.12 Hervé de Saint-Georges, « 7 peintres canadiens se font enfin connaître aux galeries Morency », *La Patrie*, 19 avril 1941, p. 20.

C.13 Couverture du catalogue de l'*Exposition d'art canadien : œuvres conservées au collège André-Grasset*, présentée par Émile Filion en 1944 (coll. part.).

C.14 Palette d'Ernest Aubin (coll. part.).

CHRONOLOGIE

Chr.1 Edmond Dyonnet, *Autoportrait*, s.d., photographie (Musée McCord Stewart, MP-1978.129.6-P1).

Chr.2 Étudiants canadiens à Paris en 1893 : [plusieurs artistes, dont 1re rangée, Maurice C. Cullen (1866-1934), Joseph-Charles Franchère (1866-1921), Marc-Aurèle de Foy Suzor-Coté (1869-1937) ; 3e rangée, au centre, Joseph Saint-Charles (1868-1956) et, à sa gauche, Raymond Masson (1860-1944) ; et quelques médecins], Paris (France), 1893. Université d'Ottawa, CRCCF, Fonds Joseph Saint-Charles (P12), Ph12-102.

Chr.3 Anonyme, « Le Conseil des Arts et Manufactures », compte rendu de la distribution des prix de fin d'année, *La Patrie*, 15 juin 1899, p. 1.

Chr.4 Ernest Aubin, *Studio artistique Serge Le Febvre,* n.s., s.d., encre et gouache sur carton, 28 x 43,7 cm (coll. Mario et Richard Contant).

Chr.5 [Albert Laberge], « Visite à travers nos ateliers d'artistes », *La Presse*, 21 novembre 1908, p. 9.

Chr.6 Paul Coutlée dans l'atelier du 22, rue Notre-Dame Est, vers 1910, photographie, auteur inconnu (JPP-AEPG).

Chr.7 Mrs M. Burns, *La petite ferme Laurin*, entre 1918 et 1923, huile sur toile, 30 x 38 cm (coll. famille Laurin).

Chr.8 Émile Vézina, « Futurisme », *L'Éclat de rire*, Montréal, Louis-Adolphe Morissette imprimeur, 1912, s.p.

Chr.9 Brian Merrett, *Bibliothèque Saint-Sulpice*, photographie s.d. (Musée des beaux-arts de Montréal).

Chr.10 Couverture du dépliant *Liste de prix du parfum recherché* Faites-moi rêver *de J. Jutras, parfumeur*, imprimé (coll. part.).

Chr.11 Jean Chauvin, *Ateliers*, Montréal, Louis Carrier éditeur, 1928.

Chr.12 Jean-Onésime Legault, *Nu féminin au drap*, 1937, mine de plomb et fusain sur papier, 63 x 48 cm (coll. part.).

Chr.13 Couverture du catalogue de la *Première exposition des Indépendants*, avril-mai 1941 (François-Marc Gagnon, *Paul-Émile Borduas*, catalogue d'exposition, Musée des beaux-arts de Montréal, 1988, p. 92).

Chr.14 Accrochage aux Amis de l'Art, printemps 1951, photographie, auteur inconnu (coll. part.).

Chr.15 Jean-Paul Pépin, *Maison canadienne, Saint-Martin*, 1957, huile sur toile marouflée, 45,7 x 61 cm (coll. part.).

Chr.16 Panneau du parc des Peintres-de-la-Montée-Saint-Michel, dans l'arrondissement Ahuntsic-Cartierville, photographie.

Chr.17 Estelle Piquette Gareau recevant chez elle Jean-Paul Pépin, vers 1976-1978, photographie, auteur inconnu (AEPG) .

AUTRES

ŒUVRES

2.

2.12 Edmond Dyonnet, *Chemin rustique*, fusain et craie sur papier, s.d., 40,5 x 50,7 cm (coll. Hugo Beaulieu).

2.13 Joseph Saint-Charles, *Modèle féminin aux bras croisés* *, s.d., huile sur toile, 20,2 x 15,2 cm (coll. Éric G. Sigouin).

2.16 Joseph-Charles Franchère, *Port de Montréal, l'hiver*, vers 1900, huile sur papier marouflé sur carton, 19,1 x 24,3 cm (coll. Musée des beaux-arts de Montréal, don à la mémoire de Peter D. Small).

2.18 Jobson Paradis, *Gerbes de foin**, 1908, aquarelle sur papier, 23 x 30,5 cm (coll. part.).

2.19 Alfred Laliberté, *L'Emprise de la pensée*, vers 1924, plâtre, 92 x 93 x 50 cm (coll. Musée des beaux-arts de Montréal, achat, fonds Arthur Lismer et legs Hugh G. Jones).

2.20 Joseph-Charles Franchère, *Portrait du sculpteur Alfred Laliberté*, 1919, huile sur toile marouflée sur carton, 55,7 x 40,6 cm (coll. Musée des beaux-arts de Montréal, achat, fonds Christine et Pierre Lapointe).

2.24 Charles Gill, *Nénuphar*, 1900, huile sur toile, 18 x 23 cm (coll. part.).

2.39 Marc-Aurèle Fortin, *Paysage à Ahuntsic*, 1930, mine de plomb et aquarelle sur papier, 44,5 x 70 cm (récupéré sur BYdealers.com, vente en ligne, 19 novembre au 3 décembre 2020, lot 41).

2.40 Eugénie Gervais, *La petite ferme*, s.d., huile sur carton, 20 x 25 cm (coll. Jacques Lacaille).

2.41 Adrien Hébert, *Grand orme**, s.d., huile sur toile, 28 x 36 cm (coll. Jacques Lacaille).

2.42 Umberto Bruni, *Ferme située entre les rues Papineau et Saint-Hubert à Crémazie*, 1934, huile sur bois, 22, x 33 cm (coll. Éric G. Sigouin).

2.43 Maurice Le Bel, *À la Montée Saint-Michel*, 1924, gravure sur linoléum, 14 x 18,2 cm (coll. part.).

2.44 Sylvia Daoust, *Vieilles maisons, rue des Carrières*, vers 1935, gravure sur bois, 11,5 x 17,4 cm (coll. Musée national des beaux-arts du Québec).

3.

3.51 Isaïe Nantais, *L'Arche*, 23 avril 1917, encre sur papier, 18 x 21 cm, hors tout (CRALA, don de Lyse Nantais).

3.52 Serge Lefebvre, *Pierrot et Colombine**, 1917, encre, crayon de couleur et gouache sur papier, 38,2 x 21 cm (coll. Jacques Lacaille).

4.

4.1 Maurice Le Bel, *Portrait de Joseph Jutras*, 1916, crayon de couleur sur papier, 25,2 x 19 cm (coll. Huguette Jutras).

4.20 Rodolphe Duguay, Étiquette pour le parfum *Boule de Neige*, de Joseph Jutras, 1920, encre et lavis sur papier, 10 x 6 cm (coll. part.).

4.21 Edmond-Joseph Massicotte, Affiche publicitaire pour le parfum *Faites-moi rêver*, de Joseph Jutras, 1920, imprimé, 43,5 x 17 cm (archives privées).

6.

6.17 Lactance Giroux, *Coucher de soleil*, photographie, vers 1920 (coll. Musée régional de Vaudreuil-Soulanges).

6.41 Émile Vézina, *Portrait d'Elzire Giroux*, 1920, huile sur toile, 50,8 x 45,2 cm (coll. Musée régional de Vaudreuil-Soulanges, don de Marcel Méthot).

6.42 Lactance Giroux, *Antoinette Giroux, fille de l'artiste*, photographie, 11 mars 1918 (récupérée du fonds *La Presse*, sur ARTUS, répertoire des artistes du Québec, en ligne).

6.51 Paul Copson, *Fillette en blouse blanche assise sur une chaise*, s. d., huile sur toile, 35,5 x 30 cm (coll. Éric. G. Sigouin).

7.

7.7 Jobson Paradis, *Carré Saint-Louis*, n.s., s.d., fusain sur papier, 20,2 x 12,2 cm (coll. Musée national des beaux-arts du Québec).

7.18 Lucien Parent, *Un coin de L'Arche*, 1918, encre et gouache sur carton, 14,7 x 13 cm (CRALA, don de Lyse Nantais).

8.

8.22 Marc-Aurèle Fortin, *Esquisse (sketch)*, 1915, huile sur carton, 13,5 x 18,2 cm (coll. part.).

9.

9.14 Rodolphe Duguay, *Lueurs d'or*, 5 juillet 1919, huile sur carton, 13 x 18 cm (coll. part.).

2.

2.1 L'édifice du Monument-National, au 1182, boulevard Saint-Laurent (carte postale récupérée de BAnQ numérique).

2.2 Couverture du prospectus contenant les règlements et la description des cours du Conseil des arts et manufactures pour l'année 1911-1912 (archives privées).

2.14 Joseph Saint-Charles, photographie, auteur inconnu, s.d. (BAnQ numérique).

2.15 Joseph-Charles Franchère, photographie, auteur inconnu, s.d. (BAnQ numérique).

2.17 « Jobson Paradis au paysage », photographie, auteur inconnu, s.d. (Albert Laberge, *Peintres et écrivains d'hier et d'aujourd'hui*, édition privée, 1938, p. 57).

2.21 Salle des cours de modelage et de dessin du Conseil des arts et manufactures, photographie, auteur inconnu (Anonyme, « Council of Arts and Manufactures », *Canadian Architect and Builder* [Toronto], novembre 1898, p. 187).

2.25 Charles Gill, photographie, auteur inconnu (coll. part.).

2.28 Edmond Dyonnet, *William Brymner*, photographie, vers 1896-1997 (fonds du Pen & Pencil Club, Musée McCord-Stewart).

2.45 Rodolphe Duguay, Antoine Leroux, Eugénie Gervais et Ernest Aubin en classe de modelage au CAM, 16 octobre 1917, photographie, auteur inconnu (archives privées).

2.46 Eugénie Gervais, au premier plan, peignant en compagnie de Juliette Villeneuve à la Montée Saint-Michel, photographie, auteur inconnu, vers 1917 (archives Estelle Piquette-Gareau).

2.47 L'immeuble du 22, rue Notre-Dame Est (auj. 26-28), photographie, auteur inconnu, s.d. (Album des rues Édouard-Zotique Massicotte, BAnQ).

2.50 Séance de pose à L'Arche avec modèle vivant, quelques peintres de la Montée Saint-Michel et peut-être de leurs amis, photographie, auteur inconnu, entre 1922 et 1929 (CRALA).

4.

4.2 Georges Delfosse dans son atelier, au 1562, rue Ontario, photographie, auteur inconnu (fonds Georges Delfosse, archives Estelle Piquette-Gareau).

4.3 Émile Vézina, photographie, auteur inconnu, 1907 (archives privées).

4.7 Edmond-Joseph Massicotte dans son atelier du 22, rue Notre-Dame Est, photographie, auteur inconnu, s.d. (Musée national des beaux-arts du Québec).

4.46 Edgar Gariépy, *L'édifice de La Sauvegarde*, au 92 de la rue Notre-Dame Est en 1913-1914, photographie (archives de la Ville de Montréal).

6.

6.14 Alfred Laliberté dans son atelier de la rue Sainte-Famille, photographie, auteur inconnu (revue *Beau*, novembre 1940, p. 14).

6.21 Émile Vézina costumé en arabe, photographie, auteur inconnu, 15 janvier 1912 (coll. Raymond Vézina).

6.22 Réunion de quelques membres de la Société des Faiseux dans l'atelier du 22, rue Notre-Dame Est, photographie, auteur inconnu, vers 1912 (CRALA, don de René Buisson).

6.23 Vir [pseud. d'Émile Vézina], Illustration de la couverture de *Souvenirs de prison*, de Jules Fournier, 1910.

7.

7.8 Charles Gill dans son atelier, imprimé (Lucille Desparois, « Charles Gill : peintre et poète canadien / Vingt-cinquième anniversaire de sa mort », *Le Samedi*, 30 octobre 1943, p . 5).

Index

Robertson, Sarah M., 544
Robin, Napoléon (ferme), 32, 84
Rochefort, Azylia, 67
Roquebrune, Robert de, 130, 482, 483, 493, 508, 515, 520, 532, 533
Rostand, Edmond, 328, 520
Royer, Henri, 409, 410, 418

S

Saint-Charles, Joseph, 15, 39, 45, 85, 137, 140, 248, 249, 251, 255, 262, 414, 446, 452, 497, 502, 503, 508, 509, 511, 512, 515, 535, 536, 538, 539, 543, 544, 550, 582, 596, 601, 602
Sainte-Marie, Judith, 62, 63, 503
Saint-Georges, Hervé de, 495, 496, 533, 598, 601
Savage, Annie D., 544
Savard, Napoléon, 118, 503, 504
Scott, Adam Sheriff, 139, 342, 509
Seiden, Regina, 63, 503, 544
Shakespeare, William, 275, 276, 518, 539, 559
Sher, Joseph, 466, 483
Sichel, Nathaniel, 250, 276, 596
Silvestre, Armand, 18
Société des Faiseux, 264, 265, 266, 353, 538, 540, 602
Soucy, Elzéar, 133, 502, 503, 540, 543, 547
Stevens, Frank (galerie), 547
Surrey, Philip, 493, 547
Suzor-Coté, Marc-Aurèle de Foy, 61, 142, 353, 407, 408, 410, 449, 451, 470, 511, 512, 526, 527, 529, 531, 536, 539, 542, 547, 585, 587

T

Théberge, Pierre, 387, 550
Thimineur, J. H., 514, 548
Tintoret, le, 205
Trépanier, Léon, 375, 519, 524, 532, 549, 601
Tribu des Casoars, la, 14, 67, 70, 82, 113, 540, 541, 544
Tulley, Charles, 61, 561, 562

V

Valiquette, N. G., 356, 364, 548, 567
Van Gijseghem, Suzanne et Hubert, 4, 9, 337, 519, 520, 555, 560, 566, 570, 577, 579, 592, 593, 597, 598, 599, 600
Venne, Alphonse, 536
Verhaeren, Émile, 251, 515, 549
Vézina, Émile, 14, 59, 67, 112, 138, 139, 141, 179, 262, 264, 266, 267, 277, 504, 509, 511, 515, 516, 518, 536, 538, 539, 540, 541, 547, 548, 550, 583, 588, 601, 602
Viau, Adrien, 284, 285, 518
Villeneuve, Juliette, 62, 63, 533, 602
Vincelette, Roméo, 354, 491, 533

X

Ximénes (voir Jiménez de Cisneros) 294

Crédits photographiques

Patrick Altman : 3.59, 3.60, 3.61 ; 9.30.

Ernest Aubin : 2.48, 2.49 ; 4.4 ; 7.1, 7.19 ; 10.19, 10.20.

Michel Bélanger : 9.25, 9.44.

Galerie Claude Belley : 9.53.

Bibliothèque de l'Assemblée nationale du Québec : 6.30, 6.32, 6.34.

Bernard Bourbonnais : 6.35, 6.36, 6.39, 6.41, 6.48, 6.56 ; 7.15 ; 10.11.

Jean-Guy Brière/Jean-Claude Fillion : 3.9.

BYDealers : 2.39.

Centre de recherche en civilisation canadienne-française, Université d'Ottawa : 2.11 ; Chr.2.

Enchères Champagne : 4.14 ; 9.7.

Esther Cyr : 5.40 ; 6.5, 6.40.

Jon Dellandrea : 9.26.

Michel Dorais : 9.46.

Jocelyne Dorion : 2.22, 2.26, 2.54 ; 4.41 ; 5.1, 5.3-8, 5.15, 5.16, 5.21, 5.27, 5.28, 5.30, 5.31, 5.33, 5.34, 5.35-39, 5.42, 5.47-50, 5.52, 5.53, 5.70. 5.71, 5.74-79 ; 10.21 ; Chr.12.

Michel Dubreuil : 2.12, 2.13, 2.23, 2.27, 2.34, 2.40-42, 2.51, 2.55 ; 3.1, 3.5, 3.6, 3.24, 3.26, 3.31, 3.32, 3.35, 3.40-43, 3.48-50, 3.52, 3.54, 3.57, 3.58, 3.63, 3.66, 3.67, 3.72, 3.75 ; 4.6, 4.12, 4.19, 4.27 ; 5.2, 5.19, 5.22, 5.25, 5.26, 5.41, 5.43 ; 6.4, 6.19, 6.29, 6.31, 6.33, 6.51, 6.62 ; 7.2, 7.17, 7.34, 7.35, 7.37-39 ; 8.10, 8.13, 8.31, 8.32, 8.56 ; 9.8, 9.9, 9.34, 9.45 ; 10.12-14, 10.32, 10.33, Chr.4, 6.

Edmond Dyonnet : 2.28 ; Chr.1.

Eugène : 8.1.

Jean-Louis Frund : 8.47, 8.48.

Encans Gélineau : 2.56.

Richard Foisy : 2.2, 2.18, 2.30, 2.37, 2.38, 2.43, 2.52, 2.53 ; 3.4, 3.8, 3.11-23, 3.25, 3.27-30, 3.32, 3.34, 3.44, 3.47, 3.51, 3.53, 3.55, 3.56, 3.71 ; 4.1, 4.8-11, 4.13, 4.15-18, 4.20-22, 4.24-26, 4.29, 4.31, 4.32, 4.35, 4.36, 4.39, 4.40, 4.43, 4.47, 4.48, 4.51, 4.52 ; 5.18, 5.20, 5.32, 5.73 ; 6.2, 6.3, 6.9, 6.23, 6.24, 6.37, 6.38, 6.43, 6.44, 6.49, 6.50, 6.52, 6.54, 6.55, 6.57-59, 6.64-67 ; 7.4, 7.5, 7.10-12, 7.14, 7.16, 7.18, 7.22-25, 7.27-33, 7.40-47 ; 8.3, 8.9, 8.11, 8.12, 8.14-17, 8.19, 8.22, 8.25, 8.34, 8.45-55, 8.57, 8.59, 8.61, 8.62 ; 9.2, 9.4, 9.18, 9.27, 9.36, 9.39-43, 9.50 ; 10.8, 10.15-18, 10.24, 10.26, 10.28, 10.34, 10.42 ; Chr.16.

René Galbran : 8.27.

Garcia : C.5.

Edgar Gariépy : 4.46 ; 9.13.

Édric-Lactance Giroux : 2.26 ; 6.10, 6.16, 6.17, 6.42, 6.53.

Musée des beaux-arts de Montréal, Christine Guest : 2.16, 2.20, 2.29 ; 3.64, 3.65, 3.68 ; 5.72 ; 6.7, 6.8, 6.60., 6.61, Ximénès, 6.63 La Défense du foyer ; Brian Merrett : 2.19 ; Chr.9.

S. J. Hayward : 4.23.

Hôtel des ventes universelles : 9.11.

Iegor Enchères : 4.50 ; 5.44, 5.45 ; 8.30 ; 9.10, 9.38, 9.52.

Jacques Lacaille : 3.2, 3.3, 3.7, 3.37, 3.38, 3.40, 3.69 ; 7.21 ; 9.37 ; 10.9.

Jean-Onésime Legault : 1.8-11, 1.16 ; 2.5 ; 3.33 ; 5.9-13, 5.17, 5.29, 5.54-69, 5.80 ; 6.13, 6.66 ; 7.41.

Guy L'Heureux : 3.36, 3.45, 3.73 ; 6.11, 6.12 ; 7.26 ; 9.31 ; Chr.15.

Paul Litherland : 5.24, 5.46, 5.51 ; C.14.

Maison Saint-Gabriel : p. 12.

Jean-Pierre Malouin : Chr.7.

Élisée Martel [?] : 3.46 ; 7.20.

Musée d'art de Joliette, François Bastien : 8.24 ; 9.47.

Musée d'art de Joliette : 9.5, 9.48.

Musée de la civilisation, à Québec, Red Méthot-Icône : 4.28, 4.33.

Musée des beaux-arts du Canada : 6.46 ; 8.26.

Musée des beaux-arts de Sherbrooke : 8.28.

Musée Louis-Hémon : 9.20, 9.49.

Musée national des beaux-arts du Québec : 2.44 ; 4.49, 4.65 ; 7.7 ; 8.23.

Gérard Morisset : 1.5.

Gérald Olivier : 9.54 ; C.3.

Roger Parent : 8.63.

La Patrie : 1.1 ; 2.7 ; 4.37 ; 6.25-28 ; C.4, C.12 ; Chr.3.

Daniel Pépin : 7.3 ; 8.29.

Jean-Paul Pépin : 2.33 ; 3.10 ; 8.21.

Photographe inconnu : 1.4, 1.12-15, 1.17 ; 2.1, 2.3, 2.4, 2.8, 2.9, 2.10, 2.14, 2.15, 2.17, 2.21, 2.24, 2.25, 2.31, 2.45-47, 2.50 ; 3.70, 3.76-78, 3.80 ; 4.2, 4.3, 4.7, 4.38, 4.53 ; 5.14, 5.23 ; 6.1, 6.6, 6.14, 6.15, 6.21, 6.22, 6.45 ; 7.8 ; 8.2, 8.4-6, 8.18, 8.20, 8.33, 8.35-43, 8.44 [capture d'écran] ; 8.60 ; 9.1, 9.12, 9.14, 9.15-17, 9.19, 9.21-24, 9.32, 9.33, 9.35 ; 10.2, 10.3, 10.22 ; C.9 ; Chr.14, 17.

Carmen Plamondon : 3.45 ; 7.13, 7.21 ; 10.43.

La Presse : 1.6, 1.7 ; 3.62, 3.74 ; 9.28, 9.29, 9.51 ; C.11 ; Chr.5.

Normand Proulx : 10.1, 10.5-7, 10.10, 10.23, 10.25, 10.27, 10.29-31, 10.36-41, 10.44.

La Pulperie de Chicoutimi, Éric Marcoux : 8.7, 8.8.

Studio Notman : 6.20.

Tayot : p. 12 ; C.7.

Juliette Trottier-Jutras : 2.32.

Univers culturel de Saint-Sulpice, Émile Filion : 2.35 ; Univers culturel de Saint-Sulpice : 1.3 ; C.2, C.9.

Université du Québec à Montréal (UQÀM) : 3.32, 3.39, 3.79 ; 4.30, 4.42, 4.44, 4.45 ; 6.68 ; 7.6, 7.9, 7.36 ; 9.3, 9.6 ; C.1.

En dépit de nos recherches, les ayant droits et les propriétaires de certaines œuvres reproduites dans ce livre n'ont pu être identifiés. Que ceux-ci trouvent ici nos excuses et veuillent bien se faire connaître à nous.

Tables des matières

MARQUIS

Québec, Canada

Achevé d'imprimer le 7 février 2024